René Lévesque
héros malgré lui

DU MÊME AUTEUR

La Poudrière linguistique — La Révolution tranquille, vol. 3, Les Éditions du Boréal, 1990.

La Fin de la grande noirceur — La Révolution tranquille, vol. 1 (nouvelle édition de *Daniel Johnson*, tome 1), Les Éditions du Boréal, 1991.

La Difficile Recherche de l'égalité — La Révolution tranquille, vol. 2 (nouvelle édition de *Daniel Johnson*, tome 2), Les Éditions du Boréal, 1991.

La Révolte des traîneux de pieds. Histoire du syndicat des employé(e)s de magasins et de bureaux de la SAQ, Les Éditions du Boréal, 1991.

René Lévesque, un enfant du siècle (1922-1960), Les Éditions du Boréal, 1994.

Pierre Godin

René Lévesque
héros malgré lui
(1960-1976)

Boréal

Les Éditions du Boréal sont inscrites au Programme de subvention globale du Conseil des Arts du Canada et reçoivent l'appui de la SODEC.

Conception graphique : Devant le jardin de Bertuch.

Photo de la couverture : *La Presse.*

Diffusion au Canada : Dimedia
Diffusion et distribution en Europe : Les Éditions du Seuil

Données de catalogage avant publication (Canada)

Godin, Pierre

    René Lévesque

    L'ouvrage complet comprendra 3 v.
    Comprend des réf. bibliogr. et un index
    Sommaire : [1] Un enfant du siècle, 1922-1960. – t. 2 Héros malgré lui, 1960-1976.

    ISBN 2-89052-641-0 (v. 1)
    ISBN 2-89052-833-2 (v. 2)

    1. Lévesque, René, 1922-1987. 2. Québec (Province) – Histoire – Autonomie et mouvements indépendantistes. 3. Parti québécois. 4. Journalistes – Québec (Province) – Biographies. 5. Premiers ministres – Québec (Province) – Biographies. I. Titre.

FC2925.1.L5G62   1994   971.4'04'092   C94-941419-0
FI053.25.L5G62   1994

Pour Micheline Lachance, sur qui j'ai pu compter à chaque instant, et toujours pour le meilleur, durant la rédaction de ce livre.

CHAPITRE I

Second début

Je ne sais pas si je vais pouvoir vivre longtemps
là-dedans, c'est sale la politique.

RENÉ LÉVESQUE, automne 1960.

Élu à l'arraché dans le comté de Laurier, le 22 juin 1960, René Lévesque amorce sa deuxième vie comme ministre du premier gouvernement libéral depuis 16 ans. Le climat politique est survolté. Son flamboyant chef, Jean Lesage, a dû ordonner à la police de monter la garde autour de l'édifice du Parlement de Québec pour couper toute envie aux anciens maîtres de l'Union nationale de déguerpir avec les documents publics.

René Lévesque a maintenant 38 ans. La fortune lui sourit à nouveau. Depuis son retour de guerre, à l'automne 1945, tant de choses extraordinaires lui sont arrivées qu'il a une réponse toute faite pour expliquer sa bonne étoile. « C'est la vie qui me mène et non moi qui la mène ! » répète-t-il, en haussant les épaules, aux reporters qui le bombardent de questions sur sa victoire surprise dans un comté bleu difficile à prendre de l'est de Montréal.

Ce que la nouvelle star du gouvernement Lesage essaie de dire, c'est que son ascension fulgurante et ses petits triomphes ne sont rien d'autre qu'une enfilade de hasards et non la marque d'un ambitieux assoiffé de médailles qui suit son plan de carrière. En somme, il n'est qu'à moitié d'accord avec un Machiavel pour qui le succès du Prince est dû tantôt à la chance, tantôt à l'action et au calcul.

En réalité, même si les événements le poussent malgré lui, parfois, René Lévesque ne laisse rien au hasard. Il aime forcer le destin. Durant les années 40 et 50, enfant du siècle fébrile, il a parcouru la planète, tantôt en uniforme, tantôt avec un simple micro de reporter. Le monde dans lequel il évoluait semblait fait pour lui, car il se trouvait toujours à la bonne place au bon moment. On l'a vu aussi bien sur les champs de bataille européens que dans les méandres boueux et meurtriers de l'Imjin coréen, et à Radio-Canada, où la télévision naissante qui s'apprêtait à révolutionner l'information l'a consacré tête d'affiche.

Malgré ses airs modestes, « d'humble serviteur », ce petit roi ne manque pas d'ambition. Il sait comment faire tomber les cartes du bon côté. Chez lui, le savoir-faire et le calcul importent. Il a compris qu'être gros poisson dans la mare vaut mieux que petit poisson dans la mer. Aussi faut-il nuancer son affirmation selon laquelle ce sont les événements ou les circonstances qui le mènent par le bout du nez… Jugement expéditif d'un homme trop aspiré par l'action pour prendre le temps de réfléchir sur lui-même.

Car devant une bifurcation, René Lévesque sait d'instinct quelle direction prendre. Comme s'il avait déjà tout prémédité. Et gare à celui qui voudrait lui barrer la route. Il n'hésitera pas à forcer le barrage ni à imposer sa volonté. Même à Jean Lesage.

« J'veux pas être ministre des p'tits vieux »

Trois mois plus tôt, quand son entourage l'avait persuadé de troquer le journalisme, où tout lui réussissait, contre la politique, René Lévesque n'entendait pas avoir lâché la proie pour l'ombre. La politique, c'est du sérieux. Il n'avait pas eu l'intention de se faire élire pour la forme, ni pour qu'on lui serve des « monsieur le député » et des « monsieur le ministre » gros comme le bras. Il voulait changer les choses.

Au début de la campagne, quand Jean Lesage l'avait convoqué à l'hôtel Windsor, il avait carrément manifesté son intérêt presque démesuré pour le domaine des richesses naturelles. Pour l'électricité surtout, dont cet enfant de la Gaspésie conserve des souvenirs plutôt amers. Il ne lui avait pas caché sa détermination de contester, à la première occasion, le flou et la faiblesse du programme libéral sur cette question. Il avait son plan.

« Hydro-Québec, c'est la seule chose vraiment à nous, avait-il dit à Jean Lesage. Tout futur aménagement hydraulique devrait lui être confié.

— Bien, on en reparlera… », avait coupé Jean Lesage sans rien promettre.

En réalité, René Lévesque passe près de ne jamais toucher à l'hydro-électricité. Peu après la victoire, dans la nuit tiède de Saint-Jovite où le nouveau premier ministre forme son Cabinet en essayant de contenter tout le monde et son père, il a tôt fait de comprendre que son chef a d'autres plans pour lui. Lesage lui propose en effet le Bien-être social, allégé cependant du secteur Jeunesse, lorgné par Paul Gérin-Lajoie, autre jeune loup de la future « équipe du tonnerre », présent comme lui à la réunion secrète.

« J'veux bien, bougonne René Lévesque en cachant mal son dépit, mais j'veux pas être seulement ministre des p'tits vieux ! »

Au fond, le B. S. ne lui dit rien qui vaille. Et dans la salle enfumée du chalet de bois rond où Lesage s'est réfugié, sa femme Corinne, qui ne perd pas un mot des tractations entre son mari et ce René Lévesque dont elle se méfie déjà, l'a compris.

Celle que la presse baptisera bientôt « la Corinne parlementaire », à cause de son influence sur le chef du gouvernement, est une belle femme de la capitale qui ne se fait jamais prier pour ajouter son grain de sel. Corinne Lagarde a tout de la bourgeoise respectable de la Grande-Allée, et rien de la personnalité populiste et brouillonne de la nouvelle tête d'affiche libérale.

Assise avec Louise L'Heureux, la femme de René Lévesque qu'il a emmenée avec lui pour une fois, et Andrée, celle de Paul Gérin-Lajoie, elle fait remarquer, d'une voix assez forte pour déchirer le tympan de son mari, que c'est « Jean » le premier ministre et que c'est à lui de décider.

La famille serait au grand complet si Georges-Émile Lapalme, prédécesseur de Jean Lesage à la tête du Parti libéral, ne boudait pas dans son nouveau fief d'Outremont. C'est pourtant lui qui, la veille du caucus secret de Saint-Jovite, a téléphoné à René Lévesque pour l'avertir que Jean Lesage songeait à le désigner au Saint des Saints. Il y avait du fiel dans sa voix. L'ancien chef libéral, désormais député d'Outremont, digérait mal le triomphe de son successeur, lui qui en avait tant bavé du temps de l'inamovible Maurice Duplessis qui le ridiculisait : « Lapalme, c'est le meilleur chef de l'opposition que je puisse souhaiter, il le restera toute sa vie ! »

Peu enclin à prêter attention aux états d'âme de l'homme dont il admire en revanche la culture politique et l'esprit réformiste, René Lévesque lui a plutôt demandé sur le ton faussement inquiet de celui qui connaît déjà la réponse : « Est-ce que je serais mieux d'aller à Saint-Jovite ?

— Vous seriez mieux d'y aller, oui. Il y en a qui téléphonent pour se faire inviter. Vous, Lesage demande que vous montiez… »

Mais lui, Georges-Émile Lapalme, ne se montrera pas le bout du nez — et il l'a gros — à Saint-Jovite, même si c'est un beau coin, a-t-il dit, avant de couper la communication.

De tous les rouges élus le 22 juin, il est sûrement le seul à ne pas sabler le champagne ! Le soir de la victoire, il a même téléphoné à Jean Lesage depuis Outremont pour le féliciter. En l'avisant du même souffle qu'il se retirait de la vie politique…

Avant de prendre la route de Saint-Jovite, Jean Lesage avait invité son prédécesseur bilieux au Windsor, son hôtel montréalais favori, dans l'espoir de l'apaiser et aussi d'établir les bases d'une future collaboration. Il lui avait montré alors la liste des membres de son futur Cabinet. Le député d'Outremont y figurait comme procureur général.

Jean Lesage avait encaissé un refus. Pas question pour le mal-aimé de devenir son ministre de la Justice. Les Affaires culturelles lui auraient convenu à la rigueur, mais ce futur ministère n'était encore qu'une promesse électorale.

À Saint-Jovite, Paul Gérin-Lajoie, qui attend son tour, assiste imperturbable à l'entreprise de séduction de René Lévesque qui tente de convaincre son chef d'en faire son ministre de l'Électricité. Son argumentaire serré impressionne Jean Lesage. Le député vedette réussit son numéro de charme et joue si bien ses dés qu'il se retrouve au bout du compte avec deux ministères sur les bras. Mais pas le Bien-être social.

D'abord, il obtient ce qu'il veut plus que tout : les Ressources hydrauliques détenues auparavant par Daniel Johnson. Rebaptisé ministère des Richesses naturelles, il englobera les Mines, et peut-être aussi la Forêt.

Souverain désigné du royaume électrique québécois, René Lévesque devra cependant gérer un second ministère : les Travaux publics. Un véritable nid de gaspillage que le moderne Jean Lesage veut soumettre à la rigueur administrative telle qu'il l'a connue durant ses années comme ministre à Ottawa.

Le premier ministre souhaitait nettoyer lui-même les écuries de l'ancien régime. Mais la journée n'a que 24 heures. Et comme il a déjà plus que sa part avec les Finances et les Affaires fédérales-provinciales, il demande à René Lévesque de faire le ménage à sa place dans ce monde moins… électrisant de la corruption politique.

Une nomination surprise qui témoigne de la confiance du premier ministre envers celui qui, durant la campagne électorale, posait au Saint-Just de l'intégrité politique, accablant d'injures les « patroneux » unionistes ravalés au rang de « détrousseurs de tombeaux ».

À côté de lui, Paul Gérin-Lajoie est dans ses petits souliers. La veille, c'est un Jean Lesage pourtant rassurant qui lui avait donné un coup de fil.

« Paul, j'aimerais que vous veniez à Saint-Jovite. Dans la paix, nous discuterons du gouvernement et du Cabinet. Emmenez votre femme, Corinne sera là et René Lévesque aussi avec Louise. »

Paul Gérin-Lajoie est perplexe. Depuis le congrès libéral de mai 1958, où il avait osé lui contester le leadership libéral, une montagne de méfiance le sépare du nouveau chef. L'impétueux Lesage avait alors écrasé le jeune loup en moins de deux avec l'appui de la vieille garde que le maladroit avait traitée de « petite clique » en frappant un peu trop violemment le lutrin.

Mais c'est moins cette défaite cuisante qu'un revirement antérieur de Jean Lesage qui l'a outré. Au cours d'un lunch bien arrosé, au parlement fédéral où il brillait déjà, Jean Lesage lui avait juré en lui tapotant l'épaule : « Jamais je n'irai à Québec, mon lit est fait à Ottawa ! Allez-y, Paul, vous êtes le meilleur, je vais vous appuyer de loin… » Quelques semaines plus tard, souffrant d'amnésie, le beau Jean s'était porté candidat au leadership contre lui.

À Saint-Jovite, sur les bords sablonneux du lac Ouimet, il s'en faut de peu pour que ce grand constitutionnaliste issu d'Oxford se voie à nouveau privé de l'objet de sa convoitise : l'Éducation. Jean

Lesage entend en effet confier le nouveau ministère de la Jeunesse, dans lequel il a fourré l'Éducation, à Émilien Lafrance, coloré député de Richmond que la vue d'un seul soiffard suffit à transformer en fanatique de la tempérance. Il lui offre plutôt la Justice dont n'a pas voulu Georges-Émile Lapalme. Une douche froide pour Paul Gérin-Lajoie qui doit, comme René Lévesque, forcer la main du premier ministre. « Vous n'avez pas l'air content, Paul, s'amuse Jean Lesage.

— Pourquoi moi, procureur général ? proteste le député en imitant la tactique de René Lévesque. Pourquoi ne nommez-vous pas Lapalme ?

— Georges ne veut pas de ministère. Je vais le nommer vice-premier ministre et ministre sans portefeuille…

— Je ne veux pas être ministre de la police, insiste encore le député en pastichant toujours René Lévesque. Je ne serais pas dans mon élément…

— Voyons donc, Paul, tu ferais ça aussi bien que Ti-Toine Rivard ! » ricane Corinne Lesage, depuis son siège.

L'auteur de *Constitutional Amendment in Canada,* brique savante qui fait autorité en matière constitutionnelle, est piqué au vif. Être comparé à « Ti-Toine » Rivard, l'ancien ministre de l'Union nationale ridiculisé par les caricaturistes après que Duplessis lui eut intimé l'ordre de se taire en pleine conférence de presse, c'est un peu fort !

Finalement, Paul Gérin-Lajoie obtiendra « son » Éducation, comme René Lévesque « son » Électricité. Il avait pourtant fini par se résigner à devenir ministre de la Justice quand, à la veille de la prestation de serment du nouveau Cabinet, un Jean Lesage bon prince lui annoncera : « Paul, vous allez être ministre de la Jeunesse. Georges s'est ravisé, il accepte d'être procureur général. »

Comme ministre de la Jeunesse, Paul Gérin-Lajoie aura l'entière responsabilité d'un système d'éducation archaïque et antidémocratique qui fait des Québécois le groupe le moins scolarisé du Canada. Sa mission sera d'envoyer les francophones à l'école.

Sous les verts palmiers du Salon rouge

Le 5 juillet 1960, la désignation de René Lévesque aux Travaux publics et aux Ressources hydrauliques étonne tout le monde. La veille même de la prestation de serment, Pierre Laporte, correspondant du *Devoir*, le voyait au Secrétariat de la province ou aux Affaires culturelles. « C'est un naturel pour l'un de ces deux postes », avait décrété le journaliste qui se piquait d'être bien informé.

Le matin de la cérémonie, Pierre Laporte en remet. Des sources irréfutables l'ont assuré, et c'est aussi sa conviction intime (ou son idée fixe), que le séjour de l'ancienne star de la télé dans un ministère à vocation économique serait de courte durée. Le temps de se faire des dents de ministre pendant qu'on créera le ministère des Affaires culturelles auquel Jean Lesage le destine tout naturellement.

René Lévesque a beau avoir dans sa poche sa carte de l'Union des artistes, c'est mal le connaître que de l'imaginer en dispensateur de prix littéraires et de bourses d'études. Il n'est pas réfractaire à la culture, loin de là, mais la politique, il la conçoit avant tout comme un levier pour sortir de leur Moyen Âge social et économique les pauvres *Canayens*, comme il appelle les Canadiens français. Et à ses yeux, la réappropriation et le développement des fabuleuses richesses naturelles dont regorge le Québec ont quelque chose à y voir.

Le 5 juillet, donc, spots de télé et éclairs de magnésium embrasent les dorures du Salon rouge. La Chambre haute de l'unique Parlement francophone d'Amérique du Nord doit son surnom à sa magnifique moquette pourpre piquée de fleurs de lys sur laquelle des invités triés sur le volet se marchent sur les pieds.

Tous les yeux, et plus encore ceux des élégantes de la bonne société libérale, dévorent Jean Lesage dont le teint basané s'accorde avec les palmiers géants disposés çà et là au pied des fenêtres en arc de la Chambre haute. Ici, pour ne pas faire ombrage sans doute au Sénat d'Ottawa, la deuxième Chambre porte le nom plus modeste de Conseil législatif et les sénateurs, celui de conseillers législatifs.

En pleine forme, resplendissant comme un soleil, grisé déjà par le parfum de sa puissance toute neuve, Jean Lesage s'empare de la moindre main tendue, la retient un instant dans la sienne, sourit largement en parlant fort : « Ce qui vient de se produire, c'est plus qu'un changement de gouvernement, c'est un changement de vie… » Les journalistes notent la formule, qui fera la manchette du lendemain.

Grandiloquence à la Jean Lesage. Alors que s'amorce la décennie triomphaliste du rien-n'est-impossible-sur-cette-terre, pareille formule ne fait même pas pompier. Comme le dirait plus tard un jeune économiste encore inconnu du nom de Claude Morin : « La victoire de Jean Lesage signifiait que tout devenait possible. C'était comme viser une grange avec une carabine à 10 pieds de distance : impossible de la rater ! »

Autour du vainqueur du 22 juin, 15 ministres attendent de prêter serment dans un froufrou de satin et de chuchotements très Vieille Capitale. C'est jour de triomphe pour les élus à qui la foule des parents, amis et notables qui occupent chaque pouce carré du parquet ne ménage pas les applaudissements.

Plus près du chef, les poids lourds du nouveau Cabinet. Le ministre de la Justice Georges-Émile Lapalme, distant et morose, cela va de soi. René Hamel, le vieil ennemi de Maurice Duplessis, qui avait brigué la direction du parti, en 1958, contre Jean Lesage, mais qui doit se contenter aujourd'hui d'être ministre du Travail et des Affaires municipales.

Et un petit homme nerveux qui a oublié d'endosser le smoking. C'est René Lévesque, qui aimerait mieux se trouver à mille lieues sous les mers avec le Jules Verne de son enfance, que sous le palmier qui le coiffe et dont le vert criard, non plus que l'éblouissement des flashes, n'arrive pas à éclipser sa gêne.

Mais René Lévesque n'a pas le choix. Il doit céder aux conventions et jurer solennellement, sous l'œil approbateur de son chef, de servir « bien et fidèlement » les intérêts de Sa Majesté et de sa Province ; et de ne jamais révéler les secrets d'État, obligation qu'il aura bien du mal à respecter quand il voudra faire progresser ses dossiers.

Après quoi la famille Lévesque s'empare de son héros pour la photographie d'usage avant qu'il ne se sauve derrière une porte. Debout sous un palmier — encore ! — le nouveau ministre rajuste tant bien que mal son costume marine dont le pantalon trop court laisse voir des chaussettes d'un beau bleu bébé.

Sa mère, Diane Dionne, rayonne de fierté. Elle lui pardonne pour une fois de ne pas avoir terminé son droit. À côté d'elle, sa fille Alice, qui lisse précieusement sur ses genoux sa cape de fourrure, et la femme de son fils Fernand, Marie-Paule Dion, dont les avant-bras sont gainés de blanc.

Le futur architecte de la réforme de l'éducation et, à l'occasion, rival du député de Laurier, Paul Gérin-Lajoie, parade lui aussi. Mais contrairement à son collègue qui grimace d'inconfort, il affiche un sourire superbement détaché qui déguise à peine sa satisfaction. Toujours tiré à quatre épingles, ce beau Brummel moustachu est tout le contraire du mal attriqué Lévesque. En fait, il donne l'impression de sortir de la cuisse de Jupiter, lui dont la grand-mère, Marie Gérin-Lajoie, descend de sir Alexandre Lacoste, le grand avocat du Bas-Canada. Durant les années 20, championne de la cause des suffragettes, même si elle détestait le mot, elle avait publié *Le droit usuel pour les femmes,* un traité qui l'avait fait entrer dans la légende.

Mais ses armoiries familiales n'ont pas le moindrement aidé Paul Gérin-Lajoie à se faire élire dans Vaudreuil-Soulanges, où il est passé de justesse, comme René Lévesque dans Laurier, par une mince majorité de 149 voix.

S.O.S. au beau-frère

Venu saluer l'ami René à la suite de sa nomination comme ministre des Travaux publics, le bouillant leader syndical Jean Marchand, qui a fait la grève à Radio-Canada avec lui et est passé à un cheveu de lâcher la CSN pour le suivre en politique, se fait demander : « Comment on fait ça, des ponts ? Le sais-tu, toi ?

— Non, aucune idée…

— Eh ben ! c'est ma job ! »

Quand Philippe Amyot, mari de sa sœur Alice qui brasse des affaires depuis qu'il a l'âge de raison, lui téléphone à son tour, il entend un S.O.S. : « Philippe, veux-tu venir me donner un coup de main ? Les contrats, je ne connais rien là-dedans ! »

Comment dire non à cet apprenti politicien à qui le premier ministre Jean Lesage vient de donner droit de vie et de mort sur l'octroi des contrats de l'État ?

Philippe Amyot a des intérêts dans Vandry Inc., compagnie qui vend des produits électriques au gouvernement, et dans Photo Air Laurentides, société spécialisée dans la cartographie aérienne qui transige avec les Ressources hydrauliques. Un jour, il pourrait bien avoir besoin de la bénédiction du beau-frère. Aussi est-il prêt à aller lui mâcher toutes les clauses de contrats qu'il voudra lui soumettre.

Lorsque Philippe arrive au ministère, il découvre monsieur le ministre à quatre pattes, au milieu des contrats accordés par l'Union nationale avant la défaite et qu'il a éparpillés sur le plancher. Au collège, René Lévesque boudait les chiffres. Aujourd'hui, il s'en mord les pouces. Sans l'aide de Philippe, il serait bien en peine de dire si les colonnes de prix parfois astronomiques qu'il détaille sont justifiées, si les dépassements de coûts relèvent de la fraude pure ou d'imprévus plausibles.

Après quelques heures à s'arracher les cheveux, les deux limiers improvisés vont manger. Au retour, René Lévesque trouve sur son bureau une grande enveloppe gonflée de beaux billets.

« Un joli magot ! » s'exclame Philippe, qui pige vite. Sur la partie supérieure gauche de l'enveloppe, le nom d'une grosse compagnie d'assurances faisant affaire avec le gouvernement. Le ministre s'empare du téléphone et demande à son président : « Pouvez-vous me dire pourquoi vous m'offrez de l'argent ?

— Mais, monsieur Lévesque, vous êtes ministre des Travaux publics, répond l'assureur, étonné de la question. Nous faisons ça trois fois par année. Ça marchait comme ça avec monsieur Lorrain*. »

Voilà donc ce que ça signifie de se trouver en plein dans le Saint des Saints du patronage. Pour être bientôt cousu d'or, il suffit de fermer les yeux, d'encaisser les pots-de-vin glissés discrètement dans une enveloppe, et surtout de ne pas se laisser étouffer par la morale.

« Je vous retourne votre cadeau, répond René Lévesque, mais je déduirai de nos primes à vous verser le montant que vous avez mis dans l'enveloppe… »

Un après-midi, un autre entrepreneur tente aussi de l'acheter. « Vous oubliez quelque chose, monsieur, lui dit-il l'air méchant en lui lançant les billets laissés sur sa table.

— Non, non, prenez-les, monsieur le ministre, ils sont à vous ! » insiste le corrupteur, avant de se faire jeter hors du bureau.

Ce soir-là, alors qu'il dîne chez son frère André et sa femme, Cécile Proulx, René Lévesque remarque d'un ton frisant le découragement : « Si j'avais accepté tout ce qu'on a mis sur mon bureau, je serais déjà millionnaire. Ça n'a aucun bon sens ! Je ne sais pas si je vais pouvoir vivre longtemps là-dedans. C'est sale, la politique… »

---

* Roméo Lorrain, précédent ministre des Travaux publics.

CHAPITRE II

L'empire des patroneux contre-attaque

Je n'ai aucun intérêt pour l'argent ni pour des
amis puissants qui en ont beaucoup.

RENÉ LÉVESQUE, *Time,* juillet 1960.

À peine René Lévesque a-t-il eu le temps de serrer la vis aux acheteurs de faveurs que son chef l'immobilise dans une série de réunions du Cabinet qui se succèdent à un rythme d'enfer durant tout l'été. L'ancien capitaine de l'armée de réserve, Jean Lesage, a conservé un goût prononcé pour la discipline : il exige de ses 15 ministres une ponctualité martiale.

Ils sont donc tous là à 9 heures pile et ils ne sortent de la salle lambrissée du Conseil exécutif que 12 heures plus tard. Le cliché officiel diffusé dans la presse montre un premier ministre à la mine grave et souffrant d'un léger embonpoint. Jean Lesage a pris place à l'une des extrémités de la longue table de bois massif qui a accueilli avant lui les trois derniers chefs de l'Union nationale : Maurice Duplessis, Paul Sauvé et Antonio Barrette.

Derrière son dos, un grand fleurdelisé occupe la moitié du mur. Dans l'ordre protocolaire, René Lévesque vient au sixième rang. Il est assis à la droite de Jean Lesage, avec Paul Gérin-Lajoie et

Georges-Émile Lapalme. Viennent ensuite de chaque côté de la table les autres ministres. Tous membres, pour le meilleur et pour le pire, de la vaillante équipe du tonnerre.

Chef absolu, et le seul du groupe à posséder une expérience ministérielle, Jean Lesage affiche ses couleurs dès les premières réunions du Conseil exécutif. Connaissant les pièges du pouvoir et ses tentations multiples, des conflits d'intérêt aux fugues discrètes avec des courtisanes séduites d'avance, il assortit ses directives de mises en garde sévères.

La réforme libérale commence par l'épuration des pratiques qui ont finalement perdu l'Union nationale. L'ennemi à abattre : le « patroneux » professionnel. En sortant du premier caucus de ses 50 députés, Jean Lesage déclenche la guerre à l'immoralité politique et envoie du même coup un message à la population et à ses propres partisans : « Nous avons décidé de mettre fin à la plaie du patronage et il n'y a parmi nous aucune voix discordante », affirme-t-il au milieu d'un silence impressionnant où on aurait pu entendre voler une mouche, note la presse non sans ironie. Après un si long jeûne, les élus salivent déjà à la pensée de l'assiette au beurre. Pourtant, le message du chef est facile à décoder : il ne badinait pas durant la campagne électorale quand il jurait d'extirper le chancre du patronage de l'âme québécoise.

Jean Lesage envoie le même signal à ses ministres à qui il lit une prise de position contre le patronage qu'il ira défendre à la télévision. Il leur apprend aussi qu'il mettra sur pied une commission royale d'enquête pour faire la lumière sur la louche affaire du gaz naturel, dévoilée en juin 1958 par *Le Devoir,* qui a permis à une dizaine de ministres bleus d'empocher des profits à même les fonds publics.

Il demande à chacun de ses ministres de passer au peigne fin ses classeurs. Il veut la liste des groupes qui parasitent le budget des ministères, celle des compagnies d'assurances qui transigent avec les départements, offices et régies, et enfin, celle des baux des édifices gouvernementaux.

Le premier ministre instaure l'austérité. Désormais, l'avion ne servira que pour les voyages officiels. Interdiction absolue d'y monter pour se rendre dans son comté, chez soi, à la pêche ou sous les cocotiers avec son attachée politique préférée. Même souci d'économie en ce qui concerne les limousines. Elles seront toutes vendues sauf trois ou quatre. Chaque ministre recevra plutôt une allocation mensuelle de 200 $ pour couvrir le coût de ses déplacements.

Ce n'est pas René Lévesque qui protesterait contre ce vent de probité. N'empêche qu'à la séance du Conseil des ministres du 30 septembre, il sera le premier à contester le réalisme de cette mesure, ses propres dépenses de voyage entre Montréal et Québec dévorant plus que les maigres 200 $ alloués.

Les limousines reprendront donc du service peu après ; et bien d'autres petits luxes réapparaîtront… Bientôt, la presse montera en épingle la politique de grandeur de Jean Lesage dont le *jet* personnel acheté à prix fort deviendra le symbole le plus visible. Pour l'instant, il est permis de prêcher la vertu.

S'il y a un milieu où la révolution paraît plus nécessaire encore, c'est chez les gratte-papier du gouvernement. Le fonctionnarisme québécois constitue le maillon faible de cet État que Jean Lesage veut soumettre à l'efficacité administrative. Très mal payés et pourris dès leur embauche par le patronage, les fonctionnaires s'attiraient le mépris ouvert de Maurice Duplessis : « Je peux avoir deux bons à rien pour le prix d'un bon. Alors, je ne vois pas pourquoi je me gênerais… »

Jean Lesage énonce sa grande priorité : chasser le favoritisme du recrutement des employés de l'État. Celui-ci obéira désormais à un système de concours et d'examens, comme à Ottawa. Et ceux qui se sont permis des activités partisanes ? « Ils devront subir les conséquences de leurs actes », promet le premier ministre.

Jean Lesage veut bâtir un Québec moderne conforme à ces fébriles années 60 qui s'apprêtent à marquer la planète tout entière. D'une voix posée, il annonce à ses ministres la création de quatre nouveaux ministères : Affaires culturelles pour « Georges », Richesses naturelles pour « René », Bien-être et Famille pour « Émilien », et Affaires fédérales-provinciales pour lui-même.

« Paul » devra patienter un peu avant d'avoir son ministère de l'Éducation. Une idée trop radicale et trop laïque qui bouscule les évêques, jaloux de leur prépondérance plus que centenaire en ce domaine. Sans compter que Jean Lesage lui-même a besoin d'être convaincu. Pour la gratuité scolaire, c'est plus sûr. Elle verra le jour en 1961, comme l'assurance-hospitalisation, qui figurait aussi au catalogue électoral. La réforme de la police et de la Commission des liqueurs suivra.

Par contre, la réforme électorale attendra. René Lévesque accepte le décret de son chef qui lui précise le mandat dont il devra s'acquitter aux Travaux publics en attendant son nouveau ministère des Richesses naturelles : nettoyer rapidement ce nid de parasites. C'est là que Gérald Martineau, petit homme blême qui gérait la caisse de l'Union nationale, ramassait les contrats plantureux pour les distribuer ensuite aux entrepreneurs du régime, obligés de lui verser le denier de saint Pierre.

René Lévesque devra d'abord fournir au Cabinet un rapport détaillé de tout ce qui se trame dans cet antre du népotisme et du favoritisme. Une fois le diagnostic posé, il procédera par appel d'offres public pour tout contrat supérieur à 25 000 $. Au-dessous de cette somme, Jean Lesage lui suggère de s'adresser à un nombre restreint d'entrepreneurs. « Aux Ressources hydrauliques, lui dit-il encore, tenez-vous-en à l'appel d'offres par la voie des journaux. »

Exhibant une montagne de lettres adressées à l'Office de l'électrification rurale, Jean Lesage le prie d'accorder « une attention toute spéciale » aux nombreuses plaintes qu'elles expriment. À Radio-Canada, René Lévesque n'était pas du genre pressé d'accuser réception des lettres empilées sur son bureau. Il jure de faire amende honorable et profite de l'occasion pour accuser Daniel Johnson, son prédécesseur aux Ressources hydrauliques, d'avoir quitté son poste en emportant toute la revue de presse payée par la Province : « Quand je suis entré au ministère, la moitié des classeurs étaient vides. Il ne restait plus que sept dossiers, d'ailleurs tous incomplets. Une machine à écrire avait même disparu avec le reste !

— Prenez les moyens pour qu'il les restitue », lui ordonne Jean Lesage en levant la séance du Cabinet.

L'ingénieur Pix à la rescousse

René Lévesque n'a pas encore vu le fin du fin du coulage. Mais il a besoin d'aide pour terrasser ce « poulpe géant qui prenait les bouchées doubles sous l'ancien régime », comme il dit parfois.

« N'oublie pas que je suis ingénieur civil ! lui dit son ami d'enfance, Marc Picard.

— Justement, je pensais à toi, Marc. J'ai besoin de quelqu'un à qui je peux me fier. Viens me voir… »

Marc Picard, c'est le « Pix » de la bande des Marceau de la Grande-Allée qui l'a initié 20 ans plus tôt aux joies parfois troubles de la vie urbaine alors qu'il débarquait de sa Gaspésie natale. Il lui est précieux pour renégocier les contrats accordés à la sauvette par l'Union nationale avant les élections. Des contrats scandaleux. Les amis de l'ancien régime encaissent des profits de 100 pour cent, découvre bientôt l'ami Pix. Le mot d'ordre de René Lévesque devient : coupons ! Et on coupe, parfois jusqu'à 60 pour cent. Les entrepreneurs grincent des dents. Marc Picard apprend aussi que le trésorier de l'Union nationale, Gérald Martineau, distribuait lui-même la manne. La règle : aucun contrat n'était accordé sans que l'entrepreneur verse au moins 10 pour cent à la caisse du parti.

Paradoxalement, les charges publiques vitrioliques de Jean Lesage contre le favoritisme ne semblent pas ébranler les « contracteurs ». Ils croient toujours dur comme fer que, s'ils ne versent pas l'obole miraculeuse à René Lévesque, le contrat convoité leur passera sous le nez.

« Ne faites surtout pas ça ! », les prévient Marc Picard avant de les introduire dans le bureau de son ami.

Quand ils en ressortent, ceux qui ont osé lui faire miroiter les 10 pour cent ont la face longue. L'un d'eux, qui exhibe de gros diamants au doigt et à la cravate, a l'air d'avoir rencontré le diable en personne. Et pour cause : le ministre lui a ordonné de réduire de moitié sa facture mirobolante. Il a sauvé ses diamants, mais perdu ses profits immoraux.

Cette petitesse d'un régime au service des intérêts particuliers, moyennant une ristourne à la caisse électorale, déprime littéralement René Lévesque. Pourtant, ses anciens collègues journalistes, qui ignorent tout du miasme quotidien dans lequel il baigne, le croient au paradis : « Il est tout à fait heureux, soutient Pierre Laporte, du *Devoir*. Il donne la preuve, à ceux qui en doutaient, qu'il sait être un homme d'équipe, un compagnon de travail prêt à faire sa part. Prépare-t-il une révolution de palais ? Ce n'est pas son genre. Mais il promet un heureux demain en se préparant à être un administrateur chevronné… »

Spéculation qui contient du vrai. René Lévesque n'a aucune

raison de « sacrer son camp », car il n'est pas seul à se battre contre les prédateurs du bien public. Le comité de révision des contrats du Conseil des ministres, créé par Jean Lesage, le soutient à fond.

Chaque ministre rivalise de vertu avec son voisin. Bernard Pinard, qui a l'oreille de Jean Lesage, fait à la Voirie, autre ruche à corruption très bourdonnante, ce que René Lévesque accomplit aux Travaux publics. Il a un succès fou auprès de ses confrères à qui il apprend, après avoir épluché un à un les contrats reliés au pont de Drummondville, dans son comté, que les lampadaires achetés sans appel d'offres par l'ex-gouvernement ont coûté la bagatelle de 1 800 $ pièce. Le prix courant est de 400 $…

Émilien Lafrance, le ministre de la Famille, annonce qu'il a résilié un contrat de construction d'un centre d'accueil trop fabuleux pour être honnête. À la Santé, le Gaspésien Alphonse Couturier ne veut pas être en reste et révèle qu'il a mis le holà à la construction des hôpitaux accordés par l'ancien régime. Alcide Courcy, ministre mal équarri de l'Agriculture, demandera de nouvelles soumissions publiques pour des travaux d'envergure à l'École d'agriculture d'Oka, celles des bleus tenant du vol organisé.

Et René Lévesque ? Il a arrêté tous les travaux jugés inutiles et qui constituaient un gaspillage évident de fonds publics. Il a constaté avec Marc Picard que le niveau moyen du coulage sous l'Union nationale se situait autour de 15 pour cent.

Le grand ménage va bon train. Mais trop de ministres coupent de leur propre chef. La situation devient chaotique. La presse révèle que les ministres Lafrance et Couturier ont résilié des contrats sans même consulter le ministre des Travaux publics. Lors d'une séance du Cabinet, présidée par le vice-premier ministre Lapalme, René Lévesque explose : « C'est la confusion totale dans la construction des édifices publics, que ce soit les hôpitaux ou les écoles ! Tous les travaux devraient relever de mon ministère, autrement on marchera à l'aveuglette et on se trouvera liés par des contrats qui n'ont aucun sens ! »

Georges-Émile Lapalme lui donne raison et suggère aux collègues de mettre la pédale douce jusqu'au retour du premier ministre.

« Dorénavant, tranchera à son tour Jean Lesage, tous les plans et devis, les demandes de soumissions publiques et l'exécution des travaux seront sous le contrôle des Travaux publics. »

Ce premier ministre formé à Ottawa aime les choses bien faites. Comment pourrait-il désavouer la rigueur et le bon sens de son ministre ? En matière de moralité politique, Jean Lesage est également au même diapason que lui. Tout aussi intransigeant, mais pas néophyte. Avant de frapper, il consulte son légiste à la voix aiguë, Louis-Philippe Pigeon, celui-là même à qui René Lévesque doit d'avoir été expulsé de la faculté de droit de l'Université Laval, à Noël 1943, et qui deviendra son allié.

Mais le gouvernement a-t-il le droit de rompre les ententes de l'ancien régime avec les entrepreneurs en invoquant l'absence d'appel d'offres ?

À première vue, oui. L'article 8 de la Loi des travaux publics votée jadis par Maurice Duplessis est on ne peut plus clair : « Il est du devoir du ministre de demander des soumissions par annonces publiques. » L'Union nationale a donc violé sa propre loi. Alors, où est le problème ? C'est que la plupart des contrats ne comportent pas de clause de résiliation. Et de plus, les précédents fédéraux montrent que les tribunaux donnent toujours raison au plaignant, rarement au ministre. La conclusion de son ancien professeur de droit est de nature à refroidir le zèle de René Lévesque : « L'on ne peut être sûr de pouvoir faire juger invalides par les tribunaux les contrats accordés sans soumission publique. »

Comme pour confirmer ce verdict, René Lévesque révélera à la fin de l'automne que la plupart des travaux suspendus durant la période de transition ne l'avaient été que quelques semaines tout au plus. Après avoir forcé les entrepreneurs à réduire leur facture, l'activité avait repris de plus belle sur les chantiers.

Quand voler l'État n'est pas voler

Le système d'appels d'offres de René Lévesque relève de la morale jacobine. Il n'a qu'une idée : en finir avec cette habitude québécoise de se graisser la patte dès lors qu'on vend quelque chose à l'État. Depuis les années 30, piller le bien public n'est pas du vol et conclure une entente en gonflant les coûts ne fait pas injure à un catholicisme artificiel qui ne s'offusque pas de voir la morale sociale transgressée.

La purification des mœurs politiques hantera toute la vie de René Lévesque. « Oui, un homme politique peut demeurer honnête ! », dit-il dès l'automne 1960 aux membres plutôt sceptiques de la Ligue des citoyens de Saint-Jean. Un autre jour, alors qu'il s'adresse à ses pairs du Salon de la race, il joue les prophètes : « Le patronage disparaîtra complètement... »

Peut-être, mais il lui faudra d'abord détruire la tradition solidement enracinée d'immoralisme public qui remonte à bien avant le gouvernement Duplessis, au temps du libéral, Alexandre Taschereau, qui régnait par le népotisme et la corruption : salaires sans travail, postes sans titulaire, détournements de fonds publics au profit du clan familial, privilèges indus, conflits d'intérêt et tout le saint-frusquin du favoritisme.

Pas moins de 107 membres de sa famille cannibalisaient le budget de l'État, à commencer par son frère, Antoine Taschereau, greffier du Conseil législatif et comptable de l'Assemblée législative, qui déposait les fonds de la province à son compte personnel dans une succursale de la Banque canadienne nationale dirigée par son fils, John Thomas Taschereau...

Maurice Duplessis avait réclamé des explications : « L'argent public n'est pas l'argent de la famille Taschereau ! » Un duel orageux avait suivi l'aveu du premier ministre qui, en voulant défendre son frère, commit l'imprudence de lancer : « Je prends les intérêts de la province à cœur...

— Pardon, moi je ne les prends pas, je les laisse à la province ! », avait répliqué le chef de l'Union nationale, jamais à court de bons mots.

Une fois au pouvoir, en 1936, Maurice Duplessis était vite tombé dans la même mélasse, même après avoir sillonné la province en répétant : « Nous agrandirons les prisons s'il le faut pour y mettre tous les profiteurs du gouvernement Taschereau ! » Comme René Lévesque aujourd'hui, le chef de l'Union nationale avait fait adopter une Loi des travaux publics qui obligeait le ministre à faire appel à des soumissionnaires. Mais il avait tôt fait de la contourner.

Premiers appels d'offres

Aux Travaux publics, René Lévesque vole de surprise en surprise. À l'époque des bleus, les ponts et routes étaient au coulage ce que les permis d'alcool étaient aux pots-de-vin. Pendant que la province se donnait une infrastructure routière importante, nécessitée par son développement industriel autant que par sa volonté toute gauloise de rattraper le retard face à l'éternel rival ontarien, les profiteurs du régime « faisaient la palette ».

Comme disaient alors les libéraux de Georges-Émile Lapalme : « C'est dur de se battre contre de l'asphalte et des ponts. »

Ce que René Lévesque découvre, c'est que les ponts coûtaient ici deux fois plus cher qu'en Ontario ou aux États-Unis. Entre 1944 et 1952, les duplessistes avaient saigné le trésor public de plusieurs millions de dollars avec leurs ponts construits sans soumissions, à Chicoutimi, Senneterre, Valleyfield et Saint-Romuald, pour ne nommer que ces endroits.

Il trouve dans les dossiers de l'ancien gouvernement 17 contrats de ponts déjà attribués et évalués à plus de 4 millions de dollars. Il convoque les entrepreneurs à qui il impose des coupures totalisant 669 277 $. Sidéré par l'ampleur du gaspillage, le député de Laurier étale ses humeurs dans la presse. À Donnacona, dit-il, les travaux ont commencé plusieurs semaines avant que le gouvernement ne fasse appel aux soumissions… pour la forme.

Dans la partie ouest de l'île de Montréal, on a construit un pont et des routes en se passant de l'étude d'ensemble pourtant demandée par les fonctionnaires. Entre Montréal et Québec, l'ancien gouvernement a commencé un pont sans étude préliminaire et sans appel d'offres.

La pire histoire reste la construction des deux ponts de l'île aux Allumettes. Le premier, construit par Québec sans appel d'offres, a coûté 1 385 000 $. Le second, construit par le fédéral après soumissions, n'a coûté que 867 387 $, même s'il était plus long de 400 pieds. La section québécoise avait coûté 56 $ le pied carré, la fédérale, 24 $.

Mais il ne suffit pas de remuer le passé. Le 14 juillet 1960, a lieu la prise de la bastille du patronage québécois. La presse titre : « On a peine à en croire ses yeux, Québec demande des soumissions par la voie des journaux. » C'est Bernard Pinard, ministre de la Voirie, qui lance le premier appel d'offres.

Début août, René Lévesque demande les plans et devis pour la réalisation des travaux du pont de Shawinigan, qui traverse la rivière Saint-Maurice. Il veut réparer le chantage exercé durant des années

par Maurice Duplessis contre le député libéral René Hamel, aujour-
d'hui ministre du Travail. Le vieux pont était devenu un danger mortel, mais le chef refusait de dépenser un seul cent pour sa réfection
tant que les électeurs choisiraient un rouge. « Je vous avais avertis,
leur disait-il aux élections. Vous ne m'avez pas écouté. Votre comté
n'a pas reçu les octrois qui auraient pu le rendre heureux… »

Mais le nouveau système ne fonctionne pas sans grincement.
L'obstacle majeur que rencontre René Lévesque : les vieilles mentalités. Celle des collègues du Cabinet autant que celle des fonctionnaires pourris par le favoritisme et qu'il faut « rééduquer »,
explique-t-il à son confident favori, le journaliste Pierre Laporte.

On finit tout de même par se mettre d'accord sur les normes à
suivre. Pour les travaux de moins de 25 000 $, on demandera des
soumissions à trois entreprises seulement. On imite ici les unionistes
avec la nuance cependant que ces derniers procédaient ainsi pour
tous les contrats ! De 25 000 $ à 100 000 $, créneau des petits entrepreneurs dont on veut encourager la survie, les appels se feront par
la voie des journaux de la région concernée par les travaux. De
100 000 $ à 200 000 $, on s'adressera seulement à Québec, Montréal
et l'Île Jésus (aujourd'hui ville de Laval). Enfin, pour les travaux au-
delà de 200 000 $, les entrepreneurs de toute la province qui auront
les reins assez solides pourront soumettre leurs conditions.

Voilà donc les nouvelles balises de la vertu civique. Reste à savoir
si elles résisteront à la boulimie des partisans affamés par 16 longues
années passées dans « l'enfer bleu ».

CHAPITRE III

La tentation de Saint-Just

*Ce serait stupide de ne pas se souvenir de ceux
qui nous ont aidés à parvenir au pouvoir.*

RENÉ LÉVESQUE, *Le Soleil*, septembre 1960.

L es décrets moralisateurs du nouveau gouvernement sèment
bientôt la révolte chez les libéraux. Parents, organisateurs et
amis ont faim. Le festin est là, alléchant, mais on veut les en
priver. Jean Lesage a décidé d'en finir avec « le plus formidable empire de patroneux jamais vu dans un pays libre », comme il dit avec
son enflure verbale coutumière.

Soupçonné d'avoir accepté un pot-de-vin de 1 000 $, Normand
Després, secrétaire de comté du député libéral de Bourget, Jean
Meunier, fait l'objet d'un mandat d'arrestation. De son côté, René
Lévesque découvre l'amitié intéressée. Il en appelle aux militantes
libérales : « Donnez-nous un coup de main car souvent, nous nous
battons contre nos amis... »

Idéaliste pragmatique, René Lévesque s'interroge sur les limites
de la vertu, pendant que l'ingénieur Marc Picard fait le bilan des victimes de l'épuration chez les entrepreneurs libéraux. Le savoir-faire
se trouve chez les unionistes qui, gavés de contrats par l'ancien gouvernement, ont eu le temps et l'occasion d'apprendre et de s'équiper.

Inexpérimentés, les rouges proposent des prix irréalistes pour remporter la soumission et font faillite. Au Conseil des ministres, le doute s'installe : l'ancien système ne pouvait pas n'être que mauvais ? Un favoritisme de bon aloi, conciliable avec une politique d'appel d'offres et une bonne gestion, ne serait-il pas dans la nature des choses ?

Le ministre Lapalme invite ses collègues du Cabinet à lui soumettre les noms des avocats et des notaires qu'ils voudraient voir nommer, « afin d'exercer un contrôle sur ces engagements ». Sous-entendu : il serait bien vu que ces professionnels votassent rouge. Pendant ce temps, au Conseil exécutif, un groupe de ministres s'insurge contre les normes de René Lévesque. Pourquoi ne pas abolir toute demande de soumissions au-dessous de 25 000 $ et même au-dessous de 50 000 $? Que d'amis ne pourrait-on pas ainsi récompenser de leurs loyaux services !

René Lévesque rechigne. Jean Lesage également. Mais en décembre 1960, juste à temps pour Noël, le Cabinet trouve un compromis honorable. Les appels d'offres resteront obligatoires au-dessus de 25 000 $. En dessous, on les abolira purement et simplement. Le gouvernement dégage ainsi un beau bassin à bonnes faveurs.

Mais ça ne suffit pas à apaiser les mantes du Cabinet qui cherchent d'autres morceaux à se mettre entre les mandibules. Pour les travaux excédant « un peu les 25 000 $ », pourquoi ne pas suggérer aux entrepreneurs de ramener leurs factures juste sous la barre et ainsi d'éviter d'avoir à soumissionner ? « Ce qui permettrait, susurrent des ministres, de favoriser des personnes sympathiques… »

Et René Lévesque, comment s'accommode-t-il de ces entourloupettes ? Son discours public épouse avec quelques nuances le ramollissement des bonnes intentions de la première heure. Durant la campagne électorale, pareil aux dragons de la Révolution française qui prônaient la vertu pour limiter les excès, il exigeait une probité à toute épreuve : « Ceux qui n'acceptent pas notre politique devraient quitter le parti. Quant à moi, je le quitterai si le patronage devait continuer d'exister. »

Une autre fois, il avait prédit la fin du monde aux étudiants de l'Université de Montréal : « Nous avons des problèmes de morale sociale. Il y a au travail des hommes requins, affamés, monnayés et achetés. Si nous ne changeons pas notre façon de vivre, il ne nous restera plus qu'à ramasser notre société qui va s'écrouler… » Il avait assuré qu'un homme politique pouvait demeurer honnête à la condition de n'accepter ni argent ni gros cadeaux et de ne pas posséder d'intérêts directs ou indirects dans une compagnie faisant affaire avec le gouvernement.

C'était avant la victoire de juin. Mais quelques mois plus tard, René Lévesque émaille tout à coup son programme austère de formules plus souples. Au dîner annuel des constructeurs du Québec, milieu on ne peut plus avide de contrats publics, il se met lui aussi à l'heure du bon patronage : « Durant la campagne électorale, je n'ai pas prétendu abolir le patronage, car on ne pourra jamais empêcher un certain favoritisme envers ceux qui ont aidé un parti à parvenir au pouvoir. Ce serait même stupide de ne pas se souvenir de ceux qui nous ont aidés… »

Venant du critique le plus féroce du régime de faveurs, la mise au point a l'effet d'une douce musique aux oreilles des entrepreneurs. René Lévesque s'empresse de nuancer ses propos. Ce « certain favoritisme » qu'il invoque ne doit pas bafouer les intérêts des citoyens. En d'autres mots, on ne peut tripoter prix et conditions d'un contrat sans tomber dans la malhonnêteté. « Mais, à prix égal et à qualité égale, concède-t-il, on peut encourager celui qui a été de notre côté, s'il est intègre. »

L'écoutant pérorer sur le bon et le mauvais patronage, son ami Doris Lussier, célèbre interprète du père Gédéon du téléroman *Les Plouffe,* que René Lévesque a connu 20 ans plus tôt à l'Université Laval et retrouvé à Radio-Canada, note dans ses carnets : « On pourrait dire de lui ce qu'on disait de Saint-Just : cet homme est dangereux, il croit tout ce qu'il dit. »

Le fantôme du népotisme

Peut-on penser, comme Doris Lussier, sans sombrer dans le ridicule, que le ministre des Travaux publics est l'incarnation vivante d'Antoine Louis Léon de Saint-Just ? Un mois à peine après le changement de régime, René Lévesque a fait nommer son beau-père, Eugène L'Heureux, bibliothécaire adjoint à la Bibliothèque du Parlement, au salaire de 10 000 $ par année. Âgé de 67 ans, et ayant trimé dur comme journaliste indépendant à l'époque de la « grande noirceur » duplessiste, L'Heureux méritait bien sa récompense. Ce n'est pas René Lévesque qui a parrainé l'arrêté ministériel auprès du Cabinet, mais plutôt son collègue Paul-Gérin Lajoie, en son absence toute diplomatique.

Son beau-frère, l'homme d'affaires Philippe Amyot, qui a épousé sa sœur Alice, lui fournit aussi l'occasion de mettre ses convictions à l'épreuve. Deux de ses compagnies, Vandry Inc. et Photo Air Laurentides, transigent avec les Travaux publics et les Ressources hydrauliques depuis belle lurette. Et ça embête royalement le beau-frère René, titulaire des deux ministères.

Il ne lui est pas facile d'échapper à ce dilemme, car une chaude amitié les lie. Le jour où René a décidé de plonger en politique, Philippe n'a lésiné ni sur son temps ni sur son argent pour l'aider à se faire élire. Il le prenait sous son aile lorsque son itinéraire le conduisait dans les comtés de la région de Québec. Mais la contribution la plus originale de Philippe à la carrière du tribun a rapport à son image.

Comme ils sont tous deux de petite taille, Philippe le dépanne souvent en lui refilant un pantalon ou une paire de chaussures quand une cérémonie un peu collet monté l'oblige à se fagoter moins négligemment que d'habitude. Si René a besoin de renouveler sa garde-robe, et que Louise L'Heureux n'arrive pas à le traîner chez le tailleur, Philippe se dévoue encore. On le voit courir les boutiques de la capitale à la recherche des tenues qui plairont à monsieur le ministre et lui iront comme un gant.

Beau-frère et ami : voilà donc un double statut qui rend René Lévesque vulnérable au népotisme. Si cela venait à se savoir que son ministère fait des affaires avec les compagnies de Philippe, de quoi aurait-il l'air sinon d'un véritable tartuffe, lui qui ne cesse de répéter publiquement : « Si on veut sortir du patronage, il ne faut pas donner soi-même l'exemple du contraire. »

Or, dans ses déclarations, il s'est souvent avancé sur le terrain brûlant des conflits d'intérêt directs et indirects, notamment en parlant aux envoyés du *Time* après la victoire du 22 juin. Le magazine américain avait alors reproduit sa déclaration : « Si j'ai quelque compétence pour accomplir mon travail, c'est que je n'ai aucun intérêt pour l'argent ou pour des amis puissants qui ont beaucoup d'argent. »

Aux Travaux publics, René Lévesque n'a donc guère le choix et Vandry Inc. écope. Même s'il est le plus bas soumissionnaire pour des travaux d'électrification de ponts, Philippe s'entend dire : « Il n'est pas question que Vandry Inc. obtienne un contrat tant que tu en seras actionnaire. » Comme Philippe n'a aucune envie d'abandonner ses intérêts dans la compagnie, autant dire que la révolution tranquille ne sera pas très payante pour lui.

Même difficulté aux Ressources hydrauliques, où René Lévesque tombe fatalement sur les contrats négociés par Photo Air Laurentides avec son prédécesseur, Daniel Johnson. Des contrats faramineux de l'ordre du million et demi de dollars par année. Convoqué une nouvelle fois au ministère, le beau-frère doit se résigner à renégocier ses ententes à la baisse : « À partir de maintenant, tu n'as plus de contrat si tu ne réduis pas tes prix de 50 pour cent !

— Tu vas tuer ma compagnie ! » hurle l'entrepreneur devant l'effort qui lui est demandé.

Une bonne engueulade les oppose — et ça ne sera pas la dernière. Mais toujours, ils se raccommoderont.

Le drame de Philippe pourrait être plus terrible encore si René Lévesque annulait tous ses contrats, même ceux signés sous l'ancien régime et valables pour trois autres années. Il s'en abstient, ce qui le rend vulnérable aux accusations de conflits d'intérêt. Mais comment résilier des contrats signés de bonne foi avec le gouvernement précédent ?

Au Conseil des ministres, certains collègues voient bien la poutre qui lui bloque l'œil. Comme il fait figure de protégé du premier ministre, personne n'ose lui en faire la remarque. Toutefois, à la réunion du Cabinet du 11 août 1961, lors de l'adoption d'un arrêté concernant un contrat de 1 539 167 $ entre son ministère et Photo Air Laurentides pour la prise de photographies aériennes, on l'invite à se retirer de la pièce, vu qu'il est juge et partie. Quelque temps après, le ministre, qui jurait de démissionner si le favoritisme n'était pas jugulé, dépose l'arrêté ministériel numéro 1440 portant sur un contrat entre Photo Air Laurentides et son ministère.

La situation sent le népotisme et dure jusqu'en 1963. Cette année-là, les contrats passés avec l'ancien gouvernement viennent à échéance et René Lévesque imagine une solution radicale pour se tirer de sa délicate situation. Il soumet à ses collègues du Conseil exécutif un mémoire sur l'acquisition de Photo Air Laurentides par son ministère au coût de 500 000 $. Solution que le beau-frère ne voit pas d'un bon œil. Le Cabinet donne son accord. Sauf qu'un mois plus tard, le prix de l'opération a doublé. Un peu trop cher pour le Trésor public.

Les choses en restent donc là jusqu'au 2 décembre 1964, alors que René Lévesque revient devant le Conseil des ministres avec sa proposition d'achat de la compagnie de Philippe Amyot. Jean Lesage lui fait remarquer que si son beau-frère est actionnaire de l'une des compagnies concernées par cette transaction, il lui faudra démissionner avant que le ministère ne devienne propriétaire de l'entreprise.

L'affaire tombe encore à l'eau, Philippe n'ayant aucune envie de laisser aller ses intérêts dans Photo Air Laurentides. De plus, l'homme d'affaires se méfie des bureaucrates d'État. Leur confier la gestion de Photo Air Laurentides, ce serait la mettre en faillite ! En 1965, tout rentrera finalement dans l'ordre, lorsque René Lévesque passera des Richesses naturelles aux Affaires sociales.

Cette histoire reviendra le hanter aux élections de novembre 1976 qui porteront au pouvoir le Parti québécois. Au cours d'une tribune téléphonique à la radio, un électeur particulièrement bien informé agitera devant lui le fantôme de Photo Air Laurentides, avec dates et chiffres à l'appui. Cloué au pilori, René Lévesque se rabattra, pour se blanchir, sur la théorie du bon patronage (à prix et à qualité comparables, on sert d'abord ses amis) : « Je n'ai pas jugé bon de retirer ce contrat à Photo Air Laurentides qui faisait un excellent travail, mais je l'ai réduit, et assez considérablement pour les faire hurler… »

Adieu les vitamines d'automne

Mais revenons aux années 60 pour nous demander si le principe du « bon patronage » de René Lévesque ne suppose pas aussi qu'il faille favoriser les entrepreneurs du Québec aux dépens de ceux de l'Ontario ou d'ailleurs. Encourager l'achat chez nous, donc. C'est nouveau d'entendre un ténor du Parti libéral prêcher l'achat préférentiel québécois ; car les rouges ont toujours été plus sympathiques à la grande entreprise anglophone que les bleus qui, eux, favorisaient carrément les « nôtres », comme disait Maurice Duplessis. Le slogan électoral de l'Union nationale — « Les libéraux donnent aux étrangers, Duplessis donne à sa province » — traduisait ce phénomène.

Mais les choses changent dans ce Québec des années 60. Même

les libéraux paraissent disposés à encourager les « nôtres ». On voit même le parti de Jean Lesage prendre ses distances par rapport au grand frère canadien.

René Lévesque, libéral par accident plutôt que par conviction, ne vibre pas aux notes de la grande fraternité libérale canadienne. Seuls comptent pour lui les intérêts de son peuple de *Canayens*, si en retard qu'il faut pour l'aider à remonter la pente lui appliquer une politique de discrimination positive. Aussi n'y a-t-il rien d'étonnant à l'entendre suggérer à ses collègues « d'accorder une attention toute particulière aux produits *made in Québec* ».

Loin de grimacer devant l'achat préférentiel, pratiqué sans complexe par tous les gouvernements de la planète à commencer par celui d'Ottawa d'où il vient, Jean Lesage en remet. Non seulement il soutient sa vedette, mais il propose de porter à 15 pour cent la marge préférentielle face à la concurrence étrangère. En d'autres mots, le gouvernement achètera québécois plutôt qu'ontarien ou américain, même si ça lui coûte de 10 à 15 pour cent plus cher, les retombées de l'achat chez nous pour l'économie locale compensant amplement les prix plus élevés.

Le premier ministre n'en reste pas là. Pour contourner le problème de la petite taille des entreprises québécoises, il convoque au Cabinet le directeur du service des achats, Henri H. Levasseur, et lui suggère de diviser ses achats de ciment en petites quantités afin d'avantager la compagnie Ciment Québec Inc., de Saint-Basile-de-Portneuf.

Deux ans plus tard, ce zélé partisan des produits *made in Québec* voudra atténuer sa politique d'achat préférentiel. Jean Lesage avouera alors à René Lévesque qu'une batterie d'industriels de l'Ontario se sont donné le mot pour l'assommer de leurs protestations contre la priorité accordée aux produits fabriqués dans la province. Mais on est en 1960, et l'heure n'est pas encore au recul. De son côté, René Lévesque annonce à la presse que le gouvernement privilégiera dorénavant les entreprises québécoises. Il se heurte bientôt, cependant, à la taille restreinte des firmes québécoises qui ne peuvent rivaliser avec l'entreprise étrangère pour les travaux dépassant les 50 millions de dollars. D'où son nouveau leitmotiv : les petits entrepreneurs doivent regrouper leurs capitaux s'ils veulent avoir leur part des achats et des travaux du nouvel État québécois.

Ce conseil ne tombe pas dans l'oreille d'un sourd. Son vieil ami Doris Lussier rapplique. C'est qu'entre-temps, il est devenu membre de la direction de Décagone Construction, compagnie formée par un groupe de libéraux dont Frank Ross et l'avocat Gérard Lévesque, gros organisateur « patroneux » du Parti libéral. L'entreprise lorgne les grands travaux de la Côte Nord, dont la percée d'un tunnel à la Manicouagan.

Or, le ministre qui dit oui ou qui dit non, c'est René Lévesque. Décagone Construction a donc confié à son très bon ami Lussier la délicate mission de l'amadouer. Difficile de trouver courtisan plus efficace que lui. Dès le départ, il coince René Lévesque en lui faisant remarquer que Décagone Construction est en quelque sorte son propre enfant puisque les promoteurs n'ont fait que prendre au sérieux ses appels récents au regroupement des capitaux québécois.

Au cas où l'ami René douterait de leur couleur politique, Doris Lussier précise par lettre : « Ces hommes ont en commun le fait d'être des libéraux authentiques qui ont aidé notre cause dans les années où elle n'était pas payante pour eux. Cela leur a valu pendant 16 ans l'ostracisme du pouvoir et des difficultés professionnelles de toutes sortes. Aujourd'hui, ils offrent du travail... »

Si le père Gédéon accepte de se faire lobbyiste, c'est qu'il a un plan de carrière en tête. Comme il le révèle dans sa lettre, il n'a pas l'intention de rester cabot toute sa vie et veut apporter à la province autre chose qu'une contribution ludique. Pour la première fois depuis longtemps dans l'histoire du Québec, la démocratisation a des chances de succès, et le comédien veut en être autrement que comme bouffon.

Son idée est à la fois noble et naïve. Et cousue de fil blanc. Il veut devenir journaliste. Si Décagone Construction marche, et pour cela il faut qu'elle obtienne des contrats, il va convaincre ses amis de financer un grand journal, une sorte d'*Express* québécois qui jouerait un rôle puissant. « Te rends-tu compte des bienfaits d'un instrument pareil ? Ce serait le ferment d'une culture nouvelle, le levain démocratique de la pâte québécoise, une excellente façon de faire remplir à l'entreprise privée sa fonction sociale... »

En somme, un projet tiré par les cheveux où béton de la Manic et information se marieraient à l'église du patronage. Doris Lussier est assez intelligent pour s'apercevoir qu'il est en train de préparer le lit du favoritisme politique. Aussi s'empresse-t-il, en conclusion, de jouer de la pureté de ses intentions en enfouissant sa prose sous ses entourloupettes habiles :

« Mon cher René, je ne te dis pas cela, tu penses bien, pour exercer la moindre pression sur toi. J'ai trop foi en ton intégrité pour supposer un seul instant que tu sois perméable à la moindre pression, fût-ce d'un ami. Mais s'il allait par bonheur arriver que l'intérêt public coïncidât avec celui de mes amis de Décagone, je suis sûr que le démocrate féroce qui rugit en toi et l'homme d'avant-garde que le ministre ne fera jamais taire n'auront rien à regretter… Tu vois, je n'ai rien à te cacher. Je ne te demande qu'une chose, c'est de croire que dans tout cela, un mobile m'anime : le souci de servir des valeurs qui sont le ciment de notre amitié. »

N'en jetez plus, la coupe est pleine. Quoi qu'il en soit de la viabilité de *Décagone Construction*, le mielleux Doris Lussier réussit à arracher un oui conditionnel à René Lévesque. Avant de s'approcher de la table plantureuse des contrats gouvernementaux, ses amis promoteurs devront prouver aux dirigeants d'Hydro-Québec que leur compagnie possède les compétences et les ressources pour se mesurer avec succès aux grands travaux de génie de la Côte Nord.

Les amis sont toujours un peu profiteurs. Mais il faut dire que l'amitié de René Lévesque pour Doris Lussier date de loin et se fonde aussi sur leur goût prononcé pour les « créatures », comme le comique appelle les femmes. Ce sont deux coureurs dont on ne saurait dire lequel est le mauvais génie de l'autre…

Au congrès libéral de l'automne 60, Doris Lussier s'amuse à lui faire parvenir de petits billets pervers au moment où le ministre réformateur se débat avec des militants peu friands de ses tirades anti-patronage. Un premier message suggère : « As-tu essayé à leur parler du cul ? Des fois, ça poigne… »

Nullement scandalisé, l'interpellé lui retourne la note avec ces mots : « À propos de ça, j'suis rendu que non seulement j'en parle plus, j'ai même quasiment plus envie d'y penser ! ! ! Ce qui s'appelle vieillir à vue d'œil ! (Je viens d'apprendre que la place que j'occupe à table, c'est une vengeance subtile d'un patroneux déçu… Ça va être dur !) R. L. »

Le soir, au banquet de clôture du congrès, où René Lévesque s'est fait accompagner de Louise L'Heureux, le comédien lui refile un autre billet encore plus traître que le premier : « Maudit que tu fais pitié ! Il faut que ça change… de créature ! » Qui lui revient avec les commentaires suivants : « Père Gédéon, si tu veux faire de la politique active, c'est ça qui t'attend — adieu les vitamines d'automne (hélas, on n'en a même plus besoin !) R. L. »

CHAPITRE IV

Les beaux esprits

Quand Michel Bélanger me donne des
explications, il doit les répéter deux fois pour que
je comprenne. Il est tellement bright…

RENÉ LÉVESQUE, automne 1961.

L'homme politique vaut par les « petits génies » qui le conseillent. René Lévesque le devine, lui qui ne prend jamais ombrage de la compétence et déteste les béni-oui-oui. Mais le patron, c'est lui, et il exige de ses collaborateurs une discrétion d'agent secret et une loyauté de conjuré.

Sa façon de passer le message à son entourage ne manque pas d'ingéniosité. À peine recrutée, sa secrétaire Marthe Léveillé trouve sur son bureau un carton qui se passe de commentaire : « *The job is so secret, I don't know what I am doing…* » Une méthode de timide très efficace.

Pendant qu'aux Travaux publics, il répare les dégâts du « mauvais » patronage, René Lévesque met son chapeau de ministre des Ressources hydrauliques une journée par semaine. Son premier objectif : s'entourer d'une équipe tournée vers l'avenir. Éric Gourdeau, un ouvrier de la première heure, dira plus tard : « René Lévesque avait bien des amis qui n'auraient pas demandé mieux que d'accourir à son cabinet dès le lendemain de son élection. Mais il a pris l'été et l'automne pour trouver les trois personnes qui formeraient son *brain trust*. »

Sa première recrue, Michel Bélanger, un grand six pieds d'économiste, va inspirer dès le départ son équipe de « beaux esprits », comme René Lévesque s'amuse à appeler ses conseillers. Il a 30 ans et des épaules de footballeur – il lui arrive de passer pour le gorille du ministre.

Michel Bélanger arrive d'Ottawa précédé d'une solide réputation. Diplômé en économie des universités Laval et McGill, il a derrière lui trois ans au Conseil du trésor fédéral, autant à la division des affaires économiques et un siège à la commission royale d'enquête sur l'énergie où il a vu comment fonctionne l'économie canadienne. Un homme aux idées claires, qui pratique l'humour avec bonheur et possède un leadership à la fois tranquille et stimulant qui le consacre vite bras droit du ministre.

René Lévesque le déniche grâce au Saint-Esprit, c'est-à-dire grâce au père Georges-Henri Lévesque (sans lien de parenté), qui a formé à son école des Sciences sociales une nouvelle race de technocrates qui œuvrent à Ottawa faute d'avoir pu trouver des emplois à leur mesure dans le Québec duplessiste.

« J'aimerais bien trouver quelqu'un qui connaît les problèmes de planification et de ressources, dit le ministre au religieux.

— J'ai peut-être l'homme qu'il vous faut. Il s'appelle Michel Bélanger », répond ce dernier.

Le lundi matin suivant, Michel Bélanger est assis en face de René Lévesque qui lui dit sans détour : « Il y a du travail à abattre et il n'y a pas d'économiste au ministère. Ça vous intéresse ?

— Je ne suis pas très ferré en électricité, objecte le fonctionnaire. À la commission Borden, j'ai travaillé surtout sur le gaz et le pétrole... »

Au fédéral, à titre de *batman* du ministère des Finances, il a été tout de même au comité canado-américain sur le projet de développement du fleuve Columbia. C'est mince comme expérience et, en plus, sa carrière roule bien à Ottawa. Mais depuis la mort de Maurice Duplessis, il attend comme d'autres Québécois « exilés » à Ottawa l'occasion de rentrer chez lui pour bâtir une administration publique digne du XXe siècle.

De plus, René Lévesque le fascine. En 1959, pendant la grève de

Radio-Canada, il l'a vu fouetter le militantisme de syndiqués au gosier sec qui voulaient boire de tout sauf des discours. Aussitôt qu'il s'était mis à parler, la salle avait commencé à se vider. Il avait malgré tout poursuivi sa harangue. Trois minutes après, personne ne sortait plus ; quatre minutes après, les gens commençaient à revenir ; après cinq minutes, c'était le silence total ; et après 10 minutes, l'ovation debout. Un gars capable d'arrêter une foule qui se débande, de la ramener à lui, puis de s'en faire applaudir, était un phénomène.

L'économiste accepte l'offre du « phénomène ». Fin août, quand il se présente au ministère des Ressources hydrauliques, rue Saint-Louis, il ne trouve qu'un mot de la main du ministre : « Il y a une réceptionniste à la porte et une secrétaire un peu plus loin. Vous trouverez une poche de courrier à trier et un sous-ministre. Lesage m'a dit que les seuls 10 jours de vacances que je pouvais prendre, c'était maintenant. Bonne chance ! »

Monsieur Lévesque veut vous voir

Quelques semaines plus tard, Michel Bélanger et René Lévesque ont débroussaillé les grands dossiers. Ils peuvent dégager les priorités et amorcer un début de planification. Mais ils ont besoin d'un autre économiste et d'un ingénieur qui s'y connaît en hydro-électricité et en foresterie, puisque le nouveau ministère doit regrouper toutes les ressources renouvelables.

Michel Bélanger fouille dans son carnet d'adresses et tombe sur le nom d'Éric Gourdeau. L'homme, un Québécois de la Vieille Capitale comme lui, est à la fois économiste et ingénieur forestier. Une bête rare — il est même bûcheron. En effet, il a acheté des droits de coupe à Saint-Raymond-de-Portneuf et tenu de gros chantiers.

Michel Bélanger le trouve en Gaspésie où il procède à un inventaire forestier : « Monsieur Lévesque voudrait vous rencontrer... » Comme tout le monde, Éric Gourdeau ne connaît que l'ex-journaliste. Du temps de *Point de mire,* ses bûcherons de Saint-Raymond, des gars sans instruction, lui revenaient le lundi matin en parlant du Moyen-Orient. Ce bougre de Lévesque arrivait à les intéresser à la politique internationale !

« Monsieur Lévesque veut faire un seul ministère avec les

Ressources hydrauliques et la Forêt, lui dit Michel Bélanger. Il a besoin d'un homme comme vous…

— Jamais il n'aura les Forêts ! rétorque aussitôt Éric Gourdeau, qu'on imaginerait facilement portant chemise à carreaux, une hache à la main, tellement il est direct. Pauvre vous ! Je connais Lesage, il a courtisé ma sœur quand il était étudiant. Jamais il ne pourra dire non aux grandes compagnies étrangères qui contrôlent les quatre cinquièmes du territoire forestier du Québec.

— On verra bien, Éric… On verra qui est le plus fort, conclut le conseiller du ministre. En tout cas, êtes-vous prêt à le rencontrer ? »

Quand il se trouve devant René Lévesque, l'ingénieur bûcheron a l'impression de le connaître depuis toujours. Sa première question manque de le désarçonner : « Monsieur Gourdeau, avez-vous lu le rapport Kennedy sur les forêts d'Ontario ? Je viens de le lire, qu'en pensez-vous ? »

Évidemment qu'il l'avait lu. Mais où ce Lévesque, qui n'était même pas encore ministre des Forêts, et qui ne le serait jamais, avait-il trouvé le temps pour lire cette brique ?

« Je me cherche un économiste et un ingénieur, lui dit René Lévesque. Comme vous êtes les deux, je limiterais mon *brain trust* à vous et à Bélanger, du moins en partant. Est-ce que vous seriez prêt à venir avec nous ?

— C'est d'accord, je vais y aller mais pour deux ans seulement.

— Monsieur Gourdeau, votre première tâche sera de former le nouveau ministère des Richesses naturelles. »

Des années plus tard, Éric Gourdeau soutiendra qu'il avait compris dès leur première rencontre que la nationalisation était à son programme. René Lévesque lui avait paru très émotif. Pour lui, l'électricité appartenait à tout le monde. Or, un monopole sur une richesse publique ne pouvait que revenir à l'État. C'était dans l'ordre « naturel » des choses.

Seulement, avant de passer à l'action, il lui fallait une étude fouillée pour justifier son projet et de beaux esprits pour la faire. À peine l'engagement d'Éric Gourdeau est-il sanctionné par le Cabinet, que Pierre F. Côté débarque une semaine plus tard, rue Saint-Louis. Il sera le conseiller juridique. Pour désigner le *brain trust* du ministre, on dira bientôt : les B. C. G. — pour Bélanger, Côté, Gourdeau.

Celui qui deviendra plus tard directeur général des élections travaillait jusque-là avec le ministre de la Jeunesse, Paul Gérin-Lajoie. Mais à l'occasion d'un lunch en compagnie de ce dernier, au Georges V, en face du parlement, Pierre F. Côté a dévié de sa route. René Lévesque, qui mangeait seul, vint à leur table. Il se cherchait du personnel : « Savez-vous Paul, ce que ça me prend ? lui a demandé René Lévesque. Des jeunes compétents et honnêtes et qui vont rester avec moi au moins deux ans. »

« Mais c'est tout à fait moi ! », conclut Pierre F. Côté, qui voulait travailler à tout prix avec ce ministre fonceur. Maître Côté ne reste pas longtemps confiné exclusivement au rayon des conseils juridiques. Le départ du journaliste Jean-V. Dufresne, qui agissait comme secrétaire particulier de René Lévesque, le consacre comme chef de cabinet du ministre le plus dynamique du cabinet Lesage. Une grande aventure commence pour lui.

Bientôt, Michel Bélanger se rend compte qu'Éric Gourdeau, qui organise le nouveau ministère des Richesses naturelles, ne suffit plus à la tâche. L'hydro-électricité en pâtit. Il lui faut un second économiste, qui s'y consacrera entièrement. Il en connaît un, nationaliste plutôt radical, qui s'est exilé lui aussi à Ottawa où le climat vaguement *anti-French* le rend malheureux. Il est à la Société centrale d'hypothèques et de logement, mais donnerait son âme pour rentrer dans sa ville, Québec.

André Marier présente la mine austère du fonctionnaire de carrière avec la passion en plus. Au cours d'une soirée chez son frère Roger, il s'était récemment pris aux cheveux avec Michel Bélanger à propos de l'indépendance du Québec. Ce dernier lui avait lancé qu'il trouvait idiote son idée qu'un jour le Québec formerait un pays.

Certains arguments du jeune turc avaient néanmoins impressionné Michel Bélanger. Assez en tout cas pour qu'il lui téléphone lorsqu'il avait décidé de passer avec René Lévesque : « Je m'en vais à Québec. Le poste que j'ai aux Finances à Ottawa doit revenir à un Canadien français. Es-tu intéressé ? »

André Marier avait refusé. Trois ans à Ottawa, c'était assez. La bureaucratie fédérale le rendait malade. Tout se faisait en anglais. Il n'avait pas digéré l'arrogance de son patron anglophone qui avait jeté au panier son rapport sur le financement de logements locatifs par la Société centrale d'hypothèques et de logement à l'Île Jésus. Son analyse démontrait que les Canadiens français étaient victimes de discrimination dans l'attribution des logements publics, qui allaient aux immigrants récents dans une proportion de 56 pour cent.

La nouvelle proposition de Michel Bélanger tombe à point nommé. Tout fédéraliste indécrottable qu'il soit, il est un moteur. La perspective d'apprendre à ses côtés enthousiasme André Marier.

Quant à René Lévesque, il s'occupe personnellement de l'embauche de la première femme de l'équipe. Jolie et toute menue, elle s'appelle Marthe Léveillé et vient de Radio-Canada où elle était scripte. Elle sera l'adjointe du secrétaire particulier du ministre, Pierre F. Côté.

Marthe Léveillé est une débrouillarde. Elle vient d'une famille militante du comté de Laurier où les noms des Lapalme, Gérin-Lajoie et Lévesque résonnaient fort durant la dernière campagne électorale. À l'occasion d'une assemblée, sa mère lui avait présenté René Lévesque d'une façon clairement partisane : « Marthe a mis son beau manteau rouge, ce soir…

— Je ne savais pas qu'elle en avait un », avait grimacé la vedette en cherchant un peu trop longuement les yeux de la jeune femme.

Marthe avait été séduite. Comme elle le dira plus tard : « René devint aussitôt une lumière pour moi… » Elle en avait marre de Radio-Canada. Elle avait aussitôt adressé à René Lévesque une lettre passionnée dans laquelle elle lui faisait part de son désir de le servir, lui et le Québec.

Marthe avait attendu son appel. Elle avait noté dans son journal : « J'attends, merde que c'est long ! » Finalement, il lui avait arrangé un rendez-vous au cours duquel elle avait senti que ça cliquait. Par la suite, elle avait compris que, ce jour-là, l'incorrigible homme à femmes l'avait « sélectionnée ».

Ainsi avait commencé une nouvelle saison dans la vie de ce politicien qui aime la femme à l'égal de la politique. Faite d'une seule pièce, Marthe Léveillé se donne entièrement à sa nouvelle cause, comme elle n'hésite jamais à le faire quand elle est mordue. Elle voit à tout ce qui concerne l'intendance.

Elle adore quand, après le travail, il l'emmène souper. L'ancienne scripte est ébahie de voir les gens le dévorer des yeux. Une fois, un gars l'a toisé d'un peu trop près mais lui, au lieu de s'offusquer, a souri en hochant la tête : « Oui, oui, ça se peut, c'est bien moi ! »

Si tu savais comme on s'ennuie, à la Manic...

René Lévesque ne se gêne pas pour monter en épingle la gestion pleine de trous des duplessistes. À son arrivée, son ministère avait un déficit de deux millions de dollars. Des compagnies privées aux profits plus que respectables, dont les contrats n'avaient pas été renouvelés, avaient accumulé des arriérés de 20 millions de dollars à régler au trésor public. Au cours des cinq dernières années, la Price Brothers avait versé 43 000 $ annuellement pour sa consommation d'électricité, alors qu'elle aurait dû débourser 110 000 $, selon les conditions de son contrat.

En fouillant la question du patronage, René Lévesque découvre aussi « avec stupeur et honte », comme il l'avouera en 1969 devant un auditoire de Saskatoon, que les gros contrats d'Hydro-Québec allaient automatiquement à des firmes américaines qui versaient leur dû à la caisse du trésorier unioniste Gérald Martineau. L'une d'elles, la société Perini, de Boston, avait fait venir ses propres ingénieurs pour construire des centrales d'Hydro-Québec, privant ainsi ceux de la régie d'État d'une expertise cruciale pour l'avenir.

Au Cabinet, c'est le tollé quand René Lévesque soulève le cas Perini. Il lui faudra plusieurs séances avant de convaincre ses collègues de changer les règles du jeu. Et pour cause ! Il était à peine nommé ministre qu'un dirigeant d'Hydro-Québec l'avait averti : « Monsieur Lévesque, ne touchez pas aux Perini, ils ont versé le denier de saint Pierre à la caisse de Jean Lesage. »

Plus déprimant encore : l'avocat Gérard Lévesque, collecteur de fonds libéral qui conseille Décagone Construction, l'entreprise de Doris Lussier, l'avise que les Perini l'ont recruté comme avocat-conseil. René Lévesque a l'impression de se trouver au beau milieu de la caverne de voleurs dénoncée jadis par le député libéral René Hamel.

La joute sera plus rude qu'il se l'imaginait. Son poids ministériel ne vient pas de son ministère qui ne compte que 71 employés. Il vient du vaisseau amiral, Hydro-Québec, qui en dénombre 5 000. En fait, avec un actif de plus d'un milliard de dollars, Hydro est un État dans l'État. Ses revenus frôlent les 100 millions. Sa puissance s'accroît annuellement de un million de chevaux-vapeur.

Mais ce bilan cache des malversations. Au Cabinet, le ministre

Lapalme exhibe une lettre d'Ubald Boyer, pdg de la Banque provinciale du Canada, signalant que sous l'ancien régime, certains dirigeants d'Hydro effectuaient des « dépôts spéciaux » à sa banque. « Il s'est passé des choses étranges à Hydro au cours des dernières années », commente le soupçonneux Lapalme à l'intention de René Lévesque, à qui il conseille de procéder à une enquête sévère.

« J'ai déjà retenu une firme comptable pour scruter à la loupe toute la situation financière d'Hydro », le rassure le ministre.

L'enquête du juge Salvas sur le patronage de l'ancien régime, décrétée par Jean Lesage, conduit aussi à la mise à la retraite obligée de deux membres de la commission hydro-électrique, compromis dans le scandale du gaz naturel. Comme le président Arthur Savoie, un intime de Maurice Duplessis, a levé le camp après les élections, il ne reste plus à René Lévesque que deux commissaires avec qui traiter : Raymond Latreille et Louis O'Sullivan.

Le premier est à Hydro-Québec depuis sa création en 1944. Il a un air effacé et une petite moustache bien taillée. Dès le premier contact, René Lévesque devine pourtant en lui un allié. Compétent et intelligent, Raymond Latreille sera sa mémoire. Il incarne la continuité. En 17 ans, il a vu une Hydro confinée à la région de Montréal s'en affranchir peu à peu, pour rayonner jusqu'à la Côte Nord et l'Abitibi et passer d'une puissance aménagée de 900 000 chevaux-vapeur à plus de quatre millions.

En revanche, ça ne clique pas du tout avec Louis O'Sullivan, un grand type qui connaît Hydro-Québec comme le fond de sa poche. Ingénieur formé à la Montreal Light, Heat and Power, il est resté à Hydro après la nationalisation de sa compagnie, en 1944. C'est un excellent gestionnaire, plutôt conservateur, qui tique quand il entend René Lévesque brandir, telles des grenades, des phrases comme « Hydro-Québec est la propriété du peuple et doit être utilisée pour son bénéfice d'abord ». Incapable de s'ajuster au nouveau cours des choses, il pliera vite bagage.

Quand René Lévesque se rend inaugurer la centrale thermique des Boules, qui alimentera sa chère Gaspésie natale oubliée par les compagnies privées qui n'éclairent que ce qui est rentable, il choisit comme cicérone le commissaire Latreille. Ce commissaire qui adore les calembours faciles à la Duplessis le présente ainsi à la haute direction de l'entreprise : « Monsieur le ministre, voici le personnel de commande composé d'ingénieurs qui s'ingénient à faire rayonner les bienfaits du fluide électrique, de financiers qui s'évertuent à remplir la caisse à mesure que les ingénieurs la vident, de comptables qui jouent avec les chiffres pour accuser un excédent de revenus et de techniciens avertis qui dénouent l'enchevêtrement de toute la filerie non adéquate des autres... »

Voilà l'esprit sévissant à Hydro au moment où René Lévesque annonce les premières décisions de son mandat. Le gouvernement avale d'abord une partie du réseau de distribution de la Shawinigan Water and Power, dans les comtés de Chambly et de La Prairie sur la rive sud du Saint-Laurent. Le ministre décide aussi que c'est Hydro-Québec seule, avec ses ingénieurs et non ceux de Perini, qui va aménager, au coût de deux milliards de dollars, les cinq chutes de la rivière Manicouagan non encore cédées aux capitaux privés.

Ainsi débute la légende fabuleuse de la Manicouagan, que Jacques Cartier baptisa la rivière Noire en 1535, et que Gilles Vigneault et Georges Dor mettront en chanson. La Manic, symbole flamboyant d'un Québec français capable soudain de construire des cathédrales de béton qui étonneront le monde par leur ingénierie audacieuse et leur gigantisme. Des barrages spectaculaires construits avec une main-d'œuvre composée notamment... d'anciens bagnards recrutés discrètement par Éric Gourdeau, au nom de René Lévesque. Une sorte de politique de réinsertion sociale improvisée pour procurer de l'emploi à des gens marqués à vie par leurs casiers judiciaires. Seuls les ingénieurs en chef du chantier seront au courant. Bientôt, ils seront si nombreux qu'on dira : « On a quasiment une amicale d'anciens bagnards à la Manic ! »

CHAPITRE V

Le Buy Quebec Act

*Au Québec, les richesses naturelles sont
immenses. Mais à cette possession de
millionnaire correspond une participation de
gueux.*

RENÉ LÉVESQUE, octobre 1961.

Jean Lesage ne perd pas de temps avant de dénicher un pilote pour le navire de René Lévesque. Il veut un administrateur compétent. S'il vient d'Ottawa, c'est mieux encore. Flairant une manœuvre, René Lévesque suggère de retarder la nomination du président, le temps de trouver le candidat répondant plutôt à ses attentes à lui…

Mais le premier ministre le prend de vitesse. Une semaine plus tard, il tient en effet son homme : Jean-Claude Lessard. René Lévesque ne fait pas obstruction à cette nomination, mais elle ne soulève nullement son enthousiasme.

Qui est ce monsieur avec lequel il devra cohabiter ? Il a 56 ans et est bourré d'expérience. Né à Granby, cet ingénieur aux convictions fédéralistes bien ancrées a travaillé 10 ans aux Chemins de fer nationaux, 10 autres au ministère des Transports du Canada où il a été sous-ministre, avant d'arriver à la Voie maritime du Saint-Laurent où Jean Lesage l'a trouvé.

L'homme jouit d'une réputation d'administrateur public chevronné, ce qui ne déplaît pas à René Lévesque. Mais après avoir passé 20 ans à élaborer les politiques fédérales centralisatrices de l'après-guerre, saura-t-il se convertir à la vision québécoise des choses, comme Jean Lesage a réussi à le faire ? René Lévesque, qui a le don d'évaluer rapidement les hommes, découvre en Jean-Claude Lessard le prototype du Canadien français assimilé par la fonction publique fédérale.

Chez les Lessard, comme le lui apprend un Éric Gourdeau scandalisé, on ne parle pas un mot de français. Le nouveau pdg a tous les complexes du francophone qui aurait voulu naître anglophone. Pour lui, seules les grandes firmes anglaises ont du bon sens, la langue de travail en Amérique est l'anglais, Hydro-Québec doit fonctionner comme la Shawinigan Water and Power et les petits ingénieurs canadiens-français ne valent pas cinq cennes.

Plutôt féroce comme peinture, mais pas très loin de la vérité. Petite anecdote répandue dans les couloirs d'Hydro : en l'absence de Lessard, René Lévesque, venu à son bureau pour le voir, aperçoit deux photos placées côte à côte sur sa table de travail. Ce sont celle de sa femme et celle d'Elizabeth II. « Voulez-vous bien me dire ce que la reine fait sur son bureau ? ricane René Lévesque à l'adresse de l'ingénieur Yvan Hardy qui l'accompagne.

— Vous le lui demanderez vous-même, monsieur Lévesque. Vous savez, il vient d'Ottawa et au fédéral, la reine est partout, même dans les cabinets de toilette ! »

Mais le député de Laurier donne toujours la chance au coureur. Il est prêt à s'attaquer avec le nouveau président à la réforme d'une société d'État qui fonctionne derrière des portes closes depuis 16 ans, « selon les caprices du Prince », comme il aime à dire. Il lui demande d'ouvrir l'ère de la transparence à Hydro et de déchirer l'immense voile du silence jeté sur elle.

Sous Duplessis, les journalistes dénonçaient la loi du secret. Impossible de s'approcher des grands chantiers sans voir accourir la sécurité. À Moscou, disait la presse, on ne faisait pas pire en matière de contrôle de l'information. Pour René Lévesque, Hydro-Québec s'administre elle-même comme une corporation, mais elle est également propriété du peuple. Son devoir est de renseigner le public pour qu'elle ne soit plus une serre fermée entourée de mystère.

Le notaire et le bulldozer

Jean Lesage a eu son président, René Lévesque aura ses commissaires. Les changements qu'il veut, ce n'est pas Jean-Claude Lessard qui va les lui donner. S'il n'a pas opposé son veto à sa nomination, c'est qu'il voulait avoir les mains libres pour choisir les candidats qui remplaceront les deux commissaires mis à la retraite forcée.

Car il aura besoin de renfort à la commission hydro-électrique qui dirige Hydro. Comme les cinq membres ont droit de vote, et que Raymond Latreille lui est acquis, il lui suffit d'y placer deux hommes dévoués pour détenir la majorité et ainsi isoler les commissaires Lessard et O'Sullivan. Il charge Michel Bélanger et Éric Gourdeau de ratisser le terrain : « Ça me prend des gars qui sont capables de travailler ensemble et qui ont une bonne expérience. »

On s'entend sur deux noms : Georges Gauvreau et Jean-Paul Gignac. Le premier est notaire. C'est l'intellectuel même, doublé d'un skieur et d'un nageur émérite. Au Collège des Jésuites, où il était champion d'athlétisme, il a croisé René Lévesque qui, lui, n'était pas du genre à lancer le javelot. N'empêche qu'il est gaspésien lui aussi ; il a même pratiqué sa profession dans une petite ville que René Lévesque connaît bien : New Carlisle. Enfin, Georges Gauvreau a été actif dans des organismes de développement de la péninsule, en plus de siéger au Conseil d'orientation économique du Québec.

Le notaire plaît immédiatement à René Lévesque. Il est sûr, discret, et diablement plus souple que la seconde recrue, l'ingénieur Jean-Paul Gignac, le personnage clé de cette double nomination qui complète son équipe de beaux esprits. Celui-là est l'envers du premier. Homme d'action, bâtisseur et fonceur, sa carrure de joueur de hockey intimide alors que son esprit attentif de mélomane séduit.

En réalité, il a tout de « l'homme de Lévesque », même l'année de naissance, 1922. Tantôt, on insinuera même que le vrai *boss* à Hydro, c'est lui et non Lessard. Mais René Lévesque doit se donner un mal de chien pour le décider à venir. Quand Michel Bélanger l'appelle, il lui objecte : « Écoutez, je suis tout le contraire d'un fonctionnaire, qu'est-ce que j'irais foutre à Hydro-Québec ?

— Monsieur Lévesque veut vous avoir…

— Vous lui direz que ça ne m'intéresse pas ! »

Michel Bélanger n'en revient pas. C'est un gros poste que celui de commissaire à Hydro, mais pourtant ce rustaud de Shawinigan fait la fine bouche. Jean-Paul Gignac est un ingénieur de terrain et non un bureaucrate. Son premier pont, il l'a construit à 25 ans, à Saint-Eustache. Après d'autres gros contrats, dont celui de la réfection du pont de Québec, il s'était replié sur Shawinigan où il avait repris avec ses frères l'usine de bois de construction périclitante du grand-père. Trois ans après, l'entreprise faisait des profits. Et aujourd'hui, avec ses 200 ouvriers et un chiffre d'affaires de trois millions de dollars, l'avenir lui apparaît prometteur. Alors, pas question de bousiller ce succès pour les beaux yeux de René Lévesque.

En janvier 1961, nouvelle démarche. Cette fois, Michel Bélanger parvient à l'attirer à Québec où il lui a ménagé une entrevue avec le patron. Au restaurant du parlement, Jean-Paul Gignac sursaute en apercevant René Lévesque. Il est minuscule. Sans trop savoir pourquoi, il s'était mis dans la tête qu'il faisait plus de six pieds !

« Vous êtes un des phénomènes du Québec, ça m'a l'air ! Vous refusez une grosse job ? attaque René Lévesque avec le sourire.

— Je ne vois pas pourquoi j'irais à Hydro-Québec quand je crée 200 emplois et que je fais des profits. Il n'y en a pas des tonnes qui font ça, dans la province. Hydro, c'est vraiment pas mon boulot... »

L'ingénieur paraît intraitable : il ne peut pas abandonner son usine. Il a travaillé comme un fou avec ses frères pour faire ce qu'on aurait dû faire au Québec depuis 25 ans : de l'industrie manufacturière. René Lévesque lui fait la morale :

« Si des entrepreneurs comme vous, des fonceurs, n'acceptent pas de donner de leur temps au gouvernement, faudra pas venir chialer dans cinq ans en disant qu'on n'a pas fait notre job ! »

Touché ! Jean-Paul Gignac accepte d'aller à Hydro pour cinq ans maximum. Mais à demi-convaincu, il prend sa femme à témoin, dans l'espoir qu'elle l'empêchera de se fourvoyer : « Si je m'embarque là-dedans, toi et les enfants, vous ne me verrez plus... »

Mais Joan Hébert, une petite femme énergique qui a dans les veines du sang écossais et irlandais, lui objecte, avec des accents nationalistes : « Monsieur Lévesque travaille pour le Québec, il a besoin de toi, tu dois y aller... »

Le 21 mai 1961, le Conseil des ministres approuve la nomination des deux « lévesquistes » de la commission hydro-électrique. Quand Jean-Paul Gignac se présente au siège social d'Hydro, il retrouve un tas d'ingénieurs de sa connaissance qui l'accueillent avec des « Jean-Paul, qu'est-ce que tu viens faire ici ? » Comme si sa présence détonnait. Surpris, il répond : « Je ne sais pas, on va voir... »

La première chose qu'il fait, c'est d'avertir René Lévesque : « Je ne veux pas être embarrassé par les fonctionnaires, je veux avoir les mains libres.

— Ne vous inquiétez pas, monsieur Gignac, vous allez les avoir libres, parce que c'est moi qui vais m'en occuper.

— Je vous avertis, le premier fonctionnaire qui vient m'achaler, je le passe par la fenêtre ! »

L'arrivée du matamore à la commission fait des flammèches. Dès le premier conseil d'administration, il affiche ses couleurs en voyant le président Lessard passer à l'anglais pour diriger les délibérations. Il s'insurge : « Qu'est-ce que c'est ça ! Pourquoi parlez-vous anglais, monsieur Lessard ? On est quatre Canadiens français et un anglophone, monsieur O'Sullivan, qui parle français aussi bien que nous...

— On n'a pas le choix, monsieur Gignac, pour le financement, ça nous prend des minutes en anglais, insiste le pdg, qui lui répond en français tout de même.

— Voyons donc ! Vous les traduirez, vos maudites minutes ! »

Ça commence raide. Avant la réunion, Jean-Paul Gignac a appelé René Lévesque : « Je vous préviens, monsieur le ministre, je vais dire ce que je pense, ça va vous causer des problèmes... » L'entrepreneur n'a rien d'un « nationaleux ». Sa motivation est concrète : il veut faire avancer le Québec et arrêter les injustices qui ont été commises contre les Canadiens français. Habitant tout près de la Shawinigan Water and Power, il ne compte plus le nombre d'ingénieurs francophones bloqués dans leur avancement à cause de la langue et qui sont venus pleurer chez lui.

« Ça n'a pas d'allure, monsieur Lessard, insiste le commissaire Gignac. On est dans la province de Québec, c'est le français ici ! »

Le président finit par se rallier car, comme le découvre Jean-Paul Gignac, il n'est pas batailleur. En 1966, quand l'ingénieur Gignac quittera Hydro pour présider la nouvelle sidérurgie québécoise Sidbec, le président Lessard lui avouera, l'air repenti : « Jean-Paul, vous avez eu raison pour la question du français...

— Je ne voulais pas avoir raison à tout prix, monsieur Lessard, mais je pensais que c'était le gros bon sens. »

L'Ontario le fait, pourquoi pas nous ?

Le deuxième bon coup de Jean-Paul Gignac concerne la politique d'achat de la société d'État.

Un jour, il reçoit des entrepreneurs québécois qui lui servent l'éternelle rengaine : « On ne peut rien vendre à Hydro-Ontario, c'est fermé à double tour aux Québécois. Mais les Ontariens viennent ici vendre à Hydro-Québec et nous mettent le cul sur la paille… »

Le créateur d'emplois, doublé d'un nationaliste pragmatique — il préfère le mot patriote —, s'en trouve choqué. Sans en toucher mot à René Lévesque, il fouille la question et découvre qu'Hydro-Ontario pratique le protectionnisme sur une grande échelle. Les entrepreneurs ontariens sont si bien traités par leur régie d'État, et leurs marges bénéficiaires, si grasses, qu'ils peuvent se permettre d'offrir des rabais au Québec pour décrocher un contrat.

Jean-Paul Gignac apprend qu'avant son arrivée, le président Lessard a incité Jean Lesage à ne pas appliquer à Hydro-Québec la politique de tarifs préférentiels réclamée par l'industrie. Pourtant, une telle mesure serait de nature à susciter la création de nouvelles entreprises québécoises. Et en plus, le gouvernement lui-même a adopté une nouvelle politique qui favorise les achats de biens et services *made in Quebec*. Oubliant de demander la permission à René Lévesque, il s'en inspire pour élaborer à Hydro-Québec une politique similaire. L'arrêté ministériel 963 autorise la société d'État à acheter québécois même si les prix sont supérieurs de 10 ou même de 15 pour cent.

La levée de boucliers des Ontariens est immédiate. Des échos parviennent au commissaire Gignac selon lesquels Jean Lesage vacille sous les pressions. Il va voir René Lévesque : « Vous allez être obligé de m'appuyer parce que sans ça, je vais me faire tirer ! » Pour justifier sa politique, il déclare au journaliste Robert McKenzie : « L'Ontario fait la même chose depuis 50 ans. Je ne la blâme pas. C'est comme ça qu'elle a bâti son industrie. »

Pour lui, la décision du gouvernement Lesage est un véritable *Buy Quebec Act* qui se compare au *Buy America Act* des Américains. Il n'y a pas de mesure plus efficace et plus légitime pour démarrer une industrie québécoise de biens et services capable de rivaliser avec la concurrence extérieure. Ce serait stupide de ne pas détourner l'énorme pouvoir d'Hydro-Québec et du gouvernement vers l'entreprise québécoise. Les autres le font, pourquoi pas le Québec ? Mesurant quelques années plus tard les retombées de l'achat préférentiel, l'ingénieur commentera : « Nous avons créé 100 000 emplois avec cette politique. »

Bona sauve ses arbres

Pendant ce temps, René Lévesque tente d'englober la Forêt, ressource renouvelable s'il en est une, dans son futur ministère des Richesses naturelles. Dans le projet conçu par Georges-Émile Lapalme avant les élections, ce nouveau ministère devait réunir l'Eau, la Forêt, l'Agriculture et la Colonisation. Mais il n'était pas question des Mines.

L'Agriculture et la Colonisation sont éliminées assez rapidement du projet. Éric Gourdeau et Michel Bélanger jonglent ensuite avec la question suivante : ne vaudrait-il pas mieux ne conserver que l'Eau et la Forêt ? Ou faut-il y inclure aussi les Mines, de façon à faire jouer un rôle plus dynamique à ce petit ministère inféodé aux grandes entreprises minières ? Michel Bélanger dit à René Lévesque : « Les Mines, je n'ai rien contre, mais vous seriez mieux de grouper plutôt la Forêt et l'Eau, qui sont deux ressources renouvelables. »

Éric Gourdeau doute depuis le début que la Forêt finisse un jour dans le même lit que l'Eau. À cause des papetières toutes-puissantes qui se conduisent comme si la Forêt était leur domaine privé, et de Bona Arsenault, député de Matapédia, à qui Jean Lesage a confié le ministère des Terres et Forêts, et qui se bat pour garder ses arbres. « Bona, il couche avec les compagnies ! » aime dire le conseiller Gourdeau à son chef, qui ne l'adore pas lui non plus même s'ils viennent tous deux du même coin de pays.

« Bona », comme la presse l'a baptisé, reste l'un des personnages éminemment sympathiques des années 60. Il ne manque pas d'esprit et fait le délice des caricaturistes. Mais il a le tort, aux yeux de René Lévesque, d'être conservateur comme dix banquiers, buté comme autant d'ânes, et surtout d'être à la solde des papetières. Au Conseil des ministres, on voit les deux Gaspésiens se crêper le chignon sous l'œil amusé du premier ministre, qui les raccommode jusqu'à la prochaine chicane.

Finalement, Jean Lesage tranche en faveur de Bona Arsenault et… des papetières. Les Richesses hydrauliques fusionnent donc avec les Mines, plutôt qu'avec les Forêts, pour former le ministère des Richesses naturelles. Éric Gourdeau avait vu juste. Jean Lesage n'a pu se dégager de l'emprise des lobbyistes du papier, qui conservent un régime d'exploitation des forêts unique au monde. « Ça n'a pas de bon sens ! répète-t-il à son ministre. Les compagnies mettent des barrières partout pour empêcher les gens d'aller en forêt. J'en connais même qui ont hypothéqué les forêts pour financer leur exploitation, comme si les forêts leur appartenaient. »

Chose certaine, avec Bona Arsenault à la barre, elles pourront dormir tranquilles. René Lévesque avale de travers. Il écrira à ce propos dans ses mémoires : « J'eus beau plaider qu'on me confiât les forêts, soulignant que c'est avec l'arbre bien plus qu'avec les minéraux que l'eau a une affinité naturelle, rien n'y fit, et je sus quelque temps après que les compagnies de pâtes et papier avaient refusé net d'avoir à traiter avec l'inquiétant gauchiste que j'étais. »

Il n'y a pas que les magnats de la forêt qui le voient comme l'allié naturel de Moscou ou de Cuba. Daniel Johnson, qui assume maintenant la direction de l'Union nationale, l'accuse du même péché. Depuis que René Lévesque l'a accusé d'avoir volé des dossiers appartenant à la province, d'une valeur de 20 000 $, avant de lui céder ses bureaux, ils sont à couteaux tirés. Certes, René Lévesque a dû retirer le mot vol, antiparlementaire, mais il a maintenu son accusation. Ce à quoi Daniel Johnson a rétorqué :

« C'est ce qu'a fait monsieur Lesage en quittant Ottawa. C'est ce qu'a fait monsieur Lapalme en cédant son bureau du chef de l'opposition. Et c'est ce que fera le député de Laurier quand la population en aura assez de ses méthodes à la Krouchtchev ! »

Le débat sur la loi 22 créant le nouveau ministère des Richesses naturelles les oppose rageusement. Daniel Johnson, aussi antiétatiste que son maître Duplessis, voit venir le virage. De son temps, le ministère s'occupait principalement de faire du drainage et d'entretenir les cours d'eau. Avec René Lévesque, les choses changent. Comme il a l'intention de rendre les Québécois actionnaires de leurs richesses naturelles, particulièrement de l'électricité, cela donnera un gouvernement interventionniste, politique que le Daniel Johnson de 1961 désavoue.

« Si l'on veut arrêter le progrès, attaque le chef unioniste, on n'a qu'à prêcher le socialisme de ces pseudo-intellectuels qui font le jeu des puissances étrangères. Ce n'est pas au moment où l'entreprise privée devient rentable pour nous qu'il faut la saboter... »

Piqué au vif, René Lévesque brandit la batte contre un adversaire qui, dit-il, ne rend pas service à ses compatriotes en faisant de l'État un épouvantail : « Un petit peuple comme le nôtre a besoin d'un levier et ce levier, c'est l'État ! Ce que le député de Bagot vient de nous servir, c'est un petit déluge de mots dans un désert d'idées. Nos amis d'en face, un assemblage effarant des plus grands incompétents du monde, une académie d'une quarantaine de membres qui ont de l'esprit et de la substance comme quatre, se servent de leur expérience poussiéreuse pour faire descendre le débat le plus bas possible... »

Finalement, la loi 22, qui légitime le mariage contre nature de l'Eau et des Mines, entre en vigueur au printemps 1961. Éric Gourdeau, à qui René Lévesque a confié la formation du nouveau ministère, se dépêche de rapatrier à Québec la Commission des eaux courantes, jusque-là installée à Montréal, puis regroupe tous les services sur le boulevard de l'Entente où se trouvent déjà les Mines.

René Lévesque a vu à ce que la loi reprenne l'engagement électoral des libéraux : accélérer l'expansion d'Hydro-Québec et lui assurer l'exploitation de toutes les forces hydrauliques non concédées. Elle donne aussi le ton aux années à venir en réclamant des compagnies qui exploitent les richesses naturelles l'embauche d'une main-d'œuvre québécoise et de cadres formés au Québec.

René Lévesque abandonne les Travaux publics à René Saint-Pierre, député de Saint-Hyacinthe, tout en persuadant son ami l'ingénieur Marc Picard, qu'il a nommé sous-ministre adjoint, de veiller au grain afin que la guerre au patronage se continue.

De son côté, « Bona » sauve ses forêts, mais devra composer néanmoins avec l'autre Gaspésien. En effet, pour limiter les dégâts, Éric Gourdeau et Michel Bélanger ont fait insérer dans la loi 22 une disposition qui fait du ministre des Richesses naturelles le grand responsable de la planification pour la mise en valeur de toutes les ressources, y compris la forêt. Consolé à demi par cette victoire morale, René Lévesque demande à son équipe de beaux esprits : « Bon, maintenant, qu'est-ce qu'on fait avec tout ça ? »

CHAPITRE VI

Les Rhodésiens de la Noranda

Apprenez à vous civiliser dans le temps qui vous reste !

RENÉ LÉVESQUE, à la Mine Noranda, mars 1965.

En prenant possession du bastion des Mines, René Lévesque constate avec dépit qu'il se trouve sous occupation étrangère. Voilà une autre richesse naturelle qui n'a pas apporté la prospérité à la province parce que « le petit avocat formé en 1890 » — Maurice Duplessis — qui l'a dirigée depuis 1944, l'a bradée aux multinationales américaines contre des redevances ridicules.

Le tableau plutôt brutal que ses conseillers lui mettent sous les yeux — aux Mines, on se croirait au Moyen Âge ! — lui commande une fois de plus de jouer les provocateurs. « Le ministère des Mines n'est qu'une succursale des gros intérêts », lance-t-il à l'Assemblée législative, en se scandalisant que, sous l'Union nationale, aucun expert n'ait jamais accouché d'une véritable politique de développement minier.

Comme pour l'hydro-électricité, c'est Maurice Duplessis qui définissait des règles à l'avantage des puissants de l'empire minier, tel James Murdoch, pdg de Noranda Mines et fondateur de la ville minière de Murdochville, en Gaspésie. Or, René Lévesque conserve de ses années de journalisme à Radio-Canada des souvenirs vivaces et pénibles de ceux qu'il appelle les « potentats d'un royaume colonial à rapatrier ».

En 1955, il s'était rendu en Ungava au moment où l'on commençait à extraire du sous-sol ce minerai de fer dont Georges-Émile Lapalme disait qu'il sortait du Québec pour « une cenne la tonne ». Depuis, des images navrantes, rappelant les conditions de vie inhumaines des mineurs de *Germinal,* ne l'ont plus quitté. Il a vu les travailleurs au visage barbouillé, empêchés de circuler librement par un bataillon de policiers. Pour échapper à ce camp gardé et à leur chienne de vie, les mineurs tentaient de s'unir ; mais le régime Duplessis ligué aux compagnies minières écrasait toute velléité de syndicalisme.

« La jeunesse chérie de la province de Québec devait alors coucher dans les bois parce qu'elle ne pouvait s'organiser… », dira René Lévesque sur un ton narquois au sujet de cet épisode noir de sa vie de journaliste. Puis, en 1957, il était descendu à Murdochville avec une équipe de Point de mire. Des mineurs s'étaient révoltés contre la Gaspé Copper Mines, filiale de la Noranda, qui leur refusait la reconnaissance syndicale. Il en avait ramené une émission choc qui a figé en lui une vision lugubre de l'empire minier québécois.

Cela dit, il choisit comme sous-ministre un homme qu'on dirait échappé du conseil d'administration de Noranda Mines. Paul Auger est un conservateur dont la mentalité capitaliste le fatigue souverainement. Mais il est compétent et intègre. Il lui suffit d'expliquer le bien-fondé de sa position pour que le ministre lâche un « s'il faut le faire, on va le faire ». Et lorsque le ton servile de ses avis destinés aux compagnies minières l'exaspère, il glisse à Michel Bélanger, qu'il vient de nommer directeur général de la planification : « Arrangez-moi donc sa paperasse qui a l'air un peu trop béni-oui-oui… »

Le secteur minier que découvre René Lévesque représente trois pour cent du produit intérieur brut du Québec. C'est à peine moins que l'agriculture mais plus que l'hydro-électricité. L'industrie minière emploie 30 000 travailleurs et sa production de 705 millions de dollars (en 1965) est 10 fois plus importante qu'avant la guerre. La demande américaine accrue pour les matières premières l'a propulsée au rang des grandes industries du Québec. Chaque année, on extrait des entrailles québécoises 14 millions de tonnes de fer, 176 074 tonnes de cuivre et 275 788 tonnes de zinc, soit respectivement 43, 32 et 18 pour cent de la production canadienne. Ce sont là les principaux minerais québécois avec l'or et surtout l'amiante : 94 pour cent de la production canadienne et 45 pour cent de la production mondiale.

Michel Bélanger confie à André Marier, le jeune économiste supernationaliste du cabinet Lévesque, la tâche de mesurer le rôle des mines dans la croissance économique du Québec. Son diagnostic est à la fois positif et négatif. Les retombées ne manquent pas : investissements massifs aux effets multiplicateurs (construction de routes et de voies ferrées, création de villages et de villes comme Schefferville, etc.), mise en valeur des gisements, construction d'usines comme celles de Murdochville ou de Noranda, création de milliers d'emplois...

En revanche, une donnée capitale assombrit le portrait. Contrôlée à plus de 60 pour cent par les Américains, l'industrie expédie massivement le minerai québécois aux États-Unis, où usines et manufactures étrangères le transforment en produits finis.

L'outillage et les cadres viennent aussi d'ailleurs et les profits y retournent. Peu intégrée à son milieu, l'industrie minière, c'est l'affaire des autres. Dominés et sous-scolarisés, les Québécois francophones n'en sont que les prolétaires, ceux qui descendent dans le trou de la mine.

La conclusion que l'économiste présente à René Lévesque le provoque à monter aux barricades, comme pour l'électricité : « L'exploitation d'une ressource non renouvelable par un groupe international, c'est la cession à d'autres pour un plat de lentilles d'une richesse qui pourrait être utilisée ici. Pourquoi ne pas garder nos richesses au lieu de les donner aux étrangers ? Au fond, ce que retire le Québec, ce sont des taxes et quelques milliers d'emplois parmi les plus humbles et les plus pénibles... »

Pour quelques sous la tonne

La vente des concessions minières au capital étranger obéit elle aussi à une politique de dépossession.

Tout Québécois a vu un jour ou l'autre le fer de la Côte Nord remonter le Saint-Laurent à bord de grands minéraliers filant vers les aciéries des Grands Lacs. Et les redevances dérisoires payées à la province en dédommagement de l'extraction de richesses irremplaçables commencent à faire jaser. À toutes fins utiles, cela équivaut à la dilapidation des richesses du sous-sol québécois au profit des Américains.

Véritable procureur de la Couronne, René Lévesque établit sa preuve sur quelques chiffres percutants qui justifieront ensuite son intervention. En 1960, révèle-t-il, l'industrie minière a versé au gouvernement des redevances de 8,8 millions de dollars mais celui-ci en a consacré aux mines 9,5 millions. D'où un déficit, comme pour l'hydro-électricité.

Il enchaîne avec son couplet favori, qui a le don d'agresser les gros bonnets du secteur minier qui ne sont pas loin de voir en ce *French Canadian* un Lénine réincarné : « La richesse extraite de notre sous-sol est d'abord la propriété de la population. Il échoit au gouvernement d'assurer qu'une plus juste part de sa valeur revienne au peuple… » Son objectif est clair : en finir avec une complaisance gouvernementale dont il n'existe pas de parallèle ailleurs au Canada.

En 1957, alors qu'il animait une émission de télé consacrée aux droits miniers, René Lévesque avait demandé au ministre responsable des Mines si le taux des redevances serait relevé un jour. « Attendez l'an prochain, monsieur Lévesque, nous allons les réviser », avait répondu William Cottingham.

Quatre ans plus tard, rien n'a changé. Les multinationales établies au Québec, dont la marge de profit est la plus élevée en Amérique du Nord, versent à peine cinq millions de dollars par année de droits miniers. Le Québec est la province qui prélève les redevances les plus basses — quelques cents la tonne — sur la masse de métal arrachée à son sous-sol. Mais René Lévesque ne se fait pas d'illusion. Le miracle, ce n'est pas dans le secteur des mines qu'il se produira, car les produits miniers s'écoulent sur un marché international hautement concurrentiel et extrêmement hasardeux.

Il admet que l'initiative appartient ici à l'entreprise privée et ne conteste pas l'efficacité de ses méthodes d'exploitation. Pas question, donc, d'appliquer aux mines la solution de la nationalisation qu'il envisage pour l'eau. Journaliste, il a tiré une leçon de la tentative ratée du premier ministre iranien Mossadegh de nationaliser, en 1951, les richesses pétrolières de son pays. Les représailles de la multinationale

Anglo-Iranian Oil Company forcèrent le shah Muhammad Rizâh à lui retirer le pouvoir et à le jeter en prison.

Il ne craint pas de se retrouver en cellule ! Mais son réalisme le convainc que la province ne peut pas sans risque étatiser ses industries primaires d'exportation, comme les mines ou le papier. Ses conseillers apprécient sa prudence envers l'establishment minier. Ce monde de la haute finance, des multinationales et du grand capitalisme sauvage est le secteur d'intervention par excellence auprès des partis politiques et des gouvernements. René Lévesque sait qu'il ne pourra pas aller très loin.

S'il évite de trop s'aventurer dans un dossier qu'il connaît moins bien que l'eau, cela ne veut pas dire qu'il va s'interdire de bouger. Sans être des plus draconiens, le *new look* qu'il impose à la politique minière comporte assez d'innovations pour faire bondir l'industrie tout entière. Lancée dès mai 1961, la refonte de la Loi des mines, une loi vieille de 40 ans qui ne cadre plus avec la réalité des années 60, vise à stimuler l'exploitation et l'exploration.

René Lévesque veut en finir avec les concessions qu'on laisse dormir pendant des années sans les mettre en valeur. Ainsi, des 344 concessions émises en 1963 et 1964, 162 font l'objet de travaux minimaux et 182 autres sont laissées en friche. Le remède : s'assurer que les baux soient révocables après 10 ans d'inactivité.

Du côté des redevances, il propose que les droits miniers doublent grâce à la hausse des rentes et à la révision des taux d'imposition sur les profits des gros exploitants. Voilà un beau programme de reconquête du sous-sol québécois. Mais à ses yeux, les choses ne vont pas assez vite. Contrarié par la lenteur de la machine législative, il écrit à Jean Lesage : « Selon nos calculs, la nouvelle loi apporterait une augmentation nette de 3,75 $ millions au Trésor. Ne serait-il pas utile de saisir ces revenus additionnels ? D'abord, parce que nous en avons besoin et parce qu'il ne serait pas mauvais de montrer que nous pouvons aussi taxer les gros… »

Comme si tout le monde s'était donné le mot, les protestations fusent dès le dépôt du projet de loi. Ce sont d'abord les petits de l'industrie, prospecteurs et géologues, qui s'élèvent contre une disposition de la loi qui, pour réduire les terrains en sommeil, veut porter de 25 ¢ à 75 ¢ l'acre la rente annuelle du permis de mise en valeur.

Cette hausse de rente les pénalise puisque ce sont les prospecteurs particuliers, non les grandes compagnies, qui découvrent et explorent les mines. René Lévesque leur propose des exemptions d'impôts pour les dépenses d'exploration, des allocations pour amortir les frais d'exploitation, et une baisse des droits de jalonnement… Trente *claims* ne coûteront plus que 60 $ au Québec, contre 180 $ en Ontario.

C'est au tour des gros à crier à l'apocalypse contre une loi qui, disent-ils, va ralentir le rythme de l'exploration minière et forcer les compagnies à se retirer du Québec. Chantage qu'on n'a pas fini de servir dans cette province française qui commence à prendre ses intérêts en main.

Le Board of Trade of Montreal, l'Association des Mines d'amiante du Québec et l'Association des Mines de Métaux du Québec, les deux dernières sous contrôle américain, tombent d'accord sur un point. Il faut reporter l'adoption de la loi à la saint-glinglin. Ils s'acharnent sur Jean Lesage qui résiste. Et bientôt, John Bradfield, président de la toute-puissante *Noranda,* dont le siège social est à Toronto, prend sa grosse voix. Avec la loi du ministre Lévesque, dit-il, les compagnies minières québécoises seront les plus taxées au Canada. L'augmentation de 1,3 million de dollars par année des redevances de ses quatre satellites québécois, Noranda, Gaspé Copper, Quémont et Normétal, est une preuve « de discrimination envers une compagnie qui devrait être normalement encouragée ».

Au pays des *bwanas* miniers

René Lévesque accueille mal cette sortie d'une société dont les revenus ont dépassé les 147 millions de dollars en 1964 et qui n'a pas vu ses redevances bouger depuis des lunes, dans une province dont la taxation minière est la plus basse au Canada.

Une semaine seulement après l'adoption de sa loi, à l'occasion d'une tournée des trois grandes régions minières de la province — l'Estrie et son amiante, la Côte Nord et son fer, l'Abitibi et son cuivre — il déclare la guerre à Noranda Mines.

L'après-midi du 27 mars 1965, à Rouyn-Noranda, fief de la minière torontoise, c'est dans un climat d'extrême froideur noté par la presse que les dirigeants de la mine lui font faire le tour du proprio. Ils le traitent carrément en inférieur, ce qui le met en furie. Comme il l'écrit dans ses mémoires : « Le pire, c'était la suprême arrogance du colonisateur qu'affichaient tous ces gros et petits *bwanas* miniers. Je ne résistai pas toujours à la tentation de leur dire en pleine face qu'un jour viendrait où le Québec se débarrasserait de ce climat rhodésien qu'ils faisaient régner dans leur secteur... »

Michel Bélanger n'oubliera jamais sa descente sous terre. Pas très brave malgré sa carrure, il doit accompagner son patron dans le trou, en compagnie du *bwana* local qui a le mépris écrit dans le visage et qui, s'il osait, dirait : « Tu sais, petit nègre blanc Lévesque, tu peux pérorer tant que tu voudras, mais la mine, elle est à moi et des ministres comme toi, j'en ai déjà acheté à la douzaine ! »

René Lévesque est sans doute le politicien québécois le plus sensible à ce genre d'affront. Aussi, sans doute pour lui rendre la monnaie de sa pièce, s'ingénie-t-il à fureter là où il n'a pas d'affaire. Car avant l'expédition, le syndicat l'a prévenu : la compagnie n'a nettoyé que les secteurs qu'elle lui fera visiter. « On pourrait-y aller faire un tour par là ? » demande-t-il, en voyant un mineur grimper dans l'échelle qui mène à une galerie. Et sans attendre l'autorisation du *bwana*, il le suit.

Le pauvre Michel Bélanger doit lui emboîter le pas en se demandant ce qu'il fiche dans cette mine, pour s'apercevoir, en même temps que le patron, qu'il a les deux pieds dans les excréments. On a omis de faire le ménage dans ce coin !

Le soir de cette journée qui a décidément mal commencé, René Lévesque déclenche une véritable commotion. Au cours du banquet syndical, il exhorte les 500 métallos qui luttent pour de meilleures conditions de vie de cesser d'écouter « nos rois-nègres qui sont payés pour nous faire peur ». L'enthousiasme éclate alors dans la salle, comme l'observe le reporter du *Devoir,* Réal Pelletier. Pourtant, René Lévesque se trouve en terre créditiste, dans le royaume du démagogue Réal Caouette qui crucifie et adule en même temps les « requins de la haute finance ».

Au risque de passer pour communiste — mais il en a l'habitude —, le ministre emprunte au discours marxiste des années 60 l'équation capital/travail pour appeler les mineurs à se serrer les coudes devant les capitalistes, à faire sentir leur force dans l'opinion publique s'ils veulent que les lois leur soient plus favorables : « Vous, tout ce que vous avez à vendre, ce sont vos bras et votre travail. En Amérique du Nord, les capitalistes dominent tout, y compris les gouvernements. C'est par les syndicats qu'on est sorti de la domination totale des capitalistes. Il ne faut pas vous inquiéter pour leur sort, comme souvent on vous invite à le faire. Les capitalistes sont capables de se défendre tout seuls. C'est même extraordinaire comme ils savent bien se défendre ! »

Politicien du concret, René Lévesque s'en prend aux conditions de travail qui prévalent à la mine Noranda. « Vous n'avez même pas la parité salariale avec l'Ontario. L'industrie minière du Québec compte parmi celles qui rapportent le plus et paient le moins. Faites les étapes le plus vite possible. » Les pensions de retraite, ensuite : « L'industrie minière, c'est le Moyen Âge au point de vue social, c'est l'industrie qui est le plus en retard pour les caisses de retraite. »

Enfin, René Lévesque dénonce le manque flagrant de respect envers le français, partout à Noranda Mines. Au fond de la mine, l'anglais est roi et maître, même si les mineurs ne le parlent pas. Les contrats de travail sont rédigés uniquement en anglais et les promotions toujours à l'avantage des anglophones et des immigrants anglicisés.

Puis vient l'ultimatum lancé aux dirigeants de la Noranda : « Apprenez à vous civiliser dans le temps qui vous reste… » Il les taxe de Rhodésiens et dresse un parallèle entre le racisme de la minorité blanche de Rhodésie vis-à-vis de sa majorité noire et celui des potentats unilingues de Noranda Mines envers les mineurs francophones.

Michel Bélanger et Pierre F. Côté, qui l'accompagnent à Rouyn-Noranda, n'en reviennent pas. Ni le président de la Noranda. John R. Bradfield est le digne successeur du légendaire James Murdoch, et grand ami de Maurice Duplessis à qui il avait demandé, un jour de 1946, d'expédier 150 policiers — c'était pratiquement toute la police provinciale ! — à Noranda pour empêcher les mineurs de se syndiquer.

Le pdg Bradfield peut jouer aussi rude que René Lévesque. N'a-t-il pas déjà conseillé aux petits prospecteurs et promoteurs québécois de miser sur les courses plutôt que sur les mines ? « Vos chances de réussir sont meilleures et vos gains ne sont pas taxables ! », leur avait-il dit, méprisant.

De son siège social à Toronto, John Bradfield publie un communiqué qui qualifie René Lévesque de pure marionnette syndicale. Le ministre, écrit-il, colporte les mensonges des syndicats sans les vérifier. Avec un salaire horaire de 2,17 $, les mineurs de Noranda gagnent plus que la moyenne québécoise, qui n'est que de 1,82 $ l'heure. Même information biaisée concernant le régime de retraite de Noranda Mines qui existe depuis 1937 et peut valoir au mineur qui quitte la compagnie entre 900 $ et 15 000 $ selon ses années de service.

L'affaire tourne au conflit de personnalité. Comme le dira 30 ans plus tard Michel Bélanger : « René Lévesque était un personnage relativement simple. On l'aimait ou on le détestait. La Noranda ne l'aimait pas et René Lévesque le lui rendait bien… »

La polémique rebondit au Conseil des ministres où, laisse entendre à tort la presse, René Lévesque se fait rabrouer par son chef. « À son retour à Québec, Lévesque s'est heurté à un premier ministre glacial », écrivent les journalistes Richard Daigneault et Dominique Clift. En réalité, ce sont plutôt les conservateurs du Cabinet qui affichent un visage de bois car Jean Lesage appuie son mouton noir, comme l'indique la lecture du procès-verbal du Conseil exécutif du 30 mars : « Je partage entièrement les vues de mon collègue, le ministre des Richesses naturelles. Les dirigeants de cette compagnie devraient faire preuve de meilleure compréhension à l'endroit de leur personnel ouvrier. »

Une patente communiste

L'harmonie ne règne pas toujours entre Jean Lesage et René Lévesque. « Je ne sais plus combien de fois monsieur Lévesque a mis sa démission sur la table, rappellera son ancien secrétaire particulier, Pierre F. Côté. Il l'a fait plus souvent que ne l'ont signalé les journaux de l'époque. Surtout à la fin, quand ça ne marchait plus très fort avec "Jean", comme il appelait affectueusement le premier ministre. »

La conception que se fait René Lévesque de l'autorité du premier ministre l'incite à proférer des « Je m'en vais » résignés. Le grand patron, c'est Jean Lesage. S'il diverge d'opinion avec lui sur un point fondamental, la solidarité ministérielle lui commande de s'en aller. Leurs rapports sont souvent orageux. Ils se parlent fort, parfois. Mais comme ils se respectent et s'admirent mutuellement, ni l'un ni l'autre ne va jamais trop loin.

Chacun joue son rôle. Jean Lesage, celui du chef qui doit parfois gronder un subordonné qui force trop la note, même s'il sait qu'il peut compter sur sa loyauté. René Lévesque, celui du trouble-fête, du dissident prêt à tout pour débloquer les dossiers qu'il a à cœur.

Comme celui de la création de la société publique d'exploration minière (SOQUEM) qui vient couronner ses réformes dans le secteur minier. Il a renoncé à nationaliser les mines, mais rien ne lui interdit de penser que l'État a un rôle à jouer dans l'exploration du sous-sol québécois. Les bons gisements manquent parce que les compagnies étrangères négligent recherche et prospection et ferment les mines aussitôt le filon épuisé.

René Lévesque en conclut : il faudrait une exploration directe et permanente de notre sous-sol. Pour démontrer qu'une société publique d'exploration minière n'est pas « une patente communiste », comme les démagogues de la *free enterprise* le prétendent aussitôt, il s'empresse de citer l'exemple américain. Durant la guerre, le pays qui incarne le capitalisme le plus ultra n'a pas hésité à former sous l'égide de l'État la Strategic Mineral Exploration Corporation.

Il rappelle aussi les précédents de la Suède, du Japon et de la France, où l'État ne se contente pas d'explorer, mais exploite également les filons en collaboration avec l'entreprise privée.

Pourtant, quand René Lévesque soumet son mémoire au Cabinet, Jean Lesage écrit dans la marge : « Remettre pour étude ultérieure... » Quand il obtient enfin le feu vert, il résume son projet avant de laisser tomber :

« Nous n'avons su que mettre nos bras à la disposition des compagnies, conclut-il. Il est temps de contrôler l'exploration de nos richesses. Il faut cesser d'être des visiteurs et participer à la propriété... » L'argumentation est de poids, mais Jean Lesage n'en reporte pas moins encore le débat. En bon stratège, René Lévesque fait preuve de patience. Pour convaincre ses collègues, il s'allie au ministre Eric Kierans, qui a l'oreille du premier ministre.

Le millionnaire de la Bourse de Montréal recruté par Jean Lesage, en 1963, avertit les conservateurs du Cabinet : « Je suis bien décidé à écarter toutes les objections à l'égard de ce projet, en particulier celle qui consiste à exprimer la crainte que la création d'une telle société constitue une forme de socialisme... »

SOQUEM voit donc le jour et commence ses activités d'exploration du côté de la faille Cadillac, en Abitibi. Dotée d'un capital modeste d'un 1,5 million de dollars par année, elle contribue néanmoins à agrandir le patrimoine minier québécois en découvrant plusieurs filons qu'elle exploite avec l'entreprise privée. Ses activités de nature permanente assurent aussi à la province de demeurer une *hot area,* selon l'expression des petits prospecteurs, désormais réconciliés avec « René ».

Dans le contexte de réappropriation du territoire des années 60, le symbole est important. L'existence de SOQUEM met fin au sentiment d'aliénation des Québécois francophones face à l'industrie minière. On assiste au rapatriement d'un certain nombre de centres de décision où cadres et géologues d'ici peuvent gravir tous les échelons dans leur langue.

Aussitôt créée, la société québécoise d'exploration minière est inondée de lettres d'ingénieurs miniers québécois établis en Afrique, en Asie et en Amérique latine qui demandent : « Avez-vous du travail pour moi ? » Diplômés de l'Université Laval, ils avaient dû s'expatrier faute de pouvoir gagner leur vie chez eux.

CHAPITRE VII

Saint René

La notoriété, ça donne des avantages inouïs pour
rencontrer des gens au pluriel, mais au niveau
personnel, ça ferme des portes.

RENÉ LÉVESQUE, *Nous,* juin 1974.

Depuis que l'Union nationale fait circuler la rumeur selon laquelle il doit sa victoire dans Laurier aux mêmes méthodes électorales pas très catholiques dont les bleus sont censés détenir le monopole, René Lévesque se sent comme un pape qui aurait été élu par un conclave de diables. « Des grands fauves de la jungle électorale », écrit-il dans ses mémoires, à propos des faiseurs d'élections du député libéral fédéral Azellus Denis, qui ont pris le jeune candidat sous leur aile protectrice. S'il se fie aux résultats de l'enquête qu'il a ordonnée sur sa propre organisation, il est forcé d'admettre qu'il s'est fait posséder comme un enfant par « les gars d'Azellus ».

Il n'y a pas plus dévoués ni plus amicaux que ce vieux député qui connaît tout le saint-frusquin électoral et ses acolytes comme Jean Kochenburger, l'efficace secrétaire de comté, ou le grand Marcel Prudhomme. Celui-là, c'est le fils du Dr Hector Prudhomme, qui tient la trésorerie du parti local ; son grand rêve — et il le réalisera — est de succéder un jour à Azellus Denis comme député fédéral du comté.

Il y a aussi André Marchand, « panier percé d'Azellus », comme le surnomment les fidèles de René Lévesque. Sans oublier Fernand Lévesque, son fouineux de frère, à qui il fait appel de temps à autre. Mais la mentalité de Fernand le contrarie. Quand Marthe Léveillé s'étonne de le voir remuer ciel et terre pour le tenir le plus éloigné possible des contrats publics, il lui répond qu'il a interdit à ses collègues ministres de favoriser des membres de sa famille. Il fait même la vie dure au ministre de l'Agriculture, Alcide Courcy, qui a osé proposer du travail juridique à Fernand. Les relations entre les deux frères en souffriront longtemps.

Le reproche suprême que René Lévesque adresse à la bande d'Azellus Denis, c'est de se croire tout permis, sous prétexte qu'on ne gagne pas des élections avec des prières. Cynisme qui horripile René Lévesque. Comment se dire réformiste et libéral sans s'opposer d'abord à cette amoralité qui perpétue la corruption politique ?

Quelques années plus tard, son ami Jean Marchand, devenu entretemps député libéral fédéral, lui rappellera la dure réalité électorale de 1960 : « Sais-tu combien a coûté ton élection dans Laurier ? Je vais te le dire, moi : 40 000 $! Et cet argent qui a fait de toi un député de Sa Majesté, il venait bien de quelque part ? Voyons, René, tu n'as pas découvert aujourd'hui que le Parti libéral était financé par des capitalistes sans scrupules ! »

Robert Bourassa se souviendra qu'aux élections de 1966, René Lévesque et lui avaient croisé trois honnêtes travailleurs d'élection italiens qu'il semblait bien connaître et à qui il avait lancé en riant : « Hé ! les gars, pas trop de télégraphes, hein ! » L'un d'entre eux lui avait répondu : « René, souviens-toi de 1960 — 137 voix de majorité… » En d'autres mots : si t'as été élu, René, c'est grâce à nous.

S'il a lancé des enquêteurs aux trousses de son propre comité électoral, ce n'est pas à cause du tripotage électoral de 1960. Il a eu vent de cas flagrants de patronage perpétrés en son nom à la suite des élections. Comme il le dit en toutes lettres dans *Attendez que je me rappelle* : « Dans le comté, où j'avais dû jeter à la porte quelques quémandeurs avec leurs enveloppes bien garnies, je constatai qu'en mon absence, les gars d'Azellus maintenaient la coutume de monnayer les permis d'épicerie et que désormais la bière était rouge. Je me vis forcé de vider la place et de dénicher sans délai un secrétaire de comté étranger au sérail. »

Marthe Léveillé pressent ce qui pend au bout du nez de Jean Kochenburger. Au début, le patron ne jurait que par lui. Il en menait large dans l'organisation. Aujourd'hui, quand son nom est prononcé, elle sent la colère gagner René Lévesque. Il laisse aussi entendre à son beau-frère Philippe Amyot qu'il ne contrôle plus rien dans le comté : « Ça n'a plus de bon sens ! Ils se servent même de mon nom pour faire leur chantage et obtenir des contrats. »

Jacques Simard, qui succédera à Jean Kochenburger, se rappelle que ce qui enrageait René Lévesque n'était pas tant les bruits de tripotage électoral* répandus par l'Union nationale, que le régime de distribution de faveurs qui passait par les chefs de paroisse obéissant au « parrain » Azellus Denis. Après avoir saqué les coupables, il dira d'ailleurs à Philippe Amyot : « Je les ai sacrés dehors à cause des contrats et du patronage. Pas parce qu'ils ont tripoté mon élection... »

René Lévesque a placé Azellus et compagnie devant les faits, mais au lieu d'intenter des poursuites ou de lancer l'affaire dans les journaux, il l'étouffe en les priant de décamper. En somme, il a acheté la paix en leur disant : « Partez, ou bien faites face à la musique ! »

Marthe Léveillé, qui habite à deux coins de rue de chez Jacques Simard, dans le quartier Villeray, le fait venir chez elle, près du cinéma Rivoli, pour lui annoncer : « Jacques, monsieur Lévesque cherche un secrétaire de comté. Je lui ai parlé de toi... » Le rendez-vous a lieu au bureau de comté de la rue Saint-Denis, à l'angle de Faillon. « Ce n'est pas une job de cinq jours que je vous offre, monsieur Simard. » Sous-entendu : le week-end, nous, on travaille !

Dessinateur industriel, le jeune Simard est nationaliste comme tout le monde dans Villeray, et surtout à cause de son père qui parlait d'achat chez nous à la maison et qui, dans les années 30, avait laissé Duplessis pour rejoindre les nationalistes de Paul Gouin. Jacques Simard est tenté par l'aventure, mais son tempérament indépendant — il est pigiste — le fait hésiter.

---

* Trente ans plus tard, Jean Kochenburger repousse encore ces allégations : « Pas besoin de passer de télégraphes car le comté était rouge comme une voiture de pompier. De plus, l'Union nationale nommait le greffier et le scrutateur de chaque bureau de vote rendant impossible toute manipulation du vote par les libéraux. »

Il consulte un autre résident du quartier, son cousin J.-Z. Léon Patenaude, l'ancien secrétaire du maire Jean Drapeau. Le cousin l'encourage : « Vas-y, Jacques, mais ne te fais pas avoir comme moi… » Il y va. La première chose que lui demande René Lévesque, c'est de rebâtir l'association de comté décimée par la purge.

Les premiers mois, personne ne lui parle. Les chefs de paroisse, piliers du « système Azellus », à qui ils rendent encore des comptes, lui font la vie dure aux réunions du parti. La tension monte. Sachant que le grand nettoyage mettra du temps à se faire, son protecteur, René Lévesque, lui donne toute la corde nécessaire pour écarter ceux qui refusent le nouvel évangile de la transparence électorale.

Un vrai frère André

Le nouveau secrétaire constate bientôt que son député attire le monde comme le miel, les mouches. Un vrai frère André. Les fins de semaine, la salle d'attente de son bureau, au rez-de-chaussée d'une maison privée, au 7491 de la rue Saint-Denis, est remplie à craquer. Dès 8 heures, il y a déjà 50 personnes qui demandent à voir « René ». Ils ne disent pas saint René, mais ce n'est pas l'envie qui manque !

Parfois, le député fait même du bureau le dimanche matin. On vient le voir de partout, comme s'il était un guérisseur ou un messie. La confiance que le petit peuple d'éclopés place en lui est renversante. Encore un peu et les gens lui demanderaient de les toucher, comme à un faiseur de miracles.

Son sempiternel « À mon humble avis », que son bon ami Yves Michaud lui reprochera un jour en lui faisant remarquer qu'un premier ministre n'a pas à avoir d'humbles avis mais des avis tout court, n'est pas une formule trompeuse. Cet homme possède l'humilité naturelle du peuple. Il préférera toujours les gens sans prétention aux parvenus et aux snobs qui font des manières.

Quand une veuve à bout de ressources vient craintivement lui confier ses problèmes, il faut le voir se lever et aller l'accueillir. Le contact avec les gens, c'est son oxygène. L'un se plaint de sa pension d'invalidité avec laquelle il n'arrive pas à vivre ; l'autre, d'une injustice qu'un bureaucrate sans cœur lui a fait subir ; un troisième, de l'accident de travail qui le cloue à la maison.

Jacques Simard, qui connaît le comté comme le fond de sa

poche, l'emmène rendre visite à des gens âgés embourbés dans la pauvreté. « Vous voyez, monsieur Lévesque, ces vieux-là, l'argent qu'on leur donne, ou bien ils se soignent avec, ou bien ils mangent. Mais ils ne peuvent pas faire les deux... » Le secrétaire aimera croire que l'idée du supplément d'aide sociale adopté en 1965 par René Lévesque, quand il sera ministre du Bien-être social, était née de leurs visites impromptues au royaume de la misère.

Jamais le député ne promet la « guérison ». Il n'est pas du genre à dire : « Ne vous en faites pas, madame, je vais régler votre cas... » Les petites gens ne repartent donc pas guéris, comme ces malades qui allaient voir l'humble portier de l'Oratoire Saint-Joseph... Le miracle, c'est qu'avec ses paroles apaisantes, il arrive à les consoler. « C'est un thaumaturge de l'âme », a l'habitude de dire Jacques Simard.

Mais il n'y a pas que les mal pris qui frappent à sa porte. Début 1962, le gouvernement Lesage opte pour une politique de libéralisation de la vente de la bière. Désormais, toute épicerie qui en fera la demande pourra vendre le champagne des pauvres. Finie la chasse gardée partisane. Commence alors le défilé des quémandeurs de permis. Habitués au régime unioniste, les épiciers envahissent le bureau du député, un cadeau sous le bras. Comme si c'était lui qui distribuait les permis et non pas la Commission des liqueurs ! Au grand étonnement de son secrétaire, le député s'amuse de la situation. Il dit même au petit épicier qui veut lui offrir une montre en guise de remerciement anticipé : « Attendez un peu, monsieur Laframboise, vous allez l'avoir votre permis, comme tout le monde, et ça ne vous coûtera pas une cenne, croyez-moi ! »

L'émission des permis de taverne donne lieu à un scénario différent, mais qui divertit tout autant René Lévesque. Premier problème : on ne peut pas saupoudrer le comté de débits de boisson. Combien faut-il émettre de permis, où et à qui ? Deuxième problème : il se méfie des beaux parleurs de l'organisation centrale libérale. Assiégé de demandes, il charge Jacques Simard de mener une enquête discrète auprès du président de la Commission des liqueurs pour savoir comment ça se passe ailleurs, dans la province. Finalement, il décide d'attribuer trois permis seulement, selon des critères géographiques.

Le député fait savoir aux chefs de paroisse que sa vertu jacobine ne tolérera qu'une seule ligne de conduite : pas de pot-de-vin ! C'est comme s'il avait donné le signal contraire. L'un des demandeurs de permis reçoit la visite des « patroneux » du comté qui exigent leurs 10 pour cent. Furieux, René Lévesque les fait aussitôt arrêter par la police provinciale.

Le champion lutteur Johnny Rougeau, le p'tit gars chéri du comté de Laurier qui a protégé René Lévesque des gorilles italiens des rues Dante et Mozart, aux élections de juin 1960, est accosté par un restaurateur de la rue Saint-Hubert : « Je voudrais avoir ma licence de boisson. Tu connais bien Lévesque, peux-tu m'arranger une rencontre avec lui ? »

Le député ne refuse rien à Johnny dont il admire le courage et l'intégrité. Mais cette fois, le catcheur le déçoit, en lui amenant le restaurateur qui lui tend une enveloppe contenant 10 000 $. De sa chaise, dans la salle d'attente, Johnny aperçoit soudain le tentateur éjecté du bureau, son sac volant derrière lui, pendant que René Lévesque le semonce : « Revenez dans six mois, ça ne vous coûtera pas une cenne ! »

Et le lutteur reçoit lui aussi son congé : « Johnny, s'il est pour se passer des choses comme ça ici, je ne veux plus vous avoir auprès de moi... »

Johnny Rougeau paraît si déconcerté, et si sincère aussi quand il lui jure tout ignorer des combines du commerçant, que René Lévesque décide d'oublier l'incident.

Quand, dans ses mémoires, René Lévesque écrit qu'il avait dû mettre à la porte quelques corrupteurs, il fait aussi allusion à une autre anecdote tout aussi sucrée. Un gros tavernier de Montréal, qui n'est pas l'un des trois propriétaires choisis par le député, s'amène au bureau les poches bourrées d'argent. Cette fois, au lieu de prendre le mors aux dents, « saint René » traverse chez son secrétaire : « Jacques, pouvez-vous venir dans mon bureau... »

Le tavernier est assis, une enveloppe à la main. « Regardez ce qu'il y a dans l'enveloppe de monsieur Côté, dit le député.

— C'est de l'argent, répond le secrétaire qui a eu le temps de saisir l'importance de la somme.

— Remettez-lui son enveloppe, Jacques. »

Puis, se tournant vers le tavernier : « Vous voulez faire une contribution, monsieur ? Venez avec nous... »

La suite de l'histoire fera dire des années plus tard à Jacques Simard : « Ça, c'était Lévesque ! » Il force l'acheteur de faveurs à monter dans sa limousine et se fait conduire à l'orphelinat Saint-Arsène
où a lieu une campagne de souscription pour la construction d'une
piscine. « Ce monsieur-là a de l'argent pour votre projet ! » annonce-
t-il au frère responsable. Puis il remercie le « donateur » à sa manière :
« Monsieur, vous pouvez laisser faire pour le retour. Mon secrétaire
et moi, nous rentrerons à pied ! »

René Lévesque au quotidien

Le député de Laurier déteste les séances de l'Assemblée législative et s'en tient si loin que la presse le couronne champion de
l'absentéisme parlementaire. « De la parlote inutile et du temps
perdu ! » bougonne-t-il quand il est forcé d'y participer pour défendre ses crédits.

Au retour, pour faire le vide, il s'enferme avec le jeu des erreurs
de *La Presse* que Marthe Léveillé lui met de côté. Il ne passera à autre
chose que lorsqu'il l'aura complété, peu importe le temps écoulé.

Ce qui le rebute aussi, c'est le côté club social du Parlement, avec
ses privilèges indus et ses allures de « pensionnat pour adolescents
prolongés », comme il dit. Il préfère mettre ses énergies ailleurs. S'il
fuit les débats parlementaires, c'est que pour lui l'essentiel n'est pas
là. Comme l'écrit Georges-Émile Lapalme dans ses mémoires : « Il
suffit que 40 plorines l'invitent dans la Beauce ou dans l'Abitibi pour
qu'il quitte le parlement en pleine session ! » Et comme l'ancien journaliste sait manipuler ces messieurs de la presse, ses pièces d'éloquence trouvent toujours le chemin des journaux et de la télé.

Cette relation d'amour avec les petites gens lui apporte une connaissance remarquable du Québec profond, du Québec du petit pain,
du Québec de l'ignorance, où 50 pour cent des jeunes quittent l'école
à 15 ans. Sa boîte aux lettres est toujours pleine et Marthe Léveillé
s'amuse à colliger certaines enveloppes ; sa collection est l'équivalent
d'un véritable sondage sur la faible scolarisation de l'époque. Ne
sachant pas trop qui est qui et qui fait quoi, les correspondants du
ministre mélangent tout, en plus de faire d'énormes fautes de français : « M. René Lévesque — 1er ministre des Sources naturelles. »
« Mer Réne Lévèque, Premier ministre du Travail. » « L'hon. René

Lévesque — Grand Chef esquimau, Ministre des Ressources naturelles et surnaturelles. » « Son Honneur, M. René, Évêque, ministre
des Travaux publics. » Un anglophone en colère, mais sans doute un
peu plus scolarisé que les autres, écrit : « *Rennay Leevesk, Minister of
Stupidity and Non-Sense.* » Celui-là n'est pas le seul à penser ainsi…

Son chef de cabinet, Pierre F. Côté, dont le bureau n'est séparé
du sien que par une porte communicante, entend parfois trois petits
coups, suivis de la voix de René Lévesque qui susurre : « Je m'excuse
de vous déranger, monsieur Côté, mais est-ce que je peux vous demander… ? »

Cette façon qu'a le ministre d'enfiler ses gants pour lui parler
met l'attaché politique mal à l'aise. Timide, René Lévesque ne tutoie
personne et craint plus que tout de livrer ses sentiments. En privé, il
est tout le contraire du politicien survolté et agressif qui fait les manchettes. Mais même alors, il se fait humble, comme s'il croyait que ce
qu'il dit a plus d'importance que sa modeste personne.

Quand les gens l'ovationnent comme le héros du jour, il veut les
arrêter en hochant la tête et en leur opposant un sourire gêné. Et
alors on est porté à se dire : « Mais pourquoi réagit-il comme ça ? Il
se moque du monde ! Un homme comme lui, avec son intelligence
et sa stature, ne peut pas être mal à l'aise, c'est impossible… » Mais
oui, cela se peut : René Lévesque ne triche pas, il est bel et bien
timide et humble.

Mais cela n'en fait pas un débonnaire. Dites-lui votre façon de
penser, il vous rendra la pareille. Mais ce sera à vous de vous ajuster,
car le patron, c'est lui. Et attention : ne jouez jamais les Gaston
Lagaffe : il se montrera terrible ! Il ne vous fera pas la morale ; il vous
ignorera totalement et ne vous parlera plus.

L'un de ses attachés politiques, Jean-Guy Fredette, qui n'a pas
su tenir sa langue avec les journalistes, s'est retrouvé isolé au sein de
l'équipe, sans trop savoir pourquoi. Mais bizarrement, ce ministre
tout-puissant, qui peut sans pitié pousser le gaffeur sur une voie de
garage, se révèle incapable de licencier un employé. Marthe Léveillé,
qui ne le connaît que trop, le talonne : « Et puis, René, c'est fait ?

— Non, pas encore, mais je vais le faire à la prochaine
occasion », répond-il invariablement. Il lui laissera toujours la tâche
ingrate de congédier le fautif.

Controversé, René Lévesque possède le rare privilège d'être

aussi adulé que détesté. Car il n'a pas que des amis. Dans son entourage, il s'en trouve pour voir en lui un homme frustré à cause de sa petite taille, ou un anti-intellectuel complexé parce que sans diplôme. Son mauvais caractère est aussi sujet à critique.

Jamais il ne dit merci. De quoi vous rendre amer ! Quand il s'adresse à vous, il regarde le bout de ses souliers plus que le bout de votre nez. Il ne relâche jamais ses défenses. Et quelle expédition que de monter en voiture avec lui ! Il insiste pour prendre le volant, mais conduit comme un pied, se déchaînant tout à coup à plus de 100 km à l'heure pour traîner à moins de 40 la minute d'après. On n'est jamais sûr de rentrer vivant.

Le chef des communications de son ministère, Lionel Beaudoin, en sait quelque chose. Lors d'une tournée dans les tourbières de Rivière-du-Loup, René Lévesque a insisté pour tenir le volant. C'est déjà une épreuve pour le passager, mais en plus, il parle à peine. Lionel Beaudoin, qui a du bagout comme dix Français, essaie de meubler la conversation qui tombe toujours à plat. Le voyant par la suite venir sur la terrasse Dufferin, il songe à changer de trottoir pour échapper à un tête-à-tête. Mais il se retient et en est quitte pour faire le tour de la terrasse avec lui, au milieu d'un silence si pénible qu'il se jure que la prochaine fois, il s'évaporera dans la nature.

C'est que René Lévesque est introverti de façon presque maladive. Jaloux de son jardin secret, il ne raconte rien sur lui, pas même ses hauts faits durant la Seconde Guerre mondiale ou en Corée.

Enfin, aux dires de certains, la culture de cet homme pourtant si doué laisse à désirer. Certes, il lit tout — surtout les magazines et les journaux —, mais lit-il seulement des romans ? Il est rare en effet qu'il parle littérature, peinture ou musique. Ses discours sont vides de toute référence à l'art. Mais le plus étonnant, c'est qu'il a l'air de tout savoir. Même l'identité du père de l'enfant naturel de la bouillante député irlandaise, Bernadette Devlin ! s'amusent à dire les rieurs de son ministère.

Au bureau, ses colères homériques et ses éclats de voix agacent tout l'étage. Il revient toujours du Conseil des ministres en fulminant contre le « maudit Lesage » ou la bande de ministres « qui ne comprennent rien ». Il se sauve alors au cinéma en claquant la porte de son bureau. Quelques minutes plus tard, le téléphone sonne. Marthe Léveillé entend la voix impatiente du premier ministre :

« Où est-ce que René est encore passé ?

— Je ne sais pas, monsieur Lesage… », répond-elle, imperturbable, en couvrant le patron qui n'a visiblement pas attendu la fin de la réunion pour s'échapper.

À Hydro-Québec, son franc-parler et ses manières parfois rudes en dérangent plus d'un. Parmi les ingénieurs, certains le contestent ouvertement. À l'occasion d'une fête de Noël, l'alcool aidant, il se prend aux cheveux avec François Rousseau, ingénieur-chef qui dirige le chantier de Manic-Outardes tout en rêvant d'aménager un jour la Baie James.

L'homme trapu et moustachu n'a pas la langue dans sa poche. Du genre à lancer en public : « Le petit politicien qui me marchera sur les pieds n'est pas encore né ! » L'hydro-électricité, ça le connaît. À Hydro depuis 1947, il a dirigé les chantiers de Bersimis, de Beauharnois et de Carillon. Comme il est aussi éméché que René Lévesque et qu'il juge que celui-ci profère des âneries, il l'attrape sous les aisselles et le soulève dans les airs avant de le déposer sur une table en le secouant rudement : « Le chef de la construction, c'est moi ! Vous, vous n'êtes que le ministre ! »

Comme tous les héros, René Lévesque ne fait pas l'unanimité. Ceux qui vivent dans l'intimité des grands hommes, a déjà dit un bel esprit, ne peuvent les considérer comme des héros : ils en connaissent trop les faiblesses.

Aller toujours à l'essentiel

Michel Bélanger, le grand gars à la chemise blanche et au costume marine de banquier (qu'il sera un jour), trouve son patron expéditif et efficace. « C'est curieux, dira-t-il plus tard, on a coutume de penser que Lévesque était un homme profondément brouillon et désorganisé. Moi, ça ne m'a pas frappé, du moins pas à cette époque-là… »

Par exemple, quand il dit « Je ne veux rien savoir de ça ! », la discussion vient de se terminer. Avec lui, on ne perd pas son temps à placoter. Une fois que Michel Bélanger a décortiqué un dossier et donné son point de vue, il s'entend invariablement dire : « Ne vous occupez pas de l'aspect politique, j'en fais mon affaire… »

Si René Lévesque ne comprend pas ce que son conseiller lui

explique, il le bombarde de questions. Impossible de lui en passer une. Il n'a rien de l'orgueilleux qui joue au phénix pour ne pas avoir l'air idiot de ne pas savoir. « Vos kilowattheures, lance-t-il à Michel Bélanger, qu'est-ce que c'est ça ? Expliquez-moi, je ne vois pas... »

Ce que l'économiste apprécie, c'est qu'il peut lui dire entre quatre yeux — mais jamais en public : « Ça n'a pas de maudit bon sens ce que vous dites là ! » Parfois, le patron ne trouve pas la leçon drôle et surgit alors sur ses lèvres un petit sourire en coin, suivi d'une amicale remontrance : « Mais en voilà une façon de parler à son ministre, monsieur Bélanger... »

Ce dernier est estomaqué par la capacité intellectuelle de son patron. Comme il dira plus tard en repensant à leurs années de collaboration : « René Lévesque avait des idées. C'était stimulant de travailler avec lui. Il était un instrument de changement. Aujourd'hui, ses successeurs ne font que répéter... »

De ses rapports écrits ou verbaux, le chef de cabinet, Pierre F. Côté, a appris à éliminer l'inutile pour s'en tenir à l'essentiel. Au début, René Lévesque préparait trois ou quatre pages. Après quelques semaines, il s'en tenait à deux paragraphes, puis à une phrase ou deux, que parfois il ne finissait même pas... Des années plus tard, Pierre F. Côté dira : « Il ne se trompait pas souvent. Avec son intuition combinée à son intelligence, il découvrait vite le fond du problème. »

Pour René Lévesque, l'essentiel, cela veut dire aussi se contenter du vieux pupitre bringuebalant aux tiroirs coincés hérité de son prédécesseur. Le jour où son chef de cabinet et Marthe Léveillé lui suggèrent de se meubler à neuf, il s'en faut de peu pour qu'il les passe par la fenêtre. Petite leçon sur la futilité des choses qui leur fait dire : « Il pourrait diriger son ministère avec une chaise et une boîte à beurre, et ça ferait pareil ! »

CHAPITRE VIII

Le charme indiscret de la notoriété

*Si on commence à monnayer la seule partie de
soi qui reste en dehors de ce maudit métier-là, on
devient vraiment putain.*

RENÉ LÉVESQUE, *Nous,* juin 1974.

René Lévesque a du mal à se faire à sa notoriété de ministre
franc-tireur qui lui vaut la manchette à tout bout de champ.
Il ne peut plus se montrer sans qu'on s'agrippe à lui pour
l'interroger sur le dernier drame de la planète. Sa vie privée, qu'il
refuse d'étaler dans les journaux à potins, devient plus compliquée à
préserver qu'à l'époque où il n'était que star à Radio-Canada.

Dans une entrevue qu'il accorde à la journaliste Gisèle Tremblay
sur les hauts et les bas du vedettariat, il avoue sans détour : « Tu te
dis : bon Dieu ! c'est-y moi ou c'est-y une espèce de personnage
public ? Et t'as besoin de disparaître dans n'importe quoi : les relations sexuelles, les cartes, le sport, les enfants. Ça, c'est toi, et ça n'a
rien à voir avec le reste... »

Facile à dire ! Il voudrait parfois s'appeler monsieur Personne
pour passer incognito sur une pente de ski ou à la plage. Et soustraire
sa vie amoureuse extra-conjugale aux écornifleux. Dieu merci !,

durant ces années 60, il est rare qu'un journal se risque à fouiller sous les couvertures d'un homme public. De ce côté-là, Casanova peut dormir tranquille.

Mais personne ne peut empêcher le bouche à oreille indiscret d'une presse qui ne publie pas tout ce qu'elle sait. Ainsi, pour baptiser l'étage de l'hôtel du gouvernement qu'occupe ce ministre amateur de beau sexe, un journaliste a trouvé l'expression savoureuse de *Love Squad,* inspirée de la télésérie américaine à succès *Death Squad…*

Si sa réputation atteint vite le cercle des initiés, c'est qu'il ne mesure pas toujours les risques de ses conquêtes. En cela, il ressemble au président John F. Kennedy, qui prit comme amante la capiteuse Judith Campbell, maîtresse également du caïd de la mafia américaine Sam Giancana.

Le nom qu'on chuchote sur la colline parlementaire, c'est celui de Marthe Léveillé. Un flirt qui se change rapidement en amitié. Quand René Lévesque a le béguin pour une personne, il l'inonde de lettres enflammées dans le style : « Je ne suis plus capable de faire mon métier de ministre à cause de vous… »

Comme Judith Jasmin 10 ans plus tôt, Marthe se frotte assez rapidement au machisme du personnage, péché qu'il confesse volontiers quand il est en veine de confidences. « Je suis moyenâgeux avec les femmes, lui avoue-t-il. J'ai besoin d'être tout l'univers d'une femme… » Il complétera sa pensée plus tard : « Vous avez une tête d'homme, Marthe. Je ne pourrais pas vivre avec vous, parce que maintenant, vous êtes quelqu'un… » Bref, le maître à penser, l'enseignant, c'est lui.

Plutôt discret sur ses rapports avec les femmes, il lui arrive tout de même, dans quelques rares entrevues, de parler d'elles avec l'abondance du cœur. Sa conception de la femme est celle d'un homme de son époque, mais aussi celle d'un admirateur passionné. D'abord, il préfère les brunes aux blondes et attend d'une femme qu'elle possède « ces choses qui sont strictement féminines », comme l'intuition et l'imprévisibilité, toujours attirantes pour un homme.

Sans oublier les autres qualités dont on dit qu'elles leur sont propres : douceur, tolérance, etc. Si on lui objecte qu'une femme au pouvoir peut se montrer aussi cruelle qu'un homme, il voudrait nuancer l'affirmation, encore qu'il rappellera qu'à la Deuxième Guerre mondiale, les femmes n'étaient jamais loin de la violence. La guerre et la politique attirent les femmes comme des mouches, affirme-t-il, en soulignant qu'elles étaient nombreuses derrière la ligne de front. Il conclura alors sans ambages : « La plupart des femmes ont dans leur vie une sorte d'envie, et c'est inévitable, de ce genre de vedette et de mise en scène… »

Si on l'interroge sur son *sex appeal,* il lâche un « Christ ! » retentissant comme pour dire : non, mais vous m'avez vu ? Il ramène la conversation sur la femme, à qui il reconnaît une suprématie naturelle (« la femelle de l'espèce ») aussi bien en amour que dans le vice. Il ne saurait imaginer un monde sans femmes, encore moins pourrait-il s'en arranger, car ça ne serait pas un « monde normal ». Il ne manquera pas de rappeler ses séjours sur les chantiers éloignés comme celui de la Manicouagan. « Comment les gars font-ils pour rester tranquilles là-bas sans femmes ? » se demande-t-il avec un sourire entendu.

Lâchez-moi avec votre psychanalyse !

Marthe Léveillé devient en fait la confidente de René Lévesque. Et son psy, quelquefois, notamment au chapitre de l'amitié et des sentiments. Lorsqu'elle lui demande « Avez-vous des amis, René ? », il évoque la mort brutale de son compagnon, Raymond Bourget, tombé sur une plage de Normandie, durant la Deuxième Guerre mondiale : « Ça m'a fait trop mal. J'ai mis un mur devant l'amitié pour ne plus souffrir… »

Parfois elle insiste pour décortiquer ses sentiments et alors il se rebiffe : « Marthe, voulez-vous bien me lâcher avec votre psychanalyse ! » Ses états d'âme, il les garde pour lui. Sa réaction est tout aussi vive si elle se met à lui faire la leçon : « Vous, René, vous êtes bien seulement avec 500 personnes ou plus. Pourquoi ?

— Je ne vais quand même pas faire une psychanalyse ! »

C'est pourtant ce qui pourrait lui arriver de mieux, pense pour sa part son secrétaire, Pierre F. Côté, qui étudie lui aussi le mystère de son incapacité chronique — ou de son refus délibéré — à tisser des rapports d'intimité et de familiarité avec les autres : « Je vous défie de trouver quelqu'un qui pourrait dire que René Lévesque a été son grand ami à qui il confiait tout, dira-t-il des années plus tard. Même pas Yves Michaud, qui le prétend parfois. J'en serais très surpris. »

Marthe Léveillé s'occupe aussi de la mère de son patron, Diane Dionne, qu'il néglige depuis qu'il a plongé en politique. La secrétaire a senti très vite que Diane plaçait son célèbre fils dans une catégorie à part, loin de ses deux cadets, André et Fernand. « Marthe, demande-t-elle de temps à autre, pouvez-vous rappeler à René que j'existe toujours... »

La dévouée secrétaire prend alors les affaires en main : « René, il y a combien de temps que vous n'avez pas vu votre mère ? Elle doit s'ennuyer. » Même s'il oublie de parler d'elle en public, préférant encenser son père, Dominique Lévesque, « l'homme de ma vie », comme il écrit dans son autobiographie, Marthe croit qu'en dépit des apparences, Diane Dionne aussi est « la femme de sa vie ». Peut-être feint-il simplement de l'ignorer ?

Un soir où, ayant travaillé tard, ils rentrent tous deux à Montréal par le train de nuit, il lui dit : « Marthe, j'ai envie de parler de moi. Posez-moi des questions, toutes les questions que vous voudrez.

— Il y a des choses que je ne m'explique pas au sujet de votre mère, René, est-ce que vous l'aimez ?

— Ah, maman ! éclate-t-il, avec dans la voix une telle charge de tendresse qu'elle ne doutera plus jamais de son amour pour Diane. Je ne sais pas si elle est fière de moi, si elle est contente de moi, parce que vous savez, Marthe, j'ai fait le fou dans ma vie ! Je n'ai pas fait ce qu'elle aurait voulu que je fasse... »

Elle note qu'il a des larmes dans les yeux en lui faisant cette confidence où perce un peu d'amertume. Diane Dionne ne lui a jamais pardonné d'avoir abandonné ses études. Elle le lui reprochait déjà, alors qu'il était journaliste vedette à Radio-Canada ; et maintenant qu'il est ministre, elle a des phrases comme : « La politique, c'est dur, si au moins tu avais fini ton droit... » Même lorsqu'il sera premier ministre, elle lui mettra encore sous le nez son absence de diplôme !

Diane se montre parfois dure avec René. Elle cajole plus facilement son « beau Fernand », mais cela ne prouve pas qu'elle n'aime pas l'aîné, qui est justement le fils dont toute mère rêve : brillant, premier de classe, écouté dès qu'il prend la parole. Certes, elle aurait préféré qu'il soit avocat. Mais cela ne l'a pas empêchée de suivre de près sa carrière de journaliste. Elle n'a manqué aucune de ses apparitions à la télévision. Elle a colligé tous les articles de presse qui lui étaient consacrés. Et comme elle se fait du souci pour lui, souvent pour des bagatelles ! Apprenant qu'il se rend à l'aéroport, elle s'affole : « Ah, mon René ! Tu ne peux pas prendre l'avion aujourd'hui ! Je vais penser à cela tout l'après-midi !

— C'est ça ! badine le fils. Je vais appeler au ministère et dire que ma maman ne veut pas que je prenne l'avion… »

Le Dr Hugues Cormier, psychiatre attaché au Centre Fernand-Seguin, s'est intéressé au « cas » René Lévesque, un homme qu'il a connu alors qu'il était militant péquiste. Si on lui demande d'analyser la relation entre la mère et le fils, voici ce que cela donne.

Les rapports de René Lévesque avec son père ont été faciles, plus paisibles qu'avec sa mère. Il a aimé son père, puis il l'a perdu à 14 ans. C'était un amour latent alors qu'avec sa mère, c'était un amour brûlant. Une sorte d'amour-haine. Un amour effervescent, fait de « je t'aime » jamais prononcés, d'accrochages et d'écorchures.

Les lettres de René à sa mère sont tout imprégnées de son amour. Pas de grandes déclarations, mais il pense à elle, se soucie de sa santé, s'occupe d'elle. Le psychiatre note aussi son hostilité face au second mariage de Diane Dionne, avec l'avocat Albert Pelletier. Un complexe d'Œdipe non résorbé.

Car dans cette relation mère-fils, tout était en place pour que jouent les pulsions œdipiennes, et dans les deux sens. Le fait que ce fut parfois orageux ne démontre pas le contraire. De même, l'animosité déclarée de René envers son beau-père — « Pelletier, c'est pas mon père ! » — révèle que le conflit amoureux avec sa mère le dérangeait au point d'effleurer le niveau névrotique. C'est normal pour un fils aîné d'accepter difficilement le nouveau mari de sa mère. Mais quand cela est d'une intensité telle que longtemps après ses amis d'enfance peuvent dire « Ah, ça ! il ne l'aimait pas, Pelletier ! », c'est comme une sonnette d'alarme.

Aux yeux du Dr Cormier, cet emportement démontre qu'il y a eu névrose même si elle n'était pas nécessairement malsaine. René Lévesque a dû cependant la canaliser d'une façon ou d'une autre. Probablement en bambochant, en décrochant de ses études ou en devenant joueur de cartes impulsif. On pourrait ajouter : en courant les jupons…

Une fascination pour les enfants

La vie de Louise L'Heureux avec René Lévesque n'est pas plus rose qu'avant son départ de Radio-Canada. L'oiseau ne reste pas longtemps en cage. S'il passe trois jours par semaine avec elle et les enfants, c'est beau. Pourtant, Louise ne l'a pas découragé quand il a accepté l'offre de Jean Lesage. Elle-même d'allégeance libérale — son père, le journaliste Eugène L'Heureux, détestait l'Union nationale —, il lui a semblé tout à fait indiqué que René saute en politique. Il devait fournir sa part pour débarrasser la province de l'héritage de Maurice Duplessis.

Quand la solitude lui pèse trop, elle saute dans le train pour Québec et s'installe deux ou trois jours à l'hôtel Clarendon où René descend durant ses séjours dans la capitale. S'il est trop pris par son travail, c'est encore Marthe Léveillé qui le remplace auprès de Louise, qui implore son aide pour convaincre son anticonformiste de mari de respecter le code vestimentaire. « Essayez donc de lui faire porter un toxédo ! », lui dira-t-elle, avant de se rendre avec lui à une soirée officielle.

La situation peut devenir délicate. Un jour où Marthe rentre seule de Québec en train, René et Louise se laissent choir sur la banquette en face de la sienne. Il n'y a que de l'amitié entre elle et René Lévesque, mais comme le dit l'adage, le langage des yeux ou certaines petites attentions trahissent les sentiments. Fortement grippée, Louise a son air des mauvais jours.

« Veux-tu un martini pour casser ton rhume ? lui propose René.

— Le martini, ça fait tout passer, madame Lévesque ! l'encourage Marthe.

— Pourquoi dites-vous cela ? » l'interrompt aussitôt Louise en lui décochant un regard méfiant.

Durant tout le trajet, elle répétera sa question, comme si elle cherchait à décoder un sous-entendu.

Ce voyage permet à Marthe Léveillé de mesurer l'ascendant de Louise sur René Lévesque. Il paraît gêné de voir sa femme fusiller des yeux sa secrétaire, mais ne fait rien pour l'en empêcher. Quand enfin il se décide à intervenir, il la supplie : « Louise, je t'en prie, on peut-y changer de sujet ? » Agacée par l'attitude de Louise, dont elle comprend les frustrations d'épouse parquée rue Woodbury par un mari volage et absent qui l'oblige à élever seule leurs trois enfants, Marthe finit par fausser compagnie au couple.

Sa vie besogneuse de ministre laisse à René Lévesque peu de temps à consacrer à sa famille. Ses deux fils, Pierre et Claude, ont maintenant 14 et 12 ans ; sa fille Suzanne a à peine l'âge de raison. Tous ceux qui ont connu René Lévesque ont remarqué sa fascination pour les enfants. Il aimait leur chaleur, leur façon de communiquer, « la plus extraordinaire qui soit », leur capacité de tout assimiler comme des éponges et de redécouvrir le monde à chaque instant.

« C'est génial, des enfants, a-t-il coutume de dire. Si on a du génie, c'est probablement à cet âge-là… » Il aime raconter cette anecdote : un jour, assis par terre, il montrait l'alphabet à Pierre (cinq ans), à même un album de Tintin posé sur le tapis du salon. Claude (trois ans) vient se placer devant eux pour écouter. Peu après, papa Lévesque, émerveillé, découvre que son cadet a appris la leçon à sa manière : il trace de beaux A et de beaux B renversés, comme il les a vus dans l'album, à l'envers !

Les week-ends d'hiver, il s'échappe en voiture avec ses enfants vers Saint-Sauveur ou Orford. Claude et Pierre adorent dévaler les pentes de ski avec leur père qu'ils ont à eux tout seuls. Au moins, il ne lit pas…

Pendant les tournées politiques, c'est moins drôle. Malgré son refus obstiné d'utiliser ses enfants à des fins politiques — « J'ai résisté à toutes les pressions, ils n'ont jamais mis le nez là-dedans » —, René Lévesque traîne parfois Pierre et Claude à l'un de ces abominables « dîners aux bines ». Mais alors, les rôles sont inversés, car s'il s'amuse, eux s'ennuient mortellement. À 12 et 14 ans, ses garçons détestent les longs palabres tristes comme un sermon et n'aiment pas davantage ces étrangers à qui il faut répondre, même quand on n'en a pas envie. Mais pour être avec papa, que n'endurerait-on pas ?

Durant les vacances d'été, parents et enfants sont au même diapason pour une fois : tous sont également bien. Avant que papa René achète sa première voiture, une belle Ford, on prenait le train pour se rendre à la plage. Maintenant, on file en automobile aussi loin que Virginia Beach ou Hampton Beach. Mais toujours sur la côte Est américaine.

En vrai Gaspésien incapable d'oublier le paradis idéalisé de son enfance, René Lévesque a d'abord voulu initier ses enfants aux délices marins des grands bancs de Paspébiac. En pure perte. Se baigner dans la baie dite des Chaleurs, c'est la douche froide ! Après deux jours, ils ont fait en chœur : « Toi pis ta Gaspésie ! »

En plus de l'eau glaciale, il y a les raseurs qui vampirisent leur père dès qu'il se montre sur une plage. D'où l'idée de prendre des vacances à l'étranger, où l'eau est plus chaude et les fans rarissimes. À Montréal, pour échapper aux « As-tu vu ? c'est René Lévesque », il s'est planqué dans l'ouest de la ville. Comme il dit : « Si on veut avoir une chance de s'isoler, pas de problèmes avec les Anglais, ils t'ignorent complètement… »

CHAPITRE IX

Le coup de poing sur la table

Nous sommes au même point que les Cubains.
Sauf que nous avons des souliers. Deux paires !

RENÉ LÉVESQUE, le magazine *Maclean,* 1961.

Qu'en matière d'électricité Hydro ne soit encore qu'un producteur parmi d'autres, René Lévesque n'y peut pas grand-chose à court terme. Et avant de songer à la nationalisation, il doit commencer par mettre de l'ordre dans la gestion du patrimoine que Jean Lesage lui a confié.

Il s'attaque à la révision des redevances et du régime de concession des forces hydrauliques. Jusqu'au XXᵉ siècle, le gouvernement vendait les pouvoirs d'eau à titre définitif et souvent sans condition à des particuliers ou à des groupes. Par exemple, en 1897, un brasseur de Boston, John Joyce, s'est acheté pour 60 100 $ les chutes de Shawinigan, base du futur empire de la Shawinigan Water and Power. La percée de l'hydro-électricité comme source d'énergie stoppera net cette vente à rabais du patrimoine québécois aux étrangers.

À partir de 1918, toutes les concessions se feront par bail emphytéotique. En 1935, nouvelle contrainte : dorénavant, il faudra une loi pour toute cession de forces hydrauliques de plus de 300 chevaux-vapeur.

En plus de tomber sur un fouillis invraisemblable, Michel

Bélanger, qui épluche le dossier de la Shawinigan, André Marier celui de Gatineau Power, Pierre F. Côté celui d'Alcan et Éric Gourdeau celui de North Shore Paper, rencontrent un problème d'un tout autre ordre. Des baux unilingues anglais datant de 40 ans ou plus sont expirés parfois depuis six ou sept ans. Tout ce qu'ils trouvent dans leurs classeurs, ce sont les mémos du ministre qui « prend bonne note » du non-renouvellement signalé par le fonctionnaire de service.

Le ton a changé depuis l'arrivée du nouveau gouvernement. Les compagnies, soudainement rongées de remords, assiègent le ministère pour renouveler leurs baux. Avec un ministre comme René Lévesque, il vaut mieux être en règle. Mais les Marier, Bélanger et compagnie les font poireauter un peu avant de passer chez le notaire, le temps d'y voir plus clair et d'élaborer de nouvelles normes.

En attendant, rien n'interdit de franciser les baux jusqu'alors rédigés exclusivement en anglais. Pierre F. Côté, l'avocat de l'équipe, et Claude Aubin, secrétaire d'Alcan, s'assoient, un gros dictionnaire français-anglais à la portée de la main, pour rédiger un nouveau bail dans les deux langues. Le secrétaire particulier de René Lévesque ne le sait pas, mais peut-être est-il, comme Jean-Paul Gignac à Hydro, en train de poser les premiers jalons des futures lois linguistiques qui vont pleuvoir sur le Québec au cours des 20 prochaines années.

Pour sa part, René Lévesque introduit le *French only* dans ses pourparlers avec les dirigeants des compagnies. André Marier s'amuse à le voir s'adresser en français à l'octogénaire unilingue qui dirige la Gatineau Power. M. Brittain ne comprend pas un traître mot de ce que lui dit ce *goddam* de ministre, qui manie l'anglais aussi bien que lui mais s'entête à l'oublier dans le but évident de lui faire la leçon. Il demande à son avocat francophone, nul autre que l'ancien premier ministre du Canada Louis Stephen Saint-Laurent, de traduire. La scène, enveloppée d'un arôme tout colonial, ne manque pas de piquant.

Parfois, la négociation tourne au vinaigre. Surtout si elle se déroule tôt le matin et que René Lévesque se présente au bureau avec l'air éreinté du Casanova dont la nuit a été écourtée. Il faut alors le prendre avec des pincettes. Et ne pas lui opposer de refus catégorique, comme se le permet le directeur des ressources de la Shawinigan Water and Power, H. M. Finlayson, à qui le ministre vient d'annoncer une hausse des loyers de sa compagnie sur le Saint-Maurice.

L'intermédiaire de la Shawinigan se permet de répéter son refus de toute hausse à trois reprises, en faisant observer qu'une ressource détenue par concession appartient ni plus ni moins à la compagnie. Ce qui est déjà fort téméraire. M. Finlayson trouve même assez de courage — ou d'inconscience — pour couper la parole à René Lévesque avec une remarque très ancien régime : « Mais, monsieur Lévesque, la Shawinigan contribue déjà beaucoup au progrès économique de la province... »

Le sénateur Mark Drouin, francophone de service agissant comme avocat-conseil de la compagnie, n'a pas besoin de traduire, car le directeur Finlayson se débrouille fort bien en français. Mais il a beau tempérer de sourires polis son refus, René Lévesque entre dans une colère à l'emporte-pièce comme jamais encore Pierre F. Côté et Michel Bélanger n'en ont vu. Même dans les pires situations, le patron garde son sang-froid. Il ne négocie jamais en criant ou en tapant sur la table.

Mais cette fois, il éclate : ce n'est pas la Shawinigan Water and Power, qui se prend pour la reine d'Angleterre, qui lui dictera sa conduite ! Le ministre administre sur la plaque de verre recouvrant sa table un coup de poing si viril qu'il manque de se briser le poignet. Retrouvant son calme, il jette au directeur Finlayson : « Votre compagnie ne fait pas une grâce spéciale à la population du Québec en contribuant à son mieux-être... »

Sa table en portera une fissure évoquant une carte géographique. Contemplant par la suite le chef-d'œuvre, son entourage découvrira que les trois ramifications principales qui s'étaient formées à partir du point d'impact avaient dessiné Trois-Rivières !

Marthe Léveillé s'extasie devant cette preuve de la fermeté de son impétueux patron vis-à-vis des grandes compagnies qui se croient tout permis. Elle la montre même au journaliste Dominique Clift, un proche du ministre qui rédige dans *La Presse* une chronique souvent inspirée de ses confidences savamment dosées.

En poursuivant son exploration systématique des concessions et des baux, René Lévesque constate que les richesses sont exploitées en violation des droits légitimes de leurs véritables propriétaires, les

Québécois. Un bel exemple : la gestion des eaux se fait de façon morcelée, sans vue d'ensemble et sans coordination aucune.

L'anarchie est totale dans les bassins de l'Outaouais et de la Saint-Maurice où différentes compagnies installent leurs turbines sans trop se soucier des besoins réels de la province en électricité. C'est ce genre de trouvailles qui fait éclore la petite idée encore subversive de la nationalisation, qu'il n'ose pas pour le moment avancer franchement.

Est-ce vraiment la révolution ?

René Lévesque sait qu'il ne pourra pas compter sur le soutien actif de Jean Lesage si jamais il parle d'étatisation. Mais le premier ministre est-il si réfractaire à l'idée ? Selon son biographe, Dale C. Thomson, il n'avait pas de position arrêtée là-dessus : il jugerait au mérite si la question venait sur le tapis. En d'autres mots, son mouton noir devrait lui prouver par *a* plus *b* la nécessité d'une politique aussi radicale, surtout que ses relations avec la haute finance l'invitent à la prudence.

Mais la nationalisation est-elle une solution si radicale ? L'Ontario capitaliste a expulsé le monopole privé de son territoire, dès 1906. Le Nouveau-Brunswick a fait de même 13 ans plus tard et la Saskatchewan à l'orée des années 30. Au Québec, pendant ce temps, les partisans de l'Action libérale nationale, le dentiste Philippe Hamel en tête, s'époumonaient en vain contre la « dictature du trust de l'électricité ». Enfin, qui oubliera que ce sont les libéraux du premier ministre Adélard Godbout qui ont « perpétré » la nationalisation partielle de 1944 d'où est sortie Hydro-Québec ?

À défaut de l'appui de Jean Lesage, le ministre des Richesses naturelles peut toujours se rabattre sur le programme électoral que son chef a accepté à la dernière minute pour s'assurer de sa candidature. En 1969, René Lévesque confiera d'ailleurs au magazine *Maclean* : « Un seul article ne me satisfaisait pas. Celui qui traitait des richesses naturelles où on disait qu'à l'avenir tout développement hydro-électrique devrait se faire par l'Hydro-Québec. »

Il en voulait davantage et, dans sa tête, cela signifiait « récupérer ce qui avait déjà été concédé ». Étatiser, donc. Mais il fallait faire avaler la pilule à ses collègues libéraux dont la timidité maladive, écrira-t-il dans ses mémoires, leur interdisait de toucher aux privilèges déjà consentis à la « bande de féodaux » qui pillaient sans limite les ressources québécoises.

Aussi, avant de plonger avec Jean Lesage, René Lévesque avait insisté pour que le programme électoral soit plus explicite en matière d'électricité. Les deux hommes s'entendaient sur un point : les Canadiens français ne seraient pas satisfaits comme peuple tant que le contrôle et la gérance de leur économie continueraient de leur échapper. Ils croyaient aussi que les richesses naturelles et en particulier l'eau, inépuisable, étaient le levier clé du développement économique. D'où la volonté de Jean Lesage de créer un ministère des Richesses naturelles auquel serait confiée la mise en valeur de ces ressources de façon à profiter à la population d'abord plutôt qu'aux étrangers.

Les ajouts de dernière heure au programme électoral, dus à l'insistance de René Lévesque mais entérinés par le chef libéral, apparaissent à ses conseillers Bélanger et Marier comme « la position ultime qu'on peut prendre avant l'étape de la nationalisation ». Hydro-Québec détiendrait l'exploitation exclusive, et pas seulement la propriété, de toute nouvelle énergie, en plus d'exercer une tutelle sur les activités des compagnies privées pour que le développement économique profite équitablement à toutes les régions de la province. Enfin, les compagnies se voyaient priées d'embaucher du personnel technique et administratif francophone.

Conclusion des « beaux esprits » de René Lévesque : on ne peut soutenir sans nuance que Jean Lesage est fermé à toute idée de nationalisation, puisqu'il a accepté le programme électoral, recruté son artisan premier, René Lévesque, et créé l'instrument pour la réaliser, le ministère des Richesses naturelles.

Une question tourne dans la tête du ministre : comment enclencher l'opération nationalisation ? Car, comme il le notera dans son autobiographie, le programme électoral ne lui est pas d'un grand secours : « Très vite, nous nous rendîmes compte que ce qu'on nous demandait, c'était la quadrature du cercle. »

Une maladresse du président Jack Fuller, de la Shawinigan Water and Power, lui fournit le prétexte pour faire un premier pas. À tu et à toi avec Jean Lesage, le financier lui adresse une longue lettre dans laquelle il annonce son intention de construire une centrale thermique à Tracy et une usine pétrochimique à Varennes, tout à côté. Son groupe compte investir plus de 228 millions de dollars dans l'économie du Québec.

Mais avant de s'y risquer, M. Fuller demande des garanties pour l'avenir et, surtout, un nouveau partage du marché de l'électricité entre sa compagnie et Hydro-Québec. Le premier ministre ne se mouille pas, refilant plutôt sa requête au président d'Hydro, Jean-Claude Lessard, et à René Lévesque.

Ce dernier s'objecte à tout octroi de nouvelles concessions à la Shawinigan sur la rive sud du Saint-Laurent. Le 11 octobre, il demande à ses conseillers de préparer une réponse pour M. Fuller. Avant toute prise de décision, Hydro-Québec doit planifier son développement futur « compte tenu des sites de production qui restent à aménager et du potentiel des entreprises privées ».

Victoire partielle, cependant. Quelques mois plus tard, la Shawinigan, dont l'actionnaire principal, Peter Nesbitt Thomson de Power Corporation, gère la caisse électorale du parti de Jean Lesage, obtient le feu vert pour la construction des usines de Tracy et de Varennes, en plus d'une nouvelle centrale électrique à Des Cœurs. L'anarchie déjà notée par Michel Bélanger persiste. « Tous ces travaux fourniront de l'emploi à 2 800 ouvriers », pérore Jean Lesage au Conseil des ministres du 20 juillet 1961.

René Lévesque ne se contente pas de prendre acte. Un mois plus tôt, avant que la décision qu'il pressentait ne tombe, il a donné ordre à Michel Bélanger et à André Marier de passer à l'action. Leur mandat est clair. Il s'agit de monter un dossier complet sur « la situation d'ensemble de l'électricité au Québec, et sur l'opportunité de l'étatisation, qui puisse faire l'objet d'un mémoire au Conseil des ministres avant le mois de janvier 1962 ».

Dès ce jour, André Marier est convaincu que le patron marche tout droit vers la nationalisation. Il dira plus tard : « Personne dans l'équipe ne doutait plus que c'était le premier pas d'une politique d'ensemble qui visait à susciter le développement économique par les Québécois et pour les Québécois. »

Michel Bélanger, stoïque capitaine de l'équipe (au cœur des événements palpitants il reste de marbre ou affiche à la rigueur un pâle sourire teinté d'ironie), a déjà trouvé son livre de chevet. Il s'agit de l'étude de John Weldon, professeur à l'Université McGill, qui a comparé la gestion de la Shawinigan à celle de la Montreal Light, Heat and Power, nationalisée en 1944. Il compte s'en inspirer pour ses travaux, en se gardant de conclure à l'avance. Si l'étatisation doit s'imposer, ce ne sera pas simplement parce que la génération des années 30 en rêvait. Ce sera parce qu'elle se justifie sur le plan économique et social.

CHAPITRE X

Le chaos

Ou bien on se croisait les bras et on laissait faire,
ou bien on fonçait dans le tas.

RENÉ LÉVESQUE, octobre 1986.

D ans l'aquarium des Richesses naturelles, le gros poisson de
l'électricité s'agite. L'idée de René Lévesque est faite : il faut
redonner aux Canadiens français, qui forment 85 pour
cent de la population du Québec, le contrôle du développement des
ressources qui dorment dans leur désert nordique. « Ces richesses,
dit-il, nous sommes conscients de les posséder mais il est navrant de
voir un peuple si riche et si nécessiteux à la fois que celui du
Québec. »

Le programme libéral attribue à Hydro-Québec la propriété et
l'exploitation de toute énergie hydro-électrique encore non concé-
dée. Certes, l'article qui en fait foi empêche une plus grande mainmise des capitalistes étrangers sur l'énergie électrique du Québec ;
mais va-t-il assez loin ?

Pour le guider dans son labyrinthe, René Lévesque dispose d'un
document accablant sur l'exploitation des richesses naturelles, tombé
sur sa table peu après la prise du pouvoir, et dont l'auteur est
Georges-Émile Lapalme. L'étude s'intitule *Les richesses naturelles* et
contient des extraits d'une recherche préparée par l'ancien chef du

Parti libéral dans le but de fustiger la gestion unioniste des richesses naturelles.

Georges-Émile Lapalme a griffonné une note à son intention : « Je vous l'envoie afin qu'il n'y ait pas de contradiction entre la conduite que j'ai tenue pendant une dizaine d'années et celle future du présent Cabinet. »

En 1958, lui signale le procureur général, le gouvernement a tiré des ressources naturelles (eaux, mines et forêts) des revenus de 35 millions de dollars mais dépensé 49 millions. D'où un déficit de 14 millions de dollars. L'hydro-électricité elle-même n'a rapporté que 8 maigres millions. En trois ans, de 1956 à 1959, le déficit accumulé a atteint 40 millions de dollars.

Le régime Duplessis pratiquait une politique de laisser-faire qui contrastait avec les énormes revenus tirés du pétrole par l'Alberta ou le Venezuela. Et le maître à penser de rappeler à son fils spirituel : « La richesse d'un pays ne fait pas toujours la prospérité d'un peuple. Ce n'est pas en exportant ses matières premières qu'un peuple s'enrichit mais en montant des industries pour exploiter (sur place) les richesses naturelles du pays. »

La conclusion de Georges-Émile Lapalme allait de soi : il fallait briser d'urgence « le contrôle absolu de l'étranger » sur les mines, la forêt et l'électricité. Le vice-premier ministre ne parlait pas de nationalisation dans son billet, mais c'était tout comme.

Dans ce Québec fraîchement libéral, où la méfiance envers l'État est encore question de principe, le risque est grand de se réclamer sans ménagement d'une solution étatiste. Car le bilan du régime Duplessis, qui glorifiait l'entreprise privée, n'est pas totalement noir. De 1944 à 1959, la capacité de production hydro-électrique québécoise est passée de 5,85 à 11,26 millions de chevaux-vapeur, celle de l'Ontario, de 2,67 à 7,79 millions seulement.

Quand Maurice Duplessis rendit l'âme, en 1959, le Québec produisait à lui seul la moitié de l'énergie hydraulique canadienne. C'est formidable d'être un géant de l'hydro-électricité, reconnaît René Lévesque, mais à quoi ça rime, si ce sont les autres qui en profitent le plus ? Le drame, en effet, c'est que ce sont des compagnies étrangères, Alcan, Shawinigan, Gulf Power, Price Brothers, etc., qui dominent la mise en valeur de l'énergie québécoise et exportent leurs profits.

À la fin de 1960, Hydro-Québec ne produisait que le tiers de la production québécoise totale, l'empire électrique privé accaparant les deux autres tiers. Il n'en reste pas moins qu'au moment où René Lévesque se prépare à amorcer sa campagne de nationalisation, la société d'État est en voie de damer le pion aux producteurs privés pris séparément.

À l'origine elle n'était qu'un marchand d'électricité de second ordre prisonnier de l'île de Montréal. Aujourd'hui elle est partout et, avec 36 pour cent de la production hydro-électrique, elle s'est hissée à la tête du peloton des producteurs, devant l'autre géant, la Shawinigan Water and Power. En 16 ans, elle est devenue le colosse de « la province de l'électricité ».

Pour affirmer sa nouvelle puissance, Hydro se construit une tour de 24 étages, boulevard Dorchester, et se prépare à inaugurer, avec le faste qui convient à sa nouvelle stature, la centrale de Carillon. Depuis 1944, sa puissance installée est passée de 700 000 kilowatts à plus de trois millions, son personnel de 1 660 à 4 862 employés, ses ventes de 22 à 92 millions de dollars, ses investissements de 179 millions à plus d'un milliard de dollars.

Ce qu'il y a de chouette, en plus, c'est qu'on s'éclaire pour pas cher au pays de René Lévesque. On paie son kilowattheure un demi-cent au Québec, trois quarts de cent au Canada et un cent et demi aux États-Unis. Le Québec est déjà la région du monde la mieux nantie en énergie hydro-électrique avec une moyenne de 1,8 kilowatt par habitant, contre 1,6 pour la Norvège, sa plus sérieuse rivale, et un ridicule 0,2 kilowatt pour chaque Américain. Pourquoi alors parler de nationalisation ? se demande le pdg d'Hydro, Jean-Claude Lessard, en traçant à chacune de ses apparitions publiques un portrait radieux du statu quo, pendant que son ministre fignole en cachette des arguments pour le rompre.

Les observations du président Lessard ne manquent pas de justesse. Seulement, elles ne font pas le tour de la question. Au pays de l'énergie à bon marché, l'eau peut servir à autre chose qu'à simplement s'éclairer ou faire ronronner les gadgets électroménagers *made in USA*. Cette richesse doit servir la prospérité du peuple. Mais pour cela, il faut que l'électricité devienne le levier du développement économique.

L'État doit s'en mêler, l'entreprise libre se fichant comme de l'an quarante d'industrialiser ou non la belle province, seule comptant à ses yeux la rentabilité de ses investissements. Voilà le credo de René Lévesque. Pour le réaliser, il lui faudra faire la révolution, c'est-à-dire « *foncer dans le tas* », comme il l'écrit dans ses mémoires.

Autopsie du gaspillage

Le 19 juin 1961, adoptant le ton du secret qu'il affectionne, Michel Bélanger convoque l'équipe de la division Recherches et planification, qui deviendra l'architecte véritable de la nationalisation. L'opération doit rester « *top secret* », insiste-t-il, en organisant le travail de chacun.

Pierre F. Côté fouillera les aspects juridiques de la question tout en rédigeant l'historique d'Hydro-Québec. Éric Gourdeau, qui joue le rôle d'agent de liaison avec la direction d'Hydro, fera le tour des problèmes soulevés par le régime mixte, en plus de s'amuser à revoir le français des employés qui tient du jargon anglicisé.

Le rapport qu'attend René Lévesque doit également comporter la marche à suivre de l'étatisation, ce que Michel Bélanger se réserve. L'économiste André Marier écope du fardeau le plus lourd : dresser la comptabilité des avantages et des désavantages de l'étatisation. Ce jeune économiste tout feu tout flamme, dont Michel Bélanger réprime parfois l'excès de zèle, brûle de se jeter dans ce dossier exaltant.

Le plus cocasse, c'est qu'il est passé à un cheveu de se retrouver dans le camp ennemi, au service de Quebec Power, filiale de la Shawinigan, qui voulait l'embrigader comme lobbyiste. Après réflexion, il avait répondu : « Un économiste peut-il se convaincre qu'il est juste et qu'il sert les meilleurs intérêts de sa patrie en défendant Quebec Power contre la nationalisation ? »

Le dossier qu'il épluche sous l'œil paternel de René Lévesque accable le régime d'exploitation de l'or blanc québécois. Première évidence : l'utilisation désordonnée des eaux. Dans les bassins hydro-électriques, c'est l'anarchie la plus complète. Dans le livre de John Weldon sur la bonne gestion des pouvoirs d'eau, Michel Bélanger lit qu'il faut s'assurer qu'il n'y ait qu'un seul exploitant par bassin. Or il observe, avec son pupille Marier, que tout le monde, Hydro comprise, patauge dans celui du voisin.

Le résultat est là, dévastateur : une duplication des lignes de transport, d'un bout à l'autre de la province, qui confine au gaspillage. Pendant que les poteaux d'Hydro traversent le royaume déjà éclairé de la Shawinigan, au centre du Québec, les réseaux de la Shawinigan pénètrent joyeusement les lignes et les pylônes d'Hydro, la coupant de son marché principal, Montréal, et de ses sources d'alimentation sur la Côte Nord. La Shawinigan éclaire même des villes comme Valleyfield, pourtant situées dans le fief d'Hydro.

André Marier ne peut s'empêcher de penser qu'une certaine intégration des réseaux de production et de distribution s'imposerait.

Seconde grande trouvaille : les tarifs d'électricité jouent au yo-yo d'une région à l'autre. Les écarts mensuels sont proprement scandaleux. À Montcalm, au nord de Montréal, l'abonné paie 4,04 $ par mois mais à Mont-Laurier, tout à côté, l'addition atteint 11,20 $. L'électricité coûte les yeux de la tête en Abitibi, région qui subit en plus la lumière papillotante du 25 cycles, alors qu'en Gaspésie les tarifs domiciliaires sont jusqu'à six fois plus élevés qu'à Montréal.

Les petits génies de René Lévesque découvrent aussi que le commerce de l'électricité est plus que profitable — surtout pour le secteur privé dont les revenus sont de 60 pour cent plus élevés que ceux du secteur public. Le drame, c'est qu'une grosse partie du revenu net des compagnies (de 45 millions de dollars en 1958) sort du Québec sous forme de profits réinvestis à l'étranger. Le groupe Shawinigan, le plus coupable d'entre tous, fait fructifier son butin québécois au Chili et dans d'autres pays d'Amérique latine.

La fuite des capitaux ne s'arrête pas là. En 1958, les producteurs privés ont envoyé à Ottawa 15 millions de dollars en impôt. Dans les provinces où l'électricité est étatisée, les sociétés d'État ne versent pas d'impôt au fédéral. Cette seule constatation est un argument décisif en faveur de la nationalisation. En étatisant, on gardera au Québec cet argent qui lui servira à se développer.

La nationalisation stimulera aussi la création d'une batterie d'entreprises secondaires dans les régions. Certes, la Shawinigan a suscité l'établissement de 400 entreprises dans son fief hydro-électrique. Mais c'est l'exception qui confirme la règle. Le retard d'une Gaspésie privée d'énergie électrique le prouve.

Jules Brillant, propriétaire de la Compagnie de Pouvoir du Bas Saint-Laurent, demande : « Doit-on obliger la compagnie à combler les déficiences du marché de l'électricité de la région à même ses propres ressources ? Nous ne le croyons pas car ce serait imposer à l'entreprise privée une tâche qu'elle n'a pas à assurer… » René Lévesque est l'homme tout désigné pour répondre à la famille Brillant : « Si vous ne voulez pas faire prospérer votre région, l'État va le faire ! »

La négligence de la Northern Quebec Power est pire encore. Elle monopolise les pouvoirs d'eau de son royaume éloigné d'Abitibi, qu'elle éclaire avec la fréquence moyenâgeuse de 25 cycles. Mais pas question de passer à 60 cycles, comme partout ailleurs. L'essor de la région, plaide-t-elle, ça ne la regarde pas. Le président, Scott Elliot, ne cache pas que l'investissement requis de 15 millions de dollars pour installer les 60 cycles hypothéquerait ses profits et « ne [lui] rapporterait rien directement ».

L'étatisation aurait comme autre effet bénéfique la francisation d'une industrie dominée depuis ses origines par l'anglais. La Shawinigan ne compte que 20 ingénieurs francophones sur 175, tandis qu'Hydro-Québec, qui n'avait que deux ingénieurs canadiens-français à son service en 1944, au moment de sa création, en emploie maintenant 190 sur 243. Et ses barrages ne s'écroulent pas…

Enfin, argument ultime, la nationalisation s'impose parce que le Québec est l'une des dernières provinces à ne pas avoir étatisé l'électricité. Ce faisant, René Lévesque mettra au monde la plus grande entreprise que les Québécois aient jamais vraiment possédée. En effet, la nouvelle Hydro aura un effectif de 15 000 personnes, un chiffre d'affaires de 225 millions de dollars et une puissance capable de changer la face de la province.

L'exercice critique n'est pas terminé. L'étude de l'économiste Marier n'est qu'un brouillon. Il reste à préparer le livre bleu pour justifier l'opération devant le Conseil des ministres. Une étape cruciale où Michel Bélanger devra déployer toute sa dextérité de chef d'orchestre. Entre René Lévesque et lui, c'est toujours au beau fixe. Mais parfois, le grand paraît plus éreinté que le petit. « On a travaillé jusqu'à deux heures de la nuit, fait-il remarquer à Marthe Léveillé. Monsieur Lévesque est frais comme une rose mais nous, on a les babines à terre. C'est vraiment choquant ! »

Le couche-tard a des griefs d'une autre nature qu'il transmet à son tour à Marthe Léveillé : « Quand Bélanger me donne des explications sur la nationalisation, je ne comprends pas toujours la première fois. Il est trop *bright* ! Il faut qu'il m'explique deux fois pour que je comprenne. »

Quelques années plus tard, son chef de cabinet, Pierre F. Côté, voudra rappeler que pour convaincre René Lévesque du bien-fondé de la nationalisation, il avait fallu faire appel à des raisonnements solides, mettre de côté l'émotion nationaliste et invoquer des arguments économiques.

Le mot tabou

Bientôt, pressé de diffuser les trouvailles de son équipe, il commence à tourner autour du pot, même si Michel Bélanger n'a pas encore laissé tomber le mot fatidique de nationalisation.

René Lévesque évite soigneusement de prononcer le mot tabou, lui substituant ceux plus neutres d'unification ou d'intégration, comme le lui conseille Michel Bélanger. « Même si les mots ont leur importance, monsieur Lévesque, c'est le résultat qui compte. Les images et les étiquettes, on verra ça après ! »

Il s'agit de ne pas susciter la peur. L'objectif concret, c'est de constituer les compagnies privées en un grand réseau électrique unifié qui fournira l'électricité à la population au plus bas coût. Et cela n'a rien à voir avec l'idéologie.

En avril 1986, en y repensant, René Lévesque résumera : « La nationalisation de l'électricité, c'était carré, c'était concret. Nous étions fin prêts, nous savions que nous ne pouvions pas nous tromper en récupérant des compagnies étrangères littéralement plaquées sur le Québec qui siphonnaient nos ressources et expédiaient les profits à l'étranger. Nous savions où notre projet nous mènerait. Mais il a fallu du temps pour convaincre tout le monde. »

René Lévesque prépare donc le terrain pendant que Michel Bélanger achève le livre bleu qui deviendra vite le livre maudit des producteurs privés. En juillet 1961, la Chambre de commerce du Québec présente un mémoire qui conclut que la suprématie québécoise en électricité est due à la concurrence entre l'entreprise privée et l'État, et qu'il doit continuer d'en être ainsi. Le message du milieu d'affaires est à peine implicite : si jamais monsieur le ministre s'avise d'étatiser le secteur privé, il le trouvera sur son chemin.

René Lévesque ne se laisse pas intimider par l'argent. L'occasion est trop belle de planter un premier clou dans le cercueil des compagnies privées. Tout en soulignant qu'il parle en son nom personnel, il avertit : « L'avenir de la production de l'électricité est du côté du secteur public. En effet, notre objectif est d'avoir l'électricité au plus bas prix possible, ce qui est difficile à atteindre avec l'entreprise privée qui existe pour réaliser des profits... »

Trois mois plus tard, il fait remarquer au *Devoir* que les compagnies privées réalisent des profits en redistribuant l'électricité produite par Hydro-Québec avec l'argent des contribuables : « Ne serait-il pas mieux de faire profiter toute la population du bas prix de revient de l'électricité en assurant sa distribution par Hydro-Québec ? » demande-t-il.

Puis il refile une primeur au *Nouveau Journal* : il est à mettre la dernière main à un vaste plan de développement et de distribution de l'électricité. Il s'agit du livre bleu que termine Michel Bélanger. Mais il n'en dit pas plus long au journal. Il veut faire durer le suspense.

Poursuivant son travail de promotion, il s'en va dire aux étudiants de Montréal, qui l'écoutent comme si par sa bouche parlait l'oracle de Delphes : « Il est inconcevable que dans le Québec, 95 pour cent de la population ne contrôlent que 10 pour cent seulement de l'économie. »

Quelques jours plus tard, il reprend à son compte le cri des années 30 : « Soyons maîtres chez nous ! » Enfin, il avertit le Canada anglais par la plume de Ken Johnston, du *Maclean* : « Les Canadiens français ne toléreront plus le statut de citoyens de second ordre dans leur propre province. L'époque des bâtisseurs d'empire et de la domination des grandes entreprises est révolue. »

Fin novembre 1961, le livre bleu est enfin prêt. La synthèse supervisée par Michel Bélanger compte 130 pages et débouche sur l'incontournable nationalisation. Ce technicien pragmatique, qui n'a rien à faire des idées socialistes, n'a pas eu de mal à étayer la conclusion qui s'est imposée comme une évidence. Comme il le dira 30 ans plus tard : « Il y avait du gaspillage, une tarification inégale, des lignes de transport en double, des besoins d'expansion en Gaspésie et de conversion de fréquence en Abitibi, l'anarchie dans les bassins, les impôts des compagnies privées qui filaient à Ottawa, une société d'État qui s'en allait dans tous les sens et qui achetait à l'un ou vendait à l'autre. On s'est dit : si on mettait tout cela ensemble, est-ce que ça marcherait ? Et si on le fait, il faut qu'il y en ait un qui gère l'ensemble. Et qui, sinon l'État, peut le faire ? Il fallait donc que le plus gros producteur, Hydro-Québec, ramasse tous les autres... »

Le livre bleu propose une nationalisation par étapes. Il n'est pas nécessaire de tout nationaliser ni de tout avaler d'un seul trait. Première étape : acquisition de la Shawinigan Water and Power avec ses filiales Quebec Power et Southern Canada Power, de la Northern Quebec Power et de la Compagnie de Pouvoir du Bas Saint-Laurent. Le livre bleu établit à 275 millions de dollars le coût de cette première intégration.

À la deuxième étape, il faudra acquérir la Gatineau Power, qui vend son électricité à l'Ontario, et la kyrielle de petits réseaux privés comme ceux du Saguenay, de Ferme-Neuve ou de Mont-Laurier.

Le 13 décembre, Michel Bélanger parade devant le Conseil d'orientation économique que dirige René Paré, un proche de Jean Lesage. René Lévesque lui a confié la mission de faire approuver le livre bleu par ce forum d'experts très crédibles qu'écoute le premier ministre. René Lévesque peut compter sur l'appui de René Paré, nationaliste comme lui, et sur celui du président de la CSN, Jean Marchand, qui siège également au Conseil d'orientation économique. Le bagarreur Marchand doit mettre tout son poids dans la balance pour convaincre la majorité des membres du Conseil d'orientation économique de dire oui à la nationalisation.

Vingt ans plus tard, Éric Gourdeau se rappellera encore, et non sans ironie, la stupéfaction du trust privé d'électricité devant le livre bleu. L'ingénieur Maurice D'Amours, nouveau lieutenant de Jack Fuller, grand patron du groupe Shawinigan, n'en revient pas. « Où est-ce que ce rapport a été préparé ? interroge-t-il. On a téléphoné à Toronto, à Vancouver, à la maison de courtage *Ames,* ils disent tous que ce ne sont pas eux.

— Ç'a été fait ici, à Québec », se fait-il répondre.

Qu'un document aussi précis et rigoureux soit l'œuvre de fonctionnaires québécois est inimaginable pour cet intermédiaire francophone auquel René Lévesque ne tardera pas à se frotter. Mais avant que ne s'achève 1961, ce dernier met temporairement de côté l'obsession qui le ronge de convertir Jean Lesage à sa cause et fait un saut à la Manicouagan pour visiter le nouveau chantier grouillant d'activité de Manic 5.

Avec son barrage colossal à arches multiples et son immense réservoir d'une superficie de 800 milles carrés, le troisième du monde pour la taille et qu'on mettra huit ans à remplir, Manic 5 force l'admiration de René Lévesque. Le chef des travaux, l'ingénieur Antoine Rousseau, lui sert de cicérone. Il arrive de Beauharnois où il a dirigé les travaux de la troisième section du plus grand barrage québécois. Il a dû faire construire à Sorel une drague géante, plus puissante que celle qui avait creusé le canal de Panama.

Ce que lui montre l'ingénieur Rousseau impressionne fortement René Lévesque. Jour et nuit, de puissantes foreuses percent la montagne en s'attaquant à du roc vieux de millions d'années. Éclairées dès le crépuscule par une constellation de réflecteurs — la nuit, il fait jour à la Manic —, des bennes plus larges que la rue Sainte-Catherine vont et viennent dans un nuage de poussière.

L'audace des ingénieurs québécois, combinée à leur savoir-faire et à leur esprit de pionnier, l'épate. En même temps, ce qu'il voit lui prouve que les Québécois ne sont pas nés pour un petit pain. Ils ont la compétence, le génie pour bâtir et gérer une Hydro-Québec que la nationalisation propulsera au rang de multinationale. Ceux de ses compatriotes qui confondent les intérêts des autres avec les leurs en prêchant résignation et défaitisme n'ont qu'à bien se tenir.

Fidèle à sa réputation de politicien proche du « monde ordinaire », René Lévesque ne manque pas d'aller s'asseoir avec « les gars » dans la cafétéria grande comme l'aréna Maurice-Richard. Une photographie qui fait son tour de presse le montre détendu et souriant, buvant du café avec les ouvriers.

La visite du chantier terminée, René Lévesque se retrouve avec ses hôtes dans l'une des maisons mobiles de luxe prévues pour les visiteurs et dans laquelle mourra en 1968 le premier ministre Daniel Johnson. Mais que faire à la latitude 50, où la nuit tombe aussi vite que le froid, sinon jouer au poker ? Ce soir-là, et il n'allait jamais l'oublier, l'ingénieur Antoine Rousseau perd au jeu l'énorme somme de… 12 $, et monsieur le ministre encaisse à peu près l'équivalent.

CHAPITRE XI

Le ministre électrique

Québec est fatigué de l'arrogance de gens qui ne
se soucient même pas de comprendre ses
sentiments.

RENÉ LÉVESQUE, au *Canadian Club,* avril 1962.

Il y a de l'électricité dans l'air quand s'amorce l'année 1962. Jusqu'ici, René Lévesque s'est abstenu de mettre dans le secret les commissaires de la direction d'Hydro, même ceux qui lui sont favorables. Pourtant, le 3 janvier, à peine « remis » du congé des fêtes en famille, il reçoit une lettre confidentielle de Raymond Latreille. À Hydro depuis 1944, le vieux singe, à qui même René Lévesque n'apprendrait pas à faire des grimaces, a deviné à quoi il s'affaire.

La nationalisation, il est tout à fait pour. Mais il veut éviter au jeune ministre qui déteste la haute finance de faire des faux pas. D'abord, s'il ne veut pas avoir tous les banquiers de St. James Street sur le dos, il doit prévoir un scénario tout en douceur, comme celui de 1944.

À proscrire : l'étatisation dure, comme celle dans laquelle s'est embourbé le premier ministre de la Colombie-Britannique, W. A. C. Bennett, en fixant unilatéralement le prix d'acquisition de la British Columbia Company. Raymond Latreille lui recommande plutôt de négocier à l'amiable l'achat des actions des compagnies, suivant les règles du marché. Mais il doit savoir que le coût de l'opération risque d'être plus élevé car les « victimes » voudront lui faire payer chèrement leur sacrifice.

Raymond Latreille est convaincu qu'Hydro sera à la hauteur et qu'elle a les reins assez solides pour emprunter l'argent nécessaire. Avec des revenus de l'ordre de 100 millions, un actif de plus d'un milliard de dollars et un programme d'expansion de même ampleur, la société d'État peut parfaitement prétendre être le maître absolu du jeu. Sinon, elle en sera réduite d'ici 1975 à vendre à la Shawinigan, qui les redistribuera avec profits à ses clients, 20 pour cent des six millions de chevaux-vapeur qu'elle aménagera d'ici là. En d'autres mots, l'État courra les risques, mais les profits iront à la Shawinigan car c'est la distribution qui est rentable, non la production et le transport.

Le 9 janvier, Jean Lesage ouvre la session. La précédente a été celle de l'éducation, avec la mise en route de la commission d'enquête Parent. Celle-ci sera économique, avec la création de la Société générale de financement et l'adoption d'un cocktail de mesures agricoles ainsi que d'un vaste programme de construction d'autoroutes dont la province est lamentablement dépourvue. En prime, l'étatisation — si René Lévesque parvient à l'inscrire à l'ordre du jour.

À peine les travaux parlementaires ont-ils débuté qu'il lâche le gros mot de nationalisation en s'en prenant à Daniel Johnson, chef de l'opposition, qui le traite d'étatiste enragé : « Au lieu de produire de l'électricité pour la vendre à des compagnies privées, l'Union nationale aurait dû *nationaliser* ces compagnies. »

Pour le quotidien *Le Devoir,* la manchette du lendemain est toute trouvée : « M. Lévesque laisse entrevoir l'étatisation prochaine des ressources hydro-électriques. »

Trop vite dit. Car rien n'est joué. Armé du mémoire préparé par son équipe, René Lévesque affronte un comité restreint du Conseil des ministres où il ne rencontre qu'objections et scepticisme.

Il reprend un à un les avantages de l'étatisation contenus dans le livre bleu de Michel Bélanger qui, pour un futur banquier, a la plume plutôt gauchisante quand il écrit : « La nationalisation, c'est un moyen qu'a l'État de corriger les abus du système économique capitaliste ou de mettre à la raison les puissances économiques qui, par des moyens occultes, veulent orienter les gestes gouvernementaux à leurs profits… »

René Lévesque a beau rappeler que la majorité des autres provinces canadiennes ont déjà étatisé l'électricité, il n'ébranle pas les colonnes du temple. Les ministres paniquent devant les 250 millions de dollars à emprunter. Il leur demande d'approuver au moins le principe de l'achat du groupe Shawinigan, mais personne ne veut le suivre. Surtout pas Jean Lesage, qui se réfugie dans la neutralité et reporte le débat au 1er février.

Ce jour-là, le député de Laurier attaque avec encore plus de conviction que la première fois, rappelant à ses collègues leur promesse électorale de réduire les tarifs dans les régions comme la Gaspésie et l'Abitibi. Rien n'y fait. Et quand il affirme que le peuple est avec lui, Jean Lesage le met au défi de le prouver. Message qui ne tombe pas dans l'oreille d'un sourd, on le verra plus tard. Le premier ministre fait cependant un pas en l'invitant à présenter son mémoire devant le Cabinet tout entier.

Seul contre tous

Quelques semaines plus tôt, René Lévesque a sondé les humeurs de Jean Lesage dans le petit bureau de l'Assemblée qui lui est réservé. « Vous voulez me parler de quel sujet ? avait fait le chef.

— De la nationalisation des compagnies d'électricité, avait laissé tomber le ministre sans ménagement.

— *Over my dead body* ! Vous m'en reparlerez dans 10 ans », avait alors répliqué Jean Lesage sans mettre de gants lui non plus.

À l'évidence, René Lévesque a besoin d'un allié influent proche du premier ministre. Il entreprend la conquête de Louis-Philippe Pigeon, son éminence grise. On le dit sympathique à l'idée. Comme René Lévesque le racontera dans ses mémoires, il s'arrête de plus en plus souvent à son bureau pour deviser de choses et d'autres, mais surtout d'électricité, se faisant humble et petit comme l'étudiant en droit d'autrefois. Flatté, le vieux juriste répond avec des « monsieur le ministre » gros comme le bras.

Jeune, Me Pigeon avait rêvé de devenir ingénieur, mais comme « il n'y avait pas de place pour les Canadiens français », il s'était résigné à faire du droit, contrairement à « monsieur le ministre » qui avait bifurqué du droit vers le journalisme, lui.

René Lévesque découvre que l'homme qui l'a expulsé de la

faculté, 20 ans plus tôt, se passionne pour l'énergie hydro-électrique. En 1943, il a même conseillé le premier ministre Godbout dans le dossier entortillé de la mise en exploitation du rapide des Joachims, sur la rivière Outaouais qui fait la frontière entre le Québec et l'Ontario.

Un beau cas, lui explique Me Pigeon, où, faute d'une politique énergétique claire, le Québec s'est fait posséder par les Ontariens qui avaient un urgent besoin d'électricité pour pousser le développement industriel de leur province. Au lieu de mettre en valeur le rapide des Joachims et de vendre l'énergie à l'Ontario, il a cédé à celle-ci la partie québécoise du rapide en échange de la partie ontarienne des rapides de Carillon. Un troc non avantageux pour Québec qui n'avait pas besoin de l'électricité de Carillon avant des années.

Me Pigeon était convaincu qu'il s'agissait d'un véritable marché de dupes et que seule l'Ontario y ferait son beurre. Si la province voisine avait si soif de kilowatts, c'était pour attirer chez elle des industries qui, autrement, se fixeraient au Québec riche en énergie hydro-électrique. Le juriste avait déjà compris que l'électricité pouvait devenir un levier phénoménal de développement industriel et de création d'emplois à la condition de la garder ici au lieu de l'expédier ailleurs.

C'est exactement la position que vient d'adopter René Lévesque en opposant un non catégorique à la mise sur pied du réseau Trans-Canada, sous l'égide du fédéral qui veut obliger le Québec à exporter son or blanc aux Ontariens et aux provinces de l'Ouest. Il a sauté au plafond en constatant que le texte de la rencontre d'Ottawa à ce sujet ne faisait aucune mention de son désaccord.

Comme si son envoyé spécial, le commissaire Louis O'Sullivan, avait parlé pour ne rien dire ou n'avait pas défendu la position québécoise. Ce que le commissaire a nié et pour dissiper tout doute, il a produit sa lettre de protestation à Don Stephens, auteur du rapport, dans laquelle il réitérait le refus net du Québec de participer à la création d'un réseau pancanadien d'électricité qu'il avait exprimé à Ottawa. Escarmouche à la canadienne qui, pour René Lévesque, en dit long sur le peu de cas que fait le fédéral des intérêts québécois. Mais là-dessus, il n'a encore rien vu.

Pour gagner son bras de fer au Conseil des ministres du 16 février, le député de Laurier aura besoin de la complicité de Louis-Philippe Pigeon, dont l'influence sur Jean Lesage jouera en sa faveur quand ce dernier tranchera la question. René Lévesque invite donc l'avocat à un caucus secret de son équipe au Kent House, l'hôtel prestigieux de la capitale accroché à la falaise surplombant les chutes Montmorency. Il veut aussi emporter la réticence des deux commissaires qu'il a fait nommer à la direction d'Hydro.

Car Jean-Paul Gignac et Georges Gauvreau hésitent, lui a appris Éric Gourdeau qui les rencontre tous les vendredis à Montréal pour faire le point sur les réformes en cours. Ils tergiversent : « Il ne faut pas brusquer les choses. On est trop petits pour absorber d'un seul coup la Shawinigan ».

En arrivant au caucus, Jean-Paul Gignac apprend que le sujet à l'ordre du jour est la nationalisation de l'électricité. Étonné, il s'adresse à René Lévesque : « Déjà... ?

— On n'a pas de temps à perdre, monsieur Gignac, réplique le ministre qui a l'air plutôt découragé. Il y a un tas de gros intérêts là-dedans et les anglophones poussent fort sur Lesage. En plus, les trois quarts du Cabinet sont contre moi ! »

La discussion s'amorce avec la nationalisation de 1944 que Me Pigeon a suivie de près. Il a rédigé la loi créant Hydro-Québec dont le fameux article 22 définissait le mandat : fournir l'électricité à la population aux taux les plus bas compatibles avec une saine administration financière. Principe qui faisait toute la différence avec celui de l'entreprise privée qui veut que les taux soient fixés en fonction du profit désiré.

Louis-Philippe Pigeon se souvient de l'agressivité de la Montreal Power, qui avait inondé la province de messages publicitaires mensongers. L'un d'eux, inscrit en lettres capitales sur de larges panneaux plantés aux quatre coins de Montréal, proclamait : « Une enquête indépendante révèle que 95 sur 100 approuvent le service actuel. N'y touchez pas ! »

Le juriste n'a pas oublié non plus les réactions hostiles de la presse anglophone, ni celles de certaines feuilles francophones. « Vous savez, monsieur le ministre, dit-il de sa voix fluette, les jésuites nous ont beaucoup nui. Leur revue a publié les articles insensés du fameux Burton Ledoux contre la nationalisation. Les jésuites ont été ignobles, monsieur le ministre !

— Maître Pigeon, intervient René Lévesque en feignant l'innocence, j'ai deux fils qui étudient chez eux, qu'est-ce que je dois faire ?

— Retirez-les ! Retirez-les ! monsieur le ministre », l'exhorte le juriste d'une voix encore plus aiguë que d'habitude.

On rit de bon cœur. Durant deux jours, l'équipe de René Lévesque ressasse en long et en large son plan de nationalisation pour en éprouver la solidité et découvre, ravie, que le conseiller juridique de Jean Lesage rêve lui aussi de « la grande Hydro ».

L'effet d'un court-circuit

Fort de sa nouvelle alliance, René Lévesque provoque un électrochoc chez les 400 invités de la Semaine de l'électricité qui occupent l'imposant salon tout illuminé de l'hôtel Reine Elizabeth. On est à cinq jours du rendez-vous crucial du Conseil des ministres où les collègues l'attendent au tournant. Il se lance dans un discours de deux heures où il place le Cabinet devant le fait accompli.

« L'électricité est fondamentale dans le Québec et doit constituer un tout bien intégré, dit-il. Cette unification doit être réalisée par Hydro-Québec dans le secteur public. En me basant sur les faits et les études, je ne puis arriver à une autre conclusion. »

La salle comprend que ce sera la nationalisation. C'est tellement inattendu que plusieurs secondes s'écoulent sans que personne ne réagisse. Le journaliste Jean-V. Dufresne prépare un reportage pour *Maclean*. L'ex-secrétaire de presse moustachu de René Lévesque s'amuse de la mine stupéfaite des congressistes, qu'il décrira avec le style mordant qui le caractérise : « Dans la grande salle où jadis on se contentait platement de louer les bienfaits de la fée électricité entre deux cafés d'après-lunch, l'invité d'honneur abasourdit son auditoire venu de toutes les provinces. La déclaration de Lévesque a l'effet d'un court-circuit. Les directeurs de compagnies d'électricité sont consternés. On trouve le coup un peu bas. »

L'expression est faible. Convoquées d'urgence par Jack Fuller, patron du « trust de l'électricité », les directions de la Shawinigan Water and Power, Quebec Power et de la Southern Canada Power passent la nuit à préparer une riposte. La nationalisation, on l'a vue venir depuis la campagne électorale de juin 1960 quand René Lévesque a commencé à attacher le grelot. Puis, second signal d'alarme, quand est arrivée la décision du gouvernement de réserver à Hydro toutes les ressources non encore concédées.

Néanmoins, les assurances obtenues de Jean Lesage ont rassuré le groupe Shawinigan. Aussi, quand René Lévesque s'est mis à lancer ses attaques contre les compagnies privées, la Shawinigan n'a pas bronché. Mais cette frasque-ci change tout.

Le lendemain matin, à 11 heures, les journalistes accourent à une belliqueuse conférence de presse convoquée par les gros bonnets du trust, ceux que René Lévesque ravalera avec sarcasme dans ses mémoires à « un aréopage de bonzes issus principalement du West Island et de l'Ontario auquel vient se coller cette partie du Québec français qui ne voit jamais le succès — son succès — que dans un rôle satellite ».

Entouré d'Henri Béique, de Quebec Power, de W. J. Mainguy, de la Shawinigan, et de George Rattee, de Southern Canada Power, le superpatron Fuller démolit le ministre qui veut lui enlever son fromage, ou plutôt sa mine d'or, comme dira par la suite l'économiste André Marier devant la férocité de la contre-attaque de la Shawinigan.

Jack Fuller ne mâche pas ses mots. Le ministre ment quand il dit que l'efficacité sera plus grande, et les taux moins élevés, avec l'étatisation. C'est faux aussi d'affirmer que le secteur de l'électricité est un fouillis. Henri Béique, le premier président francophone à la tête de Quebec Power, s'emporte à son tour : « Monsieur Lévesque est peut-être un expert en télévision, mais il ne connaît rien à l'électricité… »

Attaque personnelle si déplacée qu'elle provoque des remous chez les journalistes. Au contraire, « monsieur Lévesque » en sait long, et ça paraît quand il parle, les jeunes loups réunis par Michel Bélanger lui ayant fourni armes et chiffres. Par sa bourde, le président Béique apporte de l'eau au moulin de René Lévesque qui, dans son discours-fleuve de la veille, s'est bien gardé de nommer qui que ce soit. Ni la Shawinigan, ni Jack Fuller, encore moins Henri Béique. Grâce à eux, le débat se fera désormais dans la presse. « M. Lévesque a le gros bout du bâton, commente le lendemain Vincent Prince, éditorialiste à La Presse. La population espère qu'il ne le lâchera pas. »

Il n'est pas un lâcheur. Le président Fuller non plus. Le grand Moghol du groupe Shawinigan possède plusieurs alliés politiques, dont Jean Lesage qu'il a soutenu lors du congrès au leadership de 1958. Très lié en plus au bailleur de fonds des libéraux, Peter Nesbitt

Thomson, président de Power Corporation et actionnaire principal du groupe Shawinigan, Jack Fuller veille au grain depuis le jour où René Lévesque est entré dans la formation politique qui défend les intérêts des Anglo-Québécois.

Une fois Jean Lesage aux commandes, le financier l'avait inondé de lettres intimidantes. Tantôt il l'avertissait que les investisseurs perdraient confiance si on expropriait sa compagnie et que l'économie de la province en souffrirait. Tantôt il le pressait de se dissocier publiquement du tapage médiatique de son ministre, lui rappelant que le groupe Shawinigan versait chaque année 8 millions de dollars en taxes à la province. Mais Jean Lesage résistait aux pressions. Tant bien que mal, mais résistait quand même.

En réalité, Jack Fuller redoute la nationalisation depuis 1959, année où il a commencé à se départir de certains titres québécois comme Quebec Autobus qu'il a vendu à Paul Desmarais, futur grand patron de Power Corporation. Mais ce qui le met aujourd'hui sur le sentier de la guerre, c'est le manque total de respect de René Lévesque envers sa compagnie dont l'apport à la société québécoise ne peut pas être gommé impunément.

Fondée en 1897 par trois Américains de Boston, John Joyce, H. H. Melville, J. E. Aldred, banquier de 34 ans qui en sera l'âme dirigeante, et par le célèbre avocat montréalais J. N. Greenshields, qui a défendu le rebelle Louis Riel en 1885, la Shawinigan présente un dossier sans tache aux yeux de Jack Fuller.

C'est une pionnière qui a bâti la ville de Shawinigan Falls à partir de rien, livré de l'électricité dès 1901, construit deux ans plus tard sa première ligne de transport vers Montréal longue de 135 kilomètres, étendu dès 1910 son réseau à toute la rive sud de Montréal depuis Sorel jusqu'à Boucherville, éclairé la Beauce et les Bois-Francs durant les années 20, s'attaquant aussi à la rive nord du Saint-Laurent où elle atteignait bientôt Québec depuis Trois-Rivières.

Grâce à une ingénierie audacieuse, la compagnie a multiplié par quatre le débit de la rivière Saint-Maurice, converti son territoire aux 60 cycles dès 1930 alors que l'Ontario n'avait même pas commencé à le faire, investi 15 millions de dollars pour construire un réseau de 5 000 milles à travers une campagne peu peuplée et édifié en Mauricie un empire industriel qui a puissamment contribué à l'essor de la province.

Pour le maître du groupe Shawinigan, sa compagnie a derrière elle 60 années de réalisations imaginatives et courageuses qu'aucun État n'aurait pu égaler. Pas même celui qu'entend bâtir ce René Lévesque qui cause un tort irréparable à l'entreprise en réduisant ses états de service à une caricature de la réalité.

Le ministre veut la guerre, il l'aura ! Le président Fuller court les tribunes. Au Canadian Club, se sentant lâché par ses pairs, il blâme ces timorés qui se contentent de soupirer devant la disparition d'un des leurs. Ailleurs, il tente de compromettre Jean Lesage en laissant entendre que des « hommes puissants et cachés » appuient sa croisade. Mais il consacre le plus clair de son temps à remâcher des arguments que la presse taxe bientôt de sophismes.

Tout ce que veut faire René Lévesque, répète-t-il, existe déjà depuis 20 ans grâce à l'entreprise privée. Loin de se dédoubler, les lignes de transport sont utilisées de façon rationnelle. Le gaspillage d'énergie n'existe que dans la tête du ministre car la répartition des eaux entre Hydro et les compagnies privées correspond à un équilibre idéal. Enfin, monopole ou pas, l'efficacité de la Shawinigan, entreprise privée, surpassera toujours celle de l'État.

Le 15 février, veille de sa « comparution » devant ses pairs du Cabinet, René Lévesque réfute ces thèses dans un texte marqué d'ironie. Il savoure le moment : « J'éprouve quelque surprise que ces messieurs de la Shawinigan se soient sentis particulièrement et instantanément visés ! En prétendant rectifier le tableau que j'ai tracé de mon mieux, les dirigeants de la Shawinigan se sont trouvés à fausser les faits. Involontairement, sans doute… »

Il épingle deux « faussetés » criantes. Ainsi la Shawinigan nie que les tarifs des compagnies privées sont le double de ceux d'Hydro, le ministre rappelle que les abonnés de la Compagnie de pouvoir du Bas Saint-Laurent déboursent 7,50 $ par mois alors que ceux d'Hydro ne paient que 3,32 $!

M. Fuller se plaint aussi que le secteur privé verse deux fois plus de taxes qu'Hydro. Très juste, mais très normal aussi, les compagnies produisant 68 pour cent de l'énergie comparativement à 32 pour cent pour Hydro, soit exactement 2,2 fois plus…

CHAPITRE XII

Le voyage à New York

Nous sommes condamnés à regarder faire les autres.

RENÉ LÉVESQUE, octobre 1962.

L a bombe lancée par René Lévesque secoue la direction d'Hydro. Pas besoin de s'appeler Einstein pour deviner que le président Lessard se passerait bien de la nationalisation, qui lui complique la vie. Comme le constate Michel Bélanger, il n'ose pas affronter ouvertement René Lévesque mais lui prédit en coulisse tous les malheurs possibles et imaginables.

Pour le président, ce dossier-là, c'est celui de « jeunes illuminés » qui entourent un ministre ne sachant même pas compter. Mais l'orage le plus violent éclate au Cabinet. Le lendemain du scoop au Reine Elizabeth, les collègues du ministre tapageur ont avalé de travers les manchettes des journaux. Et le premier ministre plus qu'eux encore. « On me fit savoir que Lesage était hors de lui », se rappellera René Lévesque en rédigeant ses mémoires.

Dans les siens, Georges-Émile Lapalme sera plus explicite. Sa critique acerbe montre comment, pour arriver à ses fins, René Lévesque n'hésite pas à mettre ses appuis en péril : « Les journaux nous apportaient une politique de l'électricité dessinée par le seul René Lévesque. Jean Lesage était furieux ; nous aussi. Il y avait de quoi ! La solidarité ministérielle venait de recevoir une grenade dans son principe même. »

René Lévesque s'est passé une fois de plus de la permission de son chef, sachant qu'elle lui serait refusée s'il la demandait. Mais ni lui ni son conseiller Bélanger ne s'émeuvent outre mesure des sautes d'humeur de Jean Lesage. Pour l'économiste, la presse exagère leur différend. Elle ne comprendra jamais qu'ils jouent chacun leur rôle. Le patron, c'est Jean Lesage, et il y tient ! Le rebelle, c'est René Lévesque, et il y tient aussi !

Le premier ministre sait qu'il peut faire confiance à René Lévesque, qui n'a rien du « professionnel » politique ambitieux. Il n'a nulle envie de lui voler le trône. Et puis, tous les deux prennent leur travail au sérieux. Un jour où Jean Lesage est en veine de confidences, il dit à Éric Gourdeau : « C'est le seul qui arrive préparé au Conseil des ministres.

— René Lévesque m'a dit la même chose de vous. Ça l'épate. »

Au chapitre de la ponctualité, par contre... Réglé comme une horloge, jamais Jean Lesage ne s'habituera à la chaise vide de son ministre, qui néglige une fois sur deux de régler son réveil. C'est toujours pareil : en son absence, le premier ministre tempête. Pourtant, quand Lévesque entre en coup de vent, essoufflé comme s'il arrivait de l'autre bout du monde, il n'a qu'à s'excuser pour que Jean Lesage oublie de lui signaler son retard. Il lui demande même parfois s'il a bien dormi...

C'est que la puissante personnalité de René Lévesque force l'admiration du premier ministre. Mais il tolère mal ses indiscrétions calculées, dont la presse fait son miel. Des politiques encore en discussion au Cabinet font la manchette des journaux.

Au Cabinet, on ne lui dit pas « boucle-la », mais ce n'est pas l'envie qui manque à certains collègues qui le soupçonnent carrément d'être à l'origine des scoops du reporter étoile du *Devoir*, Pierre Laporte, son ami. Chaque fois pourtant, Jean Lesage réclame le secret le plus absolu sur les décisions du gouvernement, mais évite de le montrer du doigt.

Mais un jour, à la suite d'indiscrétions concernant l'octroi de contrats d'Hydro, il vise directement René Lévesque à qui il signale que le secret du Cabinet est continuellement violé.

Voilà donc où en sont les deux hommes quand sonne l'heure du

Conseil des ministres. Jean Lesage est-il pour ou contre l'étatisation ? Bien peu de ses ministres pourraient le dire avec certitude. Son attitude relève du mystère.

Jusqu'ici, il a joué les arbitres. Sa stratégie consiste à ne pas se mettre à dos le milieu des affaires et à soigner l'épiderme endolori de ses ministres opposés à la nationalisation. Au fond, Jean Lesage fait face aux deux mêmes forces qui essaient de faire échec à René Lévesque : les financiers, qui n'ont que des intérêts, et les conservateurs de son propre parti, qui incarnent le terrible complexe d'infériorité canadien-français — « C'est pas faisable, c'est impossible ! » — que tente d'exorciser René Lévesque.

Le ministre du Tourisme, Lionel Bertrand, menace ouvertement de partir si jamais l'apocalypse advenait. André Rousseau, ministre de l'Industrie et du Commerce, sert de caisse de résonance aux lobbyistes de « St. James Street ». Il y a encore la dette faramineuse qu'il faudra contracter qui épouvante le ministre René Hamel.

Enfin, il y a ceux qui défendent sans vergogne les intérêts des compagnies d'électricité, comme le ministre sans portefeuille George Marler ou comme Richard Hyde, président de l'Assemblée et député de Westmount. Ce dernier est tellement monté qu'il harcèle le commissaire d'Hydro, Jean-Paul Gignac, pour obtenir des renseignements confidentiels qu'il veut refiler à ses amis du trust de l'électricité.

Le vendredi 16 février, donc, René Lévesque expose de nouveau son projet, non sans rappeler à ses collègues qu'ils ont promis une politique de l'électricité pour susciter l'expansion économique de la province. Jean Lesage l'écoute d'abord attentivement mais, après avoir consulté sa montre, repousse le débat à une autre réunion. René Lévesque encaisse le nouveau délai sans faire de chichi. Il a l'habitude, et sa patience paraît sans limite.

Trois jours plus tard, il revient à la charge, s'attardant cette fois aux problèmes aigus dont souffrent la Gaspésie et l'Abitibi, deux régions prisonnières de compagnies moyenâgeuses qui refusent d'investir un rond pour moderniser leurs réseaux. Il demande au Cabinet d'approuver le principe de l'acquisition de la Shawinigan Water and Power et de l'autoriser à entreprendre les négociations.

Pour une fois, on l'écoute. Même Jean Lesage se fait plus avenant. « La question est d'une extrême importance et des plus délicates… minaude-t-il. C'est vrai que la Shawinigan est la compagnie la plus importante, mais faut-il mettre les autres de côté ? »

Manifestement, le premier ministre a changé son fusil d'épaule. Et René Lévesque se croit justifié de penser qu'il a peut-être gagné la première manche.

Quand les membres du Cabinet ont fini de peser le pour et le contre devant un René Lévesque qui, pour la première fois, arrive à départager les oui des non, Jean Lesage sort son as. Avant d'aller plus loin, il demandera à la maison Gallup de sonder les Québécois. « J'insiste pour que cette enquête se déroule dans la discrétion la plus absolue, avertit-il. Il ne faut pas que le but de l'opération puisse être découvert par qui que ce soit… »

Encore le secret d'État. N'empêche que René Lévesque a l'impression d'avoir arraché le morceau. Comme c'est la question du financement qui en gèle plusieurs, il annonce, avant de quitter son siège : « Mes conseillers sont à examiner minutieusement tous les aspects financiers de l'acquisition éventuelle des compagnies… »

Sa stratégie, celle de l'araignée tissant patiemment sa toile, a donc fini par payer. Il n'a pas été dupe ; il a bien vu le jeu de son chef qui ordonnait au greffier du Cabinet de refouler ses mémoires au dernier point de l'ordre du jour. Quand on y arrivait, il était temps de lever la séance. René Lévesque n'a jamais protesté. Il confiait à ses collaborateurs : « Quand ça va faire six semaines que ça traîne en bas, ils vont être assez emmerdés et gênés qu'ils vont finir par passer dessus… »

Durant tout le printemps 1962, la nationalisation reste en ballottage. On n'aborde plus le sujet au Cabinet. Officiellement, on attend les résultats du sondage Gallup, mais le véritable sondage, c'est René Lévesque qui le fera durant l'été en parcourant la province avec son tableau noir comme au bon vieux temps de *Point de mire*.

Le Cabinet de Cap-Rouge

Depuis quelques mois, au cours de réunions discrètes, René Lévesque tient ses compagnons d'armes des années 50 au courant des péripéties de sa saga. C'est lui qui a eu l'idée de ces longues soirées amicales où l'on dissèque à quatre ou cinq les réformes en cours. Noyé dans l'action, incapable de s'arrêter une seconde pour réfléchir et se sentant seul à Québec, il avait dit à Gérard Pelletier, qui dirige *La Presse* : « Je m'ennuie de chiquer la guenille avec Laurendeau, Marchand, Trudeau et toi... » Une autre fois, il avait confié à un Jean Marchand en voie de s'incruster à la CSN : « J'connais pas beaucoup ça la politique, j'ai besoin de vos lumières. »

Un soir, on argumente chez Jean Marchand, rue Saint-Hubert, à Montréal, une autre fois à son chalet de Cap-Rouge en banlieue de Québec. D'où la rumeur sur l'existence d'un « gouvernement parallèle ». Des années plus tard, Jean Marchand parlera plutôt, avec un sourire en coin, du « Cabinet de Cap-Rouge ». Mais le plus souvent, on se voit chez Gérard Pelletier, qui habite un cottage à Westmount.

De sa double tour d'ivoire de la faculté de droit de l'Université de Montréal et de la revue de combat *Cité libre*, Pierre Trudeau observe les premiers bégaiements de la révolution tranquille et il n'aime pas tout ce qu'il entend. Il s'est dès le début mêlé aux discussions du cercle d'amis et, parfois, il file à Québec dîner avec René Lévesque.

La décennie est jeune ; la vague ronflante du nouveau nationalisme roule déjà. Des graffiti apparaissent sur les murs : « À bas la Confédération ! Vive le Québec libre ! » La couleur du temps change, et René Lévesque est loin d'y être insensible. Sa défense parfois très émotive du dossier de l'électricité l'atteste : ceux qui pâtissent du « monopole privé » sont forcément les pauvres « Canayens » qui parlent français, ceux qui en profitent sont les bonzes du West Island.

Pierre Trudeau, lui, ne s'attendait pas à ce que le bouillonnement des idées serve de détonateur au nationalisme, encore moins au « séparatisme », comme il dira toute sa vie. Pour lui, c'est une idée absurde et rétrograde, un concept monstrueux sanctionné par des années de guerres atroces, que de vouloir unir État et ethnie. Cet homme aime les raccourcis frappants, les formules-chocs souvent simplistes comme celle-ci : le nationalisme n'a plus de rôle à jouer que dans les sociétés arriérées. Ou celle-là : un gouvernement vraiment démocratique ne peut être nationaliste.

Quand il les tient ensemble dans son salon, Gérard Pelletier peut voir très clairement se dessiner le conflit majeur qui fera de ses deux amis des frères ennemis pour la vie. Ils sont tellement différents ! Avec ses vestes de cuir et ses torpédos grand luxe, Pierre Trudeau fait play-boy. Habillé comme la chienne à Jacques, et conduisant la voiture de tout le monde, René Lévesque fait plutôt séducteur du dimanche. Le premier a fréquenté les grandes universités, cela se voit à sa formation et à sa logique que lui envie le second. Celui-là n'a pour tout parchemin que son intelligence, un sens extraordinaire de l'actualité et de la tactique et des connaissances époustouflantes sur à peu près tout qui en imposent à Pierre Trudeau.

Aux antipodes l'un de l'autre, ils tombent cependant d'accord sur un tas de sujets comme l'urgence de la modernisation du Québec ou la triste constatation que le duplessisme a fait perdre 25 ans à la province. Ils discutent ferme et pointu, ce qui n'interdit pas le respect mutuel. Mais le conflit de personnalité finit toujours par éclater. Alors, c'est l'aristocrate cassant et flegmatique qui entre en collision avec la diva du petit peuple qui pompe tout l'oxygène autour d'elle et veut avoir raison sur tout.

Un vendredi soir, chez Jean Marchand, rue Saint-Hubert, la nationalisation les oppose. Pierre Trudeau n'est pas contre le principe de l'étatisation, lui qui a le cœur à gauche. Mais comme il a le portefeuille à droite, au point de ne jamais offrir de régler l'addition au restaurant, tout millionnaire qu'il soit, la question du financement le fait bondir.

Il conteste l'opportunité d'une mesure qui endettera le Québec alors qu'il faut satisfaire à tant de besoins plus criants que le compte d'électricité. Si l'État prenait une participation dans les compagnies au lieu de les nationaliser, ce serait beaucoup moins lourd pour la province. Il demande à René Lévesque : « Pourquoi engloutir 300 millions dans des compagnies qui marchent bien, quand on est tellement en retard en éducation ?

— Les autres l'ont fait partout au Canada, en Colombie-Britannique, en Ontario, pourquoi pas nous autres ? » répond le ministre en s'emportant.

Marchand et Pelletier, qui assistent à la prise de bec, sont impressionnés par l'argument de l'éducation, mais ils ne sont pas sûrs que Pierre Trudeau ait raison. Difficile pour eux de se ranger avec lui, car ils soutiennent la bataille de l'ami René depuis le début.

En revanche, la réponse émotive et à forte saveur nationaliste de ce dernier les dérange. Ils constatent surtout que Pierre Trudeau n'acceptera jamais les arguments nationalistes de René Lévesque. Il maudit déjà le nuage patriotique enveloppant toute l'opération. Loin de vibrer au « Nous autres » de René Lévesque ou au « Maîtres chez nous » qui résonnera bientôt dans toute la province, il va plutôt désavouer dans *Cité libre* une campagne électorale ravalée, selon lui, au rang de « propagande replète de slogans émotifs ».

Se rappelant de son côté que le seul mot de nationalisation hérissait son contradicteur, René Lévesque écrira dans son autobiographie : « Pendant la campagne électorale qui suivit, j'eus l'occasion d'observer le même genre de grimaces chez beaucoup d'anglophones qui, par ailleurs, au même moment, ne trouvaient rien d'anormal à la re-nationalisation de l'industrie sidérurgique en Grande-Bretagne : vérité dans la mother country, erreur dans la colonie. »

Pierre Trudeau n'est pas le seul du camp fédéraliste à commettre cette « erreur historique », comme diront des années plus tard les Pelletier et Marchand. D'Ottawa, où il conseille le chef libéral Lester B. Pearson, l'économiste Maurice Lamontagne, grand prêtre de l'intégration lucide des Canadiens français dans la Confédération, met Jean Lesage en garde contre les cauchemars nationalistes de son ministre.

Maurice Lamontagne en a surtout contre l'aspect « politique de grandeur » de la nationalisation, qui l'éloigne selon lui des besoins du petit peuple. Comme Pierre Trudeau, Maurice Lamontagne est incapable de s'imaginer que le temps donnera raison à René Lévesque, et que les millions engloutis dans les compagnies privées rapporteront gros aux Québécois.

Comme Gérard Pelletier le dira un jour : « René voyait déjà les retombées de la nationalisation pour les francophones. En plus de faire entrer un tas d'ingénieurs dans un domaine d'avenir, car l'électricité, on en aurait toujours besoin, on formerait du personnel et des administrateurs francophones de première ligne qui un jour négocieraient d'égal à égal avec les multinationales. »

Wall Street à la rescousse

À la dernière réunion du Cabinet consacrée à l'électricité où René Lévesque a révélé que son équipe fouillait la question du financement, il faisait allusion à l'étude d'une équipe de comptables des Hautes Études Commerciales dirigée par Jacques Parizeau, jeune loup de l'économie politique âgé de 31 ans et formé comme Pierre Trudeau dans les grandes écoles internationales.

Jacques Parizeau a très bonne cote dans la presse dont il est l'économiste de service. À *Point de mire,* René Lévesque avait fait appel à ses lumières à une ou deux occasions. Cela avait suffi pour lui démontrer que sous ses dehors de banquier à forte stature et au rire généreux se cachait un réformateur hanté comme lui par la question québécoise. Il l'avait fait venir chez lui, rue Woodbury : « Pensez-vous qu'on peut nationaliser les compagnies d'électricité ? »

Avant de répondre, l'économiste avait voulu parcourir le dossier que René Lévesque lui avait remis. Son défi : établir le plus exactement possible le coût de la nationalisation. Tout bien calculé, Jacques Parizeau arrive à 300 millions de dollars. C'est le tiers du budget québécois et c'est le montant qu'il faudra emprunter sur le marché. C'est énorme mais moins que la valeur totale des 10 compagnies ciblées, fixée à plus de 525 millions. À elle seule, la Shawinigan vaut 385 millions. La grande question est maintenant de savoir où trouver l'argent...

Jacques Parizeau connaît quelqu'un qui possède la réponse. Il s'agit de Roland Giroux, brillant financier qui dirige l'une des rares maisons de courtage francophones de Montréal, la firme Lévesque-Beaubien. L'inconvénient, avertit Jacques Parizeau, c'est que ce monsieur à la panse généreuse et de très bon conseil est l'ami intime de Daniel Johnson.

« Ce que je ferai avec vous, Daniel n'en saura rien », jure le courtier à René Lévesque en lui soulignant que l'inverse serait aussi vrai. La confiance s'établit rapidement entre eux et elle durera longtemps. Tout inféodé qu'il soit aux affaires dominées par les anglophones, Roland Giroux a la tripe profondément francophone. Ce *self made man* ravit René Lévesque. À ses yeux, il est l'opposé de ces francophones de service obséquieux qu'il méprise tant. En plus, il y a du rebelle en lui. À 13 ans, il avait été enfermé pendant quatre ans par son père au pensionnat de Saint-Césaire pour avoir fomenté une grève à l'école d'Ahuntsic. Ce seul fait serait de nature à le rendre sympathique à René Lévesque !

Cela dit, le président de Lévesque-Beaubien a également des intérêts commerciaux à faire valoir. Roland Giroux compte sur son nouvel allié pour améliorer sa position de vendeur d'obligations gouvernementales. Car si la « grande Hydro » voit le jour, les courtiers tricotés serré comme lui en mèneront plus large — surtout avec un ministre comme René Lévesque qui n'a de cesse de pousser vers le haut tout ce qui parle français en bas.

Familier des coulisses de la rue Saint-Jacques, Roland Giroux mesure l'impasse dans laquelle se trouve le gouvernement, obligé de ramper devant un syndicat financier dominé par la firme de courtage A. E. Ames and Sons, The Bank of Montreal et la compagnie d'assurances Sun Life qui ont toutes partie liée avec la Shawinigan Water and Power.

Autant dire que René Lévesque est l'otage de prêteurs qui ont comme clients des compagnies d'électricité hostiles à l'étatisation. Mais peut-on se passer d'eux et contourner le syndicat financier dirigé d'une main de fer par le puissant rouquin de 70 ans, Douglas Chapman, maître de la maison de courtage Ames ? Roland Giroux répond carrément : « Je ne vous raconterai pas d'histoire, monsieur Lévesque. Même s'il y a déjà un syndicat financier, on peut en organiser un autre. Et je connais des Américains qui seraient bien contents de vous en monter un, syndicat ! »

Roland Giroux est prêt à jouer Wall Street contre St. James Street, les Américains contre les Canadiens. Et René Lévesque aussi, on l'imagine bien. D'autant plus qu'un démarcheur du gouvernement envoyé par Jean Lesage pour sonder le terrain rue Saint-Jacques vient de se faire éconduire cavalièrement par le courtier Ames, comme le révélera des années plus tard Jacques Parizeau.

Mais Roland Giroux n'est pas le seul à souffler à René Lévesque qu'Hydro pourra emprunter tout l'argent qu'elle voudra. Le commissaire Raymond Latreille lui rappelle qu'en 1944 le gouvernement a obtenu facilement un emprunt de 112 millions de dollars pour acheter la Montreal Power, même si à l'époque le budget de la province était ridicule, 93 millions à peine, alors qu'il atteindra le milliard en 1962.

Le commissaire est convaincu que les actionnaires du groupe Shawinigan ne feront pas d'histoire. « La haute finance, monsieur le ministre, n'a ni couleur, ni religion, elle suit le courant, elle n'est pas séparatiste... »

Mais si, elle l'est, cher naïf commissaire, et René Lévesque est bien placé pour le savoir. Dans le contexte colonial des années 60, l'argent a une couleur et une odeur. Il faudra aller aux États-Unis pour en trouver qui n'en ait pas. C'est alors que se noue l'épisode du fameux voyage à New York qu'aiment raconter Jacques Parizeau et Michel Bélanger, qui en étaient avec Roland Giroux.

Deux Québécois endimanchés et intimidés qui ne connaissent à peu près rien des arcanes de la haute finance américaine et qui déambulent dans Madison Avenue avec au ventre la peur de passer pour de dangereux bolchevistes ! Heureusement leur guide, Roland Giroux, est un habitué qui sait très bien à quelle porte frapper et quoi dire et ne pas dire.

Le courtier emmène donc les deux néophytes chez le « père Halsey », qui dirige la maison de courtage Halsey, Stuart & Co. Sa firme aspire depuis longtemps à participer au financement du gouvernement québécois. Le financier écoute les trois émissaires exposer le projet de nationalisation — tel que réalisé par l'Ontario 50 ans plus tôt —, puis les arrête au nom de la charité chrétienne : « Si vous avez un projet qui a du sens, *you folks,* n'importe qui ici va vous le financer pourvu que vous soyez prêts à en payer le prix ! »

Se rappelant la scène, Michel Bélanger remarquera des années plus tard : « Si on avait été de grands garçons, on aurait su ça d'avance. On est quand même revenu avec l'assurance qu'on pourrait obtenir le financement sur le marché américain. »

De son côté, Jacques Parizeau confiera à sa biographe, Laurence Richard : « Ce qu'on était sonné. On était habitué à la bagarre noire, aux accusations de socialisme, au barrage complet. Voilà qu'en 25 minutes, l'affaire était conclue. Une expérience pareille, ça impressionne pour toute une vie ! »

Pour René Lévesque, la garantie américaine arrive à point nommé. Il pourra se passer de Chapman et compagnie qui défendent les intérêts de l'establishment canadien avant ceux du Québec. Aux pleutres du Cabinet qui torpillent son rêve — « T'es naïf, René, tu trouveras jamais d'argent ! » —, il pourra désormais opposer : « À New York, il y a de l'argent disponible ! »

Tout en s'assurant de fonds qui lui permettront de déjouer le blocus du syndicat financier montréalais et torontois, René Lévesque déniche un allié important au cœur même de la forteresse ennemie. Il s'agit du président de Power Corporation, Peter Nesbitt Thomson, actionnaire du groupe Shawinigan et trésorier du Parti libéral.

Investisseur avant tout et membre d'un parti qui voit d'un bon œil la nationalisation, le financier n'a pas envie d'être la mouche du coche. Des expropriations, il en a déjà connu au Manitoba et en Colombie-Britannique. Les risques du métier. Il affirme à René Lévesque que Power Corporation se départirait de ses actions moyennant un prix juste. Le 5 avril, il écrit deux lettres, l'une à Jean Lesage, l'autre à René Lévesque, qui contiennent un message tout aussi encourageant : les dirigeants du groupe Shawinigan, le grand patron Fuller en tête, sont prêts à accepter une vente négociée de leurs avoirs.

Quatre jours plus tard, quand René Lévesque attrape le micro du très sélect Canadian Club pour reprendre l'offensive interrompue depuis deux mois, l'affaire est dans le sac, ou presque. Le « père Halsey » est tout disposé à le financer et Jack Fuller est sur le point d'abdiquer. Il figure d'ailleurs avec le gratin financier de Montréal venu se faire enguirlander une fois de plus, et non sans un certain masochisme, par l'enfant terrible de la politique canadienne.

CHAPITRE XIII

L'été de tous les dangers

La seule chose que nous ayons à craindre,
comme disait Roosevelt, c'est la peur elle-même.

RENÉ LÉVESQUE, été 1962.

René Lévesque n'est pas au bout de ses peines. Au Conseil des ministres, tout le monde lui tombe dessus, Jean Lesage le premier qui le rabroue sévèrement : « Je vous demande de vous abstenir de faire de nouvelles déclarations publiques au sujet de la nationalisation de la Shawinigan. »

George Marler, discret ministre sans portefeuille qui gère les finances de la province, le semonce lui aussi : « Aucun ministre ne devrait commenter en public les politiques de son ministère avant que le Cabinet n'en soit saisi. » On comprend George Marler de vouloir museler René Lévesque : ce dernier est en voie de briser la mainmise du syndicat financier Ames sur la vente des obligations gouvernementales.

Mais George Marler n'éprouve aucune animosité envers René Lévesque, pas plus que René Lévesque n'a de griefs à formuler à l'endroit de Georges Marler, même si la presse les dresse l'un contre l'autre en faisant d'eux le symbole des deux solitudes.

En fait, l'émissaire de la haute finance joue simplement son rôle de conseiller auprès de Jean Lesage, qui l'a choisi en vertu d'une vieille tradition voulant qu'il faille un anglophone pour comprendre les affaires du Trésor. Le premier ministre aime dire d'ailleurs : « C'est Marler qui est assis sur la caisse du Québec ! »

De son côté, en cerbère des intérêts du peuple francophone, René Lévesque est incapable de tolérer plus longtemps l'*imperium* d'une « minorité arrogante » sur les finances du Québec, comme il dit parfois. L'adversaire est redoutable. Il sait que George Marler rassure les financiers. Il ne manque pas non plus de rappeler à Jean Lesage la difficulté qu'aura le Trésor québécois à assumer la dette énorme résultant de l'expropriation des compagnies d'électricité.

Mais voilà qu'au même moment René Lévesque doit mettre son énergie ailleurs. Joey Smallwood, coloré premier ministre de Terre-Neuve, veut aménager les 4 000 mégawatts des chutes du Labrador avec l'aide du Québec. Depuis quelque temps, ce politicien rusé courtise Jean Lesage en lui promettant que si Hydro-Québec met en valeur avec lui les chutes Hamilton, Québec pourra acheter à vil prix pour l'éternité toute l'électricité qu'il voudra. Alors, à quoi bon nationaliser ? C'est un nouveau danger, qui chamboule les plans de René Lévesque en plus de mettre en péril la Manic.

Le Terre-Neuvien sait ce qu'il veut. Dix ans auparavant, peu après l'entrée de sa province dans la Confédération canadienne, il s'était adressé à sir Winston Churchill. Évoquant avec nostalgie la grandeur du passé impérial de l'Angleterre d'avant la Deuxième Guerre mondiale et ses merveilleuses réalisations, il lui avait demandé de l'aider à exploiter les immenses richesses naturelles de ce Labrador échu à sa province en 1927, au grand dam des Québécois. En 1953, la branche londonienne de la célèbre dynastie des Rothschild avait créé la British Newfoundland Corporation (Brinco) pour réaliser le projet.

Il y avait un hic, toutefois. Trop petite, Terre-Neuve ne pourrait jamais utiliser toute cette énergie. Alors pourquoi les Québécois n'achèteraient-ils pas l'électricité de ce bout de pays qu'ils revendiquaient toujours ? L'excédent, car les Québécois ne pourraient tout consommer eux non plus, serait acheminé vers l'Ontario ou la Nouvelle-Angleterre au moyen de la ligne électrique la plus longue du monde : elle traverserait le Québec depuis le Labrador jusqu'à l'Ontario.

Cette perspective irritait Maurice Duplessis, insulté de voir tous ces « étrangers » comploter pour construire un corridor électrique chez lui sans le mettre dans le coup comme s'ils se fichaient de son autorisation. « Les chutes Hamilton sont-elles vraiment situées à Terre-Neuve ? » ironisait-il. En 1958, Brinco s'associait à la Shawinigan Water and Power qui injectait 2,25 millions de dollars dans le projet. Si jamais René Lévesque réussit sa nationalisation, Hydro-Québec héritera donc du bloc d'actions de la Shawinigan lui donnant droit de siéger au conseil d'administration de Brinco.

Mais en 1960, l'élection des libéraux a galvanisé Joseph Smallwood qui s'est rappelé que dix ans plus tôt, jeune député, Jean Lesage a voté pour l'entrée de Terre-Neuve dans la Confédération, sanctionnant ainsi le jugement britannique de 1927 sur la propriété du Labrador. Il ne ferait donc pas de chichi au sujet de la frontière.

Le premier ministre reconnaît que le Québec aura besoin d'électricité sous peu et que celle des chutes Hamilton sera offerte à bas prix. Mais il s'oppose comme Maurice Duplessis à l'idée d'un « corridor anglo-saxon » à travers le Québec pour permettre à Terre-Neuve de livrer son électricité à l'Ontario. Il demande quand même à Jean-Claude Lessard de discuter des autres aspects du projet avec les gens de Brinco.

René Lévesque est peu enthousiaste. Les ingénieurs d'Hydro ont calculé qu'à cause du transport, l'électricité des chutes Hamilton coûtera plus cher à acheminer vers Montréal que celle de la Manic. En accord avec Hydro, il préfère aller de l'avant avec le complexe Manic-Outardes situé en sol québécois, plutôt que de s'épivarder au Labrador où, puisqu'il ne lui appartient plus, la province jouera les seconds violons.

Mais « Joey » appâte le premier ministre québécois en lui offrant un partenariat à égalité avec celui de Brinco. Au lieu de n'être qu'acheteuse d'une énergie aménagée par un consortium international, Hydro participera de plain-pied à la grande aventure. Et quant à la frontière, on finira bien par trouver une solution. Le chef libéral flanche : il décide de retarder Manic-Outardes. Mais le projet avorte, car Brinco et la classe politique de Terre-Neuve ne veulent pas entendre parler du partenariat moitié-moitié avec Québec. La souris craint l'éléphant.

Les choses en restent là jusqu'à l'arrivée à la tête de Brinco de Robert Winters, qui a travaillé avec Jean Lesage au cabinet Saint-

Laurent, à Ottawa. Ils s'aiment bien, ces deux-là. Brinco recommence donc à tourner autour du premier ministre québécois. Au point que René Lévesque, qui observe les revirements de son chef, laisse tomber devant Michel Bélanger : « Son ami Winters est encore venu le voir... »

Nouvel accord Lesage-Smallwood auquel René Lévesque ne fait pas obstacle, cependant. Après avoir vu les chutes Hamilton avec Jean Lesage, il déclare à la presse qu'il serait criminel de ne pas les mettre en valeur. Le lendemain, devant un René Lévesque muet comme une carpe, Jean Lesage annonce à son Cabinet qu'il a vu la veille le premier ministre de Terre-Neuve : « Nous avons discuté des chutes Hamilton et des frontières du Labrador. Monsieur Smallwood nous offre de participer à 50 pour cent au projet. Je suggère que nous exploitions les chutes Hamilton plutôt que celles de la rivière aux Outardes. »

Une grande victoire pour le Terre-Neuvien qui a exigé en retour de sa généreuse proposition que Québec lui cède « une lisière de terrain le long du Labrador ». Cette condition atterre certains ministres. Jean Lesage veut les apaiser : il demandera à Georges Côté, chef des arpentages aux Terres et Forêts, de discuter avec ses vis-à-vis terreneuviens « de la possibilité de déterminer la frontière entre les deux provinces ».

Une semaine plus tard, nouveau Conseil des ministres. Mais alors, René Lévesque retrouve sa langue et ses objections. Hydro l'a convaincu avec gros bon sens que trop d'argent a été engagé à Manic-Outardes pour qu'on s'arrête maintenant. La Manic, c'est du connu, les chutes Hamilton, de l'inconnu. Si Québec y engloutit des millions avant de bâtir la Manic ou de nationaliser la Shawinigan, il n'aura plus de fonds pour le faire ensuite. Enfin, l'énergie de la Manic sera moins chère que celle du Labrador.

Devant un Jean Lesage qui résiste, il s'interpose donc vivement : « En conscience, je ne vois pas comment on pourrait aménager les forces hydrauliques de Terre-Neuve sans étudier au préalable les projets d'exploitation des forces hydrauliques du Québec et sans régler la nationalisation de la Shawinigan. »

Jean Lesage temporise : « Je n'ai rien promis à Joseph Smallwood. J'ai seulement accepté d'étudier la rentabilité de l'affaire... »

La menace Hamilton s'estompe une nouvelle fois. Fort de sa

victoire, René Lévesque ramène la conversation sur son dada, la nationalisation, mais se fait couper la parole par George Marler : « Je tiens de nouveau à mettre en garde les membres du Cabinet sur les difficultés qui nous attendent si nous empruntons 250 millions pour nationaliser la Shawinigan... »

Le chantage des rois nègres

Les inquiétudes de George Marler ne tardent pas à se matérialiser. Les prêteurs du syndicat financier Ames menacent de couper les vivres au gouvernement s'il donne suite au projet « socialiste » du ministre Lévesque. Le bruit court, dans les cercles politiques, qu'en entendant la menace, le sang du premier ministre n'a fait qu'un tour. Outragé, il aurait jeté à la rue les maîtres-chanteurs en leur signifiant que l'ère des rois nègres était finie.

Le 22 juin 1962, le premier ministre saisit le Cabinet de l'affaire : « Un groupe de financiers m'a avisé que le Québec ne pourra contracter un emprunt de 75 millions sur le marché à moins qu'ils n'aient l'assurance que la Shawinigan ne sera pas nationalisée. Je n'ai pas accepté cette condition... »

Puis Jean Lesage ordonne une fois de plus à René Lévesque « de s'abstenir d'aborder la question de la nationalisation afin de ne pas nuire au succès de l'emprunt ». Celui-ci avale la pilule en jonglant avec l'idée de faire ses valises. Ses rapports avec son chef s'enveniment.

Avant toute autre chose, c'est l'aspect financier qui angoisse Jean Lesage : la province pourra-t-elle ou non assumer sa dette ? Déjà en novembre 1960 les courtiers avaient eu du mal à écouler des obligations d'Hydro-Québec. Et voilà que maintenant le chantage des prêteurs rend incertain un nouvel emprunt de 75 millions.

La fermeté du premier ministre et la nouvelle d'une levée de fonds possible à New York provoquent toutefois un revirement inusité chez les banquiers de la rue Saint-Jacques. Une fin d'après-midi, Michel Bélanger frappe à la cloison qui sépare son bureau de celui d'Éric Gourdeau. « Éric, imagine ce que je viens d'apprendre ! Hier, à Toronto, Douglas Chapman a demandé aux courtiers du Canada de boycotter le financement de la nationalisation de la Shawinigan. Ils ont tous juré de le faire. Et là, je viens de recevoir un appel de chez

Ames : ils sont prêts maintenant à financer la transaction tout seuls ! »
Mis au courant du double jeu de Douglas Chapman, Louis-Philippe
Pigeon conclut avec pompe : « J'appelle un rat un rat ! »

Dans ses mémoires, Georges-Émile Lapalme souligne que le
premier ministre restera jusqu'à la dernière minute un adversaire
acharné de la nationalisation. Le projet de René Lévesque lui complique la vie. Autour de lui, la vieille garde n'arrête pas non plus de
discréditer l'équipe de René Lévesque : des boy-scouts irresponsables qui vont mettre la province en faillite.

Le premier ministre fait venir Jean Marchand à son repaire du
club de la Garnison, à côté de la porte Saint-Louis, où il déjeune avec
René Paré, patron du Conseil d'orientation économique. « Jean, vous
êtes l'ami de René. Essayez donc de le convaincre que sa nationalisation, c'est de la maudite folie !

— Je ne peux pas faire ça, je l'appuie publiquement.

— On va avoir les compagnies sur le dos si on nationalise !
insiste le premier ministre.

— Je ne travaille pas à Pigalle pour changer de trottoir aussi
facilement ! » rétorque le président de la CSN, piqué au vif.

Le tango incertain de Jean Lesage traduit également l'éclatement
des premiers consensus. Au Cabinet, des clivages sont apparus.
L'impatience de René Lévesque agace le premier ministre.

Le mouton noir, lui, désespère carrément. Des rumeurs de démission circulent à son sujet. Il aurait mis sa tête sur le billot. Si la
nationalisation ne se faisait pas, il partirait. Son attitude est calculée.
Conscient de son poids politique, c'est ainsi qu'il fait pression sur
son chef. Six mois après l'élection liée à la nationalisation, invité à
l'émission télé de Pierre Berton, à Toronto, il confirmera qu'il « aurait
démissionné si le gouvernement avait refusé la nationalisation ».

Le chef de l'Union nationale, Daniel Johnson, s'amuse en
Chambre à isoler René Lévesque du premier ministre. À Trois-
Rivières, malgré les mises en garde de son chef, le trouble-fête s'est
permis une autre diatribe au cours de laquelle il a cité son chef à
l'appui de sa thèse de la nationalisation. Daniel Johnson tend un
piège à Jean Lesage : « Est-ce aussi l'avis du premier ministre ?

— Ce sont les journalistes qui ont parlé d'étatisation, pas le
député de Laurier. Je lui ai parlé au téléphone et il m'a affirmé qu'il
avait parlé d'intégration et non pas de nationalisation... »

Le ton monte entre la diva et le premier ministre, que son épouse Corinne harcèle : « Comment peux-tu lui faire confiance ? Tu lui donnes un ministère à administrer et il ne sait même pas s'administrer lui-même... »

Un soir, le scandale éclate. Dans une suite du Château Frontenac bondée de témoins ahuris, Jean Lesage, qui a déjà sa ration de gin, attrape René Lévesque par le veston et le bouscule en échangeant avec lui des propos plus aigres que doux. « Je n'étais pas là, écrit Georges-Emile Lapalme dans *Le Paradis du pouvoir,* mais le lendemain, tout Québec en parlait : Lesage et Lévesque s'étaient supérieurement engueulés. »

Peu après, René Lévesque se rend avec le premier ministre à l'inauguration du pont de Shawinigan. Plutôt que de mourir d'ennui en écoutant les discours, il se réfugie chez son ami Jean-Paul Gignac qui habite une spacieuse maison de bois et de verre entourée d'arbres dont l'architecte-écrivain Jacques Folch-Ribas a tiré les plans.

Après la partie de tennis réglementaire, qu'il perd misérablement, René Lévesque demande à son hôte : « Pourriez-vous me trouver un petit coin quelque part, j'ai un document à écrire... »

Durant trois heures, l'invité noircit du papier en fumant comme une cheminée. « Avec monsieur Lévesque, se plaît à dire Jean-Paul Gignac, c'est toujours après le fait qu'on comprend qu'il avait une petite idée derrière la tête. »

Son pensum fini, René Lévesque demande une enveloppe, qu'il adresse à Jean Lesage. En caractères plus gras, il trace « Confidentielle ».

« Vous allez me conduire à la cérémonie de l'inauguration du pont. Je vais remettre ça au premier ministre. Je lui explique là-dedans pourquoi il faut faire la nationalisation... »

Peurs et complexes

À l'été 1962, René Lévesque part en tournée. Il veut convaincre la population du bien-fondé de sa politique. Secouer le laisser-faire légendaire de ses compatriotes, agiter leur fierté nationale, banaliser la peur, l'ignorance et le manque de confiance en soi qui les empêchent de s'approprier leur domaine comme le ferait un « peuple normal ».

À un journaliste qui lui demande s'il croit sérieusement qu'Hydro possède la compétence et l'expérience pour gérer l'électricité dans toute la province, il fait la leçon : « Le simple fait de poser la question dénote encore une fois notre terrible complexe d'infériorité. On n'est pas capable, on n'a pas ce qu'il faut, on est né pour un petit pain ! Depuis 18 ans, des Canadiens français ont appris à diriger Hydro-Québec et ils font aussi bien que tous les *gentlemen* des compagnies. »

Dans ses mémoires, René Lévesque dira que durant ces deux mois, Jean Lesage lui a laissé le champ libre. Il fonce d'ailleurs dans le tas. Sûr d'avoir raison et bien préparé sur le plan technique, il inonde la province de ses arguments.

Le vendeur d'espoir traîne dans ses bagages une grande carte murale du Québec où figurent les fiefs régionaux des compagnies d'électricité qu'il cloue au pilori. On le voit, baguette à la main, expliquer méthodiquement tous les aspects de l'unification du réseau puis lancer, après un chiffre particulièrement déprimant, de grands cris émouvants qui font vibrer la salle : « Comment est-ce qu'on va s'en sortir ? Il doit bien y avoir moyen de ne pas être seulement des spectateurs, des porteurs d'eau et des scieurs de bois ! On est venu ici il y a quelque chose comme 300 ans, il devrait y avoir moyen qu'on se sente chez nous ici… »

Le tribun inscrit à la craie sur sa carte, comme à l'époque de *Point de mire,* les principaux enjeux financiers de la nationalisation avant d'en répéter une fois de plus les bienfaits. « On peut le faire ! » martèle-t-il sous les bravos qui enterrent sa voix brisée par des heures de déluge verbal. De la main gauche il semble retenir la foule survoltée qui applaudit : c'est assez, c'est assez, s'il vous plaît, laissez-moi continuer…. Et il continue en pointant derrière lui une affiche qui proclame « 1960 — libération politique/1962 — libération économique » : « Je vous dirai également ceci. Il est évident, ça doit crever les yeux à un moment donné… que si ça ne se fait pas, que si ça ne passe pas très rapidement à la prochaine session, il est évident que je ne serai pas là très longtemps. OK ? »

C'est une véritable campagne électorale que René Lévesque se tape en cet été où son projet est en ballottage. Une coalition populaire se forme pour contrer le lobbyisme des milieux d'affaires. Et bientôt René Lévesque a dans sa poche tout ce que le Québec compte de syndicats agricoles et ouvriers, dont la CSN de Jean Marchand, de groupes sociaux et étudiants, de sociétés patriotiques.

Du côté de la presse, René Lévesque rallie la majorité des quotidiens francophones qui ne publient que des commentaires favorables sur sa croisade de nationalisation. En août, André Laurendeau croit la minute de vérité arrivée. Il rédige un éditorial qui résume bien la position des journalistes francophones : « C'est Marler contre Lévesque. M. Lévesque est le moteur, M. Marler les freins. Qui se révélera le plus fort ? On saura d'ici dix jours si M. Lesage a décidé de jouer la carte Marler plutôt que la carte Lévesque. Il faudra choisir entre la grandeur et la compromission, entre la peur de la grande finance et le courage politique. »

Mais la presse d'affaires, elle, entreprend une campagne de peur sans précédent. Le *Financial Times* de Montréal avertit Jean Lesage qu'il ne pourra plus emprunter à l'avenir si « Lévesque et sa bande de socialistes qui envoient les investisseurs au diable » continuent à faire fuir les capitaux. À Québec, dans un style grandiloquent, *The Chronicle Telegraph* soutient que « ce serait un crime contre l'humanité si on chassait l'entreprise privée alors qu'elle s'acquitte avec efficacité de sa tâche de fournir un service public ».

C'est la première fois que René Lévesque fait face à une telle coalition constituée de certains quotidiens francophones (*La Tribune* de Sherbrooke calcule que la province devra emprunter un milliard et payer des intérêts de 60 millions de dollars par année), de la presse et de la haute finance anglophones ainsi que des gens d'affaires francophones regroupés dans les Chambres de commerce, l'Association des manufacturiers et le Conseil du patronat. C'est cette dernière bourgeoisie francophone accrochée à ses intérêts et incapable de solidarité qu'il taxera, au gré des événements et de son humeur, de satellite, de roi nègre, de valet, de déraciné voire d'apatride…

Le gros de l'offensive émane cependant de la Shawinigan. En dépit des assurances données à René Lévesque par Peter Nesbitt Thomson, le grand patron Jack Fuller ne baisse pas pavillon. Au début de l'été, il publie sa « Bible ». Un condensé de 53 pages, destiné à ses cadres, qui résume les hauts faits du groupe Shawinigan au Québec et fournit des arguments à diffuser dans la population pour combattre la nationalisation qui n'est pas du socialisme à cent pour cent, et brutal comme en Russie, mais du « socialisme mitigé », plus insidieux parce que ses tenants refusent de montrer leur vrai visage. Très nombreux au Québec, ces « semi-socialistes » sont faciles à démasquer. Ce sont ceux qui refusent de soutenir la libre entreprise.

Le nationalisme, voilà aussi une autre menace, soutient l'évangile Fuller. S'il est légitime pour les Canadiens français de vouloir être maîtres chez eux — après tout, ils forment 85 pour cent de la population —, est-il dans leur intérêt de « se servir de leur pouvoir politique pour s'emparer de l'entreprise privée et brimer les efforts légitimes des autres » ?

De tels énoncés font sourire René Lévesque et ses conseillers. En s'engageant dans une pareille chasse aux sorcières digne des duplessistes des années 50, la Shawinigan dessert sa propre cause. Comme le dira des années plus tard Michel Bélanger, au pays de la révolution tranquille, si vous étiez anglais et que vous qualifiez de communiste un ministre francophone adulé par la population, comme René Lévesque, vous risqueriez de provoquer des conversions à sa cause plutôt qu'à la vôtre.

La Shawinigan se fait plus discrète sur la langue de ses actionnaires, soulignant cependant que 12 pour cent d'entre eux sont des Français... de France. C'est d'ailleurs au chapitre de la faible représentation des Québécois francophones dans son actionnariat et aux postes de commande que la compagnie se défend le plus mal.

Jack Fuller jure cependant que recrutement et promotions obéissent à un seul grand principe : la compétence sans distinction de race ou de langue. Pourtant, après plus de 60 ans au Québec, le groupe Shawinigan ne compte dans ses rangs que 20 ingénieurs francophones sur 175, et qu'une poignée d'administrateurs francophones. Ce n'est pas sa faute, dit-il, mais celle des universités du Québec qui n'ont commencé à former des ingénieurs-électriciens qu'en 1943.

Curieusement, la nouvelle Hydro fondée l'année suivante en a recruté à la douzaine de sorte qu'en 1962, les trois quarts de ses ingénieurs sont francophones. Gérard Filion remarque dans *Le Devoir* : il n'a fallu que 18 ans aux ingénieurs canadiens-français d'Hydro-Québec pour apprendre à construire les plus gros barrages du monde.

En juillet, comme pour se faire pardonner sa politique d'embauche discriminatoire, ou pour contenir le spectre de l'étatisation, la compagnie de Jack Fuller francise son nom. Trop peu, trop tard, dit la presse. (En 1943, paniquée par l'expropriation probable de la Montreal Light, Heat and Power, elle avait eu recours au même expédient. La menace dissipée, elle avait retrouvé son visage unilingue. En mars 1963, à la dernière réunion des actionnaires, le président Fuller ira jusqu'à dire, pour gommer le passé : « En ce moment pénible, la Shawinigan est fière de son caractère bilingue et biculturel... »)

Tout en se maquillant à la française, la Shawinigan mène une contre-attaque féroce pour diffamer René Lévesque. Ses agents d'information noyautent le circuit des dîners-causeries. « C'est un homme pas très intelligent, un communiste », laissent-ils entendre dans les clubs sociaux et les associations locales. Le 24 août, un cadre de la Shawinigan affirme le plus sérieusement du monde devant un reporter du *Devoir* : « S'il y a nationalisation, les employés de la Shawinigan deviendront des esclaves. »

La compagnie tire même de sa retraite floridienne l'ancien directeur général de Quebec Power, Joseph A. Pagé, qui n'oublie jamais de dire en anglais, pour manifester son objectivité : « *It should be made clear that I am not an official of the Shawinigan Companies...* »

En vérité, Joseph A. Pagé est toujours membre du conseil d'administration de Southern Canada Power, filiale du groupe Shawinigan. La presse se gargarise de l'entendre s'adresser uniquement en anglais aux auditoires aussi pure laine que lui des clubs Rotary et Richelieu. Son message, qui joue avec la peur, est toujours le même : après la nationalisation, les tarifs d'électricité et les taxes vont monter en flèche pour assurer des fonds au gouvernement.

De son côté, l'ingénieur Maurice D'Amours, que Jack Fuller a propulsé vice-président pour la campagne anti-Lévesque, sème la terreur au sein des employés sympathiques au changement. Un cadre supérieur de la Shawinigan révélera par la suite à la journaliste de *La Presse*, Renaude Lapointe : « Ceux qui étaient pour Lévesque et qui ne cachaient pas leur sentiment étaient étiquetés. Il y en eut qui furent décapités mais, plus heureux que leur saint patron Jean-Baptiste, leur tête fut recollée par l'Hydro le jour même de la prise de possession... »

L'ingénieur D'Amours effraie également maires et commissaires d'école avec des scénarios-catastrophes : « Vous allez perdre des revenus importants, car les compagnies privées d'électricité sont régies par la Loi des cités et villes, ce qui n'est pas le cas d'Hydro-Québec qui paie ses taxes en vertu de sa propre loi. »

L'argument porte. Le maire de Trois-Rivières, J. A. Mongrain, un ardent libéral, s'inquiète de son budget et taxe le projet de René Lévesque de « socialisation à outrance ». Pour éviter que le feu allumé par l'ingénieur D'Amours ne se transforme en incendie, le ministre courtise à son tour les 750 maires alarmés. Il les invite à ne pas se laisser « mélanger » par les agents d'entreprises qui font des efforts désespérés pour maintenir leur vieille domination régionale.

Après quoi il leur montre qu'Hydro n'est pas la ventouse qui aspirera leur budget, en donnant en exemple les économies réalisées par les villes de la région montréalaise après la nationalisation de 1944. Dès la première année, le coût de l'éclairage des rues de Montréal avait diminué de 30 pour cent. Une économie appréciable de 130 000 dollars pour la municipalité.

Enfin, le ministre des Richesses naturelles leur fait une promesse solennelle : « Je m'engage à ce que les taxes payées par la Shawinigan et les autres compagnies privées soient assumées par Hydro-Québec le jour où ces compagnies passeront entre ses mains. Vous avez donc le choix entre cet engagement et les peurs de ces estimables messieurs de la Shawinigan… »

CHAPITRE XIV

Le duel

*Ce que j'ai vécu durant ces deux jours ? On était
avec un Duplessis au gin…*

RENÉ LÉVESQUE, après la rencontre au lac à l'Épaule,
septembre 1962.

F in août 1962, les choses se bousculent. Jean Lesage met fin à
sa valse-hésitation. Un an s'est écoulé depuis que René
Lévesque a commencé à brasser le dossier de la nationalisation. Puis, l'indécision et le manque de leadership du chef ont introduit des divisions dans le parti en plus d'émietter le Cabinet en clans
qui se toisent comme des frères ennemis. L'équipe du tonnerre
risque la désintégration.

Un membre du Cabinet — un soldat inconnu, dira Georges-
Émile Lapalme dans ses mémoires — suggère au premier ministre
l'idée d'une retraite fermée de deux jours au chalet du gouvernement
au lac à l'Épaule, dans le parc des Laurentides, à 50 kilomètres au
nord de la capitale. C'est donc dans la solitude du pays de la truite et
de l'orignal qu'on va enfin trancher la question.

La rumeur d'une réunion extraordinaire se retrouve dans les
journaux, alors que René Lévesque en est encore à ferrailler contre
la Shawinigan pour se gagner l'appui des maires. Ce qui met la puce
à l'oreille des reporters, c'est l'annulation de son voyage à Fort-

Chimo. Déduction brillante de la presse : si René ne va pas au Nouveau-Québec, c'est que quelque chose de grave l'en empêche. Trois jours plus tard, une note de la rédaction plaquée à la une du *Devoir* annonce que le peuple du Québec saura bientôt s'il deviendra le maître de ses ressources hydrauliques et de son avenir économique. Le surlendemain, à la sortie du Conseil des ministres, Jean Lesage en personne confirme la rumeur d'une réunion spéciale du Cabinet, mais il déprime les journalistes : « Inutile de nous suivre car nous n'aurons aucune nouvelle à vous annoncer... »

La « nouvelle », elle se devine au sourire qu'affiche René Lévesque. Les reporters en oublient de lui adresser leurs habituelles questions. L'un d'entre eux notera dans son reportage en parlant de ses confrères : « Ils se sont contentés de le regarder sourire... »

George Marler, lui, est de mauvais poil. Un indice de plus que les choses se gâtent pour ceux qui combattent René Lévesque. Un journaliste de langue anglaise lui demande : « Êtes-vous pour ou contre la nationalisation de la Shawinigan, monsieur Marler ?

— Pas de commentaire ! » répond le ministre, agacé, en se sauvant.

Comme pour indiquer que le vent a tourné, le premier ministre se permet une sortie à la René Lévesque : « Il n'est pas facile pour une petite nation comme la nôtre d'entreprendre une action émancipatrice profonde. Chaque fois que notre province sait où elle veut aller, dès qu'un gouvernement veut changer la situation, des influences commencent à agir pour l'arrêter. Certains ont intérêt à ce que nous demeurions une source de main-d'œuvre à bon marché, un réservoir de matières premières ou un pays vieillot que l'on visite en touristes. »

À la veille de la rencontre qui passera à l'histoire et dans le vocabulaire politique sous la désignation raccourcie de « Lac-à-l'Épaule », André Laurendeau fustige la pleutrerie du milieu des affaires et rappelle au premier ministre que la décision presse : « Ce qui paraît normal en Ontario [l'étatisation de l'électricité] soulève ici des protestations passionnées. Nous ne pouvons accomplir ce que Toronto réalise depuis des années. On a beau se tenir aux écoutes, on n'entend pas dire que les Ontariens soient à la veille de rendre à la *free enterprise* ce qu'aujourd'hui l'État administre. »

Selon des témoins, l'idée de Jean Lesage était faite avant le meeting secret mais il brouilla les pistes jusqu'à la fin. À deux jours du Lac-à-l'Épaule, un jeune avocat libéral bien informé annonce à Éric Gourdeau : « Sais-tu que Lesage vient de jurer au sénateur Bouffard que jamais la Shawinigan ne serait nationalisée ?

— Même si c'était le pape qui l'avait juré, la nationalisation va se faire, tu peux gager ta chemise ! réplique, hâbleur comme toujours, le conseiller de René Lévesque.

— Éric, tu ne connais rien à la politique, tu ne sais pas comment ça marche...

— Je ne connais peut-être pas la politique, mais je connais René Lévesque. Et je sais aussi ce qu'on a fait comme études et comme travail. C'est le gros bon sens, Lesage va se rallier. »

Éric Gourdeau a raison de ne pas se faire trop de bile. Après la tentative de chantage de Douglas Chapman, pivot de la maison de courtage A. E. Ames & Sons, le chef libéral a consulté un expert financier indépendant, Douglas Fullerton.

Celui-ci l'a rassuré : si le syndicat financier montréalais persistait dans son attitude rétrograde, les Américains se feraient un plaisir de prêter à un gouvernement dont le niveau d'endettement est si faible. La dette du Québec n'est que de 254 dollars par habitant, contre 505 dollars en Ontario et 738 dollars en Colombie-Britannique. De plus, la tournée estivale de René Lévesque et les sondages du parti ont montré que la population est mûre et qu'une majorité favorise l'étatisation.

À 24 heures du caucus, René Lévesque est perplexe. Il ignore toujours la position de Jean Lesage. Ses collaborateurs diront plus tard qu'il leur avait paru pessimiste. Il est si peu certain de l'issue du Lac-à-l'Épaule que, avant de partir pour le chalet de bois rond des Laurentides, il avait demandé à Marthe Léveillé de rassembler ses affaires personnelles à la porte de son bureau.

Ses alliés sûrs se comptent sur les doigts de la main : Paul Gérin-Lajoie, Georges-Émile Lapalme, qu'il a fini par convaincre au cours d'un récent voyage en avion, et Pierre Laporte, nouvel élu que Jean Lesage a invité même s'il ne fait pas encore partie du Conseil des ministres. René Lévesque jure néanmoins à sa tribu de revenir avec une décision, quelle qu'elle soit, dans la poche.

« M'y rendant en voiture, écrira-t-il dans ses mémoires, je repassai dans ma tête tous les éléments du dossier, dont certains chiffres de dernière heure me paraissaient confirmer entièrement la faisabilité…»

Ces informations qui le confortent pendant qu'il roule vers le lac à l'Épaule sont celles que le conseiller en investissement Douglas Fullerton a remises à Jean Lesage. L'avant-veille, à Outremont, son bon ami Maurice Sauvé l'a invité à dîner chez lui, en compagnie de l'expert. Autour de bons plats, ils ont épluché son étude.

Douglas Fullerton est un drôle de pistolet. Libéral et riche comme Crésus, il aime jouer les capitalistes nouvelle vague. Il est toujours à couteaux tirés avec les bonzes de la haute finance, comme René Lévesque avec le milieu politique. Au printemps dernier, Maurice Sauvé les a fait se rencontrer. Fasciné par la nouvelle comète de la scène politique, le financier brûlait de lui parler. Ils sont tombés d'accord sur l'urgence d'étatiser des compagnies d'électricité à la direction timorée, dépourvues d'esprit d'innovation et incapables d'insuffler le moindre dynamisme industriel à la province.

Le rapport Fullerton que René Lévesque repasse dans sa tête est rassurant. Des 350 millions de dollars qu'il faudra emprunter pour compléter la transaction (d'un coût total de 600 millions), le marché américain absorbera facilement une tranche de 100 millions. Le marché canadien prendra le reste, mais à la condition qu'on diversifie les sources d'emprunt. C'est-à-dire qu'on se débarrasse de la tutelle du syndicat financier Ames-Bank of Montreal.

René Lévesque est à un point tournant de sa courte carrière politique. Il se sent en parfaite santé. Le mal de reins qui l'inquiétait depuis quelque temps a disparu comme par enchantement depuis qu'il a accepté de subir un examen médical complet. Des années qu'il n'avait pas mis les pieds dans un cabinet de médecin.

«Y m'ont rien trouvé…, a-t-il annoncé à Marthe Léveillé.

— Qu'est-ce que tu aurais fait si on t'avait trouvé quelque chose?

— J'aurais continué mon travail pour le Québec et j'aurais écrit ma mort.»

Libations et complots

La première journée du caucus, le mardi 4 septembre, est lugubre. La plupart des collègues sont d'humeur massacrante, note

René Lévesque. Certains lui font la gueule comme s'il était ce pelé, ce galeux d'où vient tout le mal. La discussion s'amorce pour se perdre aussitôt dans « les petits à-côtés politiciens… », comme il le dira après coup.

Si toute une brochette de ministres ouvertement hostiles à l'étatisation, comme les René Saint-Pierre, André Rousseau, Lionel Bertrand, René Hamel ou Bona Arsenault, boudent ou manigancent dans leur coin, il y a au moins un invité dont l'air tout à fait détaché tranche sur leur morosité.

C'est Pierre Laporte, qui vient d'être élu député de Chambly à l'élection partielle du 14 décembre 1961. Les plus soupçonneux se demandent du reste à quel titre il assiste à ce caucus éminemment confidentiel, puisqu'il n'est pas ministre.

L'entourage de René Lévesque, qui le trouve obséquieux devant Jean Lesage, l'a mis en garde. De quel bord penchera finalement ce ratoureux ? Mais le ministre a rabroué ses proches : il est sûr de l'amitié et de la loyauté de Pierre Laporte.

René Lévesque a envie de tout laisser tomber et de rentrer chez lui tellement l'atmosphère devient intenable. Dans les couloirs, ça complote. On l'épie du coin de l'œil, lui, le fauteur de troubles qui va d'un groupe à l'autre à la recherche d'alliés. Des sceptiques lui demandent bêtement pourquoi il veut tant étatiser des compagnies d'électricité qui marchent si bien. Son adversaire déclaré, le ministre d'État George Marler, cuisine lui aussi les ministres un à un, tout en luttant contre une vilaine grippe qui lui fend le crâne.

Bacchus échauffe les esprits. Celui de Jean Lesage surtout. Normalement, sa voix haute et forte enterre celle des autres. Quand il est ivre, c'est pire encore. Ce soir-là, il fait un poker avec René Lévesque et George Marler. La star du Cabinet file doux. Jean Lesage est un alcoolique naturel. Il lui suffit d'une once ou deux de gin pour décoller — et agresser tout le monde car il a l'alcool provocant. C'est toujours ce moment que choisit Georges-Émile Lapalme pour s'éclipser.

Cette soirée copieusement arrosée ne présage rien de bon pour la séance du lendemain matin consacrée au rapport du secrétaire général, Gérard Brady, qui a enquêté sur les malaises du parti provoqués par le succès des créditistes aux dernières élections fédérales. Phénomène qui risque de se répéter au plan provincial. Au petit déjeuner, tout le monde a mal au bloc. Contre toute attente, Jean Lesage paraît frais dispos et maître de lui, quoique très autoritaire dans sa façon de diriger les débats. Le taciturne Lionel Bertrand en conclut que sa décision est déjà arrêtée : il attend seulement que le ciment soit bien pris pour la divulguer.

René Lévesque fume comme une locomotive et écoute pour une fois. Paul Gérin-Lajoie parle peu. Son idée est faite depuis longtemps : c'est un oui sans équivoque à l'étatisation. Le vice-premier ministre Lapalme cache mal une nervosité à fleur de peau. Soumis aux pressions des hésitants qui aimeraient le voir user de son autorité morale pour sortir le gouvernement de l'impasse, il n'est guère plus loquace.

Le ministre de l'Industrie et du Commerce, André Rousseau, qui est contre, a disparu au milieu de la nuit pour ne plus revenir, comme si tout était joué. Mais le secrétaire Brady est bien là, prêt à affronter son chef à qui il réserve une mauvaise surprise. Durant la nuit, il a mis la dernière main à son rapport qui conclut que le programme du parti est trop audacieux pour être réalisé durant le mandat en cours et qu'il faudrait trouver une façon de l'étaler. À mesure que Gérard Brady additionne les raisons du mécontentement des militants libéraux, il entend en sourdine les grognements de Jean Lesage. Pour mieux l'intimider, ce dernier l'invite à s'asseoir à ses côtés. La manœuvre fouette plutôt son sang irlandais : « Les parades et les bains de foule du chef, c'est pas ça qui va relever le gouvernement ! enchaîne-t-il.

— J'en ai assez entendu ! Le seul problème que nous avons au parti, il est là ! » explose Jean Lesage en le désignant aux autres.

Furieux, Gérard Brady sort de la salle. Mais comme il va monter dans sa voiture, il entend derrière lui la voix penaude du chef qui le supplie de revenir : « Excuse-moi, Gérard... » Une heure avant d'ajourner pour le lunch, la fièvre est à son maximum, mais personne n'ose encore déchirer le silence, comme si toute allusion à la nationalisation était taboue.

C'est Georges-Émile Lapalme qui lève l'interdit. Il s'adresse directement à Jean Lesage : « René Lévesque a soulevé la question de la nationalisation de l'électricité. Qu'allons-nous faire de cette question ? Est-ce que nous l'abordons ou non ? Est-ce que oui ou non nous nationalisons la Shawinigan Water and Power ? »

Que le meilleur gagne

Le premier ministre saisit la balle au vol et demande à « René » d'exposer son plan de nationalisation. Entre lui et George Marler s'engage alors un duel serein mais farouche qui scellera le sort du premier grand projet de « libération économique » des années 60.

René Lévesque possède une arme dont le conseiller financier de Jean Lesage est dépourvu. Il a parcouru le rapport Fullerton, qui confirme sa thèse. Rentré d'Europe à la veille du caucus, George Marler n'a eu droit qu'au résumé que lui a remis Jean Lesage. Mais la partie n'est pas gagnée pour autant. Comme René Lévesque s'apprête à saper une à une les objections de son critique, dont celle de la dette que le Québec devra assumer, il remarque le geste dédaigneux de certains collègues qui écartent le mémoire qu'il leur fait distribuer.

L'ancienne vedette du petit écran n'en éblouit pas moins ses auditeurs, y compris ceux qui l'envoient au diable. Avec un calme qui tranche sur sa nervosité habituelle, il récite son boniment. Se rappelant ce duel hautement civilisé et dramatique entre deux hommes honnêtes, Gérard Brady avouera qu'il en avait savouré chaque estocade.

Même Lionel Bertrand, qui craint le radicalisme de René Lévesque et laisse courir le bruit de sa démission, est fasciné. Dans ses souvenirs politiques, il écrit : « L'exposé est lumineux. Lévesque le présente de façon incisive, même convaincante. Pourtant, à mesure qu'il livre sa marchandise avec une verve électrisante, on note selon les figures : satisfaction, emballement, réticence, hésitation, scepticisme... »

Malgré la tension qui fait chevroter sa voix, George Marler résume à son tour les arguments qui militent contre un projet dont l'ambition et la saveur socialiste risquent de braquer les marchés financiers de Montréal. Déjà, en 1944, député libéral de Westmount, il s'était dissocié de la ligne de son parti en votant contre l'étatisation de la Montreal Light, Heat and Power.

René Lévesque reconnaît bien là le conservatisme sans imagination du notaire qui ne jure que par l'entreprise privée, sa déesse. Il l'entend soulever de fausses craintes au sujet de la dette que devra supporter la province, et exagérer le danger d'isolement guettant un Québec français qui oserait s'affirmer.

George Marler sait comme lui que la situation financière du

Québec est excellente et que le niveau d'endettement par tête est l'un des plus bas au Canada. Il sait aussi qu'après la nationalisation, la province gardera son championnat même si sa dette grimpera à 366 $ par habitant.

Le porte-parole de la rue Saint-Jacques commet alors une erreur magistrale, que rappellera René Lévesque dans ses mémoires. Au moment de conclure, il laisse planer la possibilité de sa démission. Chantage qui choque Jean Lesage qui « eut un haut-le-corps et, l'air outré, ajourna pour le déjeuner ». Une bévue que lui-même se gardera bien de commettre, même s'il a fait ses paquets discrètement l'avant-veille du caucus.

Une vraie maison de fous, ce caucus, dira René Lévesque à l'historien Jean Provencher : « Il y a eu dans deux ou trois cas des démissions, puis des grandes sorties dramatiques, puis des retours, puis des négociations, puis des conciliabules... »

Au retour du lunch, Jean Lesage précipite les choses. Il tend une perche à son vice-premier ministre : « Georges, tout le monde a parlé, qu'est-ce que tu attends pour t'exprimer ? Es-tu toujours en faveur de la thèse de René ? Tu as la parole. »

Mise en scène qui suggère à certains, dont René Lévesque, que l'ancien et le nouveau chef sont de mèche, que tout est arrangé avec le gars des vues. Naturellement, Georges-Émile Lapalme est pour la nationalisation, et il l'affirme clairement, même si cela bouleverse ceux qui l'ignoraient encore. Mais, enchaîne-t-il d'une voix traînante comme pour ménager ses effets, la question est de savoir comment la réaliser : « Ouais... c'est pas compliqué. C'est même simple, précise-t-il. Gérard Brady nous a dit que notre programme politique est trop ambitieux, qu'il faut l'étirer sur quatre ou cinq ans. Alors, il nous faudrait un nouveau mandat...

— Que dirais-tu d'une élection immédiate sur le sujet si tout le monde est d'accord ? » renchérit le premier ministre en sortant son agenda pour choisir sur-le-champ la date du 14 novembre sur laquelle son doigt tombe comme par hasard...

René Lévesque est estomaqué. Il n'avait jamais imaginé une élection référendaire sur la nationalisation — car c'est de cela qu'il s'agit même si on ne prononce pas le mot référendum. On ne débattra qu'une seule chose : l'électricité. Toute sa vie, il donnera le crédit de ce télescopage brillant à son mentor politique Lapalme.

Les membres du Cabinet acceptent tant bien que mal l'idée, car le cœur n'y est pas toujours, surtout chez George Marler qui rumine sa défaite seul dans son coin. Certains, comme le ministre de la Santé, Alphonse Couturier, ont peur de perdre leur comté dans la bagarre qui s'annonce serrée. Jusque-là perplexes, d'autres, comme Bernard Pinard, Alcide Courcy ou Gérard D. Lévesque, disent franchement : allons-y !

Durant le tour de table, le secrétaire du parti Brady constate que le nombre de ministres étatistes s'accroît de façon vertigineuse depuis que Jean Lesage est monté dans le train de René ! Le ministre Lapalme s'amuse, lui, à observer les mimiques des uns et des autres : peureuses, braves, réalistes, opportunistes, décidées, indécises…

Paul Gérin-Lajoie glisse un peu méchamment à son voisin que l'ancien chef vient de sauver la face du nouveau qui avait jusque-là toujours dit non à l'étatisation. En digne fils du pays de la Shawinigan Water and Power, le ministre René Hamel a l'air désemparé. René Saint-Pierre, qui a succédé à René Lévesque aux Travaux publics, trouve que tout va trop vite, que le gouvernement brûle ses vaisseaux. Et Lionel Bertrand laisse tomber que le parti devra se trouver un autre candidat dans Terrebonne.

Encore une fois, c'est René Lévesque qui a le dernier mot. Jean Lesage veut lever la séance sur une boutade : « Vous l'avez, votre nationalisation, René, êtes-vous content ?

— Ouais…

— Comment ! Vous n'en avez pas encore assez ?

— Il reste Bell Téléphone… »

Le ralliement in extremis de Jean Lesage prouve qu'il n'a pas perdu la main, bien que son leadership soit devenu incertain et parfois colérique durant les dernières semaines. Une fois de plus, René Lévesque réussit à l'entraîner. Le charme opère toujours, malgré l'humeur orageuse du chef que le rebelle encaisse en faisant le gros dos.

Des raisons électorales expliquent aussi le revirement du premier ministre. Cette élection-surprise lui permettra de juguler la zizanie qui ronge son parti et de rassembler ses troupes autour de l'idée-choc de René Lévesque. S'il gagne, il récoltera un nouveau mandat de quatre ans.

Trente ans après les campagnes du Dr Philippe Hamel contre le

Le 5 juillet 1960, René Lévesque hérite de deux ministères, les Travaux publics et les Ressources hydrauliques. *Archives nationales du Québec.*

Le ministre vedette reçoit un abondant courrier. *Archives nationales du Québec.*

Orateur très couru, René Lévesque a été invité au congrès des femmes libérales. *Collection Pierre O'Neill.*

René Lévesque « coincé » entre le cardinal Paul-Émile Léger et le maire de Montréal, Jean Drapeau.

Le grand rapprochement France-Québec : avec André Malraux et Paul Gérin-Lajoie. *Archives nationales du Québec.*

Deux de ses complices de la première heure : Marthe Léveillé, adjointe au chef de cabinet, et Michel Bélanger, son principal conseiller économique. *Archives nationales du Québec.*

Le grand projet de René Lévesque : nationaliser l'électricité. À sa gauche, l'ingénieur Robert Boyd, futur président d'Hydro-Québec. *Centre d'archives Hydro-Québec.*

C'est à la réunion secrète du Lac-à-l'Épaule, début septembre 1962, que René Lévesque gagne son pari. À la gauche du premier ministre Jean Lesage, qui annonce la décision du gouvernement de nationaliser les compagnies privées d'électricité, les ministres Paul Gérin-Lajoie, Alphonse Couturier et Bernard Pinard. À sa droite, vus de dos : Georges-Émile Lapalme et René Lévesque. *Collection Pierre O'Neill.*

À l'inauguration du nouveau siège social d'Hydro-Québec, symbole de la nouvelle puissance de la société d'État, en compagnie de Jean Lesage, à gauche, et du président Jean-Claude Lessard. *Centre d'archives Hydro-Québec.*

René Lévesque en tournée avec son homme clé à la direction d'Hydro-Québec, le commissaire Jean-Paul Gignac, à droite. *Collection Jean-Paul Gignac.*

À peine nommé ministre des Ressources hydrauliques, René Lévesque s'empresse de visiter son royaume nordique. L'été 1961, invité de la compagnie Hollinger, il explore l'Ungava avec Michel Bélanger, quatrième à partir de la droite. *Collection Marthe Léveillé.*

Après la visite du chantier, René Lévesque est écroué à la prison locale… le temps d'une photo. *Collection Marthe Léveillé.*

L'homme du peuple n'oublie pas de prendre un café avec les gars à la cafétéria du chantier. *Centre d'archives Hydro-Québec.*

Les visites d'usines sont le lot des hommes politiques. René Lévesque et Jean Lesage, à gauche, n'y manquent pas — surtout en campagne électorale.

Benoît Robitaille et Éric Gourdeau, porte-parole de René Lévesque auprès des autochtones du Nouveau-Québec. À droite, l'interprète terre-neuvien Jimmy Ford. *Collection Éric Gourdeau.*

René Lévesque à Fort-Chimo, en 1963, pour un « Point de mire » esquimau. *Collection Éric Gourdeau.*

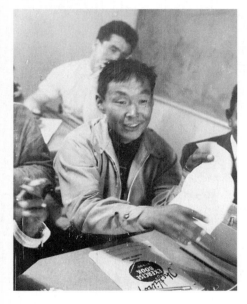

Yaco Weetcluktuk, d'Inoucdjouac, qui aime bien se moquer à l'occasion du petit chef blanc. *Collection Éric Gourdeau.*

Tête à tête avec des Inuit à la cafétéria de Fort-Chimo. *Collection Éric Gourdeau.*

trust de l'électricité, le consensus est enfin établi dans la population. Quand Maurice Duplessis a rendu l'âme, l'étatisation n'était plus qu'une question de temps. Et sans doute que son successeur immédiat, Paul Sauvé, l'aurait réalisée s'il n'avait pas passé l'arme à gauche trois mois après sa désignation. Jean Lesage n'a donc eu qu'à se pencher pour ramasser l'idée que René Lévesque a inscrite à l'ordre du jour du gouvernement avec sa brusquerie habituelle.

Avant de dissoudre le caucus, le premier ministre exige de nouveau le secret le plus absolu sur la décision historique qui vient d'être prise. « Il est même défendu de me regarder ! » lancera le lendemain Bona Arsenault au premier journaliste rencontré. Le chef doit aussi panser les blessures de George Marler. Seul Anglais de la réunion avec Paul Earl, ministre du Revenu, il semble à plat, comme s'il acceptait mal de n'avoir pu empêcher le Cabinet d'aller dans une direction dangereuse à ses yeux.

« En catimini, [Lesage] me demanda de prendre l'autre dans ma voiture, et d'en profiter pour faire la paix », écrit René Lévesque dans son autobiographie. Un voyage de retour pénible dont le silence n'est brisé que par l'aveu que lui fait George Marler avant de descendre : ce qu'il a dit au caucus n'était pas du bluff, il n'est pas certain de rester au gouvernement. Il lui faudra passer quelques jours à sa résidence secondaire de Métis Beach, aux portes de la Gaspésie, avant de pouvoir digérer sa défaite et se mêler par la suite, mais sans grand enthousiasme, des élections du 14 novembre.

À Québec, René Lévesque réussit à méduser les reporters qui le cernent. « J'suis encore vivant ! » commente-t-il en s'autorisant une seule fuite : il a gagné 30 $ au poker. Il se permet encore une pique à l'endroit de George Marler qu'il vient de déposer, dit-il, chez les millionnaires du Club Garrison. Lui, il ira dîner en bon démocrate dans un restaurant plus modeste.

En réalité, le grand vainqueur du Lac-à-l'Épaule a besoin d'un repos bien mérité. En soirée, il se réfugie chez Marthe Léveillé à qui il confie qu'il vient de passer deux jours avec un Duplessis au gin. Au cours des libations du premier soir, Jean Lesage avait réussi entre autres à blesser son prédécesseur Lapalme. Comme ce dernier laissait entendre une fois de plus qu'il en avait soupé de la politique, Jean Lesage l'avait sermonné en sa présence : « Si tu pars, Georges, comment vas-tu faire vivre ta famille ? »

Tout compte fait, René Lévesque est content de son chef qui, en tranchant en sa faveur, donne toute sa force à un instrument clé : Hydro-Québec. Le *boss,* comme il dit en famille quand il parle de Jean Lesage, vient de poser les premiers jalons d'une politique qui suscitera le développement de la province par et pour les Québécois.

« Ma plus grande joie, avouera-t-il un jour à la journaliste Hélène Pilotte, ç'a été quand le parti a décidé de faire des élections sur la nationalisation de l'électricité. Maudit que j'étais content ! »

Le lendemain, au bureau, il prend à part son conseiller principal, Michel Bélanger, pour l'informer des derniers événements. Il lui dit, sous le sceau du secret : « Il faut commencer à s'organiser, monsieur Bélanger. Ça s'en vient. »

CHAPITRE XV

Le peuple contre l'argent

C'était un aréopage de bonzes issus de l'Ontario
et auquel venait se coller cette partie du Canada
français qui ne voit jamais son succès que dans
le rôle de satellite.

RENÉ LÉVESQUE, *Attendez que je me rappelle,*
octobre 1986.

L e lendemain du Lac-à-l'Épaule, le Cabinet sanctionne la décision de soumettre au peuple l'étatisation des compagnies d'électricité. Chacun des ministres doit dire à voix haute « oui je le veux », comme un fiancé au pied de l'autel, devant un Jean Lesage réconcilié avec lui-même et un René Lévesque qui a le triomphe souriant mais modeste.

Avant de jeter ses ministres à la meute de reporters qui assiègent l'antichambre, Jean Lesage exige de nouveau le secret absolu jusqu'au déclenchement des élections. La chasse aux primeurs commence aussitôt le gibier en vue. Peine perdue, car personne ne gaffe. Espiègle, le ministre des Transports, Gérard Cournoyer, ne fait que répéter : « Demandez-le donc au premier ministre ! »

Georges-Émile Lapalme a jeté son masque taciturne et provoque même le danger : « Messieurs, avez-vous des questions à poser ? » Naturellement, l'habile politicien esquive toute attrape de nature à le faire glisser.

Bona Arsenault en remet : « Vous voulez une conférence de presse ? Venez ici, je vais vous en donner une ! »

Cependant que le Gaspésien de la Matapédia badine avec les reporters, René Lévesque surgit à son tour avec son air d'oiseau de nuit fatigué. Cordial comme il ne l'a pas été avec lui depuis des lunes, Bona Arsenault l'invite à ses côtés. À deux, ils confondent la presse.

Pour René Lévesque, l'urgence n'est pas de mettre les pendules des journalistes à l'heure, mais de préparer l'élection sans mettre la puce à l'oreille des militants libéraux eux-mêmes, comme l'a exigé Jean Lesage, et des unionistes. Le premier ministre se prépare au combat en subissant un examen médical. Les médecins lui affirment, comme à René Lévesque plus tôt : vous êtes en pleine forme ! La confiance retrouvée — ou l'odeur de la poudre ? — rapproche Jean Lesage de son rebelle.

La politique du silence tient bon mais la presse s'énerve. « Chaque jour d'hésitation accentue le débat », se plaint un journal. « M. Lesage en Abitibi pourra-t-il éviter de parler d'électricité ? » interroge l'autre. Ce qui les intrigue, c'est le fameux voyage à Fort-Chimo que René Lévesque a annulé avant le Lac-à-l'Épaule et qu'il n'entreprend toujours pas.

Plus déroutant encore, on ne sait plus trop où il est passé. Envolé ! Attendu comme orateur vedette au congrès annuel de l'Institut canadien des affaires publiques, il se fait excuser à la dernière minute. Que fricote-t-il donc ? Il réapparaît au lancement du livre que le journaliste Paul Sauriol vient de consacrer à la nationalisation. « Cette fois, René Lévesque était là », ironise la presse.

Il passe en coup de vent, le temps de faire le tour des invités, de se laisser photographier avec l'auteur et d'échanger une boutade avec Gérard Filion. Impatienté lui aussi par l'indécision gouvernementale, le directeur du *Devoir* écrit que les jeux sont faits, que la population veut se prononcer et que l'équipe Lesage « devra se résigner à l'étatisation bon gré, mal gré ».

À défaut d'un commentaire intempestif du ministre de l'électricité, les invités peuvent se rabattre sur la préface du livre. Elle est de lui. Et bien dans son style. Il dit à l'auteur : « Vous allez clore le bec à tous ceux qui font la triste culture intensive de la peur et de l'ignorance afin de maintenir éternellement tous les statu quo les plus dépassés, les plus néfastes... »

Si René Lévesque se fait si rare, c'est qu'il se mêle de la rédaction du programme électoral et farfouille dans la documentation politique du parti pour trouver un slogan percutant et vendeur. Bientôt jailliront, on ne sait trop d'où, trois petits mots aussi doux au cœur des Canadiens français que la vengeance au cœur de l'Indien : « Maîtres chez nous ». Un cri du cœur dont Jean Lesage et René Lévesque feront un cri de ralliement et qui traduit d'une façon saisissante la longue quête d'autonomie d'un peuple soumis depuis 200 ans à la volonté d'un autre.

Il existe bien des légendes sur l'identité du créateur de ce slogan emprunté en réalité au vocabulaire nationaliste des années 30. Selon les uns, c'est Jean Lesage qui se serait inspiré d'une réflexion qu'un organisateur ivre lui aurait glissée à l'oreille : « Il est à peu près temps qu'on soit maîtres chez nous… » Georges-Émile Lapalme en attribue la paternité au rédacteur des discours du chef libéral, Claude Morin. Qui, lui, évoque plutôt le nom de René Lévesque, se souvenant d'une conversation téléphonique avec Jean Lesage dont il a été témoin.

Mais si l'on en croit René Lévesque lui-même, l'éclair de génie irradie d'abord du cerveau imaginatif du publicitaire Jean-François Pelletier. L'enflure de la formule embête cependant le ministre, comme il le laissera voir dans ses mémoires : « Maîtres d'un grand secteur, d'accord, mais maîtres tout court, maîtres pour ainsi dire tous azimuts ? »

Le slogan massue de la campagne libérale devient finalement « Maintenant ou jamais ! Maîtres chez nous ». La publicité électorale l'accompagne tantôt d'un poing fermé sur un faisceau d'éclairs, tantôt d'une grande clé sertie d'une fleur de lys. Deuxième slogan fort de la campagne : « La Clé du Royaume ». C'est évidemment la nationalisation de l'électricité qui, en rendant les Québécois maîtres chez eux, leur apportera le meilleur des mondes. Le discours accompagnant la publicité s'abreuve au nationalisme économique et politique le plus orthodoxe.

Voulons-nous être libres ou esclaves ?

Le 19 septembre, entouré de ses ministres, Jean Lesage affronte plus de 200 journalistes de tout le pays à qui il communique enfin sa décision. Le gouvernement étatisera 11 compagnies privées

d'électricité mais, ajoute-t-il, il lui faut un mandat précis du peuple :
« On ne remplace pas 30 000 actionnaires par plus de 5 300 000 sans
consulter ces derniers. »

Des élections, donc, pour le 14 novembre. Radieux et aussi
grandiloquent qu'au soir de sa victoire de 1960, le chef libéral donne
le ton de sa campagne qui est comme l'écho de la polémique des années 30 : « C'est une lutte entre le peuple et le trust de l'électricité !
Celui qui est pour le trust est contre le peuple du Québec et celui qui
est pour le peuple est contre le trust... »

René Lévesque sait trop quelle réalité sociale se cache sous les
mots trust et peuple dont Jean Lesage se gargarise. La presse anglophone aussi, qui se crispe en écoutant le premier ministre. Dans son
livre consacré au René Lévesque des années 60, le journaliste cana-
dien-anglais Peter Desbarats décrit cette bonne vieille société coloniale du temps.

Le « trust », c'est le centre financier de St. James Street, les résidences cossues le long de The Boulevard à Westmount, les écoles
chic de l'ouest de la ville réservées aux gosses de riches anglophones
à 90 pour cent, les *hot cheese rolls* servis avec le thé au Mount Stephen, les bals de débutantes au Ritz, l'anglais omniprésent, et la foule
de petits privilèges plus ou moins discrets qui confèrent tout son
charme à la vie ouatinée d'un Québécois anglophone de 1960.

Le « peuple », c'est les Canadiens français sous-scolarisés qui
livrent le lait et le pain dans les beaux quartiers anglophones et dont
la culture se résume au hockey et à la politique ; les commis, les
subalternes des institutions financières et du commerce qui envoient
leurs enfants dans de minables écoles de brique jaune datant du
régime Duplessis ; le *cheap labor* des usines qui s'entasse dans les tau-
dis de l'est de Montréal et de la basse-ville de Québec et boit la moitié de sa paye dans des tavernes aux fortes odeurs d'urine. Ce
peuple-là, c'est celui des pauvres Canayens de René Lévesque.

Mais en ce jour de triomphe personnel, son défenseur rayonne
autant que Jean Lesage à qui il laisse cependant toute la place. Leur
complicité des premiers jours est revenue. Ainsi grimace-t-il sans
plus quand un reporter lui demande s'il a déjà entamé les négociations avec la puissante Shawinigan Water and Power. Et comme pour
bien marquer leur solidarité, Jean Lesage s'approche : « Vous me permettrez de ne pas répondre... »

René Lévesque devine que la campagne sera facile. Dans son autobiographie, il comparera le délire des foules de 1962 à celui de l'élection de 1976 qui portera le Parti québécois au pouvoir : « Ce fut une belle campagne, l'une des deux où j'aurai eu la certitude qu'en brisant des entraves, on faisait vraiment avancer les esprits et les choses. »

Mais au départ, rien n'est sûr. Le sondage commandé par Jean Lesage montre que la population n'est que modérément enthousiaste face à la nationalisation. Des stratèges du parti, comme l'avocat Claude Ducharme, craignent de se lancer dans une bataille de deux mois avec une seule flèche dans le carquois.

Vision qui sous-estime la force d'entraînement contagieuse de cette dynamo appelée René Lévesque. D'autre part, qu'y a-t-il donc en face du gouvernement ? Un parti délabré, sans programme, encore accroché au duplessisme et déstabilisé par la rivalité entre le nouveau chef, Daniel Johnson, et celui qui aurait voulu l'être, Jean-Jacques Bertrand, héros cornélien d'une démocratisation interne qui tarde à venir.

En revanche, les gens des campagnes et des zones semi-urbaines n'ont pas encore la piqûre de la révolution tranquille, dont tout le monde parle mais à laquelle ils n'ont pas encore goûté. En plus, les taxes ont augmenté, ce qui fournit aux créditistes qui grenouillent dans les quartiers défavorisés le carburant pour faire passablement de millage.

Le bilan du gouvernement reste néanmoins impressionnant : assurance-hospitalisation, gratuité scolaire, lutte au patronage, contrôle des finances publiques, démocratisation de l'éducation, réforme électorale, nouveaux ministères, création d'une société générale de financement pour regrouper les capitaux québécois et ouverture d'une première « ambassade », la délégation québécoise à Paris.

Le manifeste libéral ne manque pas de passion. Le texte en couverture donne la couleur : « L'ère du colonialisme économique est finie dans le Québec ! » Les notes que rédige Claude Morin pour les discours de Jean Lesage creusent la veine de l'utopie libératrice des années 60. Celle du 22 septembre, que répète Jean Lesage, proclame le début de l'émancipation du Québec : « La question qui se présente à chacun de nous est : voulons-nous être libres ou esclaves ? Le Parti libéral offre au Canada français la chance de prendre la clé de la liberté qui lui ouvrira les portes d'une économie moderne où le chômage, la misère et la crainte ne seront que les souvenirs d'un passé à jamais disparu. Maîtres chez nous ! »

Le programme libéral énumère les 11 compagnies d'électricité dont la nationalisation livrera la clé du royaume★. Coût total anticipé ? Pas plus de 600 millions de dollars, promet le premier ministre en divulguant au public que de cette somme, il ne faudra financer que 350 millions. Hydro-Québec absorbera les 250 autres millions détenus par les compagnies en hypothèques et obligations. « Ce n'est pas trop pour être enfin maîtres chez nous ! » laisse-t-il tomber.

René Lévesque laisse son chef à sa rhétorique et se concentre sur sa propre campagne. Orateur couru, il doit partager son temps entre la province, qu'il s'est promis de sillonner équipé de son tableau noir et de sa craie, et son comté de Laurier où sa fragile majorité l'oblige à plus de présence qu'il n'aimerait. Depuis sa victoire nébuleuse de juin 1960, l'association libérale du comté s'est renouvelée petit à petit.

Recrutés par le secrétaire, Jacques Simard, de nouveaux membres ont infiltré l'organisation suivant le vœu de René Lévesque qui en a fixé les balises : strictement provinciale, ouverte aux militants de l'extérieur, fortement rajeunie et anti-patronage. Mais comme Rome ne s'est pas faite en un jour, il doit miser encore pour se faire réélire sur certains chefs de paroisse et sur certains piliers de l'organisation restés loyaux au « parrain » Azellus Denis, tel Marcel Prud'homme, qui succédera en 1964 à Azellus Denis comme député fédéral du comté. Cette élection de 1962 voit se constituer le nouvel entourage de René Lévesque d'où sortira le chef de son futur cabinet de premier ministre, l'avocat Jean-Roch Boivin, fils de laitier de Chicoutimi, à l'écorce plutôt rude.

Rien de commun entre cette élection et celle de 1960. Ses organisateurs, auxquels se joint son chef de cabinet, Pierre F. Côté, n'ont qu'à surfer sur la vague de la nationalisation. L'adversaire

★ Shawinigan Water and Power, Quebec Power, Southern Canada Power, St. Maurice Power, Gatineau Power, la Compagnie de Pouvoir du Bas Saint-Laurent, Northern Quebec Power, Électrique de Mont-Laurier, la Compagnie électrique du Saguenay, Électrique de Ferme-Neuve, la Compagnie électrique de La Sarre.

Mario Beaulieu, jeune notaire unioniste lié à la communauté italienne, ne fait pas le poids. Un troisième candidat, Hertel Larocque, créditiste indépendant d'extrême-droite, crie tout seul dans son désert.

L'organisation est tellement au-dessus de ses affaires qu'elle n'a pas fait obstacle à la présence parfois gênante du dramaturge Marcel Dubé, qui a convaincu René Lévesque de le laisser enregistrer toutes les conversations, en préparation de sa prochaine pièce de théâtre.

Subsistent encore toutefois de vilaines habitudes électorales, héritées du duplessisme, comme le saccage des bureaux de vote et l'intimidation des électeurs, que n'ont pas éradiquées deux années de lutte contre la corruption politique. René Lévesque demande au champion lutteur Johnny Rougeau de lui donner un coup de main comme en 1960.

« Je suis à deux cents pour cent en votre faveur ! » s'exclame le catcheur qui met aussitôt à son service une centaine de gorilles. Lui-même agira comme garde du corps. Il faut dire que Johnny Rougeau a maintenant moins de temps à consacrer à la politique. En 1961, il a acheté le Mocambo, le plus grand club de nuit du Canada, fermé quelque temps auparavant par la « police des liqueurs » à la suite d'incidents violents.

Pour rouvrir la boîte, il lui avait fallu obtenir un nouveau permis. Et qui d'autre que René Lévesque pouvait intercéder en sa faveur auprès de la Régie des alcools ? Il était allé le voir.

« Attendez une petite minute, Johnny », lui avait répondu ce dernier en composant le numéro du juge Lucien Degas, président du tribunal de la régie responsable de l'émission des permis. « Monsieur le juge, j'ai devant moi monsieur Rougeau. Je voudrais savoir s'il y a possibilité d'avoir un permis d'alcool pour le Mocambo, mais je tiens à ce que monsieur Rougeau soit traité comme tout le monde, qu'il n'y ait pas de préférence. Vous me comprenez ? »

Mise en garde inutile. L'ange gardien de René Lévesque s'était vite retrouvé à la tête du Mocambo qu'il faisait inaugurer devant une foule compacte par le comique Doris Lussier. René Lévesque allait cependant payer le prix fort pour son intervention auprès du juge Dugas, cataloguée par ses adversaires comme une pression politique voire un cas flagrant de patronage.

Quand la presse apprend que le champion de lutte remonte dans l'arène politique aux côtés de celui qu'il n'hésite jamais en public à qualifier d'« homme idéal de la politique », elle le talonne pour savoir quel rôle joueront ses cent gorilles. La réponse du cabaretier-lutteur ressemble à un avertissement :

« On fera comme en 1960, on empêchera les télégraphes. On n'attaquera jamais personne si l'élection se fait honnêtement, mais on ne reculera devant personne non plus... »

CHAPITRE XVI

La clé du royaume

*Les Canadiens français ont été le peuple le plus
patient de la terre. Ils n'ont pas à s'excuser de
vouloir maintenant occuper leur place.*

RENÉ LÉVESQUE, pendant la campagne
de novembre 1962.

L e pédagogue de *Point de mire* refait surface durant la deuxième campagne électorale de la vie de René Lévesque. Il fait du cinéma, disent les reporters en le regardant aller avec sa carte géographique, sa baguette de maître d'école, ses cigarettes à demi grillées et son tableau noir. Cheveux coupés court, costume foncé, débit rapide, il gesticule autant pour dompter sa nervosité que pour convaincre son auditoire.

En 1960, René Lévesque ratissait large. Aujourd'hui il ne vise qu'une seule cible, l'électricité. D'abord, il dégaine son nationalisme avec une rage parfois mal contenue : « Ça fait 40, 50 ans qu'on fait rire de nous autres. Des générations ont été perdues et des têtes ont été coupées par Duplessis, comme celle du Dr Philippe Hamel et des autres qui l'avaient fait élire avant. On n'a pas deux ou quatre générations à perdre comme ça ! La nationalisation ne va pas tout régler, mais c'est la clé qui nous conduira à notre libération. N'allons pas perdre notre génération ! »

Son agressivité a un côté subliminal. Quand il fustige les grosses compagnies où les francophones n'exercent qu'une ridicule influence, ou quand il dit « nous ne sommes pas chez nous là où une compagnie privée d'électricité est installée », les gens entendent : « On va les avoir, les Anglais. »

Loin de détonner ou d'agacer, sa passion nationaliste soulève la foule. Cet homme est de son temps et exprime l'état d'esprit des Canadiens français. Son stress personnel et celui de son peuple ne semblent faire qu'un. Les gens qui l'écoutent ont l'impression qu'il ressent exactement les mêmes frustrations qu'eux.

Mais René Lévesque n'est pas qu'un haut-parleur. « Il n'est pas nationaleux pour deux sous », dit son chef de cabinet Pierre F. Côté en l'écoutant. Il émaille toujours ses discours d'exemples concrets et positifs pour susciter confiance et espoir chez l'auditeur. S'il évoque la Manicouagan, ce n'est pas pour hisser le drapeau mais pour suggérer aux Québécois qu'ils sont capables de grandes choses. À preuve, le gigantesque barrage d'un mille de long et de 750 pieds de haut, et le réservoir de 800 milles carrés qui sera le troisième du monde en importance.

Puis, avalant la fumée de sa cigarette, René Lévesque balaie l'air de son bras gauche avant de lancer, comme s'il s'agissait d'une grande primeur : « Le plus gros complexe d'énergie qui se développe dans le monde entier est dirigé par des gars qui s'appellent Gignac, Baribeau, Rousseau, qui ont été formés chez nous. On contrôle la dernière grande réserve d'énergie du Canada dont la juridiction nous appartient. Bon Dieu ! pour une fois dans notre histoire, c'est nous autres qui avons le bâton. On n'a rien qu'à le prendre ! »

Ensuite, il énumère les raisons palpables de nationaliser la « patente privée » qui force la population du Nord-Ouest québécois à chercher dans toute l'Amérique des grille-pain et des laveuses adaptés aux 25 cycles, et celle de la Gaspésie à payer des factures d'électricité salées.

Mais un peuple ne vit pas que de fierté. Aussi le second volet de sa campagne tourne-t-il autour de l'économie. « C'est rentable, l'électricité ! C'est payant, nationaliser ! », affirme-t-il encore et encore en rappelant que la province voisine l'a découvert dès 1906.

Pour contrer la crainte de l'endettement longtemps entretenue par le « petit boutiquier Duplessis », il soutient que la nationalisation ne comporte aucun risque et se financera d'elle-même : « Mais comment espérer devenir maîtres de nos richesses si nous ne commençons pas d'abord par investir notre argent dans ces richesses ? »

Une autre de ses tirades dénonce vigoureusement le coulage capitaliste : « On est pris avec des contrats imposés à Hydro-Québec où on se fait voler littéralement. Dans un seul contrat, on perd un million par année au profit de la Shawinigan qui revend 10 et 15 fois plus cher l'électricité qu'Hydro-Québec a dû lui céder à bas prix. Ça, c'est un seul contrat qui engraisse les actionnaires de la Shawinigan et le Trésor fédéral. »

La dernière partie de son discours s'attache à brûler les épouvantails dressés par *The Gazette* et qui effraient tant les milieux financiers. Le journal insinue en effet que René Lévesque mijote une véritable révolution, qu'il cache des choses. Que la nationalisation de l'électricité n'est que le premier pas d'un vaste plan secret pour tout étatiser : mines, bois et papiers.

Le canular du journaliste Bill Bantey — « *Quebec eyes formulas for pulp and mines* » — est aussitôt relayé par la *Canadian Press* aux grands quotidiens du Canada qui le plaquent évidemment à la une. Furieux, René Lévesque convoque la presse à qui il déclare, en contenant mal sa colère comme le notent les reporters : « *The Gazette* a arraché de son contexte une phrase qu'elle a coiffée d'un titre provocant et injustifié. C'est là un petit jeu qui pourrait être dangereux car on donne une prise facile aux extrémistes qu'ils soient pro ou anti-Canadiens français… »

Ce qui l'enrage et l'ahurit tout à la fois, c'est la mauvaise foi d'une certaine presse anglophone. Il dit à Blair Fraser, du magazine *Maclean's* : « Pourquoi me reprocher une politique que le gouvernement conservateur de l'Ontario a adoptée dès 1905 ? »

Démagogie tous azimuts

Il n'y a pas que la presse qui lui fait des crocs-en-jambe. Daniel Johnson aussi, qui agite le spectre du laïcisme et de l'école sans Dieu dans une province encore très majoritairement pratiquante. À l'ombre des deux magnifiques clochers de la basilique de Sainte-Anne-de-Beaupré, là même où René Lévesque a retrouvé sa voix aux élections de 1960, le chef de l'Union nationale l'accuse d'être la marionnette du mouvement laïque.

« René Lévesque, ajoute-t-il deux jours plus tard à Hauterive, est le faux aumônier de la patente au Dr Mackay★. » L'*abbé* Lévesque lui fait une réponse de lettré en dénonçant « le tartuffe qui se promène en province ». Mais dans ce registre, la palme revient à Hertel Larocque, son adversaire créditiste dans Laurier, qui n'hésite pas à dire : « C'est l'homme le plus maudit de la province. C'est Lucifer. Lesage l'haït et souhaiterait qu'il ne soit jamais né. »

Fin octobre, en pleine crise des missiles cubains provoquée par Moscou, alors que la planète se croise les doigts, l'Union nationale profite de l'aubaine en relançant ses vieilles accusations de 1960. « René (Castro) Lévesque », dit la manchette du *Montréal-Matin*, quotidien officiel du parti qui reprend l'expression de Daniel Johnson : « Le ministre des Richesses naturelles Castro. »

René Lévesque ferraille aussi avec le chef créditiste Réal Caouette, puissant démagogue de droite qui ameute son électorat ouvrier contre l'étatisation. Il vient de mettre en pièces Jean Marchand dans un débat télévisé. À peine le président de la CSN venait-il d'aborder la question du plein emploi que Réal Caouette lui coupait les jambes : « Vous croyez encore au père Noël, aux sauvages qui apportent les bébés ? Le plein emploi est impossible. Ce sont les machines qui remplacent les hommes. Vous allez être obligé de patiner plus vite que maintenant, monsieur Marchand. Vous n'avez pas l'air de comprendre ça ! »

Au cours d'une assemblée, René Lévesque profite d'une question piégée d'un créditiste pour venger l'honneur de son ami. Et aussi corriger Réal Caouette qui fait courir la rumeur que la nationalisation supprimera le droit des ouvriers des compagnies privées de parler librement : « Dites-lui donc de vérifier ce qui arrive à la Shawinigan qui égorge ses gens, à la Northern Quebec Power, en Abitibi, son coin de pays, où les ouvriers se font littéralement voler leur temps supplémentaire et leur rétroactivité depuis des années. Y a pas vu ça, lui ? Sur les chantiers d'Hydro-Québec, les gars ont droit de discuter en plus d'avoir les meilleures conditions de travail de la province. OK ? »

★ Il s'agit du Dr Jacques Mackay, fondateur du Mouvement laïque de langue française.

Le chantage économique trouve aussi sa place dans cette campagne. Les Québécois assistent à une première qui se répétera pendant les 30 prochaines années.

Début novembre, débarque à Montréal un obscur financier américain venu de Fort Wayne, Indiana. Il s'appelle F. J. McDiarmid et est d'origine canadienne. Vice-président de la Lincoln National Life Insurance, société inconnue au Québec, il possède des actions pour un montant de 4 millions de dollars dans la Shawinigan. Sa mission est de discréditer René Lévesque et de faire monter les enchères : 600 millions, c'est ridicule. Les compagnies nationalisées valent plus de 806 millions. *« It's a bare minimum »*, dit-il aux membres du Canadian Club.

L'Américain d'adoption n'est pas le seul à invoquer ce chiffre. Dans son dernier numéro, le *Financial Post* de Toronto l'avance également. « McDiarmid et le *Financial Post* ont tous deux fait vérifier leurs chiffres par la Shawinigan Water and Power », ironise René Lévesque en s'appuyant sur une source discrète au sein même de la compagnie.

Mais la bête noire de l'assureur américain est René Lévesque lui-même : « Vous avez ici un homme politique qui parle comme s'il se nommait Robespierre et qui agit comme si les aristocrates devaient être alignés devant la guillotine. Il nuit au climat propice à l'investissement. Je crois qu'il faut avertir cet homme... »

Stratégie d'intimidation que s'empresse de ridiculiser le Robespierre en question : « C'est la première fois que les experts financiers nous viennent de Fort Wayne... On a plutôt l'habitude de les voir arriver de New York, Washington ou Toronto. »

Peter Nesbitt Thomson, actionnaire principal du groupe Shawinigan, exerce lui aussi une pression sur René Lévesque mais elle est plus civilisée. C'est par *« Dear René »* que commence sa lettre du 23 octobre, où il se plaint de l'offre « mesquine » de 600 millions de dollars fixée par le gouvernement, tout en insinuant que la Cour pourrait bien en décider autrement si jamais les compagnies nationalisées portaient leur cause devant les tribunaux.

Comme dira Michel Bélanger des années plus tard : « On riait sous cape parce qu'on savait, nous qui étions dans le *game plan,* qu'il n'était pas question d'exproprier la Shawinigan et les autres mais d'acheter tout simplement leurs actions comme cela se fait sur le marché. On verrait alors si les actionnaires se montreraient aussi rébarbatifs devant l'offre d'achat du gouvernement que les dirigeants des compagnies ! »

Le grand patron du groupe Shawinigan, Jack Fuller, n'est pas en reste. Siégeant au conseil d'administration de Bell Téléphone, il obtient que cette compagnie imite la sienne en ordonnant à ses employés de voter pour l'Union nationale. Puis il laisse planer des menaces : l'étatisation coûtera au gouvernement une petite fortune, car la Shawinigan va résister jusqu'au bout et multiplier procédures et embûches.

Vers la fin de la campagne, René Lévesque doit encaisser une autre rebuffade de la part d'un financier bourré de whisky qui lui lance au cours d'une réunion intime dans une résidence cossue du West Island : « *But Lévesque, how can people like you imagine you can run Shawinigan Water and Power* ⋆ *?* »

Selon des observateurs de l'époque, il s'agissait de Douglas Chapman, le maître-chanteur du cartel financier de Montréal qui se vante en privé de choisir les premiers ministres du Québec depuis 30 ans grâce au contrôle qu'il exerce sur les emprunts du gouvernement. Dans quelques mois, face aux attaques de Jacques Parizeau contre le syndicat financier, le même Chapman éclatera : « *Parizeau, that little rat !* »

Les succès de foule de René Lévesque compensent pour ses blessures à l'âme. Quand l'enfant terrible trouve une formule percutante, ou quand il met fin à une harangue de deux heures, la salle se lève en bloc pour l'applaudir. Comme l'observe son entourage, Jean Lesage en prend ombrage surtout lorsque Daniel Johnson s'ingénie à parler du « gouvernement Lesage-Lévesque ».

Pour ménager l'amour-propre de son chef, René Lévesque ne rate pas une occasion de flatter son ego, soulignant son rare courage. Après le débat télévisé du 11 novembre, où Jean Lesage dévore un Daniel Johnson incapable de tenir ses positions, il ne tarit pas l'éloges sur son chef, même s'il n'est pas dans sa nature de complimenter son prochain.

⋆ « Lévesque, comment pouvez-vous croire que des gens comme vous puissiez diriger la Shawinigan Water and Power ? »

La journée du 14 novembre est exceptionnellement tranquille. Dans Laurier, l'organisation de René Lévesque, qui s'attendait à des coups durs, avait pris quelques mesures de sécurité. Chaque nuit, les gorilles de Johnny Rougeau avaient surveillé le bureau du député que Jacques Simard avait vidé de ses dossiers importants pour les mettre en sécurité.

Le soir du vote, en comptant ses 63 comtés (sur 95) et le pourcentage de ses voix, 56,5 pour cent, Jean Lesage conclut : « Nous sommes maintenant maîtres chez nous. » René Lévesque se hâte de dire, lui : « Nous étatiserons à la session qui vient. »

Élu avec 4 563 voix de majorité contre Mario Beaulieu, le député de Laurier a considérablement accru sa majorité qui n'était que de 137 voix en 1960. Il a toutes les raisons de célébrer même si les analyses plus pointues du vote lui apprendront que les libéraux devaient avant tout leur triomphe à l'indice élevé de satisfaction envers le gouvernement. L'électricité avait compté, mais moins que prévu. Interprétation qui n'ennuagera en rien l'une des plus grandes joies de sa carrière politique, comme il le dira 10 ans plus tard à l'historien Jean Provencher : « La décision du Lac-à-l'Épaule et le résultat de l'élection, qui était quand même une ratification de cela, m'ont donné un sentiment d'achèvement et de satisfaction… »

Il retiendra de cet épisode de sa vie que le premier grand geste d'émancipation économique des Québécois s'est accompli contre la finance anglo-canadienne, mais avec l'aide des Américains. Comme il le soulignera dans son autobiographie à propos de l'emprunt de 300 millions aux États-Unis : « Témoignage éclatant de la confiance qu'inspiraient le Québec et son Hydro, jamais depuis la Première Grande Guerre les Américains n'avaient prêté une telle somme à l'étranger. »

Le lendemain même de l'élection, la maison Halsey Stuart de New York offrait de rassembler une ouverture de crédit de 350 millions. Attitude qui tranche avec le chantage et les mesquineries du syndicat financier canadien. À Hydro, on est bombardé d'appels d'investisseurs américains désireux de miser sur l'aventure québécoise.

Pour René Lévesque, la page est tournée, la clé du royaume est entre ses mains. D'autres combats l'attendent. À son vieil ami de l'archevêché de Gaspé, Mgr Paul Joncas, qui lui signale dans une lettre qu'il sort peut-être du scrutin avec un prestige accru, mais aussi avec une plus grande responsabilité, il répond : « Mon cher Paul, moi aussi, c'est la responsabilité qui me frappe le plus. À condition, pour être bien franc, que la prudence ne devienne pas le camouflage de l'inaction et, pis encore, des intérêts abusifs. Car cela aussi a trop fait partie de notre Histoire. Amicalement. »

Le colosse parlera français

La pilule est dure à avaler pour les gestionnaires des compagnies nationalisées qui se voient proprement limogés. Avant même la décision du Lac-à-l'Épaule, les conseillers de René Lévesque ont dressé la liste des dirigeants qui seraient remerciés en vertu de trois critères : l'âge, le niveau de compétence et le bilinguisme.

À la Shawinigan, 23 dirigeants devront partir, dont Jack Fuller, W. F. Mainguy, et Maurice D'Amours qui n'aura été vice-président que le temps d'une campagne électorale. Le couperet tombe aussi sur le président de Quebec Power, Henri Béique, celui qui a taxé René Lévesque d'ignare. À la Southern Canada Power, neuf gestionnaires anglophones unilingues sont congédiés dont le pdg J. B. Woodyatt, âgé de 76 ans.

À la Northern Quebec Power, deux francophones remplacent le directeur général Scott Elliot, un vieillard lui aussi, et son adjoint W. Mucha, incapable de parler français. Le remue-ménage touche enfin la Compagnie de Pouvoir du Bas Saint-Laurent où le président Jules Brillant et son adjoint T. Bernier sont mis également au rancart.

Le jour de la prise en charge, Léo Roy, un administrateur francophone superqualifié — ça se trouve —, choisi par Hydro-Québec dans ses rangs, frappe à la porte de chacune des compagnies étatisées pour assurer l'autorité. Sa première mission est d'établir un lien avec le siège social et d'éviter tout acte de sabotage.

À la Shawinigan, où le mur de résistance et d'hostilité est particulièrement épais, la transition ne se fait pas sans douleur.

Côté cour, c'est-à-dire francophone, on jubile. Le temps des brimades est fini. « Je suis au ciel ! » s'exclame un ingénieur. « La chance maintenant, c'est à nous ! » prédit l'autre.

Côté jardin, c'est-à-dire anglophone, c'est l'état de choc. Les résistants sont congédiés. Les autres s'adaptent. Forcés de mettre au rancart leur complexe de supériorité, on les voit dans l'ascenseur adresser des « bondjiour » hésitants aux employés francophones qu'ils ne daignaient même pas saluer auparavant, comme l'écrit Renaude Lapointe, journaliste de *La Presse* qui couvre l'intégration.

René Lévesque suit l'opération prise en main de près et ne rate pas une occasion de célébrer la nouvelle taille d'Hydro-Québec qui en fait l'une des plus grandes entreprises du monde dans le domaine de l'énergie. Aux employés, il lance : « Vous devez en être fiers. » Et aux revanchards : « Ceux qui ne sont pas d'accord n'ont pas leur place dans une propriété du peuple québécois. » Il a de quoi pavoiser. Hydro-Québec a presque doublé son personnel, qui passe de 8 900 employés à 14 000. Le total des abonnés augmente de 590 000 à 1,4 million, la puissance installée, de 3,7 à 6,2 millions de kilowatts et le nombre de centrales, de 9 à 50.

Qu'advient-il de la baisse tarifaire qu'il a fermement promise durant la campagne ? Avant le tournant de l'année, 500 000 abonnés voient leur facture mensuelle réduite. Dans sa Gaspésie natale, championne des taux élevés, les écarts tarifaires sont rétrécis jusqu'à 35 pour cent. Quant à l'uniformisation, c'est-à-dire un seul tarif pour tous d'un bout à l'autre du Québec, elle se réalisera par étapes de sorte qu'en 1965, les Québécois bénéficieront des tarifs les plus bas en Amérique.

Second engagement de René Lévesque : la conversion de fréquence. Hydro s'attaque rapidement à la tâche de faire entrer Rouyn-Noranda dans le XXe siècle en y installant la fréquence de 60 cycles, comme partout ailleurs au Québec. Fini la lumière qui papillote !

Enfin, l'État doit avaler non sans mal les 46 coopératives rurales d'électricité héritées du régime Duplessis, qui résistent à se fondre dans le grand tout. Gérard Filion, à la fois directeur du *Devoir* et maire de Saint-Bruno, se permet une question au ministre en éditorial : « Faut-il tout prendre d'une seule bouchée ou ménager des étapes ? »

Il est convaincu qu'il n'est pas nécessaire d'étatiser tout le réseau électrique. Mais uniquement les grandes compagnies. Hydro-Québec pourrait laisser aux coopératives et aux villes qui l'assument déjà la vente de l'électricité. Distribuer l'électricité, c'est comme livrer le lait et le pain. Ce n'est pas une obligation pour l'État de devenir démarcheur. Hydro-Ontario abandonne la distribution à 354 municipalités.

Mais, se rappellera Gérard Filion, René Lévesque ne voulait rien entendre. Tout devait passer à l'État, point à la ligne. Il s'empressa de lui donner la réplique tout en persécutant les coopératives qui lui tenaient tête, comme celle de Saint-Jean-Baptiste de Rouville, et les villes de Sherbrooke et de Rivière-du-Loup qui désiraient conserver leur réseau. Seule l'irréductible coop de Saint-Jean-Baptiste de Rouville refusera de mourir. Elle est toujours là aujourd'hui comme un défi éternel lancé à la voracité étatiste de René Lévesque.

Trois ans après sa formation, la « grande Hydro » donne ses premiers fruits. À l'automne 1965, René Lévesque en fait la comptabilité au congrès des maîtres électriciens. Il y met de la vindicte, parce qu'à gauche comme à droite on la discrédite déjà. Aux « progressistes en tour d'ivoire » qui taxent sa réforme de mesure bourgeoise parce qu'elle a enrichi les capitalistes de 600 millions de dollars, il répond : peut-on trouver en effet rupture plus brutale avec le vieux libéralisme bourgeois que le passage d'une grande entreprise du secteur privé au secteur public ?

Les faits parlent d'eux-mêmes. Trois ans après la nationalisation, annonce-t-il, Hydro est la première firme industrielle québécoise avec 17 000 employés, un actif de 2,5 milliards de dollars et des ventes atteignant le quart de milliard. Elle produit 34 pour cent de l'énergie hydro-électrique du Canada. C'est un enfant né avec la stature d'un géant. Jamais les Canadiens français n'ont réussi à monter une entreprise de cette taille. Le « colosse en marche », comme titre *La Presse,* vient nourrir la fibre patriotique, très gourmande durant ces années 60 où un petit peuple qui sort de l'ombre aspire à la grandeur.

L'hydro-électricité une fois étatisée devient une pépinière pour les cadres et les ingénieurs francophones. Signe des temps... Pour René Lévesque, le nouveau colosse doit parler français. Et selon ses proches de l'époque, c'est bien à lui qu'on doit la francisation de l'industrie de l'électricité. À son arrivée, même Hydro-Québec fonctionnait encore en anglais. Et cette incongruité l'a chicoté dès l'instant où il s'est familiarisé avec les méthodes de travail de la société d'État.

On revient de loin. Le directeur général d'Hydro, l'ingénieur Robert Boyd, a connu le goulag linguistique. Entré à Hydro après la nationalisation de 1944, il avait vite constaté que le français, sa langue maternelle, ne pesait pas lourd même si 90 pour cent des employés le parlaient. Pour se donner des ailes, il s'était amusé à établir un lexique anglais-français puis, bravade suprême, à rédiger ses instructions en français. On l'avait rappelé à l'ordre et en anglais en plus : « *All your statements must be written in english, sir!* »

Le plus déprimant dans l'affaire, comme le déplore René Lévesque, c'est qu'il faut refranciser les francophones, les secouer pour qu'ils cessent de se parler et de s'écrire en anglais. Mais ils sont tellement colonisés et si peu respectueux de leur langue que l'idée même de passer au français les prend au dépourvu.

Même révolution culturelle sur les gros chantiers d'Hydro où on a beau être entre ceintures fléchées à 90 pour cent, l'anglais triomphe dans la paperasse comme dans les ordres des contremaîtres. Une absurdité qui se corrigera en moins de deux ans sans trop de drames. Après tout, comme le signale l'ami Gignac à René Lévesque : « Le béton, ça a été inventé par les Français, les termes anglais qu'on utilise ou bien viennent du français ou bien ont été traduits… » Par exemple, les batardeaux, ces petites digues qui servent à assécher temporairement un cours d'eau, sont appelés depuis toujours *coffer dams*. Dans deux ans, les contremaîtres ne se souviendront même plus du terme anglais.

René Lévesque s'est fixé comme règle d'embaucher le plus de francophones possible partout. Qu'il s'agisse des conseillers juridiques ou d'ingénieurs. Quand il y a un important contrat à donner, il demande inévitablement : « Est-ce qu'on ne pourrait pas trouver des francophones compétents dans ce secteur-là ?

— Le problème, objecte Michel Bélanger, c'est qu'il n'y a pas beaucoup de grands bureaux canadiens-français. »

Un jour où son conseiller principal lui sert encore l'argument de la pénurie, René Lévesque se cite en exemple en empruntant le ton le plus modeste qu'il puisse trouver : « Dans mon métier de journaliste ou de politicien, je suis du cru mais je pense, à mon humble avis, que je suis aussi bon que n'importe qui. Il doit bien y avoir des Canadiens français compétents dans d'autres domaines que le journalisme ou la politique ? Des ingénieurs francophones compétents, ça doit bien se trouver ? »

Quand les ingénieurs sont devant lui, René Lévesque les avertit carrément : « Si vous ne vous associez pas pour bâtir des bureaux d'ingénieurs de bonne taille, les gros contrats vont continuer de vous passer sous le nez. »

Réservé aux initiés, le monde hautement technique des devis, soumissions, normes et contrats connaît aussi un grand chamboulement. L'ingénieur Yvan Hardy fait parvenir à la Northern Electric un appel d'offres rédigé exclusivement en français. Comme cette langue y est aussi inconnue que l'inuktitut, les gros bonnets unilingues de la compagnie protestent auprès du président d'Hydro, qui convoque d'urgence le conseil d'administration pour trouver le ou les coupables. « Une grave erreur s'est produite, commence Jean-Claude Lessard.

— C'est pas une erreur une maudite miette ! l'interrompt brutalement Jean-Paul Gignac. C'est moi qui ai dit à monsieur Hardy de faire comme ça. Vous pouvez dire aux gens de Northern Electric que nos ingénieurs refusent de traduire les appels d'offres. Qu'ils embauchent des traducteurs ! »

En nationalisant, René Lévesque avait pour objectif sous-jacent de créer un vaste pouvoir d'achat qui profiterait d'abord aux entrepreneurs québécois. Il a suffi d'accorder la préférence aux produits fabriqués dans la province pour qu'Hydro y concentre bientôt les deux tiers de ses achats, un montant de 150 millions sur 218 millions de dollars, suscitant la création de nouvelles entreprises et de milliers d'emplois.

En dressant la liste des retombées de la nationalisation, et comme « pour donner aux chiffres un visage de chez nous », René Lévesque s'amuse aussi à dénombrer les firmes québécoises tricotées serré avantagées par Hydro-Québec.

Dans le lot, il y a le cas exemplaire de Cégelec, fabricant franco-québécois d'isolateurs de Laprairie, qui fait râler les Ontariens chaque fois qu'il bat la grosse caisse à son sujet. Et pour cause. Après la nationalisation, plus gourmande que jamais en isolateurs, la « grande Hydro » a demandé des soumissions à tout vent selon sa politique habituelle.

Deux compagnies ontariennes promettaient les isolateurs à 6,30 $ l'unité — mais *from Ontario*. Le prix du soumissionnaire français, la Compagnie générale d'électricité, 6,10 $ l'unité, se comparait au prix ontarien mais la firme française avait décroché la commande parce qu'elle offrait d'usiner les isolateurs au Québec, en association avec la Société générale de financement québécoise, une collaboration qui créerait 150 emplois.

« Ça n'a pas été long que la presse anglophone, le *Globe and Mail* surtout, a commencé à gueuler », se souvient Jean-Paul Gignac. À tant insister sur l'achat chez nous, René Lévesque s'attire des coups. Toronto associe sa politique à de la discrimination. *The Financial Post,* pitbull des milieux d'affaires torontois, menace le Québec de représailles avant de brandir l'accusation séparatiste : les gens d'Hydro ne sont plus que les *« highly vocal minor leaguers who are doing their best to balkanize this country »*.

Chaque fois que le Québec prend ses intérêts en main, on l'accuse de séparatisme. Un vieux scénario. René Lévesque demande au commissaire Gignac de mettre les gants de boxe. Ce qu'il fait devant The Purchasing Agents Association of Montreal. « Le plus drôle, dira par la suite le brave soldat de René Lévesque, c'est que les centaines de vendeurs anglophones qui m'écoutaient m'ont fait une ovation. Je n'y comprenais plus rien ! J'ai demandé pourquoi à l'un d'entre eux et il m'a répondu textuellement : "Jean-Paul, tu es le premier au Québec à mettre cartes sur table. En affaires, on aime savoir à quoi s'en tenir. Maintenant, on le sait. " »

Bien des années plus tard, Jean-Paul Gignac bombera encore le torse en brandissant comme des trophées ses chamailles avec les Ontariens : « Il fallait se faire respecter. Avant que René Lévesque se fâche, on se faisait baver par les gens d'Hydro-Ontario. Je me souviens d'une réunion avec eux où ils avaient la gueule de bois. On avait un vieux contrat qui datait du temps de la Montreal Light, Heat and Power ; on leur vendait l'électricité de la Beauharnois au prix ridiculement bas de 2,7 mills*. Ils ne voulaient pas monter plus haut que 3 mills. On leur a dit : ça va être 4 mills ou rien ! La réunion n'a pas duré 15 minutes. »

Enfin, dernière retombée majeure qui rendra fier René Lévesque : le développement au Québec de la recherche scientifique, par ailleurs concentrée, comme maintenant encore, dans l'Ontario choyée par Ottawa. L'Institut de recherche en électricité du Québec

---

* Unité de mesure qui sert à fixer le prix de vente de l'électricité.

(IREQ), renommé aujourd'hui dans le monde entier pour ses recherches sur le transport de l'énergie à très haute tension, entre autres, n'aurait jamais vu le jour sans les efforts de René Lévesque pour *débarquer* les Ontariens et les Américains de sa planète hydro-électrique.

CHAPITRE XVII

Où sont passés les Oui-Oui ?

Notre réserve est vers le Nord et on n'y est pas.
Le temps est venu de le réintégrer dans la
province française.

RENÉ LÉVESQUE, au retour de Kuujjuaq, août 1961.

B ien avant les autres politiciens québécois et 10 ans avant l'éveil des premières nations, René Lévesque se passionne déjà pour la question autochtone. En juillet 1961, au cours d'un voyage au Nouveau-Québec, pays du froid perpétuel, il découvre le tiers monde esquimau.

Mais peut-être vaudrait-il mieux parler de redécouverte ? En effet, ce monde autochtone dont les Esquimaux★ forment un rameau, René Lévesque l'a vu de près pour la première fois dans la Gaspésie de son enfance. Patrie des Micmacs, la Baie des Chaleurs abritait de misérables réserves indiennes comme celles de Restigouche et de Maria, tout à côté de son New Carlisle natal.

En 1954, grand reporter à Radio-Canada, il avait suivi le duc d'Edimbourg chez les Esquimaux des Territoires du Nord-Ouest et

---

★ Aujourd'hui — la recommandation officielle date de 1993 — on les désigne sous le nom d'Inuits.

de la baie d'Ungava. Conquis par ce peuple intelligent et rieur, René Lévesque avait cependant été gêné par les conditions de vie que lui infligeaient des Blancs bien intentionnés.

Autre chose l'avait frappé : l'absence de francophones sous cette latitude. Pourtant, plus tôt dans le siècle, les Oui-Oui (surnom donné aux Canadiens français par les Esquimaux pour marquer leur condition de serviteurs des Anglais) avaient joué un rôle majeur sur le plan commercial.

Héritage de ses jeunes années au pays des Micmacs ou images incrustées au fond de lui-même depuis ses incursions dans le Grand Nord ? Chose certaine, René Lévesque s'interroge sur le sort réservé aux premières nations. Il éprouve une profonde allergie à l'univers carcéral imposé aux Amérindiens par le « civilisateur » blanc. Le mot anormal vient à sa bouche dès qu'on évoque devant lui le monde clos des réserves, des enclaves, des ghettos.

Le premier à mesurer cela est son conseiller Éric Gourdeau qui se retrouve avec le dossier autochtone sur les bras. Cette question concerne le ministère des Richesses naturelles, car qui dit électricité dit rivières. Qui dit rivières dit territoires. Et dès qu'on touche aux territoires, on se heurte aux droits des premières nations.

L'occasion d'aller fureter de nouveau dans la partie boréale du Québec se présente à René Lévesque lorsqu'une compagnie américaine, la Ragland Québec, ancêtre de la multinationale Asbestos Corporation, trouve de l'amiante à l'extrême pointe septentrionale de l'Ungava, le long du littoral est de la baie d'Hudson. Elle demande à son ministère un permis d'exploitation.

Avant d'autoriser définitivement les Américains à extraire l'amiante des entrailles gelées du Nord québécois, son conseiller, Éric Gourdeau, sensibilisé à la question des droits amérindiens, consulte le légiste de Jean Lesage pour s'assurer qu'ils ne seront pas bafoués : « Maître Pigeon, on nous demande un permis d'exploitation d'amiante dans le Grand Nord. Le problème, c'est que d'après l'acte d'extension des frontières du Québec de 1912, on ne peut pas développer ces territoires avant de s'être fait remettre les droits que les Indiens peuvent avoir. Qu'est-ce que je fais avec ça ?

— Monsieur Gourdeau, l'interrompt le conseiller à la voix haut perchée, vous n'avez pas voulu étudier le droit autrefois quand c'était le temps, n'est-ce pas ?

— Vous avez raison, maître Pigeon, mais aujourd'hui, c'est moi qui donne les permis ! rétorque l'ingénieur sans se laisser démonter par la remarque du savant avocat qui lui dit à demi-mot de ne pas se soucier des aspects juridiques de l'affaire.

— Mais dites-moi, Éric, les Indiens demandent-ils leurs droits ?

— Non, c'est moi qui ai découvert qu'ils en avaient dans l'acte de 1912.

— Ne vous en occupez pas, ça n'a pas d'importance !

— Facile à dire, maître Pigeon, mais l'Ontario a réglé cette question en 1916, quatre ans après la loi de 1912. Ils ont acheté les droits des Indiens. Nous, on n'a rien fait, comment ça se fait ? »

Éric Gourdeau rapporte sa conversation à René Lévesque et termine par une boutade : « Je vais aller leur en parler, moi, de leurs droits… » La réponse plutôt insouciante de maître Pigeon convainc le ministre qu'une petite visite sous le cercle polaire s'impose, ne serait-ce que pour s'assurer que les populations esquimaudes de Povungnituk et d'Ivujuvik, les postes les plus rapprochés du site de la Ragland, ne feront pas les frais du développement de l'entreprise.

Le 28 juillet, au cœur d'un été aux poussées de chaleur tropicales, il s'envole pour les latitudes septentrionales avec Michel Bélanger. Le grand brun à l'éternel costume marine gardera des souvenirs vivaces de cette incursion d'une dizaine de jours pimentée d'émotions fortes. L'avion du ministère vole à moins de 7 000 pieds d'altitude. On discerne très bien la terre et les petites taches noires des maisons de Fort-Chimo, centre administratif fédéral où vivent 500 Esquimaux et une centaine de Blancs ne parlant qu'anglais.

L'un des rares Oui-Oui du lieu, le caporal de la Sûreté du Québec, Jean-Jacques Thibault, qui a pris la relève de la GRC depuis un an seulement, sert de guide à René Lévesque. Il en a arraché avant de gagner la confiance des Esquimaux, comme il le lui avoue.

Habitués à laisser leurs chiens libres sans que la police fédérale ne trouve à y redire, les chasseurs l'avaient pris en grippe depuis le jour où il les avait obligés à attacher leurs féroces molosses qui terrorisaient le village. Le caporal Thibault avait compris qu'au nord, les choses se passaient différemment.

Accompagné de son guide, René Lévesque examine les petites maisons basses des Inuits alignées de chaque côté de la piste séparant l'aéroport du village. Dépourvues d'électricité, d'eau courante et de chauffage central, elles coûtent 800 $ pièce. Des taudis, à côté des maisons moquettées de 50 000 $ dont Ottawa gratifie ses fonctionnaires dans l'espoir de les garder au nord.

La baraque de tôle surmontée d'une humble croix que lui désigne le policier, c'est l'église catholique du père Robert Lechat. Voisine, l'église anglicane est plus haute, impressionnante même avec ses murs de pierre. L'école anglaise est bien proprette et bien construite, grâce aux fonds fédéraux dont une partie vient de la poche des Québécois. À côté, le comptoir de la Hudson Bay's Company, avec son toit rouge flamboyant caractéristique, se voit de loin.

« Mais y a-t-il au moins une classe française, par ici ? » s'enquiert René Lévesque. Non, aucune. Et le drapeau flottant sur l'école est britannique. Le fleurdelisé brille par son absence. Pourtant, est-ce qu'on n'est pas au Québec ?

L'été à Fort-Chimo, la vie devient soudain plus douce. Le désert blanc, ce fameux mirage du nord que les premiers explorateurs croyaient éternel et immuable, a disparu sous un soleil capable de faire monter le mercure jusqu'à 25 °C. Les Esquimaux sautent dans leurs petits kayaks pour chasser le caribou ou pêcher l'omble de l'Arctique. René Lévesque s'émerveille devant les enfants esquimaux qui courent parmi les rochers du littoral comme tous les enfants du monde le feraient. Il joue à quatre pattes avec eux, les laisse monter sur son dos.

Puis on s'envole vers Povungnituk, à 400 kilomètres du fjord Déception. C'est dans ce pays de glaciers, sur le versant sud du détroit d'Hudson, que la Ragland a établi son camp minier. Ses dirigeants expliquent leur projet à René Lévesque tandis que Michel Bélanger, qui le dépasse d'une bonne tête, se fait demander par l'un ou l'autre s'il n'est pas son ange gardien !

Avant de descendre sur Poste-de-la-Baleine, sur la côte est de la baie d'Hudson, le ministre veut faire un détour pour voir les fameuses chutes Hamilton que Terre-Neuve compte exploiter avec l'aide d'Hydro-Québec. Le pilote de l'hélicoptère plonge vers les masses d'eau écumeuses pour permettre à ses passagers d'admirer de près la première merveille du monde labradorien.

Michel Bélanger retient son souffle. Mais le supplice n'est pas terminé. La compagnie fait ensuite monter ses invités dans un vieux

Beaver pour leur faire contempler du haut des airs les serpents majestueux que forme la rivière dans la toundra.

Michel Bélanger croit sa dernière heure venue quand les épinettes rachitiques de la forêt boréale semblent foncer sur lui comme si l'appareil allait s'écraser. Il dira, des années plus tard : « J'ai fait des centaines de voyages en avion dans ma vie mais jamais je n'ai eu la trouille comme cette fois-là. »

À côté de lui, sourire taquin aux lèvres, René Lévesque se délecte de sa frousse. La vraie peur, celle qui vous met du plomb dans l'estomac, il l'a connue à la guerre. Depuis, rien ne semble plus l'effrayer, comme le remarque son collaborateur.

Isolé comme l'Amazonie

Les souvenirs que René Lévesque conservera de son incursion de l'été 1961 dans la steppe arctique sont d'un autre ordre. Il découvre l'immensité du Nord. C'est la moitié du territoire québécois, une étendue de 350 000 milles carrés* comprise entre Baie-Comeau au sud, et le détroit d'Hudson tout en haut, bornée à l'ouest par les côtes de la baie d'Hudson et de la baie James, et par le Labrador à l'est. Environ 3 000 Esquimaux, 700 Blancs et 220 Indiens y sont disséminés dans une douzaine de postes dont les principaux sont Fort-Chimo, Poste-de-la-Baleine (Whapmagoostui), Povungnituk et Saglouc.

C'est loin aussi, le Nord. Fort-Chimo se situe à plus de 1 500 kilomètres de Montréal. Avec l'Amazonie, c'est l'une des régions les plus isolées du globe. Aucune route ni piste ne relient les postes entre eux. Quelques bouts de chemin, par-ci, par-là, qui ne mènent nulle part. Dans trois villages seulement on trouve des véhicules motorisés. Le traîneau à chien est roi. Il y a bien le transport maritime, mais les glaces rendent la navigation impraticable huit mois sur 12. Il reste l'avion. Mais trois villages seulement sont dotés d'un aéroport et d'un service plus ou moins régulier vers Montréal : Fort-Chimo, Poste-de-la-Baleine et Inoucdjouac.

---

* À cette époque, on inclut les 115 000 milles carrés du Labrador cédés à Terre-Neuve par le Conseil privé de Londres, en 1927. Jugement jamais reconnu explicitement par les gouvernements québécois.

René Lévesque réalise aussi que le Nord est un enfer pour tous ses habitants qui y vivent dans un état de pauvreté totale. Les Esquimaux passent leur vie à lutter contre la famine, la tuberculose, le froid et la mort. L'espérance de vie d'un aborigène du Grand Nord ne dépasse pas 21 ans chez la femme et 26 ans chez l'homme, contre 60 ans ailleurs au pays.

L'inaction du gouvernement le scandalise. Depuis que la province a acquis le Nord en 1912, lors de l'extension de sa frontière nordique jusqu'au détroit d'Hudson, elle a laissé toute la place à Ottawa. Qu'un simple caporal de police soit l'unique représentant du gouvernement à Fort-Chimo en dit long.

Avant les années 50-60, le Nord servait de tampon entre la Russie et les États-Unis. L'on se souciait peu alors des richesses enfouies sous les neiges. Son utilité était strictement militaire. En 1942, l'armée américaine s'était installée à Poste-de-la-Baleine, Fort-Chimo et Inoucdjouac. À Fort-Chimo la base militaire, baptisée Crystal L., avait procuré aux Inuits leurs premiers emplois salariés. Ceux-ci découvrirent aussi la chaleur des baraques, les boîtes de conserve et… la gomme à mâcher.

Les Esquimaux ne l'ont jamais oublié, comme le rappela l'un d'entre eux, âgé de « 53 hivers » dans une lettre aux « chefs du Québec » citée par le géographe Michel Brochu, familier du Nouveau-Québec : « Alors que les Esquimaux diminuaient, les Américains sont arrivés. Ils ont sauvé les Esquimaux, alors que les Esquimaux allaient à nouveau être dans la famine, parce qu'il n'y avait pas de renard pendant trois ans, et qu'il n'y avait pas d'argent… »

Les Américains disparus, les Esquimaux de Fort-Chimo furent laissés à eux-mêmes. Déshabitués du trappage et de la chasse, ils restèrent sur place, dans leurs baraques de contreplaqué. Après 1947, face à l'indifférence du gouvernement Duplessis, Ottawa applique au Nouveau-Québec les politiques d'aide sociale qu'il offrait déjà aux Esquimaux des Territoires du Nord-Ouest. Peu à peu, des dispensaires et des écoles remplacent les casernes militaires démolies par les Américains avant leur départ. Et bientôt, une liaison aérienne régulière libère Fort-Chimo de sa prison de glace.

Les aborigènes québécois n'en demeuraient pas moins les plus pauvres et les plus malades de tous les Esquimaux canadiens. À l'approche des années 50, Ottawa décide de déménager les familles d'Inoucdjouac à Resolute Bay, à plus de 2 000 milles au nord du Nouveau-Québec, où le gibier abonde. Il s'agissait ni plus ni moins d'une tentative de colonisation au 75e parallèle, en plein cercle polaire. Un désastre. Loin d'atterrir au paradis giboyeux promis, les Esquimaux québécois se retrouvèrent dans un véritable goulag. De la mi-novembre à la mi-février, il fait nuit à cette hauteur.

Révoltés, ils exigèrent que le gouvernement fédéral les ramène chez eux à ses frais. Ottawa refusa net en prétextant qu'ils avaient fait le voyage de leur plein gré. « C'est faux, soutient aujourd'hui le géographe Benoît Robitaille. Je me trouvais alors à Resolute Bay pour le compte de ministère fédéral des Mines et Relevés techniques. C'était de la colonisation forcée. Il faut dire qu'à l'époque les Esquimaux obéissaient à la police montée comme nous on obéissait aux curés. »

Parallèlement à ses déboires à Resolute Bay, le fédéral intensifia néanmoins sa présence au Nouveau-Québec et créa en 1953 le ministère des Affaires du Nord et des ressources nationales dont le premier titulaire fut Jean Lesage.

Our flag is the Union Jack

En 1961, René Lévesque se désole de l'absence québécoise. Au nord, l'hégémonie fédérale est absolue. L'anglais est partout et partout flotte l'*Union Jack* britannique. Rien ne lui laisse croire qu'il se trouve en territoire québécois. Mais où sont donc les Oui-Oui ? Il n'en voit aucun dans les dispensaires où infirmiers et infirmières sont de langue anglaise, ni dans les écoles où l'enseignement se fait uniquement en anglais même pour les enfants des quelques familles francophones de Fort-Chimo. Il n'en recense aucun non plus parmi les administrateurs fédéraux qui gèrent les allocations sociales destinées aux Esquimaux.

Les deux missionnaires oblats de Fort-Chimo, les pères Robert Lechat et Lucien Schneider, lui résument cette situation troublante : « Le Québec a laissé s'implanter les Anglais à un point tel que les Canadiens français sont devenus des intrus et des étrangers. Si Québec veut prendre sa place, il doit faire vite. Dans quelques années, il sera trop tard… »

Ce n'est pas la bonne volonté du fédéral qui est en cause. En

1961-1962, Ottawa dépense pas moins de 1 750 000 $ au Nouveau-Québec. Aux yeux de l'éditorialiste du *Devoir*, Paul Sauriol, qui commente le voyage du ministre québécois, ce qui est en cause, c'est sa politique systématique d'anglicisation et de déracinement culturel. À l'école de Fort-Chimo, ni le français ni l'inuktitut n'ont droit de cité.

Pourtant, avant les années 50, les missionnaires oblats arrivaient à maintenir dans le Nord une présence française. Parlant l'esquimau couramment, ils étaient à la fois enseignants, administrateurs et infirmiers. La langue d'enseignement à l'école de la mission de Fort-Chimo ou de Saglouc était l'inuktitut. Et on transmettait aussi quelques rudiments de français.

En 1957, le ministère canadien des Affaires du Nord dépêcha des instituteurs laïques pour assurer l'éducation des enfants dans six écoles anglaises qui surgirent alors au Nouveau-Québec dans l'indifférence absolue du gouvernement Duplessis, pour qui les Inuits étaient des Indiens comme les autres et tombaient donc sous la juridiction fédérale.

« Sur le sol de la province de Québec, note l'écrivaine Alice Poznanska-Parizeau, femme de Jacques, qui a fait le même périple que René Lévesque, on atrophie sciemment un peuple qui, pour son malheur, a fait confiance aux hommes du Sud. À l'école de Fort-Chimo, on n'apprend que l'anglais dans les manuels importés du Sud [de Toronto]. Le but : fabriquer des Canadiens. Le raisonnement : si on donne des cours en esquimau, il faudra en faire autant pour les autres minorités nationales canadiennes. »

La presse met la main sur un manuel scolaire. Titré *Canada, our Country*, il est publié à Toronto. Sur la pochette, une jeune femme blanche et ses deux bambins tout aussi blancs se tiennent devant le drapeau britannique largement déployé avec la mention « *Our flag is the Union Jack* ».

Le géographe Michel Brochu, que vient d'embaucher René Lévesque, a séjourné dans les postes du détroit d'Hudson à l'automne 1960. Un fonctionnaire fédéral lui a avoué candidement : « Le système d'enseignement que nous implantons conduira inévitablement à l'extinction de la langue esquimaude d'ici une cinquantaine d'années. »

Consterné par cette volonté d'assimilation, René Lévesque note aussi que les aborigènes se méfient de tout ce qui a un petit air français et catholique. Il parle français, donc il n'est qu'un « petit patron pauvre » sans pouvoir, qu'un Oui-Oui. Et dans leur bouche, cette épithète n'a rien de flatteur.

Il y a au nord un triangle centenaire impossible à briser pour les Français catholiques. Il est formé de l'Église anglicane, de la Compagnie de la Baie d'Hudson et d'Ottawa. Malgré des années d'évangélisation dans les cinq ou six postes les plus importants, les pères oblats ont fait très peu de conversions.

L'instinct de conservation de l'Inuit lui prescrit d'aller à l'église du « grand patron riche » qui lui procure sa pitance quotidienne. Pourquoi confierait-il le salut de son âme au petit patron pauvre qui ne fait rien pour lui depuis le départ des Oui-Oui de la compagnie française Révillon Frères en 1936 ?

L'épisode Révillon Frères a rendu les Esquimaux carrément francophobes. En 1912, cette société française avait ouvert, depuis Wakeham Bay, des comptoirs et des postes de traite pour briser le monopole de la Compagnie de la Baie d'Hudson. Premiers bénéficiaires de cette rivalité commerciale, les Inuits adoptèrent les Français qui leur avançaient plus facilement des pièges et de la nourriture que les Anglais, en plus d'acheter leurs fourrures à meilleur prix.

Hélas ! la crise des années 30 provoqua la chute du cours des fourrures. Au bord de la faillite, Révillon Frères ferma ses comptoirs canadiens. Pour les Esquimaux, ce fut comme une trahison. À partir de ce jour, ils englobèrent dans leur amertume tout ce qui sonnait Oui-Oui.

Le géographe Benoît Robitaille, l'un des premiers fonctionnaires de l'équipe du Nord formée par René Lévesque, se souvient encore : « On avait beau leur dire que Révillon Frères était une compagnie de France, et non du Québec, ça ne changeait rien. Ils ne lui avaient jamais pardonné d'être partie. »

Pendant son séjour, René Lévesque apprend que la rumeur circule qu'il serait un descendant des fondateurs de Révillon Frères ! Qui peut avoir intérêt à faire courir pareil bobard ? La manœuvre vise à le discréditer. Il quitte le Nouveau-Québec décidé à réparer les dégâts de l'insouciance canadienne-française. Aussitôt entré à Québec, il déclenche l'opération reconquête.

Rapatrier le Nord

C'est un cri d'alarme qu'il lance à la presse : « Le Nouveau-Québec, au nord de Schefferville, est inconnu des Canadiens français. C'est inouï de voir à quel point nous sommes absents de ces territoires qui sont notre propriété. Et pendant notre absence, Ottawa s'est installé avec ses écoles, ses hôpitaux et ses bureaux. Il va falloir monter vers le Nord pour prendre la place qui nous revient. »

Mais d'offensive fédérale, il n'y aurait point si les gouvernements québécois avaient pris leurs responsabilités envers la population esquimaude. Pour René Lévesque, seul compte l'avenir. Québec doit occuper le terrain au plus vite et réparer sa négligence. Mais avant de fixer sa ligne de conduite, il dit à Éric Gourdeau : « Il n'y a personne du Québec dans ce bout-là ! Tout ce que j'ai rencontré, ce sont des missionnaires et des employés du fédéral. Pouvez-vous étudier tout ça ? Pouvez-vous me dire pourquoi c'est Ottawa qui est là et pas nous ? »

La question que René Lévesque veut tirer au clair est celle-ci : qui a juridiction sur les Esquimaux du Nord québécois ? Les petites lâchetés que débusque son conseiller sont de nature à montrer qu'Ottawa n'a pas les mains beaucoup plus blanches que Québec dans cette histoire. Appelé à la rescousse, l'avocat Taschereau Fortier, capable de lire entre les lignes de tout traité et de tout document relatif aux Indiens ou aux Esquimaux, trouve que le tableau n'est ni joli ni à l'honneur des Blancs.

La vérité : personne ne veut de ces Esquimaux. Ottawa et Québec se chicanent depuis 30 ans et se renvoient la balle. Tout a commencé en 1933 à Inoucdjouac (alors Port Harrison), sur le littoral est de la baie d'Hudson, lorsqu'un agent de la GRC a emmené dans un hôpital du Sud un groupe d'Esquimaux atteints de tuberculose. Le fédéral a adressé la note à Québec qui a refusé de payer. « Ce sont vos citoyens, plaidait Ottawa.

— Non, ce sont les vôtres, objectait Québec. Les Esquimaux sont des Indiens comme les autres. Et les Indiens relèvent du fédéral. C'est ce que dit la constitution de 1867.

— Vous faites erreur, argumentait encore Ottawa, les Esquimaux ne sont pas des Indiens. »

En 1936, Maurice Duplessis acceptait de payer « pour cette

fois », mais à la condition que la Cour suprême tranche le différend. Ce qu'elle fera en 1939 en faveur du Québec : les Esquimaux étaient bel et bien des Indiens au sens de la constitution. Ottawa devait donc voir à leur bien-être.

Mais le fédéral ne se comptait pas pour battu. Pour lui, les Esquimaux n'étaient ni indiens, ni blancs, mais formaient un peuple à part dont Québec devait prendre soin comme il le faisait pour tous ses autres citoyens. Ottawa a donc porté sa cause devant le Conseil privé de Londres. Mais les V2 allemands tombaient alors sur la tête des lords britanniques (comme sur celle du jeune correspondant de guerre René Lévesque posté à Londres), et la querelle ne sera jamais soumise au Conseil privé.

Après la guerre, Ottawa abandonne la pratique coloniale de se faire dicter sa conduite par un tribunal de Londres. Il ne lui reste plus qu'un seul moyen pour se débarrasser des Esquimaux : amender la loi des Indiens pour les en exclure. Ce qui sera fait en 1951. Geste radical qui ne changera cependant rien à la réalité, Ottawa se voyant contraint, après le départ des Américains, de maintenir sa présence en attendant le jour où Maurice Duplessis remplirait ses obligations.

Aujourd'hui, René Lévesque est prêt à administrer son territoire nordique. Mais les choses ne sont plus aussi simples. Le ton des rapports entre les deux gouvernements devient nettement querelleur. Le ministère fédéral des Affaires du Nord voudra-t-il se retirer en douceur sans faire de chichi ? René Lévesque consulte Taschereau Fortier, qui lui assure que les fédéraux « seraient heureux » de transférer leurs responsabilités à la province.

En octobre 1961, René Lévesque tâte le terrain auprès du ministre des Affaires du Nord, Walter Dinsdale, et de son sous-ministre associé, John Gordon. Les deux hommes ne se mouillent pas. Cette question, disent-ils, devrait être discutée *« at the top level »*, c'est-à-dire entre Jean Lesage et John Diefenbaker, premier ministre canadien.

René Lévesque n'attend pas le sommet pour foncer. Il ouvre une classe française à Fort-Chimo. Quatre élèves francophones et un esquimau. Dorénavant, dans le Nord, le fleurdelisé rivalise avec l'*Union Jack*.

CHAPITRE XVIII

Parlez-vous esquimau ?

Je veux que d'ici dix ans, ce ne soient plus les
Blancs qui fassent la classe et dirigent mais les
Esquimaux.

RENÉ LÉVESQUE, Poste-de-la-Baleine, janvier 1964.

Aussitôt que René Lévesque et les gens d'Ottawa tentent de dialoguer, les choses tournent au vinaigre. Le rapatriement du Nouveau-Québec ne fera pas exception. Mais l'opinion publique pousse le ministre à bouger rapidement.

Plus facile à dire qu'à faire. Les *Northern Affairs,* comme il dit parfois avec une pointe de malice, ne vont pas lui céder le terrain sans guérilla. Quand Ottawa a mis le pied quelque part, il est bien difficile de l'en déloger même s'il marche sur la constitution.

Le conflit sur la toponymie du Nouveau-Québec, qui oppose son collègue des Terres et Forêts, Bona Arsenault, à la bureaucratie fédérale, lui sert d'avertissement. Le 15 février 1961, « Bona », dont le ministère englobe la cartographie de la province, triomphe : « Plus d'une centaine de nouveaux noms de langue française viennent d'être donnés à des accidents géographiques du Nouveau-Québec. »

C'est Michel Brochu qui a modelé le nouveau visage français. Se réclamant de la grandeur française, le géographe a rebaptisé les caps Wolstenholme, Weggs et Hopes Advance en caps Iberville, Nouvelle-

France et Dollard-des-Ormeaux. Great Whale est devenu Grande-Baleine et Port Harrison, Port-La-Pérouse ; Wakenham Bay, Sainte-Anne-de-Maricourt ; Eastmain, Havre-Sainte-Anne ; Douglas Harbor, Fjord de Troyes. Et tutti quanti...

La montée de bile des cartographes fédéraux ne tarde pas. Pourtant, Bona Arsenault est dans son droit car la toponymie relève de la province. Et puis, il y avait trop de Mr. Smith et de Mr. Jones sur la banquise québécoise ! Ces deux navigateurs avaient à leur crédit un grand et un petit cap, des montagnes et des montagnettes, des buttes et des mamelons. En plus d'être honorés chacun une douzaine de fois au moins dans l'Arctique canadien et les Territoires du Nord-Ouest. Le marin Smith avait même niché toute sa famille sur la carte du Nord québécois où on trouvait la pointe Agnes-Smith, le cap Margaret-Smith, le cap Alice-Smith, sans compter le cap Donald-Smith.

Ottawa contre-attaque en tapinois au moment même où René Lévesque peaufine son plan d'« occupation » du Nouveau-Québec. Pour justifier le rétablissement des Smith et des Jones, les mandarins fédéraux invoquent l'acte de 1912 en vertu duquel la juridiction du Québec s'arrête à la limite des eaux. Tous les entrants et saillants des côtes — baie, fjord, cap, anse — échappent à Québec qui ne peut en modifier les noms sans l'accord fédéral.

Les lobbyistes viennent à bout du ministre Bona Arsenault qui « cède aux pressions d'Ottawa », titre la presse. Une bonne douzaine d'accidents géographiques, les plus importants en fait, retrouvent leur toponyme anglais. La réaction du géographe Brochu est incendiaire : « Québec n'a pas à s'excuser de franciser son territoire, ni à marchander avec des organismes fédéraux qui saccagent délibérément sur leurs cartes la toponymie française des rives du Saint-Laurent et du reste du Québec. »

Curieusement, la controverse ne semble pas toucher René Lévesque. C'est qu'il trouve ça fou, comme il le dit à Éric Gourdeau et à Michel Bélanger, cette francisation tous azimuts d'un territoire dont les habitants ne connaissent que l'inuktitut ou l'anglais. Si au moins l'ardent puriste avait choisi des toponymes esquimaux !

Ses conseillers le persuadent toutefois de retourner très vite sur les rives de la baie et du détroit d'Hudson pour y planter les couleurs du Québec. Les chefs de villages aimeraient bien serrer la pince du nouveau grand chef Oui-Oui, dont ils ont entendu parler comme tout le monde. Mais la tournée ministérielle, prévue pour le 10 septembre 1962, tombe à l'eau à cause de la nationalisation.

Éric Gourdeau fait le voyage seul pour préparer l'arrivée de l'équipe du Nord, premier bataillon d'envoyés officiels du gouvernement québécois à sa borne septentrionale. À Fort-Chimo, il réunit les missionnaires anglicans et les fonctionnaires fédéraux pour leur remettre l'étude que lui a commandée René Lévesque six mois plus tôt.

Sa conclusion ne fait pas leur bonheur. Et pour cause ! Elle prévoit l'envoi d'agents provinciaux qui assumeront peu à peu l'ensemble des responsabilités du territoire au nom du gouvernement de Québec. Éric Gourdeau ne se fait pas d'illusions. Les Oui-Oui auront du mal à se faire aimer des Esquimaux. Habitués à la manne des fédéraux, ils résisteront sûrement à leur éviction.

L'envoyé de René Lévesque croit détenir un atout qu'Ottawa a négligé de jouer : tout fonctionnaire en poste au Nouveau-Québec devra parler l'inuktitut. « Les Esquimaux vous voient arriver avec suspicion, lui ont expliqué les oblats Lechat et Schneider. Ils ont été trahis par des Français, et encore une fois, ce sont des Français qui arrivent. Si vos gens pouvaient parler leur langue, ça serait plus facile de rétablir la confiance. »

Dès son retour à Québec, Éric Gourdeau persuade René Lévesque d'établir à Fort-Chimo une classe d'inuktitut sous la direction du père Schneider. Tout futur agent étudiera la langue pendant un an, après quoi il effectuera un stage pratique de trois mois dans de petits postes pour se familiariser avec la culture esquimaude.

C'est pas vivable, le Nord

René Lévesque poursuit deux objectifs fondamentaux. Expédier au Nouveau-Québec une quarantaine de fonctionnaires qui se substitueront graduellement aux fédéraux. Et en finir avec les réserves et les enclaves, fussent-elles de glace, créées par Ottawa. Il n'y a pas 36 manières d'y arriver : il faut intégrer la population esquimaude à la vie des Québécois.

Pour utiliser une expression qui revient souvent dans sa bouche, il veut que les Esquimaux deviennent des « Québécois normaux ».

Qu'ils se prennent en main et ne soient plus les « éternelles épaves » des services paternalistes dispensés par les Blancs. Avec le temps, ses idées sur la question amérindienne se sont faites plus précises. Grâce entre autres aux écrits de l'anthropologue bien connue Margaret Mead qui a étudié l'intégration de l'individu dans les sociétés primitives des îles Samoa et à ceux du surintendant américain des affaires indiennes, John Collier.

L'« esquimaulogue » Gourdeau doute que Jean Lesage voudra suivre René Lévesque jusqu'au bout. Quand il a déposé au Conseil des ministres les conclusions de son étude sur le rapatriement du Nouveau-Québec, le premier ministre s'est moqué de lui : « Éric, vous dites dans votre rapport qu'il faut organiser des écoles et toutes sortes de nouvelles structures pour nos Esquimaux. Mais Éric, c'est pas vivable, le Nord ! J'y suis allé quand j'en étais responsable à Ottawa. On gèle 365 jours par année !

— J'ai fait enquête là-bas, monsieur Lesage, et je vous dis que les Esquimaux tiennent à y vivre. Je l'explique d'ailleurs dans mon rapport…

— Pouvez-vous me garantir que pendant les 20 prochaines années, ils ne voudront pas déménager au Sud ?

— Je leur ai posé la question, et tous m'ont juré qu'ils ne veulent pas venir au Sud, monsieur Lesage. »

C'est le fond de la question. René Lévesque est convaincu que la politique fédérale ne vise qu'un but — inavouable : préparer les Esquimaux à migrer vers le Sud en les anglicisant. Politique partagée du reste par Paul Auger, son sous-ministre, qui ne se gêne pas pour dire : « Ça nous coûterait moins cher de les faire vivre au Château Frontenac. Ils ne sont que 2 300 après tout ! »

Mais tel est Jean Lesage qu'au Conseil des ministres suivant, il retourne sa veste. Il dit à René Lévesque : « Si on fait quelque chose pour nos Esquimaux, il nous faut tous les pouvoirs sans quoi on passera notre temps à chiquer la guenille avec Ottawa… »

René Lévesque approuve — son chef le surprendra toujours. À Sept-Îles, en pleine campagne de nationalisation, il avait trucidé Ottawa : « L'infiltration du fédéral est telle que nous nous sentons étrangers chez nous. À Fort-Chimo, le fédéral procède comme s'il était chez lui ! »

Le 12 décembre 1962, René Lévesque écrit une longue lettre à

Jean Lesage pour lui mâcher le dossier et lui souligner qu'il faut éviter que le transfert de juridiction ne se fasse sur le dos des Esquimaux : « Pour qu'ils participent à part entière à la culture québécoise, il faut que nous comprenions leurs aspirations réelles, que nous les aidions à s'aider eux-mêmes au plan économique et à adhérer à la culture québécoise via la langue française. »

René Lévesque assure son chef que les fédéraux sont prêts à discuter. C'est plutôt la période glaciaire qui s'amorce. L'avant-veille de Noël, Jean Lesage avise John Diefenbaker que Québec créera une nouvelle division pour administrer le Nouveau-Québec.

Le brouillon de la lettre, rédigé par René Lévesque, était plutôt raide. Il faisait dire à son chef : « Il apparaît maintenant au gouvernement que je dirige que l'administration fédérale ne sera plus nécessaire et pourrait même devenir inopportune si elle persistait à cause des conflits que ne manquerait pas de créer une double administration… »

Jean Lesage y avait substitué une phrase plus onctueuse : « C'est le gouvernement du Canada qui, depuis nombre d'années, s'occupe des Esquimaux mais le gouvernement que je dirige estime qu'il devrait prendre cette responsabilité… »

Depuis son entrée dans la fédération canadienne, en 1949, Terre-Neuve a autorité sur les 800 Esquimaux de la côte du Labrador. Ce serait gênant de refuser l'équivalent au Québec. Jean Lesage suggère aussi la mise sur pied d'un comité conjoint pour négocier la passation des pouvoirs. La réponse n'arrive que trois mois plus tard, en mars 1963, en pleine campagne électorale fédérale. « Monsieur Diefenbaker sera très occupé au cours des prochaines semaines », explique Walter Dinsdale, ministre responsable du Nord canadien, en ne soufflant mot du comité conjoint suggéré par Jean Lesage.

C'est une fin de non-recevoir qui camoufle la résistance des *Northern Affairs* à l'idée de laisser la voie libre à René Lévesque, perçu à Ottawa comme un séparatiste camouflé qui ne vise qu'à se servir des Esquimaux aux fins de sa politique.

Peut-être faudrait-il aussi parler de la méfiance tenace du Canada anglais envers un Québec français et catholique jugé peu fiable dès qu'il s'agit du respect des droits des minorités ? Comme si la négligence du gouvernement Duplessis, il y a 25 ans, rendait aujourd'hui le gouvernement Lesage indigne d'exercer sa juridiction sur ses propres citoyens.

Et d'ailleurs, Québec la possède-t-il seulement, cette juridiction ? C'est à voir, comme en témoignent les sous-entendus qui affleurent soudain dans le discours des fonctionnaires fédéraux. René Lévesque et ses conseillers comprennent que pour Ottawa, la décision de 1939 de la Cour suprême, qui a défini les Esquimaux comme des Indiens, a annulé la juridiction du Québec. Il y en a toujours un pour brandir ce jugement comme une épée de Damoclès.

Prétention qui résiste mal à l'analyse selon Me Taschereau Fortier, qui est formel : le fédéral n'a jamais légiféré à propos des Esquimaux du Québec et aucun budget spécifique ne leur a jamais été alloué, les sommes dépensées provenant du budget d'autres ministères. Son unique juridiction est de nature morale. Si Ottawa prend soin des Esquimaux québécois, c'est parce que Québec a refusé de le faire, et non parce qu'il en a l'obligation légale.

En avril 1963, les libéraux de Lester B. Pearson s'emparent du pouvoir. L'avènement à Ottawa d'un parti frère est de bon augure pour René Lévesque. Il touche du bois — « *Touch wood* », disait-il, adolescent. Jean Lesage signale au nouveau premier ministre que quatre mois ont passé depuis sa lettre à John Diefenbaker. Il attend toujours une réponse au sujet de son idée d'un comité conjoint. Il l'obtient, sa réponse. « Le transfert de l'administration des affaires esquimaudes soulève plusieurs problèmes complexes… », objecte son alter ego fédéral.

Ottawa demande du temps. Idée que ne récuse pas René Lévesque qui parle toujours d'un transfert graduel. Mais encore faut-il qu'on en accepte le principe et que la négociation démarre vraiment. Lester B. Pearson finit tout de même par entériner la création d'un comité fédéral-provincial et y délègue deux ministres : Arthur Laing, successeur de Walter Dinsdale aux Affaires du Nord, et Guy Favreau, l'influent titulaire de l'Immigration qui agit aussi comme surintendant des affaires indiennes. Côté québécois, René Lévesque sera flanqué de la ministre sans portefeuille Claire Kirkland-Casgrain, première femme à faire partie du Saint des Saints dans l'histoire du Québec.

Le même mois, Arthur Laing et René Lévesque se font face. Le courant ne passe pas. Originaire de la Colombie-Britannique, le nouveau patron des Affaires indiennes est du type centralisateur et n'en connaît pas plus sur le Québec que René Lévesque sur la province du Pacifique. Leur dialogue risque de se heurter au mur des deux solitudes.

À leur premier rendez-vous pourtant, la bonne volonté réciproque est évidente. Ils tombent même d'accord sur le transfert graduel d'autorité, « techniquement possible » d'ici l'été 1964. Serait-ce le dégel ? Pas vraiment, car il y a un si, celui d'Arthur Laing. Et il est de taille : l'affaire ne se réalisera que si Ottawa décide qu'elle doit se réaliser. C'est-à-dire lorsque René Lévesque aura prouvé que le transfert est dans « l'intérêt des indigènes », comme le précise à la presse l'allié francophone d'Arthur Laing, le ministre Guy Favreau.

Le député de Laurier voit bien que les fédéraux ne sont nullement décidés à quitter le Nouveau-Québec. Sûr de ses droits et convaincu qu'Ottawa lâchera prise tôt ou tard, car Québec a pour lui la loi, la bonne foi et le précédent de Terre-Neuve, il se prépare à foncer. Narquois, ses conseillers lui soulignent que si Joey Smallwood peut voir à « l'intérêt des indigènes », comme dit Ottawa, pourquoi pas Jean Lesage ?

Tandis qu'il poursuit son frustrant dialogue avec Arthur Laing, René Lévesque évite tout de même de se montrer trop mauvais coucheur. « Je n'ai rencontré aucune hostilité de la part du fédéral, dit-il au cours d'un point de presse sur les négociations. Il ne s'agit pas d'une question de politique partisane, ni d'un ballon politique dont les Esquimaux seraient les premiers à souffrir… »

L'équipe du Nord arrive

Le pacifisme officiel de René Lévesque ne l'empêche pas de pousser ses traîneaux dans les champs de glace du Nouveau-Québec. Il expédie à Fort-Chimo la première équipe qui s'initiera à la langue et à la vie esquimaudes pour bien « sentir » le Nord. Ils sont une dizaine de valeureux pionniers : les Aubin, mari et femme, l'ingénieur Brassard, les instituteurs Christiane et Serge Pageau, le technicien radio Gagnon qui a déjà travaillé du côté de Povungnituk, etc.

Deux géographes font également partie du premier noyau d'envoyés québécois. L'incontournable Michel Brochu, supermotivé comme toujours, et l'ex-fonctionnaire fédéral Benoît Robitaille. Au temps où il travaillait pour Ottawa, rentrant un jour des Territoires du Nord-Ouest à bord du brise-glace C. D. Howe, ce dernier avait fait escale à Fort-Chimo. Troublé de constater que seul l'anglais y avait cours, il avait dénoncé cette situation anormale au cours d'une conférence de presse. Devenu plus ou moins *persona non grata* au fédéral, ce docteur en géographie diplômé de l'Université de Strasbourg s'était retrouvé à l'Université Laval où René Lévesque l'a repêché. Il deviendra l'adjoint d'Éric Gourdeau.

À l'hiver 1963, les premiers envoyés découvrent donc Fort-Chimo, village aux nombreuses cabanes, sur la rive gauche de la rivière Koksoak. Installé au bord de la baie d'Ungava, l'aéroport tout blanc possède deux pistes d'atterrissage où se posent chaque semaine les avions de Nordair. Faute de véhicules, les Oui-Oui doivent transporter leurs bagages à pied jusqu'à leurs baraquements, poursuivis par l'inévitable meute de chiens esquimaux. Un accueil plutôt aboyant !

En chemin, ils observent ce gros village typique de l'extrême-nord québécois où autochtones et Blancs vivent dans l'inégalité parfaite. Une seule famille indigène, celle de Charlie Watts, mécanicien de métier et futur sénateur, habite une maison de Blanc bien chauffée.

Il n'y a pas de médecin résident. Pourtant, il en faudrait un d'urgence tellement les conditions hygiéniques paraissent abominables. Les cabanes mal fichues des Inuits, dont certaines n'ont pour toit qu'une simple toile de tente, ne sont guère plus salubres que l'iglou traditionnel.

Les braves de l'équipe du Nord se rendent tous les jours à l'école de la mission catholique où le père Schneider, auteur d'une grammaire et d'un dictionnaire esquimaux, essaie de leur inculquer des rudiments d'inuktitut. Assez en tout cas pour qu'ils puissent communiquer avec les Esquimaux. Si l'expérience est concluante, ce sera une grande première dans le Nord canadien.

Comme prévu, les premiers contacts sont ardus. C'est la guerre franco-anglaise qui se poursuit au 66e parallèle. Dans le contexte politique survolté de l'époque, l'analogie n'est pas trop forte. Alice Poznanska-Parizeau a noté à ce sujet dans son reportage : « Inquiétude : les fonctionnaires canadiens-français arrivent. Le journal local *Northern Star* publia quelques pointes vagues à l'intention de l'élément français. Le reste ne fut que silence et animosité latente... »

Mais la provocation existe aussi de l'autre côté. Un peu avant l'arrivée de l'équipe du Nord, Jean Lasalle, un jeune professeur de français de 21 ans, débarque à l'aéroport de Fort-Chimo. Au premier fonctionnaire fédéral rencontré, il lance, cinglant : « Vous autres, les Anglais, vous allez sortir d'ici une semaine ! »

Sa sortie met le feu aux poudres. L'éditrice du *Northern Star*, l'épouse du pasteur anglican Jimmy Clark, une femme reconnue pour sa francophobie, monte l'affaire en épingle dans le journal.

« Cette histoire nous a fait du tort auprès des fédéraux qui ne voyaient déjà pas notre arrivée avec plaisir, se souvient Benoît Robitaille. Ils avaient peur de perdre leur emploi. Ils nous avaient à l'œil et rédigeaient de temps à autre des articles féroces sur nous dans le *Northern Star.* »

Heureusement, les fonctionnaires québécois trouvent un allié influent dans la personne du père Robert Lechat, Français originaire d'Angers que vénèrent les Esquimaux. Avec sa connivence, et à l'invitation de René Lévesque, ils font monter un groupe d'Esquimaux dans l'avion du ministère des Richesses naturelles. Quelques heures plus tard, les hôtes du ministre en descendent, un peu perdus, au beau milieu du carnaval de Québec. Histoire de leur montrer la capitale, bien sûr, mais aussi de leur faire constater qu'après tout, le « petit patron » n'est peut-être pas aussi pauvre ni aussi servile qu'on le leur a dit.

Lors de son passage à Fort-Chimo, l'écrivaine Alice Poznanska-Parizeau avait déniché les pionniers de l'équipe du Nord sur une colline dominant le village. Ils vivaient dans des baraquements sommaires dont les portes fermaient mal. Les lavabos coulaient et le chauffage cessait parfois de fonctionner en pleine nuit, à 50 degrés sous zéro !

Pareil dénuement avait piqué sa curiosité : « Ça ne doit pas être très drôle de vivre ici ?

— C'est pas un château, notre baraque, mais on n'en souffre pas, l'avait assuré Benoît Robitaille. Et on mange beaucoup mieux que les fédéraux… »

Comme pour le prendre au mot, le cuisinier du groupe, jeune chef nouvellement arrivé, avait offert à tous du bon café fort et des petits pains chauds.

« Mais quelle sorte d'avenir vous attend ? avait insisté la journaliste à l'accent slave. Le gouvernement fédéral est partout…

— René Lévesque est là pour y voir ! avaient répondu en chœur les membres de l'équipe du Nord, comme pour écarter l'objection.

— Ottawa fait déjà tout ce qu'il peut pour les Esquimaux, qu'est-ce que vous pouvez faire de plus ? »

Inspirée de la philosophie de René Lévesque, la réponse avait enfin fusé : « Le fédéral dépense des sommes énormes pour empêcher les Esquimaux de crever de faim. Nous, on va investir pour leur permettre enfin de gagner leur vie comme des Québécois normaux. »

Un véritable gouvernement régional

Le 8 avril 1963, René Lévesque avance un autre pion. Il fait adopter un décret qui institue la Direction générale du Nouveau-Québec. C'est l'embryon d'une véritable autorité régionale qui gérera sur place l'action gouvernementale concernant les écoles, les hôpitaux, l'assistance sociale, les coopératives et les affaires municipales*.

Le ministre confie la nouvelle direction à Éric Gourdeau. Qui devra poursuivre trois objectifs de fond : respect absolu de la langue et de la culture esquimaudes, mise en valeur des richesses naturelles et association à part entière des Inuits et des Indiens cris au développement du territoire. Sur ce dernier point, René Lévesque n'entend pas farfouiner : les Esquimaux se plaignent trop des pères Noël fédéraux qui font la tournée des villages en promettant mer et monde et qui, trois ans après leur passage, n'ont toujours pas accompli leurs miracles.

Malgré les airs de grand-duc qu'il se donne pour en imposer aux autres, le nouveau patron de la Direction générale du Nouveau-Québec devra se montrer raisonnable. Son budget pour 63-64 ne dépasse pas 250 000 $. Une bonne partie passera au recrutement de la deuxième génération de fonctionnaires. Quelle somme restera-t-il pour financer tous les « engagements » qu'il veut prendre au nom de René Lévesque ? Éric Gourdeau s'est fait une bonne idée des

---

* Le transfert définitif de toutes les activités fédérales ne sera accompli qu'une douzaine d'années plus tard par la convention de la Baie James signée en 1975.

besoins prioritaires de ces Québécois du Nord à l'occasion d'une récente tournée des postes esquimaux.

Il s'était arrêté dans le hameau d'Ivujivik. C'était le début d'octobre et une monstrueuse tempête de neige avait forcé le Canso du gouvernement à se poser sur une mer déchaînée. À la vue des habitations délabrées du village — des assemblages de pierres et de tôle ou de bois provenant d'épaves de navires —, il avait dit au fonctionnaire qui l'accompagnait : « Ça crève les yeux, il leur faut d'abord des maisons. »

Évitant de se comporter en Blanc paternaliste, Éric Gourdeau s'était bien gardé d'annoncer la décision qu'il venait de prendre aux villageois. Il leur avait demandé plutôt d'identifier les trois principaux besoins qu'ils aimeraient satisfaire en collaboration avec le gouvernement du Québec.

« Pour chasser le phoque ou aller à la pêche, on a besoin de nos hors-bord, avait commencé l'un des chefs. La première chose que nous voulons, c'est de payer l'essence 50 ¢ le gallon au lieu de 1,10 $. On n'est pas capable de vivre parce que l'essence est trop chère.

— Nous pouvons régler ce problème, l'avait assuré Éric Gourdeau. Quel est votre deuxième besoin ?

— Au mois de juin, il fait chaud, avait dit un chasseur. Ce n'est pas le bon temps pour la chasse parce que les peaux ne sont pas bonnes. On pêche donc beaucoup et on fait sécher le poisson au soleil. Mais on ne peut pas toujours tout faire sécher au soleil. Si on avait un congélateur communautaire, on pourrait conserver le poisson pour l'hiver.

— Nous pouvons résoudre ce problème très rapidement, avait promis encore Éric Gourdeau. Et quel est votre troisième besoin ?

— On n'a pas de troisième besoin », avait conclu celui qui avait parlé le premier.

Ce n'était pas une priorité pour eux d'avoir de meilleures maisons. Ce qui comptait d'abord, c'était d'arriver à vivre en chassant et en pêchant comme le voulait leur mode de vie traditionnel. Mais plus tard, quand ils comprendront qu'ils peuvent en plus avoir des maisons comme celles des Blancs, ils en demanderont.

CHAPITRE XIX

Génocide au septentrion

*Je ne sache pas qu'Ottawa ait consulté
longuement nos Esquimaux avant de leur
imposer l'anglais.*

RENÉ LÉVESQUE, septembre 1963.

Un chaud dimanche matin de juillet 1963, René Lévesque prend l'avion du ministère avec Éric Gourdeau et Benoît Robitaille, nouvellement promu conseiller adjoint. Direction obligée : Fort-Chimo, où le « petit patron » va expliquer aux chefs esquimaux à quoi servira la nouvelle Direction générale du Nouveau-Québec.

Son plus grand défi sera de leur faire admettre la nécessité du transfert d'autorité auquel s'opposent farouchement certains d'entre eux comme Paulassie Napartuk et Daniel Angatukaluk, chefs du conseil de Poste-de-la-Baleine. Il est tôt et René Lévesque se montre irascible. La journée sera longue.

Quelques heures plus tard, à Fort-Chimo, l'air qui lui chatouille le nez à sa descente d'avion est aussi bon qu'à Montréal. L'été, les Inuits troquent leur tenue grand froid contre la chemise blanche des gens du Sud qu'ils portent sans cravate sur un pantalon de toile foncé. Les plus âgés ont passé un costume comme l'a fait le petit chef blanc, qu'ils accueillent aujourd'hui dans leur royaume. Les uns sont curieux, les autres, méfiants.

Benoît Robitaille l'observe tandis qu'il fait son numéro. Comme autrefois à la télévision, il pérore, fume à se brûler les poumons, jongle avec sa craie avant d'inscrire au tableau noir des noms ou des chiffres que l'interprète terre-neuvien Jimmy Ford traduit scrupuleusement. La dernière chose que René Lévesque voudrait faire, ce serait d'insulter ses auditeurs en faisant état des sommes imposantes qu'ils touchent au chapitre de l'aide sociale.

Mais comme il ne comprend pas leur mentalité, qu'il parle et pense en Blanc, son message heurte tout de même leur sensibilité. Dans la salle, le jeune Yaco Weetcluktuk, qui vient d'Inoucdjouac, affiche un sourire fendu jusqu'aux oreilles en l'écoutant s'empêtrer dans ses explications. Brillant, Yaco s'amuse même à lui poser des colles, dont il n'arrive pas à se sortir. Les chefs de village ne sont pas sans remarquer non plus que leurs questions ont le don d'impatienter le petit patron. Comme s'il les prenait pour des tarés qui ne comprennent rien.

Le bouquet, c'est quand Paulassie Napartuk, âgé de 38 ans, se lève pour contester dans sa langue le bien-fondé du transfert de juridiction et manifester son manque total d'intérêt pour la nouvelle Direction générale du Nouveau-Québec qu'il est venu leur vendre. Il se raidit : « La question n'est pas de savoir si ça vous intéresse ou non. On est au Québec et c'est comme ça que ça va se passer ! »

L'entourage du ministre considère Paulassie comme un fauteur de troubles à la solde des *Northern Affairs*. « Il était toujours contre nous », se rappelle Éric Gourdeau. Alors que Benoît Robitaille se souvient que les Québécois le traitaient de laquais des Anglo-saxons et que lui leur retournait la politesse en les traitant de *Tripalouit*, c'est-à-dire serviteur.

René Lévesque mesure l'étendue du fiasco. Il a frappé un mur et ça le rend agressif. C'est le moment que choisit Yaco, plus rieur que jamais, pour s'approcher de lui. Condescendant, le jeune Inuit lui pose une main sur l'épaule et lui dit dans sa langue en plongeant ses yeux dans les siens : « T'en fais pas. T'as très bien fait ça. Mais on ne te comprend pas ! » Conclusion de l'équipe du Nord : le passage de René Lévesque à Fort-Chimo en ce dimanche d'été chaud à tous points de vue n'aide en rien la cause des Oui-Oui.

Deux mois plus tard, c'est au tour du ministre fédéral Arthur Laing d'aller faire son tour dans l'Arctique. Ses contacts avec les chefs de postes confirment ce que ses aides Gordon Robertson et John Gordon lui ont déjà dit : les Inuits ne veulent pas voir Ottawa partir et redoutent plus que tout de dépendre des « Français » qu'ils détestent. Il revient donc du Nord plus décidé que jamais à tempérer l'ardeur de ce Lévesque qui veut brûler les étapes et agit comme si tout était déjà décidé, allant jusqu'à occuper la place sans attendre la ratification de l'entente sur le transfert d'autorité.

À sa descente d'avion, Arthur Laing explose : « Les Esquimaux les plus primitifs de l'Arctique se trouvent au Nouveau-Québec. » Pas très flatteur pour les Inuits québécois ni pour Ottawa qui s'occupe d'eux depuis 1947. « Aveu qui nous rassure sur l'efficacité de notre groupe administratif une fois accompli le transfert », ironise René Lévesque, le surlendemain.

Mais le commentaire le plus provocant du ministre Laing, c'est celui-ci : « Les Esquimaux ne veulent pas parler le français au lieu de l'anglais. Ils s'inquiètent des rumeurs voulant qu'Ottawa cède au Québec la responsabilité de les instruire en français. Je le dis sans détour : il n'en est pas question. »

Aujourd'hui, le géographe Benoît Robitaille en convient : « À l'époque, Arthur Laing avait raison de nous dire que les Esquimaux ne voulaient pas parler français et qu'ils ne voulaient pas de nous. Mais il y avait des causes historiques à cela, sans compter que la propagande de ses agents auprès des Esquimaux ne nous facilitait pas les choses. »

Triste à dire, mais la francophobie des Inuits est bien réelle. La population esquimaude se rappelle encore le comportement méprisant et raciste des ouvriers francophones qui ont bâti la ligne de radar Mid-Canada après la guerre.

Elle a conservé un souvenir haineux de ces gangs d'ouvriers vulgaires qui ont forcé des femmes esquimaudes à la prostitution et abandonné lâchement ensuite leurs rejetons. Depuis, pour les Inuits, les Canadiens français ne sont que des violeurs et des buveurs de bière qui disent toujours oui-oui au grand patron riche qui parle anglais et dont ils sont les pitoyables serviteurs.

Pour René Lévesque, ces bavures du passé sont cruelles et abominables, mais n'excusent pas Arthur Laing de cultiver aujourd'hui la méfiance des Inuits. En privé, il fulmine contre ce ministre « tout frais émoulu de cette zone la plus chaude, la moins québécoise et la moins esquimaude de tout le pays, la Colombie-Britannique ». Après une ou deux haltes au Québec, ironise-t-il encore, le « dénommé Laing » vient de biffer d'un trait les droits de la province sur ses citoyens nordiques. Mais en public, René Lévesque mesure ses paroles : « Tout ce que je peux dire pour le moment, c'est que ces propos sont tellement abracadabrants que j'hésite à dire que monsieur Laing ait pu les tenir tels quels... »

Comme celui-ci refuse de corriger le tir, il s'emporte. Ce qui l'irrite aussi, c'est la désinvolture du ministre fédéral qui a soulevé la question du français, un élément clé de la négociation en cours : « Monsieur Laing a violé le secret de nos négociations. »

La controverse fait rage. Le député fédéral John Turner, adjoint parlementaire du ministre Laing, vole à sa rescousse en soutenant que 95 pour cent des Esquimaux du Nouveau-Québec parlent l'anglais. « Faux. Très peu d'Esquimaux du Québec parlent l'anglais », lui répond catégoriquement Jacques Rousseau, scientifique attaché au nouveau Centre d'études nordiques de l'Université Laval.

Le professeur Rousseau a passé de nombreuses années au Nouveau-Québec pour le compte des Affaires du Nord, vivant tantôt avec les Esquimaux, tantôt avec les pasteurs anglicans. Il fait la leçon à John Turner : les fonctionnaires canadiens et les pasteurs anglicans, unilingues pour la plupart, doivent recourir à des interprètes pour s'adresser aux Esquimaux. Même Paulassie Napartuk, pourtant proche des fédéraux, est incapable de s'exprimer en anglais.

Meanwhile, back at Fort Chimo...

La polémique est loin de paralyser René Lévesque. Son équipe prépare le terrain pour l'ouverture d'une première école du Québec où l'enseignement se donnera en inuktitut, n'en déplaise aux fédéraux. Une vraie révolution. Au Groenland et en Laponie, l'école esquimaude existe déjà depuis des générations. Les Danois ont poussé à l'extrême le respect de l'autonomie culturelle de leurs 10 000 Esquimaux, qui disposent d'un réseau scolaire complet, dans leur langue, cité en exemple dans le monde entier.

L'insistance de René Lévesque à reconnaître l'inuktitut ne vise pas simplement à prendre le contrepied du fédéral. Sa démarche se fonde certes sur le respect de la culture des Esquimaux, mais aussi sur des préoccupations pédagogiques puisées chez le frère Marie-Victorin.

Dans sa *Flore laurentienne,* le pédagogue soutient que l'outil principal de développement du jeune enfant, c'est l'expression de sa curiosité qu'il met à l'épreuve en posant des questions. Or comment peut-il en poser si on lui fait l'école dans une langue qu'il ne comprend pas ? Tant qu'il ne maîtrise pas la langue imposée, sa curiosité ne peut s'exercer normalement.

Hypothèse qui explique le développement mental plus lent observé chez les enfants esquimaux et indiens. Pour évaluer le postulat, Éric Gourdeau mobilise des psychologues qui soumettent des enfants esquimaux à des tests de peinture et de modelage.

Résultats terrifiants chez ceux qui sont allés à l'école fédérale durant trois ans : choix de couleurs inappropriées, caractère fruste des dessins et de la forme donnée à la pâte à modeler. En revanche, ceux qui ne sont pas allés à l'école des Blancs, faute de places, manifestent une adresse comparable à celle de n'importe quel enfant du Sud du même âge. La conclusion va de soi : l'apprentissage d'une nouvelle langue en bas âge retarde le développement mental.

Tombés sous la dépendance totale des fédéraux, les parents esquimaux ont cessé d'enseigner le syllabique à leurs enfants dès que ces derniers ont mis les pieds à l'école. « Ne montrez plus à vos enfants à lire et à écrire, leur ordonnent d'ailleurs les instituteurs. L'école s'en chargera. » Mais en anglais, naturellement.

La lettre d'une Britannique qui a passé plusieurs années parmi les Esquimaux du Canada vient aussi conforter l'option de René Lévesque. Docteure en éducation, elle le félicite de son choix, qu'elle a proposé sans succès à Ottawa il y a déjà plus de 15 ans : « Quand je parlais de former des professeurs en langue esquimaude, et que j'insistais trop, on me changeait de poste ! On m'a déplacée à deux ou trois reprises. J'en ai eu assez et je suis rentrée chez moi, en Angleterre. »

À Ottawa, le sous-ministre Gordon Robertson répète à qui veut l'entendre que le Canada n'est pas contre l'école esquimaude, mais manque de moyens et n'est jamais arrivé à trouver des instituteurs connaissant l'esquimau. Affirmation vivement contestée par l'ethnologue Jacques Rousseau qui a été son subordonné à Ottawa. « Monsieur Robertson aurait dû m'en parler, ironise-t-il. Je lui aurais

présenté des professeurs blancs parlant l'esquimau et des Esquimaux éduqués qui auraient pu enseigner, et à des traitements moindres que ceux de personnes parfaitement inaptes à enseigner et
ignorant l'esquimau. »

En réalité, les agents des *Northern Affairs* qui s'activent au Nouveau-Québec sont partagés sur la question. Ceux qui ne parlent pas
l'inuktitut craignent pour leur avenir et ressassent le credo officiel sur
le caractère irréaliste de l'école esquimaude. Ils se voilent la face en
attendant que l'orage passe. Les autres combattent l'idée québécoise
à visage découvert. *North,* revue officielle des *Northern Affairs,* fait
l'apologie du génocide culturel et soutient que pour devenir de bons
Canadiens, les Esquimaux doivent absorber des dosses massives « *of
southern language [and] southern values* ».

En novembre 1962, quand la première équipe de René Lévesque s'était fixée à Fort-Chimo, le *Northern Star* avait tapissé sa
une de témoignages anonymes d'Esquimaux qui mettaient l'anglais
au pinacle tout en discréditant l'inuktitut et le français.

Mary Panegoosho, première institutrice esquimaude recrutée
par Éric Gourdeau, avait alors prié le bimensuel de publier sa lettre
ouverte dans laquelle elle se réjouissait de l'intention du Québec
d'instruire ses compatriotes dans leur langue. Ottawa devait aussi
respecter les traditions esquimaudes et cesser d'interdire l'inuktitut
dans la cour de récréation de ses écoles.

Praktikos, pseudonyme de l'éditeur McTaggart, lui avait signalé
les « *immense difficulties and expenses* » qui naîtraient de l'usage de
l'esquimau à l'école, car toutes les autres minorités canadiennes
exigeraient sûrement le même traitement.

L'avenir, selon *Praktikos,* ne résidait pas dans le multicultura-
lisme. Esquimaux et Indiens finiraient bien un jour par faire leur
marque partout au Canada, mais encore fallait-il ne pas gaspiller
temps et argent à les instruire « *in their own multitude of languages* ».
Mais cette unanimité s'effilochera peu à peu. La formule de René
Lévesque tient compte des sensibilités nouvelles qui émergent en
Occident et apporte un démenti flagrant à ce que fait Ottawa depuis
des années dans l'Arctique canadien.

Aujourd'hui, Éric Gourdeau n'attribue pas cette polémique à la
rivalité franco-anglaise même si elle en avait toutes les apparences.
« On les bousculait. Mais certains me disaient en privé qu'ils aime-

raient venir avec nous si le transfert se faisait. Ils y voyaient un autre avantage : au moins, ils seraient bien nourris ! Ils n'en pouvaient plus de bouffer 365 jours par année de la viande hachée en conserve. »

Une petite chanson en français suffirait…

Fin 1963, la guerre froide sévit toujours entre René Lévesque et Arthur Laing. Mais leurs mandarins fraternisent plus facilement. Éric Gourdeau se découvre un allié, John Gordon, sous-ministre associé des Affaires du Nord, avec qui il rédige un rapport sur le transfert des responsabilités. Accommodant, le haut fonctionnaire fédéral lui a même trouvé des locaux pour ses écoles.

Contrairement à son ministre, John Gordon voit d'un bon œil le retrait du fédéral. Il met cependant une condition avant de fermer ses six écoles : le Québec peut substituer à l'anglais, comme langue d'enseignement, le français mais non l'esquimau. Fidèle à la politique de René Lévesque, Éric Gourdeau s'entête : « C'est impossible de revenir en arrière, John. C'est une question de pédagogie. Nous voulons favoriser le développement harmonieux des enfants esquimaux… »

L'impasse demeure, le sous-ministre associé Gordon ne pouvant faire un pas de plus. Il n'est pas le grand patron des *Northern Affairs*. Avec les Esquimaux, ce n'est guère plus facile. Il faut d'abord les convaincre d'envoyer leurs enfants à l'école du Québec, en plus de former des enseignants autochtones. Le plan québécois prévoit qu'au premier cycle, maternelle, première et deuxième année, la langue d'enseignement sera l'inuktitut. Au deuxième cycle, on introduira le français ou l'anglais selon le désir des parents esquimaux.

Cependant que la maternelle de Fort-Chimo accueille une vingtaine d'enfants, les instructeurs de l'école normale de Whakeham Bay s'occupent de former des maîtres esquimaux pour la première année. Ça rit beaucoup dans la classe car le peuple inuit est un peuple rieur. Mais il faut vaincre la méfiance et le scepticisme, voire le défaitisme hérité des colonisateurs blancs qui ont fini par le convaincre de l'impossibilité d'enseigner certaines matières comme les mathématiques ou la géographie en esquimau.

Dans une lettre à Jean Lesage, le premier ministre Pearson met les points sur les *i*. Ottawa ne peut empêcher le Québec d'ouvrir des écoles partout sur son territoire. Mais puisque la province entend donner ses cours en esquimau dès la première année, « les enfants qui voudraient continuer à fréquenter l'école fédérale anglaise pourront le faire et celle-ci restera ouverte le temps voulu ».

Quand vient le temps d'inaugurer la première année d'inuktitut à Fort-Chimo, Éric Gourdeau se fait accompagner de John Gordon. Dans l'avion, celui-ci insiste : « Éric, j'ai l'autorisation de mon ministre de dire aux Esquimaux qu'Ottawa se retire pour vous céder la place. Mais il faut que tu me garantisses que vous allez enseigner en français…

— Non, John, l'arrête son compagnon de voyage. Il n'en est pas question. La politique de René Lévesque est établie. Ce n'est pas tellement une question de langue que de pédagogie, c'est pour le bien des enfants.

— Oui, je comprends, mais tu ne pourrais pas mettre un peu de français, quand ça ne serait que des chansons ? »

Le conseiller de René Lévesque sourit. John Gordon est tellement favorable au projet québécois, il tient tellement à ce qu'Ottawa se retire, qu'il est prêt à forcer la main d'Arthur Laing pour quelques refrains en français ! L'intransigeance d'Éric Gourdeau le déçoit. De plus, il n'est pas sûr que l'école esquimaude aura assez d'élèves pour justifier son existence. Comme les autres fonctionnaires fédéraux, il a tendance à sous-estimer l'expérience québécoise.

Dans la salle où sont réunis parents et élèves potentiels, John Gordon ouvre donc la consultation : « Ceux qui envoient leurs enfants en première année, levez la main. » Les parents concernés s'exécutent.

« À quelle école voulez-vous envoyer votre petit ? demande-t-il aux parents les plus près de lui.

— À l'école esquimaude, répondent-ils.

— Et vous, quelle école choisissez-vous ? demande-t-il à d'autres parents.

— L'école esquimaude… »

Éric Gourdeau savoure l'instant. John Gordon semble ému. Il s'approche d'un couple qui n'a encore rien dit. Le mari prend les devants : « Je m'appelle George Koniak… »

La salle se fait soudain plus attentive. George Koniak, c'est le premier fonctionnaire fédéral autochtone du Grand Nord québécois.

Un homme qui en impose à tous par sa sagesse et son autorité. Un loup de mer imbattable à qui les pilotes des navires entrant dans la baie d'Ungava cèdent volontiers la barre pour s'assurer d'arriver à bon port à Fort-Chimo.

« *And you, George* ? interroge John Gordon.

— L'école esquimaude… », laisse-t-il tomber.

Éric Gourdeau enregistre la surprise de son collègue qui en a les larmes aux yeux. Le choix de George Koniak fournit à John Gordon la preuve que l'adhésion des Esquimaux à l'école du Québec n'a rien d'un épiphénomène. C'est l'expression profonde de leur identité, de leur fierté d'être le peuple inuit qui, comme tous les peuples de la terre, vénère sa langue.

CHAPITRE XX

Move out !

C'est une hypocrisie flagrante de sortir les
fantômes d'une petite inquisition possible.
Quand c'est imprimé en Ontario, on sait ce que
ça veut dire.

RENÉ LÉVESQUE, juillet 1964.

L e dossier esquimau vient sur le tapis à la conférence fédérale-provinciale d'Ottawa sur les arrangements fiscaux, fin novembre 1963. Une conférence cruciale, avec en toile de fond l'assassinat du président Kennedy, et au cours de laquelle Québec réclame une répartition des impôts plus généreuse qui lui permette de répondre à ses besoins énormes en éducation, en santé et en assistance sociale.

René Lévesque réalise que ce n'est pas tant Ottawa, disposé à jeter du lest, que le ministre Laing lui-même qui l'empêche d'avancer. Depuis leur escarmouche de la fin de l'été, les négociations sont au point mort et cette situation le rend fébrile. Le « dénommé Laing », qu'il crucifie en privé, lui mettra-t-il des bâtons dans les roues encore longtemps ?·

Au cours de la conférence, dont le dernier volet se tiendra en mars 1964, Québec se retire de 29 programmes fédéraux avec une compensation financière de 218 millions de dollars et un abattement de 20 points d'impôt. Toute une percée pour Jean Lesage. Mais en retour, il doit jurer qu'il ne veut pas briser le Canada.

Ce « serment du Test » version 1960 est annexé aux délibérations du Conseil des ministres québécois qui suit la conférence. On y lit textuellement que Jean Lesage a exprimé « sa conviction inébranlable que les désirs de tous les Canadiens peuvent être le mieux satisfaits à l'intérieur du régime fédératif et sa détermination résolue à exercer les droits de sa province non pas pour détruire l'unité canadienne mais pour la renforcer ».

L'idée qui préoccupe René Lévesque durant la rencontre d'Ottawa n'a rien à voir avec ce crois ou meurs fédéral. Si Ottawa est prêt à lâcher autant de points d'impôt pour prouver que le fédéralisme marche et que Québec peut exprimer sa différence sans briser le pays, pourquoi ne lâcherait-il pas enfin son emprise sur le Nouveau-Québec ? Dès le début de la conférence, Jean Lesage a d'ailleurs exigé que le transfert de juridiction se fasse avant le 1er avril 1964. René Lévesque note aussi que le ministre fédéral Guy Favreau paraît plus conciliant qu'Arthur Laing.

Cet imposant ministre de plus de six pieds aux yeux bleus métalliques, qui mourra dans moins de quatre ans complètement démoli par la politique, est titulaire de l'Immigration mais a son mot à dire dans les Affaires indiennes. Ce que veut Guy Favreau ? Donner aux 210 000 Indiens et Esquimaux du Canada l'égalité avec les Blancs. Noble objectif qui convient parfaitement à René Lévesque. Pour y arriver, Ottawa mettra fin au régime de ségrégation. Les provinces devront fournir aux autochtones les services de santé, d'aide sociale et d'éducation qu'elles donnent déjà aux Blancs.

Ce n'est sûrement pas René Lévesque qui s'insurgerait. Il ne demande qu'à s'occuper lui-même des 3 000 Esquimaux et Indiens du Nouveau-Québec. Mais, la conférence d'Ottawa ajournée, sa chamaille avec le ministre Laing connaît un nouveau rebondissement. Comme rien ne bouge depuis les belles paroles du ministre Favreau, René Lévesque s'autorise une petite colère. Il insiste : les deux ministres fédéraux doivent s'asseoir à la même table que lui pour conclure l'accord sur la passation des pouvoirs.

Il obtient sa réponse le jour où il s'apprête à partir à bord de son DC-3 avec une ribambelle de reporters pour Poste-de-la-Baleine qu'il n'a pas encore visité. « Des administrateurs fédéraux font signer aux Esquimaux de Fort-Chimo une requête en faveur du maintien du statu quo », titrent les journaux.

Après enquête auprès de ses agents sur place, René Lévesque éclate : « Il y a deux ou trois messieurs qui sont accrochés à leur carrière et qui font pression sur les Esquimaux qui peuvent difficilement se défendre puisque leur chèque d'allocations vient de la même source. »

Racisme à la canadienne

Le temps est venu pour lui d'aller rencontrer les 400 Esquimaux et les 220 Indiens cris du plus important poste de la Baie d'Hudson, situé à plus de 700 milles au nord-ouest de la capitale. Poste-de-la-Baleine compte aussi une importante population blanche de 450 habitants, dont la moitié travaille à la station de radar Mid-Canada, l'une des plus imposantes du réseau canadien.

Le contraste est saisissant pour celui qui, comme René Lévesque, atterrit pour la première fois à Poste-de-la-Baleine. Les employés du radar vivent dans un ghetto doré constitué de maisons bien chauffées avec eau et égouts — un grand luxe dans le Nord — et « protégées » des Cris par de hautes clôtures métalliques. À côté, amas désolant de cabanes grossières, le village esquimau et indien n'a ni aqueduc, ni égouts, ni clôture.

Benoît Robitaille est du voyage. Le géographe gardera le souvenir d'un René Lévesque visiblement secoué par le tableau brutal de cette ségrégation raciale *made in Canada*. Cette plaie exceptée, le spectacle est grandiose vu des airs. C'est la fin de janvier et la neige qui domine tout brille sous un soleil encore vif de début d'après-midi. Sur la piste, une cinquantaine de personnes sont venues accueillir *Angavorkra,* le grand chef blanc (en l'occurrence plutôt petit), qui porte un chapska de fourrure bien de circonstance.

Au milieu de la foule formée d'Indiens cris, d'Inuits et de *Kablounas,* les Blancs, se tient l'organisateur de l'assemblée, Piel Petjo Maltest, dit l'Indien. Un drôle de pistolet, celui-là. Écrivain-éditeur-imprimeur. Le type même de l'aventurier qui touche à tout, même au FLQ où il a ses entrées. René Lévesque l'a nommé administrateur à Poste-de-la-Baleine sans trop se méfier de lui.

Le Nouveau-Québec des années 60 est vraiment une terre

d'aventure où se côtoient des corsaires de toute espèce ! Mais ce soir, dans la grande salle prêtée par le fédéral où Piel Petjo Maltest a rassemblé quelque 250 autochtones, René Lévesque explique à ses 600 futurs administrés comment il s'y prendra pour les affranchir.

Mais quelle assemblée bigarrée ! Mamans rieuses avec leurs marmots accrochés à leur dos, ou donnant le biberon aux nourrissons bien au chaud dans leurs nids d'ange. Esquimaux vêtus de parkas aux couleurs vives, Indiens emmitouflés dans leurs anoraks achetés au comptoir de la Baie d'Hudson, sans compter les gamins turbulents qui se bousculent sans se soucier des adultes.

Les observateurs fédéraux ne perdent pas un mot de ce que raconte René Lévesque. On les voit griffonner avec fébrilité ses mots les plus forts ou les moins tendres à l'endroit d'Ottawa. Leur présence l'agace, c'est visible. Durant deux heures, tantôt en français, tantôt en anglais, glissant par-ci par-là un mot ou deux en inuktitut ou en cri, le petit chef blanc s'efforce d'expliquer à ses auditeurs pourquoi il veut les aider à s'aider eux-mêmes.

Séduit comme les autres par le personnage, Paulassie Napartuk baisse sa garde. « Même s'il disait aux fédéraux qu'il n'avait pas confiance en René Lévesque, se rappelle le géographe Robitaille, Paulassie l'aimait bien et trouvait qu'il n'était pas un politicien comme les autres. Mais les chefs esquimaux adoraient jouer Québec contre Ottawa pour profiter de leur rivalité... »

Jimmy Ford, l'interprète habituel de René Lévesque, est secondé ce soir par l'Esquimaude Louise Wittaltuk et l'Indien cri Noah Sheshamush, deux recrues de la Direction générale du Nouveau-Québec. René Lévesque cherche d'abord à rassurer. Il n'a en poche aucun plan secret pour les convertir au catholicisme, comme certains pasteurs anglicans en font insidieusement courir la rumeur. Il les considère comme des citoyens québécois à part entière qui habitent la province depuis plus longtemps que les Blancs du Sud. Et cette antériorité leur confère des droits dont celui de pouvoir gérer leurs affaires comme les Blancs.

« Dix ans après le transfert d'autorité, vous vous administrerez vous-mêmes, je vous le garantis. Mais il y a une condition à cela : il faut que les *Northern Affairs* vident les lieux. *Move out !* » lance-t-il d'un ton soudain belliqueux à l'adresse des fédéraux qui l'écoutent.

L'instant d'après, l'orateur rentre ses griffes. Il étale ses promesses d'une vie heureuse et meilleure quand flottera le drapeau bleu et blanc. « Nous ferons encore plus qu'eux pour vous aider », affirme-t-il. Quoi, exactement ? « Si nous remplaçons les fédéraux, vous aurez de belles maisons avec l'électricité et l'eau courante, comme les Blancs de Great Whale. »

Et puis quoi, encore ? Les pêcheurs recevront une assistance analogue à celle des pêcheurs de la Gaspésie. Et pour briser le monopole de la Compagnie de la Baie d'Hudson, Québec fournira aide technique et argent afin de monter une coopérative comme celle de Povungnituk. Enfin, les compagnies minières devront traiter leur main-d'œuvre esquimaude et indienne sur le même pied que leurs employés blancs. Voilà en gros à quoi ressemblera le paradis nordique de René Lévesque.

Mais les aborigènes n'en sont pas à leur premier père Noël. Dès que l'interprète Louise Wittaltuk sollicite des questions, l'Indien Achenai Shom se lève, prend une chaise et la place devant le petit chef blanc. Il s'assied, s'empare du micro et dit sans ménagement : « Depuis huit ans, tous les Blancs qui sont venus ici n'ont laissé que des paroles. Ce qu'ils disent n'arrive jamais.

— C'est la première fois que je viens à Poste-de-la-Baleine, confesse René Lévesque. Tout ce que je peux vous dire ce soir, ce sont en effet des paroles. Mais dès que nous aurons l'autorité, les mots vont commencer à devenir des faits. »

Durant deux heures, il doit subir un barrage de questions. Un Esquimau ou un Indien s'avance, donne son nom, lui serre sa main avant de lancer qui son harpon, qui sa flèche : « J'aimerais vous dire tout ce que j'ai sur le cœur contre les Blancs, mais ça prendrait toute la nuit. » « Vous semblez être prêt à nous aider, les autres aussi nous ont fait des promesses. » « Vous nous promettez des maisons, mais avec quoi allons-nous les payer ? Nous n'avons pas d'argent et nous ne savons pas travailler le bois. »

Paulassie Napartuk se montre encore plus brutal : « Qui êtes-vous ? D'où venez-vous ? On ne vous connaît pas. On ne vous a jamais vu par ici. »

René Lévesque sort à peine vivant de ce mitraillage qui tient du défoulement collectif à l'égard des Oui-Oui. Pis encore : sa méconnaissance de la mentalité indigène le fait déraper. Il réédite sa gaffe de Fort-Chimo en blessant malgré lui son auditoire. Mais cette fois, il n'est pas à blâmer. Jimmy Ford, l'interprète terre-neuvien, le fait trébucher en lui faisant dire ce qu'il n'a pas dit. Cherche-t-il à le discréditer auprès des autochtones ?

Cela se passe au beau milieu d'une envolée alors que René Lévesque fait appel à la capacité d'autonomie de son auditoire. « Moi, j'aimerais que vous preniez le contrôle de vos affaires dans le Nord ! Que vous soyez maîtres chez vous au lieu de toujours obéir aux ordres. Arrêtez donc de suivre ! »

L'interprète Ford traduit : « Monsieur Lévesque vient de vous dire de prendre vos affaires en main au lieu de toujours suivre comme des chiens ! »

Le Terre-Neuvien a emprunté une formule esquimaude selon laquelle les chiens suivent toujours la chienne en tête de l'attelage. Même 30 ans plus tard, Benoît Robitaille reste convaincu que René Lévesque n'a jamais prononcé le mot chien. Et pourtant, durant les années suivantes, lors de ses incursions chez les Esquimaux, combien de fois ne lui mettra-t-on pas sous le nez que son patron les avait traités de chiens !

« C'est vous démontrer comment ses adversaires fédéraux déformaient tout ce qu'il disait, explique aujourd'hui l'ancien conseiller. Ça me rendait furieux et j'avais beau répéter aux Esquimaux qu'il n'avait jamais dit cela, car après tout, j'y étais et je comprenais le français, c'était peine perdue. Ça revenait toujours à la surface. »

La glace est rompue — vraiment ?

Le départ nocturne pour Québec est aussi éreintant que la soirée. René Lévesque se montre agressif envers ses aides. La rencontre n'a pas marché à son goût. Il s'attendait à une assistance plus forte mais Piel Maltest n'a pas livré la marchandise. Et tous ces fédéraux de la base de radar qui l'espionnaient.

Avant de monter dans le DC-3, il confie quand même aux reporters qui l'accompagnent : « La glace est brisée... » Avec les Esquimaux peut-être, mais les *Northern Affairs* ne désarment pas.

Voilà qu'il apprend que depuis un an les services fédéraux ont accru plutôt que réduit leur personnel enseignant au Nouveau-Québec. Ottawa a même accordé un contrat de 185 368 $ pour la construction de six petits édifices à Fort-Chimo. Initiative qui oblige René

Lévesque à protester : « Nous étudions la question des installations fédérales érigées sur notre territoire sans notre autorisation. »

Enfin, dernière manœuvre, les agents fédéraux suggèrent aux Esquimaux d'exiger un référendum avant tout changement. Paradoxalement, les relations avec Arthur Laing s'améliorent. Le 22 février, à Ottawa, René Lévesque accepte les quatre conditions que le ministre pose au retrait du fédéral : respect de la langue et de la culture esquimaudes, respect des liens entre les Esquimaux des Territoires du Nord-Ouest et ceux du Québec, services provinciaux équivalant à ceux du fédéral, nécessité de consulter les Esquimaux sur les changements.

La dernière condition, que René Lévesque et Arthur Laing n'interprètent pas de la même façon, est lourde de futures querelles. Pour le premier, qui le précise dans une lettre à Jean Lesage, la consultation ne saurait en aucun cas remettre en cause le principe même du transfert, qui « se fera le plus tôt possible ». Pour le second, l'affaire est limpide : pas de transfert sans consultation et si les Esquimaux s'y opposent, rien ne se fera.

Une semaine plus tard, les deux camps paraphent, avec son grand malentendu, l'entente de principe que René Lévesque s'empresse de faire ratifier par le Cabinet, le 2 mars. Deux jours plus tard, Jean Lesage rassure Lester B. Pearson : « Ai-je besoin de vous dire combien je suis heureux que nos deux gouvernements soient maintenant aussi près d'une solution définitive. Je suis convaincu que le transfert permettra aux Esquimaux du Nouveau-Québec d'évoluer dans un contexte normal à l'égal des autres citoyens vivant au Québec. »

Dans sa réponse à Jean Lesage, Lester B. Pearson multiplie les étapes et les affirmations de principe. Ottawa ne peut pas renoncer à son droit de légiférer à l'égard des Esquimaux. Deuxièmement, le transfert ne suppose aucune diminution des pouvoirs du gouvernement fédéral, ni aucun désistement ou abandon total. Troisièmement, la consultation des Esquimaux est une condition préalable à la mise en œuvre de toute entente. Enfin, tout se fera à petits pas à mesure que les Esquimaux ne sentiront plus le besoin d'un service fédéral particulier.

Pour René Lévesque, il y a beaucoup de si et de mais dans cette vision qui n'est « qu'une caricature de transfert ». Le gouvernement fédéral se retire sans se retirer. Il part tout en restant. À ce rythme, au troisième millénaire, il « occupera » toujours le territoire québécois. Il déclare à la presse : « La question du Nouveau-Québec est le test de la coopération fédérale-provinciale. Si on ne peut pas la régler, on ne peut rien régler. »

Le fédéralisme coopératif trouve son Waterloo sur la question de la consultation des Esquimaux préalable au transfert. Trois longs mois de palabres, six réunions du comité des mandarins, un face à face de dernière heure entre les ministres Laing et Lévesque à Montréal, le 27 avril, suivi en mai d'un échange de correspondance qui resserre l'impasse au lieu d'ouvrir la voie, pour reconnaître enfin qu'on ne s'entend pas du tout sur la nature de la consultation.

Aux *Northern Affairs*, consultation est synonyme de référendum — même si le mot n'est pas dans l'entente du 29 février. Comme l'explique Arthur Laing, à l'occasion d'une deuxième empoignade publique avec René Lévesque : « Nous pensions fermement que les consultations avec les Esquimaux devaient être le plus étendues possible, qu'elles soient vraiment des consultations, car il était impensable qu'un changement intervienne sans leur consentement. »

Même si les fédéraux évitent d'utiliser le terme en public, René Lévesque n'a pas mis longtemps avant de deviner où ils voulaient en venir. Pour lui, il ne saurait être question d'un référendum. Consulter les Esquimaux, cela signifie les informer sur le transfert et solliciter leurs opinions dans des assemblées de village, mais non par un vote.

Monsieur René Lévesque aurait-il donc peur d'un référendum ? C'est ce que suggère la presse de Toronto, qui l'accuse de juger les Esquimaux trop primitifs pour savoir ce qui est pour bon pour eux. Elle lui retourne le compliment qu'il sert aux fédéraux lorsqu'il les accuse d'angliciser les Esquimaux pour leur bien et sans les consulter.

Mais c'est exact. René Lévesque craint le référendum plus que tout. Non parce qu'il croit les Esquimaux incapables de pratiquer une démocratie éclairée, comme l'insinue le magazine *Maclean's*. C'est tout le contraire, puisqu'il entend leur confier la gestion de leurs affaires. Il le leur a promis publiquement. Une réforme à laquelle Ottawa résiste d'ailleurs. Mais dans les circonstances, un référendum serait une caricature de la démocratie.

Ses agents au Nouveau-Québec lui signalent que les fédéraux préparent le terrain en conditionnant les Esquimaux à dire non. De plus, il trouve louche l'obsession soudaine d'Ottawa pour la démocratie esquimaude dont il s'est fiché jusqu'à ce que Québec plante le fleurdelisé à sa borne nordique. Manipulés, désinformés et inquiets, comment les Inuits pourront-ils donner un vote éclairé ? Les dés sont pipés.

René Lévesque a une autre raison de rejeter le référendum. Il serait inconstitutionnel. En effet, le principe du transfert ne peut être soumis à la consultation populaire, car la juridiction d'une province sur une partie de ses habitants ne peut pas dépendre de leur consentement. Ce serait accorder un droit de veto aux autochtones, qui ne possèdent pas le privilège de modifier la constitution canadienne ni l'intégrité territoriale d'une province. De plus, dans un régime fédéral, le gouvernement central ne peut être ni juge ni arbitre de la manière dont une province exerce ses juridictions exclusives.

C'est dans ce lacis inextricable d'arguments dissonants que tombe l'article incendiaire du journaliste Blair Fraser, venu enquêter au Nouveau-Québec sur ce qu'il appelle bizarrement les « ambitions territoriales » de René Lévesque.

Publié dans le *Maclean's* de mai et intitulé *The territorial ambitions of René Lévesque,* ce papier a valeur de torchon aux yeux de l'intéressé. Ce n'est pas la première fois qu'il se heurte à la presse canadienne-anglaise. Et ce ne sera pas la dernière non plus !

We don't like those French people

Comme René Lévesque le confie à Éric Gourdeau, il est déçu que le coup bas vienne de Blair Fraser, qu'il a croisé du temps de Radio-Canada et dont il apprécie la rigueur et le professionnalisme. D'abord, le titre de son papier est idiot et le journaliste s'en excusera d'ailleurs auprès de lui. Comment en effet peut-il nourrir des ambitions territoriales à propos d'un territoire faisant partie du Québec depuis 1912 ?

« Fraser avait raisonné en journaliste anglophone, il avait ça au fond de la caboche… », dit Éric Gourdeau qui eut droit aux humeurs de René Lévesque contre la presse anglaise. Ce dernier ne dénigre pas l'article en bloc, car il contient des faits peut-être durs à avaler pour un Oui-Oui, mais qui ne manquent pas de justesse. S'il s'indigne tant, c'est à cause de son orientation générale, de ses préjugés et des relents de racisme qui s'en dégagent.

À tel point qu'il lui fait l'honneur d'une dénonciation en règle : « C'est un journaliste pour qui j'ai beaucoup de respect, dit-il à l'Assemblée législative. Mais en analysant son article, je me suis demandé si je pouvais garder le même respect parce qu'il s'est littéralement bouché les yeux et les oreilles devant certaines réalités qu'un journaliste consciencieux aurait dû constater... »

Pour René Lévesque, le reportage est farci de croque-mitaines imaginés par les fédéraux. D'abord, l'exode des Esquimaux que provoquerait nécessairement l'arrivée des « Français » : « Certains affirment qu'ils déménageront dans les Territoires du Nord-Ouest. » D'exode, il n'y aura point. Le seul déménagement d'Esquimaux connu, c'est celui de Resolute Bay perpétré par Ottawa au début des années 50, dont nous avons parlé plus haut.

Autre racontar saugrenu qui choque René Lévesque : si on leur en fournit l'occasion, les Oui-Oui vont pratiquer le kidnapping d'enfants, comme le craint un Inuit dont Blair Fraser omet de mentionner le nom : « J'aurais peur qu'après quelque temps, ils veuillent enlever les enfants à leurs parents. »

L'insistance du *Maclean's* sur la francophobie esquimaude ulcère René Lévesque. « Les Esquimaux détestent tellement les Français qu'ils vont s'en aller si Québec remplace Ottawa », prédit le journaliste sans citer sa source. Et encore : « Nous aimons les Anglais plus que les Français et nous ne voulons pas que les Français enseignent à nos enfants. »

Naturellement, quand le fleurdelisé flottera sur Fort-Chimo et Povungnituk, tous devront se mettre au français obligatoire, prédit Blair Fraser. Un procès d'intention qui oblige René Lévesque à brandir ses engagements signés du 29 février et à rappeler que ce n'est pas Québec, mais Ottawa, qui a imposé aux Esquimaux sans se soucier de leurs opinions démocratiques l'unilinguisme anglais : « On est prêt à négocier des formules souples. S'il y a un endroit au pays qui est souple, à un point parfois excessif quand on regarde ce qui se passe ailleurs, c'est bien le Québec, la seule province à accorder des écoles publiques à sa minorité dans sa langue. C'est une hypocrisie flagrante de promener des articles de ce genre à travers le pays. »

Comme le remarque Éric Gourdeau, 30 ans plus tard : « On ne disait nulle part que le français serait obligatoire. Même à l'école, c'était les Esquimaux qui allaient choisir la deuxième langue. Et s'ils choisissaient l'anglais, ce serait la langue qui serait enseignée. Blair Fraser a été manipulé par les fédéraux, il n'a vu qu'un côté de la médaille. »

René Lévesque s'irrite enfin de l'association qu'établit le Torontois entre son nationalisme, qui se radicalise, et le fait que ce soit lui qui se batte pour récupérer le Nord québécois. Il fait dire à René Lévesque : « Je ne suis pas séparatiste mais j'admets que j'évolue dans cette direction. Plus j'en apprends sur ce pays, plus je réalise qu'il n'est rien d'autre que deux maudites solitudes ! »

Et Blair Fraser de conclure avec tous les sous-entendus possibles : « *This is the man who since 1960 has been planning the future of New Quebec.* » (« Voilà le genre d'homme qui planifie l'avenir du Nouveau-Québec depuis 1960. »)

CHAPITRE XXI

La légende du petit chef blanc

*Faut-il rappeler que le Québec est la seule
province où la minorité a des écoles publiques
dans sa langue ?*

RENÉ LÉVESQUE, juin 1964.

De Winnipeg, le ministre Arthur Laing annonce qu'il rejette l'accord de principe du 29 février et accuse René Lévesque de bloquer la négociation pour des motifs étrangers (*external reasons*) au bien-être des Esquimaux. Une déclaration de guerre assortie d'un autre procès d'intention.

Le message du ministre de la Colombie-Britannique est évident : séparatiste camouflé, René Lévesque veut faire la preuve qu'il n'est pas possible à l'intérieur du fédéralisme de s'entendre avec Ottawa. Il faut dire qu'en cette année 1964, où le FLQ fait sauter ses pétards cependant que la troupe riniste de Pierre Bourgault s'agite et que le chef de l'opposition, Daniel Johnson, jongle avec le slogan racoleur Égalité ou indépendance, les fédéraux s'inquiètent : et si le Québec allait se séparer ?

Même si l'indépendantisme sort à peine de terre, seulement 13 pour cent des Québécois en sont convaincus selon un sondage récent, le ministre Laing voit un séparatiste derrière chaque Esquimau rapatrié. « Déjà à ce moment-là, Ottawa fichait René Lévesque comme indépendantiste », se souviennent ses conseillers Gourdeau et Robitaille. D'ailleurs, l'intéressé ne s'aide pas. Depuis l'automne 1963, il multiplie les déclarations à saveur nationaliste comme si l'hostilité du fédéral dans le dossier esquimau le rendait pessimiste sur l'avenir du pays.

Il vient justement de récidiver à Timmins : « Mieux vaut la séparation que la querelle continuelle. La Confédération est comme un vieux bateau de bois dont la quille est pourrie et doit être remplacée. »

Tout de même, la volte-face d'Arthur Laing permet à René Lévesque de connaître enfin le fond de sa pensée sur le transfert de juridiction. Le ministre fédéral avoue carrément aux Communes que jamais Ottawa ne cédera toutes ses responsabilités envers les Esquimaux, « afin de protéger leurs droits comme citoyens de première classe ».

René Lévesque n'en croit pas ses oreilles. Comme si, depuis qu'Ottawa y voit, les Esquimaux québécois dans leurs cabanes malsaines avoisinant les confortables résidences des Blancs étaient des citoyens de première classe. Les « fausses peurs » lancées par un ministre issu d'une province qui a bafoué les droits linguistiques des francophones de Maillardville et enfermé ses citoyens japonais dans des camps durant la guerre s'inspirent, à ses yeux, des clichés méprisants et tenaces à l'égard d'un Québec qui foulerait aux pieds droits et libertés. Sa riposte se fait cinglante : « Autant que je sache, le Québec est le seul endroit au Canada où le respect des droits va jusqu'à accorder des privilèges, comme des écoles publiques dans la langue de la minorité, ce qui n'existe dans aucune autre province. »

En outre, et ça l'indispose tout autant, le ministre Laing fait fi du fait que Terre-Neuve est responsable de ses Esquimaux : « Je ne vois pas très bien pourquoi Ottawa fait tant de difficultés à admettre pour le Québec ce qui a été admis sans problème en 1949 dans le cas de Terre-Neuve. »

Arthur Laing reconnaît qu'il devra se retirer du Nouveau-Québec si les Esquimaux ouvrent leurs bras aux « Français ». Mais ça ne risque pas, selon lui : « J'avoue candidement qu'ils ne sont pas près d'y consentir… », ironise-t-il.

Déjà assez vitriolique, cette remarque du ministre en précède une autre qui sape les « ambitions » de René Lévesque : « Cela prendra des années et des années — si jamais cela se fait — avant qu'Ottawa ne puisse transférer des services aussi importants que l'éducation, la santé et l'aide sociale. »

Pour René Lévesque, les choses sont enfin claires : « Monsieur Laing se propose d'offrir au Québec de s'occuper sous sa gouverne paternelle de certaines petites choses municipales secondaires comme les égouts et l'électricité. Il ne me semble plus possible de poursuivre avec lui les négociations en vue du transfert au Québec de ses affaires esquimaudes. C'est un blocage évident. »

Ni Arthur Laing ni le Canada anglais n'ont de leçon à donner au Québec, ajoute-t-il, en lançant comme une sorte de défi que « le passé sans tache du Québec garantit l'avenir des droits des Esquimaux ». Au cours d'un débat parlementaire particulièrement émotif sur l'échec des négociations, René Lévesque enfonce le clou en s'attardant sur les injustices des provinces anglaises à l'endroit de leurs minorités francophones : « Québec est la seule partie du Canada qui donne l'exemple depuis la Confédération du respect des minorités. Alors, assez d'hypocrisie ! »

De son côté, Jean Lesage en a soupé du tango papelard des frères rouges d'Ottawa. « J'ai bien l'impression que monsieur Laing n'est pas un expert en coopération », dit-il en appui à René Lévesque, tout en priant officieusement son bon ami Lester B. Pearson de le mettre au pas.

En août, deux mois après l'esclandre du ministre fédéral, réunion de la dernière chance, à Québec. Une journée marathon où il faut absolument signer la paix des braves, en ont décidé les premiers ministres Pearson et Lesage. Pour favoriser l'harmonie, dîner copieux au Club universitaire de la rue d'Auteuil. Avec menu boréal : truite de l'Arctique, caribou… il ne manque que les esquimaux au chocolat !

Le clan de René Lévesque, formé de Claire Kirkland-Casgrain et des conseillers Gourdeau et Robitaille auxquels se sont joints Michel Bélanger et Claude Morin, note que le ministre Guy Favreau en mène large. Il a pris du galon dernièrement. Le premier ministre Pearson lui a confié le prestigieux portefeuille de la Justice, le consacrant, à 47 ans, ministre senior et lieutenant québécois.

Beaucoup plus âgé, Arthur Laing fait maintenant figure de ministre sous tutelle. Mais têtu comme un âne, se souvient Éric

Gourdeau, le patron des *Northern Affairs* maintient son cap sur le non. Comme prévu, la discussion est laborieuse. Le ministre fédéral n'a pas l'air de tout saisir et se bute chaque fois que René Lévesque le met en contradiction avec lui-même.

« En fait, il disait non à tout, se souvient Éric Gourdeau. Monsieur Laing était un homme plutôt limité et gaffeur, à la Jean Chrétien. Il se dédisait constamment et ne s'embarrassait pas de nuances. Pearson avait fini par l'encadrer de Guy Favreau, ce qui voulait tout dire. »

En fin d'après-midi, une seule des quatre conditions du retrait fédéral, toujours la même, fait problème : la consultation des Esquimaux. René Lévesque s'emporte à la suite d'une remarque du ministre Laing : « Bout de baptême ! On vient juste de le dire. »

Amusé, Éric Gourdeau se demande comment l'interprète rendra le juron du patron. Comme la traduction tarde, il se penche vers Arthur Laing et traduit lui-même : *« End of christening ! »*

Tout le monde rit. Guy Favreau en profite pour exiger une pause : « Accordez-moi quelques minutes, nous allons revenir... » Il fait signe à son collègue de le suivre dans le couloir. Au retour, Arthur Laing accepte le compromis qui définit la future consultation. On informera la population autochtone des changements, et on la sondera de vive voix au cours d'une série de réunions avec les représentants esquimaux et les chefs de villages. Mais pas de référendum.

Bishop Marsh se rallie

Le tableau de chasse de René Lévesque n'est pas complet. Lors de son passage à Poste-de-la-Baleine, l'infrastructure immobilière dernier cri de la base de radar Mid-Canada gérée par la compagnie Marconi l'avait impressionné tout autant que la discrimination raciale et le dénuement extrême des autochtones tout autour. Or, son conseiller Gourdeau, qui a des antennes partout, lui apprend que le ministère de la Défense nationale veut fermer la station.

Pour un gouvernement qui aura besoin de locaux pour ses dispensaires, ses écoles et ses bureaux administratifs, ainsi que des maisons pour ses agents, c'est une aubaine. Au cours d'une réunion du Conseil des ministres, René Lévesque suggère à Jean Lesage : « Ce serait nous placer un pied dans l'étrier à Poste-de-la-Baleine que d'y remplacer ceux qui ont tenu une place considérable dans la vie quotidienne des Esquimaux. Et ce serait une excellente occasion de donner du travail aux autochtones. »

Les mandarins s'agitent. Éric Gourdeau fait sonder les Inuits et les Cris de Poste-de-la-Baleine et, comme l'écrit René Lévesque à Jean Lesage, « ils se sont unanimement déclarés favorables (mardi, le 20 juillet) au transfert au Québec des biens de la ligne Mid-Canada ».

René Lévesque délègue Benoît Robitaille à la station de radar où se tient l'encan des installations. Les fonctionnaires des *Northern Affairs* convoitent eux aussi une partie du butin. Ils sont 30, et le géographe qui est accompagné d'un unique confrère de la direction générale du Nouveau-Québec se sent bien seul. Au mess des officiers, l'animateur l'interroge : « Qu'est-ce que le Québec veut ?

— Nous voulons tout, sauf l'équipement électronique », réplique sans broncher Benoît Robitaille.

La convention, signée le 19 août, cède tout au Québec : bâtiments, baraques, aéroport, hangars, réseau de distribution de l'électricité, réseau souterrain de chauffage, aqueduc, égout collecteur, cinq réservoirs à mazout de 320 000 gallons impériaux, et tout le reste.

Le petit chef blanc prend du poids. Benoît Robitaille se souvient : « Ce fut le départ d'une poussée extraordinaire pour nous. Le fédéral a commencé à perdre des plumes aux yeux des Esquimaux parce que nous étions les fournisseurs de services. Même les avions en transit à Poste-de-la-Baleine devaient se soumettre au contrôle des fonctionnaires québécois. »

Mais le transfert de juridiction traîne en longueur, à cause de la fameuse consultation. Il faut en organiser le processus à la satisfaction de tout le monde. Des adversaires d'hier se rallient peu à peu. Ainsi, l'évêque anglican Donald Marsh, qui ne jurait que par l'inviolable triangle d'or formé des Anglicans, de la Compagnie de la Baie d'Hudson et d'Ottawa, trouve maintenant normal que Québec veuille s'occuper de sa population esquimaude. Il appuie même le passage graduel de l'anglais à l'inuktitut et au français, moyennant l'accord des Esquimaux.

Pour officialiser son virage, l'évêque rédige une lettre pastorale qu'il fait lire à ses ouailles par ses pasteurs du Nouveau-Québec. Ce qu'il leur dit est simple. Elles peuvent faire confiance au Québec qui désire réparer sa négligence passée. Et si jamais la province manquait une deuxième fois à ses obligations, le grand patron d'Ottawa la rappellera à l'ordre.

C'est donc avec le *nihil obstat* de l'Église anglicane que s'amorce la consultation. À Fort-Chimo, Éric Gourdeau sonde l'humeur des chefs de village au cours de leur caucus annuel de deux jours, rituel qu'il a institué dès 1963 pour les informer de ses faits et gestes. Une dizaine de chefs sont présents dont John Koniak, l'incontournable Paulassie Napartuk et le chef Ipou. Quand l'envoyé de René Lévesque pénètre dans la salle au terme de leurs délibérations, le dernier lui lance : « Nous avons discuté du transfert durant toute la journée.

— J'ai bien hâte de voir les résultats…

— Regarde le tableau, c'est écrit », suggère John Koniak.

Tout est en syllabique. L'interprète se met à l'œuvre : « Les Esquimaux n'ont pas d'objection au transfert. C'est aux deux gouvernements à s'entendre ensemble…

— Vous allez m'expliquer pourquoi ? » demande Éric Gourdeau.

À tour de rôle, chacun donne ses raisons. Les uns apprécient le fait que même si on parle le français au Québec, on ne cherche pas à le leur imposer. Les autres sont conquis par l'enseignement en esquimau. Mais l'empêcheur de tourner en rond, Paulassie Napartuk, n'a pas encore parlé.

« J'ai hâte de voir ce que Paulassie Napartuk va me dire, lance le conseiller de René Lévesque en se tournant vers le chef du conseil de Poste-de-la-Baleine.

— Moi, je suis contre le transfert, commence-t-il en se levant. Mais comme tous les autres chefs sont pour, je conclus que je dois avoir tort. Alors, je me rallie. »

Chez les Inuits, le consensus et la solidarité sont essentiels à la prise de décision.

On parle toujours anglais à Fort-Chimo

Malgré l'incapacité désespérante du gouvernement québécois à se faire aimer des Esquimaux, la volonté de René Lévesque de reprendre pied au septentrion bouleverse complètement le visage de la planète Nouveau-Québec et la vie de sa population.

Aujourd'hui, en 1997, le Nord qu'a connu René Lévesque est méconnaissable, exception faite du froid polaire, toujours au rendez-vous. Fort-Chimo ? Rien à voir avec les cabanes insalubres des années 60. On peut encore retracer les rues sommaires de l'époque, mais pour les habitations, c'est comme au Sud. Il y a l'électricité partout, un hôpital, une école polyvalente, un aréna, un centre administratif autochtone, des véhicules en abondance. Tous les jours, un jet file à Montréal.

Ce bilan, on le doit pour beaucoup à René Lévesque. En mettant le Nord sous sa protection, il y apporte l'innovation et allume la compétition intergouvernementale dans différents secteurs : éducation, santé et économie.

Ainsi casse-t-il le monopole commercial de la Compagnie de la Baie d'Hudson sur l'économie de chasse et de pêche des Esquimaux en encourageant les coopératives, formule mieux adaptée à leur culture que l'entreprise capitaliste. Les Inuits ont en effet développé le sens de la communauté et de la coopération nécessaire à leur survie. Ils partagent tout, gains et pertes. Dans un village de 400 habitants, les 40 chasseurs actifs répartiront le caribou entre toutes les familles, pas seulement entre les leurs. La compagnie n'a jamais rien partagé avec eux et elle expédie ses profits à Toronto ou Winnipeg.

Au Groenland, grâce à leurs coopératives de production et de consommation, les Esquimaux échappent à la dictature des compagnies. Pourquoi les Esquimaux québécois n'en feraient-ils pas autant ? Pour bâtir sa politique des coopératives, René Lévesque fait appel aux Caisses populaires Desjardins. Son objectif : aider les Inuits à profiter au maximum de leurs quatre principales sources de revenus : fourrure, pêche, sculpture et gravure.

Tout village désireux d'ouvrir un magasin coopératif peut obtenir une subvention de départ qui va de 25 000 $ à 100 000 $ selon la densité de sa population. Le gouvernement fournit le local gratuitement et le mouvement Desjardins, l'argent. Les sociétaires remboursent leur dette en 10 ans à un taux d'intérêt de 2 pour cent.

À Povungnituk, sur la baie d'Hudson, le père Steinmann, un Alsacien d'origine au vif tempérament, n'a pas attendu René Lévesque pour ouvrir avec l'aide du fédéral, en 1960, sa coopérative d'artisanat. Un drôle d'oiseau qui n'a pas jeté son froc aux orties mais c'est tout juste, ne consacrant plus que quelques heures par semaine à la religion. Mais quel animateur !

C'est avec les 86 000 $ que René Lévesque injecte dans sa coop pour la doter d'un secteur de consommation que le père Steinmann réussit bientôt à offrir l'épicerie, les vêtements, les articles de pêche et le mazout à des prix évidemment plus bas que ceux de la Compagnie de la Baie d'Hudson. Jamais les Inuits de Povungnituk, où on ouvrira aussi une Caisse populaire, n'oublieront l'aide du petit chef blanc. Et quand le Parti québécois sera créé, on votera péquiste, comme à Akulivik et Ivujivik, autres villages pro-québécois où René Lévesque restera longtemps une légende vivante.

Ce dernier a une autre préoccupation : la santé. Le Nord est privé d'hôpital. Quand c'est grave — tuberculose, bronchite ou maladie de peau —, on expédie le patient au sud en avion ou par le brise-glace. Les cas plus bénins sont traités sur place par des infirmiers et infirmières qui se transforment à l'occasion en arracheurs de dents. Mais aucun médecin ne réside dans les parages.

Pour lui, cela ne fait aucun doute, les Esquimaux doivent être soignés chez eux. En 1965, il installe un médecin permanent à Fort-Chimo. L'arrivée du Dr Borduas ne passe pas inaperçue. C'est que la patronne des services de santé fédéraux dans les réserves indiennes, Monique Savoie, une Acadienne on ne peut plus fédéraliste, ne veut pas céder un seul pouce de terrain au Québec. Elle multiplie les obstacles pour gêner l'implantation des services de santé québécois.

Mais la pression devient bientôt trop forte chez ses infirmières, obligées finalement de prendre leurs instructions du médecin… séparatiste. Et quand Québec érige un hôpital de 10 lits juste en face du dispensaire fédéral, c'est le bouquet ! Monique Savoie rappelle à Ottawa son personnel infirmier.

René Lévesque aura moins de chance avec la francisation des Esquimaux. Lorsqu'en 1965 les deux écoles du Québec, l'une à Fort-Chimo et l'autre à Wakeham Bay, introduisent l'enseignement d'une langue seconde, les parents optent pour le français. Mais hélas ! ce n'est qu'un feu de paille. Après 1967, son successeur, le ministre unioniste Paul Allard, imposera le français dans huit nouvelles écoles, violant l'engagement de René Lévesque de consulter les parents sur le choix de la langue seconde.

Une trahison qui scellera le sort d'une francisation embryonnaire. Pour les Esquimaux, c'est un nouveau « Révillon Frères ». Les Oui-Oui ne respectent pas leurs promesses. Les parents inscrivent alors en masse leurs enfants aux écoles fédérales qui existent toujours. Deux ans plus tard, dans les écoles provinciales désertées, on comptera 30 enseignants pour à peine une vingtaine d'élèves.

Tous ces efforts amorcés par René Lévesque n'auront-ils été en dernière analyse qu'un grand coup d'épée dans l'eau ? Aujourd'hui, les pionniers du Nord reconnaissent que Québec n'a pas toujours fait preuve d'habileté. René Lévesque a trop voulu forcer la note au sujet du transfert de juridiction et son successeur Allard a imposé le français comme une contrainte. De plus, face au père Noël fédéral, Québec n'avait pas les moyens de sa politique. Les fameuses maisons toutes électrifiées promises en 1964 par René Lévesque, ce sont finalement des fonds fédéraux (dans lequel il y a beaucoup d'argent québécois) qui les feront sortir de terre.

Des années après la première incursion de René Lévesque à Fort-Chimo, les Inuits ne sont pas plus pro-Québec qu'hier. Ils sont même devenus, disent les souverainistes, l'une des armes fédéralistes pour faire échec à la souveraineté. Et on ne parle toujours pas français dans la partie boréale du Québec.

CHAPITRE XXII

Le grand agitateur

Un peuple a besoin de ses violents, de ses
étrangers, de ses mécontents, de ses visionnaires,
et parfois de ses rebelles.

RENÉ LÉVESQUE, *Le Devoir*, juin 1961.

René Lévesque s'attire les flatteries les plus hyperboliques comme les condamnations les plus sévères. Adulateurs et contempteurs s'entendent sur un point : il n'est pas un politicien comme les autres. Ceux qui l'idolâtrent voient en lui l'incarnation du grand démocrate, alors que ses critiques ont du mal à accepter le rebelle hyperactif qu'il affectionne être.

Il fait peur, René Lévesque. Trop avant-gardiste, et sans le jugement et la pondération d'un Jean Lesage. L'ancien directeur du *Devoir*, Gérard Filion, le trouve carrément imbuvable. Comme président de la Société générale de financement et de la sidérurgie québécoise Sidbec, deux leviers économiques clés de l'État, il s'est frotté à René Lévesque et en a gardé de très mauvais souvenirs : « Il était plus agitateur que rebelle. Il se fourrait le nez partout et n'écoutait personne. Sa méthode était toujours la même. Quand il arrivait quelque part, il criait au fouillis. C'était toujours un fouillis épouvantable partout où il passait ! Ça le mettait en bonne position, après, pour faire la morale à tout le monde et pour tout chambarder. René Lévesque, c'était une véritable queue de veau ! »

Jugement coloré, bien dans le style du paysan de l'Île Verte (comme se baptise Gérard Filion), mais qui ne manque pas de vrai. Au sens où cet homme vit sa vie à tombeau ouvert en bousculant tout un chacun et sans prendre le temps de souffler ni de se calmer.

L'insoumis mène sa rébellion sur plusieurs fronts, n'hésitant pas à affronter son propre chef sur la question de la syndicalisation des employés de l'État et du droit de grève auxquels Jean Lesage est réfractaire.

René Lévesque, lui, a toujours été du bord des travailleurs. Quand les plus modestes fonctionnaires de l'État, les 3 000 employés de la Régie des alcools, se retrouvent dans la rue au beau milieu de la négociation de leur premier contrat de travail, il les invite à ne pas « lâcher », alors que Jean Lesage les presse au contraire de rentrer au travail en leur promettant mer et monde.

À ses yeux, le paternalisme du premier ministre est incompatible avec la négociation assortie du droit de grève qui, en démocratie, sert à résoudre les conflits ouvriers. Mais cette fois, il a commis un double impair. Non seulement il a publiquement contredit son chef, mais il a aussi profité de son absence en Chambre pour encourager les grévistes. Le lendemain, Jean Lesage laisse tomber, devant des journalistes avec qui il discute des dangers courus par les diplomates en mission à l'étranger : « Pas la peine d'aller si loin, chaque fois que je quitte la Chambre, je suis poignardé dans le dos ! »

Au Conseil des ministres suivants, Jean Lesage reproche à René Lévesque ses paroles. Pis, il l'écrase et l'humilie devant les autres, comme s'il voulait le forcer à claquer la porte du gouvernement. Ce jour-là, René Lévesque brûle d'envie de le faire, mais le ministre au franc-parler, son coéquipier réformiste, Eric Kierans, prend sa défense. « Moi aussi, j'ai exhorté les grévistes à tenir bon, annonce le millionnaire irlandais passé au service de la révolution tranquille.

— Je n'ai rien vu de tel dans les journaux ! s'étonne Jean Lesage.

— J'ai dit à ma femme de ménage que son mari, qui est gréviste, devait avant tout obéir aux directives de son syndicat... »

Un ministre qui aime trop les syndicats

Le penchant de René Lévesque pour les syndiqués est mis à rude épreuve quand le conflit de la fonction publique se transporte

dans sa propre maison, Hydro-Québec, en mai 1965. En nationalisant les compagnies d'électricité, il a créé un géant syndical doté d'un
pouvoir énorme.

Ce sont les 555 ingénieurs de la société d'État qui, les premiers,
se mettent en grève pour déterminer lesquels d'entre eux auront le
droit de se syndiquer. L'ingénieur Robert Boyd, qui parle au nom de
la direction, soutient que la moitié ne sont pas syndicables car leur
tâche est en partie patronale. L'ingénieur Jean-Guy Rodrigue, qui
représente le syndicat, prétend au contraire que 85 pour cent sont
syndicables.

Naturellement, le ministre qui a un faible pour les travailleurs a
du mal à ne pas prendre parti. Il commence par écarter le négociateur patronal Robert Boyd, qu'il remplace par le commissaire Jean-
Paul Gignac, son complice de la haute direction. À Hydro depuis
20 ans, l'ingénieur Boyd a de grandes qualités — René Lévesque le
nommera d'ailleurs président d'Hydro 10 ans plus tard —, mais s'il
en croit ses antennes de la CSN, le président Jean Marchand en tête,
il est trop antisyndical.

Ennuyé lui aussi par les penchants syndicaux de son ministre, le
commissaire Gignac prend ses précautions : « Je veux bien tenter de
régler le conflit, mais à la condition que vous ne veniez pas aux
séances de négociation. »

René Lévesque accepte, à reculons. Mais une semaine plus tard,
comme rien ne débloque, il se risque : « Monsieur Gignac, est-ce que
je pourrais y assister pendant seulement une petite demi-heure ?

— D'accord, mais à la condition que vous ne disiez pas un seul
mot ».

Le 21 mai, durant les négociations, René Lévesque oublie sa
promesse de se taire. Il murmure au commissaire Gignac : « Pour-
rais-je poser au moins une petite question ?

— Allez-y ! » lâche ce dernier, vaincu par sa détermination.

Et là, le bal commence. Le ministre veut jouer franc jeu, mais
son ultra-syndicalisme l'empêche de faire la part des choses. Prêtant
aux syndiqués une oreille trop sympathique, il achète une paix douteuse et éphémère comme l'avenir le montrera.

À l'automne, c'est au tour des employés de bureau d'Hydro à se
jeter dans les grèves tournantes, cependant qu'à la Manicouagan les
ouvriers déclenchent une grève illégale. Depuis deux ans, ça brasse

là-haut. Le chef du chantier, l'ingénieur Antoine Rousseau, en voit de toutes les couleurs. Un jour, pour montrer leurs muscles, les gars mettent les cuisines sens dessus dessous. Le lendemain, ils l'insultent avant de le séquestrer. La police doit venir le sortir du trou où ils l'ont jeté. Comme son collègue Gignac, l'ingénieur Rousseau trouve que René Lévesque en « passe » décidément trop aux syndicats.

Pire encore, les syndiqués font un mauvais parti au ministre du Travail, Carrier Fortin, qui visite le chantier. Jean Lesage presse le ministre Lévesque de faire régner l'ordre dans sa maison. Il n'a d'autre choix que de demander au ministre de la Police Claude Wagner, qu'il ne prise guère, de pacifier les esprits par la force. Mais voilà qu'en plus, 210 camionneurs artisans érigent des barricades en accusant Hydro de les affamer. L'ingénieur en chef Antoine Rousseau lance un SOS à René Lévesque, qui accourt à la Manic avec Jean-Paul Gignac et Éric Gourdeau.

« C'est quoi vos problèmes ? » demande le ministre aux camionneurs dont la carrure en impose à ses aides. Le dialogue s'engage lentement, ponctué de christ ! et de baptême ! de bon aloi. Peu à peu, la tension tombe. René Lévesque réussit finalement à leur faire entendre raison, les casseurs réalisant qu'il ne leur est pas hostile. Qu'il cherche à les comprendre. Après l'épreuve, Antoine Rousseau le reconduit à l'aéroport. « Ouf ! » laisse-t-il échapper en se jetant dans le premier fauteuil. Il a l'air complètement sonné. Plus tôt, René Lévesque a fait le malabar devant les camionneurs, mais sous la surface, le stress le dévorait.

Les ratés du réformateur

Comme le remarque le président de Sidbec, Gérard Filion, qui ne l'aime guère, René Lévesque a la détestable habitude de faire cavalier seul. « Il passait son temps à jouer dans le dos de tout le monde, dit-il. Il mettait son nez dans les affaires des autres ministères et contredisait les ministres en public. La solidarité ministérielle n'était pas son fort. »

Paul Gérin-Lajoie l'apprend de dure façon. René Lévesque le laisse tomber au moment où il se bat pour faire accepter l'une des réformes majeures des années 60, celle de l'éducation. Le projet de loi 60 veut doter le Québec d'un véritable ministère de l'Éducation, mais il rencontre l'opposition de l'Église. Au lieu de soutenir l'offensive périlleuse du ministre de l'Éducation, l'ami René se réfugie dans la neutralité ou fait carrément le jeu des évêques, lui qui n'a pourtant rien de la punaise de sacristie. Un comportement bizarre que Paul Gérin-Lajoie aura du mal à lui pardonner, même des années plus tard.

L'urgence de la réforme crève pourtant les yeux. L'école catholique sous l'autorité des évêques n'a pas permis à quatre Québécois sur cinq de dépasser le primaire. Gérard Filion, qui siège aussi à la commission d'enquête sur l'éducation, le rappelle : « On préparait l'avenir de tout un peuple et l'homme derrière ça s'appelait Paul Gérin-Lajoie, non René Lévesque. C'était une réforme beaucoup plus fructueuse que celle de l'électricité, qui allait permettre aux jeunes Québécois d'aller au bout de leur talent et qui susciterait une éclosion merveilleuse dans les sciences, l'industrie et les arts. »

Pour y arriver cependant, il faut convaincre l'Église de céder toute la place à l'État. Dans ce bastion du catholicisme qu'est alors le Québec, l'affaire reste délicate. Car toucher à l'éducation, c'est toucher à la religion. Paul Gérin-Lajoie craint autant le lobbying des évêques que son chef qui, en novembre 1960, avait répudié l'idée même d'un ministère : « Il n'est pas question et il ne sera jamais question sous mon administration de créer un ministère de l'Instruction publique. »

Avant le dépôt officiel du rapport Parent, Paul Gérin-Lajoie met le cap sur la Floride. Jean Lesage s'y trouve avec sa famille. « J'ai une avant-copie du rapport Parent, dit-il au premier ministre. On y propose un ministère de l'Éducation… »

Jean Lesage paraît surpris, mais ne lui objecte pas comme d'habitude : « Paul, ça coûte trop cher. On n'est pas capable… » Il lui dit plutôt : « Nous allons prendre le temps d'étudier tout cela à fond et nous verrons à la prochaine session.

— Il ne faut pas attendre à la prochaine session, le presse le ministre. Ou nous sommes d'accord ou nous ne le sommes pas. Si nous le sommes, il faut l'appliquer tout de suite. »

Paul Gérin-Lajoie fait face au même climat d'incertitude que René Lévesque pour l'électricité. Alors que son conseiller spécial Arthur Tremblay et Me Louis-Philippe Pigeon sont à ébaucher le projet de loi 60 créant le ministère, le Cabinet se divise. Habituellement, René Lévesque et Paul Gérin-Lajoie penchent du même côté et leurs forces de persuasion combinées viennent à bout des hésitants. Mais cette fois-ci, la diva de l'éducation constate avec stupeur que la diva de l'électricité rallie le camp de ceux qui plaident contre la précipitation.

Pis : René Lévesque suggère même de déléguer un émissaire à Rome, pour sonder le cardinal Paul-Émile Léger qui participe au conclave en vue d'élire le successeur de Jean XXIII, décédé le 3 juin.

Paul Gérin-Lajoie consulte l'archevêque de Québec, Mgr Maurice Roy, qui le rassure : il ne s'oppose pas au principe d'un ministère dont la nécessité pratique s'impose à tous, mais suggère qu'on fasse une place à l'Église dans les nouvelles structures, de façon à lui permettre de veiller au respect du caractère religieux de l'école. Ce ralliement fait taire les hésitations du gouvernement qui adopte le projet de loi 60 en première lecture.

Une véritable levée de boucliers accueille le projet de loi. « C'est un coup de force contre la démocratie ! » s'écrie le chef de l'opposition, Daniel Johnson. Dans le milieu de l'éducation, c'est la révolte. Les choses en sont là quand le cardinal Léger rentre au bercail. D'après Paul Gérin-Lajoie, le prélat n'a même pas pris le temps de regagner son archevêché avant de se mettre en communication avec le premier ministre. « Depuis l'aéroport de Dorval, il a appelé Jean Lesage pour lui dire : Monsieur le premier ministre, quelle précipitation ! Les évêques arrivent de Rome. Je suis ouvert à la réforme, mais donnez-nous le temps d'étudier la loi. »

La biographe du cardinal, Micheline Lachance, confirme le téléphone, en se basant sur l'agenda personnel du cardinal et sur ses conversations avec lui. Avant de s'envoler pour Rome, l'archevêque de Montréal avait vu déjà l'ébauche de la loi 60 et fait connaître ses réactions à Jean Lesage. Nullement réfractaire à l'idée d'un ministère, il avait cependant demandé d'insérer dans la loi un préambule pour rappeler l'œuvre valable de l'Église en éducation.

Après un tête-à-tête avec l'archevêque de Québec, Mgr Roy, le cardinal téléphone de nouveau à Jean Lesage pour le prier cette fois de surseoir à l'adoption de la loi afin de permettre aux évêques de l'étudier et aux groupes d'exprimer leurs opinions. Cette pression directe, que le cardinal avouera aussi à sa biographe, coule d'ailleurs dans la presse sous le titre : « En primeur, les raisons du retrait du bill 60 — le cardinal Léger a téléphoné au premier ministre Lesage ».

L'émissaire du cardinal

Paul Gérin-Lajoie joue son va-tout. Il se rend à deux reprises chez le cardinal pour plaider sa cause. Mais le chef de l'Église reste intraitable : il n'est pas contre la réforme, il demande simplement un délai de réflexion. Le ministre n'attend pas la réunion du Cabinet qui tranchera la question pour décocher la flèche du Parthe à son chef dans les pages du *Devoir* : « Un vrai ministère ou je pars ! »

Paul Gérin-Lajoie se sent lâché et s'en plaint à Jean Marchand dont la centrale soutient à fond le projet de loi 60 : « J'ai de la difficulté avec ma loi au Cabinet.

— C'est Lesage qui te bloque ?

— Non, c'est plutôt René Lévesque ! » répond-il, outré de le voir torpiller sa réforme alors que lui, il a soutenu la sienne en 1962.

Jean Marchand s'amène tambour battant chez René Lévesque qui blêmit devant sa mine belliqueuse : « Ça n'a pas de bon sens, René, on se bat pour ça depuis des années !

— Écoute, je suis allé à l'archevêché. Le cardinal m'a dit : "Je vous ai fait venir parce que vous avez de l'influence. Je suis en faveur d'un ministère mais donnez-moi une chance de convaincre les évêques"... »

Le président de la CSN n'en revient pas. Son ami est tout bonnement tombé dans le piège de l'archevêque car retirer une loi, surtout à la demande de l'Église, équivaut à l'enterrer.

Au Conseil des ministres, Paul Gérin-Lajoie s'oppose au report et propose d'entamer immédiatement les discussions avec le cardinal afin d'insérer ses recommandations dans le texte de la loi sous forme d'amendements. Peine perdue. Il n'a que deux appuis fermes, Georges-Émile Lapalme et Claire Kirkland-Casgrain pour qui tout a déjà été dit. René Lévesque fait cause commune avec le premier ministre. « Ce que je propose, dit Jean Lesage, ce n'est pas de retirer le projet de loi mais de se donner un délai pour permettre à la province de le débattre. Et vous Paul, qu'allez-vous faire ?

— Si je vous comprends bien, nous ne reculons pas sur la décision déjà prise de créer un vrai ministère où l'autorité finale se trouve entre les mains d'un ministre et non entre celles des évêques. On s'accorde un délai, moi ça me contrarie, mais je suis prêt à l'accepter. »

Satisfait du ralliement de son ministre, Jean Lesage veut lever la séance. Paul Gérin-Lajoie insiste : « Il n'y a pas d'équivoque… En sortant d'ici, je pars en tournée dans toute la province, j'annonce que le gouvernement va créer un ministère, et aucun ministre ne va me contredire ?

— En effet, c'est notre décision, personne ne vous contredira », conclut le premier ministre.

La séance à peine levée, un René Lévesque tout ratoureux s'approche du ministre de la Jeunesse : « Paul, je m'en vais à Cape Cod en juillet, pour mes vacances. Je vais penser à un scénario pour une émission de télévision… »

Naturellement, le scénario promis ne verra jamais le jour. Paul Gérin-Lajoie devra gagner tout fin seul sa bataille, en courtisant le cardinal tout l'été à la faveur d'audiences privées et en parcourant la province pour « vendre » son ministère à la population, comme son rival avait « vendu » sa nationalisation de l'électricité deux ans plus tôt.

À la sortie du même Conseil des ministres, René Lévesque se fait apostropher par Arthur Tremblay, cogéniteur du projet de loi, qui s'inquiète du délai : « Monsieur le ministre, l'histoire dira comment tout cela va tourner mais ne me demandez pas de me réjouir…

— Je comprends votre inquiétude, monsieur Tremblay, mais croyez-moi, il est plus sage de ne pas forcer les choses, de ne pas bousculer l'opinion publique. »

Les p'tits becs secs sont interdits

Malgré sa vie mouvementée, René Lévesque n'oublie ni le cinéma ni les livres, contrairement à certains de ses collègues ministres qui accusent le manque de temps pour s'en passer. Le journaliste Jean Paré, qui dirige les pages littéraires du *Nouveau Journal*, lui demande le nom des cinq écrivains qui l'ont marqué.

« Ma parole, je n'en sais trop rien », lui avoue-t-il dans une lettre où il déballe en vrac, et sans mesurer l'influence de chacun, les noms qui lui viennent à l'esprit au moment où il écrit. Ceux de l'enfance d'abord : Lafontaine, dont il a savouré les *Fables* dans un album illustré, Jules Verne avec son *Michel Strogoff* qu'il a suivi à travers la steppe, Alexandre Dumas et ses *Trois Mousquetaires*, et Maurice Leblanc avec son *Arsène Lupin* « avant la TV ! ».

Puis ceux de l'adolescence à New Carlisle : Victor Hugo, qu'il a dévoré, Maupassant, Zola et Flaubert, lus en cachette, Tolstoï, Aragon et Alain Grandbois... Enfin, ceux de l'âge adulte : Malraux, Camus, Gide (« avant, quand même... »), et Platon (« bien après les études »), Hemingway (*Farewell to Arms*), Steinbeck (du *Red Pony*), Han Suyin (« quand elle écrit sur la Chine »), Orwell, un merveilleux Homère, Dashiell Hammett et Walter Lippman... « Un itinéraire où chaque arrêt a été attachant et qui est loin, j'espère, d'être achevé. »

La passion du septième art le dévore tout autant que celle des livres. Jeune étudiant à Québec, il séchait volontiers ses cours pour s'engouffrer dans une salle obscure. Journaliste à Radio-Canada, il a pratiqué la critique cinématographique au vitriol, au *Clairon de Saint-Hyacinthe* d'abord puis à la *Revue des Arts et Lettres*. Il aimait dire alors : « Après l'air qu'on respire et le pain qu'on mange, parfois même avant le pain, il y a le film de la semaine. »

Dans cette société qui s'ouvre au monde moderne, René Lévesque tolère mal les censeurs. Déjà, au début des années 50, quand la police de Maurice Duplessis avait saisi le chef-d'œuvre de Marcel Carné, *Les Enfants du paradis,* il avait crié au scandale.

Encore plus mordu de cinéma que lui, son réalisateur à *Point de mire,* Claude Sylvestre, a passé les années 50 à rouspéter contre une censure digne de l'Espagne et du Portugal réunis. Ainsi, les Québécois n'ont jamais pu voir un film aussi innocent que celui dédié à la pucelle d'Orléans, Jeanne d'Arc.

Rares alors étaient les films qui obtenaient le feu vert sans coupure. Les p'tits becs, même les plus secs, tombaient sous les ciseaux. Et si un acteur avait le malheur de dire « Ah ! comme tu as un joli petit bibi ! », le censeur, ignorant qu'il s'agissait d'un terme d'argot, coupait impitoyablement, croyant entendre la version parisienne de pipi ou zizi... Un couple, marié ou pas, qui avait l'air de vouloir entrer dans une chambre à coucher, disparaissait automatiquement de l'écran.

Quand René Lévesque s'était retrouvé ministre, Claude Sylvestre avait contacté son ancienne vedette de *Point de mire* : « René, vous savez aussi bien que moi comment il est odieux pour nous de subir la pire censure cinématographique du monde. C'est extrêmement humiliant. Ne pensez-vous pas qu'il faudrait l'abolir ?

— Allez donc voir Lapalme, c'est son rayon. C'est un homme à l'esprit ouvert, je vais lui parler de vous… »

Celui que la presse appelle « le lettré », à cause de sa culture, procède rapidement : « Formez-vous une équipe de travail et soumettez-moi un projet, je vais vous faire voter un budget. »

La recommandation principale du groupe de Sylvestre, où figurent un psychologue et un curé, pour désarmer la critique de robe, n'est pas compliquée : aucune coupure. Si un film reste inacceptable, pour cause de pornographie ou de sado-masochisme, on le refuse en bloc. Point final.

À toutes fins utiles, c'est l'abolition de la censure. On ne classe même plus les films. Trop audacieuse pour l'époque, la réforme subit les *ex cathedra* de l'Église. Le cardinal Léger exige une classification des films alors que l'archevêque de Québec, Maurice Roy, s'oppose catégoriquement au cinéma en plein air, la dernière invention diabolique tirée de l'enfer hollywoodien.

« Je suis sous la pression constante des autorités religieuses », avoue Jean Lesage au cours d'un Conseil des ministres survolté où les ministres conservateurs, comme Émilien Lafrance et Bona Arsenault, réclament qu'on censure non seulement le cinéma, mais également la télévision.

Pourtant perçu comme d'avant-garde, le ministre Pierre Laporte se range dans le camp des rigoristes : « Il n'y a plus de censure au Québec, ça n'a plus de maudit bon sens ! »

De leur côté, les réformateurs, comme René Lévesque et Georges-Émile Lapalme, tiquent devant « les appétits de censure » de leurs collègues qui n'obtiennent pas gain de cause car ils sont à contre-courant de la libéralisation des mœurs qui débute au Québec, comme ailleurs.

CHAPITRE XXIII

Le duo baroque

La sécurité sociale, c'est un droit et non une charité.

RENÉ LÉVESQUE, *Le Devoir*, octobre 1965.

E n juin 1960, René Lévesque avait signifié à Jean Lesage qu'être « ministre des p'tits vieux », ça ne l'emballait pas. Cinq ans plus tard, il le devient pourtant, à 43 ans, au moment où sa mère subit une grave intervention chirurgicale. L'incorrigible vieille dame s'en tirera. Elle vivra même assez longtemps pour voir son fils aîné accéder à la fonction suprême, en 1976. Et elle regrettera toujours qu'il ne soit pas plutôt devenu avocat comme ses deux défunts maris. À croire que le titre de premier ministre valait moins que celui plus enviable à ses yeux de « Maître René Lévesque ».

Mais faut-il s'étonner de retrouver René Lévesque au ministère des plus démunis ? Pas vraiment, car ce partisan acharné de l'État-providence se soucie du sort des petites gens depuis toujours. Diriger le secteur jusqu'ici négligé de l'assistance sociale ne peut pas lui déplaire. Ses amis du collège Garnier se souviennent qu'on le retrouvait toujours du côté de la veuve et de l'orphelin, lors des débats oratoires. Journaliste, il avait déjà adressé à la médecine privée un vif réquisitoire à forte saveur sociale-démocrate. « Nous continuerons de calculer en tremblant, dès l'arrivée à l'hôpital, le prix de chaque pilule, et d'y rêver sous le chloroforme… » écrivait-il dans le journal *Vrai*.

« Mon père ne serait pas mort si on avait eu un hôpital et des médecins dans notre bout », confie-t-il parfois. La mort prématurée de Dominique Lévesque, le père idéalisé, a fait mesurer à René Lévesque la grande pauvreté des services de santé en région.

Dès qu'il s'est fixé dans le comté ouvrier de Laurier, son intérêt marqué pour les mal pris qui viennent solliciter tantôt une pension, tantôt une allocation sociale a sauté aux yeux de son secrétaire Jacques Simard.

Ce dernier a un fils handicapé, Yves, né avec une colonne vertébrale atrophiée. (À défaut d'un régime public de soins de santé, Jacques Simard a dû s'endetter de 15 000 $ pour le faire soigner.) Chaque fois qu'il le peut, René Lévesque rend visite à l'enfant. Après 1976, quand il songera à créer l'Office des personnes handicapées, il citera le cas du jeune Simard pour justifier son projet.

Le 14 octobre 1965, en le nommant ministre de la Famille et du Bien-être, Jean Lesage lui offre un nouveau défi. Après le rattrapage économique et les richesses naturelles, voici venue l'heure de l'action sociale et du développement des richesses humaines. Mais le remaniement est si inattendu que l'opposition tombe des nues et René Lévesque n'est pas le seul à passer de l'économique au social. Eric Kierans, fer de lance comme lui de la gauche libérale, quitte le Revenu pour la Santé.

La révolution tranquille craque-t-elle ou change-t-elle de direction ? Jean Lesage lui-même se met en frais de justifier sa décision : « Nous devons maintenant mettre l'accent sur l'humain et réorienter nos politiques sociales. » L'époque se prête d'ailleurs aux largesses de l'État-providence et au credo de l'égalité et de la justice sociale.

En expliquant sa nouvelle approche, Jean Lesage ne perd pas de vue les prochaines élections. Il veut aussi pacifier les rapports de son gouvernement avec la haute finance que le « duo du tonnerre » a passablement malmenée depuis trois ans.

À René Lévesque, il demande de mettre de la cohérence dans les mille et une mesures de sécurité sociale. À Eric Kierans, de préparer le terrain en vue de l'adoption de l'assurance-maladie prévue pour juillet 1967. Pour montrer que cette double mutation ne signe pas la mort de la réforme économique, Jean Lesage les désigne aux supercomités ministériels de la planification et des initiatives nouvelles, qu'anime un jeune économiste montant, Jacques Parizeau, qui avait déjà prêté ses lumières à René Lévesque pour organiser le financement de la nationalisation.

Une fois la poussière retombée, la presse s'y retrouve. Il y a une révolution à faire en matière d'assistance sociale et René Lévesque est l'homme tout désigné pour la faire. Claude Ryan, qui a succédé à Gérard Filion comme directeur du *Devoir*, lève son chapeau à Jean Lesage, qui prouve une fois de plus son flair politique en lançant ses deux ministres les plus fougueux et les plus controversés sur de nouvelles pistes.

Dans son rapport à Washington, le consul américain Jerome T. Gaspard, qui surveille les faits et gestes du gouvernement québécois pour le compte du *State Department*, constate que Jean Lesage vient de former une équipe plus solide — « *a stronger Quebec team* » — pour faire face à Ottawa dans le champ stratégique des législations sociales.

L'élément le plus surprenant du remaniement est bien ce tandem constitué d'Eric Kierans et de René Lévesque. Curieux alliage en effet. L'Anglais et le Français unis par une complicité voisine de l'amitié. Le premier sort de la cuisse de Jupiter, le second du fin fond de la Gaspésie.

Universitaire brillant, millionnaire à 46 ans, Eric Kierans est passé, en 1963, de la présidence de la Bourse de Montréal, dont il a décuplé le dynamisme et le prestige, au ministère du Revenu. Jusque-là, sa révolution tranquille avait consisté à faire l'école à l'élite financière francophone qui en était encore à puiser dans ses profits ou ses fortunes familiales pour financer ses affaires. Il avait passé le plus clair de son temps à la persuader de mettre de côté sa méfiance et de s'inscrire à la Bourse. « C'est là que vous trouverez l'argent dont vous avez besoin pour grossir. Vous n'irez nulle part avec le bas de laine… »

Le nouveau ministre de la Santé, c'est aussi le bon bourgeois rangé de Hampstead qui se lève à 6 heures 30 tous les matins pour travailler le français qu'il s'est imposé d'apprendre, à 50 ans. René Lévesque, lui, c'est le petit Canadien français brouillon qui se couche quand le coq chante, fume, jure comme un charretier, s'habille à la diable et méprise l'argent.

Il faut les voir ensemble sur les tribunes. Quel duo baroque ! Dissimulant un nationalisme bouillant qui a pris forme durant sa jeunesse, René Lévesque est comme un enfant de la balle dont le cœur fougueux bat au rythme de la foule. Eric Kierans, lui, avec son regard mélancolique d'épagneul, son français délicieusement chevrotant et « une allure gênée de Canadien français né avec le péché originel » (*dixit* Louis Martin du magazine *Maclean*), a l'air perdu de celui qui se demande ce qu'il fait là.

Il faut les observer aussi sur les courts de tennis du Quebec Winter Club, près de l'édifice du Parlement, après une rude journée de travail. Ils font équipe contre Pierre Laporte et Paul Gérin-Lajoie. René Lévesque joue au filet et met à cogner sur la balle autant de dynamite que dans ses furies verbales, cependant que son coéquipier frappe de l'arrière de longs coups droits qui défoncent les lignes ennemies.

Si jamais leur complicité devait échouer, ce serait sur le récif de la question nationale. Issu du ghetto financier et ethnique du *West Island,* et même s'il a épousé la revendication francophone en joignant l'équipe du tonnerre, Eric Kierans ne se rendra jamais plus loin que le statut particulier. À ses yeux, c'est déjà un fait accompli, sur le plan du partage de l'assiette fiscale à tout le moins, puisque Québec perçoit déjà 44 pour cent des impôts. Et rien n'interdit de penser que cette proportion grimpera encore.

Alors qu'Eric Kierans s'en tient au caractère distinct du Québec, son ami René laisse filtrer une vision de l'avenir beaucoup plus radicale. Mais qu'importe, ce petit nuage — qui deviendra grand — ne fait pas ombrage pour l'instant à leur amitié. Dans ce Québec qui s'ouvre à la modernisation, René Lévesque reste pour Eric Kierans *the driving force* (le moteur). Déjà, en 1961, il le considérait comme le plus féroce et le plus opportun critique des financiers anglophones qui traitaient de haut les Canadiens français : « Sa présence dans le cabinet Lesage est une véritable bénédiction, parce que les dures vérités qu'il nous sert nous secouent et nous forcent à agir. »

En 1965, il dit de lui : « Je suis le ministre associé de Lévesque et Lévesque est mon ministre associé… » Après sa prestation de serment, Eric Kierans résume l'évangile de l'époque : « Chaque citoyen a droit à un niveau de vie décent et aux soins médicaux dont il a besoin. »

L'associé Lévesque abonde dans le même sens : la population doit comprendre que la sécurité sociale est autre chose qu'un relent de charité privée, qu'elle est un droit. Et pour ne pas être en reste devant Kierans qui a monté en épingle leur future collaboration, il renchérit : « Nos deux ministères se complètent et nous sommes tellement d'accord sur un grand nombre de questions que parfois on aura l'impression d'un seul et même ministère... »

Dès l'arrivée d'Eric Kierans au Cabinet, René Lévesque avait été saisi d'un bel engouement pour ce « bâtard d'Irlandais », comme il dit parfois avec une familiarité inhabituelle. Enfin, il allait travailler la main dans la main avec un Québécois anglophone qui avait à cœur comme lui les intérêts du Québec et qui ne trouvait pas son nationalisme canadien contraire à l'affirmation plus tranchante du nationalisme québécois.

Très vite, le rapport de force au Cabinet s'était modifié. Quand les deux complices s'acharnaient sur Jean Lesage, tels des fox-terriers traquant inlassablement leur proie, ils le forçaient à ne pas s'arrêter, à avancer toujours, malgré la volonté de freinage des ministres conservateurs.

Le remaniement a également une portée électorale pour Jean Lesage. Les sondages indiquent en effet que les mesures sociales remportent la palme auprès de l'électorat. N'en déplaise à René Lévesque, l'assurance-hospitalisation, adoptée en 1961, avait plus compté dans la victoire de 1962 que la nationalisation. Avec Paul Gérin-Lajoie, qui reste à l'Éducation, ses deux nouveaux ministres au social géreront plus de la moitié du budget de l'État. Une force de frappe qui rapportera des dividendes aux prochaines élections.

L'heure des *angry young men*

Le côté moins scintillant de cette irruption imprévue de René Lévesque dans le monde des « dames patronnesses », c'est le danger de mise au rancart des grandes réformes économiques qu'il a impulsées. Quelques années plus tard, il avouera à l'historien Jean Provencher : « J'ai abandonné l'économique parce que ça ne marchait plus. Le gouvernement avait perdu son élan et on retombait dans de la vieille poutine. Il devenait de plus en plus difficile de faire rebondir des projets. »

Dernièrement, la mise en place de la Caisse de dépôt l'a conduit au bord du découragement. Car les tireurs de ficelles du syndicat financier, à qui il a eu affaire en 1962, se sont mis à intriguer auprès de Jean Lesage pour qu'il leur cède la gestion de ce réservoir de capitaux qui sera créé à même les cotisations de 3,5 pour cent des salariés québécois au nouveau régime de retraite.

Au cours d'un lunch avec le consul américain Jerome T. Gaspard, Jacques Parizeau, l'un des concepteurs de la Caisse de dépôt avec André Marier, a mis Washington au parfum : « Le défi de monsieur Lesage, c'est de savoir qui va diriger la caisse : les banquiers du syndicat financier ou un représentant des *angry young men.* » Cette dernière expression désigne la nouvelle génération de Québécois francophones formée dans les universités américaines et européennes et prête à prendre les commandes.

Jacques Parizeau a l'enflure verbale facile et il en met plus que moins pour impressionner son confident américain. Il l'assure que pour René Lévesque, c'est *« a make-or-break issue★ »*. C'est cette situation qui lui aurait inspiré sa mystérieuse rencontre avec le maire Jean Drapeau, au Château Frontenac, dont la presse a fait état récemment. Il songe à quitter les libéraux et à former une alliance politique nouvelle si jamais Jean Lesage laissait les requins du cartel financier s'approcher trop près de la Caisse de dépôt. Car alors, ce serait la preuve que rien ne peut changer vraiment au pays du Québec, puisque la poignée de banquiers anglophones maintiendrait son emprise sur le Trésor public.

Le premier ministre évite l'écueil. Deux mois après la mutation de René Lévesque à la Famille, il confie la présidence de la Caisse de dépôt à Claude Prieur, un quadragénaire issu de la Sun Life qui laissera Jacques Parizeau bouche bée tellement il s'affranchira rapidement des conditionnements hérités de la rue Saint-Jacques.

Le calme avant la tempête

Peu après sa nomination, René Lévesque semble s'être envolé pour d'autres cieux. Il n'en faut pas plus pour que les échotiers de la presse chuchotent qu'il n'a plus le cœur à l'ouvrage. Comme si,

---

★ « Ou ça passe, ou ça casse ! »

en passant au social, la dynamo humaine qu'il avait été jusque-là connaissait une baisse subite d'énergie.

Rien de moins vrai. Cet homme ne peut rester longtemps sur le banc des joueurs. S'il fuit le devant de la scène, c'est parce qu'il fait tout bonnement le tour de son nouveau jardin. Son prédécesseur, Émilien Lafrance, ne lui a pas laissé une sinécure mais plutôt un ministère en pleine transition, à qui il ne manque que l'impulsion du démarrage.

Le budget consacré à l'aide sociale atteint presque le demi-milliard de dollars en comptant les 180 millions du programme fédéral des allocations familiales que Québec entend récupérer. « C'est suffisant pour commencer à travailler », dit-il à son entourage. Sauf qu'en évaluant le personnel de la direction du ministère, il est plus impressionné par l'accumulation de bois mort que par les compétences. Comme il le dira à son successeur dans moins de huit mois, après la défaite électorale : « Ce ministère était très faible en dirigeants. En fait, c'était l'un des deux ou trois les moins bien encadrés. »

Son état-major personnel se décapite lui aussi. Occupé à décanadianiser le Nord québécois et ses Esquimaux, Éric Gourdeau refuse de le suivre à la Famille. Puis, déception qu'il encaisse en haussant les épaules comme d'habitude, l'économiste Michel Bélanger l'imite : « Ce n'est pas dans mes cordes, les affaires sociales. J'aimerais mieux me diriger vers les affaires, ça me convient mieux. »

René Lévesque ne pleure pas longtemps ses « lâcheurs ». Il n'a pas de temps à perdre avec ses états d'âme. Il fait d'ailleurs la connaissance d'un haut fonctionnaire modèle, le frère d'André Marier, resté lui aussi aux Richesses naturelles. Il s'agit du sociologue Roger Marier, déjà sous-ministre du ministère. Il n'a qu'à rassembler autour de lui une bande de beaux esprits à l'image de ceux qui l'ont quitté.

C'est à cette époque que René Lévesque se lie avec un technocrate appelé à devenir, après 1976, l'une de ses éminences grises les plus appréciées. Il s'agit de Louis Bernard, jeune avocat originaire de Verdun. Comme Québec s'en va assurément vers un affrontement avec Ottawa au sujet des pensions de vieillesse et des allocations familiales, René Lévesque demande à Claude Morin, grand patron des Affaires fédérales-provinciales, de lui prêter à mi-temps son collaborateur le plus doué. Quelqu'un qui saurait nager aussi bien dans les eaux sociales que constitutionnelles. C'est ainsi que débute, pour Louis Bernard, un mariage politique qui durera plus de 20 ans.

Mais si René Lévesque se fait rare, par les temps qui courent, c'est qu'il n'a plus une seule minute à lui, pas même pour ses conquêtes féminines. Toujours responsable des Richesses naturelles jusqu'à ce que son successeur Gaston Binette soit prêt à prendre la relève (cela se fera en janvier 1966), René Lévesque y fait du 9 à 5. Il soupe à la sauvette puis, dès 19 heures, fait irruption dans son second ministère d'où il ne s'évade qu'à la nuit.

Il ne relâche ce train d'enfer que pour suivre en province son ami Robert Cliche, avocat beauceron bambocheux comme lui qu'il connaît depuis l'université. Mais cette fois-ci, ça n'est pas pour faire la tournée des grands ducs, mais plutôt celle des musées des horreurs.

Des années plus tard, quand il rappellera son court passage à la sécurité sociale, René Lévesque évoquera les images terribles gravées au fond de sa mémoire. Robert Cliche l'entraîne dans la Beauce et l'introduit chez des paysans honteux qui cachent au grenier ou à la cave, parfois même dans la grange avec les animaux, les mongoliens et les handicapés qu'ils considèrent comme une punition de Dieu.

« Je tombai un jour sur un indescriptible hospice privé où, dès l'entrée, les odeurs de saleté et de ranci faisaient lever le cœur, écrira-t-il dans ses mémoires. Je revois une vieille dame exposée à tous les regards qui s'arrachait ses derniers râles en griffant ses draps souillés… »

Ses équipées en Beauce ou ailleurs offrent à René Lévesque une image brutale de l'indigence tout en le mettant en piste. Mais contrairement à ce qu'il avait dû faire aux Richesses naturelles, c'est-à-dire partir de zéro, il possède cette fois un document clé dont il fera sa bible. Il s'agit du rapport Boucher, publié en 1963 par son prédécesseur Émilien Lafrance, qui fait l'unanimité des travailleurs sociaux.

Selon Claude Morin, qui y a mis la main, c'est le premier ministre qui, paniqué par la hausse astronomique des coûts de l'aide sociale, en a été l'instigateur principal. René Lévesque mord dans la philosophie qui en émane. Il l'explore avec le sentiment bien arrêté qu'il tient l'outil pour bâtir un vrai ministère de la sécurité sociale. La recommandation principale devient son programme : il faut une loi générale d'aide sociale pour intégrer les mille et une mesures dispersées, au gré des maquignonnages fédéraux-provinciaux, dans un lacis de législations disparates.

Au Canada, l'État-providence s'est développé de façon anarchique en réaction au chacun pour soi du capitalisme sauvage. Une mesure s'ajoutant à une autre, sans plan directeur, dans le contexte d'une centralisation fédérale renforcée par la guerre mais qui n'empêche toutefois pas les provinces d'intervenir elles aussi. À la loi québécoise de l'assistance publique de 1921 répond la loi fédérale des pensions de vieillesse de 1927. À celle de l'assurance-chômage proposée par Ottawa en 1935 répond au Québec la loi des mères nécessiteuses de 1937. Et ainsi de suite.

Cet arsenal fédéral-provincial de lois sociales apparaît à René Lévesque comme une jungle. À la mi-novembre 1965, le délai de réflexion qu'il s'est imposé avant d'agir se termine. Le temps presse. En effet, la déconfiture électorale guette le gouvernement Lesage. Sept mois, c'est à peu près tout le temps dont il disposera pour accomplir une révolution dans la sécurité sociale.

CHAPITRE XXIV

Ministre des p'tits vieux

Il est inadmissible que des centaines d'enfants
croupissent dans les crèches, ces cercueils de
jeunes.

RENÉ LÉVESQUE, décembre 1965.

R ené Lévesque fait de la famille le pivot de la réforme de
l'aide sociale dont il dévoile les grands principes à un modeste auditoire de 300 personnes, à Ville Saint-Michel : « Il
faut remplacer le concept inadmissible de la charité publique par le
droit à la satisfaction des besoins essentiels de la famille… »

Son tout premier secrétaire particulier, le journaliste Jean-V.
Dufresne, maintenant au *Devoir*, retrouve le René Lévesque bavard
des premiers jours. On le disait déprimé depuis son transfert, il paraît
plutôt en pleine forme. Il est monté à la tribune avec le rapport
Boucher dans la main gauche et, dans la droite, cinq feuilles chiffon-
nées noircies de notes et un paquet de cigarettes dont il est en train
d'avoir raison.

René Lévesque a trouvé une nouvelle cause à défendre, celle des
défavorisés. Comme à l'époque de la nationalisation de l'électricité,
il émaille son discours d'expressions-chocs du genre « Il faut éliminer
la charité privée et le monopole de l'Église en ce domaine ». On
devine déjà les remous dans les congrégations religieuses, pour qui

la charité, perçue comme une source de sanctification personnelle, est diablement préférable au dirigisme de l'État !

Les commentateurs du lendemain ne s'y trompent pas qui décrètent que « le ministre de la Famille et du Bien-être a annoncé une révolution de plus pour le Québec ». C'est que pour René Lévesque, un grand chamboulement de la sécurité sociale s'impose d'urgence.

Vieille de plus de 40 ans, la législation n'est plus conforme à la réalité. Les mentalités non plus. Les organismes privés qui s'occupent des assistés sociaux persistent à voir ces derniers comme des miséreux marqués par la malédiction divine. Alors que ce sont plutôt des vieillards, des invalides, des mères nécessiteuses, des jeunes handicapés, des pauvres et des chômeurs, qu'il faut réinsérer dans la société au lieu de les enfermer dans leur exclusion en leur promettant le paradis à la fin de leurs jours.

Les données de ses fonctionnaires concluent à une détérioration dramatique du tissu social, en dépit de la création en 1960 du ministère de la Famille et du Bien-être. Un spécialiste, le sociologue Philippe Garigue, soutient qu'aucune législation sociale en vigueur n'offre l'amorce d'une solution. À Montréal, cette Babylone de la misère et de la privation, 38 pour cent des familles vivent dans la pauvreté. Depuis 1960, les foyers brisés ont augmenté de 30 pour cent, les naissances illégitimes de 15 pour cent, tandis que les comparutions devant la Cour juvénile de Montréal se sont multipliées par cinq.

L'assisté social type a plus de 50 ans, est père de famille, occupe des emplois de manœuvre, d'employé de commerce ou d'agriculteur et est abonné au chômage à cause de sa sous-scolarisation. En fait, 80 pour cent des « clients » du service social de Montréal n'ont pas dépassé l'élémentaire. Ils n'ont donc rien du chômeur des années 90, plus jeune et plus scolarisé. À peine 20 pour cent, contre 80 pour cent aujourd'hui, sont aptes au travail.

La tragédie de l'exclusion à laquelle se mesure René Lévesque, il la retrouvera comme premier ministre. Pour le moment, il commence à bâtir une politique sociale qui mettra fin au « vieux fouillis » d'un système qui perpétue le désastre. Écartant sans ménagement ce qu'il appelle les « grands schèmes homogénéisés » du fédéral, il a affirmé d'abord à ses auditeurs de Ville Saint-Michel que le nouveau régime doit être québécois : « Seuls nous, pouvons définir et orienter une politique sociale bien enracinée dans le milieu… »

Ensuite, qu'il ne suffit pas d'empêcher les gens de crever de faim. Il faut renouveler la philosophie de l'assistance sociale qui baigne dans le paternalisme des élites religieuses et des nantis, qui perçoivent l'assistance sociale comme un cadeau que les riches font aux pauvres. Tout homme a droit à un niveau de vie suffisant pour assurer le bien-être de sa famille. Pas d'un chèque mais d'un niveau de vie. Pas d'un cadeau mais d'un droit. « Autrement, dit-il, c'est la jungle, non la société civilisée. »

René Lévesque veut accorder sa réforme aux besoins de la famille. Avoir des enfants accroît les charges familiales et constitue un risque social au même titre que la maladie, la vieillesse ou la perte d'emploi. Concrètement, cela signifie l'augmentation des allocations familiales ; et des prestations d'assurance-chômage plus élevées pour le père de famille que pour le célibataire.

Quand il s'est battu contre le trust privé de l'électricité, il n'avait à la bouche que le mot intégration qui rimait avec réseau unique et centralisation. Il répète le scénario de 1962. Il faut une loi unique d'aide sociale relevant de Québec, en lieu et place de la pléthore de mesures héritées d'un État-providence à double étage où le maquis des conflits fédéraux-provinciaux est tel qu'une chatte n'y retrouverait pas ses petits. La législation sociale actuelle forme « un catalogue de pièces rattachées les unes aux autres au hasard des élections, des promesses électorales et parfois des pressions populaires ».

Enfin, il faut arrêter les folies d'un régime décroché de la réalité, qui ne tient pas compte des politiques économiques de l'État. La sécurité sociale est indissociable du progrès économique et en constitue l'une des conditions. Ce thème lui vaut son meilleur succès de foule : « Rappelez-vous, quand on a organisé des travaux d'hiver aux Îles-de-la-Madeleine. Les pêcheurs ont quitté leurs chalutiers au lieu de pêcher. À défaut de pêche, les poissonneries ont mis les hommes à pied. Alors, pour les dépanner, on les a mis… aux travaux d'hiver ! Et ainsi de suite… »

Je veux un papa et une maman

Sa philosophie établie, René Lévesque s'attaque à la réforme avec sa jeune recrue, Louis Bernard, dont la rigueur et la méthode de travail l'enchantent. Tout semble toujours grave au technocrate.

C'est le genre à rire sous cape. S'il doit absolument s'égayer, alors il esquisse un pâle sourire pour marquer sa joie. Encore que dans le monde qu'il apprivoise avec René Lévesque, les occasions de rire soient rares.

La cruauté contre les enfants monopolise d'abord leur attention. « C'est un scandale public ! » lâche René Lévesque lorsqu'il aborde la question. Le monde jusque-là inconnu pour lui des crèches le bouleverse. Une planète aussi terrifiante que les hospices de vieux, ces « cercueils anticipés », et les orphelinats où, on l'apprendra plus tard, les « enfants de Duplessis » sont victimes de sévices corporels et d'agressions sexuelles perpétrés dans le silence feutré de la charité catholique.

Il faut humaniser ce secteur où, il n'y a pas si longtemps, 40 pour cent des bébés laissés à la crèche y mouraient durant leur première année de vie. Certes, l'hygiène infantile a progressé et René Lévesque ne voue pas aux flammes de l'enfer les communautés religieuses. Il va même jusqu'à louanger leur « beau travail ». Mais il ne le fait que du bout des lèvres, jugeant que l'omniprésence de l'Église dans le domaine social a freiné l'intervention de l'État.

Il n'est pas long à réaliser que la province vit un double drame. Les institutions privées qui accueillent les enfants nés hors mariage sont obsolètes cependant que les parents adoptifs, qui sont l'unique moyen de vider crèches et orphelinats, manquent cruellement à l'appel. En 1963, 1 500 enfants croupissaient dans les crèches de Montréal en attendant une famille.

Au moment même où René Lévesque se penche sur la crise de l'adoption, les journaux sont bourrés d'articles tous plus horrifiants les uns que les autres. *Le Soleil* révèle que chaque année la crèche Saint-Vincent-de-Paul doit refouler une centaine d'enfants dans les orphelinats de la capitale faute de parents preneurs.

À Montréal, les crèches de la Miséricorde et d'Youville sont remplies à pleine capacité d'enfants abandonnés. Cette tragédie, raisonne le journal un peu sommairement, s'explique par l'égoïsme de la population. Sans doute, mais il ne faudrait pas oublier non plus la force du tabou jeté sur les naissances illégitimes.

René Lévesque prend d'abord à témoin les bonnes bourgeoises libérales du club Wilfrid-Laurier. Refoulant dans un coin obscur de son subconscient son indifférence marquée à l'égard de sa propre fille naturelle depuis sa naissance, il leur fait la morale : « Il n'est pas plus honteux pour une société d'adopter ses enfants illégitimes que de les mettre au monde. Les pays socialement évolués n'ont pas d'enfants à adopter. On les confie à la naissance à un foyer nourricier où ils grandissent normalement. »

Mais il y a pire encore. Des trafiquants américains importent des bébés nés au Québec et les revendent ensuite à des parents adoptifs. Une honte nationale, un gaspillage humain scandaleux, s'indigne René Lévesque pour qui seule l'adoption organisée stoppera ce commerce abominable d'enfants québécois. « S'il faut faire du marketing de bébés pour donner une chance à ces enfants de trouver un foyer, faisons-le ! »

Il fait publier dans les journaux des encarts publicitaires dans lesquels des enfants en crèche clament : « Je veux un papa et une maman. » Chaque lundi, *La Presse* publie la photo d'un enfant, accompagnée de sa fiche d'identité : « José, 4 ans, cheveux et yeux noirs, rieur… » À CKAC, Huguette Proulx anime une chronique intitulée « L'enfant sans famille ». René Lévesque fait encore voter un budget de 13 000 $ pour la réalisation de trois courts métrages visant à promouvoir l'adoption.

Après quoi il ordonne à ses fonctionnaires de décentraliser les crèches afin que l'adoption ne soit pas que l'affaire de Montréal et de Québec. Louis Bernard s'attaque à la reformulation de la loi de l'adoption, tâche énorme qui ne sera pas complétée quand René Lévesque passera la main à son successeur Jean-Paul Cloutier, en juin 1966. Néanmoins, cinq ans plus tard, 1 005 enfants des crèches de Montréal auront trouvé des parents et la Miséricorde fermera ses portes faute de « clients ».

René Lévesque fait aussi approuver l'assistance médicale gratuite aux indigents. Réforme qui provoque un sérieux accrochage entre son « complice » de la Santé, Eric Kierans, et les médecins, qui menacent de se désengager plutôt que de soigner l'assisté social muni de la petite carte magique de la gratuité médicale. Il promet aussi, pour bientôt, un régime de gratuité des médicaments.

Le destin tragique des mères nécessiteuses le rend tout aussi fébrile que l'adoption. Il l'avoue à la Fédération des femmes du Québec, que viennent de lancer deux militantes féministes, Thérèse Casgrain et Jeanne Sauvé, ce sont les femmes qui revendiquent le plus

fort dans son ministère. Il faut dire que la condition des mères nécessiteuses, qui regroupent les veuves chefs de famille et les mères célibataires, n'est pas rose. Elles sont plus de 53 000 à faire vivre
70 000 enfants avec un revenu familial annuel inférieur à 2 000 $.

Pressant ses fonctionnaires, René Lévesque fait amender la loi
des mères nécessiteuses pour porter de 85 à 95 $ l'allocation men-
suelle de celles qui ont un enfant, et de 10 à 20 $ le supplément versé
pour chaque enfant additionnel. De plus, pour corriger une anoma-
lie de la loi de l'impôt que lui a signalée Eric Kierans, il élimine la disposition qui interdit la déduction fiscale pour enfant à la mère
naturelle occupant un emploi. Enfin, il hausse de 600 à 1 000 $ le
revenu annuel à partir duquel les allocations sont amputées.

Les mères célibataires le supplient aussi de les débarrasser à tout
jamais de l'épithète de nécessiteuse, synonyme de socialement dé-
chue, et de les protéger contre des travailleurs sociaux qui harcèlent
leurs voisins et leurs employeurs pour vérifier leur statut. Et qui les
traitent comme des fraudeuses.

Les médecins qui accouchent les mères célibataires donnent
également du fil à retordre à René Lévesque. L'hôpital de la Miséricorde, à Montréal, fait face à une levée de boucliers de son équipe
médicale : plus question de mettre au monde bénévolement les enfants naturels, comme cela se pratique depuis toujours. Le dévouement a ses limites. Surtout quand il faut présider chaque année à
plus de 1 500 naissances, sur un total de 5 000. Problème d'autant
plus aigu que les six résidents haïtiens chargés de pratiquer ces ac-
couchements ont démissionné en signe de protestation. René
Lévesque règle le problème en versant une allocation spéciale aux
médecins concernés.

Le fantôme d'Yves Simard, le fils de son secrétaire de comté, le
hante au moment où il aborde la question de l'enfance exceptionnelle, expression très « correcte » pour désigner les enfants handicapés physiquement et mentalement. Comment ignorer ces enfants
« criminellement négligés » parce que considérés comme un poids
mort pour la société ? Dans le passé, les gouvernements s'en sont
toujours remis à l'Église pour faire disparaître les handicapés de la
vue des honnêtes gens. René Lévesque réalise que l'État doit s'en
mêler car les institutions privées ont des listes d'attente de cinq ans.

Profitant du rassemblement à Montréal de quelque 500 spécialistes de l'enfance exceptionnelle, il se vide le cœur : « Les mal pris sont ma priorité absolue. Mais parmi ces mal pris, les jeunes viennent au premier rang. Ça presse. Il faut créer un lobby de l'enfance exceptionnelle à l'échelle de la province. Et j'ajoute qu'il n'y a pas de solution si on ne fait pas appel à l'État, car les mesures que nous devons prendre ne relèvent pas de la charité mais de la plus simple et tardive justice sociale. »

Malheureusement, ce ministre en sursis n'aura pas le temps de terminer sa besogne. Son livre blanc de l'enfance exceptionnelle restera sur le carreau quand sonnera, bientôt, l'heure de la défaite électorale.

Géographie canadienne de la pauvreté

Qui dit René Lévesque dit controverse. Le jour où il ose affirmer que « les familles nombreuses ont le droit de pouvoir limiter le nombre de leurs enfants » et recommande le planning familial, la matraque religieuse s'abat sur lui.

Gilles Dandurand, d'*Aujourd'hui Québec,* feuille jésuite qui affiche comme moto « le magazine avec une conscience d'honnête homme », l'excommunie avec l'arsenal du parfait intégriste : « Le ministre de la Famille est contre la famille ! » écrit-il. Un pareil monstre doit démissionner rapidement car son poste exige une haute probité morale. Vertu que lui a fait perdre sa « proposition criminelle de limitation des naissances qui postule un agnosticisme moral absolu et livre le peuple à une pratique politique sans Dieu ».

René Lévesque ne se fait assurément pas que des amis. Si certains sourient de l'entendre traiter de « requins de la finance » les agences de recouvrement qui pressurent les pauvres avec des taux d'usuriers, d'autres grincent des dents lorsqu'il assomme les organismes de charité privés, dominés par une Église « qui n'a jamais eu le commencement du bout de la queue d'une vraie politique sociale ».

Mais ses plus sérieux démêlés, c'est encore une fois avec Ottawa qu'il les a. À la fin de l'été 1965, Lester B. Pearson a préparé deux grandes opérations : sa réélection et une conférence fédérale-provinciale spéciale sur la sécurité sociale. Devant le tableau atterrant de la pauvreté canadienne, qui fait dire aux détracteurs du fédéral que ce pays cultive la pauvreté, l'urgence de bouger s'imposait. Les études à ce sujet, dont celle, percutante, du Conseil canadien de bien-être, convergeaient toutes vers la nécessité d'une action rapide.

La géographie de la pauvreté canadienne contrastait brutalement avec l'affirmation des politiciens voulant que ce pays soit prospère et heureux. Plus d'un million de citoyens étaient carrément illettrés, 31 pour cent n'avaient suivi que le cours primaire et 2 pour cent seulement avaient une formation universitaire. Les handicapés permanents qui ne touchaient aucune aide de l'État se chiffraient à 1 300 000. Chez les ruraux, quantité de familles vivaient avec 11,71 $ par personne mensuellement. Une guerre à la pauvreté, comme celle que venait de déclarer le président américain Lyndon B. Johnson, s'imposait au Canada.

Dans son invitation à Jean Lesage pour la conférence du 7 décembre, le premier ministre Pearson prend toutes les précautions possibles pour ne pas offenser, ne serait-ce que par distraction, la compétence québécoise.

« Il s'agit, écrit-il, de savoir quelle est la meilleure façon de coordonner dans les limites de nos juridictions respectives les divers programmes fédéraux et provinciaux afin de les rendre le plus efficaces possible... »

Avant de déléguer René Lévesque à Ottawa, Jean Lesage précise à Lester B. Pearson dans « quel esprit » son ministre participera à la conférence. Ottawa doit d'abord respecter intégralement la répartition des pouvoirs et ne pas oublier que Québec est déjà fortement engagé dans la lutte contre la pauvreté, que René Lévesque a déjà fait des gestes précis, comme une loi unique d'assistance sociale axée sur la famille, et qu'il s'apprête à bouger dans plusieurs domaines. « Nous ne sommes pas du tout prêts à laisser le gouvernement fédéral prendre en charge directement ou indirectement des champs d'activité où nous pouvons mieux que lui adapter nos moyens d'action aux besoins de notre population. »

En d'autres mots, si Ottawa reste dans sa cour, tout ira bien. Le 7 décembre, c'est un Lester B. Pearson réélu de justesse à la tête d'un gouvernement minoritaire qui délègue son ministre Allan MacEachen à la rencontre de René Lévesque. La faiblesse de l'interlocuteur fédéral invite celui-ci à la fermeté. Mais, au terme de la première journée, il laisse la parole à Claude Morin qui, avec Louis

Bernard, a mijoté la position québécoise en s'inspirant du rapport Boucher.

« Le programme fédéral de lutte à la pauvreté risque de gêner les projets du Québec », laisse tomber comme une évidence le sous-ministre Morin. Le lendemain, avant de quitter la capitale fédérale, René Lévesque en rajoute : « J'ai mis devant la conférence notre refus de nous faire embarquer dans des mesures au sujet desquelles nous avons déjà établi notre politique. Nous ne voulons pas de carcan. »

Si Ottawa ne bouge pas, on ira de l'avant

Mais ce n'était que la première manche. La vraie négociation s'engagera en janvier 1966, à Ottawa toujours. René Lévesque compte bien s'y rendre en gardant à l'esprit l'idée maîtresse qui le guide : toute la sécurité sociale devra émaner un jour du seul gouvernement québécois, pour des raisons d'efficacité et d'enracinement culturel.

Il ne cesse de répéter : « Il faut une autorité claire et nette pour ne plus se marcher sur les pieds. Cela implique [le rapatriement] des allocations familiales et des pensions de vieillesse. Mais sans aucun chambardement constitutionnel puisque la constitution établit clairement que ces domaines relèvent de la juridiction provinciale. »

C'est le fil conducteur du mémoire que rédige le sous-ministre Claude Morin entre la tourtière de Noël et la dinde du jour de l'An. Comme il le racontera bien « humblement » par la suite, le technocrate formé à la prestigieuse université Columbia reçoit une grande leçon de style et de synthèse de ce ministre autodidacte nommé René Lévesque qui n'a même pas fini son droit.

Le texte, qu'il lui soumet pour approbation et qu'il croit impeccable et définitif, lui revient 24 heures plus tard totalement métamorphosé et traduit dans un anglais très supérieur à celui du traducteur de service. Ahuri, le sous-ministre ne peut que s'incliner devant cet exploit. « Ce fut ainsi que, peut-être pour la première fois de l'histoire du Québec, note-t-il dans ses mémoires, un ministre rédigea lui-même sa propre présentation à une conférence fédérale-provinciale. »

Politicien réaliste, René Lévesque ne se fait pas trop d'illusion sur ses chances de ramener tout son butin d'Ottawa dès le premier engagement. Le transfert des allocations familiales et des pensions de vieillesse rapporterait au Québec un demi-milliard de dollars : 180 millions pour les premières et 350 pour les secondes. Un joli magot en points d'impôt rapatriés, mais qui priverait cependant la puissance fédérale de la visibilité conférée par les chèques à l'effigie de la Reine qui pénètrent dans toutes les familles de la nation.

Avant le début de la conférence, René Lévesque réduit donc son appétit : il revendiquera uniquement les allocations familiales, domaine où la probabilité de fléchir Ottawa lui semble plus grande. Car le régime fédéral est dépassé, tout le monde en convient, même les mandarins fédéraux. Institué durant la Deuxième Guerre mondiale, ce système marginalise l'aide aux familles nombreuses. Le premier enfant reçoit un montant plus important que le deuxième et les suivants. Il faudrait faire exactement le contraire car ce n'est pas la naissance d'un premier héritier qui grève le budget d'une famille, mais les suivantes.

Pour René Lévesque, le régime fédéral confine au gaspillage de fonds publics puisque l'objectif visé rate en partie sa cible. « Imaginez ce qu'on pourrait faire avec 180 millions par année ! » aime-t-il dire. C'est qu'il a déjà son propre plan inspiré des travaux du démographe Jacques Henripin. Ce savant universitaire fait du bruit avec une formule qui abolit l'allocation au premier enfant, laisse intacte celle au deuxième mais augmente substantiellement celles aux enfants qui suivent. Selon ses calculs, Ottawa pourrait verser à chaque enfant à partir du troisième 340 $ par année.

La stratégie de René Lévesque comporte trois volets. Même si l'ordre du jour ne fait pas mention des allocations familiales, il réclamera un programme plus généreux et gradué selon le nombre d'enfants. Ensuite, il en revendiquera le rapatriement, mais seulement si les circonstances s'y prêtent. Pas d'ultimatum, précise-t-il à la presse qui s'attend à l'une de ces sorties dont il a le secret. Enfin, il veut s'assurer que Québec pourra se retirer du nouveau plan d'aide sociale pancanadien qu'Ottawa entend mettre en vigueur dès le 1er avril.

Lester B. Pearson a déjà oublié ses bonnes dispositions concernant le respect sacré des juridictions provinciales. Le « plan canadien d'assistance publique », qui ne fait qu'accentuer la présence fédérale dans un domaine où il n'a pas affaire d'après la constitution, obtient le feu vert des provinces anglaises. Elles n'y voient rien à redire puisque, comme les assure le ministre fédéral Allan MacEachen en réponse à une question de René Lévesque, il ne s'agit que d'un « cadre général dans lequel les provinces pourront entrer par étapes ». Allez-y voir.

La question des allocations familiales rebondit. Allan Mac-Eachen admet que le régime fédéral doit être repensé. Le ministre québécois profite de l'ouverture pour expliquer la formule des allocations familiales et scolaires mise au point par ses experts.

Mais il ne serait pas René Lévesque s'il ne durcissait pas le ton : « Si Ottawa ne modifie pas le régime des allocations familiales, Québec ira de l'avant en parcourant seul la moitié du chemin. » En d'autres mots, la province puisera dans son bas de laine, pour hausser les allocations, en attendant que le fédéral en fasse autant.

À la pause café, René Lévesque mesure l'intérêt qu'il a soulevé chez les représentants des autres provinces. De retour à la table, quatre d'entre eux, de Terre-Neuve, du Manitoba, de la Nouvelle-Écosse et de l'Ontario, appuient sa position, tandis que le sous-ministre fédéral de la Santé, le Dr Willard, l'assure qu'Ottawa accélérera le rajeunissement d'un régime inchangé depuis 25 ans.

Cette sympathie générale, à laquelle René Lévesque fera écho en sortant de la conférence, tient-elle au fait qu'il a oublié délibérément le paragraphe de son texte où il était question du rapatriement des allocations familiales ? Sûrement, conclut la presse du lendemain. Mais il n'y renonce pas. Il en reporte l'échéance pour une raison toute simple : l'amélioration du régime existant est urgente. Il ne livrera pas une bataille constitutionnelle sur le dos des indigents.

De plus, il n'est pas naïf au point de croire que le fruit est mûr. Il mordra la poussière s'il précipite les choses. En ouvrant les débats, le ministre MacEachen a réaffirmé clairement, pour sa gouverne sans doute, l'autorité fédérale sur le régime des allocations familiales « devenu l'une des pierres angulaires de l'édifice de la sécurité sociale canadienne ».

C'est la presse anglophone qui ne s'y retrouve plus. Elle s'attendait à un ultimatum de la part de René Lévesque. Elle trouve sa modération suspecte. Au cours du point de presse qui suit la conférence, le moustachu Jean-V. Dufresne observe avec son ironie habituelle le sourire sceptique de ses collègues anglophones, lorsque René Lévesque jure ses grands dieux qu'il ne cherche pas d'affrontement constitutionnel.

Toutefois, il ne peut s'empêcher de les narguer : « Tant qu'il restera un maudit Canadien français, vous n'aurez aucune chance de nous intégrer dans ce monstre hybride et biculturel dont vous rêvez. »

Envolée provocante qui connaît heureusement son moment de drôlerie. Quand un journaliste torontois lui demande en clignant de l'œil quelle juridiction il accorde encore au gouvernement fédéral. René Lévesque laisse tomber avec un sourire en coin : « Le bureau du premier ministre, assurément ! »

Lester B. Pearson, à qui un aide a transmis son bon mot, commente : « J'ai voyagé en Russie avec M. Lévesque alors qu'il était correspondant à Radio-Canada. Je lui ai toujours trouvé un humour délicieux... »

Rentré à Québec, René Lévesque envoie une note à Jean Lesage : « Ci-joint le communiqué anglais de la conférence (la version française, *naturally,* était encore en gestation quand nous sommes partis !). Le droit d'option y est mentionné comme une chose qui va de soi — bien qu'il ait fallu le faire inscrire, car on l'avait oublié dans le premier *draft...* »

Il s'en prend encore aux journalistes de la tribune parlementaire d'Ottawa qui, dit-il à son chef, sont le miroir fidèle du climat fédéral. Ils font automatiquement preuve d'hostilité face à ce qu'ils croient percevoir des intentions québécoises :

« Plusieurs d'entre eux, agissant comme de véritables agents provocateurs, n'avaient qu'une seule idée en tête : faire dévier toute question vers la définition, les limites et... les dangers du statut particulier. Ça les obsède. »

Dans son autobiographie, René Lévesque avouera sans ambages que le rapatriement raté des allocations familiales est dû au facteur Trudeau. Durant la campagne électorale fédérale, Pierre Trudeau s'est acharné en effet à insuffler le nouvel esprit qui devait à son avis animer les hommes politiques fédéraux. Aux étudiants de l'Université McGill, il a dit qu'il ne croyait ni à la théorie des deux nations, ni aux États associés, ni au statut particulier du Québec.

Invité à l'émission télé de Pierre Berton avec son ami Gérard Pelletier, élu lui aussi pour la première fois de sa vie, il a dénoncé le statut particulier parce qu'il rendrait nécessairement les rapports entre Québec et Ottawa différents de ceux qui se forgent entre la capitale et les autres provinces. En somme : ce trucmuche constitutionnel appelé statut particulier ferait du Québec une-province-pas-comme-les-autres. Impensable et inacceptable à tout Canadien de bonne race.

Louis Bernard a vécu aux côtés de René Lévesque ce raidissement du fédéralisme canadien qui a marqué son évolution vers le souverainisme. Comme il le dira plus tard : « Jusqu'à Trudeau, le fédéralisme canadien n'était pas un obstacle au progrès du Québec. On s'appuyait sur ce qui se faisait à Ottawa ou dans les autres provinces pour changer les choses. Par exemple, la loi québécoise de l'aide sociale, l'assurance-maladie et la retraite prenaient appui sur des politiques fédérales. On pouvait travailler et collaborer avec les fédéraux sans que cela ne gêne l'adoption de politiques propres au Québec. Après l'arrivée de Trudeau, on a commencé à sentir un carcan. »

CHAPITRE XXV

Second violon

*Il n'y avait plus que Lesage, Lesage à toutes les
sauces : avec les ouvriers, avec les femmes, avec
les jeunes…*

RENÉ LÉVESQUE, Attendez que je me rappelle, 1986.

*P*ost mortem griffonné par René Lévesque après la défaite du
5 juin 1966 : « Élection gaullienne — ça n'avançait plus.
Lesage autocrate, erratique, pétrin = janvier 1966. Campagne désastreuse ("gaullienne"). Jean Lesage pas en forme —
agressif, pas dans son assiette. Pas d'équipe (tonnerre) = chacun
pour soi… Gaspésie, sentis… Me rabattis sur Laurier = Ti-Loup.
Grande assemblée (piteux état). Entre à 10 heures = vide la salle.
Résultat : un gouvernement est battu par lui-même… »

Cette note télégraphique rend bien la morosité parfois rageuse
qui habite René Lévesque tout au long de la campagne électorale.
Une campagne qui marque la fin de sa carrière politique libérale et
le commencement d'une longue marche de 10 ans qui le conduira
au pouvoir comme chef d'un parti souverainiste qui n'existe pas
encore.

Ce commencement de la fin d'une saison politique qui aura duré
plus de sept ans s'amorce sur un malentendu. René Lévesque n'allait
jamais oublier la lecture par trop optimiste d'un sondage électoral,

dans un motel de Sunset Avenue, à Miami, où il avait été réquisitionné par l'état-major de Jean Lesage.

Dans ses mémoires, il écrira au sujet de cet épisode floridien : « Je regrette encore ce congé pascal que je m'étais promis en 66. » Réfugié avec femme et enfants aux Bermudes, qu'il préfère mille fois à la Floride, il a tout juste eu le temps de goûter aux plaisirs combinés de la mer et du soleil que Jean Lesage le convoque d'urgence à Miami pour discuter d'élections.

Il s'arrache à Louise, Pierre, Claude et Suzanne, la petite dernière née en 1956. Saute dans un avion qui fera le taxi dans les Bahamas avant de le larguer sur un casino flottant en route vers Miami Beach. (Le poker n'est jamais très loin quand René Lévesque voyage !) Il est plus de 20 heures quand il frappe enfin au Club Select, repaire de Jean Lesage. Soirée lugubre : il pleut à boire debout et fait noir comme chez le loup ! Au moment où il va entrer, l'avocat Claude Ducharme émerge de la nuit : « Il faut que je vous voie cinq minutes », fait-il mystérieusement.

Claude Ducharme, c'est l'âme damnée de Jean Lesage. Il entraîne René Lévesque dans sa chambre où il extirpe d'un tiroir une brique bourrée de statistiques électorales. C'est un sondage qu'il a commandé à la Société de mathématiques appliquées et dont la conclusion délicieuse séduit René Lévesque.

Les libéraux mènent à deux contre un : 30 pour cent des voix contre un maigre 14 pour cent à l'Union nationale. Traduite en sièges, l'avance libérale pourrait valoir au gouvernement jusqu'à 90 sièges sur 108. Le conseiller Ducharme a son plan. Il le résume à brûle-pourpoint à René Lévesque qui n'en devinera la portée dévastatrice qu'une fois le match électoral engagé : « Vous voyez, c'est gagné d'avance. Ce qu'il nous faut maintenant, c'est une campagne à la de Gaulle… »

Le sondage de l'avocat confirme celui de Gallup que Jean Lesage a dévoilé aux membres du Cabinet avant Pâques. De tous les gouvernements provinciaux du Canada, le sien récoltait la marque de popularité la plus élevée. N'empêche que dans ce tableau de chiffres à prime abord mirifiques s'étalent des zones d'ombre de nature à modérer les transports de la cour floridienne du chef, constituée des ministres Alcide Courcy, Pierre Laporte, Paul Gérin-Lajoie et Bernard Pinard.

Même René Lévesque ne décèle rien de suspect, comme il l'avouera dans son autobiographie. L'énormité du pourcentage d'indécis et de ceux qui refusent de répondre — près de 40 pour cent — est pourtant de nature à interdire tout triomphalisme. Et quelle sera l'influence du vote des jeunes maintenant qu'ils peuvent voter à 18 ans ? Quel pourcentage d'entre eux — ils sont 700 000 de 18 à 24 ans — ira aux tiers partis indépendantistes ramenés par les libéraux, un peu trop vite peut-être, à un front disparate qu'un seul coup de canon suffira à mettre en déroute ?

En revanche, le sondage fait voir un degré de satisfaction élevé envers le gouvernement, sauf chez les citoyens des campagnes et des petites villes — les grands oubliés de la révolution tranquille. Avec un taux de chômage ramené de 7 à 5 pour cent au cours des quatre dernières années, la population voit l'avenir avec optimisme. Les sondeurs ont également trouvé que certaines réformes, comme la gratuité scolaire ou la hausse du salaire minimum, sont fort prisées des électeurs.

Jean Lesage a raison d'être optimiste car le bilan du gouvernement est impressionnant : récupération d'Ottawa de 40 points d'impôt, nationalisation de l'électricité, récupération du Nord québécois et de sa population autochtone*, lutte au favoritisme, création d'un ministère de l'Éducation, syndicalisation des employés de l'État, caisse de retraite jumelée à une caisse de dépôt qui financera le développement économique, modernisation des lois sociales, assurance-hospitalisation et création de sociétés publiques comme SOQUEM, SGF et Sidbec.

Comment les stratèges de Jean Lesage ne le croiraient-ils pas immortel malgré l'importance du vote flottant ? Tout ce dont le chef a besoin pour son bonheur, c'est d'un triomphe personnel capable de gommer l'ombre que se sont mises à lui faire les vedettes du Cabinet, les René Lévesque, Paul Gérin-Lajoie et Eric Kierans.

Le 18 avril, basané par le soleil de la Floride et débordant de vitalité, Jean Lesage déclare la guerre à l'Union nationale de Daniel

---

* En mars 1966, au cours d'un Conseil des ministres, René Lévesque a proposé d'amender la loi électorale pour permettre aux autochtones de voter et de se porter candidats, ce qui leur était interdit jusque-là.

Johnson, et à Ottawa. Il a besoin, dit-il à la presse, d'un « mandat précis » pour négocier avec le fédéral un nouveau partage de la fiscalité. Le scrutin aura lieu le 5 juin. Au Québec, dès qu'il est question d'élections, on sort le bon vieil épouvantail : Ottawa, toujours aussi menaçant pour la souveraineté québécoise.

Autour de Jean Lesage, les ministres exultent comme si les élections étaient déjà gagnées. Le ministre de l'Agriculture, Alcide Courcy, parie 10 $ avec un journaliste que Daniel Johnson mordra la poussière dans son propre comté de Bagot. Pince-sans-rire, le ministre René Saint-Pierre prédit 109 comtés aux libéraux — il y en a 108 au total. « Ça sera la bataille la plus facile de ma carrière », se réjouit de son côté Bona Arsenault.

Un seul ministre ne participe pas à la jovialité ambiante et se refuse à tout pronostic quant aux chances du gouvernement d'être réélu. C'est René Lévesque. « Tout ce que je souhaite, commente-t-il avec un air un peu bourru qui contraste avec l'audace rieuse de ses collègues, c'est que les élections aient lieu le plus vite possible ! »

On l'a déjà vu plus agressif au moment d'ouvrir les hostilités.

Déprimé par son chef

La vérité (il la confessera par la suite), c'est que le cœur n'y est plus. Avant même de tirer la première flèche, René Lévesque voit venir la défaite d'un gouvernement jadis flamboyant mais affublé aujourd'hui d'un chef chicanier, dépourvu d'une plate-forme électorale convaincante et capable de retenir les jeunes Québécois qui ont déserté le parti libéral pour flirter avec les idées séparatistes et gauchistes.

René Lévesque s'efforce de donner du corps à ce qui tient lieu de programme. Il passe en effet une nuit complète, seul, à réécrire en catastrophe une ébauche de programme, à partir du document que les organisateurs du parti lui ont remis en Floride. Il tâche d'injecter un peu de souffle en dégageant une idée maîtresse : le développement du Québec.

Pour l'essentiel, le parti promet deux nouveaux ministères — Développement économique et Loisirs et Sports —, une seconde université française à Montréal, l'abolition du Conseil législatif, la gratuité des études collégiales, le relèvement des allocations familiales et du salaire minimum, la priorité du français, une loi unique de la sécurité sociale, une politique des HLM, une charte des droits et libertés et une récupération fiscale maximale du fédéral.

Un autre facteur déprime René Lévesque : ses rapports avec Jean Lesage n'ont jamais été aussi vinaigrés. Même au temps de ses pires incartades, comme celle des « Rhodésiens de la Noranda » qui avait ébranlé le milieu financier de Toronto, le chef lui en passait assez pour rendre jaloux les collègues du Conseil des ministres.

La victoire flamboyante de novembre 1962 les avait soudés l'un à l'autre. C'était l'époque bénie où le très matinal Jean Lesage prenait un malin plaisir à réveiller son ministre à 8 heures pour lui demander son avis sur un amendement somme toute secondaire ou, au contraire, d'une importance telle qu'il valait mieux qu'il soit plus ou moins endormi pour donner son aval ! René Lévesque savait Lesage mentalement accroché à lui à tel point que cette dépendance le gênait parfois.

Mais depuis 1965, le charme est rompu. Les conservateurs de l'entourage du premier ministre sont parvenus à le discréditer aux yeux de leur patron avec une efficacité au moins égale à l'influence corrosive de la « Corinne parlementaire », qui l'avait pris en grippe, elle, dès les tout débuts. Combien de fois le sous-ministre Claude Morin ne les a-t-il pas entendu suggérer à Jean Lesage : « Tu devrais te débarrasser de Lévesque… »

Leurs divergences de vues se sont multipliées. En novembre 1965, le ministre des Affaires culturelles, Pierre Laporte, avait fait les manchettes en proposant que le français devienne prioritaire au Québec. La priorité du français, Jean Lesage n'en avait cure. René Lévesque, lui, l'avait reconnue d'emblée dans un discours qui s'était naturellement retrouvé à la une des quotidiens.

En rentrant du Moyen-Orient, le premier ministre avait profité du premier Conseil des ministres pour lui imposer le bâillon, avec l'appui de Paul Gérin-Lajoie agacé de le voir encore fomenter de nouvelles querelles au sein du Cabinet. « Il serait sage de commencer à se taire et d'administrer la province en silence… », avait tonné Jean Lesage.

Un mois plus tard, au Conseil des ministres toujours, René Lévesque s'était pris aux cheveux avec son chef au sujet d'un article de *L'Indépendance,* le journal des rinistes. Le journaliste Roch Denis avait accusé un juge d'avoir touché un pot-de-vin lors d'une requête en injonction en Cour supérieure. Accusation grave qui avait suscité une procédure d'outrage au tribunal, déboutée cependant par le juge en chef Dorion. Dépité, Jean Lesage avait grogné : « Le procureur général devrait porter une accusation de libelle diffamatoire devant la Cour criminelle.

— Est-ce que ce ne serait pas un peu exagéré ? avait objecté René Lévesque. Roch Denis n'a fait que rapporter la déclaration d'un épicier…

— Le journaliste n'avait pas le droit de l'écrire ! C'est celui qui donne la nouvelle qui est coupable », avait coupé le premier ministre d'un ton cinglant qui avait bien amusé les ombrageux du Cabinet.

Les choses en étaient restées là jusqu'à ce que René Lévesque soumette une demande de subvention pour le congrès de l'Union internationale des organismes familiaux prévu à Québec pour 1967. La réponse de Jean Lesage n'avait guère été aimable : « Si le gouvernement acceptait de contribuer à tous les congrès qui se tiendront à Québec en 1967, on n'en finirait plus ! »

La situation avait rapidement dégénéré. Gérard Brady se souvient encore de la scène qui les avait opposés et qui avait coulé dans la presse. « Lesage a attrapé René Lévesque par l'encolure et l'a soulevé de terre en le menaçant : "Mon p'tit Christ ! Tu vas l'avoir un jour mon poing !" Puis il l'a laissé retomber. Lévesque a essuyé machinalement son veston d'un air provocant avant de se diriger vers un groupe avec qui il a engagé la conversation comme s'il ne s'était rien passé. »

Cette passivité faisait dire à Gérard Brady que René Lévesque était prêt à encaisser pas mal de baffes avant de tirer sa révérence. Il avait une mission à accomplir, voilà tout. Et il était prêt à endurer Jean Lesage tel qu'il était. Philippe Amyot, témoin de belles engueulades téléphoniques entre les deux hommes, n'en revenait pas non plus de voir son beau-frère prendre constamment la défense de celui qu'il tenait pour le plus grand premier ministre qu'ait eu le Québec.

Plus tôt, peu après sa nomination comme président de la sidérurgie Sidbec, l'ex-directeur du *Devoir,* Gérard Filion, a assisté à une savonnade en règle servie par Jean Lesage à son brouillon de ministre. La sidérurgie d'État battait de l'aile et le premier ministre avait convoqué de bon matin le nouveau président pour faire le point avec ses ministres.

Jean Lesage était pourpre, le visage déformé par la colère. « Il est chaud ! Il a pris un coup ! » avait murmuré Gérard Filion à son adjoint aussi éberlué que lui. Le premier ministre tempêtait comme si les deux hommes n'avaient pas été là : « Comment ça se fait que Lévesque n'est pas encore arrivé ? C'est un Conseil des ministres spécial sur Sidbec, et Lévesque n'est pas là ! C'est lui qui nous a embarqués dans cette galère, mais il n'est pas là ! »

Les autres ministres n'osaient rien dire, attendant que l'orage passe. « Monsieur le greffier, avait ordonné le premier ministre, appelez René Lévesque et dites-lui d'être ici dans cinq minutes ! »

Le délai avait expiré sans que l'absent ne montre le bout du nez. Quand il avait paru enfin, essoufflé et la cravate de travers, il avait à peine eu le temps de s'affaler dans son fauteuil que son chef l'abîmait d'injures : « Vous n'êtes même pas capable d'être à temps, la ponctualité, vous ne connaissez pas ça ! Vous êtes un irresponsable… »

Tout recroquevillé sur son siège, malheureux comme une pierre, le retardataire se laissait humilier sans mot dire devant ses collègues aussi gênés et sidérés que Gérard Filion. Celui-ci dira des années plus tard : « Moi, si j'avais été René Lévesque, je me serais levé, j'aurais pris mon chapeau et je serais parti à jamais sans même saluer Lesage. »

Fais ta campagne tout seul

Aussitôt la campagne électorale en marche, le taciturne ministre découvre ce que signifie une élection « à la de Gaulle », telle qu'imaginée par Claude Ducharme : le général Lesage combattra seul l'ennemi. Les capitaines devront lui abandonner le front.

Autres temps, autres mœurs. En 1960, l'organisateur Henri Dutil s'était présenté à la permanence du parti avec de grandes pancartes montrant un Jean Lesage effervescent. « Emporte ça ! Il n'y a pas de chef dans cette élection. Le chef, c'est l'équipe du tonnerre ! » lui avait lancé Maurice Sauvé, proche de René Lévesque et devenu depuis ministre à Ottawa. Maintenant, il n'y en a que pour Jean Lesage. Un spectacle solo.

La publicité électorale est tout aussi abracadabrante que celle de

l'Union nationale, en 1960, avec la célèbre affiche du premier ministre Antonio Barrette et sa boîte à lunch d'ancien ouvrier, accompagné du slogan idiot *Vers les sommets*. Maintenant, c'est Jean Lesage
en bras de chemise à l'usine, hissé sur un camion ou gloussant avec
des dames patronnesses et de jeunes enfants... On a même songé à
planter dans les comtés ruraux d'énormes placards montrant le premier ministre coiffé d'un feutre et causant familièrement avec un
cultivateur. Comme le ridicule risquait de le tuer, ses organisateurs,
les Henri Dutil, Raymond Garneau et Jean Bienvenue, ont fini par y
renoncer.

Comment expliquer que René Lévesque n'ait pas prévu le
coup ? À Miami, il était déjà évident que le chef tiendrait le premier
rôle et que les grands ténors habituels, les Claude Wagner, Pierre
Laporte, Paul Gérin-Lajoie et lui-même, devraient se cloîtrer dans
leur région et se contenter de jouer les seconds violons. Comme il l'a
avoué à l'époque à Marthe Léveillé, il se doutait bien un peu du
scénario de la campagne. Il savait que l'ancien premier ministre
fédéral Louis Saint-Laurent, qu'il s'était permis d'humilier durant la
campagne de la nationalisation*, avait convaincu Jean Lesage de
l'écarter : « Fais ta campagne tout seul. Si tu veux gagner tes élections, ne t'embarrasse pas de Lévesque... »

C'est exactement ce que fait le chef libéral dès sa première
grande assemblée régionale, à Sherbrooke : il oublie de l'inviter, ainsi
que Paul Gérin-Lajoie. En l'apprenant, ce dernier jure qu'il ne sortira pas de son comté de toute la campagne. Que Lesage se débrouille tout seul ! René Lévesque décide au contraire de forcer la
porte et se rend à Sherbrooke avec son ange gardien, le lutteur
Johnny Rougeau.

Dans son autobiographie, René Lévesque raconte qu'en l'apercevant, un organisateur s'était emparé de son humble personne
avec la mission délibérée de la rendre invisible. Il s'était retrouvé au
fin fond de la scène, masqué à la foule par une double rangée de

---

* Retiré de la vie politique, Louis Saint-Laurent s'était mis au service des compagnies d'électricité combattues par René Lévesque. Ce dernier lui avait souvent fait
sentir sa condition de roi nègre, pour utiliser son expression favorite. L'ancien premier ministre fédéral s'en offusquait.

notables locaux et de candidats de la région regroupés autour du premier ministre.

Johnny Rougeau a conservé d'autres souvenirs de cet épisode. En voyant s'avancer René Lévesque, la foule l'avait spontanément ovationné comme au plus beau temps de la campagne de la nationalisation. Panique autour de Jean Lesage qui avait marmonné entre ses dents assez fort pour que le catcheur l'entende : « Celui-là, il ne me volera jamais plus le *show.* »

Son chef veut qu'il s'éclipse, c'est bon ! Il imite l'ami Paul, et ne s'éloigne plus de son comté. Un tout dernier sondage interne qui favorise les libéraux galvanise l'entourage de Jean Lesage. « Je ne comprends pas leur enthousiasme, lui confie Paul Gérin-Lajoie. C'est vrai que nous avons la majorité, mais regardez donc le nombre d'indécis ! »

Le sondage traduit en effet l'hésitation de la population. Tout peut arriver. Même une défaite. René Lévesque est pessimiste. Le gouvernement est en mauvaise posture, il le sent au mécontentement des électeurs qui s'exprime de tous côtés.

Ironiquement, leur isolement et leur désœuvrement communs rapprochent les deux rivaux d'hier. À Saint-Polycarpe, village de Vaudreuil-Soulanges, René Lévesque et Paul Gérin-Lajoie se côtoient à la tribune — sans leur chef évidemment. Et, contrairement à leur habitude, tous deux usent de la langue de bois : tout va très bien, chers électeurs. On ne pourra pas les accuser, après la défaite, d'avoir poignardé le chef.

À la mi-mai, à trois semaines du scrutin, voilà donc à quoi se résume l'apport de René Lévesque. Avant de s'embastiller dans son comté, il se retrouve bien malgré lui aux bulletins de nouvelles. En début de campagne, il a promis d'inclure avec les chèques d'assistance sociale un avis spécifiant que les prestations n'ont pas de couleur politique et qu'aucune menace ou promesse de qui que ce soit ne pourrait influencer le ministère.

Daniel Johnson l'accuse maintenant d'avoir manqué à sa parole et d'utiliser les assistés sociaux à des fins partisanes. « C'est de la cochonnerie bassement démagogique pour semer la panique chez les assistés sociaux », riposte René Lévesque en publiant les dates d'expédition des avis, qui ont déjà bel et bien été envoyés avec les chèques aux mères nécessiteuses, veuves et assistés inaptes au travail.

Les autres pensionnés de l'État recevront l'avis aux dates prévues pour l'envoi des chèques.

Le malheureux n'a plus qu'à s'enterrer dans son comté. Mais alors que l'improvisation règne partout dans la province, l'organisation de Laurier baigne dans l'huile. Le pilier de la nouvelle équipe électorale, c'est le notaire Yves Gauthier, Ti-Loup pour les intimes. Et Gérard Bélanger, maître fourreur, qui habite dans le secteur des Italiens, est quant à lui chargé de recruter les chefs de section et de les expédier sur le terrain. Enfin, les avocats Jean-Roch Boivin et Rosaire Beaulé sont venus mettre la main à la pâte, comme en 1962. Ces quatre honnêtes travailleurs d'élections forment le noyau de ceux qui suivront René Lévesque, dans un an, quand il reniera la foi libérale. Fait cocasse, son quartier général loge, angle Saint-Denis et Jarry, dans un édifice appartenant à la famille Trudeau. C'est Charles Trudeau, frère de Pierre, qui a conclu le bail avec le secrétaire Jacques Simard.

Si Jean Lesage ne veut pas de René Lévesque, les électeurs de comté, eux, le réclament. Parfois, ses organisateurs doivent faire pression pour l'empêcher de quitter Laurier quand d'autres comtés font appel à ses talents de tribun mais pour des activités plutôt secondaires. Deux jours avant une assemblée qui doit avoir lieu dans le comté, l'organisation de la rive sud de Montréal insiste pour qu'il anime le même soir un buffet à 50 $ le couvert. René Lévesque hésite entre les deux commandes.

La veille de l'assemblée, autour de minuit, il revient de la Beauce. Durant le trajet, il a dormi à l'arrière de la familiale où se trouvent en permanence une couverture et un oreiller. Mais son secrétaire se fait menaçant : « Si vous y allez au lieu de rester dans le comté, vous ne me reverrez plus ! Vous allez perdre votre organisation et vous vous arrangerez tout seul avec vos problèmes !

— C'est d'accord, Jacques, ne vous fâchez pas, je n'irai pas ! »

CHAPITRE XXVI

Recette pour la défaite

Déçu ? Un peu mais d'un autre côté, on sentait
que ça achevait depuis un certain temps.

RENÉ LÉVESQUE, mai 1973.

Cependant que René Lévesque cherche à se convaincre que le vent peut encore tourner avant le 5 juin, son chef est en voie de perdre la campagne électorale à lui tout seul. Il eût mieux valu pour le bonheur des urnes que Louis Saint-Laurent et son entourage ne lui aient jamais recommandé d'écarter les gros canons. La « tornade Lesage » accumule les dégâts électoraux dans son sillage. Irascible, gaffeur, arrogant même, le premier ministre se met l'électeur à dos dès qu'il ouvre la bouche.

En pays créditiste, un mineur fanfaron de Normétal lui rappelle en se moquant de lui qu'il a décroché le titre du plus bel homme du Canada. Au lieu de mettre le rieur de son côté, Jean Lesage l'invite à venir se battre sur l'estrade : « On verra alors qui sera le plus beau… » En Beauce, où l'agriculture dépérit, il s'émerveille des beautés de la langue française, promet de la rendre prioritaire et recommande aux Beaucerons… de toujours la bien parler.

À Amqui, en Gaspésie, il fustige le maire qui a osé parler de marasme économique, expression devenue taboue. À Saint-Jérôme, quand l'ancien ministre Lionel Bertrand le met en garde contre une mauvaise surprise possible dans les comtés de Terrebonne, l'Assomption et Deux-Montagnes, il hausse les épaules et le traite de pessimiste.

La grogne contre la hausse des taxes et l'endettement est telle qu'on surnomme le premier ministre « Ti-Jean la taxe ». En 1960, la dette per capita était deux fois plus élevée en Ontario qu'au Québec, 402 $ contre 231 $. Six ans plus tard, elle atteint 611 $ au Québec, contre 480 $ dans la province voisine.

À Saint-Henri-de-Lévis, au lieu de justifier l'augmentation des taxes nécessitée par les réformes, il réclame un mandat fort pour impressionner le premier ministre britannique Harold Wilson qui doit répondre à une requête de son gouvernement pour restreindre les pouvoirs du Conseil législatif opposé à la réforme constitutionnelle. Séduite par l'argument, la rive sud de Québec, de l'Islet à Bellechasse en passant par la Beauce, s'apprête à voter massivement… pour l'Union nationale.

Voilà donc à quoi ressemble une « campagne gaullienne ». Les grèves du secteur public viennent encore pourrir le climat électoral et mettre à l'épreuve la patience de Jean Lesage. Qui réagit comme un amant trompé. N'est-ce pas lui qui a amélioré le statut jusque-là méprisé des serviteurs de l'État et accordé syndicalisation et sécurité d'emploi ? Maintenant, les ingrats le trahissent.

René Lévesque vole néanmoins à son secours quand les syndicats l'attaquent ou lorsqu'un conflit le concerne directement, comme celui des ingénieurs d'Hydro qui a commencé sous son mandat. Il se demande à haute voix si on ne devrait pas supprimer le droit de grève en temps d'élections, pour éviter le « calcul électoral », et il donne raison à Hydro. Son préjugé favorable envers les syndicats en prend un coup.

Plus tôt, la négociation avec les 25 000 fonctionnaires a failli se gâter. Jean Lesage a annoncé au Conseil des ministres qu'il songeait à leur retirer le droit de grève jusqu'à la fin de l'Exposition universelle de Montréal, à l'été 1967. Mais deux semaines avant les élections, on a fait la paix, non sans que René Lévesque avertisse le syndicat qu'une grève dans la fonction publique serait « un fléau véritable ».

Mais avec les professeurs, les choses ont tourné au vinaigre. Quand Jean Lesage a déclenché les élections, leur grève, illégale, durait déjà depuis deux semaines. Le gouvernement refuse toujours de ramener le calendrier scolaire de 38 semaines à 32, comme l'exigent les syndiqués.

Jean Lesage réclame une fois de plus le retrait du droit de grève. Il dit à ses ministres : « Il faut aux yeux du public que le gouvernement donne une impression de force. » René Lévesque s'objecte pour des raisons pratiques : « Si on vote une loi pour enlever le droit de grève, les syndicats vont passer par-dessus. » En revanche, il conseille aux professeurs le réalisme plutôt que les « évangiles irréalisables ».

Comme si cela n'était pas suffisant, la vague de contestation touche également les professionnels du gouvernement qui dressent un piquet devant l'édifice du Parlement. Ils réclament de meilleurs salaires et accusent le gouvernement de confier à des firmes extérieures les travaux qu'ils pourraient accomplir à meilleur compte. Comme il passe par là, Jean Lesage tombe sur des grévistes dont l'un agite une pancarte où l'on peut lire : « Qui s'instruit s'appauvrit ». Cette caricature du fameux slogan — « Qui s'instruit s'enrichit » — qui a lancé la réforme de l'éducation lui fait monter la moutarde au nez. Il déchire le carton avant de lancer à celui qui le porte : « Je ne suis pas fier de mes professionnels... »

Enfin, les policiers de la Sûreté du Québec entendent profiter eux aussi de la campagne électorale pour obtenir le droit de former un syndicat. C'est du jamais vu. En guise de représailles, le ministre de la Justice, Claude Wagner, congédie l'agent Arthur Vachon, président de la nouvelle Association des policiers provinciaux, qui revendique la reconnaissance syndicale.

Accorder le droit de grève à un groupe armé constituerait un précédent aux répercussions sociales imprévisibles. Certains voient poindre l'État policier. À Grande-Baie, au Saguenay, disposant d'une information non confirmée qu'il tient de Claude Wagner qui, lui, la tient de la Gendarmerie royale, le premier ministre taxe le policier Vachon de communiste. On croirait revenus les beaux jours du duplessisme.

Naturellement, la presse fait ses choux gras de cette accusation sensationnelle et l'agent Vachon menace de poursuivre le premier ministre s'il ne prouve pas ses insinuations. Une belle gaffe, à 10 jours du vote. Au Conseil des ministres, se rappelle Paul Gérin-

Lajoie, c'était la consternation : « Tous les ministres étaient mécontents et posaient des questions agressives au premier ministre. Il paraissait évident que monsieur Lesage n'avait plus la situation en main. Il a fini par dire : "Messieurs, fiez-vous à moi. Je n'ai jamais perdu une élection !" » Il ne reste plus au chef libéral que l'argument d'autorité.

Une aventure loufoque

Mais pas de veine. Au même moment, la controversée sidérurgie d'État Sidbec refait parler d'elle. Cautionnée par René Lévesque et Eric Kierans, qui l'ont toujours vue comme une locomotive puissante pour l'industrie lourde québécoise, la sidérurgie a pourtant fini par prendre l'allure d'un canard boiteux.

L'idée fait partie du paysage depuis la découverte des fabuleux gisements de fer de l'Ungava. À la fin des années 40, deux scientifiques de l'Université Laval soumettaient un projet d'aciérie à Maurice Duplessis, mais le coût considérable (300 millions de dollars) en signait l'arrêt de mort.

Les libéraux au pouvoir, l'ex-chef Georges-Émile Lapalme tirait de ses voûtes le dossier numéro 29532-37. Il accusait l'ancien gouvernement d'avoir tué dans l'œuf le projet sidérurgique de la société américaine Koppers qui prévoyait un investissement de 410 millions et des emplois à 10 000 travailleurs. Raison officielle invoquée à l'époque par Maurice Duplessis : « L'affaire est trop grosse pour la province de Québec. »

La révélation avait fait du bruit. *Le Devoir*, sous la signature de Pierre Laporte, avait fouillé l'histoire. Et René Lévesque était monté aux barricades car il avait vu là un beau cas de la maladie infantile qui décimait les Québécois : le manque de confiance en soi. Quand le député unioniste Lucien Tremblay avait objecté que les Américains n'allaient pas démolir leurs usines de Pittsburgh pour les déménager au Québec, René Lévesque avait riposté : « Vous avez là l'image du petit pain qui est la loi de notre peuple et dont il ne peut pas sortir, si l'on en croit les gens de l'Union nationale ! »

En février 1961, un groupe industriel proposait à Jean Lesage le projet mirobolant d'une aciérie de 200 millions à Sept-Îles. La seule condition : Hydro devrait garantir l'électricité de la Manic et l'Iron

Ore, le minerai de l'Ungava. Le Conseil d'orientation économique qui venait d'être créé, et où siégeait Jacques Parizeau, en fit sa priorité. René Lévesque suivit le dossier de près. Il délégua Michel Bélanger et son sous-ministre, Paul Auger, au comité de sidérurgie qui se penchait sur la rentabilité du projet.

Ne cédez pas le contrôle aux étrangers

À partir du moment où l'idée avait germé, René Lévesque la poussait plus que tout autre. Au printemps 1963, il s'était envolé vers la France et la Belgique pour solliciter une aide technique et convaincre les industriels européens du sérieux du projet. Le Québec possédait plusieurs atouts : du minerai de fer de bonne teneur, un marché en croissance, de l'électricité à bon marché et une main-d'œuvre moins coûteuse que celle des États-Unis et de l'Ontario.

Pinçant la corde nationaliste, il avait expliqué aux membres de la Chambre de commerce France-Canada : « Ce projet est important pour les habitants francophones du Québec [qui] ne possèdent que moins de 30 pour cent de la richesse économique de cet État, alors qu'ils représentent 80 pour cent de la population. Ils entendent par le truchement de l'État prendre progressivement le contrôle de leur province… »

La même année, Jacques Parizeau déposait le rapport sur les sources de financement possibles que lui avait demandé le comité de sidérurgie. Lui aussi était allé en Europe pour vendre la sidérurgie aux grands banquiers internationaux : Banque Rothschild, Banque de Paris et des Pays-Bas, Crédit lyonnais, Banca Nazionale de Lavoce en Italie, Banque Lazare, Banque Lambert, Office belge du commerce extérieur. L'argent privé ne manquerait pas.

Sa conclusion principale avait ravi René Lévesque : Québec n'avait pas intérêt à y engloutir trop d'argent, mais devait s'assurer que le contrôle serait nettement québécois. Il revenait au gouvernement de décider si sa participation devait ou non être majoritaire. En novembre suivant, le comité de sidérurgie concluait qu'une usine de 200 millions capable de produire 620 000 tonnes serait rentable.

Il ne restait plus qu'à lui trouver un nom : ce serait Sidbec. Un site : ce serait Bécancour, sur le bras sud du grand fleuve, à l'est de Trois-Rivières. Et un pdg. Jean Lesage avait convoqué à Québec le président de la Société générale de financement, Gérard Filion, qui taquinait la truite mouchetée sur la Manicouagan.

L'ancien directeur du *Devoir* avait eu beau lui opposer, pour se défiler, qu'il ne connaissait pas grand-chose à l'acier, le premier ministre l'avait arrêté : « Le gouvernement a décidé d'aller de l'avant. Vous êtes la Société générale de financement, c'est à vous de réaliser la sidérurgie. Je vous en donne le mandat. »

Une mission que Gérard Filion regretterait toute sa vie. À peine avait-il amorcé les études de rentabilité et de faisabilité que René Lévesque avait encore mis son nez dans ses affaires en déclenchant une campagne en faveur d'une sidérurgie étatique, avec la connivence d'Eric Kierans et de Jacques Parizeau. Mais le premier ministre tenait mordicus à confier l'affaire à l'entreprise privée.

Le débat public faisait rage et favorisait nettement l'aciérie d'État. Un jour, à Sherbrooke, Eric Kierans avait affirmé que l'entreprise devrait être confiée à une société de la Couronne. Jean Lesage l'avait attendu de pied ferme. Avant la réunion du Cabinet, René Lévesque lui avait tendu deux tasses de café noir : « Avalez-les toutes les deux, vous en aurez besoin ! » L'Irlandais avait dû faire amende honorable à un chef en colère qui lui avait conseillé de méditer le texte célèbre de sir Wilfrid Laurier au sujet de la solidarité ministérielle…

Mais comme toujours, Jean Lesage avait « évolué » sur la question. En janvier 1966, au Conseil des ministres, il concédait que « Sidbec pourrait être une entreprise d'État pour 10 ans ». Il se disait prêt à y injecter 20 millions à même le budget de 1966-1967.

Sur l'épineuse question du contrôle public, Gérard Filion était en désaccord avec René Lévesque et Jacques Parizeau, qu'il avait du mal à souffrir. Il acceptait cependant que la SGF en soit au début, tout en mettant Jean Lesage en garde : si Sidbec ne devait être qu'un levier de développement économique, comme le serinait l'idéologie à la mode, il doutait que l'entreprise privée, qui recherchait le profit, veuille y risquer beaucoup de ses billes.

Gérard Filion gardera de sa mésaventure à Sidbec une antipathie viscérale pour René Lévesque et surtout pour Jacques Parizeau, expert en jeux de coulisse jamais loin derrière le premier. Il se rappellera toujours avoir entendu l'économiste marmonner, à la sortie d'une réunion : « Si Lesage ne veut pas faire la sidérurgie, Lévesque va la faire sans lui ! »

Jacques Parizeau avait le don de lui taper sur les nerfs. Toujours à fouiner autour de lui pour savoir ce que Jean Lesage pouvait bien lui raconter. Excédé, Gérard Filion lui avait répondu un jour : « Lesage m'a dit qu'il faisait beau… ». Et quand le premier ministre avait voulu nommer l'économiste à la direction de Sidbec avec Michel Bélanger, Gérard Filion avait mis son veto.

Dans ses mémoires, il n'est pas tendre pour lui : « Le garçon — il a à peine 30 ans — est brillant. Il sait tout et ce qu'il ne sait pas, il l'invente. Ce qu'il invente est aussi plausible que ce qu'il sait. Sa force réside dans son pouvoir d'affirmation. Une seule chose l'intéresse, l'avenir de Jacques Parizeau, au-delà de ceux qui lui barrent le chemin temporairement. »

Mais plus que le conflit de personnalité, c'est la facture de la fameuse sidérurgie, évaluée à 400 millions de dollars, qui avait fini par brouiller Gérard Filion avec tout le monde, même Jean Lesage.

Atterré par les chiffres, le premier ministre lui avait demandé de revenir sur terre et de réduire l'ampleur de son projet : « Est-ce qu'il n'y aurait pas moyen de faire une sidérurgie plus raisonnable avec du fer marchand, par exemple ? »

Au début de la campagne électorale, à bout de patience, Gérard Filion avait accepté la présidence de Marine Industrie sans en souffler mot à son conseil d'administration ni au gouvernement. Le lendemain, il était allé se vider le cœur devant les membres de la Chambre de commerce de Montréal : « Tout est prêt pour la sidérurgie, mais on attend la décision de Dieu le père qui est à Québec… »

Piqué au vif, Jean Lesage avait convoqué un Conseil des ministres spécial. Invité à y assister, Jacques Parizeau avait réclamé la tête de Gérard Filion en levant le voile sur sa discrète nomination à Marine Industrie. Il lui avait reproché aussi d'avoir soutenu devant le milieu des affaires que « le gouvernement n'aurait jamais les ressources nécessaires pour rendre Sidbec rentable ».

René Lévesque avait abondé dans le même sens que l'économiste. Plus tard, il accablera l'ancien directeur général de Sidbec : « Le projet de sidérurgie a grossi, s'est tout déformé jusqu'à devenir une espèce de monstre. Le gouvernement s'est aperçu que Sidbec, dont le président était Gérard Filion, était partie pour la gloire. Ça n'a jamais abouti que je sache. »

Le successeur était tout trouvé : ce serait Jean-Paul Gignac, que René Lévesque avait fini par convaincre de quitter Hydro-Québec. Une décision qu'il allait se reprocher longtemps, comme son prédécesseur Filion.

À quelques jours du scrutin, ayant appris ce qui bouillonne dans la marmite libérale, le chef de l'Union nationale, Daniel Johnson, convoque la presse : « Je somme monsieur Jean Lesage de faire la lumière. Sidbec sera-t-elle un géant ou un nain ? Un complexe d'envergure ou une simple forge ? L'usine sera-t-elle privée, comme le veut George Marler, ou entreprise d'État comme le souhaitent messieurs Lévesque et Kierans ? »

La nouvelle de la démission de Gérard Filion éclate le lendemain. Jean Lesage tente de recoller les morceaux. « Le choix n'est pas entre une fonderie et une grande sidérurgie, explique-t-il, mais plutôt entre une sidérurgie conçue pour les besoins du Québec ou une sidérurgie de taille internationale. »

Gérard Filion ne verse pas une larme. Dans ses mémoires, il dira que Sidbec, qui allait devenir la sidérurgie la plus coûteuse du continent, aura été l'une des aventures loufoques de la révolution tranquille. « Mais qu'à cela ne tienne, notre amour-propre aura été comblé : nous avons eu notre sidérurgie. »

Il se montrera très dur vis-à-vis de René Lévesque qui avait sacrifié le réalisme à l'idéologie et réussi à coup de manigances à imposer sa sidérurgie d'État à un Jean Lesage trop mou au moment où le marché de l'acier donnait des signes d'effondrement.

Battus par eux-mêmes

Les ratés de Sidbec ponctuent la fin d'une campagne électorale désastreuse, à l'image d'un chef incapable de galvaniser son auditoire, qui lance d'assommants « Voter contre mon candidat, c'est voter contre moi ».

En tournée dans le Bas-du-Fleuve, René Lévesque voit la campagne libérale s'écraser. Il sent la défaite, simplement à la façon dont les électeurs l'accueillent ou lui serrent la main. S'ils osaient, ils lui offriraient leurs condoléances. Quand il lit dans les journaux que son parti peut remporter entre 55 et 65 sièges, il laisse tomber à ses proches : « Tant mieux, s'ils ont raison, car ça pourrait être pire. »

Certes, il bluffe, en bon politicien qui ne rendra jamais les armes. Il voit bien que les libéraux ne remontent pas la côte, mais il trouve le moyen de blaguer avec les journalistes qui papillonnent autour de lui dès qu'il se montre : « Ça va bien, le parti a pris le dessus et sera encore au pouvoir le 6 juin. Mais je ne ferai pas de prédiction sur le nombre de sièges, je laisse ces risques-là à Bona… »

En désespoir de cause, pour tenter d'endiguer le fort courant unioniste que l'organisation centrale consent enfin à reconnaître, René Lévesque se voit mobilisé trois jours avant le vote. On lui organise un *blitz* baptisé « l'Opération Montréal est là » qui se déroule le même soir dans sept comtés montréalais.

Dans Sainte-Marie, il évoque les millionnaires qu'on fabriquait avec l'argent du peuple, avant 1960 — « Si t'avais volé assez de fonds publics pour devenir riche, t'étais respectable. » Dans Taillon, son futur comté de la rive sud, il dépeint « la décennie la plus décisive de l'histoire du Québec » avec ses réformes de l'assistance sociale, de l'éducation, de la santé, de l'économie et le nettoyage des mœurs politiques. Dans Saint-Jacques, alors qu'il parle d'égalité sociale, un homme d'âge mûr s'approche de l'estrade en s'exclamant : « Vous avez raison, monsieur Lévesque ! »

Sept discours dans la même soirée. Le député de Laurier relève ce défi de fou imaginé par son équipe. Mais à quel prix ! À minuit et demi, aphone et complètement vidé, il rentre au comité avec l'idée bien tentante d'étrangler son secrétaire de comté, Jacques Simard !

Les derniers grands meetings populaires tournent au cauchemar. À Québec, « l'opération 8 000 » n'attire que 5 000 partisans dans la salle dégarnie du patro Roc-Amadour. Le 3 juin, à Montréal, à deux jours du vote, Jean Lesage refuse de se montrer tant que son organisation n'aura pas rempli les gradins du centre Paul-Sauvé. La veille, le perdant présumé, Daniel Johnson a attiré à l'aréna Maurice-Richard 10 000 bleus enthousiastes…

Ce soir-là, en attendant que leur chef veuille bien apparaître, René Lévesque et Eric Kierans s'efforcent de tuer le temps, mais Paul Gérin-Lajoie brille par son absence. Convaincu que tout est perdu, principalement à cause du pitoyable solo de Jean Lesage, le ministre de l'Éducation est resté chez lui. En fait, il ne fait que se conformer au désir des organisateurs qui lui ont plaqué sur le dos les déboires des libéraux, attribuables, selon eux, à sa trop coûteuse réforme de l'éducation. Ils l'ont caché durant la campagne en prétextant qu'il n'était plus montrable en province.

Il ne s'était pas passé une assemblée sans qu'un électeur ne se lève pour demander, en exhibant son compte de taxes multiplié par deux ou trois : « Quand est-ce que ça va s'arrêter ? » Pour le bouc émissaire désigné, la question scolaire est un élément mineur dans la déconfiture libérale, car la majorité de la population appuie la réforme. Il est vrai que la taxe foncière a augmenté, mais il faut voir l'engouement contagieux de la nouvelle génération des commissaires scolaires qui ont le goût de bâtir ces polyvalentes destinées à scolariser un peuple qui tire de l'arrière sur l'Amérique.

Au centre Paul-Sauvé, Jean Lesage daigne enfin monter à la tribune. Il a la voix pâteuse de celui qui a dépassé sa mesure de gin. Un peu avant, au beau milieu du discours de René Lévesque, le bruit sourd d'une explosion a fait tourner les têtes. Un bâton de dynamite avait sauté dans les toilettes du complexe sportif. « Voilà le sabotage qui commence ! » s'était exclamé le député de Laurier.

Ce dimanche 5 juin 1966, il fait 25 °C. À qui profitera cette tiédeur de l'été naissant ? À qui le nouveau vote indépendantiste nuira-t-il le plus ? Et ce scrutin un jour du Seigneur, un précédent au Québec, n'est-ce pas un peu risqué ?

Les électeurs ont le choix entre 419 candidats répartis dans quatre principales formations : le Parti libéral, l'Union nationale, le Rassemblement pour l'indépendance nationale et le Ralliement national. Jamais l'épithète national n'aura eu autant la cote !

René Lévesque passe la journée dans son comté en s'attendant au pire, même à voir s'éroder sa majorité de 1962 : 4 563 voix. Son secrétaire Simard n'en croit rien et parie 50 $ avec lui qu'elle augmentera. Avec 14 812 voix contre 3 251 à l'unioniste Jacques Desjardins, 2 131 à Andrée Ferretti du RIN et 691 à Alfred Lévesque du RN, le pessimiste voit sa majorité passer à 6 561… Mauvais perdant comme toujours, René Lévesque jette sur la table les 50 $ du pari, réclamés par son secrétaire.

Il faut attendre minuit pour connaître vraiment le nom du prochain gouvernement tellement la partie est serrée. Quand tout est compté, l'Union nationale détient 55 sièges, les libéraux, 51 et les tiers partis aucun. Le recomptage attribuera un siège de plus à l'UN.

Mais avec 47 pour cent des voix contre seulement 41 pour cent à Daniel Johnson (et près de 9 pour cent aux deux partis indépendantistes), Jean Lesage a du mal à s'incliner « devant le parti que la distribution des sièges a favorisé ». C'est sa façon de reconnaître que la carte électorale, qu'il a refusé de remanier comme les experts le lui ont conseillé dès 1962, a surévalué une fois de plus le vote rural, acquis depuis toujours à l'Union nationale. Voilà comment le malheureux Lesage se retrouve dans l'opposition, même si la majorité des citoyens l'ont choisi.

René Lévesque avale tout aussi mal sa déception même s'il appréhendait la catastrophe. « Ça ne tient pas debout ! lance-t-il à la télé. Nous n'avons pas assez expliqué nos politiques et l'Union nationale a canalisé les mécontentements. Elle a joué sur le négatif, c'est le retour à une certaine mesquinerie… »

Quelques jours plus tard, ruminant toujours la défaite et succombant à l'analyse simpliste, le simple député qu'il est redevenu en un soir prend à partie les boucs émissaires éternels que sont les reporters : « Si vous me permettez d'être méchant, c'est l'appui des journalistes qui nous a fait défaut. Chez certains, les convictions politiques dépassaient comme dépasse un jupon. »

Il y a un tout jeune et tout nouveau député du nom de Robert Bourassa qui fait une lecture plus nuancée de la défaite, comme il l'expliquera dans son livre *Gouverner le Québec*. Il a été élu de justesse avec seulement 518 voix de majorité. Sans doute sa victoire aurait-elle été plus convaincante s'il n'avait pas suivi le conseil de René Lévesque qui l'avait incité à se présenter dans le comté francophone de Mercier, où il est né, plutôt que dans celui de Saint-Laurent où le pourcentage important d'anglophones garantissait une majorité plus consistante. « Si tu vas dans Mercier, lui avait fait observer René Lévesque, tu n'auras pas les mains attachées dans le dos par les Anglais. »

Pour Bourassa, la défaite libérale tient au fait qu'on a voté un dimanche et qu'il faisait beau en plus. Les insatisfaits, ceux qui voulaient battre le gouvernement, ont envahi les bureaux de scrutin. Les sympathisants ont profité plutôt du congé dominical. En 1962, les élections avaient eu lieu un mercredi. La participation avait été de 78 pour cent contre seulement 72 pour cent en 1966. Une leçon que le futur chef libéral retiendra pour la vie : ne jamais aller aux urnes le dimanche.

Après de savants calculs, il conclura que les libéraux auraient conservé le pouvoir avec 54 députés contre 52 unionistes si le vote s'était tenu un jour de semaine. Une participation électorale plus forte leur aurait attribué en effet les comtés de Rouville, de Saint-Hyacinthe, de Lotbinière et d'Arthabaska, remportés par l'UN avec des majorités aussi faibles que 5, 30, 87 et 104 voix respectivement.

En examinant le vote de plus près, les experts en statistiques électorales prétendront aussi que les voix obtenues par le RIN de Pierre Bourgault dans 11 comtés avaient contribué à la déroute libérale. Par exemple, dans Maisonneuve, le riniste a obtenu 12 pour cent des voix contre 44 à l'UN et 41 aux libéraux. Même phénomène dans Saint-Maurice : 11 pour cent des voix au candidat du RIN alors que le libéral en obtenait 41 et l'unioniste, 47. Sans le RIN, ses partisans, plus proches des rouges que des bleus sur le plan social et économique, auraient en majorité voté libéral.

Quoi qu'il en soit, les libéraux sont bel et bien battus — par eux-mêmes d'abord, résume Claude Ryan dans un éditorial que *Le Devoir* place à la une. Pour René Lévesque, c'est le début d'un temps nouveau. Tellement nouveau que la donne politique de la province française du Canada en sera complètement chamboulée dans un peu plus d'un an.

CHAPITRE XXVII

Simple député

*Ça ne servait à rien de retourner au pouvoir
pour diriger le même bateau qui prenait eau de
partout.*

RENÉ LÉVESQUE, mai 1973.

près la défaite, une colère mal maîtrisée s'empare de René
Lévesque alors qu'il ferme les livres du ministère de la
Famille et du Bien-être social qu'il aura dirigé durant huit
mois. À force de l'entendre bourrasser, son entourage en déduit qu'il
est fâché d'avoir perdu le pouvoir. Qu'il vit mal sa première défaite
politique. Quand Marthe Léveillé veut lui parler d'avenir, il la
brusque un peu : « J'le sais pas, ce que je vais faire ! »

Le simple député du comté de Laurier fait face au vide. Il a
rarement éprouvé ce sentiment depuis six ans, lui qui a mené sa carrière à un train d'enfer, éternel mari absent et volage, jamais là pour
ses enfants, ni pour Louise L'Heureux. Durant la campagne, son
garde du corps, Johnny Rougeau, était arrivé un jour chez les Lévesque, à Outremont, au beau milieu d'une scène de ménage. En
sortant de la maison, le patron lui avait décoché un sourire en coin :
« Ça fait du bien de respirer de l'air… » Ce mariage n'allait pas
comme sur des roulettes, avait déduit le lutteur en se gardant bien de
poser des questions.

Privé du pouvoir, René Lévesque donne l'impression de ne plus savoir quoi faire. Il est désemparé. État second qui n'amortit pas complètement l'ironie qui l'habite. Ainsi, il attache une note de son cru à la subvention de 10 000 $ qu'il adresse au Dr Pierre Proulx, directeur du Centre de consultation conjugale de Québec : « Est-il besoin de vous dire que c'est — vu que le chèque était émis — la dernière subvention que j'ai l'occasion d'approuver... Mais ce n'est pas une raison pour l'encadrer ! »

René Lévesque quitte son ministère avec le sentiment frustrant d'abandonner un chantier à peine ouvert. Beaucoup de réformes restent en plan, dont sa loi unique de sécurité sociale et celle des allocations familiales. Avant de quitter son bureau de ministre du chemin Saint-Louis pour celui de simple député, le 281, au deuxième étage de l'hôtel du gouvernement, il laisse un testament à son successeur : « C'est un ministère en pleine transition et qui, à mon humble avis, était en train d'amorcer un démarrage décisif. On y achevait de dessiner la politique moderne, à la fois humaine et efficace, de sécurité et d'assistance sociales dont le Québec a un très grand besoin — et dans bien des endroits, un très douloureux besoin. Très sincèrement, je souhaite bon courage à mon successeur. »

Il passe l'été à broyer du noir. Le peuple québécois ne lui paraît pas à la hauteur : « Le Québec n'avance que par sursauts, par bonds, et n'est pas capable de maintenir un rythme continu de progrès », laisse-t-il tomber à l'antenne de Radio-Canada. Avec un gouvernement unioniste qui a tablé sur le mécontentement et les inquiétudes de la population, il craint le pire. Il avertit le reporter de la revue des jésuites *Actualité* : « Aucun peuple n'est à l'abri de ses propres bêtises et des reculs sont toujours possibles. »

Ses inévitables vacances sur la côte américaine n'y font pas grand-chose, même si les enfants le trouvent plus détendu, peut-être parce qu'il n'a plus de responsabilités ministérielles. Marthe Léveillé se souvient qu'il a coupé les ponts avec son entourage durant deux longs mois, comme s'il était humilié par la défaite. Une expérience qu'il n'avait jamais connue encore et qui semble le déstabiliser.

On l'abandonne aussi. Le vide se fait autour de lui comme cela se produit quand le pouvoir vous lâche. Il a perdu sa bande de brillants cerveaux qui lui mâchait les choses depuis six ans. Et perd aussi son secrétaire de comté, Jacques Simard, qui se retrouve fonctionnaire à l'aide sociale.

Au lac Ouareau, où il a sa résidence d'été, Gérard Pelletier, simple député comme René Lévesque, mais à Ottawa, l'écoute étaler ses états d'âme, qui l'éclairent sur la déroute libérale tout en suscitant en lui la question des questions : que fera maintenant ce franc-tireur incorrigible ?

Comme Gérard Pelletier le constate, l'ami René est tout simplement furieux que Jean Lesage, le grand responsable de la défaite à ses yeux, ait réussi l'exploit de perdre le pouvoir tout en conservant la majorité absolue des suffrages. « Nous n'étions même pas invités à ses grandes assemblées régionales, tu vois le résultat… »

L'automne s'illumine tout de même un peu. Jacques Francœur, fils du fameux Louis Francœur dont les reportages radiophoniques sur l'offensive alliée, durant la Deuxième Guerre mondiale, tenaient en haleine les Canadiens français, lui offre une chronique à *Dimanche-Matin*. Il accepte, même si l'hebdomadaire est de tendance conservatrice. La publicité qui signale le début de ce *Point de mire* sur papier précise : « René Lévesque aura l'entière liberté de dire ce qu'il pense sur les sujets d'actualité. Ce sera la page la plus mordante au Canada français. »

Elle l'est, en effet, à en juger par les premiers titres, qui indiquent bien les centres d'intérêt de l'auteur : *L'assurance-santé dans le coma. La grande pitié des ondes privées. Il faut plébisciter Jean Drapeau. La politique n'est pas pour les anges. Médicaments : vol légal et super-organisé. Le Québec ne sera jamais l'Ontario. Un peuple pauvre se débat. Ottawa n'est pas encore tout à fait québécois.* Et enfin, *Mon pays ce n'est pas un pays,* qui annonce une mutation.

René Lévesque tiendra cette chronique du 11 septembre 1966 au 7 avril 1968 alors que devenu chef du mouvement souverainiste, il l'abandonnera. Parfois, pour s'inspirer, il va sur le terrain. Et alors, les journalistes s'accrochent à lui. Il est redevenu l'un des leurs, mais il reste René Lévesque. L'homme suscite toujours de la bonne copie, qu'il soit dans l'opposition ou qu'il soit au pouvoir.

En octobre, il passe un après-midi en Rhodésie — à Lachute, P. Q., plus précisément à Ayersville, quartier ouvrier de la ville où sévit une grève impitoyable qui émeut la province. À l'usine de bois et de contreplaqué de la Dominion Ayers, une femme gagne 85 ¢ l'heure, un homme 1,06 $. Des salaires de famine, insuffisants pour assurer le *primum vivere*. Le syndicat réclame 1,50 $, mais la compagnie ne veut pas accorder une augmentation de plus de 6 ¢ l'heure.

Sa visite lui inspire un papier impressionniste comme au temps de ses reportages percutants sur la grève des bûcherons de Terre-Neuve ou sur celle des mineurs de Murdochville, en Gaspésie. L'ancien journaliste n'a pas perdu la main. « On entre à Lachute par son faubourg de l'est, écrit-il dans *Dimanche-Matin*. Belles maisons de brique ou de pierre, un golf qu'on ne voit pas mais qui a 36 trous, et un cimetière qui, lui, s'étale avec ses marbres et son fer forgé : le quartier des Anglais... »

Tout ce luxe se trouve à une portée de caillou du quartier ouvrier, de l'autre côté du pont, près de l'usine Dominion Ayers qui emploie 250 travailleurs canadiens-français. René Lévesque s'y engouffre avec le représentant du syndicat. Il est atterré : « Le long des rues non pavées, jusque dans les terrains vagues, c'est un horrible bidonville. Entre les maisons, dont une foule ne sont que de sinistres cabanes bâties avec du bois de rebut, traînent pêle-mêle vidanges, ferraille, cadavres d'autos éventrées et marmaille insouciante. »

Est-ce le Québec de 1966, après six années de révolution tranquille, ou le tiers monde ? Au milieu du *compound* des riches, le manoir seigneurial du maître d'Ayersville constitue un symbole par trop voyant de colonialisme : « La grande maison de "Monsieur Gilbert", écrit René Lévesque, rouge avec de massives colonnes blanches et un écusson qui parle de vertu au milieu d'un fronton gréco-colonial, évoque le manoir sudiste d'un gros planteur américain... d'avant la Guerre civile. »

Mais les nègres sont blancs ici. L'analogie rhodésienne ou sud-africaine fait partie du discours de l'époque, fortement marqué par la décolonisation — on se souvient des Rhodésiens de la Noranda. Elle fait dire à René Lévesque que les familles anglaises de Lachute, qui ne constituent que 10 pour cent de la population, sont l'équivalent de la minorité blanche en Rhodésie. Elles possèdent tout, méprisent la langue des inférieurs et habitent des châteaux bâtis sur la famine et la misère de la majorité francophone.

Un gréviste d'origine acadienne lui explique à sa manière cette domination : « C'est simple, ils ont droit de vie et de mort. Pas seulement sur l'ouvrier, mais sur les professionnels et les hommes d'affaires francophones qu'ils tiennent par l'intérêt ou la peur. » La finale de son article préfigure une évolution qui ne plaira peut-être pas à son ami Gérard Pelletier : « Si vous ne voyez pas encore qu'il est vital pour la dignité de ce peuple de *have-not* de devenir au plus sacrant maître chez lui par tous les moyens légitimes, allez à Lachute ! »

Cette incursion dans l'effroyable bidonville d'Ayersville le désole et l'humilie. Le lendemain de sa visite, il dresse « un noir tableau du Québec » devant 200 étudiants en philosophie. Proche de lui depuis qu'il l'a aidé, à la fin des années 50, à s'occuper un tant soit peu de la mère de sa fille naturelle, le journaliste Michel Roy l'écoute. L'indignation qui perce dans le reportage de René Lévesque inspire aussi sa plume dans *Le Devoir*.

Où en est le Québec d'après Jean Lesage ? s'interroge le reporter en faisant la synthèse des propos du simple député. Une société toujours sous-développée : le revenu par habitant y est inférieur à celui des autres provinces et 7 pour cent de la population vit d'assistance sociale. Une société sous-instruite : 65 pour cent des adultes n'ont qu'une septième année ou moins. Une société coloniale : les possédants anglophones qui dominent l'économie québécoise sont les plus riches au Canada. Une société qui exalte sa culture mais abîme sa langue. Une société qui est endormie par ses élites et ses petits rois dans une médiocrité qui pourrait lui être mortelle.

L'argent sale des caisses électorales

René Lévesque a plus de succès comme chroniqueur politique que comme député de la loyale opposition. Au Salon de la race, il déçoit. Ministre, il tolérait mal les débats parlementaires. Un jeu de partisanerie où il s'ennuyait à mourir et perdait son temps. Il a beau avoir traversé le parquet de la Chambre, il ne s'amende pas. En fait, c'est toute la vaillante équipe du tonnerre qui, nostalgique de sa gloire passée, baye aux corneilles sur les banquettes de l'opposition.

Entré en gare contre son gré, et trop tôt, l'express libéral n'arrive pas à redémarrer. Les lions sont fatigués, ils ne sont plus que des automates. Dans certains cas, ils n'ont toujours été que cela. En 1973, René Lévesque expliquera à l'historien Jean Provencher : « Dans l'opposition, quand tu n'es plus l'honorable ministre, ça se révèle vite s'il n'y a pas grand-chose, ça paraît. » Pour excuser sa performance médiocre de député d'arrière-ban, les flatteurs disent qu'il est fait pour le pouvoir, non pour le purgatoire de l'opposition.

Homme d'action doublé d'un batailleur de rue, il a besoin d'adversaires. Paradoxalement, il les déniche dans son propre parti. Une fois dissipée l'incertitude du changement de régime, René Lévesque s'est aperçu que Daniel Johnson ne retournait pas au Moyen Âge mais assumait résolument la succession libérale. Durant les séances d'autopsie qui se succèdent tout l'été et une partie de l'automne, il ausculte plutôt le nombril de son propre parti.

On montre du doigt le chef vaincu, autrefois rassembleur mais aujourd'hui accusateur. Et soupe au lait. Faut-il le guillotiner ? Solution un peu prématurée, surtout qu'obéissant aux règles du parti, Jean Lesage sollicitera, la larme à l'œil, la confiance des militants, au congrès du 18 novembre prochain.

Au milieu des palabres émotifs et des analyses entortillées qui se multiplient et dont certaines remettent en cause l'orientation nationaliste du *Maîtres chez nous,* une question revient de façon lancinante : « Où s'en va-t-on ? » La douzaine d'insatisfaits qui la posent (on les appellera bientôt les réformistes) ont les yeux rivés sur René Lévesque comme s'ils attendaient de lui le signal indiquant la route à suivre.

Tantôt, les débats revêtent le caractère secret d'une conjuration, comme à cette rencontre de deux jours sur les bords du lac Memphrémagog où n'ont été invités que des personnes sûres. Notamment : François Aquin, nouveau député de Dorion au style oratoire flamboyant, les avocats Jean-Roch Boivin et Rosaire Beaulé, membres de l'organisation de Laurier depuis 1962, Marc Brière et Pothier Ferland, deux autres avocats proches de Paul Gérin-Lajoie, et le directeur du journal du parti, Pierre O'Neill, pressé plus que tous les autres de virer le chef. Ce sont là les premiers fidèles de la future chapelle souverainiste qui surgira de la contestation qui s'amorce.

D'autres fois, la discussion se fait moins intimiste. Elle se déroule alors au Club de réforme, réservé aux militants libéraux, ou encore chez Paul Gérin-Lajoie ou chez Claire Kirkland-Casgrain.

De fil en aiguille, le noyau grossit. On voit se pointer aux meetings Eric Kierans, Pierre Laporte et trois nouveaux députés qui s'initient aux jeux de coulisse de la vie de parti : Robert Bourassa, député de Mercier, Yves Michaud, déjà lié à René Lévesque, élu dans Gouin, et Jean-Paul Lefebvre, député d'Ahuntsic et ex-syndicaliste proche de Jean Marchand.

On a dû tirer l'oreille de Georges-Émile Lapalme pour qu'il consente à venir. Les contestataires auront sûrement besoin de sa sagesse politique. Vers la fin des années 50, face à un Duplessis autocrate qui le bafouait, il écrivait *Pour une politique,* essai fameux resté non publié durant 30 ans et qui contenait le programme de la révolution tranquille avec ses appels convaincants pour une plus grande démocratisation des partis politiques.

Mais les caucus de la grenouillère réformiste finissent par énerver Jean Lesage. Et bientôt, on voit quelques-uns prendre leurs distances. Pierre Laporte, dont on dit qu'il est le mouchard du chef, se fait excuser. Jean-Roch Boivin s'en trouve soulagé, lui qui trouvait sa présence gênante. Prisonnier de sa double loyauté (il admire autant Jean Lesage que René Lévesque), Robert Bourassa persiste et signe tout en s'attirant la blague rituelle : « Robert, il est 11 heures. C'est le temps d'aller faire ton rapport à Lesage ! » À vrai dire, on l'accepte car il s'impose comme critique financier du gouvernement et, affirment certains, il est le protégé de René Lévesque.

Finalement, c'est au club Saint-Denis de la rue Sherbrooke, à Montréal, que se cristallise la remise en question, grâce aux bons soins de Paul Gérin-Lajoie. Membre de ce club sélect, il a réservé une salle discrète pour tenir le conciliabule final avant le congrès de novembre. Yves Michaud baptise cette salle « le salon de l'épave » à cause du tableau accroché au mur qui s'intitule justement *L'Épave.* On y voit une beauté presque nue jetée sur la grève par une mer rageuse. Sous le regard de la belle, les réformistes accouchent d'une stratégie et d'un programme qui passe cependant à côté de la question constitutionnelle. D'abord la démocratisation, à plus tard le salut de la patrie.

Premier objectif : reprendre le parti en main avant qu'il n'implose, l'arracher à la vieille garde de la capitale qui souffle ses réponses à Jean Lesage depuis deux ans. Au congrès, trois postes à la direction deviendront libres : il faut s'en emparer. On dressera une liste de réformistes capables de se faire élire par la base, malgré la guerre que leur feront les ténors du camp Lesage.

En second lieu, il faut effectuer un nouveau bond, aller plus loin encore. C'est ce que plaide René Lévesque, soutenu par son ami — pour l'instant du moins — François Aquin. L'analyse de ce dernier épouse la sienne. Si Jean Lesage s'est fait culbuter par Daniel Johnson, ce n'est pas qu'il allait trop vite, comme le prétendent les frileux, mais plutôt qu'il traînait la patte. Au lieu d'accélérer la réforme, il l'a freinée et diluée. Depuis six ans, les libéraux gagnaient parce qu'ils allaient de l'avant. Il faut donc continuer dans ce sens-là.

Le trio de la réforme est vite formé. À la présidence du parti, on opposera le poids lourd Eric Kierans à Jean Tétreault. Ce notaire de campagne sensible aux réalités électoralistes est à la fois le candidat de Jean Lesage et de ceux qui ont souffert « de l'absence de reconnaissance politique », jolie formule pour désigner le bon patronage au cours des dernières années.

Marc Brière finit par accepter d'être candidat au poste de secrétaire. Il a 38 ans et porte comme Robert Bourassa des verres cerclés d'une monture sombre. Plutôt grand et carré, il a l'ironie facile — ce qu'il juge indispensable pour faire de la politique. Militant de la fédération libérale depuis 1955, il s'est imposé aux assemblées du parti comme le spécialiste des points d'ordre et des questions gênantes qu'il adresse au leader au nom de la transparence démocratique — talent qui nuit à sa popularité durant les congrès ! René Lévesque l'a adopté en disant de lui : « C'est un gars qui travaille au parti depuis des années et qui n'a jamais rien demandé. C'est rare ! »

Enfin, le grand Philippe Casgrain, militant de l'ombre comme Marc Brière, briguera le poste de trésorier. C'est le mari de Claire Kirkland-Casgrain. Fils de conseiller de la Reine, il a 39 ans, pratique le droit et se spécialise dans l'organisation politique. Sur le terrain, on dit de lui : « Casgrain, y connaît ça ! » À lui seul, il incarne le grand malentendu dans lequel baignent les réformistes. Il adore Pierre Trudeau et méprise comme lui tout nationalisme. L'antithèse vivante d'un René Lévesque. Quand sonnera l'heure des explications, il ne sera pas son meilleur allié. Mais ils sont en parfaite harmonie en ce qui concerne l'abolition de la caisse électorale occulte. Son adversaire, le trésorier Jean Morin, est assis dessus et compte bien y rester.

L'exigence de transparence s'est incrustée en René Lévesque depuis son élection, dans Laurier, dont certains aspects louches l'ont choqué. Lui, le pur, s'était fait élire en 1960 avec l'argent sale de la caisse secrète. Sa lutte contre les patroneux du ministère des Travaux

publics l'a marqué également. Par la suite, il a assisté avec une exas-
pération croissante au tripotage des fonds électoraux et des contrats
gouvernementaux.

La caisse électorale est devenue pour lui « le poison le plus des-
tructif et le plus corrosif qui puisse s'attaquer aux institutions parlementaires ». Déjà, en 1960, il suggérait de limiter les dépenses électorales des candidats. L'État rémunérait l'énumérateur, le scrutateur et
le greffier, pourquoi ne couvrirait-il pas également les dépenses des
candidats pour éviter que les « bandits professionnels » gravitant
autour de la caisse électorale ne le fassent en échange de faveurs ?

L'article 48 du manifeste électoral de 1960 promettait d'enrayer
la fraude électorale par le plafonnement des dépenses et leur remboursement par l'État. Il s'agissait d'une timide réforme qui ne tou-
chait pas à la mystérieuse caisse électorale. Au congrès du parti de
1963, la faction de René Lévesque avait réussi à faire adopter une
résolution qui soumettait le contrôle de la caisse au congrès annuel
plutôt qu'au seul chef et à ses fondés de pouvoir.

Ce radicalisme avait déplu à Jean Lesage. On l'avait vu combattre la motion qu'il n'avait cependant pas pu endiguer. Mais par la
suite, il avait fait en sorte qu'elle reste lettre morte. N'empêche qu'il
s'agissait d'un premier pas pour faire du Parti libéral autre chose
qu'un club social pourri par ses mœurs d'entreprise privée.

« Lévesque n'est plus rentable »

En janvier 1964, René Lévesque s'était engagé à fond dans une
autre tentative pour démocratiser le financement des partis politiques. Travaillant tard la nuit à rédiger son propre projet de révision
de la loi électorale — « Ouf ! 2,30 a. m.! Sur grand format svp,
6 copies, si possible », écrivait-il sur son brouillon à l'intention de
Marthe Léveillé assignée à la rédaction finale de l'œuvre —, il avait
échafaudé un plan de limitation et de remboursement des dépenses
électorales.

Tout candidat devait se doter d'un agent qui serait l'unique responsable des dépenses. La publicité, qui mène aux plus grands excès,
serait comprimée au minimum compatible avec la liberté d'expression. Le nombre d'automobiles au service de l'organisation serait
limité à 1 par 2 000 électeurs citadins et à 1 par 1 000 ruraux. Les dé-

penses du candidat ne devraient pas dépasser 5 000 $, montant auquel s'ajouterait un remboursement de 10 à 15 ¢ par électeur.

Le second volet de son plan établissait les modalités du remboursement des dépenses. L'État verserait 10 $ au représentant, dans les bureaux de scrutin, de chacun des candidats qui aurait obtenu 15 pour cent des voix. Quant au parti, il devrait récolter 10 pour cent des voix pour avoir droit au remboursement de ses dépenses admissibles. Une fois tout comptabilisé, René Lévesque arrivait à un coût global maximum d'un peu plus de deux millions.

Aux dernières élections, ce n'est pas son plan qui a prévalu mais une formule tantôt plus généreuse, tantôt moins. Sa plus grande nouveauté, précédent au Canada, permettait d'inscrire sur le bulletin de vote le nom du parti à côté du nom des candidats pour mettre fin au cirque des faux René Lévesque. De plus, la réforme a introduit le vote à 18 ans.

Mais pour René Lévesque, cette révision de la loi électorale n'allait pas assez loin encore. Un parti démocratique ne pouvait tolérer plus longtemps que seuls le chef et le trésorier sachent combien contenait la cagnotte et qui y souscrivait. Il fallait ouvrir les livres.

Les réformistes réclament donc deux choses : un droit de regard du congrès sur le financement du parti et une direction plus collégiale. Cette exigence est contenue dans ce que la presse appelle bientôt la « résolution Kierans ». Elle oblige le trésorier à soumettre aux militants un rapport annuel sur l'état des revenus et des dépenses. On saura enfin d'où viennent les fonds électoraux. C'en sera fait de la caisse clandestine.

Cette révolution fait peur à la vieille garde. Pastichant Maurice Duplessis, le truculent député des Îles-de-la-Madeleine, Louis-Philippe Lacroix, n'hésite pas à objecter : « Moi, je suis pour la caisse électorale car les élections ne se gagnent pas à coups de prières. »

L'idée d'une direction collégiale reste aussi sur l'estomac des conservateurs. Pour eux, c'est une attaque à peine déguisée contre l'autorité du chef. Le député de Matane, Jean Bienvenue, oppose aux réformistes des maximes de son cru : « Il faut avoir la discipline et le respect de l'autorité. Sans être un mouton, se souvenir qu'il n'y a qu'un capitaine par bateau. »

Devant la levée des boucliers, Eric Kierans et René Lévesque doivent mettre de l'eau dans leur vin et se faire rassurants : « C'est seulement l'administration du parti qui sera collégiale. Le comité directeur n'aura autorité ni sur la constitution du parti, ni sur le programme, ni sur l'idéologie, ni sur l'action parlementaire. »

Mais au moment même où René Lévesque affûte ses arguments en vue du congrès, Alphonse Barbeau dépose aux Communes un rapport sur le financement électoral fédéral qui va dans le même sens que son programme. « Enfin ! s'exclame René Lévesque dans sa chronique à *Dimanche-Matin*. On s'attaque de front au mur de cynisme encroûté et de sereine ignorance derrière lequel se perpétue le vieux mystère désuet des caisses... »

Il rédige en vue du congrès une résolution, inspirée du rapport Barbeau, qu'il fait adopter par les militants de son comté. La « résolution Lévesque » veut obliger les partis reconnus à publier tous les ans leurs revenus et leurs dépenses. De plus, elle vise à accroître encore les contributions de l'État aux dépenses des partis et à obliger la radio-télévision à accorder un temps d'antenne gratuit.

Plus le congrès approche, plus l'optimisme de René Lévesque s'étiole. Robert Bourassa a tenté de convaincre Jean Lesage du bien-fondé de la réforme mais il a échoué. Certes, il a accepté la création d'un comité des finances mais lui seul en désignera les membres. Mais pas question de divulguer les revenus de la caisse ni l'identité des gros bonnets qui la garnissent en échange de contrats. Seules les dépenses seront publiées. Le régime féodal des caisses clandestines durera donc.

« God save les Gros », conclut René Lévesque dans une chronique qu'il intitule *La démocratie, est-ce trop beau pour être vrai ?*

À la toute veille du congrès de Montréal, dépité, il met son chef en garde : « Notre parti a été le premier à sortir de la vieille tradition des cliques et des autocrates irresponsables. Il est donc condamné au progrès et ne peut reculer sans se trahir... »

Un coup d'épée dans l'eau car, dès l'ouverture du congrès, Jean Lesage envoie le message contraire en prenant fait et cause pour la vieille garde. Il prévient les militants contre un excès de vertu : « Monter sur le bûcher en nous imposant des règles spartiates dans l'espoir d'inspirer les autres, c'est peut-être du sublime, mais qui ne pourra jamais être atteint si les mêmes règles ne deviennent pas la loi de tous les partis. »

René Lévesque brûle d'envie de répliquer à ce chef qui n'est plus que l'ombre de lui-même. Il faut toute la persuasion des Marc Brière, Yves Michaud et Rosaire Beaulé pour le retenir à sa chaise. Robert Bourassa, qui s'est donné pour mission de rebâtir les ponts entre les deux hommes qu'il admire le plus, s'emploie à le raisonner. Il se voit répondre sur un ton que René Lévesque veut amicalement réprobateur : « Vous, Robert, espèce de calmant ambulant ! »

Le lendemain, c'est plutôt au président sortant, le Dr Irénée Lapierre, anesthésiste de son état, que Robert Bourassa devrait administrer ses sédatifs ! Le médecin se trouve en effet au cœur d'une tempête qu'il a lui-même soulevée en faisant la leçon à son successeur éventuel, Eric Kierans : « Le rôle du président du parti n'est pas d'éclipser le chef du parti. » S'il s'en était tenu à cette remarque, les réformistes se seraient contentés de sourire. Mais il a aussi glissé à Teddy Chevalot, reporter dégourdi de Radio-Canada, qu'Eric Kierans était la marionnette de René Lévesque et que celui-ci n'était plus rentable ni pour les libéraux, ni pour aucun parti.

L'accusation se répand comme une traînée de poudre parmi les délégués : « Lapierre a dit à Radio-Canada que Lévesque devrait démissionner... » Elle reflète l'antipathie croissante d'une fraction du parti envers le député de Laurier — *l'aile marchande,* disent par dérision les réformistes, pour désigner le camp des organisateurs et des patroneux de toute farine ralliés à Jean Lesage. Si la confidence de l'anesthésiste fait tant de remous, c'est que c'est la première fois qu'une grosse légume du parti ose dire tout haut ce que beaucoup pensent tout bas : que René Lévesque devrait faire ses valises.

Prévisible comme un orage par une journée humide et sombre de juillet, l'affrontement éclate. Coincé, le Dr Lapierre met la faute sur le journaliste dont les questions piégées l'ont amené à dépasser sa pensée.

René Lévesque attrape un micro : « Ce n'est pas en disant que ses paroles ont dépassé ce qui lui tient lieu de pensée que monsieur Lapierre va rétablir la situation. J'exige qu'il retire carrément ses paroles, sans quoi il fera face à une motion de censure. »

L'ovation monstre qui accueille la demande oblige Jean Lesage à intervenir : « Mais c'est anodin ! C'est de la bouillie pour les chats. Tout est dû au manque de neutralité de l'intervieweur... »

Le chef excuse le gaffeur, coupant les ponts définitivement avec René Lévesque. Des huées copieuses s'abattent sur Jean Lesage qui paraît ébranlé. « Des excuses ! Des excuses ! Des excuses ! » scandent les réformistes. Climat explosif. Le Dr Lapierre tremble d'émotion. Le député Yves Michaud découvre la férocité de la politique. Des hommes qui ont travaillé côte à côte durant des années se déchirent comme des frères ennemis.

Le malheureux anesthésiste finit par s'exécuter : « Il y a eu méprise. Dans les circonstances, je m'excuse et je retire mes paroles. » Ce sera le seul trophée des réformistes. La collégialité se réalisera, mais aux conditions du chef. Le comité des finances verra aussi le jour, mais Jean Lesage en désignera les membres, qui seront les seuls à connaître le contenu de la caisse. Les tireurs de ficelle peuvent dormir en paix.

Du valeureux trio réformiste, seul Eric Kierans est élu. Et encore l'est-il parce que le chef l'a bien voulu. Durant la course, Jean Lesage a ordonné à l'organisateur Henri Dutil : « Laissez passer Kierans. Il est modéré et millionnaire. On a besoin d'argent, on est dans l'opposition. » Le calcul est habile : en attirant l'Irlandais à lui, il l'éloigne de René Lévesque.

D'ailleurs, le clan réformiste n'a pas été sans noter qu'Eric Kierans prenait peu à peu ses distances. Il faisait de plus en plus souvent cavalier seul, multipliant les professions de foi en Jean Lesage : « Le seul chef possible... » Vexé, Marc Brière l'avait mis au pied du mur : « Ou bien vous continuez avec nous, ou bien vous vous dissociez publiquement du groupe.

— Non, non, je suis solidaire, avait bafouillé le millionnaire. C'est un malentendu... »

La première brèche sérieuse entre René Lévesque et lui est ouverte. Les deux hommes avaient accepté tacitement d'éviter la question nationale pour s'attaquer plutôt à la transformation interne de leur parti. Mais ils savaient que ce n'était que partie remise. Tôt ou tard, la bombe allait sauter. La trêve achève.

CHAPITRE XXVIII

Je ne me suis jamais senti canadien

*Comme Canadiens français, on ne peut être
autre chose que des visiteurs au Canada.*

RENÉ LÉVESQUE, *Le Magazine Maclean*, février 1969.

L a question « Vous êtes nationaliste ? » met René Lévesque mal à l'aise. « Je ne sais pas quelle est la définition du nationalisme. J'hésite parce que le nationalisme traditionnel me fait suer. Moi, les trucs du genre refrancisation, chèques bilingues, le drapeau… »

Pourtant, il l'est depuis toujours sans trop se l'avouer, comme s'il s'agissait d'un péché. Son père, Dominique Lévesque, était abonné à *La Nation,* journal séparatiste animé par Paul Bouchard. Le second mari de sa mère, l'avocat Albert Pelletier, appartenait au groupe de *La Nation,* qui avait comme devise « Pour un État libre français en Amérique ». Au collège de Gaspé, les jésuites l'ont mis en contact avec le « poison nationaliste » qui imprégnait les grands débats sociaux des années 30.

En 1948, à 26 ans, jeune annonceur au Service international de Radio-Canada, il s'interrogeait, dans un article du journal interne, sur son appartenance au Canada, un pays où l'unité nationale était uniquement maintenue par la force d'une loyauté mi-politique, mi-sentimentale ». Il concluait avec assurance : « Je suis à toutes fins pratiques un nationaliste québécois, un parfait Laurentien. »

Son appartenance aux Laurentides plutôt qu'aux Rocheuses s'était raffermie au cours de la grève du réseau français de Radio-Canada, fin 1958. Les camarades du réseau anglais de Toronto étaient restés sourds aux appels à la solidarité des grévistes de Mont-réal — une grande et petite leçon sur la beauté d'être canadien qu'il n'oublierait jamais. Le pourrissement du conflit lui avait fait décou-vrir l'indifférence bêtement colonialiste de la majorité anglophone. Le réseau français pouvait disparaître de la carte canadienne, on ne s'en apercevrait pas de l'Atlantique au Pacifique.

Les diplomates américains en poste au Québec s'interrogent sur les causes de son nationalisme. John R. Vought, deuxième secrétaire à l'ambassade américaine d'Ottawa, se fait dire par le journaliste Tim Creery de *Southam News* que sa radicalisation nationaliste date de la grève de Radio-Canada, *« when Levesque felt that the French-Canadians stood alone deserted by their English-Canadians co-workers »*. Il a parfois des cris du cœur qui font dire à d'autres que sa résistance au nationalisme est liée aussi à de mauvais souvenirs de guerre. « Je suis nationaliste, admettra-t-il un jour, si cela veut dire être féroce-ment pour soi ou contre quelque chose, contre une situation, mais jamais contre quelqu'un. Le nationalisme qui veut dire racisme ou fascisme, c'est vomissant. »

L'animateur Wilfrid Lemoine, qui l'a connu à Radio-Canada pendant les années 50, se souvient de conversations où il paraissait évident que chez son collègue, nationalisme était synonyme de dan-ger. « Le nationalisme, j'ai vu où ça pouvait conduire, lui racontait-il. Quand je suis entré dans le camp de Dachau, ce que j'ai vu là, aucun être humain ne peut l'oublier, je l'emporterai dans la tombe. »

Wilfrid Lemoine lui objectait qu'au nom de l'internationalisme, on commettait aussi les pires atrocités. Et de lui citer en la dénaturant quelque peu la devise des communistes : « Travailleurs du monde entier, unissons-nous… pour emprisonner, torturer et trucider nos ennemis ! »

Le fédéralisme aussi avait des crimes à se reprocher, argumentait encore Wilfrid Lemoine : « Le fédéralisme soviétique qu'on a tant idéalisé s'est montré aussi cruel que le nationalisme allemand. Moscou a imposé sa langue et son idéologie aux républiques colonisées à outrance et le goulag à ceux qui protestaient.

— Il y a des dangers partout, coupait la star de *Point de mire*, mais le nationalisme, quand ça dérape, ça crée des monstres comme Hitler... »

Au fond, si René Lévesque est nationaliste, ce n'est pas de gaieté de cœur. Il l'est par défaut ou nécessité, en réaction à un Canada anglais qui ignore ou méprise sa tribu — tandis que celle-ci devient paradoxalement avec les années la seule chose pour laquelle il a envie de se battre. Il est nationaliste parce que dès qu'il quitte la province, il ne peut trouver ses racines, une appartenance, des intérêts communs, le fameux vouloir vivre ensemble des sociologues.

Dans son article de 1948, il soulignait : « Toute société humaine, même cette société suprême qu'est le pays, n'est viable que si elle représente d'abord une communauté d'intérêt. »

De là son incapacité à se dire canadien. « Je n'ai jamais ressenti d'hostilité vis-à-vis des gens de langue anglaise, mais je ne me suis jamais senti capable d'être canadien », avoue-t-il au *Maclean*. Ce n'est pas une question de blocage linguistique : il est avec Pierre Trudeau l'un des rares hommes politiques québécois à être aussi à l'aise en anglais qu'en français. Ni une méconnaissance du Canada anglais, que le journaliste comme le politicien connaissent à fond.

Il respire québécois, voilà tout. Et s'il devait être autre chose que québécois, il serait américain avant d'être canadien. Depuis qu'il a fait la guerre sous la bannière étoilée, les États-Unis le fascinent. Dans les années 50, il admettait : « Je me prétends un assez bon New-Yorkais et je connais toutes les grandes villes américaines. Mais qu'on me demande où se trouve Lethbridge, et ce n'est pas ce soir encore que je gagnerai le grand prix du radio-questionnaire. »

Le courant nord-sud est pour lui le pire adversaire du Canada. L'économie même réclame l'axe nord-sud : Windsor n'est qu'un faubourg de Detroit, Halifax qu'un concurrent de Portland et Boston. Il dira encore : « Je n'ai jamais ressenti de vibration canadienne. La place où je suis le plus chez moi en dehors du Québec, c'est aux États-Unis. »

Pour lui, le Canada a oublié l'essentiel : être un foyer vraiment naturel et chaleureux pour ses propres citoyens. C'est un pays qui n'a pas levé. « Quel maigre succès que le Canada à côté des USA ! »

s'exclame-t-il avant d'avouer : « Je n'ai jamais cru d'instinct au Canada. On ne peut comme Canadiens français y être autre chose que des visiteurs. Dire le contraire, c'est de la fiction. »

Comme un indigène dans son ghetto

Les années 60 marquent pour René Lévesque un crescendo qui le conduira à l'indépendance. Accompagné dès 1963 par la fureur felquiste, l'indépendantisme naissant force sa réflexion, qui s'alimente aussi à ses expériences de la Confédération comme ministre. Il n'a rencontré que frustration et insensibilité chez les politiciens et les mandarins fédéraux fermés à la différence québécoise, notamment dans le dossier des Esquimaux et des allocations familiales.

Aspect de son cheminement qui fera dire à un Gérard Filion toujours aussi sévère à son égard : « René Lévesque est devenu séparatiste quand il a eu à se frotter à Ottawa comme ministre du Québec. Ça l'agaçait de devoir discuter avec quelqu'un qui pouvait ne pas être d'accord avec lui et même lui faire des petites misères. Ce n'était pas dans son caractère d'endurer la critique. C'était plus facile de devenir séparatiste que de continuer à discuter et à négocier... »

Quoi qu'il en soit des motivations du grand homme, qui sont plus complexes que la thèse simplette des gros-méchants-fédéraux-qui-ne-comprennent-rien-au-Québec, il est possible de mettre une date sur sa première intervention à teneur indépendantiste. Il faut revenir pour cela au 29 octobre 1961, le jour même où le chanteur français Yves Montand, en visite à Montréal, exhortait les Québécois à se faire respecter : « Exigez donc du français ! » René Lévesque confie aux étudiants de l'Université de Montréal : « Le séparatisme est une idée respectable, même si je ne suis pas encore convaincu de son opportunité. Il faudra se demander si ce n'est qu'une bulle de savon ou une idée pleine de promesses. »

La campagne électorale de 1962, avec son percutant *Maîtres chez nous* puisé dans les années 30, le marque aussi. Mais comme pour s'excuser d'avoir sombré dans une campagne de drapeaux, ou pour en atténuer le caractère émotif, René Lévesque dira de la nationalisation de 1962 : « Le *Maîtres chez nous* du programme libéral, ça au moins, c'était du réel. C'était la deuxième fois depuis que je suis en âge de comprendre quelque chose à la politique que je lisais quelque chose de concret. Il y avait une définition du national mais qui s'ignorait. »

En 1978, dans son livre *La Passion du Québec,* il parlera des retombées de la nationalisation sur son évolution personnelle. Il avait compris à l'époque que la prise en main des richesses hydro-électriques et la réforme de l'éducation ne donneraient leurs fruits que bien des années plus tard et qu'il fallait aller plus loin. « Il manquait au Québec de définir les grands objectifs et les moyens. En fait, cela supposait la remise en cause du fédéralisme et la marche vers la souveraineté. »

En 1963, il précise peu à peu sa pensée. Le Canada n'est pas formé de 10 provinces mais de deux nations, dit-il au *Financial Post.* Il dit aussi au journaliste Jean-Marc Léger, du *Devoir* : « Toute notre action doit tenir compte de deux données fondamentales. La première : nous sommes une nation qui possède son État national, le Québec. La deuxième : nous ne sommes pas souverains politiquement, donc une nation authentique mais qui ne possède pas la souveraineté. »

La même année, il revient sur le concept des deux nations devant la presse étudiante nationale : « Si nous n'arrivons pas, nous du Québec, à faire accepter le binationalisme, il faudra penser à nous séparer. »

Un auditoire de Toronto sursaute quand il traite la Confédération de vieille vache sacrée de 96 ans. Le Canada doit changer, dit-il, sinon le Québec le quittera : « Nous sommes mal dans notre lit pendant que vous continuez d'y ronfler confortablement. Pour être honnête, je dois vous dire que je me sens comme un indigène quittant sa réserve chaque fois que je quitte le Québec. Je suis d'abord un Québécois et, deuxièmement, avec un doute de plus en plus grand, un Canadien. » L'analogie de l'indigène fait choc.

À la télévision de Toronto, l'intervieweur Pierre Berton lui demande sans crier gare : « Si le Québec se séparait, ça vous dérangerait ?

— Non, je ne pleurerais pas longtemps… »

Après quoi il laisse tomber, mine de rien, à un auditoire italien de Montréal qui se crispe : « La séparation, ça n'est pas la fin du monde. » Le contexte particulièrement agité du début des années 60 s'accorde bien avec la surenchère politique pratiquée par René Lévesque. Le nationalisme suinte par tous les orifices — jusque chez les serviteurs de l'État dont certains refusent de prêter le serment d'allégeance à la Reine.

Le refus du gouvernement Pearson d'acheter des Super-Caravelle françaises, moyen-courriers à réaction que Paris espère vendre à Trans-Canada Air Lines avec l'appui agissant du gouvernement Lesage, déclenche une tempête. Le président McGregor préfère le DC-9 américain jugé techniquement supérieur. L'enjeu est de taille. Le Caravelle serait construit par Canadair à Montréal — des retombées de 55 millions de dollars pour le Québec —, et le DC-9 américain en Ontario.

Au Conseil des ministres, René Lévesque a beau plaider pour que le gouvernement exerce toute la pression possible sur Ottawa, il se fait répondre par Jean Lesage qu'il n'y a plus rien à faire, la décision étant déjà prise. Ottawa favorise encore une fois l'Ontario aux dépens du Québec. Pendant ce temps, la députation libérale fédérale du Québec regarde ailleurs, fidèle au vieux scénario de l'impuissance que les Québécois acceptent de moins en moins.

En 1963 toujours, l'assassinat du gardien de nuit William Victor O'Neill, au centre de recrutement de l'Armée canadienne, à Montréal, a arraché un cri du cœur à l'éditorialiste André Laurendeau : « Les embusqués ont tué, ça devait venir. Le FLQ est allé jusqu'au bout du crime. C'est le feu d'artifice de la haine… »

René Lévesque a droit à sa bombe en direct. Une nuit où il se chamaille amicalement avec André Laurendeau, qui a parfois du mal à le suivre, des engins sautent dans des boîtes aux lettres, à deux pas de la maison de Gérard Pelletier, à Westmount. Le trio accourt sur place avec des têtes de badauds excités par l'odeur de poudre. Les dégâts impressionnent René Lévesque. Au cours de l'attentat, un expert en désamorçage a été affreusement mutilé.

Mais ce ne sont pas les exploits douteux des terroristes qui le détourneront de son questionnement, qu'il poursuit durant l'année 1964. Son numéro de funambule lui impose toutefois de petits pas à reculons. Ainsi, il nuance son discours devant les étudiants de l'Université de Montréal : « Le climat politique actuel du pays incite le Québec à se tourner vers le séparatisme, mais il n'entre ni dans la politique du gouvernement, ni dans la mienne, de l'envisager. Je ne suis pas pour l'instant gagné à la cause de l'indépendance. »

Retrait stratégique qui ne l'empêche pas, la fois suivante, d'attaquer durement la Confédération qui coffre le Québec dans un régime de programmes conjoints dictés par Ottawa dans les domaines de sa compétence : « Le Canada est une jungle où rôde un monstre qui grandit démesurément, l'administration fédérale, et où les provinces ne sont que des poussières. » Fouillis, jungle, monstre, voilà les mots qu'affectionne un René Lévesque en voie de répudier le régime fédéral.

Dans le collimateur de l'oncle Sam

Les Américains épient cette montée nationaliste accompagnée de violence politique, susceptible de menacer un jour leurs intérêts. Leurs agents à Ottawa, à Québec et à Montréal tentent de cerner cette facette imprévue du nationalisme québécois. Charles A. Kiselyak, de l'ambassade américaine à Ottawa, télégraphie au département d'État le résumé d'une intervention de Mason Wade, auteur américain d'une histoire des Canadiens français en deux volumes qui fait autorité. (Pendant 15 ans, tout en préparant son histoire, *l'information officer* de l'ambassade d'Ottawa qu'était Mason Wade avait inondé Washington de renseignements confidentiels au sujet de ces Mexicains du Nord dont l'économie connaissait un boom grâce aux capitaux américains.)

La thèse de l'historien informateur tient en quelques points. Qu'il le veuille ou non, le Québec fait partie de l'Amérique du Nord et doit vivre avec une majorité de langue anglaise. Un Québec séparé affaiblirait les minorités françaises, celle des États-Unis comme celle du Canada. Trop émotifs, les séparatistes minimisent l'interdépendance économique et militaire croissante de l'Amérique du Nord.

De plus, quatre millions et demi de Québécois francophones ont plus de chance de survivre en partageant un pays avec 13 millions d'anglophones qu'en partageant un continent avec 205 millions d'Américains. Enfin, quelle serait la viabilité d'un Québec autonome dont les intérêts viendraient en conflit avec ceux du reste de l'Amérique au nord du Rio Grande ?

En mars 1964, quand un bâton de dynamite enveloppé dans le

Red Ensign — ersatz de drapeau canadien — oublie de sauter sur les Plaines d'Abraham, à Québec, le consul général Richard H. Courtenaye fait enquête auprès de l'inspecteur Maurice Nadon, chef régional de la GRC. Le policier l'assure que la police flaire une bonne piste.

Les auteurs de l'attentat avorté seraient des étudiants de l'Université Laval — « *the most obvious center of active separatist* », note le diplomate dans sa dépêche à Washington. Et pour mieux endiguer la contagion indépendantiste sur le campus, le policier lui a confié que des agents de la GRC s'inscrivaient déjà dans les facultés « *for keeping a close watch on the active minority* ».

Peu après, René Lévesque déclenche une escalade. Les étudiants remuants du collège Sainte-Marie, à Montréal, qui ont organisé une semaine du nationalisme, l'ont invité pour en décupler la résonance. Le franc-tireur fait le procès de la Confédération « qui n'est possible que sur le dos d'un Québec faible ».

Puis, sans mesurer la portée de ce qu'il va dire, il lance l'équivalent verbal d'une bombe felquiste : « Le seul statut qui convienne au Québec est celui d'État associé qu'il faudra négocier avec le reste du Canada, sans fusils ni dynamite autant que possible. Si on nous refuse ce statut, nous devrons faire la séparation. »

États associés ? Il serait bien en peine d'expliquer ce que c'est à Gérard Pelletier qui condamne dans *La Presse* « le dangereux pouvoir des mots ». En fait, comme René Lévesque l'avouera quelques années plus tard, il pensait déjà à la souveraineté-association : « Je disais États associés mais je n'y croyais déjà plus. Je me rabattais là-dessus par prudence de cabinet. Je n'avais pas le temps de fouiller et je me disais : où est-ce que ça va me conduire ? D'instinct, je pensais au fond : une association, oui, mais de deux pays. »

Au Canada anglais, c'est la tempête. À Ottawa, Paul Hellyer, ministre de la Défense nationale dans le cabinet Pearson, s'emporte : « Le Canada n'est pas une agglomération d'États associés et nous ne laisserons pas Lévesque et sa petite bande nous diviser. » Alors que la presse anglophone ne retient que le petit bout de phrase sur les bombes et la dynamite.

Pourtant, René Lévesque a pris la précaution de dénoncer le terrorisme comme un crime nullement justifiable dans le contexte canadien où tout indépendantiste peut propager ses idées en parfaite liberté. « Tuer quelqu'un sans raison est criminel, quel que soit le noble principe invoqué. Il est inutile de tenter de créer artificiellement, au Québec, un climat algérien ou cubain. »

Dans le *Vancouver Sun,* sa mise en garde devient : « Il a dit aux étudiants que les fusils et la dynamite pouvaient être légitimes mais seulement si les autres moyens échouaient. » Leslie Roberts, animateur de radio controversé, va droit au but : « Monsieur Lesage doit congédier Lévesque ou démissionner lui-même. » Le *Montreal Star* est encore moins nuancé. René Lévesque s'est fait le complice des terroristes et son discours est une incitation à la violence : « Il a dénoncé les terroristes tout en laissant la porte ouverte au terrorisme qui, immoral aujourd'hui, peut ne plus l'être demain. Au bout du compte, il sera permis de se conduire comme une bande d'Algériens enragés ! »

Gérard Pelletier, que personne ne soupçonnerait de séparatisme, fulmine contre le quotidien anglophone. Il intitule son édito *Quand le* Star *se déshonore,* puis attaque : « On n'aime guère mettre en doute la bonne foi de son prochain. Mais il faut se rendre à l'évidence que le *Star* a mis de côté tout scrupule et qu'il prendra désormais n'importe quel moyen, y compris le mensonge grossier, pour déconsidérer M. Lévesque auprès de ses lecteurs. »

Les journalistes canadiens-anglais n'en peuvent plus d'écouter les sacrilèges du ministre sans réagir — « Pourquoi rions-nous ? Il nous insulte. » Pour Peter Desbarats, qui l'admire au point de lui consacrer un livre, son style trépidant et terrifiant et ses improvisations tous azimuts lui compliquent la tâche : « Quand René Lévesque parle, écrit-il, il n'y pas grand temps pour penser. Les idées scintillent comme des lumières d'ordinateur. Des formules improvisées fendent les phrases comme des balles traceuses. C'est enivrant à écouter, difficile à transcrire. »

Plus que son style incendiaire, l'explication la plus sûre pour décoder l'attitude ambiguë (*love and hate*) de la presse anglophone à son égard, c'est sa radicalisation nationaliste chaque jour plus évidente. Un sondage de *Maclean* a montré que 59 pour cent des gens interrogés affirmaient qu'il était un séparatiste qui n'osait pas encore retirer son loup. Quand un chroniqueur comme Peter Newman se pose la question « Lévesque est-il séparatiste ? », il finit par insinuer que oui, tout en le décrivant, vu l'absence de preuve formelle, comme « *a last-resort separatist* » (un séparatiste de la onzième heure) qui donne deux ans à peine au Canada. Cette idée revient souvent sous la plume de journalistes chevronnés du Canada anglais.

Une autre idée fait son chemin : Jean Lesage est le fantoche de René Lévesque, qui le mène par le bout du nez lors des discussions Ottawa-Québec. Et ça ira toujours aussi mal entre les deux capitales aussi longtemps que Lévesque fera partie du gouvernement. Certains commentateurs se prennent à rêver du jour où un Jean Lesage excédé liquidera le fauteur de troubles.

Autant dire que René Lévesque marche parmi les ronces, s'il aborde des questions délicates comme la violence politique ou les droits de la minorité anglaise. Pourtant, à ce sujet, sa pensée est limpide : toute personne vivant au Québec a les mêmes droits. Déjà, en juin 1961, il dénonçait le fanatisme linguistique : « Nous voulons que notre langue soit respectée dans les autres provinces, respectons la langue de la minorité chez nous. » Il répète souvent que le nationalisme québécois vise à abolir les privilèges, non les droits de la minorité anglophone : « Nous ne sommes pas contre quelqu'un mais bien pour quelque chose. »

Le Garibaldi du Québec

Le tollé suscité par son « autant-que-possible-sans-violence » du collège Sainte-Marie est si fort que René Lévesque doit se rétracter publiquement et proclamer sa solidarité avec le cabinet Lesage. Ce qu'il voulait dire : « Le Québec est une société démocratique. Il a la liberté de pensée et de parole. Dans ce contexte, la violence et le terrorisme sont criminels et stupides. Mais malheureusement, la violence est une possibilité dans une société qui change rapidement. Il faut l'apaiser et s'en débarrasser autant qu'il est humainement possible de le faire sans sacrifier la démocratie. »

John R. Vought, second secrétaire de l'ambassade américaine à Ottawa, veut savoir pourquoi René Lévesque s'est rétracté. Ce n'est pas dans ses habitudes de ravaler ses paroles. Dans un rapport confidentiel à Washington, il note que son geste n'a rien à voir avec l'hostilité de la presse anglophone : « Les éditoriaux du Canada anglais n'ont eu aucun effet au Québec. Ce que le reste du Canada peut dire n'impressionne plus les Québécois. »

Ses sources lui indiquent plutôt qu'il n'a pas eu le choix. Furieux, Jean Lesage l'a forcé à reculer, de peur que les extrémistes se servent de sa déclaration imprudente comme caution. Et le diplomate de conclure : « Il l'a averti d'arrêter de secouer le bateau. À Ottawa, on s'entend pour dire qu'il a retraité, mais jusqu'à quel point ? On se demande s'il était sincère. »

De son côté, Jerome T. Gaspard, le consul à Montréal, y va de son explication : depuis la nationalisation de 1962, son étoile politique a pâli et son coup d'éclat visait à le remettre en selle aux dépens des Gérin-Lajoie et Kierans qui le dépassent en popularité.

Mais est-il indépendantiste à la fin ? Washington veut une réponse claire. L'attaché d'ambassade Vought réunit quatre journalistes canadiens-anglais, dont Tim Creery et Robert McKeown, qui a couvert avec René Lévesque les conventions électorales américaines, au début de 1960. Le portrait qui en découle est plutôt négatif mais touche des points sensibles.

René Lévesque est certes très talentueux, mais ambitieux et avant tout *showman*. Il ne peut résister à la tentation de verbaliser les problèmes comme il le faisait quand il était journaliste. Ce qui le rend politiquement irresponsable et irrespectueux de la solidarité ministérielle. C'est plus un agitateur et un contestataire qu'un bâtisseur. Quant à son avenir, les quatre journalistes n'arrivent pas à se mettre d'accord si ce n'est sur un point : c'est un séparatiste dur qui se voit comme un Garibaldi, ce combattant de l'indépendance italienne rallié à Cavour contre lequel il se retourna ensuite. Jean Lesage serait-il alors le Cavour québécois ? Aucunement, répondent les journalistes au diplomate américain : le rôle revient plutôt à Claude Morin, son sous-ministre. Le véritable architecte du pouvoir québécois en construction, c'est lui.

Cela dit, il ne faut pas écarter l'idée que René Lévesque veuille prendre la tête du mouvement indépendantiste et remplacer le moment venu Jean Lesage, avec qui il s'est brouillé de façon définitive. Et John R. Vought de conclure : « L'attitude de M. Lévesque durant les prochaines semaines révélera le sérieux de ses convictions séparatistes. S'il est vraiment le séparatiste décrit par la presse anglophone, la seule question qui se pose à lui est de savoir quand passer à l'action et comment. »

En fait, l'heure séparatiste de René Lévesque est loin d'avoir sonné. Mais elle approche. En novembre, le consul américain par intérim à Québec, Robert D. Yoder, le mesure alors qu'il assiste à la visite du politicien québécois à l'Université Oberlin, dans l'Ohio. *« I am here to sell Quebec to you »,* lance René Lévesque à 1 500 étudiants devant qui il dresse le tableau noir de la dépossession des Canadiens français, peuple traité de « porteurs d'eau » par les Canadiens anglais, leur rappelle-t-il.

Robert D. Yoder glisse dans sa dépêche à Washington une phrase de René Lévesque qui donne à penser que son adhésion à l'indépendantisme n'est pas aussi définitive que l'affirme la presse canadienne-anglaise : « M. Lévesque a dit que les Canadiens français voulaient maîtriser leur économie, hausser le niveau scolaire et développer leurs ressources mais sans détruire le régime fédéral canadien. »

Notre Garibaldi a l'air de jouer sur les deux tableaux, en politicien qui n'a pas encore vraiment choisi son camp.

CHAPITRE XXIX

La minute de vérité

*À force de voir se multiplier les conflits avec
Ottawa, je devenais sans oser me l'avouer
souverainiste.*

RENÉ LÉVESQUE, *Le Magazine Maclean*, février 1969.

D ans la chaîne des événements qui poussent peu à peu René
Lévesque vers la répudiation du fédéralisme canadien, certaines étapes auront été plus déterminantes que les autres.
Comme ministre, il a eu à assumer les pouvoirs que la constitution
conférait à sa province dans certains dossiers comme celui des Esquimaux et de la Sécurité sociale, mais il s'est heurté à un fédéralisme
insensible. Son beau-frère Philippe Amyot se souvient qu'il était
ulcéré : « Comme Québécois, on est toujours bloqué à Ottawa. Si on
veut changer quelque chose, on frappe un mur. On n'ira jamais plus
loin parce qu'on n'a pas le dernier mot. »

Ses vendettas avec les fédéraux lui avaient fait comprendre que
le Canada abritait deux fédéralismes. Un fédéralisme de papier, beau
et noble mais purement formel, et un autre, hypocrite, illégitime et
autoritaire, qui se vivait au quotidien.

Mais il n'a pas tout vu encore. Au printemps 1965, la controverse autour de la formule d'amendement constitutionnel Fulton-

Favreau lui fait réaliser qu'on est en train de passer la « camisole de force » au Québec. Jusque-là, il a toujours levé le nez sur « la poutine d'avocats » que sont pour lui les discussions constitutionnelles.

Le cœur de l'affaire, c'est que le Canada ne peut pas modifier sa constitution selon son bon plaisir sans recourir au Parlement de Londres. Pour couper ce dernier lien évoquant ce passé colonial, Ottawa et les provinces « poutinent » en vain depuis 30 ans afin de trouver une formule acceptable à tout le monde qui permettrait de ramener au Canada le vieux texte de 1867 et de le moderniser.

De peur d'y laisser des pouvoirs, notamment le fameux droit de veto (dont on apprendra un jour, en vertu de l'un de ces mystères insondables du fédéralisme canadien, qu'il n'avait jamais existé), Maurice Duplessis s'est toujours montré circonspect face à l'opération. Mais, coup de théâtre, Ottawa et les provinces s'entendent sur la formule Fulton-Favreau, du nom de ses deux proposeurs, David Fulton, ancien ministre conservateur, et Guy Favreau.

A-t-on trouvé la formule magique capable de rassurer la province française ? Il semble que oui, car Fulton-Favreau consacre le droit de veto du Québec. Selon la formule, pour modifier les dispositions touchant plus spécialement une province, il faudra son assentiment. Québec pourra donc s'opposer si Ottawa veut tripoter la constitution à son désavantage. De plus, pour les questions fondamentales (langue, religion et répartition des pouvoirs), l'unanimité du fédéral et des provinces sera obligatoire. Quant au reste, il faudra un oui d'au moins sept des dix provinces représentant la moitié de la population du pays.

Le premier ministre Jean Lesage lui donne sa bénédiction. Or les libéraux sont les seuls à crier victoire. Une campagne d'opinion orchestrée par le chef unioniste Daniel Johnson et un brillant juriste à barbiche, Jacques-Yvan Morin, futur collègue de René Lévesque, soulève les milieux étudiants, nationalistes et syndicaux.

Fulton-Favreau n'est rien d'autre qu'un carcan, puisqu'elle soumet l'évolution du peuple québécois à la volonté des autres provinces. Car si Québec peut les paralyser en opposant son veto, elles sont en mesure de lui rendre la politesse de la même manière. En d'autres mots, la lilliputienne Île-du-Prince-Édouard pourra stopper une évolution désirée par les Québécois. Mais pour Paul Gérin-

Lajoie, ministre québécois responsable de la négociation constitutionnelle, le veto du Québec est bien réel, et cela suffit à rendre la formule Fulton-Favreau acceptable, même si elle risque de momifier la constitution, chaque camp pouvant neutraliser l'autre.

La pression publique le fait toutefois reculer. Il convainc Jean Lesage de ne rien précipiter, de gagner du temps en recourant à des mesures dilatoires. Comme celle de lier l'accord québécois à l'abolition préalable du Conseil législatif qui ne serait plus possible une fois la formule Fulton-Favreau votée.

Rassuré, Paul Gérin-Lajoie s'en va à Paris signer un accord avec la France dans le domaine de l'éducation. À peine s'est-il envolé que, le 11 mars 1965, Jean Lesage réunit ses autres ministres pour leur ordonner de vanter les mérites de la formule Fulton-Favreau à leurs électeurs. Il a viré de bord.

« J'aurais préféré que le débat se fasse au comité de la constitution de l'Assemblée, lui objecte René Lévesque.

— J'ai un mandat unanime de tous mes collègues ! réplique le premier ministre. Je me suis engagé au nom du gouvernement et je vais prendre mes responsabilités ! »

Passant de la parole au geste, Jean Lesage convoque le parti pour obtenir son appui. Marc Brière, qui connaît les réserves du ministre de l'Éducation, se lève et lui pose une colle :

« Monsieur Lesage, est-ce que nous ne devrions pas attendre le retour de Monsieur Gérin-Lajoie avant de nous embarquer ?

— Paul ne fera aucun problème, affirme Jean Lesage. Je lui en ai parlé et il est d'accord. »

Fort du vote unanime du parti, le chef libéral réunit de nouveau le Cabinet et l'avertit : « Le gouvernement ne peut plus reculer. » Pierre Laporte se fait rabrouer quand il suggère de sonder la population. Puis Jean Lesage piège René Lévesque de belle façon en l'envoyant défendre la formule auprès des étudiants de l'Université de Montréal.

Le ministre hésite, suggère lui aussi d'attendre le retour de Paul Gérin-Lajoie, puis finit par accepter en se disant qu'il ne risque rien, que ça n'est encore que des avocasseries, que seul compte le poids du peuple québécois. Selon le biographe de Jean Lesage, l'idée du premier ministre est de discréditer Lévesque auprès des indépendantistes en l'obligeant à faire l'apologie d'une formule qu'ils conspuent.

Pour une fois, René Lévesque n'a pas le dessus. Jacques-Yvan Morin arrache les ovations en démontrant de façon lumineuse que la formule Fulton-Favreau emprisonnera le Québec en liant son évolution au veto du Canada anglais.

Longtemps après, évoquant son aventure pour l'historien Jean Provencher et le journaliste Jacques Guay, René Lévesque dira qu'il s'était gouré royalement, qu'il n'avait pas saisi que l'avenir du Québec se jouait. Ce soir-là avait été déterminant dans sa marche vers la souveraineté. Il avait senti qu'il avait pris du retard par rapport à l'évolution des esprits, que quelque chose d'important se dessinait et qu'il était passé à côté.

Après l'assemblée à laquelle il a assisté — tout comme Pierre Trudeau —, Claude Ryan se charge de le lui rappeler : « C'était une soirée très intéressante, lui fait-il observer avec une pointe d'ironie. Mais vous devriez vous occuper un peu plus des questions constitutionnelles. Ça pourrait devenir plus important que vous aviez l'air de le croire ce soir… »

René Lévesque déçoit aussi les militants de Laurier. « Vous vous êtes fait avoir comme un enfant d'école », se permet de lui dire Jacques Simard. Plus tôt, au cours d'une discussion sur le sujet avec lui et l'organisateur Gérard Bélanger, le secrétaire a eu le malheur de suggérer : « Fondez donc un parti nationaliste, monsieur Lévesque, tout le monde attend après vous !

— Ça ne tient pas debout ce que vous dites, Christ ! Ça ne marche pas comme ça ! »

Le député était sorti de ses gonds. Les deux autres avaient conclu qu'il n'aimait pas se faire dire que la tâche de rassembler tout ce que le Québec comptait de « istes » lui revenait. Il n'était pas rendu là. Pourtant, dans son comté, plusieurs ne voyaient que lui comme locomotive et comme chef rassembleur, Pierre Bourgault ne faisant pas consensus.

Le bourbier Fulton-Favreau finit par s'estomper. Rentrant de la Guadeloupe, où il a fait escale après les « splendeurs parisiennes », Paul Gérin-Lajoie s'entend dire par sa sœur, à l'aéroport : « Paul, tu arrives dans un four. Lesage est fou. Il est pire que Duplessis, il dit aux journalistes qu'il va communier tous les matins… »

Sa volonté de défendre Fulton-Favreau contre vents et marées met le premier ministre sous tension… Se sentant trompé, Paul

Gérin-Lajoie lui écrit une lettre pour lui rappeler leur entente et lui signaler son manque d'honnêteté. Résolu à donner sa démission, il se rend au Cabinet où les esprits s'échauffent vite : « Paul, si vous n'êtes pas d'accord, vous savez ce qu'il vous reste à faire, crâne le premier ministre.

— Je sais très bien ce que j'ai à faire…

— Quand nous donnerez-vous votre réponse, Paul ?

— Demain matin…

— Christ ! Si ce gars-là ne peut pas avoir jusqu'à demain matin pour prendre une décision, j'ai mon voyage ! profère René Lévesque en défiant son chef.

— Chrissez-moi pas de même ! » jure à son tour Jean Lesage en le fusillant du regard.

Finalement, les choses s'arrangent. Une fois de plus, Jean Lesage se dédit devant l'opposition croissante d'une majorité de Québécois. Il se lance bientôt dans une autocritique publique : « Ce n'est pas mûr. Je dois admettre que le temps n'est pas venu pour le pays de se donner une nouvelle constitution. »

Après la volte-face du premier ministre, les fédéraux exècrent encore plus René Lévesque qu'ils estiment responsable de son revirement. Le ministre Maurice Lamontagne se paie encore une fois le plaisir de dénoncer publiquement, mais sans les identifier, les *crypto-séparatistes,* plus dangereux que les vrais parce que camouflés.

L'opinion courante, et Pierre Trudeau est de ceux qui la propagent depuis son envol politique, en 1965, c'est qu'un partisan des États associés (comme René Lévesque) ou du statut particulier (comme Jean Lesage) n'est rien d'autre qu'un séparatiste masqué qui refuse d'être logique avec lui-même, c'est-à-dire de s'afficher comme tel.

En réalité, le premier ministre du Québec est tout sauf séparatiste. Son parti pris en faveur du Canada ne l'empêche pas cependant de s'amuser de la paranoïa antiséparatiste des fédéraux. À la suite de l'incendie qui a détruit la résidence officielle du lieutenant-gouverneur à Bois-de-Coulonge, Jean Lesage a demandé à Ottawa de loger temporairement le représentant de la Reine à la Citadelle, qui est propriété fédérale. « Ils ont refusé, avait-il annoncé à ses ministres. Peut-être ont-ils peur que le gouvernement provincial s'empare de la Citadelle ? » Plus pragmatique, la reine Élisabeth II avait offert le nouveau service de vaisselle du futur château du Bois-de Coulonge…

L'épisode Fulton-Favreau aura donc été déterminant pour René Lévesque, qui recherche une solution politique capable de lever la tutelle canadienne sur l'avenir québécois. Les élections de juin 1966 le font avancer encore. Il réalise qu'il nage à contre-courant en s'accrochant aux États associés quand l'indépendantisme acquiert ses titres de noblesse.

Avant le début de la campagne, Daniel Johnson a lancé un petit tract qui a fait des vagues : *Égalité ou indépendance*. Que le chef de l'Union nationale se soit emparé du mot indépendance le bouscule. La formule pique son intérêt mais il l'écarte.

L'option bleue ne vaut pas cher à ses yeux à en juger par sa prose d'alors dans *Dimanche-Matin* : « Une utopie, un slogan parfaitement ambigu, la perpétuation de ce bon vieux somnifère du pays biculturel soi-disant égal, du fait français *from coast to coast*… »

Durant la campagne électorale, René Lévesque ressent aussi un malaise à l'égard du RIN, première formation politique sécessionniste à présenter des candidats. Avec sa ligne dure de l'indépendance sans concession, ce parti ne lui dit rien qui vaille. L'embêtant, c'est qu'il doit se bagarrer contre des frères d'armes. La présence comme candidate dans Laurier d'Andrée Ferretti, riniste radicale au verbe enlevant, n'arrange pas les choses. Déjà indépendantistes, plusieurs militants de son organisation éprouvent des problèmes de conscience à lui faire des entourloupettes électorales.

Le sérieux du programme de Pierre Bourgault le dérange également. Le RIN fait de moins en moins appel à l'émotivité chauvine du pur patriotisme qui polluait son discours et ses tracts. Les rinistes ont commencé de donner à leur option un contenu socio-économique moderne à saveur sociale-démocrate qui plaît à René Lévesque.

Malgré tout, comme il le notera dans ses mémoires, la violence verbale des rinistes et leur manie de descendre dans la rue pour tout et pour rien ruinent toute possibilité d'entente avec eux : « Je le déplorais vaguement, car je ne pouvais m'empêcher d'admirer chez eux cet idéal brûlant et l'élan formidable qu'il engendrait. Cela ne valait-il pas mieux que d'être menacé de perdre à la fois illusions et idéal ? »

Le brouillon de Tremblant

Bousculé par les élections de juin 1966, qui l'ont relégué dans l'opposition, et plus encore par le congrès réformiste qui a suivi à l'automne de la même année, René Lévesque s'attaque résolument à clarifier ses options alors que débute l'année charnière de 1967. Depuis le congrès, les réformistes du club Saint-Denis poursuivent leurs palabres. Cependant, la « maladie séparatiste » en dévore plus d'un. C'était fatal : une fois évacuée la question de la démocratisation du parti, celle qu'on avait délibérément escamotée, la place du Québec dans le Canada, refait surface.

La minute de vérité tombe le samedi 1er avril 1967. Une vingtaine de conjurés roulent discrètement vers le Cuttle's Tremblant Club, au nord de Montréal, afin d'y jeter les bases d'un manifeste nationaliste assez tonifiant pour relancer un parti boudé par les jeunes qui ne jurent plus que par l'indépendance. Le noyau des députés réformistes, les Paul Gérin-Lajoie, Eric Kierans, Robert Bourassa, François Aquin, Claire Kirkland-Casgrain, Jean-Paul Lefebvre et Yves Michaud, est au rendez-vous. Georges-Émile Lapalme est venu, mais à reculons.

René Lévesque est entouré de son fan club : les Jean-Roch Boivin, Rosaire Beaulé, Marc Brière, Pothier Ferland et Roch Banville, médecin syndicaliste de la Côte-Nord. Il y a encore les juristes Réginald Savoie et André Brossard, qui préside la commission politique du parti, Pierre O'Neill, directeur de *La Réforme,* et Maurice Jobin, médecin qui, en période électorale, surveille à la fois l'état des artères de Jean Lesage et son penchant irrépressible pour le gin.

Au premier tour de table, les clans se forment. Paul Gérin-Lajoie veut écarter l'option indépendantiste pour ne retenir que le fédéralisme renouvelé, le statut particulier et les États associés. Vive opposition : il faut tout mettre sur la table. Pour amorcer le débat, il a accouché, avec Robert Bourassa et Jean-Paul Lefebvre, d'un exposé préliminaire dont la conclusion divise les réformistes : l'avenir du Québec réside nécessairement dans un statut spécial au sein du Canada, accompagné de pouvoirs plus étendus en matière culturelle et économique.

René Lévesque se cantonne dans le mutisme. Comme le remarque, amusé, son voisin, le Dr Jobin, il écoute attentivement tout en griffonnant des notes sur une feuille subdivisée en quatre sections, A, B, C, et D, pour les idées principales, puis quadrillée de points secondaires.

« Et vous, monsieur Lévesque, avez-vous un papier à montrer ? fait quelqu'un.

— Non, mais je l'ai tout ici, répond-il, en désignant sa tête.

— Ouais, ça n'est pas pratique, observe Marc Brière. Vous ne pouvez pas nous le lire…

— Si vous voulez discuter autre chose, je m'enferme dans une chambre puis je vous l'écris. »

À son retour, René Lévesque est souverainiste. Il ne patine plus, comme le lui ont reproché deux ans plus tôt les étudiants de l'Université de Montréal durant son débat avec Jacques-Yvan Morin au sujet de la formule Fulton-Favreau. Pour mesurer où il en est, il suffit de lire le procès qu'il fait au Canada dans les pages de *Dimanche-Matin*, pendant qu'il discute avec les réformistes.

Il a choisi sa patrie : ce sera le Québec et non plus ce Canada soi-disant français qu'il démystifie dans un article intitulé *La proie pour l'ombre*. Avec sa minorité francophone moribonde qui sert d'otage au Canada anglais contre un Québec qui bouge, le Canada est un marché de dupes, le cimetière des parlants français, le pays des ombres. Au-delà du discours trompeur et rassurant des fédéralistes, il faut voir l'état avancé de décomposition culturelle des minorités. Il faut suivre le galop effarant de l'assimilation : un tiers d'entre elles encore fichées comme francophones dans la statistique, à cause de leur origine ethnique, ne parlent plus qu'anglais et se considèrent comme anglophones.

Le Canada que René Lévesque met à nu, c'est celui du traitement inégal réservé aux minorités. Nulle part la minorité française ne peut compter sur le dixième des droits et des avantages qui ont permis à la minorité anglophone du Québec de consolider sa domination : ses *high schools,* ses trois universités, ses privilèges scandaleux dans le partage de la taxe scolaire à Montréal, ses hôpitaux, ses puissants organes d'information — *The Gazette* et *The Montreal Star* —, ses deux chaînes de télévision et le nombre baroquement excessif de ses stations de radio.

Et pendant que les Anglo-Québécois érigeaient leur petit empire colonial, comment se débrouillaient les Français hors Québec ? Ils étaient traités comme n'importe quel immigrant étranger, pauvre et craintif, et soumis à la loi d'airain du *speak white*. Tâcherons miniers ou forestiers dans le Nord ontarien, cultivateurs délogés dans les Prairies, bataillon de *cheap labor* recruté pour les moulins Fraser de Maillardville. Des itinérants au baluchon fleurdelisé, des paumés méprisés et guettés par la discrimination et l'assimilation. Aujourd'hui encore, les minorités françaises sont pauvres alors que la minorité anglo-québécoise constitue le groupe le plus riche du pays.

Dans un autre article, intitulé *Le Québec ne sera jamais l'Ontario*, René Lévesque dégonfle la grande illusion des *suiveux* canadiens-français pour qui le Québec n'a qu'à imiter la province de leur rêve pour la rattraper économiquement. Impossible, car l'Ontario part de trop loin et le Québec sera toujours différent. Pis : si les Québécois continuent de faire partie de l'équipe Canada, ils seront plus perdants encore que leurs voisins.

Pourquoi ? Parce que Ottawa, ce gouvernement qui se dit national, n'existe depuis 100 ans que pour peupler, équiper, industrialiser la province voisine au détriment du Québec. Ottawa, situé après tout du côté ontarien de l'Outaouais, n'est rien d'autre que la première et la plus grande agence économique de l'Ontario. Les jeux sont faits, il ne faut plus se bercer de romances. Pour éviter de finir en parfaits larbins économiques, les Québécois doivent enfin penser par eux-mêmes et pour eux-mêmes. En d'autres mots, leur progrès économique est lié à une politique québécoise, point à la ligne.

Dans le salon barricadé de l'auberge de Mont-Tremblant, René Lévesque s'apprête donc à déballer son nouveau credo. Il a noirci le dos d'un calendrier de phrases bien lisibles qui sont comme les premières pierres du manifeste souverainiste qu'il rendra public dans moins de six mois.

Le binôme souveraineté-association, qui rendra son option fameuse, trotte déjà dans sa tête. Les grandes lignes d'*Option Québec*, futur programme du Parti québécois, se trouvent en filigrane dans l'exposé de Mont-Tremblant. Comme il l'avouera lui-même dans son autobiographie, la position constitutionnelle de Daniel Johnson — reconnaissance du Québec dans une nouvelle constitution basée sur l'égalité — a compté dans son cheminement, même si, à l'époque, il l'avait décriée.

Toutefois, la revendication du chef unioniste n'est à ses yeux qu'une symphonie inachevée, qu'une « demi-portion » débouchant tout au plus sur une forme élargie d'autonomie qu'Ottawa et les autres provinces auraient vite fait de ramener à un minimum. Pour éviter de tourner en rond, il faut aller jusqu'au bout, c'est-à-dire à la pleine souveraineté.

D'autre part, influencé toujours par le premier ministre Johnson, qui insiste sur la nécessité de l'interdépendance advenant un nouveau régime constitutionnel où le Québec aurait ses coudées franches, René Lévesque opte pour le mot association. Le mariage souveraineté-association sonne mieux à ses oreilles que celui de souveraineté-interdépendance !

Parmi les auditeurs, François Aquin se souviendra d'un exposé brillant, logique et bien enveloppé. Un *Point de mire* souverainiste. Robert Bourassa, qui n'ira jamais jusqu'à exprimer ouvertement des sympathies indépendantistes, est conquis par la vision et le réalisme politique émanant malgré tout du procès féroce qu'intente le procureur René Lévesque à la Confédération. Un procès habile qui veut ménager ceux qui ne sont pas rendus aussi loin que lui et durant lequel il insiste beaucoup plus sur l'association à redéfinir avec les autres Canadiens que sur la prise en main de leur domaine par les Québécois.

Le diagnostic est tout de même si sévère qu'Yves Michaud, qui n'arrête pas de citer en exemple le *Manifeste des 121* de la guerre d'Algérie, se sent coincé dans un cul-de-sac avec les Jean-Roch Boivin, Marc Brière et André Brossard, qui iraient plutôt du côté du statut spécial de Paul Gérin-Lajoie. D'autres, comme Eric Kierans, Georges-Émile Lapalme et Jean-Paul Lefebvre, sont visiblement scandalisés. Jamais le Parti libéral n'adoptera un pareil évangile.

Le soir, au bar de l'auberge, la dissension éclate autour de la question séparatiste. René Lévesque a bu plus que sa ration, ce qui le rend encore plus chicanier que d'habitude. Il lui a suffi d'ouvrir son jeu pour que se dissipe aussitôt l'ambiguïté qui régnait depuis le début de l'aventure réformiste. Mais chez certains, le malentendu persiste. Claire Kirkland-Casgrain enguirlande François Aquin : « On a toujours l'impression que tu hais les Anglais. Monsieur Lévesque, lui, pose le problème de façon positive. » La députée ultra-fédéraliste n'avait pas décodé le même message que lui, dira François Aquin des années plus tard…

Grâce à Pierre O'Neill, qui a tenu *La Presse* au courant, la nouvelle d'un caucus secret cautionné par le président du parti, Eric Kierans, mais en l'absence de Jean Lesage, fait tout un boucan. Alors que ce dernier confirme qu'il n'en savait rien, le premier met du baume sur ses plaies. La réunion de Mont-Tremblant n'était pas secrète mais privée et il n'y a eu ni contestation de l'autorité du chef ni projet de fondation d'un parti. À preuve, la présence de loyaux fédéralistes comme Robert Bourassa, Paul Gérin-Lajoie et Jean-Paul Lefebvre.

Jean Lesage a eu sa leçon. Le 22 avril, il profite du dîner-bénéfice des libéraux, que René Lévesque évite, pour imposer un « corridor idéologique » balisé par le statut particulier. L'indépendance, jamais. Un avertissement qui vise René Lévesque s'ensuit : « Ceux qui se sentent incapables d'évoluer démocratiquement à l'intérieur de ce corridor n'ont pas de place dans le Parti libéral du Québec. » L'heure des choix définitifs approche avec son inévitable polarisation Canada-Québec.

« Un vaudou de colonisés excités »

Le 24 juillet suivant, un lundi de canicule, les plus nationalistes parmi les notables endimanchés qui occupent la terrasse de l'hôtel de ville de Montréal donnant sur le Champ-de-Mars croient que cette heure arrive. De l'autre côté, rue Notre-Dame, perché sur son balcon comme maître Corbeau sur son arbre, le président de la France, Charles de Gaulle, multiplie les provocations pour inciter les « Français canadiens », qu'il est venu visiter, à se soulever contre ces Anglo-Saxons qu'il exècre depuis certains épisodes humiliants de la Deuxième Guerre mondiale.

Dans une salle attenante à la terrasse, René Lévesque s'est accroupi sans manières devant l'appareil de télévision placé là pour permettre aux invités d'assister au bain de foule de l'imprévisible général. À ses côtés, Yves Michaud et Robert Bourassa paraissent aussi perplexes que lui devant les envolées oratoires du président de la République française.

Ce discours de Montréal couronne la deuxième journée d'une visite appréhendée par Ottawa et Washington et dont le clou doit être la visite du site de l'Exposition universelle de 1967. Traversant la vallée du Saint-Laurent, de Gaulle a répété toute la journée le même message : on assiste ici à l'avènement d'un peuple qui veut disposer de lui-même et prendre en main ses destinées.

Depuis que le général est descendu du croiseur *Colbert* amarré à l'Anse-aux-Foulons, dans la rade de Québec, les capitales ont vu leur crainte confirmée : il est venu pour encourager le séparatisme canadien-français et diviser le Canada.

« Je vais vous confier un secret que vous ne répéterez à personne, laisse encore tomber le grand homme de son balcon. Ce soir, ici et tout le long de ma route, je me suis trouvé dans une atmosphère du même genre que celle de la Libération... »

Robert Bourassa n'allait jamais oublier la réaction de René Lévesque : « Il a fait une mimique qui en disait long sur ses sentiments. Dans le genre : là, il charrie le bonhomme ! »

L'ancien correspondant de guerre de l'armée américaine a vu la libération de la France et peut comparer les deux situations. La centaine d'activistes du RIN mêlés à la foule ont beau crier plus fort que tout le monde et brandir sous le nez d'un général grisé leurs pancartes proclamant un Québec libre, il n'y a aucune commune mesure entre l'entrée triomphale des Alliés dans Paris et l'accueil québécois.

En revanche, lorsque le président français laisse tomber son célèbre « Vive le Québec libre », René Lévesque semble plutôt satisfait, se rappellera Robert Bourassa. Aucune réaction d'hostilité, mais un effet de surprise le paralyse quelques secondes. Friand de politique française depuis son séjour en Europe à la fin des années 50, Robert Bourassa cache ses émotions lui aussi tout en se demandant où de Gaulle veut en venir. Sa réponse, il l'obtiendra à l'automne quand le président français appuiera la souveraineté du Québec.

Claude Ryan se trouve tout près. Il paraît estomaqué. « Il y a une limite à manquer de savoir-vivre international », glisse-t-il à Robert Bourassa. « Ça va barder en Christ ! » s'échauffe de son côté le député de Gouin, Yves Michaud, envahi soudain par l'impression de vivre un grand moment. François Aquin, lui, est dans un état de surexcitation totale. L'audace du général l'emballe. L'Histoire vient de parler par sa bouche.

Autour, c'est la comédie humaine. Un banquier aux yeux battus hurle à Lionel Chevrier, ex-ministre fédéral et commissaire à l'Expo :

« Comment allons-nous réussir à emprunter de l'argent aux États-Unis après ça ? »

François Aquin s'amuse de la mine défaite des anonymes du corps diplomatique, de la rogne à peine contenue de la députation fédérale, de la vilaine tête de ses collègues libéraux et de l'air songeur ou incrédule de l'entourage du premier ministre Johnson.

Mais l'onde de choc qui traverse la terrasse fait aussi des heureux comme le notera René Lévesque dans ses mémoires : « Rares sont les instants où l'on reconnaît aussi clairement les deux Montréal. Figé dans une furie qui n'émettait encore que des grondements annonciateurs, le Montréal anglophone. Quant au Montréal français, [….] il ne cachait ni les grands sourires complices ni même des gestes d'un enthousiasme plus discret mais tout aussi réel que celui de la foule. »

Quelques minutes plus tard, le député de Laurier ne laisse rien transparaître de ses sentiments quand on le présente à de Gaulle. Robert Bourassa note que le président français met de côté un instant le formalisme protocolaire pour échanger quelques mots avec lui, une indication de l'intérêt qu'il lui porte. L'instant d'après, la minute de douce folie s'évapore et une réalité moins gaullienne rejoint René Lévesque.

Cherchant sa voiture avec sa femme, Louise L'Heureux, pour se rendre au café Martin, où les amis Michaud et Aquin flanqués de leur compagne lui ont donné rendez-vous pour faire l'exégèse de « la plus grande des petites phrases », il tombe sur un groupe de jeunes manifestants hystériques vêtus de chemises noires, comme dans les années 30. Ce sont les Chevaliers de l'indépendance du boxeur Reggie Chartrand, des durs qui sont de toutes les manifestations. Allumés par le général, ils scandent à tue-tête : « Québec libre ! Oui, oui, oui ! De Gaulle l'a dit ! »

« Ce vaudou de colonisés excités » lui fait froid dans le dos. « Ça m'a donné un malaise terrible, répétera-t-il souvent par la suite. Il fallait faire très attention pour ne pas nous lancer dans la foulée du général sous peine d'apparaître comme ses épigones. » Au café Martin, c'est Louise qui retient l'attention des autres. Elle passe sa mauvaise humeur de fédéraliste sur le dos du pauvre Aquin trop émoustillé à ses yeux : « Évidemment, vous avez la foi du charbonnier, vous, François. Ça vous fait plaisir, des folies de même ! »

La fille d'Eugène L'Heureux, l'ancien journaliste qui dénonçait jadis ceux qu'il appelait « nos extrémistes en nationalisme », et qui est passé à la bibliothèque du parlement après la victoire libérale de 1960, n'a pas la langue dans sa poche. Elle n'aime pas voir son homme embrasser le séparatisme. C'est une nationaliste traditionnelle, comme son père : « Ma province, mon pays. » Elle ne renoncera jamais au Canada. Autant dire que la question politique divise ce couple déjà fragilisé par la vie libertine du mari.

Chaque fois que Louise lui fait la leçon en public, René Lévesque la laisse dire. Il se réfugie dans le silence. Un soir où Monique Michaud avait invité le couple à dîner en compagnie de Georges-Émile Lapalme et de sa femme, Louise était tellement de mauvais poil que le mentor politique de son mari l'avait arrêtée. « Jacquie, tais-toi donc ! » lui avait-il ordonné en la comparant à Jacqueline Kennedy…

CHAPITRE XXX

La maison de fous

*Il est des moments dans la vie d'un peuple où le
courage et l'audace deviennent la seule forme de
prudence convenable.*

RENÉ LÉVESQUE, *Option Québec,* janvier 1968.

L'après-de Gaulle commence dans la cacophonie partisane.
Alors que le premier ministre Daniel Johnson cautionne les
remarques du « courageux et lucide » président de la France,
le chef de l'opposition, Jean Lesage, blâme sévèrement ses « propos
séparatistes ». Et René Lévesque approuve son chef.

Mais François Aquin refuse d'être complice de « cette bête soumission » qui s'aligne sur les capitales du bloc anglophone — Ottawa,
Londres et Washington — où l'on ramène l'affaire à une simple
manifestation de sénilité chez un homme imbu de tous les préjugés
anti-anglais.

Plus tôt, avant d'entrer dans la salle du caucus, René Lévesque a
supplié François Aquin de passer l'éponge : « On devrait laisser
faire... » À l'ajournement de la réunion, durant laquelle il n'a pas
ouvert la bouche, il entraîne son collègue au Georges V, non loin du
siège du Parlement, pour le raisonner. Yves Michaud et Robert Bourassa les accompagnent. « Le congrès s'en vient, ça n'est pas le moment de casser des vitres », plaident ceux-ci. De son côté, René

Lévesque insiste : « Attendez donc que le monde soit un peu plus d'équerre. Laissons passer les retombées, sinon on aura l'air d'une espèce de succursale du parti de De Gaulle. Ça nous nuira à long terme... »

Rien n'y fait, François Aquin maintient sa décision de démissionner. Pour René Lévesque, c'est un réflexe émotif qui risque de faire de lui un épigone gaulliste. Dans *La Passion du Québec*, il avouera que cet épisode a retardé la création du mouvement souverainiste qui allait pourtant dans le sens du cri du général : « Il était essentiel que notre décision ne parût pas parachutée d'ailleurs, tant il fallait que nous gommions nos anciens réflexes de colonisés et de suiveux. »

Convaincu que la frasque gaullienne offre aux Québécois une chance historique qu'ils doivent saisir car elle ne repassera pas de si tôt, François Aquin reste sourd à ses appels. Depuis le tournant des années 60, les pays nouvellement indépendants l'ont été avec l'appui de l'une des cinq grandes capitales du monde. Québec peut compter sur l'une d'elles, Paris. Il faut tenter le sort, sans quoi les historiens du futur écriront que c'est en juillet 1967 que les Québécois ont raté leur rendez-vous avec l'indépendance.

Le consul américain Francis Cunningham, qui soupèse les conséquences de la visite du président français, n'est pas dupe du ralliement de René Lévesque à la position controversée de Jean Lesage. Il pratique l'ironie dans sa dépêche à Washington : « Le mouton noir libéral a dit que ce n'était pas une raison suffisante pour quitter le parti. Sa justification manque d'enthousiasme... »

Depuis que les Américains font le *monitoring* des aspirations nationales du Québec, et par ricochet de René Lévesque qu'ils ont classé comme séparatiste dès 1964, jamais la valise diplomatique n'aura autant servi qu'au cours du voyage du général au Canada. C'est que le grand homme est devenu la bête noire du club occidental depuis qu'il a opposé son veto à l'entrée de la Grande-Bretagne dans le Marché commun européen et retiré la France de l'Otan. Consuls, proconsuls et taupes de toutes les moutures épient ses moindres gestes.

Pour eux, la visite au Québec de De Gaulle s'insère dans sa volonté de soustraire la politique étrangère de son pays à l'étreinte asphyxiante du monde anglo-saxon. Durant la guerre, chef en exil d'une France vaincue et diminuée, de Gaulle avait été humilié par le président Roosevelt qui faisait peu de cas de ses opinions et négligeait de l'informer de ses projets d'avenir pour l'Europe, comme si la France n'avait été qu'une quantité négligeable.

Washington le soupçonne maintenant de vouloir constituer une « troisième force » pour faire contrepoids à l'hégémonie américaine. Depuis un an, il est allé prêcher la bonne parole française en Asie, en Afrique et en Amérique latine. Et maintenant, il vient exacerber le séparatisme québécois.

Depuis le jour où Charles de Gaulle a accordé un statut de quasi-ambassade à la délégation du Québec à Paris, inaugurée avec faste en 1961, le département d'État a noté que le délégué Jean Chapdelaine possédait les mêmes pouvoirs qu'un ambassadeur et pouvait appeler « n'importe qui du gouvernement à commencer par le chef de l'État lui-même ». En 1963, l'écrivain André Malraux, promu ministre de la Culture par de Gaulle, s'est permis à Montréal une belle pièce d'éloquence à la française sur laquelle Jerome T. Gaspard, consul général à Montréal, a apposé rapidement l'étiquette crypto-séparatiste.

L'année suivante, Raymond Aron, politologue de renommée mondiale, a osé soutenir dans *Le Figaro* que le colonialisme qui avait poussé d'autres minorités à l'indépendance était à l'œuvre au Québec et qu'il était clair comme de l'eau de roche que les Canadiens français disposaient du nombre et du territoire suffisants pour former un pays. Le même consul concluait alors que le choix se réduisait de toute évidence à une Confédération binationale ou à l'indépendance.

En 1965, Washington avait fait grand cas du traitement de faveur accordé par de Gaulle à un groupe de fonctionnaires québécois, aux dépens d'un diplomate de l'ambassade américaine à Paris, au cours d'un voyage du président en Vendée. En introduisant les invités, le chef de protocole avait délibérément omis de décliner les titres de l'Américain, qui précédait les Québécois d'un pas dans la file, mais il avait longuement présenté ces derniers au général qui s'était exclamé en levant les bras au ciel : « Ah, le vrai Canada ! »

La même année, la signature d'une entente franco-québécoise en éducation avait fait dresser les oreilles des spécialistes du département d'État. Thomas L. Hugues concluait que cette reconnaissance internationale du Québec constituait un précédent grave qui risquait de porter atteinte à la politique étrangère du Canada. Il devenait clair pour les Américains que le Québec utilisait ces ententes avec la France pour faire plier le fédéral et obtenir des concessions.

On était étonné, outre-45e, que Paul Gérin-Lajoie, simple ministre provincial de l'Éducation, ait pu être reçu privément par le président français aussitôt après en avoir exprimé le désir : « Cet accroc au protocole prouve que de Gaulle considère les Canadiens français comme des Français et qu'il se fera un plaisir de recevoir tout ministre québécois qui demandera à le voir. »

Grâce à leur fichier franco-québécois, les services américains n'ont donc pas sursauté devant la dernière initiative du président français. Ils ne l'en malmènent pas moins. Le rapport transmis au président Lyndon B. Johnson attribue sa déclaration du balcon à son anti-américanisme venimeux et suppose que son grand âge (de Gaulle a 76 ans) l'aura fait déraper. Sa haine de l'hégémonie américaine est telle qu'il en aura perdu le sens de la mesure et du *timing*, en plus de faire injure au doigté français. Pour l'ambassadeur américain Bohlen, il ne s'agit finalement que d'une bêtise de vieux fou.

Les Américains s'amusent en revanche de la gouaille québécoise. Alors que les Canadiens anglais dramatisent et s'arrachent les cheveux, qu'eux-mêmes, les Américains, supputent minutieusement les objectifs sournois du général et que l'Europe défrisée se demande tout simplement ce qu'il a fait là, les Québécois sont au septième ciel. *« Quebecers loved the pomp and world attention »* (les Québécois étaient ravis de faire parler d'eux), écrit le consul général dans sa dépêche à Washington.

Ils applaudissent de Gaulle à qui ils pardonnent volontiers son « impolitesse » et s'amusent de la déconfiture d'Ottawa. Ridiculiser les fédéraux, c'est le sport favori des Québécois, note encore Francis Cunningham en s'étonnant de la force du consensus qui a obligé Jean Lesage à revenir sur sa critique du président français et à le louanger à son tour : « Ceux qui n'étaient pas d'accord avec de Gaulle ont dû se taire. »

« Pour nous plus que pour de Gaulle »

La méfiance de René Lévesque envers de Gaulle n'est pas aussi poussée que celle des Américains ou des Canadiens anglais, mais elle surprend. C'est qu'il y a du calcul derrière sa réserve. Il faut aussi mettre dans la balance sa solide réputation de francophobe. Depuis la guerre, c'est comme s'il voyait de Gaulle et la France en Américain. Ses lettres de guerre à sa mère en témoignent, il a gardé de très mauvaises impressions des « *Françés* (sic) *de France* » rencontrés à Londres en 1944.

Robert Bourassa n'avait jamais oublié ses commentaires indignés sur la mesquinerie des Français à l'endroit de leurs libérateurs américains. Après la Libération, alors qu'il filait en train vers Strasbourg, il avait été choqué d'entendre un groupe de Français qui, ignorant que ce jeune lieutenant de l'Armée américaine comprenait leur langue, dévoraient à belles dents les Amerloques qui venaient de les libérer de l'horreur nazie.

René Lévesque garde aussi au fond de lui-même, depuis la guerre d'Algérie, une perception négative de la France coloniale. À la fin des années 50, à *Point de mire,* il s'était passionné pour l'indépendance algérienne. Paris lui avait alors fermé ses portes en l'accusant de parti pris envers les insurgés. « C'est vrai qu'il avait des bibittes contre les Français, admettra des années plus tard Yves Michaud, mais il n'était pas francophobe. C'est une légende que lui-même contribuait à répandre. »

Il serait plus juste de dire que René Lévesque est avant tout foncièrement américain. De tous les hommes politiques québécois de sa génération, il est sûrement celui qui connaît le mieux la culture américaine. Sa deuxième patrie se trouve au sud et non en doulce France.

Depuis les retrouvailles franco-québécoises, bien des m'as-tu-vu de son entourage débarquent à Paris où ils commandent, les lèvres pincées, des « pâtisseries françaises », ou vont se faire bronzer à Cannes. Lui continue d'aller à New York et de s'affaler sur les plages du Maine. En cela, il fait très Québécois ordinaire.

Il n'empêche, comme le soutiendra toute sa vie Yves Michaud, que l'héritage culturel de René Lévesque est d'abord et avant tout européen, comme celui de tous les Québécois de sa génération qui ont fait des études classiques. Il se tient au courant de tout ce qui se publie en France et connaît remarquablement bien la politique française. Mais il aura toujours un préjugé favorable pour le pays de l'oncle Sam.

Aussi ne faut-il pas s'étonner s'il ne tombe pas dans les bras grands ouverts du général. Ce qui l'agresse, c'est le fort relent de colonialisme de son discours : « Allez mes petits, libérez-vous ! » Sa perception à lui de l'autodétermination, ce serait plutôt : « Mon général, les Québécois vont régler ça eux-mêmes. »

Ce serait toutefois une erreur d'en conclure pour cela qu'il est anti-gaulliste ou qu'il a vu d'un mauvais œil la venue du président français au Québec. Au contraire. René Lévesque est devenu spontanément gaulliste dès juin 1940 après avoir entendu l'appel du général aux combattants de la France libre. En janvier 1961, durant le débat sur la création du ministère des Richesses naturelles, il reprendra même à son compte le mot d'encouragement lancé par de Gaulle lors de sa visite d'avril 1960 à Montréal : « Il est temps que les Canadiens français deviennent des citoyens à part entière. »

Avant que le *Colbert*, à bord duquel se trouvait de Gaulle, n'arrive devant le cap Diamant, le député-reporter avait rédigé pour *Dimanche-Matin* une chronique dans laquelle il s'en prenait aux « esprits mesquins » qui insinuaient que le président français ne venait au Canada que pour aviver sa vieille querelle avec les Anglo-Saxons en utilisant le Québec comme marchepied.

« Qu'a-t-il à gagner ici ? écrivait-il. La France n'a pas besoin de nous. Lui non plus. C'est nous qui avons besoin de la France. De Gaulle ne le dira jamais mais il le sait. Il le prouve avec une discrète efficacité. Tous ceux qui ont fait partie du gouvernement québécois, ces dernières années, ont pu s'en rendre compte. Ce qu'il nous indique, par sa présence et toute une vie, c'est qu'il est possible de faire l'histoire au lieu de la subir. Et que, même à l'ombre de l'Empire américain, c'est encore possible en français. »

René Lévesque terminait en notant qu'il serait fou de ne pas être avec de Gaulle, mais « bien plus pour nous que pour lui ».

Sauf que son gaullisme s'étiole après le « Québec libre ». Alors que la presse mondiale se passionne pour l'événement, lui consacre sa chronique aux Noirs américains victimes de racisme. Ce n'est qu'à la toute fin qu'il daigne accorder quelques lignes à la visite présidentielle en se demandant ironiquement : « De Gaulle a-t-il eu lieu ? »

Mais quelles lignes ! Une charge vitriolique contre « le déchaînement de francophobie au Canada anglais ». Et contre les fédéraux comme Jean Chrétien, tenant de la ligne dure, qui réduit les choses en affirmant que dans une semaine tout le monde aurait oublié l'incident. « Ce sera une affaire de quelques années, écrit plutôt René Lévesque, le temps qu'il faudra aux *Canayens* pour découvrir si ce ne sont pas eux qu'on aurait sérieusement détestés en même temps que de Gaulle, avant que ne s'épuisent les transports de ceux qui ont sauté sur quatre mots comme une meute enragée, y trouvant l'occasion d'une solide crise de francophobie assortie d'injures jusqu'aux plus basses. »

Le lendemain, il en remet dans une déclaration reprise par *La Presse* qui contredit celle de son parti : « Le président de la France a mérité le triomphe que lui ont fait les Québécois. L'attitude d'Ottawa à [son] égard m'apparaît d'une brutalité voulue et presque injurieuse. »

Soucieux de ne pas tomber dans la mouvance gaullienne, il reprend néanmoins ses distances, rejoignant même Jean Chrétien dans le club des anti-gaullistes. En avril 1968, invité au *talk show* télévisé de David Susskind, à New York, il ravale de Gaulle au rang d'un « *overbearing old guy* ». Non content de traiter de Gaulle de vieil autocrate, René Lévesque estime aussi que le Français est allé un peu trop loin lors de sa visite au Québec — « *he pushed a little too hard* », dit-il à l'animateur américain. Son seul mérite aura été d'avoir réussi, avec quatre petits mots explosifs, à inscrire le Québec sur la mappemonde. Il aurait fallu des années d'effort à trois grandes agences de publicité de Madison Avenue pour arriver au même résultat.

« René, j'ai réfléchi, ça ne marchera pas... »

Début août, de Gaulle rentré chez lui, le cénacle réformiste — ou ce qu'il en reste — se remet au travail. La maison de Robert Bourassa, rue Britanny, à Ville Mont-Royal, devient le lieu de rendez-vous de la douzaine d'apôtres restés fidèles à René Lévesque. À partir du canevas de Mont-Tremblant, on bâtit phrase par phrase le manifeste que les réformistes destinent au congrès libéral d'octobre. L'exercice est laborieux. Ce n'est pas facile de trouver la formule capable de bien marier réalisme et utopie sans effaroucher les militants libéraux.

Statut particulier et fédéralisme renouvelé ne font pas l'unanimité. Et l'indépendance ? Certains, comme Jean-Roch Boivin, y pensent mais n'osent l'évoquer. Même s'il est de plus en plus proche de René Lévesque, l'avocat serait bien en peine de dire si son ami pourrait s'approprier le mot...

À la mi-août, quand l'appel des côtes sablonneuses de la Nouvelle-Angleterre monte de façon irrépressible en René Lévesque, les amis de la rue Britanny sont au moins convaincus d'une chose : il est en route vers une option politique radicale que tous ne pourront approuver, car elle répudiera certainement le fédéralisme canadien. Il suffit de le lire dans *Dimanche-Matin* pour le comprendre.

À ses yeux, ce régime est en effet devenu synonyme de distribution illogique des ressources, d'État tronqué et d'irresponsabilité à deux niveaux. « Comme Québécois, écrit-il, on fournit 25 pour cent du budget fédéral, les trois cinquièmes de notre pénible effort collectif, 3 milliards de dollars chaque année à Ottawa. Tout ça, pour être obligés ensuite de doubler ce qu'Ottawa a déjà fait avec notre argent. Tout ça, seulement pour se prolonger... »

René Lévesque promet de revenir de vacances avec un texte plus précis. Quinze jours après, il rentre bronzé mais penaud. Le soleil et la mer ont eu raison de ses bonnes intentions. Au début de septembre, dernière réunion chez Robert Bourassa pour déguster les spaghetti de sa femme Andrée et prendre connaissance enfin du manifeste.

« Si vous le permettez, je vais vous le lire », fait René Lévesque. Plus la lecture avance, plus ceux que l'ébauche de Mont-Tremblant avait inquiétés affichent une physionomie patibulaire. C'est un véritable manifeste séparatiste, qui se termine par le mot souveraineté, que René Lévesque leur sert.

L'idée centrale de l'option, qu'il avait commencé d'exposer au printemps, et qu'il considère désormais comme irréfutable, tient dans un mot composé : souveraineté-association. Il faut d'abord être souverain et négocier ensuite une association économique avec les autres provinces. Voilà la clé. Comme il s'en expliquera souvent par la suite, l'association est la condition obligatoire de la souveraineté. Le trait d'union est essentiel puisque, il en est convaincu, un Québec souverain ne pourrait survivre sans des institutions économiques communes avec le reste du Canada.

René Lévesque écarte le mot piégé d'indépendance, discrédité par les commandos du RIN qui le scandent dans toutes leurs batailles de rue, et opte pour celui de souveraineté qui a le mérite de ne pas créer l'illusion d'une indépendance absolue, qui n'existe nulle part dans le monde. Mis à part quelques Tartarins qui rêvent en couleur, personne ne peut nier avoir un jour ou l'autre besoin des autres. La souveraineté-association souligne cette nécessité, mais dans un rapport radicalement nouveau d'égalité et de dignité.

Les réactions ne se font pas attendre. Le juriste André Brossard hésite : « Je ne sais pas si je pourrai aller aussi loin. » Jean-Roch Boivin sursaute quand il entend l'expression « État souverain ». Se déclarer « séparatiste » du jour au lendemain, c'est un pas difficile à franchir. Il a 37 ans, trois enfants et pratique le droit pour gagner sa vie. Jusqu'ici, il a toujours pu contenir son nationalisme intransigeant à l'intérieur du fédéralisme : « Si on va défendre cette thèse-là au congrès, on se fera chasser comme des rats », pense-t-il. Mais sa confiance en René Lévesque finit par calmer ses craintes. « Il n'y a peut-être pas d'autres voies », se dit-il.

Marc Brière se sent entraîné là où il ne veut pas aller. L'option qu'il préfère, c'est le statut particulier que Paul Gérin-Lajoie, son vieux compagnon de Vaudreuil-Soulanges, est à fricoter depuis qu'il a tourné le dos aux réformistes. René Lévesque se montre brutal : « Écoutez, Marc, c'est aujourd'hui qu'on se décide. Vous restez ou vous vous en allez ! » Incapable de se décider, l'avocat fond en larmes, comme un petit garçon.

Robert Bourassa sait déjà qu'il ne suivra pas René Lévesque. Son calme olympien tranche avec l'étonnement des autres. Il a fait son nid bien avant que René Lévesque ne sorte de son labyrinthe. L'indépendance — ou la souveraineté — est à ses yeux une chimère, elle est impraticable à cause de l'intimité des rapports commerciaux, fiscaux et financiers entre le Québec, le reste du Canada et les États-Unis.

Comme il l'écrira dans *Gouverner le Québec,* il a toujours cru possible de bâtir un État français à l'intérieur de la fédération canadienne : « En 1967, on sortait de la révolution tranquille qui avait démontré qu'on ne manquait pas de moyens pour s'affirmer à l'intérieur de la fédération. »

À un moment de la soirée, Robert Bourassa se retrouve seul au salon avec René Lévesque pendant que les autres discutent en bas.

« René, j'ai réfléchi à la question, ça ne peut pas fonctionner. Les inconvénients l'emportent sur les avantages.

— Je vous comprends, répond René Lévesque, en se raidissant et sans insister, comme si sa défection allait de soi.

— Si vous voulez garder la monnaie canadienne, ça n'est pas réaliste, observe encore le député de Mercier. On ne peut pas être souverain et payer ses comptes en dollars canadiens.

— Maudite monnaie ! Ça ne joue pas dans le destin d'un peuple, c'est de la plomberie », lance René Lévesque en descendant rejoindre les autres avec le compagnon d'armes qui vient de lui annoncer froidement que leurs routes se séparent à tout jamais.

Le futur chef souverainiste est plus ébranlé qu'il n'y paraît. Le désistement de son protégé arrive à la dernière minute, alors que les cartes sont jouées. Troublant. Il comprend mal son attitude. Le jeune économiste a accompagné sans faiblir sa démarche et voilà qu'il invoque une raison somme toute technique et discutable, la monnaie, pour le lâcher à un mois du congrès.

Du reste, pour René Lévesque, la question de la monnaie est secondaire et il se ralliera rapidement à l'union monétaire qui existe déjà avec le Canada. Il est déçu parce qu'il comptait beaucoup sur la crédibilité de Robert Bourassa comme économiste. Il avait besoin près de lui de quelqu'un qui savait parler de chiffres et pouvait dépasser la simple gestion comptable. Son appui aurait donné du poids à l'option souverainiste.

La rupture rendra René Lévesque carrément méchant quelques années plus tard. En 1971, il confiera au journaliste Pierre de Bellefeuille : « Bourassa a été très utile et nous donnait un coup de main jusqu'à la veille de la décision où il nous a laissés tomber comme une vieille patate. Je suis convaincu que sa décision était prise depuis le début mais ça lui permettait de voir ce qui se passait et d'éliminer quelques gars gênants. »

Coup de départ d'une course irréversible

René Lévesque voit une filiation directe entre la campagne électorale de 1962 et son manifeste souverainiste. Il en fait part à Georges-Émile Lapalme dans une note pleine d'espoir, où il cite cette phrase célèbre du président américain Roosevelt : *Nous n'avons rien d'autre à craindre que la peur elle-même.* Et cette autre d'un grand auteur dont, s'excuse-t-il, le nom lui échappe : *En politique, seuls savent s'arrêter ceux qui ne sont jamais partis* !

Après quoi il souligne à Georges-Émile Lapalme sa part de responsabilité dans sa conversion souverainiste et l'influence qu'il a jouée indirectement dans la rédaction du manifeste : « Je me suis raccroché à 62. Mais il y a des morceaux qui remontent à Lapalme (62 aussi, d'ailleurs... !) "Maîtres chez nous" — ce fut le slogan de notre victoire de 1962. Mais ces trois mots — relisons-les, pesons-les — étaient aussi, inévitablement, le coup de départ d'une course irréversible. Savions-nous ce que nous faisions en les disant ? Ou n'aurions-nous été que des politiciens qui jouaient allègrement avec le feu — l'espace d'une campagne électorale ? »

Lundi soir, 18 septembre 1967, restera une date historique. René Lévesque annonce à ses militants du comté de Laurier, et par ricochet au Canada tout entier, qu'il choisit, à 45 ans, de lutter tout le reste de sa vie pour la souveraineté du Québec. Son manifeste, qui sera publié en 1968 sous le titre *Option Québec,* a 35 pages, porte son unique signature et est daté du 15 septembre. Il tient dans 6 000 mots et la résolution qui l'accompagne en résume l'idée fondamentale : *Un Québec souverain au sein d'une union économique canadienne.* Durant trois heures, René Lévesque livre un plaidoyer éminemment émotif mais qui veut toucher autant la raison que le cœur de ses auditeurs déjà acquis à sa cause.

Le premier chapitre s'intitule *Nous autres* et va droit au cœur du dilemme québécois : l'identité. Qui sommes-nous ? « Nous sommes des Québécois. Ce que cela veut dire d'abord et avant tout, et au besoin exclusivement, c'est que nous sommes attachés à ce seul coin du monde où nous puissions être pleinement nous-mêmes, ce Québec qui est le seul endroit où il nous soit possible d'être vraiment chez nous. »

Au cœur de cette personnalité, poursuit-il, se trouve le fait que nous parlons français. Tout le reste est accroché à cet élément essentiel. C'est par là que nous nous distinguons des autres. Cette différence vitale, nous ne pouvons y renoncer. C'est physique. De cela, seuls les déracinés parviennent à ne pas se rendre compte.

Grâce à la révolution tranquille, avec ses grands travaux, nous savons maintenant que nous avons en nous la capacité de faire notre ouvrage nous-mêmes. Nous savons aussi que personne ne le fera pour nous. Nous avons enfin découvert que l'appétit vient en mangeant. Dès qu'on se décide à bouger, on veut aller plus loin.

Mais alors nous nous butons contre le mur du régime politique dans lequel nous vivons depuis un siècle. Il est devenu urgent de sortir de cette maison de fous en modifiant profondément le régime centenaire. Le Québec a besoin d'un certain nombre de pouvoirs, d'un minimum vital : citoyenneté, immigration, main-d'œuvre, radio, cinéma, télévision, relations internationales, sécurité sociale.

Mais il ne faut pas rêver. Ce minimum est pour le reste du pays un maximum ahurissant et inacceptable. De là le cul-de-sac actuel. De là le système de double paralysie. Celle d'un Québec qui ne peut avancer à son gré et celle d'un Canada anglais frustré, à bout de patience, qui aimerait lui aussi se développer comme il l'entend. Le chemin de l'avenir est clair. Certes, l'idée de quitter une demeure sacralisée par le temps peut faire peur. Mais il est des moments clés dans la vie d'un peuple où le courage et l'audace deviennent la seule forme de prudence convenable. Le Québec doit devenir au plus tôt un État souverain — ce qui n'interdira nullement aux deux majorités de s'associer dans une nouvelle union canadienne ramenée aux domaines suivants : monnaie, douanes, postes, défense, dette nationale, statut des minorités.

Quand René Lévesque s'arrête de parler, il est près de minuit. Les militants gagnés d'avance à la nouvelle option de leur député entérinent sans discussion la résolution qui sera déposée au congrès du 13 octobre. Mais cette assemblée conquise sans combat n'a rien à voir avec le congrès traquenard que l'entourage de Jean Lesage lui prépare.

Paradoxalement, la première réaction du chef libéral est des plus modérées : « Monsieur Lévesque est libre de soumettre au congrès les résolutions de son choix. » Avant que René Lévesque ne publie son manifeste, Jean Lesage a tenté de l'en dissuader. En janvier 1980, il avouera au journaliste Jean Larin de Radio-Canada : « Je n'ai pu le convaincre, et il ne m'a pas convaincu. Et, comme disent les Anglais : *we agreed to disagree.* J'ai dit à René "Eh bien ! si vous voulez, nous allons soumettre les deux options* à un congrès plénier du parti". »

---

* La seconde option est celle du statut particulier élaborée par Paul Gérin-Lajoie à la demande de la direction du parti.

Dès le lendemain de la publication du « tract séparatiste », le président du parti, Eric Kierans, promet aux journalistes qui le fusillent de questions : « La thèse de monsieur Lévesque sera battue par une majorité écrasante. »

Séparatistes une heure par jour

Après le flottement des premières heures — comme si personne n'osait croire encore que René Lévesque a bel et bien rejoint le camp des indépendantistes —, les éditorialistes de la grande presse s'alignent contre son option. Pour se justifier, Renaude Lapointe recourt dans *La Presse* au cliché : les Canadiens français sont responsables d'au moins 90 pour cent de leurs retards. C'est leur faute, pas celle des Anglais. Le *Toronto Star* avertit les naïfs : la négociation d'une association économique avec le Canada anglais risque d'être épineuse.

Enfin, le pape du *Devoir,* Claude Ryan, rappelle la position résolument fédéraliste de son journal depuis Henri Bourassa, mais salue le geste courageux du député qui vient de rompre la gangue étouffante qui l'empêchait d'exprimer les convictions qu'on sentait bouillir en lui depuis quelques mois : « Son mérite principal est de nous rappeler que les choix se réduiront à deux. »

Que dit Pierre Trudeau ? Rien, pour le moment. Le correspondant du *Devoir* à Ottawa apprend à ses lecteurs qu'il épluche le manifeste en refusant de céder à la panique. Quelques années plus tard, son frère d'armes Jean Marchand se souviendra qu'il prenait l'affaire avec un grain de sel, un peu comme Jean Chrétien avait traité la bavure gaulliste : la souveraineté en association serait balayée avec son géniteur par le vent fort de l'histoire comme un phénomène sans importance dès que les médias cesseraient d'en faire tout un plat.

Le député « gaulliste » François Aquin démontre à sa manière la fragilité de l'alliance réformiste. La veille du lancement du manifeste de René Lévesque, il se proclame officiellement député indépendantiste. Un gentil croc-en-jambe à René Lévesque, note la presse. En effet, pour les historiens soucieux de chronologie, le premier député indépendantiste s'appellera François Aquin.

Le député de Dorion rencontre ensuite les étudiants de l'Université de Sherbrooke pour contester la souveraineté-association en laquelle il ne croit guère : « Comment penser sérieusement faire deux États dans un seul et obtenir en plus le consentement de la majorité canadienne ? » Pour lui, le maillon faible de la thèse de René Lévesque, c'est l'association, la mise en commun, qui contredit le projet de souveraineté, le nie même.

Après l'ouragan de Gaulle, les analystes américains retournent à René Lévesque pour supputer les conséquences de son adhésion à l'indépendance. Richard Hawkins, consul général à Montréal, entrevoit déjà la création d'un parti nanti de la crédibilité qui fait défaut au RIN et au RN. L'ambassadeur américain à Ottawa, Walton Butterworth, note que, complètement dépassé par les événements, Ottawa sombre dans la morosité. Le diplomate s'étonne du refus du premier ministre canadien Pearson de commenter le geste de René Lévesque.

Pour l'ambassadeur, le gouvernement canadien n'a pas réagi assez rapidement face à l'action internationale du Québec. Il aurait dû imposer d'autorité sa politique étrangère comme un écran entre Québec et les autres pays, surtout la France. Nous avons une leçon à tirer de tout cela, dit-il à l'adjoint du secrétaire d'État, Winthrop Brown : « Si jamais Québec tentait de nouer des rapports diplomatiques avec le Maine ou la Louisiane, il faudrait adopter dès le départ la bonne politique. »

Pendant ce temps, le consul général des États-Unis à Québec, Francis Cunningham, cherche à évaluer le sérieux du séparatisme québécois. La seule certitude qu'il croit tenir est celle-ci : « Tout Québécois est séparatiste au moins une heure par jour... » En réalité, les Québécois jonglent avec l'idée de l'indépendance mais n'ont pas encore fait leur choix, non à cause de leur attachement au Canada mais pour des raisons économiques essentiellement : « Ils aiment la prospérité et en veulent encore plus... »

CHAPITRE XXXI

La charge des sangliers

Ceux qui voulaient ma tête ont faussé le jeu,
c'est alors que j'ai décidé de quitter le Parti
libéral.

RENÉ LÉVESQUE, *Parti pris*, octobre 1967.

L'amitié est comme une corde de violon. Si on la tend trop, elle casse. En ralliant le camp indépendantiste, René Lévesque consacre sa rupture avec Eric Kierans. C'en est bel et bien fini de leur légendaire complicité et de l'ère où qui attaquait René Lévesque attaquait Eric Kierans. Maintenant, comme le martèle l'Irlandais : c'est Kierans ou Lévesque. S'ils se croisent, ils échangent encore des *« hello, René ! »* et des « comment ça va, Eric ? » mais le cœur n'y est plus. Ils ont bien tenté d'harmoniser leurs divergences, mais peine perdue.

« Écoutez René, peu importe comment les choses vont tourner, rien ne doit briser notre amitié, avait promis le député de Westmount en quittant celui de Laurier.

— Ne vous en faites pas, Eric, rien ne le pourra », avait juré ce dernier en lui serrant la main.

Eric Kierans révélera à Radio-Canada qu'il n'avait tout simplement pas pu suivre René Lévesque sur le chemin de la séparation.

Et dans ses mémoires, René Lévesque laissera entendre que, malgré son adhésion au Québec français, l'ami Eric manifestait du scepticisme quant aux capacités des Québécois : c'était sa « pente naturelle » d'anglophone plus *canadian* que québécois. Quelques années après, il donnera une version encore plus pénible de leur rupture : « Il s'est braqué contre moi les dents sorties et est devenu hargneux, comme si je l'avais frappé dans les viscères ou comme si je l'avais dupé. Il feignait la surprise alors qu'il avait été de l'aventure réformiste du début à la presque toute fin. Il ne pouvait pas être surpris car il était au Mont-Tremblant avec nous. Mais lorsque la minute de vérité est arrivée, il s'est durci. Il était vraiment un *English Canadian*. »

Dès qu'Eric Kierans commence ses attaques, Yves Michaud lui colle l'étiquette de « bourreau de Hampstead », du nom du quartier de richards où il habite. Le millionnaire se place sur le terrain des chiffres qui lui est familier. Combien coûtera l'indépendance ? demande-t-il.

Question que ressasseront les fédéralistes durant des années et qui, pour René Lévesque, confinera toujours au « terrorisme économique ». Car c'est pincer là une corde très sensible de l'âme des Québécois insécurisés par leur condition de minoritaires et la dépendance de leur économie.

Le sociologue Guy Rocher a montré que l'argument des avantages économiques découlant supposément de la tutelle anglophone fait partie depuis toujours de l'arsenal de l'élite canadienne-française contre la volonté de changement de la population. Ce chantage économique, comme diront bientôt les souverainistes de René Lévesque mis au défi par les fédéraux de prouver la rentabilité de leur option, remonte au XIXe siècle. Inféodé au conquérant britannique qui avait autorisé sa religion, le clergé catholique brandissait déjà cet argument pour refroidir la tentation de l'annexion aux États-Unis.

Durant la première moitié du XXe siècle, la petite bourgeoisie d'affaires ramena l'épouvantail pour gêner l'avènement d'un syndicalisme trop radical et trop gourmand à ses yeux. Aujourd'hui, en 1967, l'élite libérale francophone liée aux milieux d'affaires anglophones veut y recourir encore contre René Lévesque en construisant un scénario catastrophe de fuite de capitaux et de baisse du niveau de vie.

À 15 jours du congrès du Parti libéral, dans un duel télévisé avec

René Lévesque, à l'émission torontoise *The Public Eye*, Eric Kierans tente de réduire en purée le manifeste de son vis-à-vis. Un Québec souverain, dit-il, s'exclura de lui-même du *main stream* nord-américain et deviendra un ghetto où le niveau de vie aura chuté de 30 pour cent.

« L'indépendance ne créera pas de ghetto, réplique René Lévesque, mais va nous permettre au contraire de nous ouvrir enfin à l'Amérique du Nord et aussi de nous associer librement au reste du Canada. Vous verrez, Eric, vous allez continuer de travailler avec nous comme aujourd'hui…

— Ça sera très difficile pour vous de développer des relations commerciales avec le reste du Canada, René. On parle ici d'une longue bande de terre étroite qui s'étire d'est en ouest sur 3 500 miles. Si Québec se sépare, le commerce va plutôt se faire avec le Sud et vous tomberez vite sous l'influence des Américains. »

Un long débat commence. En fait un dialogue de sourds, sans vainqueur ni vaincu, l'enfer étant aussi imprévisible que le paradis. Et au terme duquel René Lévesque laisse tomber une remarque qui met le point final à leur amitié : « Il y a un gouffre entre nous. Eric est canadien d'abord. Moi, je suis québécois d'abord. C'est comme ça. »

Une semaine plus tard, à l'Université de Sherbrooke, Eric Kierans ajoute encore au drame qui attend, selon lui, un Québec souverain. La séparation plongerait le Québec dans le chômage, la misère et la pauvreté et coûterait à la population 2,3 milliards de dollars les cinq premières années. De plus, les Québécois perdraient au change, car ils tirent plus d'argent du fédéral qu'ils n'en versent en impôt : 35 pour cent des sommes octroyées aux provinces échoient au Québec qui n'en retourne que 25 pour cent★. Pis encore : capitaux, cerveaux, usines et sièges sociaux des grandes sociétés comme la Sun Life, la Banque Royale ou Bell Téléphone déserteraient la province.

L'offensive d'Eric Kierans tombe dans une bonne terre. Depuis les éclats gaullistes de l'été et le ballet souverainiste qui a suivi, le

---

★ Cet écart se rétrécira, et parfois même s'inversera, quand on publiera les comptes économiques des années 1960-1970.

contexte politique est devenu volatil. La presse lance la rumeur d'un exode de capitaux qu'accrédite Charles Neapole, le successeur de Kierans à la tête de la Bourse de Montréal : « La fuite des capitaux est commencée, assure-t-il au reporter de la CBC, Norman Depoe. Elle risque de s'aggraver, car les détenteurs de valeurs du Québec craignent l'instabilité politique. »

Personne n'avance de montant, reconnaît Laurent Lauzier, chroniqueur financier de *La Presse* : « Il nous a été impossible d'obtenir des chiffres, mais de l'avis des banquiers, il n'est pas exagéré de parler de… dizaines de millions qui ont passé la frontière. »

Eric Kierans surfe sur cet océan de ouï-dire jamais confirmés, égratignant au passage le premier ministre Johnson dont le flirt avec le général de Gaulle nuit autant que la bible séparatiste de René Lévesque à l'économie : « Monsieur Johnson doit se prononcer, car les investisseurs attendent qu'il se décide quant à la séparation du Québec. »

Réfugié à Hawaï pour soigner son cœur malade, Daniel Johnson reçoit les doléances téléphoniques quotidiennes du ministre des Finances Paul Dozois, bombardé d'appels de courtiers anglophones qui reprennent tous la même rengaine : *« Money is leaving the province. »* Délégués par les bonzes de la rue Saint-Jacques au Kahala Hotel où est descendu le premier ministre, trois financiers francophones, Paul Desmarais, Marc Carrière et Marcel Faribault, le pressent de rassurer le monde de la finance. Daniel Johnson cède et promet dans une déclaration de ne pas ériger de « muraille de Chine » autour du Québec.

Mais la fuite de capitaux est-elle réelle ou imaginaire ? Les services américains à Québec et à Montréal tentent de la mesurer. « L'ampleur de la fuite des capitaux n'est pas connue, mais il semble qu'elle soit notable », soutient à Québec le consul Francis Cunningham, en jetant le blâme sur le manifeste de René Lévesque.

À Montréal, un important courtier de la rue Saint-Jacques assure au consul Harrisson Burguess, sous le couvert de l'anonymat, que plusieurs clients, dont des Canadiens français, ont transféré des millions aux États-Unis et à Toronto. L'information a été acheminée au ministre des Finances Dozois et, selon l'informateur, a pesé lourd dans la décision du premier ministre Johnson de rédiger sa déclaration d'Hawaï.

Le bouc émissaire du capital

De son double poste d'observation — il conseille à la fois le premier ministre Johnson et la Caisse de dépôt —, Jacques Parizeau entend les piaillements des financiers, mais n'observe aucun mouvement de capitaux. Ni le président de la Caisse, Claude Prieur, ni lui ne détectent de transactions anormales sur les titres du gouvernement, ceux-là qui devraient justement réagir rapidement à une fuite de capitaux.

Au contraire, c'est le calme plat. En faisant relever les cotes des obligations du Québec au jour le jour, l'économiste note que non seulement elles ne décrochent pas, mais que leur rendement ne tombe pas et que l'écart dans les taux de rendement entre le Québec et l'Ontario s'améliore même un tantinet en faveur de la province française. Cerné par les journalistes, Jacques Parizeau finit par remettre les pendules à l'heure : « Cette prétendue fuite de capitaux a été considérablement exagérée. J'ai beau regarder pour trouver des cas clairs où nos problèmes politiques auraient fait fuir les capitaux, je n'en trouve pas. Si vraiment les investisseurs américains s'inquiètent, c'est beaucoup plus à cause des coûts de la guerre du Vietnam, de l'intégration raciale et de la guerre à la pauvreté de leur président Johnson que de nous. »

Trois ans plus tard, après une enquête minutieuse durant laquelle il aura relié tous les fils, l'économiste Parizeau verra derrière cette histoire une manœuvre politico-financière visant deux objectifs : mettre un terme au flirt Johnson-de Gaulle, en obligeant le premier ministre québécois à reculer, et créer un climat propice à l'exclusion de René Lévesque du Parti libéral.

L'incident qui a servi de prétexte aux financiers pour monter en épingle la fuite de capitaux s'est produit juste après la publication du manifeste souverainiste : une importante émission d'actions de la Churchill Falls Corporation a connu un échec retentissant sur le marché de Montréal et de Toronto.

Cette compagnie, on s'en souvient, tentait depuis le début des années 60 de s'entendre avec Hydro-Québec pour harnacher les kilowatts du Labrador. Mais sans l'accord québécois, le projet n'allait nulle part et personne ne voulait des actions de Churchill Falls, même si l'émission était cautionnée par les Rothschild de Londres et autres têtes d'affiche internationales. Si la transaction a échoué, c'était donc, selon l'économiste Parizeau, pour des raisons purement financières et techniques qui n'avaient rien à voir avec de Gaulle ou René Lévesque.

Mais se casser la figure ainsi devenait gênant pour les financiers canadiens qui subissaient une perte de prestige et de crédibilité, en plus de devoir absorber les titres invendus. Il leur fallait un bouc émissaire pour expliquer la mévente des actions de Churchill Falls. Le manifeste souverainiste tombait pile car il est vrai, comme l'a aussi noté Jacques Parizeau, qu'il avait provoqué la fermeture de comptes d'anglophones montréalais choqués par l'adhésion de René Lévesque à l'indépendance. Des broutilles sans conséquence pour l'économie, cependant*.

T'es fédéraliste ou tu sors !

Pourquoi René Lévesque s'entête-t-il à affronter les libéraux, lui qui ne se fait aucune illusion sur ses chances de les convertir au souverainisme ? Depuis la Confédération, le Parti libéral s'est toujours fort bien accommodé d'une demi-souveraineté qui lui donne accès à la double représentation politique, à deux arènes parlementaires, à un tas de carrières et nominations. Jamais ses membres n'accepteront de se replier sur le seul cap Diamant, fût-ce au nom du droit des peuples de choisir librement leur destin.

En fait, René Lévesque est piégé. Jusqu'à la diffusion de son manifeste, il était convaincu que le congrès se déroulerait en deux étapes. Au congrès d'octobre on se contenterait d'exposer les thèses en présence, et six mois plus tard un congrès spécial trancherait. Mais la réaction violente d'Eric Kierans à sa résolution a précipité les

---

* Après l'exclusion de René Lévesque du Parti libéral, tout rentrera dans l'ordre. La télévision annoncera que la fuite des capitaux était terminée… Québec lancera même, dans les jours suivants, une émission d'obligations de 50 millions de dollars qui s'écoulera en un temps record. Et l'assistant de Paul Desmarais à Power Corporation, Claude Frenette, avouera aux agents d'information américains qu'il n'avait pas vu l'ombre d'un exode de capitaux. Bien plus, en 1968, comme le découvrira Jacques Parizeau en analysant les statistiques fédérales de 1967, la seule fuite de capitaux notée, cette année-là, l'avait été en… Colombie-Britannique.

choses. Il n'était plus question d'un double congrès, une aubaine qui aurait fourni au franc-tireur six longs mois pour vendre sa thèse aux militants.

« Les séparatistes, fallait que ça sorte vite ! T'étais fédéraliste ou indépendantiste, canadien ou québécois, mais pas les deux ! » se souvient René Gagnon, proche collaborateur de Pierre Laporte. Apeuré par l'idée d'une scission et déchiré entre son amitié pour René Lévesque et ses ambitions, le député de Chambly l'a d'abord aidé à faire accepter par Jean Lesage l'idée d'un congrès spécial, puis il a retourné sa veste.

Si René Lévesque persiste malgré tout à se jeter dans la gueule du loup, c'est qu'il a ses raisons. Et comme toujours, elles sont complexes. Il est libéral et le restera aussi longtemps qu'on ne lui aura pas indiqué la sortie. C'est à ses frères d'armes depuis sept ans qu'il doit d'abord soumettre son option. Par loyauté envers ses partisans à l'intérieur du parti et envers ceux qui, dans la machine gouvernementale, sont prêts à le suivre sans toutefois casser de vitres.

De plus, avant de crier à l'impossible, il veut faire un test. C'est-à-dire obliger ceux du Parti libéral qui partagent ses idées à sortir de l'ombre, à s'afficher. Depuis le « Maîtres chez nous » de 1962, les libéraux se sont radicalisés sur la question nationale et ses conseillers ont calculé que le quart du membership libéral pourrait se ranger sous sa bannière et l'appuyer si jamais l'idée de briguer la succession de Jean Lesage lui passait par la tête.

Enfin, il y a la tactique. René Lévesque n'a jamais juré de mourir libéral et, pour lui, un parti n'est qu'un moyen, jamais une fin. Le congrès libéral constitue une caisse de résonance formidable. Comme le lui a fait remarquer l'avocat Pothier Ferland, toute la presse du pays sera suspendue à ses lèvres durant deux jours. Quelle tribune pour vendre la souveraineté ! Autrement dit, Jean Lesage et Eric Kierans lui donneront un fier coup de main pour diffuser ses nouvelles idées à la nation.

Pourtant, il part du pied gauche. Réunis en caucus au lac Delage, quelques jours avant le congrès de leur parti, les jeunes libéraux sur lesquels il misait repoussent la souveraineté-association et achètent plutôt le statut particulier tel que défini par Paul Gérin-Lajoie et endossé par Jean Lesage. Une formule difficile à concrétiser, que le nouveau ministre fédéral Pierre Trudeau a ravalée au rang de « connerie », au récent congrès du Barreau canadien, et que René Lévesque décrit comme « un bouchon carré dans un trou rond ».

Au cours d'une rencontre discrète au Hilton, ce dernier tente de dissuader Paul Gérin-Lajoie de faire le jeu de la direction du parti qui, une fois évaporée la menace souverainiste, mettra brutalement au rancart son statut particulier. Il lui propose une alliance, mais le député de Vaudreuil-Soulanges est tout aussi incapable qu'Eric Kierans de se rendre jusqu'à la souveraineté, quoiqu'il en soit très proche.

La prédiction de René Lévesque se réalisera. Aussitôt qu'on l'aura évincé, lui, l'option Gérin-Lajoie se retrouvera sur une voie de garage. À l'exécutif du parti, tous sont contre parce qu'ils la trouvent trop nationaliste. Elle suscite momentanément l'intérêt parce qu'il faut bien opposer une antithèse à la souveraineté, même si elle ressemble comme sa sœur jumelle à « l'union canadienne » de René Lévesque.

Yves Michaud ne s'est pas résolu lui non plus à faire le saut. Il a élaboré de son côté une thèse confédérale qu'il veut soumettre au congrès. René Lévesque tente de l'attirer dans ses filets, mais ce dernier lui oppose l'argument des montagnes Rocheuses dont l'indépendance le priverait : « Ce qui me fatigue dans ton idée, c'est qu'il y a une perte, une dépossession d'un patrimoine, d'un territoire, celui des grands découvreurs canadiens-français. Nous étions là les premiers, après tout !

— Tu les veux, tes Rocheuses, eh bien garde-les ! » le rembarre son ami piqué par cet argument un peu bête.

En réalité, autre chose empêche Yves Michaud de le suivre. D'abord, il conserve envers le Canada un attachement sentimental. La raison n'a pas toujours raison de l'amour pour un pays… À 37 ans, ce féru de belles-lettres à la panse généreuse considère la situation plus sous ses angles culturels que strictement politiques.

En plus, il est tout frais débarqué à Québec et la perspective de rompre avec un parti dont il est député depuis un an à peine le met à la torture. Vingt ans de journalisme en ont fait un individualiste qui se flatte, comme le Norvégien Henrik Ibsen, de résister à la tyrannie du groupe et de décider lui-même des gestes à faire.

Aujourd'hui, même au nom de l'amitié, Yves Michaud n'arrive

pas à digérer le souverainisme radical de René Lévesque. Pour calmer sa conscience, il s'est forgé une option plus lénifiante qu'il a intitulée *Pour une confédération canadienne, une vraie*. Une mouture proche des États associés, que René Lévesque tourne en ridicule alors qu'ils sont attablés au restaurant du célèbre défenseur dans l'équipe de hockey du Canadien, Butch Bouchard : « Aller expliquer que la Confédération actuelle n'est pas une véritable confédération et que ce qu'on veut, c'est une véritable confédération, alors que le Canada actuel s'appelle une Confédération ? On n'en sortira jamais... »

Watch us kick out Lévesque

Le congrès libéral d'octobre s'ouvre un vendredi 13, quel augure ! L'avant-veille, flanqué d'Eric Kierans et de Paul Gérin-Lajoie, Jean Lesage a dressé l'échafaud : « Le Parti libéral rejette le séparatisme sous toutes ses formes. » Malgré l'avertissement, l'auteur de la résolution *Un Québec souverain au sein d'une union économique canadienne* espère encore que le combat sera loyal et que son option fera l'objet d'un vote secret.

Dans les couloirs du Château Frontenac, le climat donne plutôt à penser qu'on le frappera au-dessous de la ceinture. L'organisation libérale obéit depuis peu à Paul Desrochers, ex-militaire administrateur de commissions scolaires et futur bras droit de Robert Bourassa. Un homme efficace qui sait comment guillotiner proprement ses victimes.

L'organisateur a d'abord interdit l'utilisation du nom de René Lévesque. On ne parle maintenant dans le parti que du « député de Laurier ». Ensuite, aussitôt arrêtée la date du congrès, il s'est dépêché de louer toutes les salles, salons et suites du Château Frontenac. Le *séparatiste* a dû établir son quartier général au Clarendon, tout près, où il a ses habitudes. Enfin, il a vu à ce que l'exécutif adopte des règles de procédure propres à lui régler son compte. « René Lévesque ne pouvait pas gagner, se rappelle René Gagnon, qui secondait Paul Desrochers. Le mot d'ordre, c'était d'en finir avec lui une fois pour toutes. La procédure du congrès avait été préparée de telle sorte qu'il n'y avait pas de jeu possible. Il était fédéraliste ou il sortait. »

À l'ouverture des assises, les honnêtes travailleurs de la souveraineté-association sont forcés de se poster à l'entrée de la salle des délibérations pour distribuer la résolution souverainiste de main à main comme de simples passeurs de journaux. L'hôtel aux tourelles vert-de-gris est aux mains des partisans du statut particulier de Paul Gérin-Lajoie. Le cap Diamant tout entier est envahi de macarons proclamant « Lesage au pouvoir ».

Dans le hall enfiévré où une nuée d'hôtesses tout de rouge vêtues prodiguent les sourires accueillants, les paris sont ouverts : le député de Laurier quittera-t-il ou non le parti avant que l'assemblée générale du samedi n'écrase sa résolution ? « Notre peur habituelle qu'il quitte le parti s'est changée en peur qu'il ne parte pas », dit un militant à la presse.

La veille, Jean Lesage a confié au reporter du *Devoir* : « Si l'option de M. Lévesque est rejetée par le congrès, il devra se soumettre ou se démettre. » S'il partait, a-t-il laissé tomber, ce serait « une perte qui s'avère de moins en moins importante ». Après quoi, il a délégué Henri Dutil, organisateur de Québec qui ne fait pas dans la dentelle, chez les journalistes de la tribune parlementaire pour leur laisser savoir que « si Lévesque ne quitte pas de lui-même, il sera expulsé ».

L'hostilité générale qui enveloppe la personne du dissident semble contagieuse. Des délégués du Nord-Ouest québécois donnent le ton : « Nous ne venons pas discuter de la thèse de René Lévesque, mais de la tête de René Lévesque. » Le député de Saguenay, Pierre Maltais, déclare au *Montreal Star* : « *Watch us kick out Lévesque!* »

Il ne manque plus que les semeurs de fausses rumeurs pour exacerber encore un peu plus les braves militants libéraux. Justement, il s'en trouve pour leur débiter des phrases comme celle-ci : « Le Québec est techniquement en faillite et ne peut plus emprunter une seule piastre à cause des maudits séparatistes… » Le reporter Brian Upton s'entend dire par un courtier alarmiste : « Hier encore, un groupe d'investisseurs étrangers a liquidé à 70 $ chacune des actions de la compagnie Shawinigan qui en valait 100… »

Après avoir sondé des militants, F. S. Quin, attaché au consulat américain de Québec, conclut que l'agressivité contre René Lévesque se nourrit pour beaucoup de toutes ces rumeurs de fuite de capitaux.

Les lettres qu'a reçues Jean Lesage avant le congrès étaient à l'avenant. Maurice Dussault, permanent à la CSN, ne mâchait pas ses mots : « L'erreur du Parti libéral, c'est de s'être fait mener par

Lévesque. Laissez-le fonder son nouveau parti, mais commencez immédiatement à lui faire la lutte. » Bridget Larkin, qui se définissait comme anti-séparatiste, l'a applaudi : « Enfin ! Vous avez bâillonné Lévesque. Vive le Parti libéral ! »

Aussitôt que René Lévesque gagne sa place, commence la charge des sangliers — une image de ce congrès politique féroce que conservera toute sa vie Yves Michaud. Téléguidés par Paul Desrochers, les procéduriers font d'abord adopter les règles du jeu inhabituelles qui prévaudront durant les délibérations : aucun amendement aux résolutions constitutionnelles ne sera toléré et le vote se fera à main levée plutôt que par bulletin secret.

René Lévesque dira à la sortie du congrès : « Ceux qui voulaient ma tête firent voter, dès l'ouverture, des procédures qui faisaient de ma proposition une question de vie ou de mort. Le jeu était faussé, c'est alors que j'ai décidé de me retirer. »

De voir ce parti, jadis grand, sombrer dans l'intimidation revancharde et l'antidémocratisme, au moment d'adopter une décision capitale pour l'avenir des Québécois, fait comprendre à René Lévesque qu'il n'y a plus sa place. Quatre jours plus tôt, Pierre Laporte, affecté à l'animation des débats, lui a promis que sa résolution serait discutée loyalement et que le vote serait secret pour permettre aux délégués « de bien peser la valeur des arguments soumis ». Le député de Chambly le trahit encore, se résignant à son rôle de fossoyeur, obnubilé qu'il est par la succession de Jean Lesage.

Le refus du vote secret, c'est la cerise sur le gâteau. Ceux qui entouraient René Lévesque soutiennent qu'un appui de l'ordre de 20 pour cent à sa résolution aurait pu le convaincre de se cramponner. Dans son autobiographie, il notera à ce sujet : « Jusqu'à la veille, j'avais espéré un débat correct et que, peut-être, nous parviendrions à rallier 10 pour cent des suffrages. »

Mais la mine triomphante du tandem Lesage-Kierans ne le trompe pas. Entrés dans la salle bras dessus bras dessous, ils ont pris place tout près du micro et l'attendent de pied ferme. Son compte est bon, mais celui du millionnaire irlandais également. Car sa carrière politique au Québec est fichue. Une fois le sacrifice accompli, la foule qui est ainsi faite ne le remerciera pas. Brutus subira le même sort que Dalton Camp, l'homme qui a abattu John Diefenbaker. Aussi Eric Kierans lorgne-t-il déjà du côté fédéral.

Le discours d'ouverture de Jean Lesage est sans pitié. Vêtu d'un élégant costume marine, visiblement tendu, il joue l'air de « c'est lui ou moi ». Il démissionnera si des idées autres que celles qu'il préconise sont acceptées par les militants : « Faut-il, pour devenir maîtres chez nous, nous isoler absolument sur une île déserte, coupés du monde, sans communications avec la terre ? »

L'attitude de son chef rend René Lévesque furieux. En plus d'avoir autorisé des règles qui font injure à la démocratie, de jouer au maître chanteur en jetant sur la table une démission bidon, Jean Lesage prend position en faveur de la résolution de Paul Gérin-Lajoie avant même le débat. Comme il le rappellera par la suite : « J'étais prêt à me faire battre, mais de façon respectable. »

Entouré de ses inconditionnels, une vingtaine tout au plus, il quitte la salle sans attendre la fin du discours de Jean Lesage. Les reporters se jettent sur lui. « On a nettement bulldozé le congrès, accuse-t-il. C'est un climat de crois ou meurs. Ce sera le vote d'une salle nettement recrutée et sélectionnée. »

Sa sortie intempestive lui épargne la tirade de son ex-allié Kierans, aussi théâtrale que celle du chef : « La route vers l'égalité des Canadiens français ne se tracera pas dans le séparatisme, mais si tel était votre choix, je suis prêt à démissionner immédiatement. » Un plaisantin du clan Lévesque ironise : « Si ça continue, ce parti n'aura plus de chef ! »

Tout décidé d'avance

La chapelle souverainiste se barricade au Clarendon pour réfléchir à la suite des événements. La question n'est pas la démission de René Lévesque, qui est acquise. Il s'agit plutôt de décider s'il faut mettre fin au massacre le soir même ou profiter de la tribune du lendemain après-midi. René Lévesque entend partir de son propre chef ; il ne donnera pas à ses adversaires l'occasion de l'expulser. S'il affronte l'assemblée, il doit donc annoncer sa démission avant le vote à main levée qui lui sera fatal nécessairement.

Comme le consensus tarde à s'établir, on reporte la décision au lendemain matin. La nuit porte conseil : il fera face aux militants pour maximiser les retombées publicitaires autour de l'option, et quittera la salle immédiatement après.

René Lévesque ignore cependant certaines facettes troublantes du scénario qu'il s'apprête à jouer. Planifiée minutieusement depuis des semaines, son exclusion s'insère dans un plan secret des libéraux fédéraux pour manipuler les milieux séparatistes québécois — « pour mieux les vaincre », écrit l'attaché d'ambassade Edward Bittner dans un rapport confidentiel destiné au secrétariat d'État américain.

L'homme qui lui a dévoilé la stratégie libérale pour liquider René Lévesque se nomme Claude Frenette. Il s'agit d'un financier proche de Pierre Trudeau qui, en janvier 1968, se fera élire à la présidence de l'aile québécoise du Parti libéral fédéral en vue du congrès au leadership. De plus, il seconde Paul Desmarais qui est à consolider sa mainmise sur Power Corporation.

Le plan a été élaboré par un groupe dont font partie les bons amis d'autrefois de René Lévesque : Jean Marchand, Pierre Trudeau et Maurice Sauvé, tous ministres à Ottawa. Leurs agents provocateurs ont infiltré le noyau de sympathisants autour de René Lévesque pour activer l'idée d'un nouveau parti. Comme l'écrit Edward Bittner : « Le comité secret a tenté de persuader René Lévesque et ses sympathisants, au sein du Parti libéral comme à l'extérieur, de fonder un parti dont on sait qu'il sera battu aux élections. L'idée était que René Lévesque sera moins dangereux s'il quitte le Parti libéral que s'il y reste. »

Claude Frenette, qui aime plastronner, n'épargne aucun détail à l'Américain, pour mieux l'impressionner. Le plan secret se déroule comme prévu, lui dit-il, et comporte deux autres volets. Les libéraux fédéraux ont d'abord noyauté les États généraux du Canada français, forum qui rassemble une batterie de syndicats, de partis politiques et de sociétés patriotiques qui sont à échafauder une vision du Québec de l'an 2000, jugée trop séparatiste.

La tactique est de pousser les éléments les plus extrémistes des États généraux à promouvoir des positions si radicales que la population ne suivra plus.

Enfin, dernier volet qui devrait intéresser René Lévesque si jamais il envisageait de fonder un parti souverainiste : Paul Desmarais, nouveau magnat de la presse, s'est juré d'endiguer la vague séparatiste. Il contrôle déjà trois quotidiens, *La Presse*, *Le Nouvelliste* et *La Tribune*, des hebdos comme *La Patrie*, des stations de radio et de télé, dont CKAC, à Montréal, et le canal 7, à Sherbrooke.

L'agent américain Bittner, dans sa dépêche à Washington, a cette phrase qui exprime bien l'aléatoire de la liberté d'information dans un contexte de crise politique aiguë : « Power Corporation veut se servir de ses journalistes pour discréditer les séparatistes par le biais d'une propagande subtile. »

Mais, en ce samedi après-midi, 14 octobre 1967, l'enfant terrible, accompagné de Jean-Roch Boivin, pénètre dans la grande salle où va se jouer le dernier acte du drame qui secoue le Parti libéral.

« Lévesque, dehors ! Lévesque dehors ! » scandent à son passage des délégués. Le temps a tourné : hier on l'idolâtrait, aujourd'hui on le hue. Jean-Roch Boivin se raidit en entendant la meute réclamer la tête de son idole. « Je suis nerveux, lui glisse-t-il. C'est la première fois que je sens physiquement la haine... »

René Lévesque, au contraire, a l'air décontracté. Quand on lui demande comment il se sent, il répond en souriant qu'il n'est pas atteint de cette maladie du siècle appelée stress. Il bouge beaucoup, s'agite un peu, mais plus les autres se tendent, plus il se calme. C'est loin d'être le cas de sa mère, Diane Dionne, qui a pris place à l'arrière de la salle en compagnie de sa fille Alice et de Philippe Amyot. Entendre ces enragés de la feuille d'érable réclamer la tête de son fils mortifie la vieille dame. Son gendre, lui, les traitera de salauds...

Mais tous sentent qu'une page d'histoire va s'écrire. Il revient à Paul Gérin-Lajoie de parler le premier. Dans son style poli d'intellectuel outremontais, il défend sa résolution qui rejette la souveraineté mais revendique une révision radicale du fédéralisme canadien. Au passage, il sermonne son parti qui est tenté d'enterrer le débat constitutionnel : « La vie d'un peuple ne se décide pas par un oui ou par un non, il ne faudrait pas donner à la population l'impression que nous voulons trancher au couteau. »

Un murmure parcourt l'assemblée quand le petit homme au crâne nu se lève et se dirige vers le lutrin. Avant l'assemblée, René Lévesque a jeté sur papier quelques idées clés, mais pas de phrases toutes faites. Il n'est jamais meilleur que dans le feu de l'action.

Il a beau se vanter de ne pas connaître le stress, des papillons s'ébattent dans son estomac, comme il le notera dans ses mémoires. Il déballe un à un ses arguments militant en faveur de la fin de la domination canadienne sur les Québécois. Si le Canada est en crise, rappelle-t-il aux libéraux qui l'écoutent maintenant avec respect, c'est parce que les Québécois se demandent s'il ne vaudrait pas mieux vivre en peuple adulte et responsable, comme un groupe distinct.

L'orateur ne se contente pas de prêcher pour sa paroisse. Il torpille au passage l'option de l'ami Paul (qui, de son aveu même, a dû en arrondir certains angles, à l'instigation d'un Eric Kierans décidé à le faire expulser lui aussi, s'il lui tenait tête) : « La confédération, c'est comme une maison *split-level* et le statut particulier, un étage semi-détaché de ce *split-level,* lance-t-il. Vouloir unir tout ça, c'est tenter de réaliser la quadrature du cercle. Mais il est possible de reprendre les matériaux pour bâtir deux maisons semi-détachées... »

L'analogie trop séparatiste lui vaut des huées copieuses qui, loin de l'intimider, le rendent plus agressif encore : « Notre option, qu'on a voulu écarter par des arguments d'autorité, propose des étapes claires pour une indépendance politique et une interdépendance économique dans le cadre d'un risque calculé. »

Un débat acrimonieux de quatre heures, où chaque camp décline ses meilleurs arguments, suit l'exposé de René Lévesque. Jean Lesage répète que le séparatisme est un signe de faiblesse ; Eric Kierans, qu'il ne profitera qu'à une élite et non aux petits que les libéraux défendent résolument ; Pierre Laporte, qu'il signera l'arrêt de mort des minorités francophones hors Québec. De leur côté les Marc Brière, Rosaire Beaulé et Jean-Roch Boivin triment dur pour arriver à se faire entendre des militants qui n'ont plus qu'une envie : voter l'expulsion du séparatiste.

Robert Bourassa vient s'asseoir à côté de René Lévesque. Il ne dit rien du débat, affalé dans son fauteuil, l'air morose derrière ses lunettes de corne noire. La veille du congrès, il a été le seul libéral en vue à souhaiter publiquement que le député de Laurier ne quitte pas le parti. À ses yeux, il constitue la meilleure police d'assurance contre l'embourgeoisement des libéraux. S'il s'en va, les droitistes et revanchards de tout poil qui ont l'oreille de Jean Lesage feront la pluie et le beau temps dans ce parti qu'il compte bien diriger un jour.

« René, vous ne pouvez démissionner pour ça, lui souffle-t-il à l'oreille en lui rappelant le cas connu d'Aneurin Bevan, le chef de la faction de gauche des travaillistes britanniques mis en minorité sur la question cruciale des armes nucléaires.

— Ouais..., fait René Lévesque sans trop de conviction. Mais, ils rejettent mon affaire.

— C'est pas pire que Beavan, il est resté.

— De toute façon, il est trop tard. »

En effet. Un peu avant 18 heures, le temps semble s'arrêter. Comme si le cœur de l'immense salle enfumée avait cessé de battre tellement la tension était forte. René Lévesque vient de demander au président d'assemblée son droit de réplique. Il veut mettre le point final à sa carrière libérale avant qu'un sbire de Paul Desrochers ne se lève pour demander le vote.

Le député prend le micro pour résumer la situation. Le congrès n'a pas démontré l'invalidité de son option, ni la validité du statut particulier. On a invoqué contre lui la peur de l'inconnu, comme si son option menait directement à l'anarchie. « C'est la responsabilité des dirigeants du parti qui ont prôné le crois ou meurs, dit-il soudain en dévisageant Jean Lesage qui ne bronche pas, d'avoir voulu que ce congrès soit un endosseur parfaitement docile. »

Tout a été dit, sauf l'essentiel : « Il n'est pas facile de quitter un parti quand on y a milité pendant sept ans… » C'est l'adieu aux libéraux. La salle semble plongée dans la torpeur. Aucun délégué n'a envie de le conspuer maintenant. René Lévesque annonce enfin, d'une voix devenue hésitante, qu'il retire sa résolution et qu'il s'efforcera désormais de la faire valoir ailleurs.

Alors, comme poussés par le courant irrésistible de l'histoire, ses partisans, une poignée, se lèvent d'un bond et l'entourent en ponctuant leurs applaudissements de bravos répétés. L'avocat Pothier Ferland cherche les yeux de Jean Lesage mais ne les trouve pas. Il remarque cependant sa pâleur extrême. Le reporter du *Devoir*, Michel Roy, voit sur le visage du chef libéral demeuré jusque-là immobile « éclater l'un des sourires les plus triomphants de toute l'histoire politique du Québec ».

C'est le cœur pincé mais avec soulagement, comme il l'écrira dans ses mémoires, que René Lévesque s'engage dans l'allée centrale pour gagner la sortie : « Ce n'était pas ma famille avec laquelle je rompais, mais simplement un vieux parti dépassé, retombé dans la stérilité. Il s'était servi de moi tant que je lui paraissais rentable et je m'étais servi au maximum des tribunes et des moyens qu'il m'avait procurés. Nous étions quittes. »

Sans doute, mais ce bilan comptable cache des images plus dramatiques. Pierre Laporte a l'air de trouver la scène pénible. C'est tout de même un ami qui s'en va, mais c'était inéluctable, il ne pouvait plus défendre ses idées dans ce parti. L'ancien ministre de la Justice, Claude Wagner, laisse tomber des « c'est donc de valeur » à son voisin, Doris Lussier, qui ne sait que marmonner : « C'était inévitable. » Quand René Lévesque a prononcé le mot fatal, le comédien a griffonné une note : « René Lévesque, permanence de la nation avant permanence du parti. »

Les journalistes observent que le démissionnaire est au bord des larmes. Le député d'Outremont, Jérôme Choquette, vient d'assister à un drame qui se termine comme une tragédie grecque. Par la mort du héros. La nostalgie s'empare de lui car René Lévesque, c'était un rebelle de génie.

Son admiration pour lui ne l'a pas empêché d'échanger un large sourire avec son voisin Pierre Laporte quand le héros a tiré sa révérence. Derrière eux, Monique Michaud s'est scandalisée de leur attitude. « Voyons, Monique, tu ne vas pas pleurer », lui a dit Jérôme Choquette en la voyant sécher une larme. Elle n'était déjà plus libérale.

Ni Yves Michaud ni Robert Bourassa ne se lèvent de leurs sièges, malgré l'invitation de la soixantaine de fidèles qui s'accrochent à René Lévesque dans l'allée. Ses adieux à René, Robert Bourassa les a faits plus tôt en tentant de le raisonner. Maintenant, il ressasse ses raisons de rester : la vulnérabilité économique de l'option souverainiste et son avancement personnel. S'il reste au PLQ, il peut espérer devenir chef, mais s'il suit René Lévesque, il ne sera toujours que le numéro deux.

Les yeux de René Lévesque croisent soudain ceux de Paul Gérin-Lajoie, qui saute sur ses pieds et, s'emparant de sa main tendue, le salue chaleureusement : « Bonne chance, René ! » Le geste touche René Lévesque. De tous ses anciens collègues du Cabinet, il est le seul à lui témoigner un peu de sympathie. Les autres sont cloués sur leur chaise, le regard absent, un peu honteux.

Acte dernier de ce congrès écrit d'avance, le vote à main levée de la résolution souverainiste que René Lévesque a pourtant retirée avant sa sortie pathétique. Mais le président d'assemblée statue que la résolution appartient au congrès. Il faut voter coûte que coûte pour exorciser le fantôme du député de Laurier, et pour que la presse du lendemain puisse écrire que 1 217 bras levés ont salué le fédéralisme renouvelé et écrasé le séparatisme.

Puis, un dévot suggère qu'on place l'unifolié rouge à côté du fleurdelisé bleu. Comme le résume le lendemain Peter Cowan, reporter un peu cynique du *Montreal Star* : « Ils ont chanté *Ô Canada* et sont allés se coucher. On avait réglé le cas de René Lévesque. »

CHAPITRE XXXII

Le pays « normal »

*Si tu as un long voyage à faire, la moitié du
voyage, c'est la décision de l'entreprendre.*

Proverbe chinois qu'aimait citer René Lévesque
à l'automne 1967.

René Lévesque entreprend sa marche vers la souveraineté en franchissant avec ses partisans la grande porte du Château Frontenac pour se rendre à pied à l'hôtel Victoria situé tout en bas, près de la rue Saint-Jean. Le propriétaire, Joseph Morency, a connu son père autrefois à New Carlisle. Outré de la mesquinerie des libéraux qui ont loué le Château tout entier pour ne pas lui faire de place, il a mis à sa disposition une petite salle bientôt prise d'assaut par les reporters.

Arrivé trop tard pour rejoindre les autres sur l'estrade, Jean-Roch Boivin s'est assis à l'arrière avec le directeur du *Devoir*. « Je dois avouer que cette montée soudaine du nationalisme m'a pris complètement par surprise », lui confie Claude Ryan. Les yeux fortement encavés du journaliste vont et viennent de René Lévesque au premier cercle des adeptes et aux curieux, au milieu desquels s'agitent des gars et des filles de 20 ans qui ne demandent qu'à mobiliser leurs rêves et leur énergie derrière le nouveau leader.

Si les libéraux croient étouffer le séparatisme en expulsant René

Lévesque, ils se trompent, observe encore l'éditorialiste qui imagine déjà, comme il l'écrira dans son éditorial, « le rendez-vous décisif et final où les participants ne seront plus les simples membres d'un seul parti mais le peuple du Québec lui-même ».

Ce rendez-vous avec la souveraineté, René Lévesque ne le voit pas encore, bien qu'il devine que sa carrière politique n'est pas terminée. Il a 45 ans et n'est nullement aigri ou démoli par les derniers événements qu'il a provoqués. Dans son esprit, sa conférence de presse n'a qu'un but, raconter à la population les dessous d'un congrès trafiqué : « Je n'ai jamais voulu faire du parti une religion et ils ne m'ont jamais pardonné ce péché. »

L'exercice prend l'allure d'un marathon verbal de deux heures où il retrace les principales étapes de son mariage de raison avec les libéraux. Depuis l'époque glorieuse des « trois L », Lapalme, Lesage, Lévesque, où on avait une province à bâtir — dans le Canada bien sûr parce que la question nationale, qu'est-ce qu'on s'en fichait alors ! — jusqu'aux tricheries du congrès autour du « chantage économique éhonté » de l'ancien professeur d'économie Kierans, qui enseignait il n'y a pas si longtemps encore à ses étudiants anglophones à ne jamais recourir à une tactique aussi immorale.

Quand un journaliste ose avancer l'idée que la fuite des capitaux pourrait ne pas être une invention du Saint-Esprit, René Lévesque débouche la bouteille de vitriol : « Kierans a fait du matraquage économique du haut de sa réputation. Ce n'est pas l'homme de la rue qui crée la panique, mais les milieux anglais dominants. Ce sont nos gros personnages de la même race, trois ou quatre douzaines, qui enduraient très bien Duplessis en tripotant en coulisse notre économie ! »

Le souverainiste déçoit un reporter en quête de primeur qui veut savoir si son exclusion finira par un nouveau parti : « Je ne sais pas, on verra… » Mais il fait sourire les sceptiques quand il prédit : « D'ici quatre ans au plus, ce que nous représentons sera au moins l'opposition officielle au Québec, et peut-être la majorité… » La réaction spontanée d'une partie de l'auditoire ramène le rêveur sur le plancher des vaches. La route sera longue.

Tous ces libéraux en rupture de ban se retrouvent ensuite au Old Homestead, restaurant voisin du Château Frontenac où se donnent rendez-vous politiciens et reporters. Ils n'ont pas tellement l'âme à la fête. Chacun vit ce souper comme une fin de vie. L'avocat Pothier

Ferland, qui se réveillait la nuit pour haïr Duplessis tellement il était rouge, se sent orphelin de parti. Il observe un instant l'air grave de René Lévesque, petit homme usé par la tension de la journée qui grille Gitane sur Gitane en écoutant les autres discuter de tout et de rien.

Et l'espoir alors ? Jean-Roch Boivin saisit son napperon en annonçant : « Je vais vous faire signer. Si tout à coup cette soirée devenait historique ? » Il écrit tout en haut de la feuille, en guise d'introduction : « Old Homestead Restaurant (Canada), en la ville de Champlain, le 14 octobre 1967 ». Et les 37 convives, dont certains formeront dans moins d'un an le premier noyau du Parti québécois, y apposent leur nom.

Rompre avec le fédéralisme n'est pas sans conséquence pour la vie personnelle de René Lévesque. Son pauvre mariage avec Louise L'Heureux ne tient plus que par le fil des convenances. Au moment où une nouvelle tempête secoue sa vie politique, il vit une autre relation amoureuse, cette fois avec Monique Oligny, sœur de la comédienne Huguette Oligny, filles toutes deux de la journaliste Odette Oligny laquelle, durant les années 50, écrivait des articles dithyrambiques sur la vedette de Radio-Canada qu'était à cette époque René Lévesque.

S'il rentre encore à la maison, rue Woodbury, c'est pour les enfants, Pierre, Claude et Suzanne, pas pour Louise, plus amère que jamais à cause de sa nouvelle orientation politique. Le récit idyllique que trace la presse de la vie du couple est loin de concorder avec la réalité. Car ce n'est décidément pas la vie en rose, comme ces quelques lignes de la journaliste de *Châtelaine*, Hélène Pilotte, voudraient le faire croire : « Sa femme est la gentillesse et la spontanéité même. Elle est aussi discrète que lui sur leur vie privée. Comment ne pas l'être jusqu'à l'effacement quand on vit dans le sillage d'un homme qui bouleverse tout sur son passage ? »

Louise n'a rien de la femme effacée et éternellement souriante. Au contraire, vive et intelligente, « Jackie » écrase René sous les sarcasmes. L'aventure séparatiste relève à ses yeux de la plus parfaite aberration. L'harmonie familiale, pour ce qu'il en reste, résiste mal à ce nouveau désaccord. La mère prend à témoin ses deux fils de la folie de leur père. Eux aussi sont déçus de sa démission du Parti libéral.

« Tu as l'air fin maintenant, tu es tout seul ! » lui jette-t-elle au visage devant eux. Étudiants au collège Brébeuf où l'indépendantisme est perçu comme une forme secondaire de la débilité mentale, Pierre et Claude se font ridiculiser par leurs camarades à cause de leur père. Ce qui leur fournit au moins l'occasion de s'informer sur cette étiquette de séparatiste qu'on lui colle sur le dos.

Jusqu'au beau-père Eugène L'Heureux qui, de son fauteuil de bibliothécaire au Parlement, se met à le décrier. L'auteur de *Ma province, mon pays,* recueil de chroniques dédié aux « Canadiens de bonne volonté » et consacré à célébrer à la fois l'amour du Québec et du Canada, range maintenant son gendre au nombre de ces « nationalistes négatifs, tapageurs, hautains et nuisibles au Canada français ». Toujours convaincu que la Confédération est le meilleur régime que puissent désirer les Canadiens français, Eugène L'Heureux se permettra même, après sa mise à la retraite dans un an, d'écrire dans les journaux des billets nullement doux contre son gendre.

Les réactions politiques ne sont guère plus souriantes que celles de la famille. À Québec et à Ottawa, les fédéralistes exultent depuis que le mouton noir s'est retrouvé à la rue. Le dragon séparatiste vient d'être terrassé, comme en rêvaient le financier Paul Desmarais et son collaborateur de Power Corporation, Claude Frenette.

Moins émotifs et plus détachés, les services américains de renseignement ne crient pas victoire. René Lévesque est loin d'être fini, pensent-ils. En le liquidant brutalement, les libéraux ont brûlé leurs vaisseaux. Ils se sont affaiblis et, à long terme, leur crédibilité en souffrira auprès de la population. Dans ses rapports, le consul à Québec, Francis Cunningham, fait grand cas de sa conversation discrète avec Jean Lesage au lendemain du congrès d'octobre.

En privé, le chef libéral a eu le triomphe modeste, prédisant même que la conversion de son ancien collègue au séparatisme ferait boule de neige, chez les jeunes notamment. Est-ce que René Lévesque ne joue pas avec le feu ? lui a demandé le consul. Il est habitué à jongler avec les idées dangereuses, a répondu Jean Lesage. Est-ce que ce n'est pas immoral de conduire le peuple vers une fausse terre promise ? a renchéri l'Américain qui note la réponse : « Lesage a répondu que Lévesque manquait de maturité et du sens des responsabilités. »

Pour la diplomatie américaine, René Lévesque vient à lui tout seul de faire entrer la crise canadienne dans une phase aiguë. « *It is doubtful if there will ever be a calm sea with visibility unlimited »,* écrit l'ambassadeur Butterworth dans une longue dépêche destinée au secrétaire d'État des États-Unis. Le prix à payer sera énorme pour les Québécois, les Canadiens et même les Américains.

René Lévesque a beau soutenir que le Québec saura se tirer d'affaire tout seul, le diplomate est convaincu que l'économie pâtira. Déjà, les rumeurs de transferts de valeurs et de comptes bancaires vont bon train. Les Québécois toléreront-ils une baisse de leur niveau de vie ? Après tout, la révolution tranquille n'est-elle pas la révolution des lendemains meilleurs (*rising expectations*) ?

Optimiste malgré tout, l'ambassadeur Butterworth est convaincu que la tragédie peut être évitée si le Canada anglais ouvre les yeux. Et si Ottawa daigne enfin répondre au défi lancé par les Canadiens français raisonnables, qui sont la majorité. Ceux-là sont prêts à s'accommoder de la Confédération, pourvu qu'elle réponde à leurs aspirations. Encore faut-il qu'Ottawa cesse d'exclure et de combattre Québec dès que celui-ci veut s'affirmer. L'ambassade canadienne à Washington fait tout pour saboter ses efforts pour se faire connaître des Américains. Francis Cunningham, collègue de l'ambassadeur Butterworth, a été sidéré de voir Ottawa exclure le Québec du projet de satellite de communication canadien. Le premier ministre Johnson s'est alors tourné vers la France — et là Ottawa a fait des drames. Même scénario lors de la conférence internationale de l'eau, tenue en mars dernier à Washington. Ottawa ne voulait pas inclure dans sa délégation un représentant du Québec qui est pourtant la province de l'électricité.

Il n'est pas normal non plus que la fonction publique fédérale soit unilingue, que les minorités francophones n'aient pas droit à leurs écoles, si le nombre le justifie, ni à un réseau radio-télé en langue française d'un bout à l'autre du pays. C'est le prix à payer pour éviter l'éclatement et ce n'est pas cher, affirme l'Américain Butterworth en implorant ses amis Canadiens anglais de ne pas s'aliéner les appuis importants dont ils disposent encore au Québec. Ruraux, gens d'affaires et syndiqués redoutent la dégradation de leur qualité de vie et restent sourds aux chants de la sirène séparatiste. L'allié le plus sûr du Canada anglais restera toujours le Québécois ordinaire, qui est conservateur avec un petit « c », vote libéral à Ottawa, déteste les extrémistes et évolue à petits pas...

Enfin, l'ambassadeur signale à ses patrons à Washington qu'un Québec séparé du Canada serait un cauchemar pour Washington. L'émergence sur la frontière nord d'un nouvel État « inamical, chauvin, autoritaire et socialiste », qui s'associerait probablement à des pays qui aiment pêcher en eau trouble, comme la France, créerait un maillon faible dans le système de défense nord-américain. La sécurité des États-Unis serait en péril. Et pour signaler le danger, l'ambassadeur rappelle la menace de Pierre Bourgault de couler un navire dans la voie maritime du Saint-Laurent au jour deux de l'indépendance.

« René, notre de Gaulle canadien »

Pendant que libéraux, fédéraux et Américains tentent de deviner l'avenir, René Lévesque s'interroge sur la suite des événements, tout en dévorant la montagne de lettres et de télégrammes qui atterrissent sur son bureau de député de la rue Saint-Denis. Ce cocktail de points de vue a pour lui valeur de sondage.

De Miami Beach, René Chaloult, vieux chef nationaliste qui réclamait l'indépendance dès 1937, veut guider ses premiers pas pour éviter la pagaille : « J'ai l'air de vous donner des conseils. C'est qu'il y a si longtemps que je rêve d'indépendance, je ne voudrais pas voir s'évanouir un dernier espoir. » L'ex-député fédéral de Kamouraska, Benoît Chabot, lui souhaite de la ténacité : « Vous aurez à lutter contre des politicailleurs et les nantis du statu quo actuel, conditionnés par une presse québécoise financée à l'anglo-saxonne. »

Des jeunes lui envoient un peu de leur trop-plein d'énergie et d'espoir. « Bravo ! Vive le Québec souverain ! » télégraphie de Paris une jeune étudiante appelée Louise Beaudoin. Un autre étudiant, Daniel Latouche, qui ignore qu'il conseillera un jour le premier ministre René Lévesque, lui envoie de Vancouver un commentaire encore plus bref : « Lâchez pas ! » Le felquiste repenti Richard Bizier, passé au RIN, le presse de rassembler tous les indépendantistes.

Des personnes âgées l'encouragent aussi : « Nous sommes 150 — 60 ans et plus. Tenez votre bout. Inclus clipping, comme vous pourrez le constater, les Bloques ont toujours le désir de la Conquête — ça descend des Allemands. » Euclide Viens, de Québec, lui écrit : « Moi j'ai 68 ans, le Parti libéral m'a bien déçu, préférant faire la courbette devant l'élément anglophone qui n'a jamais respecté nos droits. »

Mais les « Bloques » inondent René Lévesque de lettres plus admiratives que méchantes. Sentiment dominant : dommage qu'un tel homme soit séparatiste ! Mme Baker, de Baie-d'Urfé, lui écrit en anglais : « Cher monsieur Lévesque, ne nous abandonnez pas ! Le Canada a besoin d'un homme aussi intelligent et coloré que vous. »

Les journalistes Nick Auf der Maur et Mark Starowicz mettent 40 $ dans une enveloppe avec le mot suivant : « Étant deux anglophones québécois, nous appuyons votre mouvement. » Paul Simon, de l'Université de Toronto, rappelle l'Histoire : « Ceux qui prétendent qu'un Québec indépendant ne serait pas viable ne font que répéter l'argument des loyalistes qui soutenaient qu'un Canada affranchi de la tutelle britannique ne pourrait pas survivre. » David Cook, de Regina, lui enjoint de se méfier des libéraux fédéraux : « Ce sont les libéraux qui ont vendu les droits du Québec. »

Le geste de René Lévesque a jeté les minorités françaises hors Québec dans l'émoi. « Je reconnais en vous l'artisan du pays que je cherche depuis longtemps, s'exclame la franco-ontarienne Denise Archambault. Vous faites l'histoire. » Roland Parenteau, de Hornepayne, en Ontario, devient lyrique : « Grâce à vous, nous nous sommes levés, fiers d'être ce que nous sommes. Bravo René Lévesque, notre de Gaulle canadien. » Ernest Bourgault, récemment rapatrié de l'Ouest, est sans pitié : « Les minorités canadiennes-françaises sont vraiment les âmes mortes du Canada. Elles servent à faire miroiter aux Québécois l'image d'un Canada biculturel qui n'existe pas. »

Un pilote d'Ottawa, Claude Chaumont, juge durement les officiers francophones : « À part certains éléments du 22e Régiment et quelques égarés comme moi, il ne faut pas compter sur eux. Ils sont assimilés ou vendus et disent carrément qu'ils ne retourneront pas au Québec s'il devient indépendant. » André Dumont, médecin gaspésien attaché à une base militaire ontarienne, lui cite *Britannicus* pour décrire l'aliénation des Canadiens français : « Au joug depuis longtemps, ils se sont façonnés ; ils adorent la main qui les tient enchaînés… »

Claude Gravel, médecin de Sherbrooke, est formel : « Aucun peuple au monde depuis le début de l'humanité n'a réussi s'il ne possède pas ses propres leviers de commande. » Et Maurice Girard, électricien père de trois enfants, est pessimiste : « C'est notre dernière chance. Que l'on prenne une décision ou élevons nos enfants en anglais tout de suite. Excusez les fautes, de mon temps, on étudiait le catéchisme… »

Les pèlerins du nouveau monde

Quelques jours à peine après les événements du Château Frontenac, premier conciliabule des démissionnaires. Faut-il fonder un parti ? René Lévesque y songe mais, habile politicien, il laisse les autres éplucher l'idée qui, ce soir-là, ne reçoit pas un bon accueil. Après discussion, le noyau des fidèles opte plutôt pour un mouvement d'opinion.

Réginald Savoie, professeur de droit de l'Université de Montréal, qui a toujours milité dans le comté de René Lévesque, défend cette idée avec le plus d'opiniâtreté. Stratège jusqu'au bout des ongles, il est catégorique : pas de parti dans l'immédiat. La sortie de René Lévesque a été remarquée parce que digne. Il faut continuer dans cette optique, profiter des tribunes pour tester le manifeste, éviter les querelles racistes et se tenir loin des chapelles indépendantistes. Il faut commencer par aligner les hommes et définir action et stratégie.

Les premières décisions tombent rapidement. Le siège du nouveau mouvement est trouvé : ce sera, au 7491 de la rue Saint-Denis, le bureau aux murs gris dont l'atmosphère de campement convient si bien à la personnalité de son occupant, le député indépendant René Lévesque. Côté finances, des billets de 2, de 10 et même de 100 dollars affluent de partout, glissés dans des lettres d'appui. On en compte bientôt plus de 600, signe qu'un tremblement de terre secoue la province.

L'exécutif provisoire, formé des incontournables Jean-Roch Boivin, Marc Brière, Rosaire Beaulé et Pothier Ferland, recrute un permanent à 50 $ la semaine. Et comme il est déjà question de lancer René Lévesque sur les routes pour diffuser l'option, on embauche aussi un attaché de presse, à 100 $. Ce sera Pierre O'Neill, l'ex-directeur de *La Réforme* qu'Eric Kierans a congédié en purgeant l'appareil du parti de ses séparatistes.

Enfin, le fourreur Gérard Bélanger, bras droit de René Lévesque dans son comté, complète le dispositif en créant sur les débris de l'ancienne association libérale la nouvelle Association Laurier-Lévesque qui amorce un mouvement destiné à canaliser la bonne volonté et à structurer les appuis qui se manifestent. Au départ, l'association compte 54 membres en règle, tous issus du comté de Laurier.

Le 28 octobre, à Sainte-Marguerite-du-lac-Masson, au nord de Montréal, René Lévesque abat son jeu. Il annonce à la vingtaine de personnes qui ont répondu à son invitation qu'il faut former un parti politique rassemblant tous les groupes indépendantistes, et cela, avant Pâques 1968. Dans six mois, donc. Il est pressé. Parfois, il faut tirer sur les fleurs pour qu'elles poussent.

S'il n'en tient qu'à lui, le mouvement d'opinion, dont la naissance a été fixée aux 18 et 19 novembre, aura la vie très courte. Il s'agit cependant d'une première étape nécessaire pour permettre aux souverainistes de s'identifier. Le comité directeur tire des classeurs la liste des personnes qui se sont donné la peine d'écrire ou d'envoyer des sous depuis le congrès et les convoque à un Lac-à-l'Épaule* de la souveraineté, au monastère des pères dominicains du chemin de la Côte-Sainte-Catherine, à Outremont.

Ce n'est pas qu'on soit collet monté si on choisit cette salle ; c'est qu'elle ne coûtera pas un rond, gracieuseté du père Henri Bradet, qui admire René Lévesque et dirige avec humour la revue *Maintenant*. Le jour dit, ils sont plus de 400 pèlerins à se présenter : intellos, enseignants, étudiants, syndicalistes, fonctionnaires, activistes ; des gueulards, des gens très intéressants, d'autres moins. Il faut de tout pour faire un nouveau monde.

Les premiers militants de la souveraineté-association se partagent en deux catégories — sources d'ailleurs de bien des maux pour le futur parti. Il y a les libéraux déçus qui rêvent de vengeance et ne parlent que d'organisation électorale et de pouvoir. À côté d'eux, une faune issue de la nouvelle classe moyenne du secteur public dont le vocabulaire politique plus sophistiqué que celui des libéraux regorge d'expressions nouvelles comme « animation sociale » et « participation ».

---

* Rappel de la fameuse réunion de septembre 1962 où fut prise la décision de nationaliser l'électricité.

Plus jeune, plus *cool* et plus articulée que les libéraux défroqués, cette nouvelle classe sociale investira bientôt le Parti québécois. L'entourage de René Lévesque s'émerveille de l'échantillonnage, mais pas lui. « Il faudrait aller chercher autre chose que des intellectuels », observe-t-il. Où est le peuple ? Où est la province ? Trop citadine, trop jeune, pas assez représentative, cette assemblée d'Outremont.

En revanche, et il est le premier à le reconnaître, la qualité est là, et les jeunes ne sont pas bêtes du tout. Leur motivation est tellement forte qu'il se sent porté par la vague. « Nous sommes débordés », soupire-t-il à la conférence de presse qui suit la réunion.

Aussi la décision de se transformer en parti ne tarde-t-elle pas. René Lévesque vise le printemps — si la moisson des semaines de travail à venir est bonne. On fixe la cotisation à 50 ¢, c'est démocratique, et quand vient le temps de choisir un nom, un distrait suggère « Mouvement Lévesque ». Réaction immédiate des jeunes participants : pas de culte à la Mao chez nous. Le principal intéressé acquiesce : « C'est notre patente à tous, pas la mienne, je ne suis qu'un instrument. »

Des 19 appellations suggérées, l'assemblée retient « pour l'instant » celle plutôt mal tricotée, mais éloquente, de Mouvement souveraineté-association (MSA). Un psychiatre du nom de Camille Laurin a proposé Parti québécois. C'est trop tôt. Même s'il connaît peu René Lévesque, Camille Laurin a senti le souffle de l'Histoire passer sur sa vie quand le député a claqué la porte au congrès libéral. Se décrivant comme un fédéraliste fatigué, le directeur médical de l'Institut Albert-Prévost a dit à ses proches : « Moi aussi, je sors ! » Ce psy possède un curriculum de batailleur et de réformateur. Quelques années plus tôt, il a suscité un débat qui avait fait les manchettes sur le sort ignoble, injuste et déshumanisant réservé aux malades mentaux maltraités par un système de soins moyenâgeux.

Il protestait contre le régime d'aliénation carcérale qui privait les malades des secours de la science médicale et ajoutait encore à leur aliénation mentale. Mal lui en prit. Incarnation même du régime de féodalité religieuse qui, selon lui, maintenait Albert-Prévost au XIXᵉ siècle, la directrice l'avait congédié. Solidaires, les médecins de l'hôpital s'étaient tous retrouvés à la rue. Camille Laurin était descendu à Québec exposer ses griefs au premier ministre Lesage qui, ce jour-là, était flanqué d'un René Lévesque passionné par l'affaire. Leur respect mutuel, qui survivrait à des différends profonds, s'était noué dès ce moment.

Le député gaulliste se rallie

Le MSA n'est que la première pierre de l'édifice de la souveraineté, mais l'inquiétude affleure déjà sous les fanfaronnades obligées des milieux fédéralistes. Le « franc succès », *dixit* la presse, du ralliement au monastère des dominicains indique que l'émoi causé dans la population par l'éjection de René Lévesque du Parti libéral n'est pas un feu de paille. Le paria reçoit les propositions de services les plus diverses. L'avocat Antonio Lamer (aujourd'hui juge à la Cour suprême) lui offre même d'organiser les forces de l'ordre d'un éventuel Québec souverain.

Unionistes du premier ministre Daniel Johnson et libéraux de Jean Lesage savent que plus ils laisseront à René Lévesque le temps d'organiser et d'unir les nationalistes de toutes tendances, plus il leur fera mal. Son séparatisme qui inclut l'association « n'est pas tout à fait du séparatisme », ont écrit les analystes les plus clairvoyants du Canada anglais. De plus, son charisme dévastateur pénètre toutes les classes de la société peu importe le niveau d'éducation.

C'est sur ce fond de scène que René Lévesque devient commis voyageur de la souveraineté-association. Il part expliquer ce que serait un pays « normal » avec l'attaché de presse Pierre O'Neill qui l'entraîne aux quatre coins de la province dans sa vieille Barracuda. L'avion coûte trop cher et on n'y recourt que pour les destinations éloignées. À Pont-Viau, au milieu de la première tempête de l'hiver, 400 personnes l'écoutent invoquer contre la peur le proverbe chinois : « Si tu as un très long voyage à faire, la moitié du voyage, c'est la décision de l'entreprendre. »

Dans les jours suivant la fondation du MSA, on le voit partout : à Sherbrooke, à Rosemont ou à Toronto. Même à la Place des Arts où les 1 500 délégués des États généraux du Canada français lui accordent une ovation monstre dès qu'il se montre dans la première loge, près de l'avant-scène.

En Abitibi et au Lac-Saint-Jean, le nouveau leader doit gagner ses galons. À peine sait-on ce qu'est le MSA… Petit problème à Ville-

Marie, au Témiscamingue, où 200 personnes l'attendent de pied ferme. Quand il était ministre libéral d'Hydro, des ouvriers bleus ont perdu leur emploi ici. On lui coupe la parole mais, tout à coup, la magie opère. Certains soirs, son attaché de presse Pierre O'Neill est ahuri de son emprise sur la foule. C'est troublant.

Début décembre, René Lévesque file vers Sept-Îles où le Dr Roch Banville, un ami de François Aquin, a monté une assemblée monstre. C'est le pays des métallos où Pierre Bourgault a failli se faire élire en 1966. Autour du chef du MSA, il s'en trouve pour penser que l'adhésion du « député gaulliste » Aquin à la souveraineté-association ferait franchir un grand pas à l'unité indépendantiste. Le Dr Banville a donc suggéré à son ami François : « Viens avec nous à Sept-Îles, loin de la grande ville, vous pourrez vous parler, toi et René… »

Après sa démission du Parti libéral, François Aquin était disparu du cercle des intimes de René Lévesque et avait poursuivi seul sa route. Dernièrement, à la reprise de la session parlementaire, il avait expliqué dans un grand discours lyrique pourquoi il avait accepté la main tendue du général de Gaulle, venu au Québec pour offrir son aide et non pour dire aux Québécois quoi faire ou quoi penser. Allusion à peine voilée à l'attitude de René Lévesque.

Sa démonstration avait donné des frissons aux nationalistes du Parlement : « Dans 20 ans, dans 50 ans, quand le Québec sera devenu une patrie libre et qu'il aura tendu la main aux autres territoires libres d'Amérique, des hommes et des femmes viendront dans cette enceinte et se poseront une seule question à notre sujet : est-ce que c'étaient des hommes libres ? »

Ravi de l'entendre, le premier ministre Johnson avait déroulé le tapis rouge sous ses pieds alors que Jean Lesage, évanoui dans le brouillard de la Gaspésie, s'était fait excuser. Même s'il n'avait pas prisé qu'il fasse cavalier seul, René Lévesque était venu écouter son discours, « d'une grande élévation de pensée » avait dit la presse.

Par la suite, François Aquin avait parcouru la province, se radicalisant d'une assemblée à l'autre. Mais la popularité de René Lévesque l'écrasait. L'autre faisait à tout coup la une alors que lui se retrouvait à la rubrique des faits divers. Il avait fini par repenser son superbe isolement de sphinx qui le portait à dénigrer ses alliés naturels. N'était-il pas en train de faire le jeu des fédéralistes ? La pression de ses amis avait fini par avoir raison de son obstination.

À Sept-Îles, avant l'assemblée, il fait la paix avec un René Lévesque prêt à passer l'éponge. François Aquin met comme condition la création d'un front commun avec le RIN de Pierre Bourgault. Mais, sur la question des droits de la minorité anglaise, sujet brûlant qui hantera des années durant le paysage souverainiste, les deux hommes restent sur leur position respective.

« Je me battrai aussi fort pour les droits des anglophones que pour la souveraineté », affirme René Lévesque durant la soirée, alors que son nouvel allié Aquin croit plus que jamais que ce qu'on appelle les « droits des Anglais » ne sont pas des droits, mais des privilèges arrachés par les armes et qu'il convient de circonscrire sans fausse pudeur démocratique.

Autrement dit, le ver est dans la pomme au moment où René Lévesque file tout droit vers la fondation du Parti québécois.

CHAPITRE XXXIII

Je suis libre de rentrer chez moi

Un Québec souverain ne saurait exister sans être juste envers sa minorité anglophone.

RENÉ LÉVESQUE, avril 1968.

L'embryon souverainiste se développe si rapidement que Pothier Ferland, le vieil avocat rouge marqué par les longues et stagnantes années duplessistes, met René Lévesque en garde : « Ça va trop vite ! » Chez les dominicains, quand le MSA est né, on était 400. En janvier 1968, le trésorier Reynald Brisson compte 700 sympathisants qui ont cotisé et 1 300 autres qu'il faudrait inviter à contribuer. Au printemps, on sera plus de 7 000.

René Lévesque dresse un tableau nuancé du progrès du MSA. La souveraineté a bonne presse, un courant de sympathie est créé, l'accueil est chaleureux en tournée et encourageant le nombre d'adhérents. Mais un fonctionnement incohérent, les problèmes de locaux et de personnel, l'incertitude financière et le manque de communication gênent l'élan.

Qu'à cela ne tienne, le bénévolat fera des miracles. Un drôle de moineau se pointe à son bureau, rue Saint-Denis. C'est un prof de sciences politiques dans la trentaine, franco-ontarien d'origine, qui ne jure que par l'indépendance... et la recherche. Teint rosé, allure de Tintin, théoricien de la participation, André Larocque joue les

Socrate auprès d'une brochette d'étudiants de l'Université de Montréal qu'il initie à la politique.

L'un d'eux, Claude Charron, fait très *flower power* avec son épaisse chevelure bouclée et un discours joualisant qui soulève les jeunes sur les campus. Un parcours fulgurant et pathétique l'attend au sein de l'équipe Lévesque. Autre émule de la chapelle Larocque, Michel Carpentier, qui a assisté, comme les deux premiers, à la conférence de presse de l'hôtel Victoria. Le futur « Paul Desrochers » du PQ a été tellement impressionné qu'il a écrit, le lendemain, à René Lévesque pour lui offrir ses services.

« La recherche, c'est ma marotte, annonce André Larocque à celui-ci. Si vous allez vers un parti, il faut vous équiper, ramasser de la documentation, vous abonner au moins au *Devoir*...

— On n'a pas une cenne ! monsieur Larocque. Abonnez-vous au *Devoir* si vous voulez, mais c'est vous qui payez et vous fournissez aussi le papier et les crayons ! »

Flanqué de sa bande d'étudiants dégourdis, cet activiste élevé dans la tradition libérale canadienne-française de l'Ontario se met à l'œuvre. En se séparant des libéraux, André Larocque a rejeté leurs méthodes d'action politique voulant que la décision descende du sommet vers la base, qui n'a qu'un rôle de *rubber stamp*. Il aspire à un vrai parti démocratique axé sur la participation des militants.

Il émaille son vocabulaire d'un jargon qui tranche avec le discours libéral : conscientisation, dialogue, animation, contestation, démocratie de participation, cogestion, monde ordinaire... Tout l'attirail idéologique de la future faction radicale du Parti québécois est en train de naître. Pour distiller l'esprit nouveau, quitte à bousculer René Lévesque, le politologue accouche d'un slogan évocateur pour son centre de recherche : « Une information systématique pour une participation authentique ».

Cela dit, l'évangile participationniste d'André Larocque n'inspire guère les avocats et les universitaires accrochés aux méthodes d'action libérales qui guident les premiers pas du chef souverainiste. Peu avant Noël, voulant aboutir à du concret avant le congrès d'avril, on discute programme, organisation et orientation. L'un des lieux de rendez-vous est le Club des scribes, en face de la Palestre nationale. Blague rituelle : « Il faut se faire des muscles avant de s'embarquer dans cette aventure. »

Le comité directeur que préside René Lévesque se donne une commission politique calquée sur celle du Parti libéral. Formée de sept personnes, elle chapeaute le travail de quatre ateliers — économie, culture, société et politique — chargés de définir la philosophie commune qui fait encore défaut au MSA. Mais autour de la table, il y a trop d'avocats et d'universitaires au goût du chef.

C'est connu, il a une dent contre les gens de robe et l'homme d'action qui sommeille en lui craint l'académisme comme la peste. « Vous aurez toujours besoin de nous ! » ironise « Me » André Brossard. Huit des 11 membres de l'atelier politique enseignent ou pratiquent le droit. Les trois autres sont Juliette Barcelo, spécialiste de l'immigration, André Larocque et Guy Bourassa, tous deux politologues. Sous la direction de Réginald Savoie, les politiques creusent en priorité la question de l'accession à la souveraineté dont Jacques Brossard, un autre professeur de droit, devient le grand expert.

Comment devient-on souverain ? La souveraineté se justifie-t-elle dans le cas du Québec ? Les précédents étrangers de la Norvège et de l'Irlande sont-ils comparables au cas québécois ? Quelles mesures transitoires faut-il prévoir durant la négociation avec le Canada ? On doit fouiller aussi les questions de frontières, d'intégrité territoriale, d'immigration et celle du traité d'association avec le Canada.

Pierre Carignan, diplômé en économie de Harvard, dirige l'atelier économique. Un réaliste, qui a jeté une douche froide sur la tête des pressés et des rêveurs lors d'une discussion au club de pêche Winchester, près de Shawinigan. La marche vers la souveraineté serait longue, coûteuse et douloureuse, a-t-il prédit. Il faudrait se montrer étapiste, ne pas jouer aux purs et rechercher toutes les ententes possibles avec Ottawa d'ici le grand soir. Son atelier comprend des économistes comme Pierre Harvey et Jean-Guy Loranger, et deux courtiers : Michel Parizeau, frère de Jacques, et Guy Joron, prospère agent de change à la Bourse.

Leur menu est chargé. Il faut mesurer les inconvénients de la souveraineté-association : perte des économies d'échelle, déménagement des sièges sociaux — pas nécessairement coûteux —, dépenses aujourd'hui partagées avec Ottawa qu'il faudra assumer à 100 pour cent. De plus, en coordonnant les politiques monétaires et fiscales avec le reste du Canada, la nécessité d'un marché commun s'imposera. Enfin, l'atelier devra choisir entre un régime capitaliste ou socialiste.

Quant à l'atelier culturel, animé par Jean Blain, professeur de littérature, et par le journaliste Jean-Marc Léger, que Claude Ryan a expulsé brutalement de la page éditoriale du *Devoir* après son adhésion au MSA, il se mesure au *casus belli* par excellence : langue et droits de la minorité. Les Doris Lussier, Andrée LeRoy, épouse de François Aquin, Monique Marchand, Guy Rocher et Pierre Perrault, le cinéaste des *Voitures d'eau*, essaient tant bien que mal de s'entendre. Deux camps se dessinent — les modérés et les radicaux — dont l'éternelle bisbille dominera longtemps la vie du futur parti.

Les modérés soutiennent que le français doit être prioritaire mais qu'il faut maintenir un secteur anglophone subventionné. Les autres répondent que la raison même de l'indépendance, c'est le français langue unique pour tous les Québécois, dans tous les secteurs de la vie, après cependant une période de transition pour la minorité anglophone. Le différend indique que le congrès d'avril risque d'être animé.

Il y a enfin l'atelier social qu'orchestre l'avocat Raymond Lachapelle. Les Camille Laurin, Maurice Jobin, Jean-Roch Boivin et Fernand Daoust, syndicaliste de la FTQ, examinent les idées de revenu garanti et d'assurance-maladie. Ils élaborent un manifeste pour une société québécoise nouvelle, conformément aux utopies libératrices des années 60. Idée implicite : l'indépendance doit déboucher sur une transformation profonde de la société, sinon aussi bien s'accommoder du fédéralisme.

Toutefois, la future société idéale ne doit obéir à aucune idéologie de droite ou de gauche. Elle proclamera l'égalité de tous, se portera garante de tous les droits, appliquera des normes communautaires et reposera sur une économie sociale dont le pivot dynamique sera l'État. Il y a encore un autre atelier, plus terre-à-terre, celui de la propagande, où les journalistes Pierre O'Neill et Jean-V. Dufresne s'initient à la publicité partisane avec les écrivains Claude Jasmin et Jacques Godbout.

Au début de l'hiver 68, pendant que l'académie continue de transpirer sur des textes d'orientation sidérants à présenter au congrès d'avril, René Lévesque se fait écrivain. Il lance, au restaurant Prince-Charles à Montréal (toute la ville est là) *Option Québec*, petit dictionnaire de la souveraineté-association, dont 50 000 exemplaires s'envolent.

L'aventure littéraire du chef n'a pas été une partie de plaisir pour Pothier Ferland, qui en a assuré la supervision. Réfractaire au culte de la personnalité, René Lévesque a refusé mordicus qu'on plaque sur la couverture du livre une photo de lui en train de déguster son mégot. Il a finalement dû se résigner, l'avocat Ferland lui ayant fait remarquer qu'il ne pouvait pas se cacher vu que c'était lui, et non un illustre inconnu, qui traînait le Québec sur ses épaules…

La thématique du « pays qu'on peut faire » traverse *Option Québec*, qui reprend l'essentiel du manifeste qu'il a défendu en pure perte devant les libéraux au congrès d'octobre dernier. En conclusion, René Lévesque lance un nouvel appel : « C'est la chance indispensable que nous Québécois devons nous donner, après tant d'autres peuples, de bâtir par et pour nous-mêmes le pays que nous voulons. »

Au début du livre, on trouve le cri du cœur d'un certain général que l'auteur ne désavoue plus et, en annexe, comme un présage à son adhésion, le discours de Jacques Parizeau à Banff, à l'automne 1967, coiffé du titre « Québec-Canada : en plein cul-de-sac ». L'épilogue est du poète-cinéaste Pierre Perrault fasciné par le thème de la dépossession : « Je n'étais jamais chez nous. N'importe qui aurait pu me dire : "Va-t'en chez vous", mais je ne savais pas où aller quand on me disait : "Va-t'en chez vous"… »

Au nom de la minorité

René Lévesque passe l'hiver et le printemps 1968 à parcourir l'Abitibi, la Mauricie, le Bas-du-Fleuve et la région de Québec pour faire connaître *Option Québec*. Un rythme de fou qui l'essouffle. « Compte tenu de la résistance limitée de M. René Lévesque… » ironise-t-il au cours d'une séance de planification où il en profite pour reprocher au numéro deux du MSA, François Aquin, son manque de disponibilité.

La machine grossit si vite et si mal que les anciens libéraux grincent des dents devant l'improvisation, l'organisation déficiente et la faiblesse de l'information. René Lévesque fait écho à leur frustration : « On subit plus de pression populaire que prévu. Les syndiqués en particulier me posent des questions. Il faut répondre. À la radio, les gens ne me questionnent plus sur la souveraineté, ils veulent savoir ce qu'il y a dedans. Notre travail d'équipe fait défaut et nuit au mouvement. »

Parfois il fait la leçon aux orateurs débutants qui ignorent les subtilités du discours politique. À Joliette, Jean-Roch Boivin annonce à la foule qu'il se battra 20 et même 30 ans pour l'indépendance, s'il le faut. Au retour, René Lévesque lui fait remarquer que d'évoquer des horizons aussi lointains risquait de faire fuir les sympathisants plutôt que de les attirer.

Au printemps, malgré les ratés, l'intérêt créé par René Lévesque autour de l'idée de souveraineté est à son maximum. Fort de ses 7 274 membres cotisants, le MSA a pris souche dans tous les comtés. Le vendredi 19 avril, 1 700 délégués mettent le cap sur l'aréna Maurice-Richard, à Montréal, où débute le premier congrès souverainiste. Le MSA a le vent dans les voiles. Si l'on en croit un sondage du *Devoir,* il récolterait déjà 20 pour cent du vote populaire. Uni aux deux partis indépendantistes, le RIN et le RN, il ferait 30 pour cent.

Pour René Lévesque, ce congrès est capital. Il faut adopter des structures, définir l'orientation et décider quand le MSA se transformera en parti politique. Afin d'éviter tout dérapage, et quitte à retarder la séance d'ouverture, il revoit tous les documents avec André Bellerose, son secrétaire général, qu'il vient de recruter pour stopper le cafouillis administratif.

Le samedi, il y a autant de personnes dans les gradins (il en défilera pas moins de 7 000 durant les assises) que dans l'arène, réservée aux délégués officiels qui, zélés comme des bénédictins, épluchent stylo à la main les documents d'orientation soumis par l'exécutif du MSA.

Des délégués à l'image d'un mouvement qui colle au Québec jeune et imaginatif des années 60. La moitié a moins de 30 ans et le quart est constitué d'étudiants. Les professionnels forment 21 pour cent de l'effectif, les cols blancs, 19, les travailleurs, 17 et les commerçants, 10. Les trois quarts du membership sont de Montréal. La pénétration en province reste à faire.

La studieuse assemblée s'anime soudain quand la question de la langue vient sur le tapis. Délégué au micro par René Lévesque, l'avocat Marc Brière défend la résolution de l'exécutif qui résume son credo incompressible. Au Québec souverain, le français sera la seule langue officielle de l'État et du travail. L'école publique sera française et accueillera les immigrants, mais un secteur scolaire anglophone financé par l'État subsistera. Et de plus, l'anglais aura droit de cité dans les rapports de la minorité avec l'administration publique.

Avant le congrès, François Aquin a averti son chef : « Je vais combattre cette résolution. Chez les libéraux, nous voulions un parti pluraliste qui accepte les divergences d'idées. Défendez vos positions, je défendrai les miennes. »

Sa position, il n'en a jamais fait mystère. Ce que le discours officiel appelle les « droits » des anglophones ne sont pas des droits historiques, mais des privilèges. En conséquence, l'unilinguisme français doit s'imposer partout, même à l'école. Cette thèse est aussi celle des étudiants contestataires, des extrémistes de la mouvance felquiste et des rinistes de Pierre Bourgault qui peuplent les estrades. Avant le congrès, 1 500 rinistes ont pris leur carte du MSA dans le but d'influencer l'orientation du mouvement.

François Aquin propose à l'assemblée de biffer du préambule de la résolution les mots « ce peuple du Québec doit aussi se faire un point d'honneur de témoigner un grand respect pour les droits de son importante minorité linguistique aux racines fort anciennes ». Les estrades approuvent l'amendement de l'orateur de 39 ans. Pour René Lévesque, ce trait de crayon devrait figurer au registre de l'intolérance. Le pire, c'est que la thèse Aquin séduit aussi le parquet où sont massés les délégués.

Le vote sur l'amendement, 418 pour, 240 contre, désempare René Lévesque. François Aquin se lève et lit un nouvel amendement dont le libellé lui indique le danger extrême que court le MSA : « Seul le système d'éducation publique de langue française à tous les niveaux sera subventionné par l'État. » François Aquin a une conception française de la nation. Ce ne sont ni la race ni l'idéologie qui la créent, mais la langue commune et la culture. À ses yeux, René Lévesque tombe dans une confusion grave en refusant de distinguer entre le droit pour la minorité de faire éduquer ses enfants en anglais mais à ses frais et celui de le faire dans des écoles subventionnées par l'État.

« Si on ne veut pas se retrouver Gros-Jean comme devant dans un autre Québec bilingue, soutient François Aquin, il ne faut financer qu'un seul système scolaire, celui de la langue de l'État, le français. »

René Lévesque est atterré. La proposition Aquin vise à assimiler de force la minorité anglaise. Lui, il fonde sa position sur trois principes : justice, confiance en soi et réalisme politique. Il ne faudrait pas, après l'indépendance, raisonner encore comme des complexés. Supprimer l'aide financière au secteur scolaire de la minorité serait isoler le Québec derrière le mur de la honte. On ne répare pas l'injustice par l'injustice. Certes, les provinces anglaises se conduisent depuis toujours de façon odieuse envers leur minorité française, et il est évident que la minorité anglaise québécoise abuse de ses privilèges, comme le montre le cas de l'université McGill, une véritable université étrangère au service des Ontariens et des Américains, financée avec l'argent québécois. Mais faut-il pour cela devenir revanchard et déclencher une guerre de religion ?

François Aquin le laisse perplexe. Il admire le politicien brillant et cultivé qui a combattu à ses côtés les éléments rétrogrades du Parti libéral. Mais sa passion pour l'unilinguisme absolu qui ne tient pas compte du contexte nord-américain et des droits acquis a tourné à l'obsession. Ses idées sont un poison dangereux pour le MSA, qui ne peut en aucun cas courtiser l'extrémisme sous peine de mort.

Dès l'instant où il attrape le micro, René Lévesque sait qu'il ne militera jamais dans un mouvement raciste. Dans ses mémoires, il avouera : « Je me résignai pour la première fois, qui fut loin d'être la dernière, à mettre ma tête en jeu. » Mais avant d'en arriver là, il veut convaincre : « L'amendement est un aveu d'infériorité et d'impuissance et une condamnation à terme de la minorité anglaise du Québec. Un Québec souverain et libre ne saurait exister sans être juste envers sa minorité anglophone... »

Le concert de sifflets et de huées qui monte du parquet et descend des gradins enterre sa voix. Cette réaction carabinée est la preuve pour lui que rinistes et radicaux ont noyauté le congrès. Pothier Ferland fixe un barbu assis au premier balcon, derrière Jean-Roch Boivin qui préside les débats. Il gueule comme un putois, ne ménageant ni les simagrées, ni les qualificatifs de « bourgeois » et de « vendu ». Pendant la crise d'octobre 1970, voyant la tête de Paul Rose dans les journaux après l'assassinat de Pierre Laporte, Pothier Ferland reconnaîtra son chialeux d'avril 1968.

Du haut de ses 20 ans, un étudiant crie à des journalistes : « Nous, on en a assez de la modération. On marchera avec Lévesque s'il est le seul à pouvoir nous donner le pouvoir, mais après, on saura quoi faire... »

Des délégués qui veulent faire taire le chef crient au président Boivin qu'il a dépassé son temps de parole. « Écoutez, objecte René Lévesque au milieu du tintamarre. Accordez-moi quelques secondes de plus, mon nom a quand même été attaché à ce mouvement… » L'argument porte. Une ovation ramène l'assemblée à la raison. Mais un quidam outré crie à pleins poumons en dévalant les gradins : « Impérialisme de prestige ! » L'orateur en profite pour asséner le coup de grâce aux radicaux : « Adopter l'amendement équivaudrait à fermer les portes du MSA à des milliers de nos compatriotes. Le résultat du vote va demander une période de réflexion de ma part… Je suis libre de rentrer chez moi. »

La menace a raison des hésitants. L'amendement est rejeté par 481 voix, contre 243. François Aquin se rallie mais sans capituler. Il a laissé des plumes mais l'affrontement prouve qu'il inspire une fraction importante du MSA. René Lévesque a eu chaud. Ce duel sur la langue a failli faire dérailler le futur parti. En revanche, il distingue mieux maintenant les factions qui composent sa nouvelle famille politique.

La société souverainiste idéale

La bombe linguistique désamorcée, les délégués adoptent le « premier programme de la République du Québec », selon l'expression de René Lévesque. Le constitutionnaliste Jacques Brossard l'a articulé à même les textes d'orientation des ateliers. Fils de juge, attaché depuis 1964 à l'Institut de recherche en droit public de l'Université de Montréal, où s'activait Pierre Trudeau avant son entrée en politique, c'est un nouveau converti. Avant l'université, il a été haut fonctionnaire aux Affaires extérieures du Canada, mais l'esprit francophobe qui y régnait a eu raison de son fédéralisme et de sa bonne volonté.

Avant d'accoucher du texte d'orientation qui a inspiré les résolutions soumises au congrès, ce grand échalas de 35 ans à la sensibilité de romancier — il le deviendra d'ailleurs — a prodigué ses conseils au chef. Celui-ci devait éviter les mots qui font peur comme indépendance, socialisme, laïcisme ou État français. La république souverainiste devait tenir compte de la mentalité des Québécois.

Comme tout autre peuple, lui a-t-il rappelé, celui-là a des qualités et des défauts. Il possède le sens de la communauté, du sacré, du réel, de l'appartenance à un sol. Il est tenace, généreux, solidaire, il a soif de liberté et en même temps besoin d'autorité. En revanche, ce peuple a la résignation servile et cède facilement à la peur et à la corruption. Il est vulgaire, matérialiste, ethnophobe et souffre de dégénérescence linguistique et culturelle. Dans l'adversité, il se réfugie dans l'évasion romantique stérile. Ces défauts ne sont pas innés mais sont le fruit d'une abominable histoire de conquis à laquelle la souveraineté mettra fin.

Mais ce pays souverain, quel visage aura-t-il ? D'abord, le français, de qualité internationale pour éviter le ghetto, sera la seule langue officielle de l'État et de l'ensemble des institutions publiques. Ce pays de parlants français respectera les droits linguistiques de sa minorité, tout en orientant les immigrants vers l'école française.

Le programme adopté par le MSA prévoit aussi que l'éducation, même supérieure, devra être accessible à tous, sans égard à la richesse. L'obligation scolaire sera étendue jusqu'à 18 ans et l'aide aux étudiants sera complétée par des bourses de subsistance et un régime de présalaire. Enfin, pour former une main-d'œuvre compétente, il faudra développer de toute urgence l'enseignement technique supérieur par la création d'universités et d'instituts.

L'information servira l'intérêt général et non plus seulement les magnats de la presse et leur mercantilisme. L'État contrôlera rigoureusement l'activité du secteur privé pour s'assurer de la qualité du français et empêcher la publicité de dégrader la culture et d'intoxiquer la morale. Le catalogue des promesses républicaines contient aussi la création d'une agence de presse québécoise, ainsi qu'une aide à l'essor du cinéma et de la culture populaire.

En matière sociale, l'utopie est aussi généreuse. Droits égaux pour tous, peu importe la langue, l'ethnie, le sexe ou la religion. Primauté du travail, protection accrue du consommateur, hausse du salaire minimum, équité salariale, correction des inéquités fiscales, régime universel et obligatoire d'assurance-maladie, compensation des charges familiales…

La société souverainiste sera aussi férue d'étatisme que le Québec de la révolution tranquille. Planification comme remède au sous-développement économique, étatisation des entreprises de services publics, mise en valeur et transformation sur place des richesses naturelles, décentralisation régionale, développement de l'élevage et de l'agro-alimentaire, exploitation maximale des avantages économiques conférés par le voisinage américain.

Enfin, l'ambitieux volet politique inclut l'établissement d'un régime présidentiel, l'adoption d'une constitution québécoise, la négociation pacifique de la souveraineté avec Ottawa, assortie d'un traité d'association économique avec le Canada, la création d'un véritable ministère des Affaires étrangères, l'ouverture de missions diplomatiques dans les pays francophones et le retrait des alliances militaires de Norad et de l'Otan.

Le congrès vaut à René Lévesque 3 000 nouveaux partisans en dépit « du désastre avec lequel il a flirté », comme l'écrit l'éditorialiste de *L'Action*, Laurent Laplante, préoccupé par l'affrontement linguistique. Le *Globe and Mail* s'étonne de la lourdeur du contrôle étatique qui tombera sur un Québec souverain. Drôle de façon d'aspirer à l'indépendance que de passer la camisole de force à l'individu ! Enfin, dans *La Presse,* Renaude Lapointe se demande pourquoi le MSA se gargarise tant avec le mot association quand « on n'est aucunement sûr que l'autre sera d'accord ».

Des radicaux neutralisés par la modération linguistique du MSA retournent leur carte de membre. Trois militants du comté de François Aquin sont déçus : « On n'aime pas les moutons. » Raymonde Couillard, de Montréal, écrit à René Lévesque : « Même si vous leur offrez les meilleures garanties possibles, je doute que les Anglais votent pour l'indépendance. » L'infirmière Jacqueline Dugas, qui a travaillé 20 ans dans les hôpitaux de New York, lui communique son indignation. Elle a postulé un emploi au registre des infirmières, rue Bishop, où elle s'est fait répondre que les hôpitaux anglais « avaient leur quota de Français ». Renversée, elle dit au chef souverainiste : « Ne croyez-vous pas que c'est de la discrimination ? »

Al Cohen, courtier immobilier de l'ouest de Montréal, doute que les Canadiens français se séparent un jour. Il a demandé à une brave vendeuse francophone du grand magasin Morgan s'il devait s'adresser à elle en français. Elle lui a répondu qu'elle s'en fichait car elle était canadienne avant tout ! Al Cohen menace ensuite René Lévesque : « Les Anglais ne vont pas se croiser les bras et vous regarder faire, monsieur Lévesque. On vous réserve des surprises ! »

Pendant ce temps, les services de renseignement américains

Au congrès libéral de 1966, le franc-tireur anime avec Eric Kierans, au centre, les réformistes qui luttent contre le financement secret du parti. À droite, Marc Brière, et, debout, Rosaire Beaulé. *Collection Pierre O'Neill.*

La saison libérale de René Lévesque s'achève avec le congrès orageux d'octobre 1967 qui rejette son manifeste souverainiste. *Collection Pierre O'Neill.*

La route sera longue. Aussi René Lévesque ne ménage pas son temps et parcourt la province pour prêcher son nouveau credo souverainiste. À l'extrême gauche, François Aquin, fugitif numéro deux du Mouvement souveraineté-association (MSA). *Collection Pierre O'Neill.*

Moment survolté, que René Lévesque tente d'apaiser, au congrès de fondation du Parti québécois, du 11 au 13 octobre 1968, à Québec. *Collection Pierre O'Neill.*

« Laissez-moi réfléchir… », semble dire le futur chef du PQ en écoutant les arguments d'un militant. *Collection Pierre O'Neill.*

En attendant la reprise des débats, René Lévesque devise avec Gilles Grégoire, chef du Ralliement national gagné à sa cause, pendant que Jacques Parizeau et Claude Charron demeurent dans l'expectative. *Le Journal de Montréal.*

René Lévesque en compagnie de deux des premières têtes d'affiche du Parti québécois : Camille Laurin, à gauche, et Jacques-Yvan Morin. *Le Journal de Montréal.*

Précédent au congrès de 1971, André Larocque, assis entre René Lévesque et Gilles Grégoire, conteste, mais en vain, le leadership du chef. Deuxième rangée, à gauche, Pierre Renaud, trésorier du PQ. À l'avant-plan, accroupi à l'indienne, Claude Charron. *Archives nationales du Québec.*

À l'automne 1968, en même temps qu'il crée son propre parti, René Lévesque a le coup de foudre pour Corinne Côté, une enseignante d'Alma, au Lac-Saint-Jean. *Archives nationales du Québec.*

En vacances à Paris en 1972. *Archives nationales du Québec.*

Avec Corinne Côté, un soir de triomphe. *Archives nationales du Québec.*

veillent au grain, comme toujours. Thomas L. Hugues, du Bureau of Intelligence, envoie au secrétaire d'État américain une longue analyse qui encense René Lévesque — « *a moderate* ». L'indépendance a trouvé un leader crédible et respectable : « Son plaidoyer en faveur de la souveraineté repose sur le simple bon sens et est dépourvu de cette xénophobie revancharde qui est souvent le lot des séparatistes extrémistes. »

Mais la querelle au sujet de la langue montre que le leadership de René Lévesque est menacé, même si, électoralement parlant, il ira chercher au moins le quart des suffrages ; car dans une province où la moitié de la population a moins de 25 ans, sa percée chez les jeunes lui donne des ailes. Pour arrêter la montée du mouvement indépendantiste, se demande enfin Thomas L. Hugues, le Canada anglais est-il prêt à reconnaître le statut particulier du Québec, ce minimum réclamé par les nationalistes modérés ?

CHAPITRE XXXIV

La fille d'Alma

*Comme c'est possessif l'amour ! Je te veux toute
à moi et je sacre contre tout ce que je n'ai pas
vécu de toi.*

RENÉ LÉVESQUE, lettre à Corinne Côté, Noël 1968.

René Lévesque ne perd pas de vue l'avenir de la nation. Mais
au cours d'une conférence de presse, il sent braqués sur lui
les yeux intenses de Corinne Côté, une grande brune de
type amérindien qui deviendra sa deuxième femme. C'est une fille
d'Alma où, comme le veut la légende, il y a sept femmes pour un
homme. Le jour où la timide Corinne sortira de l'ombre, les connais-
seurs diront : « C'est normal qu'elle soit belle, elle vient d'Alma. »

Corinne Côté est passionnée, entière mais avide de liberté… et
de discrétion. Elle a 21 ans de moins que René Lévesque, ce qui
inquiétera son amoureux et le rendra follement jaloux des regards
masculins trop appuyés. Elle est née le 10 novembre 1943 à Alma au
Lac-Saint-Jean, ville ouvrière de 25 000 âmes qui doit son nom au
fleuve de Crimée où les Franco-Anglais battirent les Russes en 1854,
victoire que commémore aussi le pont de l'Alma, à Paris. Avec ses
deux usines, sa dizaine de patrons anglais et sa population largement
francophone, l'Alma de son enfance obéissait au modèle colonial
typique des petites villes industrielles du Québec.

Corinne vient d'une famille on ne peut plus canadienne-française. La mère, Irma Côté, Tremblay de son nom de jeune fille (il fallait bien une Tremblay dans cette histoire puisqu'on est au Lac-Saint-Jean), exerçait une autorité incontestée sur ses six enfants : quatre garçons, Fernand, Jean-Guy, Marcel, Florent, et deux filles, Lorraine, l'aînée, et Corinne. En 1953, le père, Roméo Côté, contremaître à la papetière Price, avait fait l'acquisition d'une maison familiale, rue Francœur. C'est là, à 10 ans, que Corinne avait découvert sa condition de *Canayenne,* quand son père était un soir rentré du travail profondément humilié. La compagnie l'avait rétrogradé au rang de simple ouvrier à la suite d'un différend avec un supérieur anglophone.

Cet incident avait provoqué chez la fillette une prise de conscience qui n'est pas étrangère à son évolution ultérieure vers l'indépendantisme.

Au couvent Marguerite-Bourgeoys, où elle fait ses études primaires et secondaires, elle est première de classe. En 1959, ses bonnes notes lui valent une bourse d'études qui la conduit au couvent Saint-Roch, dans la basse ville de Québec. Mais le climat déprimant du pensionnat, l'environnement urbain épouvantable (en face se trouve une taverne bruyante où les paumés du quartier viennent boire leur paye) et la nostalgie de son Alma natale la ramènent à la maison après seulement deux semaines.

Irma Côté fait une colère de Tremblay. Mais sa fille ne manque pas de détermination et finit toujours par faire à sa tête. En 1960, voulant devenir enseignante, elle entre à l'École normale d'Alma en vue d'obtenir le brevet B. Son professeur, Paul Gagnon, la remarque. « C'était une fille brillante et intelligente qui avait du leadership, dira-t-il plus tard. Elle était populaire auprès de ses camarades et a même été la conseillère de la classe de 21 finissantes. »

Corinne Côté entame sa carrière d'enseignante, à 19 ans, à l'école primaire du Saint-Sacrement d'Alma. Elle enseignera quatre ans, tout en faisant du théâtre dans la troupe Ay'Relle et en courant les garçons, naturellement. La directrice de l'école, sœur Saint-Pierre, la trouvait « très colorée mais paisible ». Pas du genre à s'en laisser imposer par ses élèves. Quand il lui faut punir, elle place le pupitre de l'écolière fautive à côté du sien.

Convaincu qu'il n'est pas interdit aux prêtres de regarder les femmes, l'aumônier de l'école, le curé Prescot, l'adopte. « C'était une belle fille, un peu gênée au début, avec une bouche souriante et de petites dents d'en avant qui lui donnaient un air moqueur », se rappellera plus tard le religieux qui aime bien la taquiner : « Il me semble qu'il y a longtemps que je ne t'ai vue à la messe… »

Sylviane Savard, une collègue enseignante, se souviendra de Corinne Côté comme d'une femme émancipée et ouverte d'esprit. Assez pour se mêler aux indépendantistes de la région et servir d'escorte au chef du RIN, Pierre Bourgault, à l'occasion d'une tournée à Chicoutimi. Craignant que l'orientation sexuelle du visiteur ne fasse problème auprès de militants trop prudes, l'ami de Corinne, Gérard Claveau, l'avait priée de se dévouer pour la cause et de sauver les apparences en accompagnant Pierre Bourgault.

Bientôt l'enseignement, qui exige d'elle une vitalité de tous les instants, perd sa magie. De plus, elle ne sait pas s'y prendre avec les enfants. L'université, ce privilège réservé aux mâles de la famille Côté, l'attire et le chemin le plus court pour y arriver est de passer un bac en pédagogie, ce qui demande trois ans d'études. En 1966, à 23 ans, Corinne quitte Alma pour étudier chez les ursulines du couvent Mérici, à Québec.

Deux ans plus tard, le destin, et René Lévesque, modifient radicalement le plan de sa carrière et de sa vie amoureuse. Son soupirant du moment, Pierre Clément, un gars du MSA, est un habitué du restaurant L'Aquarium, en face du Château Frontenac. Tout ce que la Vieille Capitale compte de politiciens et de journalistes en devenir s'y donne rendez-vous pour commenter la dernière rumeur, flirter et savourer une fondue suisse.

C'est là que René Lévesque éprouve, à 46 ans, un coup de foudre pour la fille d'Alma. Dans ses mémoires, il fait montre d'une grande discrétion sur les circonstances de sa rencontre avec elle, se contentant d'évoquer sa mini-jupe qui l'avait ébloui, la finesse de son intelligence et son « mince visage mangé par d'immenses yeux de braise ». C'est ce même regard pénétrant qui fait alors dire à Gérard Claveau qu'elle écoute autant avec ses yeux qu'avec ses oreilles.

Ces yeux-là séduisent aussi Jean Garon, futur ministre de René Lévesque, qui milite au Ralliement national, tout en enseignant l'économie à l'université Laval. Chaque fois que Corinne met les pieds à L'Aquarium, il lui fait une cour assidue qui ne débouchera cependant jamais sur une relation amoureuse. Avec René Lévesque, les choses iront autrement.

Ce nouvel amour tombe bien pour lui. Il vit un second départ politique auquel sa femme, Louise L'Heureux, refuse de s'associer, introduisant un élément de rupture de plus dans leur union maintenant vieille de 20 ans.

Un beau jour, donc, Corinne se retrouve à L'Aquarium avec la bande de courtisans qui entourent le chef souverainiste. Son amie Aline, qui l'accompagne avec Pierre Clément, se meurt d'amour pour René Lévesque. Comme la place à sa gauche est libre, Corinne s'éclipse vers les toilettes pour donner à son amie la chance de l'occuper. Hélas ! au moment où Aline veut s'asseoir à côté de son idole, ladite idole laisse tomber sèchement : « C'est la place de Corinne ! »

Voilà comment se noue leur passion, sous les regards dépités d'Aline et de Pierre Clément, relégués tous deux à l'extrémité de la table. Voyant le manège du séducteur, un ami souffle à l'oreille de l'amoureux délaissé : « Mon vieux, tu viens de perdre ta blonde... » Le lendemain, René envoie à Corinne un premier billet doux. Mais elle a déjà le béguin. Elle est séduite par sa simplicité et son charme fou, peut-être aussi par le turquoise de ses yeux — « eau de vaisselle », disait plutôt sa mère.

Une sortie ou deux, puis les choses en restent là. Les jours, que Corinne trouve de plus en plus longs, passent. Plus rien, pas même un téléphone. Elle se sent — déjà — négligée. Enfin elle reçoit une invitation à dîner sur du papier à lettres portant l'en-tête de l'hôtel Clarendon : « J'espère que ce n'est pas tout à fait idiot... mais j'aurais à la fois faim et le goût féroce (mais très respectueux) de vous voir. Avant les assemblées, je ne mange pas. Et après, les restaurants, c'est la foire. Quant à vous, j'ai remarqué (pas grand mérite à cela) que vous êtes plus qu'agréable à voir — et tout autant à entendre. Si vous aviez la gentillesse de trouver que ce n'est pas absolument idiot (re-bis), appelez-moi — ou mieux encore, venez faire un tour. René Lévesque. »

Mission impossible

Sur le front politique, René Lévesque doit faire une autre conquête. Au congrès d'avril, les délégués lui ont confié la mission de rassembler tous les indépendantistes autour de sa personne. Le mariage risque d'être plus difficile avec Pierre Bourgault, chef impétueux du RIN, parti urbain rivé au bitume de Montréal, qu'avec Gilles Grégoire, ex-député créditiste venu d'Ottawa pour diriger le Ralliement national, qui est enraciné en province.

René Lévesque n'est pas un fan du chef riniste, ni de son style aux retours de flamme inattendus. Trop radical, trop émotif, trop turbulent. Sa politique de la rue, où la violence n'est jamais bien loin, a éclaboussé le mot indépendance dont le MSA n'ose plus se réclamer. D'accord, c'est un orateur redoutable. Mais il souffre d'un grave handicap : chez lui, les mots précèdent la pensée. En politique, le délire verbal qui ne procède pas d'une réflexion antérieure est archidangereux. La rhétorique incendiaire des fascismes européens de la Deuxième Guerre mondiale a laissé de mauvais souvenirs chez lui.

L'homosexualité affichée de Pierre Bourgault, trop avantgardiste pour l'époque, le dérange aussi, même s'il n'est pas puritain en matière de sexe. Sa gourmande libido en est la meilleure preuve. Mais pour un homme de sa génération, qui n'a pas encore vécu la révolution gaie, être homosexuel vous exclut de ces « gens normaux » aux goûts simples, comme lui, qui choisiront un jour la souveraineté avec maturité, et sans casser les vitres.

Enfin, René Lévesque ne souffre pas plus le parti que le chef. Le RIN est une formation élitiste qui se finance clandestinement comme un vieux parti et qui, enfermé à Montréal, lève le nez sur les petites gens de l'Abitibi ou du Lac-Saint-Jean qui lui préfèrent le RN.

Bourgault le mal-aimé risque donc de faire les frais de l'éventuelle unité indépendantiste. Pourtant, il la veut, cette fusion, et il vénère comme les autres le messie du MSA. Pour attirer son attention, il a multiplié les signaux, liquidant même la faction gauchiste de son parti et sa pasionaria attitrée, Andrée Ferretti. Il a tout essayé, même la provocation. À quelques jours de la sortie fracassante de René Lévesque des rangs libéraux, il l'a traité de « ballon grossi par les médias ». Le lendemain, il lui adressait un télégramme : « Bravo pour geste courageux. Espère avoir le plaisir de vous rencontrer bientôt. Avons besoin de vous. »

Autant de maladresse n'aide pas sa cause. Mais Pierre Bourgault désire tellement la formation d'un grand parti indépendantiste capable de se mesurer aux partis fédéralistes, qu'il est prêt à sacrifier le

RIN dont il a mentalement commencé à rédiger le testament. Il n'a au fond que deux exigences : l'unilinguisme français et le rejet de toute association de nature « constitutionnelle » avec le Canada.

Avec Gilles Grégoire, petit homme de 40 ans qui présente tous les tics du politicien d'arrière-pays et qui criaille comme un jars, René Lévesque se sent en terrain plus sûr. Paradoxalement, ce créditiste rusé qui sait parler au peuple lui convient mieux que Pierre Bourgault. Peu importe ce qu'en pensent les fines bouches du MSA, pour qui l'archaïsme du RN sied mieux aux bedeaux de village qu'aux citadins laïques et progressistes qui forment le mouvement.

Froid calculateur, pas idéologue pour deux sous, René Lévesque a vu tout de suite qu'une alliance avec le RN lui apporterait la base militante qui lui fait défaut en dehors de Montréal, alors que celle du RIN lui est déjà acquise, les rinistes se procurant leur carte du MSA les uns après les autres. Mais il n'est pas dupe. Il sait qui cotise à ce parti. Ce sont « les reliquats les plus bouchés de l'électorat créditiste et les derniers carrés de bourgeoisie encrassée et paniquée de petites villes », disait-il, en 1966, dans une lettre au député libéral Jean-Paul Lefebvre. Mais ce sont des Québécois comme les autres à qui il faut ouvrir les yeux et montrer le chemin de la souveraineté.

Si le fluide passe bien entre Gilles Grégoire et lui, c'est parce que l'ancien créditiste, lorsqu'il était député fédéral, a soutenu la nationalisation contre la volonté de son chef Réal Caouette, qui la vilipendait. De plus, en 1963, René Lévesque lui a demandé de bloquer le projet fédéral d'assurance-maladie de la ministre Judy LaMarsh. Québec préparait son propre programme, et voulait du temps pour le terminer avant qu'Ottawa ne lui impose le sien. « C'est pas possible ! avait répliqué Gilles Grégoire. On est en seconde lecture, les libéraux et le NPD sont pour. Nous ne sommes que 14 créditistes, monsieur Lévesque. »

Malin, le créditiste avait fini par trouver une astuce. La loi comprenait 164 articles dans les deux langues, mais le rapport des commissions et tous les documents annexes étaient rédigés en anglais seulement. À la période des questions, Philippe Gagnon, député du Témiscouata qui n'avait qu'une seule mère, le français, s'était levé et avait commencé à lire le rapport dans un anglais abracadabrant que les traducteurs n'arrivaient pas à déchiffrer. Il avait pris 30 minutes pour lire une seule page. Charles-Arthur Gauthier, honorable créditiste unilingue de Roberval, avait enchaîné et mis une heure à parcourir une demi-page. Le gouvernement avait dû interrompre le débat pour traduire les documents. À Québec, René Lévesque respirait.

En ces années-là, René Lévesque s'amusait de voir le député créditiste critiquer le régime fédéral, en s'appuyant sur des cas concrets. Un jour, il avait créé tout un charivari aux Communes en refusant d'acquitter une contravention de la GRC rédigée uniquement en anglais. Après cet incident, dès qu'il montait dans un avion d'Air Canada, la compagnie s'assurait qu'il y avait à bord une hôtesse qui parlait français !

Mais plus encore, les perpétuelles chicanes fédérales-provinciales ainsi que le gaspillage dû aux doubles juridictions le plaçaient dans une trajectoire séparatiste. Pour tourner en ridicule la question du lait (le lait de consommation relevant des provinces et le lait industriel, du fédéral), Gilles Grégoire avait trouvé une plaisanterie très créditiste : « Les deux pis du côté gauche relèvent d'Ottawa et les deux pis de droite du Québec ! Même les vaches ne savent plus où donner de la tête ! »

La... goutte qui avait fait déborder le vase avait été sa brouille avec Réal Caouette. En 1964, celui-ci s'était enfin décidé à poser un ultimatum au gouvernement Pearson. Dans deux ans, il deviendrait séparatiste si Ottawa n'instaurait pas le bilinguisme et ne remettait pas au Québec le contrôle de sa fiscalité, de son immigration et de son commerce extérieur.

« C'est un ultimatum que tu viens de lancer, t'es sérieux ? » lui avait demandé Gilles Grégoire. Deux ans plus tard, non seulement Réal Caouette avait oublié sa menace, mais il était devenu aussi anti-séparatiste que Pierre Trudeau. Son lieutenant n'avait cependant rien oublié : « Ton ultimatum de deux ans est terminé, je m'en vais à Québec ! » Aujourd'hui, Gilles Grégoire est mûr pour une alliance avec René Lévesque.

Encore les droits des Anglais

Au lendemain de la brisure entre René Lévesque et les libéraux, et de la création subséquente du MSA, une première prise de contact a eu lieu avec les rinistes de Pierre Bourgault au monastère des dominicains de la Côte-Sainte-Catherine, devenu haut lieu de la cogitation souverainiste. Il s'agissait d'échanger sur leurs credos respectifs.

Une simple séance d'information qui indiquait à René Lévesque que ce ne serait pas une partie de plaisir. « Le MSA est-il indépendantiste ? » se demandaient les rinistes qui semblaient en douter. Quand Pierre Bourgault avait mis en doute l'association économique avec le Canada — « La confusion vient du fait que nous croyons que ce marché commun dont vous parlez est à créer, alors que pour vous, il existe » —, Jean-Roch Boivin, désigné chef négociateur par René Lévesque, lui avait murmuré à l'oreille que la négociation serait épique.

La deuxième rencontre a lieu le 3 juin 1968, chez les dominicains toujours. René Lévesque y participe avec Jean-Roch Boivin, Marc Brière, Jacques Brossard et Rosaire Beaulé. S'il n'en tenait qu'à Jean-Roch Boivin, il n'y aurait tout simplement pas de pourparlers avec les rinistes. Le MSA n'a rien à gagner d'une fusion avec une secte stagnante dont la moitié des membres se sont déjà ralliés à lui. La perspective d'accorder un poste de commande à son chef ne l'enchante pas non plus.

Mais l'exécutif du MSA n'a pas d'autre choix que de discuter, les militants lui ayant confié un mandat d'unification. On discutera donc, et on parlementera tout le temps qu'il faudra, en sachant que tout projet de mariage avec le RIN viendra se fracasser sur le double mur de la langue et de l'association avec le Canada.

Les rinistes prennent l'affaire au sérieux. Deux dirigeants du parti, André d'Allemagne et Pierre Renaud, sont prêts aux compromis les plus déchirants pour réaliser le rassemblement. Le premier, un citadin de 39 ans, est dynamique et cultivé. On lui doit la fondation du RIN avec le chimiste Marcel Chaput, disparu dans la brume depuis. Né de père français, André d'Allemagne est venu à l'indépendantisme à cause de la langue. Pour lui, le français corrompu des Canadiens français ne peut être dissocié de leur statut de peuple colonisé et dominé.

Le second, Pierre Renaud, jeune publicitaire qui dirige la trésorerie riniste, s'est converti à l'indépendance à cause des frustrations de son père, et des siennes. Durant la guerre, Léopold A. Renaud, prospère négociant de Montréal, occupait le poste de secrétaire

adjoint à la Commission fédérale sur les profits de guerre. Seul francophone *on the board,* il lui était interdit de participer aux réunions
du conseil d'administration. De son côté, Pierre Renaud apprivoise
depuis sept ans le monde des affaires chez Cockfiels Brown, numéro
un canadien de la publicité. Aucun francophone n'accède jamais au
conseil d'administration. Pour lui, Canada égale discrimination.

Du côté du Ralliement national, ce n'est pas Gilles Grégoire qui
fera problème. Il n'a aucune exigence sinon de faire respecter
quelques principes créditistes, dont la création d'une Banque du
Québec. À ses côtés, incarnation même de la prudence paysanne,
l'avocat de Chicoutimi, Marc-André Bédard, est prêt à tout oublier
de son vague passé créditiste pour passer au MSA. Chez lui, c'est
l'indépendance qui prime. Il n'a parlé à René Lévesque qu'une seule
fois, alors que ce dernier était ministre de l'Énergie. « On vous attend,
monsieur Lévesque », lui avait-il dit.

En vrai fils du « Royaume », Marc-André Bédard mange du
nationalisme. À la fin des années 50, au séminaire de Chicoutimi, il
a fait cabale pour remplacer l'*Ô Canada* par le *Salut Québec* ! Plus
tard, il s'est mêlé aux balbutiements séparatistes, mais sans jamais
dépasser les discussions de salon. Il était là quand Pierre Bourgault
est venu faire son tour à Chicoutimi, Corinne Côté à son bras. Il avait
trouvé le riniste sympathique, mais déconnecté du vrai monde. C'est
pourquoi il a fini par choisir Gilles Grégoire, le trouvant mieux ancré
dans la réalité.

Donc, le 3 juin, dans la salle austère du cloître d'Outremont, la
négociation qui s'engage se bute rapidement à une proposition
d'André d'Allemagne, chaudement appuyée par Pierre Bourgault.
Pourquoi les partenaires n'iraient-ils pas manifester tous ensemble,
comme pour marquer leur amitié naissante, au chantier maritime de
Lauzon où sévit une grève pourrie ? L'idée de se retrouver dans la
rue ou sur une estrade avec Pierre Bourgault agace René Lévesque.
Son visage se ferme quand le chef riniste parle. Le contraire est aussi
vrai. L'eau et le feu, ces deux-là.

« La population attend de nous une image modérée et rassurante, objecte Marc Brière. Nous n'avons pas le droit de nous tromper.

— Au contraire, intervient Pierre Bourgault d'un ton catégorique. Nous sommes assez forts pour courir le risque d'un échec.

— Avant d'aller faire du piquetage à Lauzon, tranche à son tour René Lévesque, laissons donc à la médiation en cours la chance d'aboutir. »

Le 9 juin, c'est la troisième ronde des pourparlers — celle de la dernière chance ? Manquent au rendez-vous René Lévesque et Pierre Bourgault. Après la dernière rencontre, le chef du RIN a laissé tomber au cours d'une harangue intempestive : « Lévesque, c'est l'homme le plus insignifiant du Québec ! » Consternation d'André d'Allemagne qui a haussé le ton : « T'aurais pu te fermer la gueule ! »

Jean-Roch Boivin et lui se sont entendus pour tenir les deux chefs à l'écart de la négociation. Mais leur absence n'est pas un gage de réussite. Le ton monte dès que Jean-Roch Boivin réitère les positions non négociables du MSA : ni manifestations, ni extrémisme verbal, mais plutôt un visage respectable, sérieux et pacifique. En l'absence de leur chef, les rinistes jurent de se mieux conduire à l'avenir.

Le désaccord éclate à propos de la question de l'association économique avec le Canada, cœur même de la proposition constitutionnelle de René Lévesque. Pour le RIN, c'est du fédéralisme camouflé. « Notre position de principe est claire, objecte André d'Allemagne. Pas de création d'une autorité supérieure à celle du Québec, ce serait la négation même de notre objectif d'indépendance. »

Le groupe de Gilles Grégoire, dans lequel figurent aussi Jean Garon et Lucien Lessard, ne fait pas de vague. La souveraineté-association, ça lui va. Mais le MSA met finalement de l'eau dans son vin pour une fois. L'association économique ne sera jamais considérée comme la condition de l'indépendance. Si le reste du Canada la désire, ce sera tant mieux, sinon, tant pis.

Gilles Grégoire se compromet sur la question de l'union monétaire avec le Canada, que le RIN juge irréalisable, les intérêts québécois et canadiens divergeant trop. Le chef du RN la veut, l'union monétaire, mais fidèle en cela à ses idées créditistes, il exige aussi la création d'une Banque du Québec. Pour l'obtenir, il se bat seul. Marc-André Bédard ne se souvient déjà plus de son passé créditiste. « Tu n'aides pas le RN en te mettant à plat ventre devant René Lévesque ! lui reproche Gilles Grégoire depuis le début des pourparlers.

— Tu feras bien ce que tu voudras, Gilles, réplique l'avocat de

Chicoutimi, mais moi je m'en vais avec Lévesque ! » C'est le chef idéal. Il écoute le peuple mais ne le bouscule pas, comme les rinistes. Il est surtout le grand rassembleur attendu par tous.

L'épine linguistique révèle aussi la profondeur du fossé séparant le MSA et le RIN. Les gens du RN n'en ont cure, de la langue. Ils viennent des régions et, comme ils disent, ils n'ont pas d'Anglais chez eux. Ils se fichent pas mal du dilemme existentiel qui empêche les rinistes de dormir.

C'est André d'Allemagne qui met le feu aux poudres en déballant sa thèse de fond sur les droits linguistiques des minorités. La collectivité peut être pluraliste pour ce qui est de ses origines ethniques, de ses convictions religieuses ou de l'idéologie. Mais ce qui la fonde avant tout, comme le montre le cas des États-Unis et de la France, c'est son unité linguistique et culturelle. (C'est la position de François Aquin, écarté des négociations.) La plupart des pays sont unilingues et les minorités linguistiques n'ont aucun droit particulier. Seules exceptions, les Amérindiens et les Esquimaux qui, au Québec, possèdent des droits fondés sur l'histoire.

« La position du MSA là-dessus est très claire, coupe Jean-Roch Boivin. Nous croyons que la minorité anglophone a des droits acquis historiques en matière scolaire et de langue.

— Des privilèges ! proteste le riniste, qui précise que le rôle de l'État est d'intégrer les éléments allogènes, non de les favoriser.

— Les Anglais du Québec ont droit à leurs écoles, à leurs universités, à leurs hôpitaux financés par le gouvernement, insiste Jean-Roch Boivin.

— Le RIN n'y croit pas, mais il est prêt à faire un compromis et à reconnaître ces droits pendant une période de transition.

— Monsieur d'Allemagne, corrige Marc Brière sur le ton de l'ultimatum, ce ne sont pas des droits temporaires mais imprescriptibles. Comment pouvons-nous nous entendre si vous niez les droits de la minorité anglophone ? Ce sont des droits historiques et sacrés qui doivent être inscrits dans la Constitution.

— Inscrire ces droits dans la Constitution serait inacceptable pour le RIN », conclut André d'Allemagne d'un ton sec.

L'impasse est totale.

CHAPITRE XXXV

Une sainte horreur de la violence

La violence apparaît lorsque le nationalisme ne peut se développer et qu'on cherche des boucs émissaires.

RENÉ LÉVESQUE, 16 février 1976.

B ien malgré lui, mais cela ne saurait le contrarier, Pierre Trudeau vient compliquer le rassemblement indépendantiste que tente de réaliser René Lévesque. On attendait Jean Marchand comme successeur éventuel du premier ministre Pearson. C'est Pierre Trudeau qui s'est imposé au Canada anglais.

Il a brûlé les étapes depuis son élection aux Communes, en 1965. Six mois après, Lester B. Pearson l'a choisi comme secrétaire parlementaire, avant de le propulser ministre de la Justice, en avril 1967. Puis lors de la conférence constitutionnelle de février 1968, assis à la droite du premier ministre canadien, il a provoqué en duel le premier ministre Daniel Johnson qui réclamait un nouveau partage des pouvoirs et une nouvelle constitution qui assurerait l'égalité des deux nations dans un Canada à 2, et non plus à 10.

Pierre Trudeau a alors amorcé la mise au pas de sa province

natale : « Demander des pouvoirs spéciaux constitue un affront pour les Canadiens français. Ce qu'ils veulent c'est l'égalité linguistique. Une fois celle-ci réalisée, ils n'auront plus besoin de pouvoirs spéciaux. Un Canada à deux aboutira fatalement au statut particulier et à la séparation. »

Ce virage de Pierre Trudeau a plu aux libéraux fédéraux qui l'ont choisi comme chef et consacré premier ministre du Canada, quand Lester B. Pearson a démissionné. L'élection fédérale est fixée au 25 juin et depuis, Pierre Trudeau détaille son option, qu'il a définie dans *Le fédéralisme et l'avenir,* à chacune de ses apparitions publiques. « Maîtres chez nous au Québec, c'est beau, mais maîtres chez nous au Canada, c'est encore plus beau », répète-t-il.

Le nouveau messie canadien invite les francophones à jouer à fond la carte du fédéralisme, à être présents à Ottawa au lieu de se replier sur la citadelle Québec. Son objectif est simple à énoncer mais ardu à réaliser : il veut rendre le Canada attrayant aux francophones par une politique de bilinguisme. La question qu'il pose est celle-ci : vaut-il mieux pour les Québécois être majoritaires dans leur propre État ou minoritaires, mais avec égalité des chances, à l'intérieur du Canada ?

René Lévesque a déjà répondu en choisissant la souveraineté. L'émergence de son rival fédéral le laisse sceptique. Il va selon lui accélérer la séparation au lieu de la stopper. Il s'en ouvre au consul général Francis Cunningham à l'occasion d'un dîner chez Pierre F. Côté, son ancien collaborateur. En dépit de ses origines ethniques et de sa langue, dit-il à l'Américain, Pierre Trudeau est anglicisé au point d'exprimer spontanément la vision anglo-canadienne de l'avenir du Canada.

Si les libéraux de l'Ontario se sont follement entichés de lui, c'est parce que « Trudeau leur semble être le genre de Canadien français qu'ils attendaient, c'est-à-dire un francophone qui défend les idées qui sont fondamentalement anglaises ». De sa conversation avec René Lévesque et Pierre F. Côté, le consul tire sa propre conclusion : « Le *French Power* n'est qu'une version moderne du vieux modèle de collaboration des politiciens fédéraux canadiens-français. »

Élus à Ottawa pour défendre les intérêts des Québécois, ils y sont à peine fixés qu'ils n'ont plus qu'une obsession : faire accepter à leurs compatriotes le régime fédéral et le Canada tels que le conçoivent les

Anglo-Canadiens. Voilà pourquoi les Québécois les méprisent tant, note le consul Cunningham dans son rapport : « Ils persistent à vendre le fédéralisme aux Québécois. Pourquoi n'essaient-ils pas plutôt de vendre le caractère distinct du Québec au reste du Canada ? »

Pour René Lévesque, Pierre Trudeau n'est pas différent des Laurier et des Saint-Laurent, ses deux prédécesseurs francophones. À Ottawa depuis trois ans, il fait croisade pour « vendre » aux Québécois le fédéralisme unitaire auquel aspire le Canada anglais, dont il s'est fait le commis voyageur. Au lieu de « vendre » au reste du Canada la différence québécoise, il la nie et la ridiculise en écartant toute option qui gêne sa conception anglophone d'un Canada fort et uni : statut particulier, société distincte, indépendance, souveraineté, etc. Expressions diverses du nationalisme québécois qu'il ravale au « complexe du wigwam ».

Naturellement, le nouveau MSA de René Lévesque n'est à ses yeux qu'une « particule » de plus. Le candidat au poste de premier ministre profite du reste de sa campagne électorale pour dialoguer avec les « séparatistes », comme il dit.

Alors qu'il se trouve à Rouyn-Noranda, une semaine après l'assassinat de Robert Kennedy, frère du président tombé sous les balles cinq ans plus tôt, Pierre Trudeau fait face à une poignée d'indépendantistes à qui il lance sans hésitation : « Ce sont des gens comme vous, qui sèment la haine et la violence, qui ont tué le sénateur Robert Kennedy. »

Le 24 juin, veille du vote, Pierre Trudeau occupe l'estrade d'honneur dressée rue Sherbrooke, pour le défilé de la Saint-Jean. Il y a de la poudre dans l'air. En apprenant que la direction de la Société Saint-Jean-Baptiste de Montréal l'avait invité, Pierre Bourgault a réuni ses troupes : « Inviter Trudeau au défilé de la Saint-Jean, c'est de la provocation. On m'a invité, moi aussi. J'y serai, mais dans la rue, et je vous invite à y être aussi ! »

À peine s'est-il présenté avec ses troupiers devant l'estrade d'honneur où se dandine, superbe et provocant, le candidat à la direction du pays, que la police s'empare de lui pour le jeter dans le fourgon, pendant qu'un tir nourri de bouteilles de bière et de cocktails Molotov vise Pierre Trudeau que ses gardes du corps obligent à se jeter à terre pour les éviter.

Le spectacle qui suit est horrible et René Lévesque l'observe de l'estrade d'honneur où il est assis avec Daniel Johnson et le maire Jean Drapeau, au milieu des notables. Charges de policiers à cheval contre les manifestants, voitures de police renversées qui brûlent, foule paniquée qui court se mettre à l'abri... Bilan : 126 blessés et 290 arrestations.

La consternation de René Lévesque est totale. Ses proches savent qu'il a une sainte horreur de la violence physique, depuis ses années de guerre. Il convoque sans tarder l'exécutif du MSA chez Doris Lussier, au mont Saint-Bruno, pour se dissocier des extrémistes qui ont mis la rue Sherbrooke à feu et à sang.

Pendant que ses lieutenants tournent en tous sens la question — faut-il fermer le dossier de la fusion avec le RIN ? —, René Lévesque s'enferme dans la pièce d'à côté et rédige un texte sans ambiguïté contre la violence politique. Être associé aux casseurs de Pierre Bourgault pourrait se révéler mortel pour le MSA.

René Lévesque tente de tracer une voie entre deux abîmes, celui de la noyade progressive dans l'insignifiance du *melting-pot* culturel canadien auquel Pierre Trudeau convie le Québec (le texte final omettra le nom de Pierre Trudeau) et celui de la violence et de l'anarchie des révolutions mal comprises où l'on risque de se dégrader. Le chef souverainiste évite cependant d'accabler nommément Pierre Bourgault. Mais en condamnant la violence et en suspendant la négociation avec le RIN, il l'isole des modérés comme André d'Allemagne, ébranlés par l'échauffourée sanglante.

Le lendemain, René Lévesque emprunte un ton dramatique pour lire son texte à la presse : « Trop de gens jouent avec la violence comme autant d'apprentis-sorciers. Le MSA condamne toute forme de violence qui ne peut que diviser et affaiblir un petit peuple démuni, humilié et déjà suffisamment magané. »

Dans les jours qui suivent, René Lévesque est inondé de lettres et d'appels téléphoniques. Tantôt on le menace de mort, tantôt on l'applaudit. Les 600 nouvelles adhésions — 134 dans les 36 premières heures — lui démontrent qu'il a eu raison de prendre ses distances d'avec Pierre Bourgault.

« La non-violence, une condition de fusion », lui écrit un militant. Un autre l'interpelle : « Intéressé au MSA mais le 24 juin m'inquiète, rassurez-moi. » C'est déjà tout réfléchi pour Lise Lalonde qui lui écrit : « Après notre belle fête d'hier, je ne me sens aucunement prête à l'indépendance du Québec. » Un militant de Laval, Michel La-brosse, devient cynique : « En regardant à la télé le défilé de la Saint-Jean, j'ai vu à l'œuvre des artisans de "ce pays qu'on peut bâtir". Si ce groupe de fanatiques venait à prendre le pouvoir, comme nous serions en sécurité ! »

Le commis voyageur de la souveraineté

Le calme revenu, René Lévesque passe la belle saison à préparer le terrain en vue du congrès de fondation du parti, dont la date a été fixée au 11 octobre. Il a l'âme légère et la parole facile, cet été-là, comme si le nouvel amour de sa vie, Corinne Côté, lui donnait des ailes. Quand il n'est pas à Québec, il lui envoie des billets affectueux où il ouvre petit à petit sa coquille pour lui laisser voir ses états d'âme.

« Ma lointaine Corinne, chérie… J'ai hésité au moins trente secondes avant d'écrire l'adjectif (le second évidemment !) que tu viens de voir. Ce mot-là, je ne me souviens pas de l'avoir employé… et quand on commence, on se sent un peu comme un enfant qui essaie son vocabulaire, en danger mortel de ridicule ! Ça m'a toujours semblé être un terme excessif, chérie, mais c'est bien ce que tu es de plus en plus pour moi, "quelque chose" d'excessif. Alors, tant pis et prends garde à toi ! René. »

Mais la souveraineté-association reste sa préoccupation première durant les deux mois de sa tournée estivale. Au Lac-Saint-Jean, le MSA lui colle aux fesses un jeune politologue qui siège à la commission politique et dont le rôle consiste à trouver les défauts de sa cuirasse d'orateur. Il s'appelle Daniel Latouche et se passionne pour le marketing politique. Une spécialité, faut-il le préciser, dont se fiche royalement son « sujet ».

Effronté déjà, Daniel Latouche adresse au secrétaire du MSA, André Bellerose, des commentaires peu flatteurs. René Lévesque n'est jamais à l'heure à ses assemblées ; il assomme les gens avec des discours-fleuves pleins de digressions inutiles, au lieu d'apprendre à livrer son message en une heure et demie ; il est incapable de dialo-guer avec ses auditeurs, qu'il agresse en leur lançant des « Et vous, avez-vous quelque chose à suggérer ? » ; il leur fait sentir qu'ils sont imbéciles, peureux, caves…

En juillet, libéré de la présence du pointilleux conseiller, René

Lévesque prend le chemin de sa Gaspésie natale. Michel Carpentier, qui besogne avec André Larocque au centre de documentation, est de la tournée. Il conduit une petite Renault rouge sur laquelle les organisateurs ont installé des haut-parleurs. Doris Lussier s'est joint à la troupe avec Bertrand Bélanger, un ingénieur en béton qui n'a jamais fait de politique avant que René Lévesque ne claque la porte au nez des libéraux.

La spacieuse familiale de Bertrand Bélanger, dans laquelle montent René Lévesque et Doris Lussier, ouvre le cortège, suivie de la Renault parlante et des voitures des partisans gaspésiens. On dirait une caravane de saltimbanques. Aussitôt arrivée dans le village à conquérir, la bande s'installe sur le camping et prépare les affiches pour le spectacle de la soirée dont le numéro principal met en vedette René Lévesque.

Avant l'assemblée, les organisateurs locaux lui font faire un tour de ville et le présentent à M. le maire et à M. le curé. Le soir, quand il a terminé sa harangue habituelle, qui dépasse immanquablement l'heure et demie, on passe le chapeau pour payer la salle puis on se retrouve autour d'un feu de camp qui brûle tard dans la nuit.

Une fois la Gaspésie évangélisée, c'est au tour de l'Estrie. Mais là, pas de chance. Daniel Latouche, qui s'y trouve comme chez lui, suit le chef avec son carnet de notes, ses hypothèses, ses courbes et ses critiques. Cette fois, le politologue s'en prend à sa manie d'éviter des mots comme « socialisme » et « gauche », qui sont tout à fait respectables. Il faut rassurer les gens, écrit-il à André Bellerose, mais non en se servant de leurs vieilles peurs, ni en les prenant pour plus craintifs qu'ils ne le sont.

L'annulation par René Lévesque, sans préavis, de sa visite à Lac-Mégantic et dans les comtés de Frontenac et de Shefford torpille la tournée des *townships*. Marc Lavallée, coordonnateur régional du MSA, un proche de Pierre Bourgault, fustige son comportement erratique dans une lettre plutôt raide. Il se voit répondre : « C'est moi qui ai gaffé stupidement. Il va sûrement m'arriver encore de faire des coches mal taillées. J'espère que vous n'hésiterez jamais à me le faire savoir tout aussi crûment. »

Le dernier grand rassemblement du MSA doit avoir lieu à Hull, dans l'Outaouais québécois, si proche d'Ottawa qu'il faut croire aux miracles pour penser y prendre racine un jour. Pourtant, une grande surprise attend René Lévesque qui s'y rend en compagnie d'une recrue de poids, Guy Joron. Un curieux zèbre dont René Lévesque se méfie un peu tout en l'acceptant volontiers autour de lui.

Millionnaire, habitué des cénacles de la Tour de la Bourse, cet agent de change de 28 ans a tout pour ne pas être souverainiste. Son père, Conrad Joron, était le grand ami et l'associé en affaires de Charles Trudeau, père de Pierre. Inutile de dire que ce dernier n'a jamais compris le cheminement politique de Guy Joron qu'il appelle familièrement « le petit coco » quand il le croise.

Malgré un environnement familial peu favorable à l'éclosion de convictions nationalistes, l'idée toute naturelle que le Québec formerait un jour un État séparé du Canada a pris racine chez Guy Joron quand il avait 15 ans. Proche de Robert Bourassa et d'Yves Michaud, il était avec eux quand René Lévesque a quitté la salle de bal du Château Frontenac. Ce futur ministre péquiste s'était alors tourné vers son collègue Michaud : « Yves, penses-tu que notre carrière de libéraux est terminée ? »

Dans sa Mercedes qui file sur Hull, René Lévesque lui demande : « Savez-vous, ça fait longtemps que j'en ai envie, me laisserez-vous conduire votre Mercedes pour revenir ? Les gros objets, je garantis que je vais les voir, mais les plus petits, je ne peux pas vous le garantir... »

Mais ce soir-là, ce qui le renverse, ce n'est pas tant de tenir le volant d'une Mercedes que les mille personnes venues l'écouter à l'école Saint-François-de-Sales de Gatineau, à côté de Hull. Le jeune organisateur de l'assemblée, Claude Malette, est aussi ébahi que lui, comme d'ailleurs les autres piliers du MSA-Outaouais, Jocelyne Ouellette et Jacques Vallée. Tous trois sont promis à des premiers rôles dans l'entourage de René Lévesque.

Je t'aime férocement

Le rythme d'enfer des incursions de René Lévesque en province en brûlerait plus d'un. Mais lui, il survit et reprend souffle avec Corinne Côté. Elle est plus amoureuse que lui, cependant. Le personnage public l'impressionne et elle s'étonne du temps qu'il consacre à l'écouter. À 25 ans, elle est curieuse et a une soif insatiable d'apprendre. Mais elle hésite à manifester ses opinions, posant plutôt à la petite fille qui écoute et apprend. Attitude que le séducteur apprécie toujours chez une femme.

Elle boit littéralement ses paroles et se laisse séduire par sa culture. Mais sa vision romantique de l'avenir lui fait perdre toute prudence et, au risque de se laisser absorber entièrement par la personnalité de son amant, Corinne s'attache vite au point d'avoir déjà de plus en plus de difficulté à entrevoir l'avenir sans lui.

René Lévesque s'éprend lui aussi, mais plus lentement. Le dragueur qu'il est hésite à s'engager exclusivement. Il aime trop les femmes pour n'en préférer qu'une. Et il se fait une montagne de la différence d'âge. Pour le conquérir, Corinne doit en plus se battre contre Monique Oligny, qu'il voit toujours. Même si c'est à elle qu'il écrit des poèmes brûlants d'amour.

> Ode à Corinne
> Brune, mince et mienne Corinne
> Plus féminine...
> Que cent Vénus, j'aime ta peau
> Fraîche et brûlante, et le repos
> D'être avec toi, coupés du monde,
> Cachés sur cette longueur d'ondes
> Que nous serons seuls à capter
> Tant que nous saurons nous aimer.
>
> R (onsard manqué...)

Corinne Côté découvre aussi le côté machiste de son amant. Au début de leurs amours, il a fait tout un drame parce qu'il n'était pas le premier homme à l'aimer. Comme il le lui a écrit un jour : « Je crois qu'on ne peut jamais s'empêcher de vouloir tout avoir, même l'impossible, comme le passé, quand on aime. Et je t'aime férocement, tu sais. Et mal aussi, trop souvent. Mais tant ! » La fille d'Alma doit apprendre à composer avec le coureur de jupons qui refuse de mourir. Car tout en apprenant à la connaître et à l'aimer, René Lévesque ne lui jure pas encore fidélité.

Tout amoureux qu'il soit, notre Ronsard manqué ne se laisse pas trop distraire de la négociation entre le MSA et le RIN. Lors du meeting de la dernière chance réclamé par Pierre Bourgault, au restaurant Chez Butch Bouchard, Jean-Roch Boivin avertit les amis qu'il y a une nouvelle condition à remplir avant toute fusion : chacun des dirigeants rinistes devra s'engager par écrit à défendre personnellement et sans réserve le principe des subventions scolaires aux anglophones.

« Il n'est pas indispensable que le parti se prononce là-dessus, ruse André d'Allemagne. Un futur Parlement indépendantiste pourrait très bien trancher la question.

— Si on n'est pas d'accord sur une chose aussi fondamentale que le respect des droits des minorités, il vaut mieux se séparer tout de suite », laisse tomber sèchement René Lévesque, qui a hâte d'en finir.

Pour lui, tout a été dit le 24 juin. Il ne veut pas s'embarrasser de l'image rébarbative du RIN, préférant s'adjoindre un à un ses militants respectables, mais sans leur chef, Pierre Bourgault. Il ne lui déplairait pas d'ailleurs que le RIN continue d'être le RIN, une sorte de maison d'accueil pour fanatiques et radicaux, sur sa gauche, qui pourrait servir de repoussoir au futur parti souverainiste, voire de poubelle dans laquelle jeter les violences et les folies qui joncheront fatalement la route de l'indépendance.

René Lévesque a déjà en poche un protocole d'entente avec le RN, rédigé quelques jours plus tôt avec Gilles Grégoire sur la pelouse de l'hôtel Clarendon. La délégation riniste partie, il le rend public. Intitulé *Le MSA et le RN bâtiront ensemble le grand parti de l'indépendance du Québec,* le document réaffirme les quatre principes de base du futur parti : création d'un État souverain de langue française, instauration d'une authentique démocratie, reconnaissance des droits scolaires de la minorité anglophone et association économique avec le reste du Canada.

C'est l'évangile souverainiste. Ce mois d'août 1968 semble propice à l'éradication des irritants. Écarté de la négociation avec le RIN, boudé par ses collègues de l'exécutif et brouillé depuis le 24 juin avec René Lévesque, qui lui a donné le coup de pied de l'âne en signalant à la presse son absence chez Doris Lussier (sa femme avait accouché), le député François Aquin tire sa révérence.

Un beau nom, mais dur à porter

Ce 11 octobre 1968, tout va comme sur des roulettes au Colisée de Québec. Contrairement au congrès d'avril marqué par une collision frontale entre René Lévesque et François Aquin qui a failli tuer le MSA, le congrès de fondation du parti souverainiste s'ouvre dans la concorde. L'apport des 4 665 créditistes de Gilles Grégoire, disséminés dans les trois châteaux forts du RN au Lac-Saint-Jean, en Gaspésie et dans le Nord-Ouest québécois, a porté les effectifs à 20 000 membres.

Le portrait type du délégué montre cependant qu'en dépit de la fusion MSA/RN, il reste encore du chemin à faire avant de parler de représentativité. La presse a l'impression de se trouver dans un salon de Côte-des-Neiges et demande où est le vrai monde… Le parfait souverainiste est un homme de 30 ans (20 pour cent seulement sont des femmes), qui habite Montréal, étudie, enseigne, est fonctionnaire ou pratique une profession libérale.

Il ressemble au petit bourgeois à veston de cuir et à col Mao, qui hante le Plateau Mont-Royal et Outremont, s'enrobe dans le fleur-delisé, raffole de Gilles Vigneault et de Pauline Julien, tapisse les murs de sa bibliothèque d'affiches de Kennedy, Castro, de Gaulle et René Lévesque, et ne jure que par l'État… et *L'Osstidcho*, le hit d'Yvon Deschamps, Robert Charlebois et Louise Forestier.

Le seul vrai suspense de la fin de semaine tourne autour du nom du nouveau parti. Peu avant le congrès, l'exécutif a trié la centaine de suggestions parvenues au MSA. René Lévesque favorisait toujours un nom comprenant le mot souveraineté, comme Parti souveraineté-association ou Parti souverainiste.

« Pauvre peuple québécois ! » le ridiculisait Gilles Grégoire pour qui ces étiquettes à la sauce NPD faisaient trop intellectuel pour toucher le petit peuple des campagnes. L'expression de Parti québécois était déjà venue dans la conversation, un soir, alors qu'il mangeait avec Jean Garon. À l'exécutif suivant, le chef du RN avait demandé : « Que diriez-vous de Parti québécois ? Dorénavant, il y aurait les Québécois et les autres. »

René Lévesque l'avait rembarré : trop globalisant, présomptueux et surtout trop exclusif. Faudrait-il voter Parti québécois pour avoir droit au titre de Québécois ? Ses fidèles comme Marc Brière, Pothier Ferland ou Doris Lussier parlaient d'usurpation, d'indécence, voire de malhonnêteté, alors qu'André Larocque faisait remarquer qu'il n'y avait ni Parti français en France, ni Parti allemand en Allemagne, ni Parti italien en Italie. Mais d'autres voyaient le beau piège tendu aux libéraux et aux fédéralistes : « Qui est contre le Parti québécois est contre le Québec ! »

Le poids du chef aidant, l'exécutif avait fini par retenir cinq noms : Parti souverainiste (PS), Parti souveraineté-association (PSA), Parti du peuple souverain (PPS), Parti de l'indépendance du Québec (PIQ) et Mouvement souveraineté-association (MSA). Pas de Parti québécois (PQ). Gilles Grégoire, chez qui la ruse est une seconde nature, avait alors usé d'un stratagème : « Je ne tiens pas plus que cela à Parti québécois. Mais laissons donc une ligne au bas du bulletin au cas où un nouveau nom, qu'on n'aurait pas prévu, surgirait durant le congrès. »

Aussitôt ce dernier amorcé, Gilles Grégoire lance une cabale avec l'aide des anciens rinistes pour faire inscrire Parti québécois sur le bulletin. Il réussit tellement bien, qu'au vote secret, l'appellation se classe au second rang après Parti souverainiste. Pour trancher la question, il faut encore voter, mais à main levée cette fois. Le futé Grégoire cuisine le président de l'assemblée, l'avocat Guy Pinsonneault, pour être sûr qu'il soumettra d'abord au vote le nom de Parti québécois. Puis, le chef du RN prépare une claque monstre avec ses nouveaux amis du RIN qui ne demandent pas mieux que d'embêter René Lévesque. Quand le président Pinsonneault demande « Quels sont ceux qui sont pour Parti québécois ? », les pro-PQ commencent à se lever, puis à applaudir, pendant que des estrades bourrées de rinistes fuse « le Québec aux Québécois ! » La vague « péquiste » rejoint bientôt la première rangée du parquet où sont assis côte à côte René Lévesque, Gilles Grégoire et Doris Lussier.

Mais le chef ne bouge pas, se contentant de s'étirer le cou pour regarder la foule se lever, emportée par l'ovation qui fait vibrer les murs du petit Colisée. Pendant que Gilles Grégoire retient son souffle, Camille Laurin se lève à son tour et fait signe à René Lévesque d'en faire autant.

Déjà, lors de la première réunion chez les dominicains, le psychiatre avait proposé ce nom de Parti québécois qui, pour lui, a une valeur thérapeutique car il joue sur l'identité, ce terrible problème qui déstructure la personnalité des Canadiens français. Après le « Nous sommes des Québécois », lancé en octobre 1967 par René Lévesque, le nom Parti québécois les aidera à se définir par rapport aux Canadiens anglais.

« René, on n'est plus rien que nous deux à rester assis, observe Doris Lussier en voyant Gilles Grégoire se mettre sur ses pieds en jubilant.

— Mon venimeux ! lâche René Lévesque en s'adressant au créditiste. Tu m'as eu ! »

Il se lève enfin, mouvement qui fait crépiter la salle. Gilles Grégoire vient de lui passer un « beau sapin », comme il dira par la suite. En montant sur l'estrade avec lui, il lui donne une bourrade amicale : « Tu sais, Gilles, ça va être dur à porter ce nom-là. »

Le résultat du vote avalise néanmoins le choix du chef du RN : 285 voix pour Parti québécois, 131 pour Parti souverainiste et 44 pour Parti souveraineté-association. À demi convaincu de la pertinence d'un nom que les Québécois qui ne sont pas « pure laine » risquent d'interpréter comme de l'ostracisme, René Lévesque se soumet à la volonté populaire mais ne peut s'empêcher de mettre les péquistes en garde :

« C'est un très beau nom que nous venons de choisir, mais il ne faut pas jouer avec le nom du pays. Il y a des gens sincères qui ne sont pas souverainistes et qu'il ne faut pas heurter ou repousser... »

Le mot participation, leitmotiv de la troupe d'étudiants agglutinés à André Larocque, résonne fort aussi durant le débat sur les structures du nouveau parti. « On veut un parti vraiment démocratique, pas un autre Parti libéral », soutient le directeur du Centre de documentation, face aux anciens libéraux qui entourent René Lévesque. Encore englués dans les us et coutumes du Parti libéral, ces derniers penchent plutôt pour un parti oligarchique coiffé d'une commission politique élitiste qui décide de tout.

Avant le congrès, on s'est querellé là-dessus. Un conflit de génération, mais aussi deux visions de société. Pour les jeunes et les étudiants, qui forment la majorité à la permanence et à la base, il n'était pas question de ramener les vieilles soutanes du Parti libéral. Le parti souverainiste, espoir des nouvelles générations, devait être un vrai parti de masse faisant de l'animation et de la participation sa clé de voûte.

L'action devait monter de la base vers le sommet, et non l'inverse, comme dans les vieux partis. Dans le coin des anciens libéraux soutenus par le chef, les Jean-Roch Boivin et Rosaire Beaulé ne se gênaient pas pour taxer d'utopique et d'anarchiste le schéma d'An-

dré Larocque calqué sur la constitution du Parti communiste yougo-
slave du maréchal Tito.

Au congrès, les participationnistes finissent par obtenir leurs
chères structures titoïstes, mais ils doivent mettre de l'eau dans leur
vin. Des sections — programme, animation, publicité, documentation et organisation — qui relèveront du congrès annuel, l'organe
suprême du parti, existeront bel et bien mais à côté de... la commission politique à la sauce libérale.

Quant au programme, il reprend pour l'essentiel les textes soumis au congrès d'avril. Les francophones obtiennent le respect de
leur langue, qui deviendra seule langue officielle ; les anglophones, le
respect de leurs droits scolaires ; les créditistes, leur Banque du Québec ; les pacifistes, le retrait des alliances guerrières de l'OTAN et de
NORAD ; les technocrates et sociaux-démocrates, un État planifica-
teur et interventionniste à souhait.

Les radicaux (on dira tantôt purs et durs) obtiennent, avec
l'appui de René Lévesque, que le Québec déclare unilatéralement la
souveraineté ; les partisans de l'intégrité du territoire, la récupération
du Labrador ; les capitalistes, l'assurance de la liberté d'entreprendre
— pourvu qu'ils réinvestissent au Québec une part de leurs profits — ; les travailleurs, le syndicalisme obligatoire ; les sportifs, un
ministère des loisirs ; les constitutionnalistes, un régime présidentiel ;
et les cinéastes, un centre national du cinéma. L'utopie souverainiste
n'oublie personne.

Les seuls grands oubliés restent les dirigeants du RIN. Pierre
Bourgault tire les conclusions. La fondation réussie du PQ marque
une accélération de l'histoire. Deux partis indépendantistes consti-
tueront une aberration électorale qui retardera la souveraineté. Il réunit donc son exécutif et ses militants pour leur annoncer sa décision
de saborder son parti : « Il faut faire l'unité des forces indépendantistes contre Lévesque. Si nous entrons un par un au PQ, il ne pourra
pas nous refuser même s'il nous déteste. Il ne m'offrira pas de poste.
J'entrerai comme vous, comme simple membre. Il ne nous fera pas
de cadeau, mais nous jouerons au PQ le rôle critique qu'il a joué
chez les libéraux. »

Ce hara-kiri contrarie René Lévesque qui laisse voir son mécontentement à Yves Michaud, toujours député libéral, et à sa nouvelle
recrue, Marc-André Bédard. Pierre Bourgault le prive de son

repoussoir et, en plus, il va devoir subir sa présence au PQ. Mais en public, il se montre accueillant : « Je souhaite chaleureusement la bienvenue aux membres du RIN qui recherchent les mêmes objectifs que nous. »

Une fois de plus, René Lévesque est inondé de lettres. Ainsi, Auguste Vallant, de Schefferville lui écrit : « Indien de la Bande montagnaise favorable à l'indépendance, je me demande quel sera le sort des gens de ma race dans un Québec souverain ? » Et le comptable J. A. Beaudoin, de Longueuil : « Vous seul pouvez vaincre la mafia libérale d'Ottawa surtout depuis l'élection de notre clown national, lord Elliott. »

Épilogue savoureux qui couronne sa désignation comme premier chef du Parti québécois, René Lévesque est applaudi à la biosphère où une réception marque la fermeture de Terre des Hommes. Après un moment, il dit à Monique Michaud qui l'accompagne avec Yves et le caricaturiste Robert Lapalme : « Je suis tanné des vieilles Anglaises qui viennent me parler de mon nouveau parti, on peut-tu se sauver discrètement ? »

Le groupe s'esquive par une porte de côté. Sur le terrain de stationnement, René Lévesque s'arrête devant la lettre Q d'une affiche d'Hydro-Québec toute proche : « Tiens, Lapalme, tu devrais nous dessiner un beau Q pour le parti ! »

En fait, le Q du PQ sera l'œuvre du peintre et poète Roland Giguère. Son logo sera formé d'un cercle bleu, de la couleur de l'unité nationale, brisé à sa partie inférieure droite par une pointe rouge qui le traverse jusqu'au centre. Pour le poète, ce sera le PQ brisant le cercle de la colonisation et ouvrant le Québec sur le monde et l'avenir.

CHAPITRE XXXVI

Parizeau débarque

*Parizeau est ambitieux mais contrairement à
d'autres qui le sont autant, il travaille comme un
chien pour notre parti.*

RENÉ LÉVESQUE, septembre 1976.

À l'orée de 1969, René Lévesque est en pleine escalade. Il
émerge comme une force politique avec laquelle il faudra
dorénavant compter. En face du Parti québécois, le Parti
libéral, vidé de ses nationalistes, se prépare à évincer Jean Lesage, qui
ne s'est pas relevé de sa victoire à la Pyrrhus du congrès d'octobre 1967 et de ses lendemains déchirants.

Dirigé par Jean-Jacques Bertrand depuis la mort subite de
Daniel Johnson à la Manicouagan, fin septembre 1968, le gouvernement unioniste affronte une grave crise, déclenchée par la commission scolaire de Saint-Léonard qui a décrété que seul le français aurait droit de cité dans ses écoles. Depuis, immigrants et anglophones
de Montréal sont aux abois.

L'amour sourit également à René Lévesque. Loin de n'être
qu'une autre prise à ajouter à son tableau de chasse, Corinne Côté
occupe une place de plus en plus grande dans sa vie. Il s'est entiché
d'elle au point de présenter tous les tics du soupirant qui prend prétexte du moindre événement pour exprimer ses sentiments. Même

si ceux-là risquent de bouleverser le quotidien d'un mariage sans intérêt mais qui tient bon tant bien que mal.

Le 10 novembre, jour anniversaire de Corinne, il lui écrit sur une carte de vœux portant la mention *« Thinking of you with love »* : « Bonne fête, Corinne, ma chérie. Avec mes yeux, je continue d'aimer ce que tu es, souvent plus que jamais tu m'excites même comme une aventure qui garde un air flambant neuf, en même temps que tu deviens sans cesse plus précieuse, irremplaçable maintenant, j'en ai bien peur. C'est la femme que tu es et les yeux du dedans ont de la peine à croire tout ce qu'ils découvrent — sans compter ce qu'on ne sait jamais !

« Je t'aime toute et je ne pourrais plus apprendre à te désaimer. Je t'aime pour ta façon de penser, pour ta générosité, pour ta manière d'être intelligente. Je t'aime pour ta démarche, pour ce goût toujours enragé qui me revient de faire l'amour avec toi. Je t'aime quand tu parles et quand on ne dit rien. Je t'aime quand on est l'un contre l'autre, tellement que c'est comme un départ quand tu t'en vas… Je t'aime pour moi, c'est effrayant, parce que j'ai l'impression que tu es devenue une partie de moi-même. J'espère que je t'aime pour toi aussi, parce que je ne pourrais pas imaginer de femme qui donne autant envie de la rendre heureuse.

« Bons 25 ans, ma Corinne ! Et dis-moi qu'on vient de commencer pour toi aussi. René »

Cet amour encore fragile le rend heureux, comme en témoigne cette autre lettre qu'il fait parvenir à sa jeune amante cloîtrée à Alma pour les Fêtes, pendant qu'il fait du ski avec ses enfants dans les Laurentides, comptant les jours qui les séparent :

« À tout bout de champ, je continue à penser à toi — et à nous. Je te et nous retourne dans tous les sens, et je continue à me demander, comme depuis le début, comment ça peut être possible d'être aussi bien avec quelqu'un, et si vide quand elle n'est pas là. J'essaie de ramasser notre affaire dans mon esprit, et même si j'en perds forcément des morceaux et même sachant comme c'est compliqué et difficile (pour toi, surtout), ça me paraît, à moi, miraculeux, le plus proche que j'ai jamais été et sans doute que je ne serai jamais de ce qu'on appelle le bonheur.

« N'oublie pas que je t'aime férocement et que je m'ennuie de toi. Même s'il va falloir que je te chasse un peu, de mon mieux, ces quelques jours qui viennent, pour passer à travers quelques besognes. Je ne sais pas si j'y parviendrai. Le 3, samedi, nous avons une rencontre de candidats et je dois y être. De toute façon, même les annonces dans les journaux (meubles, lampes, etc. !) me parlent de toi, de nous deux. Tu es partout ! Je t'aime Corinne — mon amour. Salut. Bon Jour de l'An ! René »

Pour la fille d'Alma, René n'est pas que son amoureux. Il est aussi un mentor attentif qui veut tout lui apprendre, tout lui faire lire. Un jour, il lui envoie un livre consacré à une partie du monde qu'il a bien connue, la Corée, accompagné de ce mot : « Corinne (et je le dis en l'écrivant !) avec qui je suis toujours bien. Le voici, le petit prince coréen et, au moins pendant ses premières années, je crois que tu vas tomber en amour avec lui. Et moi, déjà, je tombe en ennui de toi… À la semaine prochaine, si tu es encore là ! René »

Une autre fois, le vorace consommateur de magazines qu'il est annonce à sa jeune élève : « J'ai lu un remarquable numéro de *Saturday Review* que je vais t'apporter — pour ton anglais et aussi pour le contenu ! Il y a une superbe étude sur le sujet dont on a parlé quelques fois et que je trouve obsédant : le sous-développement du cerveau et de toutes les potentialités de l'animal humain. Il y a aussi un très bon reportage sur Boston (une ville pour laquelle j'ai toujours eu un faible et que j'aime davantage puisque c'est une des choses que tu as vues d'abord avec moi) qui montre à quel point on n'a pas tout vu et qu'il faudrait y retourner. J'espère que tu as déménagé ton dictionnaire d'anglais ! »

Un jour, Corinne reçoit une carte où l'on voit une femme, de profil, lisant du Shakespeare, avec ces mots de l'illustre écrivain anglais : « *Love books not with the eyes but with the mind.* »

La jeune femme découvre que ce grand chasseur aux multiples aventures galantes est terriblement jaloux de ses amours passées, au point d'en devenir injuste. Parfois, il s'en excuse : « Je te veux toute à moi et je sacre contre tout ce que je n'ai pas vécu de toi. Et pourtant, je sais qu'on n'y peut rien, qu'il y a bien plus de ma vie qui t'échappe que de la tienne que j'ai perdu et que, même aujourd'hui et demain, et pendant combien de temps encore, à ce point de vue-là, c'est toi qui te fais le plus voler, c'est toi des deux qui aurais de bien meilleures raisons de rouspéter. »

Belle femme qui fait tourner la tête des hommes, Corinne Côté doit apprendre à ne pas laisser ses yeux s'attarder trop longtemps sur eux. Perçant peu à peu les secrets de la personnalité de René, elle comprend que si l'étape de la séduction reste pour lui le nec plus ultra de l'entreprise amour, se sentir aimé et désiré par une femme est plus important encore.

Car il déplore que la nature ne l'ait pas mieux avantagé. De là son besoin constant de vérifier sa capacité à se faire aimer pour lui-même, malgré son allure, et non pour le personnage public René Lévesque. Il se sent comme le millionnaire convaincu qu'on l'aime pour son argent. Ainsi se sent-il frustré du fait que Corinne ne soit pas plus prodigue de ses sentiments. Il la voudrait plus démonstrative, il aimerait qu'elle l'ensevelisse de lettres d'amour aussi passionnées que les siennes. « C'est la dernière fois que je t'inflige mon inspiration… jusqu'à ce que tu m'écrives à ton tour ! Y a toujours un bout ! » s'exaspère-t-il, un jour où il espérait une lettre d'elle.

La réserve de Corinne tient certes à sa timidité, mais aussi à un aveu que lui a fait René, aux premiers jours de leur liaison, et qui lui laisse peu d'espoir pour l'avenir. Il l'a prévenue qu'il ne quitterait jamais Louise L'Heureux, même si elle devenait chaque jour plus amère à cause de son changement d'orientation politique.

Ce qui le retient, ce sont ses enfants, surtout sa fille de 12 ans, Suzanne, qu'il aime plus que tout et qu'il ne veut pas perdre. Quand il parle de la petite à Corinne, c'est comme s'il évoquait la femme de sa vie. Il peut consacrer des heures à faire ses devoirs avec elle, il lui passe tous ses caprices et trouve sublime tout ce qu'elle dit ou fait. Dans ses lettres, Corinne découvre un papa en adoration devant sa progéniture : « Hier, ma fille a eu une idée géniale dont la réalisation a d'abord exigé qu'elle me jette littéralement hors de mon lit, vers midi. Elle tenait à faire du ski, l'après-midi de Noël. On a réussi à kidnapper son frère (le jeune ex-barbu) et on s'est rendu à Avila, le premier centre intéressant sur l'autoroute du Nord. Presque pas un chat et des pistes à peu près parfaites : j'avais peur que tout le monde ait eu la même idée et que ce soit encombré à mort. Mais non, il n'y avait que très peu d'autres génies… et ç'a été une des meilleures journées que j'aie vues depuis longtemps. »

Or s'il brise son mariage, il ne pourra jamais obtenir la garde de ses enfants. Les griefs de Louise au sujet de ses infidélités, de ses absences et de son indifférence — dont elle fera état dans la presse, au moment de leur divorce, en 1978 — lui aliéneront la sympathie du juge. Certes, il pourrait plaider que, s'il évite si souvent de rentrer chez lui, c'est que c'est infernal, que, s'il a du mal à jouer son rôle de père, c'est que Louise monte ses enfants contre lui, enfin que la chatte a sorti ses griffes et fermé la porte à double tour. Son attitude ressemble à celle d'une femme blessée qui dirait : Toi, le matou, tu courailles, tu fais une vie mouvementée — les enfants, ça c'est à moi. N'y touche pas !

Un p'tit effort et nous serons chez nous

Si 1968 a été l'année du regroupement indépendantiste, 1969 est celle de la percée fulgurante du Parti québécois. Phénomène politique exceptionnel, explicable aussi bien par la force de son fondateur que par les grands vents du changement qui bouleverse le monde occidental. Le Québec ne fait pas exception, avec ses campus occupés par les contestataires, ses utopies à la mode fortement influencées par la décolonisation, comme si on était au tiers-monde, son bouillonnement artistique et sa violence terroriste qui débouchera sur le drame d'octobre 1970.

Même René Lévesque succombe à la douce folie ambiante, si l'on en juge du moins par ce poème sur la libération du Québec, qu'on lui attribue, et qu'il aimerait voir chanté par les péquistes « de Gaspé à Hull et d'Matagami jusqu'à la frontière des États-Unis ». En voici quelques vers, pas piqués des vers :

> Québécois debout
> Juste un p'tit effort
> Et nous s'rons chez nous !
> Québécois debout
> Tout l'monde se réveille
> Nous verrons tout d'suite
> Comme c'est pas pareil
> Comme c'est une merveille
> D'être enfin chez nous !
> On a eu les rouges
> On a eu les bleus
> On a les chômeurs

On néglige les vieux
Maint'nant on a l'feu
Québec te branch'tu !
Le temps est venu
On n'est pas plus fous
Que ces autres hommes
Qui partout sur terre
Se conduisent comme
On doit faire en somme
Quand on est chez nous.

Mil neuf cent soixante-neuf, c'est aussi l'année d'Apollo 2. Le monde entier retient son souffle en regardant l'astronaute Neil Amstrong marcher sur la Lune. Mais ici, la fusée péquiste fascine tout autant les médias canadiens, qui multiplient les enquêtes pour évaluer sa course en sondant le cœur et les reins des Québécois. Les conclusions pullulent. L'une frappe : les Québécois sont en quête d'un leader fort (certains répondants ont même lâché le mot de dictateur) dont ils attendent secrètement des miracles.

Paradoxalement, les financiers respirent mieux et ne crient plus au loup séparatiste depuis que René Lévesque a créé son propre véhicule politique. Ce qui apparaissait diabolique sous Pierre Bourgault est devenu plus rassurant avec René Lévesque. Pour beaucoup de Québécois, du reste, le PQ incarne l'espoir. La solide réputation du chef, son passé et son sens de la mesure importent plus que l'article du programme qui annonce la souveraineté.

Les sondages traduisent cette ascension. Après seulement six mois d'existence, le Parti québécois talonne déjà l'UN et les libéraux avec 21 pour cent des voix, contre 27 pour chacun des deux vieux partis. René Lévesque en profite pour prédire qu'aux élections prévues en 1970, son parti formera l'opposition avec 30 pour cent des suffrages.

Son ancien ami Gérard Pelletier, catapulté secrétaire d'État par le premier ministre Pierre Trudeau, ne partage pas son optimisme. Il assure l'agent d'information Linder de l'ambassade américaine d'Ottawa qu'il n'y a pas plus de 13 pour cent de séparatistes au Québec. Le drame de René Lévesque, lui explique-t-il, c'est que son parti aura beau récolter 80 pour cent des appuis dans la bourgeoisie lettrée, la petite bourgeoisie ou chez les étudiants, il n'ira pas chercher « plus qu'un demi pour cent dans la classe ouvrière », qui compte pour beaucoup le jour du scrutin.

La progression du Parti québécois se mesure à d'autres paramètres que les sondages ou les prédictions des fédéralistes canadiens-français. Le tout nouveau quartier général du PQ que René Lévesque inaugure en avril 1969, au 5675 de la rue Christophe-Colomb, en est un autre signe. De même que les adhésions qui augmentent au rythme de 400 par semaine depuis la fondation du parti. Le membership se situe maintenant à 35 000.

Le financement populaire, sur lequel mise René Lévesque pour empêcher son parti de devenir un club privé comme le Parti libéral, prend son élan sous la baguette de Thérèse Guérin dont les collecteuses de fonds, baptisées les guérinettes, débordent d'imagination et de dynamisme. L'objectif du financement populaire (qui exclut les cotisations) a été fixé à 100 000 $. Au 12 juin, les guérinettes ont atteint la moitié de leur objectif. Les souscriptions sont tout à fait démocratiques. Un exemple : dans un groupe de 3 774 souscripteurs, 90 pour cent ont versé moins de 5 $ alors que seulement trois ont déboursé 1 000 $.

Mais l'événement marquant de l'année péquiste reste l'adhésion de Jacques Parizeau. Ce ralliement apporte à René Lévesque la caution économique, auprès des milieux d'affaires et des fonctionnaires, dont la défection de Robert Bourassa l'a privé, en plus d'indiquer que dorénavant le programme du PQ obéira à une analyse plus rigoureuse qui tiendra compte du contexte économique nord-américain.

Âgé de 39 ans, cet économiste-orchestre aux rires homériques a touché à tous les grands dossiers gouvernementaux : planification, nationalisation de l'électricité, caisse de dépôt, sidérurgie, financement public, politique salariale de l'État... L'un de ses titres de gloire restera d'avoir aidé Eric Kierans et René Lévesque à briser, en 1964, le monopole du cartel financier, formé de la Banque de Montréal et de la firme de courtage torontoise Ames and Sons, sur les emprunts du gouvernement du Québec. René Lévesque et lui avaient gardé de l'épisode de la nationalisation de l'électricité le désir d'abattre les « tyrans » qui, depuis le début du siècle, terrorisaient les nouveaux gouvernements en provoquant l'effondrement momentané du marché des obligations afin d'indiquer au ministre des Finances affolé qui était le patron.

Comme René Lévesque, Jacques Parizeau a cheminé quelques années, avant d'être foudroyé par l'éclair de la souveraineté. Mais l'idée même ne l'a jamais rebuté. Dès 1961, dans un article rédigé à la demande du *Devoir*, il soutenait que le séparatisme n'est pas forcément absurde dans l'ordre économique, mais que les obstacles seraient nombreux et redoutables.

Curieusement, l'article de Jacques Parizeau fournira des armes aux futurs ennemis de la souveraineté. Il constituera en effet l'une des premières ébauches du scénario catastrophe que les libéraux, Eric Kierans en tête, brandiront contre le manifeste de René Lévesque en octobre 1967 et contre le Parti québécois au cours des 20 années qui suivront. En voici un extrait particulièrement évocateur :

« La province se sépare du reste du pays. Du coup, les marchés des neuf autres provinces se ferment, la production de l'industrie québécoise tombe, le chômage s'étend. Ce qui est plus grave encore, les entreprises ne disposent plus que d'un marché de cinq millions d'habitants au lieu de dix-huit comme auparavant. Les capitaux étrangers quittent la province, le niveau de vie de générations à venir en est sérieusement compromis, Montréal perd son rôle de métropole, son port n'est plus que l'ombre de lui-même… »

Si Jacques Parizeau est si pessimiste alors, c'est que le Québec ne dispose pas encore d'une population suffisamment scolarisée et formée pour relever le défi, ni d'une classe d'entrepreneurs capables de prendre les commandes, encore moins d'un véritable État sur lequel greffer un projet d'indépendance sérieux. Sous Maurice Duplessis, le gouvernement n'était qu'une officine à la réputation douteuse, qui obligeait les gens comme lui et Michel Bélanger à s'exiler à Ottawa où ils n'étaient que des immigrants de l'intérieur.

Mais l'élan formidable de la révolution tranquille a tout changé. On pouvait commencer à travailler chez soi en s'appuyant sur un véritable État qui, après 1963, a provoqué un glissement énorme de ressources et de pouvoirs d'Ottawa vers lui.

Ce qu'a observé Jacques Parizeau, c'était le démantèlement d'un gouvernement fédéral centralisé à l'excès depuis la Deuxième Guerre mondiale. D'une conférence fédérale-provinciale à l'autre,

« d'une chicane à l'autre », les Québécois effeuillaient Ottawa, lui arrachant chaque fois un morceau qu'ils ramenaient en triomphe à Québec. Tantôt c'était des points d'impôt, tantôt la péréquation, tantôt des programmes conjoints. « Ça n'arrêtait pas, dira un jour l'économiste au *Maclean*. On a fini par comprendre qu'on allait tout prendre. Où s'arrêter ? »

Le Canada anglais a fini par réagir. Le pays risquait l'éclatement. Les deux gouvernements étaient assez forts pour s'entraver mutuellement.

Itinéraire d'un fédéraliste qui perd la foi

Pour Jacques Parizeau, voilà le contexte qui explique l'émergence à Ottawa, après les années 1965-1966, du *French Power* qui n'est rien d'autre qu'un écran de fumée opposé par le Canada anglais au Québec qui monte. Astucieux, mais ne voulant pas se montrer trop durs, les anglophones dressent devant les autonomistes québécois un mur de Canadiens français capables de dire non à leur place et de stopper la désorganisation de l'État canadien. « Voici, semblent dire les Canadiens anglais, ce sont des Québécois comme vous, authentiques, intelligents et connus. Dorénavant, vous allez négocier avec eux. »

Les résultats de ce faux *French Power* ne se font pas attendre. Entre Québec et Ottawa, les conflits, voire les guerres de tranchées, se multiplient et se systématisent, depuis que les Trudeau, Marchand et Pelletier sont sur la ligne de feu. De part et d'autre de la barricade, on mobilise des montagnes d'énergie et de ressources pour n'accoucher finalement que de politiques contraires et incohérentes qui font double emploi. Le chevauchement des politiques confine à un gaspillage inouï et à des niveaux d'impôt trop élevés pour la qualité des services.

Jacques Parizeau a noté aussi que le désordre du processus gouvernemental canadien ralentit la progression du niveau de vie. Le Canada ne se classe plus deuxième au monde et le Québec, qui tire de la patte comme toujours dans le Canada, voit son niveau de vie dorénavant dépassé par celui de plusieurs pays européens.

« On a tort d'opposer aux problèmes constitutionnels le pain et le beurre, commence à dire l'économiste. Les milliards engouffrés dans les services parallèles créés aux deux niveaux de gouvernement peuvent expliquer le faible taux de croissance économique. »

Au moment où René Lévesque choisit la souveraineté, Jacques Parizeau est lui-même en train de perdre la foi. L'organisation de la vie politique canadienne engendre l'irresponsabilité. Chaque niveau de gouvernement se défend en accusant l'autre : « Ce n'est pas moi, c'est lui. »

Aussi, à l'automne 1967, quand René Lévesque lui demande d'examiner les conséquences économiques de son option, il s'empresse de le faire, mais sans s'afficher publiquement. « Je prendrai position quand je serai prêt », répond-il aux journalistes qui le talonnent. C'est alors qu'intervient le fameux voyage à Banff qu'il évoquera souvent par la suite par une boutade : « Parti de Montréal fédéraliste, je suis descendu du train, séparatiste ! »

En réalité, ce *showman* est prêt à franchir le Rubicon, mais il lui manque une idée magistrale à apposer comme conclusion à l'analyse qui mûrit en lui depuis quelques années. Il la trouve en traversant les Rocheuses où l'attend un aréopage d'experts pour parler de l'avenir du Canada, et elle est aussi flamboyante que lui : il ne peut pas y avoir deux gouvernements forts dans le même pays. Ça ne marche ni politiquement, ni économiquement. Le Canada est devenu trop décentralisé pour bien fonctionner. Pousser plus loin la décentralisation en se rabattant sur des formules comme les États associés ou le statut particulier conduirait à la balkanisation. Pour sortir du cul-de-sac, il faut construire un seul gouvernement, pas 30, ni 11, ni même deux. Un seul, qui soit fortement centralisé. C'est la logique même et la condition d'une organisation politique et économique efficace.

Toute la question est de savoir où bâtir ce gouvernement unique. Où établir la capitale. En 1965, Pierre Trudeau et ses amis ont choisi Ottawa et, logiques avec eux-mêmes, ils s'affairent depuis à ravaler le gouvernement de Québec au statut d'une grosse municipalité. Jacques Parizeau opte plutôt pour Québec, et pour une raison toute simple fondée sur le bon sens et l'histoire : « Jamais, dit-il, les Canadiens français n'accepteront que leur seul gouvernement soit à Ottawa. »

Donc il faut le fixer à Québec. Et le plus vite sera le mieux, car c'est l'indécision qui engendre un climat économique épouvantable et énerve les investisseurs, non le fait de proclamer l'indépendance.

« Les capitalistes, aime-t-il rappeler, investissent dans plus de 75 pays différents et se sont déjà accommodés de presque tous les régimes politiques. C'est l'incertitude qui leur fait peur, pas l'indépendance. »

À son retour de Banff, Jacques Parizeau refuse toujours de se dire indépendantiste. Ce qui ne l'empêchera pas de passer toute l'année à initier, à la demande de René Lévesque, les militants péquistes aux mystères du marché commun et de l'association monétaire avec le Canada, à l'occasion de séminaires discrets.

En septembre 1969, un mois avant le deuxième congrès national du PQ, Jacques Parizeau décide que l'heure du débarquement est arrivée. Il en avertit René Lévesque. À ses yeux, ce dernier incarne la modernité du Québec et l'espoir d'un peuple qui n'a à s'excuser ni à se vanter de rien, mais qui peut aller loin, pourvu qu'il sorte des ornières de son passé.

Mais avant d'officialiser son ralliement, Jacques Parizeau se paie une petite fantaisie. Il invite chez lui, à Outremont, une cinquantaine de ses relations, dont René Lévesque et le premier ministre du Canada lui-même, Pierre Trudeau, avec qui il n'a qu'une seule mésentente grave : où faut-il établir la capitale de cet État unitaire et fort que tous deux entendent bâtir ? Jacques Parizeau veut enterrer sa vie d'économiste fédéraliste en leur compagnie, sachant qu'après, plusieurs d'entre eux ne le regarderont même plus dans les yeux…

En fin de soirée, une fois disparus la plupart de ses invités, Jacques Parizeau laisse tomber devant ceux qui, comme le cinéaste Jacques Godbout, n'ont pas encore levé l'ancre : « Je suis prêt à passer au PQ. » Croisant René Lévesque le lendemain matin, Jacques Godbout s'entend demander : « Vous avez survécu à la soirée d'hier ?

— C'est fantastique ! répond-il. Jacques Parizeau nous a dit qu'il était prêt à se rallier au PQ.

— Ah oui ? fait René Lévesque comme s'il l'apprenait. Ça fait plaisir d'entendre ça… »

Peu après, flanqué d'un René Lévesque radieux, l'économiste convoque la presse à qui il annonce avec pompe : « Je me déclare aujourd'hui officiellement membre du Parti québécois. Cette décision a été laborieuse et difficile. » René Lévesque l'écoute expliquer ses raisons, puis commente : « C'est un geste qui pourra dissiper certaines craintes, les craintes artificielles savamment entretenues par ceux qui ont intérêt à les maintenir. »

Un pacte avec le diable

L'imminence de la première bataille électorale et l'adhésion d'un poids lourd comme Jacques Parizeau donnent une dimension particulière au deuxième congrès du Parti québécois qui s'ouvre le 17 octobre, au centre sportif Maisonneuve, à Montréal. René Lévesque a pris ses précautions pour éviter la répétition des dérapages qui ont marqué les premiers grands rassemblements indépendantistes. Dès l'ouverture, il invite les délégués à ne pas sombrer dans les nobles improvisations, les virages trop drus ou les excitations d'amateurs.

Mais avec les péquistes, des militants aux aguets à qui on ne passe rien, l'imprévisible est toujours prévisible. René Lévesque mesure cela une fois de plus au moment de l'élection du nouvel exécutif. Sa grande frousse, c'est de retrouver Pierre Bourgault parmi les dirigeants du parti. Peu avant le congrès, il a confié à son conseiller constitutionnel, Jacques Brossard : « Si Bourgault entre à l'exécutif, il va faire de l'activisme dans le parti. Avant que je l'accepte, il doit se refaire une respectabilité. »

Après le hara-kiri du RIN, les comtés se sont mis à lancer des invitations à Pierre Bourgault, sans se soucier des règles du parti. René Lévesque a demandé au président du comité exécutif, Camille Laurin, de rappeler au fougueux orateur que « les seuls porte-parole du PQ sont ceux mandatés par l'exécutif ».

Pour René Lévesque, la présence de ce cheval trop fringant à la tête du parti créerait des problèmes de stratégie. De plus, sa soif d'absolu et de pureté confine à la limite à une forme d'intégrisme incompatible avec les impératifs de la simple prudence politique et électorale. Brutal comme il sait l'être, il profite de l'ouverture du congrès pour lui couper les jambes : « En élisant l'exécutif, recommande-t-il aux délégués, pensez qu'il nous faut une équipe aussi harmonieuse et solidaire que possible, car il faudra aller au combat et cela exige un état-major bien cimenté et uni. »

René Lévesque obtient facilement la tête de Pierre Bourgault, qui ne récolte que 300 voix sur 965. C'est la totalité des voix rinistes, qui forment près du tiers des délégués. Visiblement abattu, Pierre Bourgault dénonce la cabale dont il a été victime, mais évite de s'en prendre nommément à son persécuteur dont il doute en privé de la sincérité. Car à ses yeux, la conversion toute fraîche de René Lévesque à l'indépendantisme en fait un usurpateur qui utilise le nationalisme à des fins électoralistes sans avoir vraiment l'intention de livrer la marchandise.

Quelques années plus tard, Pierre Bourgault se videra le cœur : « Lévesque ne voulait rien savoir de moi. Lors d'une partie d'huîtres, il a refusé de se laisser photographier avec moi et, au congrès de 1969, il a été dégoûtant. Ce qu'il disait sur moi a scandalisé Jacques Parizeau qui a toujours été respectueux des gens du RIN et des pionniers de l'indépendance. J'ai beaucoup souffert de son mépris. »

En revanche, René Lévesque perd son homme de confiance, Jean-Roch Boivin, qui tombe sous le couperet des jeunes et des participationnistes qui en ont fait le symbole des vieux libéraux. Il devra s'accommoder plutôt du trop sautillant Claude Charron, élu à 23 ans au nom des jeunes grâce à l'activisme de la faction Larocque. Et cela le rend presque odieux à René Lévesque, qui lui en veut d'avoir osé battre son poulain par huit voix.

Le chef du PQ pourra cependant se reposer sur trois hommes en qui il a pleine confiance, tous futurs ministres : Camille Laurin, qui présidera l'exécutif, Jacques Parizeau, que les délégués accueillent en héros, et Marc-André Bédard, moins connu, mais dont l'influence se fera surtout sentir en région, là ou le PQ doit absolument pénétrer pour avoir droit au titre de formation nationale.

Quant au programme, pas de surprise, si ce n'est que l'influence de Jacques Parizeau se fait déjà sentir. Le chapitre économique devient plus précis et les technocrates joueront un plus grand rôle. Pour le reste, obéissant à la suggestion très électorale de leur chef d'éviter tout débat transcendantal, les délégués reconduisent sans retouche majeure le programme adopté au congrès de fondation.

Mais, incorrigibles, les péquistes tombent dans au moins un débat de fond. Amorcée au congrès de fondation par le groupe d'André Larocque, la question de l'abolition de la commission politique refait surface. Pour les participationnistes, cette « patente élitiste de vieux parti », qui n'existe que pour perpétuer l'emprise des libéraux sur le parti et décider de son orientation en cercle restreint, est indigne du Parti québécois qui place la démocratisation au cœur de sa démarche.

André Larocque, pape de la démocratie de participation, théorie axée sur l'animation constante et la régionalisation des décisions, draine le dynamisme des jeunes. Il fait honte aux anciens libéraux, comme Marc Brière, Jean-Roch Boivin ou Pierre O'Neill, qu'il traite de petits vieux et de ramollis, parce qu'ils osent mettre en doute l'efficacité de la participation. Cela dit, la lutte des participationnistes contre les libéraux réfugiés à la commission politique n'est pas totalement pure. Elle se double d'une lutte de pouvoir pour obtenir l'oreille du chef.

René Lévesque n'est pas dupe du manège. Mais préoccupé avant tout d'efficacité, et méfiant devant le discours trop sonore d'une gauche radicale dont il a pu voir qu'elle se borne souvent à construire *ad nauseam* une démocratie de papier, il hésite. L'aile d'André Larocque représente les forces vives du parti, c'est l'évidence même, mais la participation tous azimuts dont elle se réclame est illusoire et ne sera toujours à ses yeux qu'une « très belle ambition intellectuelle » qui se concilie mal avec l'action.

Le chef du PQ craint aussi que les activistes de la participation ne manipulent les militants. Pour lui, la commission politique, avec ses penseurs qui ne font pas de politique quotidienne et sont capables d'analyser les choses rigoureusement, peut servir de contrepoids à une participation voisine de l'anarchisme.

« Sacrament ! J'ai besoin de ces collaborateurs-là, jure-t-il à l'intention de Pierre Marois, jeune turc lié aux Larocque, Latouche, Carpentier et Charron, et qui a proposé l'amendement visant à abolir la commission politique.

— Vous allez les avoir, vos collaborateurs, monsieur Lévesque, le rassure Pierre Marois. Mais y aurait-tu moyen d'avoir une approche plus démocratique ? Vous allez voir, on va arriver au même résultat. »

Le chef se laisse mettre en minorité au lieu de jeter tout son poids dans la balance, comme lorsqu'il veut casser une décision qui lui déplaît. C'est le « politicien » qui tranche en faveur des jeunes et sacrifie ses compagnons de la première heure. Ce faisant, René Lévesque fait un compromis historique avec la gauche radicale qu'inspire André Larocque. En réalité, c'est un pacte avec le diable qu'il vient de conclure, et il s'en mordra les pouces face à la guérilla permanente que lui feront les radicaux durant les années à venir.

Démoralisés, les pestiférés de la commission politique se retirent dans leurs terres, convaincus que René Lévesque se fourvoie.

Jacques Brossard, l'un des piliers de la commission politique qui a pondu une bonne partie des textes d'orientation du parti, tourne en dérision les participationnistes passés maîtres dans la chasse aux sorcières et aux avocats libéraux. « Quant à moi, écrit-il à René Lévesque, je n'appartenais pas au Parti libéral, je trouve fort modéré le programme du parti, je ne me crois pas encore croulant et je ne suis même pas avocat ! Je ne crois pas non plus que le fait d'avoir plus de 30 ans signifie forcément qu'on soit élitiste et conservateur... »

CHAPITRE XXXVII

Le cheval de Troie

À moins d'avoir perdu la boussole, tous les
peuples civilisés discriminent pour protéger leur
langue et leur culture.

RENÉ LÉVESQUE et l'immigration, octobre 1968.

Les Canadiens français des années 60 voient les immigrés comme des ennemis et l'immigration comme un cheval de Troie. À peine les nouveaux venus ont-ils pénétré dans la forteresse Québec qu'ils s'anglicisent aussitôt. La violente crise linguistique de 1969, à laquelle doit faire face René Lévesque, n'est rien d'autre que le réveil brutal du Québec francophone réalisant soudain que les immigrés qu'il accueille le tuent à petit feu en se ralliant aux anglophones.

La fameuse revanche des berceaux a longtemps suffi à compenser la faible capacité d'intégration des Canadiens français. Mais la chute dramatique de la natalité, ajoutée au flot migratoire continu depuis la Deuxième Guerre mondiale, signe l'arrêt de mort des francophones. En 1968, le taux de natalité est tombé à 16 pour 1 000. Or à 15, un peuple décroît.

Le danger de l'anglicisation galopante des immigrés est manifeste à Montréal où 90 pour cent se fixent. Avant la guerre, la prépondérance française au Québec avait grimpé de 75 à 82 pour cent, alors que la présence anglaise chutait de 25 à 13 pour cent. Mais la courbe s'est renversée à partir des années 50. Que s'est-il passé ? Tout simplement que la Commission des écoles catholiques de Montréal a commencé à accueillir dans ses classes anglaises les enfants d'immigrés, et non plus seulement les élèves anglophones.

L'exemple des Italiens met en lumière les conséquences de cette politique suicidaire bêtement appliquée par une élite francophone qui sacrifiait la langue à la religion. Avant la guerre, la majorité des enfants italiens fréquentaient l'école française, contre 25 pour cent en 1963 et seulement 13 pour cent en 1967. Pour ne pas mourir, le Québec français devrait franciser 80 pour cent des immigrants, alors qu'il en intègre à peine 11 pour cent. Le démographe Jacques Henripin vient de prédire que si rien ne bouge, en l'an 2000 les francophones ne seront que 71 pour cent de la population au Québec (contre 80 pour cent en 1968) et 53 pour cent à Montréal (contre 65 pour cent).

Ottawa doit porter une part du blâme. Depuis les années 20, le fédéral persiste à peupler le Québec d'immigrants de langue anglaise qui s'intègrent spontanément à la minorité. Entre 1945 et 1962, 60 pour cent des immigrants sélectionnés par Ottawa étaient d'origine ou de langue anglaise, contre 3 maigres points de pourcentage de langue française.

Jusqu'à tout récemment, la philosophie derrière la politique d'immigration canadienne était discriminatoire vis-à-vis de ceux qui n'étaient ni anglophones ni de race blanche. Ainsi, en 1962, la publicité relative à l'immigration précisait : « Les immigrants que nous voulons travaillent actuellement dans les pays stables comme la Grande-Bretagne, l'Allemagne et les Pays scandinaves… » Racisme larvé qui a incité le premier ministre Bertrand à confier à une mission latino-américaine en visite à Québec : « Ottawa a toujours présenté à l'étranger le Canada comme un pays anglais et a toujours orienté sa politique vers l'immigration anglaise. »

Voilà pourquoi il y a cinq bureaux d'immigration canadiens en Grande-Bretagne, quatre aux États-Unis, cinq en Allemagne, un seul en France et pas un seul dans les États francophones ou latins d'Amérique latine, d'Asie, d'Afrique et du Proche-Orient.

L'ethnophobie québécoise vient en partie de là : comment ouvrir ses bras à des gens qui viennent vous noyer ? Déjà, dans l'après-guerre, la question à la mode au Québec était celle-ci : comment stopper une immigration qui n'est qu'une machination d'Ottawa pour contrer la forte natalité des Canadiens français ? Aveu de fonctionnaires fédéraux de l'immigration à un spécialiste de la question : « Il fallait noyer l'élément français et seule l'immigration pouvait y arriver, puisque les berceaux n'y parvenaient pas. »

Les gouvernements québécois ont leur part de responsabilités dans ce beau gâchis. En 1965, à l'occasion d'un débat parlementaire sur une motion du député de l'opposition Gabriel Loubier, réclamant la création d'un ministère de l'Immigration, René Lévesque avait fustigé « l'inaction traditionnelle » du Québec dans un domaine où, pourtant, l'article 95 de la Constitution lui donnait juridiction. En se basant sur le recensement de 1961, il avait conclu que 9 immigrants sur 10 s'anglicisaient et que cela ne pouvait plus continuer sans mettre en danger la survie du Québec français.

Mais il ne fallait pas trop compter sur le gouvernement de Jean Lesage, bénéficiaire du vote ethnique et anglophone, pour s'attaquer résolument au problème. Les libéraux ne voulaient pas aller plus loin qu'un service de l'immigration. C'est un premier pas, quand même. Jean Lesage mesurait mal les conséquences de son laisser-faire et ramenait toute la question de l'anglicisation des immigrants à la xénophobie canadienne-française. Comme les libéraux francophones d'Ottawa, ceux du Québec se lavaient les mains en brandissant l'épouvantail autoaccusateur du « c'est notre faute ».

En 1961, le gouvernement Lesage avait refusé d'accueillir une partie des 300 000 Français d'Algérie, comme le lui avait demandé Paris, sous prétexte que « les Canadiens français ne verraient pas l'affaire d'un bon œil ».

Le ministère de l'Immigration, ce fut l'Union nationale qui le créa, en octobre 1968. Le projet de loi 75 prévoyait des bureaux de sélection des immigrants à l'extérieur du Québec. À René Lévesque qui cherchait à savoir comment Québec s'y prendrait pour exercer un certain choix parmi les immigrants, le premier ministre Bertrand avait énoncé le principe tout simple qui guiderait la sélection : « Nous choisirons les immigrants les plus faciles à adapter au milieu francophone. » En d'autres mots, on ne laisserait plus les bureaucrates fédéraux expédier au Québec des immigrants d'origine anglophone, allemande ou italienne exclusivement.

Plus facile à dire qu'à faire. Car en vertu de la Constitution, la juridiction est partagée et c'est Ottawa qui a le dernier mot. Québec ne peut ni refuser un immigrant sélectionné par le fédéral, ni admettre un immigrant sans son aval. En revanche, rien ne lui interdit de favoriser une immigration plus francophone et de faciliter l'intégration des nouveaux venus à la société majoritaire.

La poudrière de Saint-Léonard

La crise linguistique spectaculaire qui secoue la ville de Saint-Léonard-de-Port-Maurice, en banlieue nord de Montréal, est une véritable poudrière, qui enflamme la province et place René Lévesque sur la défensive, lui qui émerge à peine de l'affrontement qui a déchiré son parti à propos des droits scolaires des anglophones.

Jusqu'à la guerre, Saint-Léonard était un gros village francophone où rien ne bougeait. Au début des années 50, la construction de l'autoroute métropolitaine a tout changé. Jouxtée dès lors à Montréal, la ville a connu un développement rapide qui s'est accéléré avec le débarquement des Italiens, à la fin de la décennie. La population, de 2 500 habitants en 1956, atteignit 10 ans plus tard 25 000 habitants dont 28 pour cent étaient d'origine italienne et 19 pour cent d'origines diverses.

Dans certains quartiers, on se serait cru au Piedmont ou en Calabre. Ce n'était plus Saint-Léonard, mais la petite Italie ! Charmant, mais les francophones réalisaient deux choses : ils ne formaient plus que 53 pour cent de la population et les bambins italiens de la rue causaient en anglais. Il y avait maintenant deux Saint-Léonard, étrangers l'un à l'autre. La zone des « Français », au nord de la rue Jarry, et la zone des « faux Anglais », les Italiens assimilés, plus au sud.

Au printemps 1968 a éclaté la guerre scolaire. Tôt ou tard, un groupe culturel qui se sent menacé tire la sonnette d'alarme : le scénario de Saint-Léonard guettait Montréal si les immigrants continuaient de s'intégrer à la minorité anglophone. La réaction fut si radicale et si confuse, que René Lévesque s'en est inquiété autant que le premier ministre du Québec.

Insatisfaits des classes bilingues où, disaient-ils, il y avait trop de français et pas assez d'anglais (en réalité, 70 pour cent de l'enseignement se donnait en anglais et seulement 30 pour cent en français, et les murs des classes étaient placardés aux couleurs du Canada anglais), les Italiens de Saint-Léonard firent campagne pour l'école anglaise. Ils trouvèrent sur leur chemin le Mouvement pour l'intégration scolaire (MIS) animé par l'architecte Raymond Lemieux, qui combat l'anglicisation partout où il la rencontre, ayant été à demi assimilé, jeune.

Aux élections scolaires, le MIS a fait élire ses commissaires, qui décrétèrent qu'à partir de septembre 1968, l'école française pour tous serait la règle. À l'automne, au moment où le MIS commençait à implanter l'école française unique, Raymond Lemieux a délaissé l'action démocratique pour se jeter dans l'activisme plus ou moins légal. Encadrés par son mouvement, les élèves de l'école secondaire Aimé-Renaud, qui devait passer au secteur anglais pour des raisons administratives, se barricadèrent dans l'école en exigeant qu'elle reste française.

Réclamation pittoresque : Aimé-Renaud était une vieille école aux allures de baraque. Ironie du sort, c'est Raymond Lemieux qui avait tiré les plans de la nouvelle école George-Étienne-Cartier dans laquelle on voulait déménager les élèves francophones ; les Italos-anglophones devraient se contenter d'Aimé-Renaud. Qu'à cela ne tienne ! La cour de l'école devint rapidement le sanctuaire de la contestation. C'était la fin de l'été et tout le Québec nationaliste, étudiant et syndicaliste profitait du beau temps pour venir scander jour et nuit dans un climat de carnaval « Aimé-Renaud en français ! » Même les sympathisants du felquiste Paul Rose et du boxeur séparatiste Reggie Chartrand venaient encourager les élèves à tenir bon.

René Lévesque observait ce cirque d'un œil méfiant. Son instinct lui disait que ça sentait mauvais. Après la formation du MIS, il avait fait venir ses dirigeants, dont Raymond Lemieux, pour tempérer leur frénésie : « C'est une question chaude, la langue, il ne faut pas la soulever à tort. L'intégration des immigrés ne se fera pas en tapant sur la tête des gens ni en leur ordonnant de parler français. »

Aussi, quand Doris Lussier et Gilles Grégoire l'ont incité à aller faire acte de présence dans la cour d'Aimé-Renaud, il s'est cabré. Il a fini par s'y rendre après minuit, en tablant sur l'obscurité pour passer incognito. Il avait sa mine des mauvais soirs et quand Raymond Lemieux s'était avancé pour le saluer, il l'avait apostrophé : « Ce n'est pas vous que je veux voir, monsieur Lemieux, mais les parents des élèves ! » Toisant les Chevaliers de l'indépendance du boxeur Reggie Chartrand, il en avait remis : « C'est dangereux, monsieur Lemieux, de s'entourer de fanatiques ! »

Son passage éclair à Aimé-Renaud lui avait prouvé que ses craintes étaient fondées. Les parents et les élèves de Saint-Léonard avaient été noyautés par tout ce que Montréal comptait d'activistes patentés qui cherchaient à créer un climat d'hystérie et d'hostilité autour de la question des immigrants.

En décembre de la même année, le chef souverainiste a pu vérifier une autre fois ses thèses. Le premier ministre Bertrand avait demandé à son bras droit, Julien Chouinard, de préparer une loi pour régler le problème de Saint-Léonard. Champion bien intentionné des droits individuels, le chef unioniste ne pouvait tolérer que des commissaires scolaires locaux bafouent ce qui était pour lui le droit sacré des parents de faire instruire leurs enfants dans la langue de leur choix.

Le 5 décembre, dans l'attente du dépôt de la première loi linguistique dans l'histoire du Québec, 3 000 manifestants dirigés par le chef du MIS, Raymond Lemieux, ont assiégé l'édifice du Parlement, armés… de balles de neige. Des carreaux volèrent en éclat. Des affiches proclamaient : « Bertrand traître ». La police interpella une quinzaine de casseurs qui n'avaient même pas 20 ans. La majorité des manifestants étaient des élèves du secondaire, certains n'avaient pas plus de 12 ans.

Indigné par l'embrigadement d'élèves, René Lévesque s'était emporté contre les « cerveaux brûlés » de Raymond Lemieux. Après la manifestation, il avait lancé aux journalistes : « C'est un viol répugnant et criminel commis par un petit groupe de déséquilibrés qui se prennent pour des révolutionnaires. » Dans son édito du lendemain, « De la dissidence au fascisme », Claude Ryan avait rappelé que le chef du PQ ne s'était pas trompé quand il avait décelé plus tôt « une odeur malsaine » à Aimé-Renaud.

Nullement intimidé par la fureur de la rue, le premier ministre Bertrand avait déposé le projet de loi 85 qui visait à tuer dans l'œuf tout nouveau Saint-Léonard. La loi prévoyait le libre choix de l'école anglaise ou française pour tous, immigrés inclus.

Agir autrement, avait soutenu Jean-Jacques Bertrand, aurait relevé du totalitarisme. Les milieux populaires avaient riposté : « L'Ontario

est-elle fasciste parce qu'elle intègre ses immigrés à l'école anglaise
pour tous ? » La loi Bertrand, c'était l'école française pour les francophones et l'école anglaise pour tous les autres Québécois, anglophones et immigrants. Une loi de statu quo qui justifie le laisser-faire
face à l'immigration.

De prime abord, la loi 85 n'avait pas scandalisé René Lévesque.
Il admirait le sens de la liberté et de la modération du premier
ministre, même s'il le trouvait trop légaliste. Avec lui, ironisait-il, c'est
« Vive le Canada libre dans les limites de sa juridiction et vive le
Québec libre dans les limites de sa juridiction ! » Comme en faisait
foi le programme du PQ, il ne considérait pas le libre choix scolaire
comme la bête ignoble conspuée par Raymond Lemieux.

Durant le débat parlementaire sur la loi 85, René Lévesque avait
griffonné des notes qui laissaient voir sa sympathie pour le projet de
loi. « Bill 85 — comment concilier ce que nous voulons, respect des
autres + rayonnement de la langue nationale ? Statu quo au moins
préservé — pourquoi pas ? En attendant une enquête. Ce n'est plus,
parfois, la raison mais les passions qui mènent… »

Mais l'obstination passionnée du premier ministre à mettre Québécois anglophones et immigrés sur le même pied, et à évacuer le
drame de la minorisation en cours des francophones, avait fini par
lui coûter l'appui de René Lévesque. Car si les anglophones possé-
daient des droits acquis en matière scolaire, comme l'affirmait le programme du PQ, ce n'était pas le cas des nouveaux arrivants, qui
devraient obligatoirement fréquenter l'école française. Aussi avait-il
fini par se dresser contre la loi Bertrand : « Nous combattrons cette
loi miteuse, humiliante et pernicieuse pour la majorité francophone
par tous les moyens légitimes dont nous disposons. »

Après quoi, René Lévesque avait fait approuver par le conseil
national de son parti un contre-projet de loi qui voulait limiter le développement des écoles de la minorité anglophone à son « accrois-
sement naturel et normal », de façon à y exclure les immigrants.
Concept nouveau que Claude Ryan avait trouvé entortillé, glissant
et hérissé d'embûches pour la liberté.

Le débat sur la loi 85 n'était pas allé plus loin. Le 16 décembre,
en l'absence du premier ministre hospitalisé d'urgence, le vice-
premier ministre Jean-Guy Cardinal, son rival nationaliste, avait
retiré le projet de loi avec l'accord du Cabinet. Une vague impression

de putsch gentil, tout démocratique, avait flotté un instant sur la capitale pendant que les ministériels, appuyés par René Lévesque, enterraient la loi Bertrand. Le chef péquiste avait résumé le soulagement général en ces termes : « J'espère sans ambages que, sous son pudique costume réglementaire, cette motion devienne pour la loi 85 son habit de funérailles et lui permette de retourner au néant d'où, à mon humble avis, elle n'aurait jamais dû sortir. »

Une loi « abominable »

À l'automne 1969, au moment où Jacques Parizeau adhère au PQ, Jean-Jacques Bertrand passe de nouveau à l'action. Il a soigné son cœur malade et laminé l'ambitieux ministre de l'Éducation, Jean-Guy Cardinal, qui menaçait son autorité, lors d'une campagne au leadership qu'il a lui-même sollicitée.

À Saint-Léonard, la rentrée scolaire dégénère. Francophones et italophones se tabassent en pleine rue. Une émeute raciale qui se termine par l'application de la loi martiale et un bilan dramatique : 100 blessés, dont deux gravement, 51 arrestations, 118 vitrines fracassées et 10 incendies criminels.

L'urgence d'une nouvelle législation s'impose. Un mois plus tard, un comité d'experts supervisé par Julien Chouinard et formé d'Yves Martin, sous-ministre de l'Éducation, et des légistes Robert Normand et Claude Rioux, accouche d'une nouvelle politique linguistique. C'est la fameuse loi 63, qui est une réplique de la défunte loi 85.

Intitulée Loi pour promouvoir l'enseignement de la langue française, ses trois premiers articles en résument l'essentiel. Article 1 : s'assurer que les enfants de langue anglaise acquièrent une connaissance d'usage du français. Article 2 : s'assurer que tous les parents du Québec puissent choisir la langue d'enseignement de leur choix. Article 3 : s'assurer que les immigrants apprennent la langue majoritaire.

L'aile nationaliste du cabinet rechigne devant le libre choix qui signifie que la francisation des immigrés, le cœur même du problème, restera incitative. La « bonne volonté » suffira, assure le premier ministre. « On ne peut pas empêcher cela, martèle de son côté le secrétaire du gouvernement, Julien Chouinard. Il faut respecter le libre choix de tous les parents. » Une confusion intellectuelle grave, démentie par les pratiques des autres sociétés d'accueil, où l'immigrant doit obligatoirement adopter la langue majoritaire. C'est ce qui se passe en Colombie-Britannique, en Ontario, aux États-Unis ou en France.

Jean-Jacques Bertrand est soumis à de fortes pressions du milieu des affaires. « *It's your job to do it* », lui écrit Conrad Harrington, président du Trust Royal. La presse anglophone insiste tout autant. « *It's time to act, Mr. Bertrand* », commande *The Ottawa Citizen*, pendant que le *Montreal Star* le blâme pour son inaction : « *Where is the voice of Premier Bertrand ?* »

Il y a encore Ottawa qui l'influence par l'entremise de Julien Chouinard, fédéraliste proche du chef de cabinet du premier ministre canadien, Marc Lalonde. Pierre Trudeau lui-même l'a incité publiquement à prendre les grands moyens, après l'émeute de Saint-Léonard : « Si l'autorité compétente n'agit pas, ce sera le gouvernement par la populace... »

Le 23 octobre 1969, journée mémorable, Jean-Jacques Bertrand dépose sa loi, convaincu d'avoir raison. Droits acquis des anglophones, primauté de l'individu sur le groupe (« Tu es individualiste, tu es comme moi », dit-il souvent à Julien Chouinard), liberté de choix de la langue d'enseignement pour tous, même les immigrés, ce sont là ses dogmes.

Une langue ne s'impose pas par la force, raisonne-t-il. Le français, même s'il est condamné à vivre dangereusement, gagne du terrain. En 1867, 40 pour cent de la population de la ville de Québec était anglophone. Aujourd'hui, il faut la ratisser pour y dénicher un anglophone. La francisation des Cantons de l'Est, où se trouve son comté de Missisquoi, prouve aussi la vitalité du français.

Plus tôt, durant le débat avec René Lévesque, le premier ministre lui a rappelé que la population de Cowansville, aujourd'hui francophone à 85 pour cent, était anglaise à 75 pour cent durant les années 20. « Et ça s'est fait sans racisme ni fanatisme, mais par la force des choses », a-t-il fait remarquer au « député de Laurier ».

L'exemple des Cantons de l'Est n'a guère impressionné ce dernier. Natif de New Carlisle où, quand il était petit garçon, « tout emploi important était tenu par des gens de langue anglaise », le chef péquiste a démoli la thèse par trop rassurante du premier ministre. À Cowansville, comme à New Carlisle, les francophones avaient gagné faute de combattants. Ils n'avaient pas intégré les anglophones, comme la statistique le donnerait à penser. La francisation s'était faite parce que les anglophones avaient émigré, tout simplement. Pour René Lévesque, l'avenir du français ne se jouerait ni à New Carlisle ni dans Missisquoi, vidés de leurs anglophones depuis belle lurette, mais à Montréal, qui n'était pas un milieu d'intégration favorable aux francophones.

La nouvelle loi Bertrand le bouscule. Depuis ses premiers accrochages linguistiques avec François Aquin et les dirigeants du RIN, il a évolué au sujet des droits scolaires de la minorité anglophone. La liberté de choix qu'invoque le chef du gouvernement ne lui apparaît plus aussi inviolable qu'avant la crise. À Montréal, ce serait lâcher le renard dans le poulailler, car la maladroite loi 63 enlève toute barrière à l'anglicisation en biaisant sur la question difficile mais cruciale de l'intégration des immigrants.

Conseillé par Jacques Parizeau qui lui pousse dans le dos, en lui rappelant que depuis l'éclatement du psychodrame de Saint-Léonard les adhésions quotidiennes au PQ sont passées de 700 à 2 000, René Lévesque jongle avec le concept de contingentement. Une invention de l'imaginatif économiste qui insiste sur la distinction à faire entre les vrais et les faux Anglais, c'est-à-dire entre les anglophones d'origine et les immigrés assimilés. Pour stopper la débandade des francophones, il suffirait de limiter le nombre des écoles anglaises proportionnellement au nombre de vrais anglophones.

René Lévesque n'adopte pas de gaieté de cœur cette notion équivoque qui risque de lui valoir des accusations de racisme. D'avoir à légiférer en matière de langue le mettra toujours mal à l'aise. Toutefois, devant l'injustice et l'extrémisme véhiculés par la loi 63, véritable missile pointé sur le Québec français, il choisit d'écouter Jacques Parizeau.

Le compromis est raisonnable. Il ne bafoue pas le droit acquis de la minorité anglophone à ses écoles, droit dont sont privés les francophones hors Québec. Mais la différence, c'est que les fonds publics consacrés aux écoles de la minorité anglophone seraient dorénavant proportionnels à son importance numérique, de façon à barrer l'accès de l'école anglaise aux immigrants.

Ses lectures sensibilisent aussi René Lévesque aux rapports entre langue et identité qui chicotent Camille Laurin. Il note cette réflexion du poète Fernand Ouellette puisée dans la revue *Liberté* : « Pour le Canadien français, prendre conscience de sa condition de prolétaire, c'est prendre conscience de l'infériorité de sa langue. Et il est peut-être le seul au Canada, à cause de sa langue, à pouvoir se sentir vraiment prolétaire. Au fond, le Canadien anglais n'est qu'un homme qui a la *chance* d'avoir la langue de l'Américain. »

Il relève aussi cette autre observation clinique à propos du complexe de minorité des Canadiens français. À Montréal, le nombre de dépressions nerveuses augmente pour la population française mais diminue chez les anglophones. Il y aurait un lien direct entre la structure dépressive de la personnalité du Canadien français et son statut de peuple colonisé. René Lévesque note enfin les lignes suivantes, tirées des *Thibault*, de Roger Martin du Gard : « Le problème de la patrie n'est peut-être au fond qu'un problème de langue. Où qu'il soit, où qu'il aille, l'homme continue à penser avec les mots, avec la syntaxe de son pays. Où qu'il soit, il garde sa langue. »

Une semaine après le dépôt de la loi 63, le chef du PQ se retrouve au cœur d'une contestation populaire qui transforme la province en champ de bataille. L'économiste François-Albert Angers, vieux lutteur nationaliste tenace qui dirige le Front du Québec français, prend sous son aile l'opposition non parlementaire. En accord avec plus de 200 groupes populaires et syndicaux, il prépare la plus formidable levée de boucliers de l'histoire du Québec pour gagner ce qu'il appelle la troisième bataille des Plaines d'Abraham. La deuxième était la tentative ratée d'imposer l'unilinguisme anglais au Parlement des deux Canadas, à la faveur de l'Acte d'Union de 1840.

Pour la première fois en effet, une loi québécoise accorde à l'anglais un statut juridique égal à celui du français à l'école, audace que le conquérant britannique ne s'était même pas permise, après mûres réflexions, en 1763. Non plus que l'article 133 de la Constitution de 1867, qui limitait l'anglais à l'Assemblée nationale et aux tribunaux. Au sens de la Constitution, l'école n'est ni anglaise, ni française, mais protestante ou catholique. Pour François-Albert Angers, la « loi abominable » du premier ministre Bertrand constitue une brèche historique intolérable.

René Lévesque a beau être d'accord avec la rue, jamais il n'y descendra. Son instinct, qui le trompe rarement, le lui déconseille à cause notamment des agitateurs qui infiltrent le Front du Québec français.

Il met en garde ses militants contre ceux qui prônent la violence et les incite à se méfier des appels à la « démocratie directe » d'intellectuels grisés qui, nostalgiques de quelque corporatisme pétainiste ou franquiste, proclament la déchéance de l'action parlementaire.

Il surveille aussi avec un malaise croissant la marée de manifestants qui commence à couvrir la province. Du secondaire à l'université, de Hull à Gaspé, le monde étudiant est complètement paralysé. À Montréal, 25 000 personnes brûlent en effigie le premier ministre Bertrand, cependant que le Front du Québec français annonce une marche homérique sur le Parlement. La seule opposition non parlementaire approuvée par René Lévesque, c'est celle du président de l'exécutif du PQ, Camille Laurin, qui multiplie les émissions de radio et de télé pour expliquer la position du Parti québécois en matière linguistique.

Alors que l'Assemblée nationale entame la seconde lecture du projet de loi, René Lévesque sort du mutisme qu'il s'est imposé depuis le dépôt : « La loi 63 est de fabrication intellectuellement malhonnête et constitue une démission catastrophique. Le gouvernement se conduit en extrémiste...

— Le député de Laurier nous dit qu'il limitera les droits de la minorité anglophone à son importance numérique, l'interrompt aussitôt Jean-Noël Tremblay, ministre de la Culture à la langue pointue. Monsieur le président, en Allemagne, on a limité ainsi les droits d'une certaine catégorie de gens à leur importance numérique avant de les exterminer...

— Je ne croyais pas qu'on pouvait descendre aussi bas ! s'indigne René Lévesque en sortant en trombe de l'Assemblée nationale qui cède à un chahut indescriptible.

— Va rejoindre les enfants de 12 ans dans la rue ! » lui crient au passage des députés qui le huent copieusement.

Le Parlement en folie

Le vendredi 31 octobre, à 18 heures, 20 000 manifestants bloquent l'entrée principale de l'édifice parlementaire, déserté par les politiciens. À l'intérieur, 1 000 policiers casqués et bottés attendent les ordres. Au camp de Valcartier, à quelques kilomètres au nord de la capitale, l'armée canadienne est en état d'alerte.

Contre toute attente, la manifestation du Front du Québec français s'étire dans un calme relatif. Vers 21 h 30, toutefois, deux cocktails Molotov explosent. Une partie de la foule scande aussitôt : « Pas de violence ! Pas de violence ! » Le calme se rétablit. Il y a au moins un chef politique qui n'a pas fui le théâtre de la manifestation : c'est René Lévesque. Il voulait être présent « pour se faire sa propre idée », dit-il au reporter du *Devoir* qui l'accoste.

Par une fenêtre du Salon rouge qui donne sur l'entrée principale, il observe la foule en compagnie du sous-ministre Claude Morin : « Ouais, on est sur une poudrière, lui dit-il en se félicitant du déroulement paisible de la marche. On est à définir en ce moment même le droit de manifester... » Allusion au règlement anti-manif qu'entend faire adopter le maire de Montréal, Jean Drapeau, pour rétablir la paix sociale dans les rues de sa ville.

René Lévesque a pavoisé un peu hâtivement. À 23 heures, une fois les manifestants dispersés, une rixe éclate entre les policiers et un dernier carré de 2 000 casseurs frustrés. Le scénario de Saint-Léonard se répète : gaz lacrymogènes et coups de matraque s'abattent sur les manifestants dont une quarantaine se retrouvent à l'infirmerie et le double, derrière les barreaux.

Le lendemain, René Lévesque prend la tête de « la petite opposition » qui se substitue aux libéraux. Qui, plongés dans une campagne au leadership qui tombe bien — c'est l'excuse idéale pour ne pas trop se compromettre —, jouent une valse-hésitation qui ne les empêche toutefois pas de voter avec le gouvernement en seconde lecture. Une absence remarquée : celle de Pierre Laporte, l'un des trois candidats à la succession de Jean Lesage. Les deux autres aspirants, Robert Bourassa et Claude Wagner, approuvent la loi.

Cinq députés seulement enregistrent leur dissidence : René Lévesque, Yves Michaud, Jérôme Proulx, Antonio Flamand et Gaston Tremblay. Leur nom ne figurera donc pas sur la liste « de ceux qui ont trahi » qu'est à dresser le président du Front du Québec français, François-Albert Angers.

Voilà le noyau de « l'opposition circonstancielle » qui amorce un *filibuster* pour tenter de bloquer l'adoption de la loi en dernière lecture. L'expression est d'Yves Michaud, qu'un Robert Bourassa insistant (mais qui se tient le plus loin possible du débat pour ne pas nuire à sa candidature) n'a pas réussi à empêcher de démissionner du Parti libéral. La stratégie de René Lévesque vise à faire durer le débat le plus longtemps possible pour forcer les libéraux à se compromettre sur la question de la langue et pousser la Chambre à retirer la loi 63 ou du moins à en modifier la nature.

Maintenant qu'il épouse franchement la dissidence, il devient féroce. Sa pauvre victime, Jean-Jacques Bertrand, qui a porté « sur les fonts baptismaux de tout un peuple cet avorton législatif, cette deuxième fausse couche linguistique en autant d'années, qu'est le projet de loi 63 », n'échappe pas à ses coups de griffes.

Certes, le père de la loi 63 est sincère. Mais comme la sincérité à l'état pur existe rarement, René Lévesque, qui a à l'esprit les contacts privilégiés entre Julien Chouinard et Marc Lalonde, dont l'a informé Claude Morin, demande carrément au premier ministre : « Quel rôle la ligne téléphonique Ottawa-Québec a-t-elle joué dans cette mesure mal conçue et brutale ? Quelles ont été les pressions du monde industriel et financier anglophone, maîtres coulissiers de la caisse des vieux partis ? »

Le Parlement devient un bateau ivre. « Surpris par la tempête qui s'est élevée, il tangue et ballotte comme s'il était en perdition, ce pauvre vaisseau parlementaire », constate René Lévesque qui se lève pour présenter un amendement ou poursuivre son obstruction systématique. Mais à peine a-t-il le temps de dénoncer « un gouvernement qui sombre dans le délire procédurier pour passer à la vapeur une loi incohérente et injuste », que sa voix se perd sous les injures. C'est le chaos.

Le 12 novembre, après une dizaine de jours d'obstruction parlementaire, la petite opposition s'attaque à l'article 3 de la loi 63, qui consacre la francisation incitative des immigrés.

« Faisons d'abord un essai loyal », offre le nouveau ministre de l'Immigration, Mario Beaulieu.

— La coercition nous répugne, répète inlassablement le premier ministre.

— C'est bien beau de dire que ça répugne, mais il s'agit de voir si c'est légitime, et nous disons que oui », tranche René Lévesque en s'appuyant sur l'opinion de Claude Ryan, qui penche maintenant du côté de l'obligation légale après avoir défendu l'incitation.

Pour Yves Michaud, c'est du faux libéralisme que cette idolâtrie de la bonne volonté. Jean-Jacques Bertrand pousse à l'absurde sa phobie de la coercition en invoquant la démocratie. Comme si les Américains, les Allemands et les Français étaient contre la démocratie sous prétexte que leurs immigrants ne sont pas libres de choisir la langue d'enseignement.

Le chef péquiste déclenche le dernier feu d'artifice de l'opposition circonstancielle : « C'est un petit monstre d'insignifiance, un avorton, un long et insipide gringalet législatif, issu de ce couple bipartisan qu'on a vu s'unir de plus en plus étroitement depuis un mois derrière des éloignements de façade... »

Un pareil talent de démolisseur se paie. Jean-Noël Tremblay prend la mouche et le traite de tête de pieuvre. Le poulpe lui renvoie le compliment en le coiffant d'une tête de vipère. Son ancien collègue du cabinet libéral, Émilien Lafrance, qui avait pour devise « Un peuple fort est un peuple sobre », se fourre les mains dans les poches avant de lui jeter : « Tu te prends déjà pour le président, toi ! »

Le lendemain, 20 novembre, la loi 63 obtient la sanction. René Lévesque a perdu son premier combat linguistique. Littéralement décomposé, François-Albert Angers réalise que la troisième bataille des Plaines d'Abraham a été perdue. À ses yeux, le premier ministre Jean-Jacques Bertrand a payé le prix fort — la langue de son peuple — pour faire la paix avec la rue Saint-Jacques et les anglophones. L'histoire le condamnera.

Le Front de libération du Québec salue à sa manière la sanction de la loi 63. Durant le vote final, deux bombes sautent à Montréal. L'une au collège anglophone Loyola, dans l'ouest de la ville. L'autre à Saint-Léonard, devant la résidence de Mario Barone, leader de la communauté italienne qui en est, elle, aux réjouissances. L'école française pour tous décrétée un an plus tôt par le MIS de Raymond Lemieux n'aura été qu'un feu de paille.

Nick Ciamarra, dirigeant de l'Association des parents italophones de Saint-Léonard, résume à la presse le sentiment général : « La loi 63 nous garantit le droit à l'enseignement en anglais. Nous sommes satisfaits. Pour nous, la crise scolaire de Saint-Léonard est terminée. » Mais pour combien de temps ? Dans son dernier éditorial sur la question, Claude Ryan conclut : « Un chapitre important de l'histoire de la démocratie au Québec vient de s'écrire. Mais les chapitres à venir restent incertains... »

CHAPITRE XXXVIII

For Canadian eyes only

Même en essayant très fort, Pierre Elliott Trudeau ne ferait pas sérieux en führer de la National Unity.

RENÉ LÉVESQUE, avril 1971.

Alors que l'année 1970 va débuter, René Lévesque se sent toujours amoureux de Corinne Côté. Leur passion a tenu bon durant une année entière. Pourtant, comme s'il n'était plus sûr de ses sentiments, ou comme s'il avait quelque chose à se faire pardonner, les « peut-être » abondaient dans la carte anniversaire qu'il lui a fait parvenir, le 10 novembre, en pleine guérilla parlementaire :

« Bonne fin de fête, Corinne — et je t'aime pour toute l'année, peut-être bien pour toutes les années... à cause des trésors de ta personne. Les trésors qu'on voit, et qui continuent à me rendre fou — et bien — même quand je te fais mal. Et ceux qu'on découvre à mesure qu'on te connaît. Et ceux qu'on devine, et que tu gardes en réserve ? Salut. Ma Corinne — peut-être. Je t ! René. »

Est-ce l'amour qui lui donne des ailes ? Il se fait poète du dimanche pour exprimer ses vœux de la nouvelle année aux partisans lecteurs de sa chronique du *Clairon* de Saint-Hyacinthe. Citant en préambule le vers de Ronsard, son poète favori (« Quand vous serez bien vieille, au soir, à la chandelle… »), il résume à sa façon la décennie qui s'achève et évoque le grand espoir de celle qui commence :

> On a tué au Vietnam, au Biafra
> On a tué au Sinaï, en Algérie
> Che Guevara est mort en Bolivie
> Mais Papa Doc en Haïti est toujours là
>
> Tant d'espoirs si tôt passés de vie à trépas
> Kennedy de Dallas et de Californie
> Tant de fleurs au panier adieu Jackie
> Onassis sur son yatch Trudeau à Ottawa
>
> Bientôt la mini-jupe a suivi la pilule
> On n'a plus eu du tout les femmes qu'on avait
> Fini le temps des bébés qu'on faisait
> Pour remplir les berceaux et souvent les cellules
>
> Et nous autres dans tout ça ?
> Révolution tranquille… et puis non moins
> Tranquilles, ralentissement et mélancolie
> Expo, métro… et puis un Drapeau en berne
>
> Autoroutes, grands buildings, euphorie et puis
> La place Bonaventure qui n'arrive pas à payer ses taxes
> Lesage maître chez nous, Johnson égalité ou indépendance
> Et puis Bertrand la survivance pas pressée
> Et Bourassa la petite comptabilité résignée
>
> Mais dans ce creux de la vague, il y a une marée
> Qui continue quand même à monter
> Qui bientôt déferlera pour de bon.
>
> Bonne Année et bonnes années 70.

Au début de janvier, le théâtre politique s'anime. Tandis que le premier ministre Bertrand jongle avec la date des élections, les libéraux sont à décider qui, de Robert Bourassa, de Pierre Laporte et de Claude Wagner, l'ancien ministre anti-casseur, a le plus de chance de les ramener au divin paradis du pouvoir auquel le créateur les destine de toute éternité.

Insouciant de la tempête politique qui se lève, René Lévesque abandonne femme, maîtresse et poésie. Il s'en va dans l'ouest du pays expliquer aux anglophones « *the making of a separatist* ». Le journaliste Graham Fraser, fils du fameux Blair Fraser qui l'avait mis en rogne à propos des Esquimaux, quelques années plus tôt, le suit à la trace et découvre la fascination qu'il exerce sur ses compatriotes anglophones.

Un soir, à Saskatoon, l'un d'entre eux se lève pour demander, mine de rien : « Monsieur Lévesque, si vous êtes battu aux prochaines élections et que votre parti ne va nulle part, est-ce que vous pourriez venir en Saskatchewan et vous présenter au poste de premier ministre ? »

Mais qui d'autre que René Lévesque lui-même pourrait mieux décrire l'accueil que lui réservent les *Westerners* ? Même s'il doit se soumettre à un programme effréné, il trouve toujours quelques minutes pour rappeler à Corinne l'amour féroce qu'elle lui inspire, tout en lui racontant dans le menu détail les diverses étapes de sa tournée.

« Winnipeg — aéroport — mardi, 6 heures pm…

« Ma Corinne, comment ça va ? Tu m'es revenue comme une vraie invasion il y a quelques instants, au comptoir de la boutique où je flânais entre deux avions. Il y avait toute une collection de trucs (broches, pendentifs, boucles d'oreille) en très jolie céramique. La dernière version de la rage astrologique… J'ai eu beau chercher le Scorpion, et même la Vierge (que je t'aurais volontiers imposée !), je n'ai rien trouvé.

« À bord de l'avion, siège 10 B…

« On va partir dans quelques instants. Mais maintenant que les (mauvais) signes du Zodiaque m'ont ramené près de toi, j'y reste. Même si c'est presque morbide de sentir autant que tu es là, tout près, quand tu n'y es pas. C'est comme de l'illusionnisme (un ou deux "n", Mlle ?…) Je cherche à te situer au bureau, ou plutôt à l'heure qu'il est, dans la rue, ou au restaurant, pour mieux t'encadrer, te fixer mais tu me glisses entre les doigts. Est-ce que ça t'arrive parfois à toi aussi ? J'espère bien que oui. Pourquoi je serais le seul, injustement, à m'ennuyer systématiquement ?

« Aujourd'hui, j'ai fait mon numéro à Saskatoon, au campus de l'Université de Saskatchewan. Ils sont parmi les plus sympathiques :

ce qui signifie aussi naturellement les plus ouverts ! Ç'a été un peu mouvementé. L'avion était arrivé en retard d'Edmonton où, hier, ils ont failli me crever avec quatre réunions de midi à onze heures — je t'assure que je me suis couché vite et sans détours après ça !

« À la fin d'une rencontre-éclair avec la presse, ça faisait à peine dix minutes que je parlais lorsque la plus infernale des sonneries d'alarme a assourdi tout le monde. Alerte à la bombe ! Il a fallu évacuer l'auditorium… On s'est réfugié à la cafétéria où, là, je me suis fait accrocher par un groupe enragé d'*internationalists,* espèce Western correspondant à nos révolutionnaires mondiaux, aussi butés et mêlés que les nôtres. Ç'a fait un bon débat pendant 20 minutes, après quoi ça devenait "plate". Ils se répètent terriblement, les gars.

« En haut — 35 000 pieds — il fait moins 40° au dehors…

« À part ça, il gèle à pierre fendre. On va nous servir un repas quelconque dans quelques instants, et ça me rappelle que je n'ai pas mangé depuis ce matin. Mais j'avais déjeuné comme un ogre à l'aéroport de Saskatoon : œufs, bacon, etc. Le "couraillage", ça ouvre au moins l'appétit.

« Jusqu'à présent, dans l'ensemble, l'accueil a été plutôt bon : étudiants, télé, quelques politiciens. On nous prend de plus en plus au sérieux, pour de bon, et ça commence vraiment à leur sembler concevable. Du moins, j'en ai l'impression. Je crois que nous profitons aussi de la courbe fortement descendante de "l'image" Trudeau.

« Mais au fond, tu sais, ici comme quand nous sommes vraiment ensemble, il faut un peu que je me force pour te parler de tout ça, pour avoir si peu que ce soit le goût de m'y attacher. C'est à toi, et à nous, que j'ai envie de jongler. Je me vois arrivant à Toronto, tout à l'heure, et aboutissant à un hôtel, puis une chambre, et pensant que tu n'es pas là.

« Ça finit par donner des grincements de dents de te pourchasser ainsi dans le vide. Comme disait naguère un obscur poète, je suis fait pour te tenir — la vraie toi avec qui je suis toujours bien, qui devrait être là toute la maudite nuit qui vient — et tant d'autres maudits jours + m. nuits ! Corinne, ma drogue à moi…

« Bonsoir, mon amour, je vais tâcher de rentrer de force l'envie que j'ai de toi, de toute toi, toi juste là, toi dans chaque robe, toi dans rien, toi colleuse, toi quand tu es bien et qu'alors tu ne sais pas comme je le suis aussi. Toi, toi, toi, nous deux, ma Corinne à moi — si tu veux.

« Et c'est tout, sauf qu'il reste Toronto, et puis London et puis Ottawa. Et puis ouf! et puis un peu de nous deux. Si ça ne t'ennuie pas, samedi, c'est entendu. J'y pense. Samedi soir, sauf erreur, faudrait voir si c'est de Bourassa ou d'un autre qu'on va hériter. O. K.! Je t'aime. René. »

C'est bien à tort que René Lévesque doute des chances de son ancien protégé politique. Car Robert Bourassa possède les atouts pour devenir le prochain chef du Parti libéral, à 36 ans. Un exploit, car le jeune prodige a dû déjouer toutes les manœuvres des libéraux fédéraux.

En effet, de sa tour d'Ottawa Pierre Trudeau avait décidé de profiter des prochaines élections québécoises « *to force the separatism versus federalism issue* », comme l'a confié son secrétaire parlementaire, le député Jean-Pierre Goyer, à David Macuk, de l'ambassade américaine à Ottawa. Pour tenir tête à René Lévesque, le parti provincial devait être dirigé par un leader chevronné et fort. Deux conditions que ne remplissait pas Robert Bourassa aux yeux de Pierre Trudeau, qui le percevait comme un technicien compétent certes, mais « essentiellement faible » et trop proche des thèses de René Lévesque.

Malheureux à Ottawa, le ministre Jean Marchand ne demandait pas mieux que de passer à Québec pour barrer la route à son ami René. Mais Pierre Trudeau n'a pas voulu en entendre parler : « Nous étions encore assez faibles à Ottawa. Notre cabinet existait depuis moins de deux ans. Nous ne pouvions pas nous passer de Jean Marchand », confiera-t-il quelques années plus tard à son biographe George Radwanski.

En septembre, Robert Bourassa avait donc reçu un coup de fil rassurant de Marc Lalonde, chef de cabinet du premier ministre canadien : « Marchand n'y va pas... » Mais son répit aura été bref. Quelques semaines plus tard, Jean Marchand lui-même jetait son dévolu sur Gérard Filion, l'ancien pdg de la SGF et de Sidbec qui détestait René Lévesque : « À Ottawa, on est inquiet de ce qui se passe au Québec, Bertrand a perdu la maîtrise du pouvoir. Ton nom revient dans les conversations comme successeur de Lesage... »

Malheureusement pour l'ancien directeur du *Devoir*, son rabatteur fédéral s'était buté au « général » Paul Desrochers, l'homme de

Robert Bourassa, qui tenait déjà tous les avant-postes de la course au leadership. Jean Marchand avait dû piteusement avouer à ce dernier : « On a testé Filion mais tes délégués sont solidement derrière toi... »

Robert Bourassa dira des années plus tard : « Marchand s'est rendu compte que je n'étais pas battable. Il s'est dit : est-ce qu'on le laisse passer ou non ? C'était son dilemme. Il m'a laissé passer ! » En fait, si Jean Marchand l'avait finalement soutenu, c'est qu'il lui avait promis de défendre sans faiblesse le fédéralisme canadien, face à René Lévesque qui voudrait profiter des élections pour faire mousser la souveraineté.

Le 16 janvier, en se présentant au congrès libéral, le député de Mercier a toutes les bonnes cartes en mains. Il est jeune, compétent et dynamique. Jean Lesage l'a choisi comme dauphin, le redoutable Paul Desrochers orchestre sa campagne, et les journalistes, qui embrassent facilement toutes les modes, ne voient plus que lui.

Son approche budgétaire de la politique, chère à l'Américain Robert McNamara, conseiller des Kennedy et Nixon, impressionne la grande bourgeoisie d'affaires à laquelle son mariage avec une Simard de Sorel l'a connecté. Les grandes familles, c'est dans l'air du temps, et Robert Bourassa ne se gêne d'ailleurs pas pour jouer les John F. Kennedy.

Enfin, son discours essentiellement économique tombe à point nommé. Dans une province où, pour la première fois, le taux de chômage dépasse celui des Maritimes, il est pertinent de parler de création d'emplois. La langue et la Constitution, il les laisse à René Lévesque. Lui s'occupera de pain et de beurre. Rentré de voyage à temps pour assister au « couronnement » télévisé de ce frère ennemi qui a élaboré avec lui le manifeste souverainiste avant de le laisser tomber pour briguer la succession de Jean Lesage, le chef du PQ se montre hargneux.

Déjà, quand Robert Bourassa a dévoilé son option fédéraliste, René Lévesque l'a démoli avec une agressivité nullement fraternelle, notée par la presse : « Bourassa, c'est la position la plus avancée dans les vieux partis, l'image soi-disant la plus fraîche et la plus nouvelle, et dont on espère tirer gentiment pour braves provinciaux une version modèle réduit de la trudeaumanie de l'an dernier... »

Après sa désignation, il se fait plus véhément encore. Que pense-t-il du nouveau chef libéral ? « Du carton-pâte, encore une peau de bébé... » Et de son élection ? « Les manipulations des fédéraux, les incrustés de la machine électorale et beaucoup d'argent ont facilement abouti au résultat prévisible : le plus faible de loin des candidats a décroché le gros lot. »

PQ égale FLQ

La trêve est vraiment finie. Début mars, alors que les rumeurs d'une élection précipitée se précisent, René Lévesque se console à la lecture des premiers sondages internes réalisés avec les moyens du bord. Dans la circonscription d'Ahuntsic, que convoite Jacques Parizeau, 27,6 pour cent des électeurs voteraient Parti québécois, 13,8 pour cent Parti libéral et 12,1 pour cent Union nationale. Petite douche froide cependant : seulement 3,5 pour cent pensent que le Parti québécois gagnera.

Il reste que l'intention de vote élevée en faveur du PQ recoupe le sondage de l'agence de publicité MacLaren commandé par les libéraux avant l'élection de Robert Bourassa comme chef. La conclusion principale les avait atterrés : les deux vieux partis perdaient du terrain au profit du PQ et l'ascension de René Lévesque était telle, qu'un gouvernement minoritaire devenait possible.

Plutôt défaitiste en matière de prévision électorale, celui-ci évite cependant de triompher avant l'heure. Il se doute que Pierre Trudeau ne restera pas les bras croisés. Il voudra faire du séparatisme un enjeu électoral qu'il dramatisera en suscitant un climat d'affrontement et de peur pareil à celui fabriqué par Eric Kierans, en 1967. C'est d'ailleurs ce que confirment les analyses secrètes des Américains qui s'appuient sur des conversations avec des ministres et des stratèges fédéraux : « Le premier ministre est persuadé qu'aux prochaines élections, les Québécois doivent être placés devant un choix clair : fédéralisme ou séparatisme. »

Le 9 mars, trois jours avant le déclenchement des élections générales, René Lévesque signe dans *Le Clairon* un commentaire virulent qui trahit ses appréhensions : « Insistons sur la panique terminale qui se dessine dans les rangs fédéralistes. Interventions cauteleuses ou face-à-claque de M. Trudeau. Brutalités du vieux boss politique Jean Marchand. Et l'inénarrable député Jean-Pierre Goyer évoquant, dans un style de couleuvre, les réactions militaro-burlesques de cette décadence galopante dans l'éventualité d'une décision démocratique de l'électorat québécois. »

Le chef du PQ observe aussi avec méfiance la campagne orchestrée par Pierre Trudeau visant à associer insidieusement son parti aux activités terroristes qui ont repris, raidissant encore plus le climat politique déjà tendu. Depuis octobre 1969, le premier ministre fédéral multiplie les sorties intempestives comme celle-ci : « Québec est malade ! Ottawa ne peut rester indifférent. On ne laissera pas diviser ce pays ni de l'intérieur, ni de l'extérieur. Ça a assez duré les folies ! »

Se fiant au jugement du secrétaire d'État Gérard Pelletier, pour qui le réseau français de Radio-Canada est contaminé par l'idée du séparatisme, Pierre Trudeau demande à la société d'État *« to clear up separatist-oriented programs »*, sinon il fermera la boîte. « Si c'est nécessaire, on en fera, des programmes de télévision, crâne-t-il en massacrant joyeusement la liberté de presse (comme le note dans son rapport à Washington l'agent d'information Schmidt). Et si on ne peut pas, on montrera des vases chinois, ça cultivera les gens ! »

Mais l'intervention qui surprend le plus est celle d'Anthony Malcolm, vice-président de la section québécoise du Parti libéral fédéral. Parlant dans le comté de Pierre Trudeau, Mont-Royal, il ne tourne pas autour du pot et accuse nommément le Parti québécois d'abriter des éléments subversifs financés par des puissances extérieures comme Cuba et l'Algérie. « Il est évident, observe l'analyste Schmidt, que [Malcolm] ne se serait pas permis une pareille accusation dans le comté de Trudeau, s'il n'avait pas eu le feu vert du bureau du premier ministre. »

Cette campagne d'intimidation n'est que la pointe de l'iceberg que découvrira René Lévesque quelques années plus tard, lors de la publication des rapports des commissions d'enquête Keable et Mcdonald sur les activités illégales de la GRC entre 1970 et 1974 — années noires de la démocratie canadienne. Car Pierre Trudeau ne se contente pas de dénoncer publiquement les « séparatistes » en visant le PQ sans le nommer. Il déclare dès ce moment à René Lévesque une guerre secrète qui culminera trois ans plus tard dans le vol par effraction de la liste des membres du Parti québécois — l'opération HAM, ce petit Watergate canadien (la presse *dixit*) resté impuni sur le plan politique.

Le premier ministre fédéral s'inquiète du climat de violence et d'anarchie prévalant au Québec, illustré tout récemment encore par la crise linguistique de Saint-Léonard. Il rédige en anglais un mémoire intitulé « *Current Threats to National Order and Unity — Quebec Separatism* ». Traduction libre : « Les menaces courantes à la sécurité et à l'unité nationales — le séparatisme québécois ».

L'une de ces menaces courantes qui le sidèrent, c'est l'avalanche d'adhésions au Parti québécois provenant de la classe moyenne — « *open conversions to the Parti québécois on the part of respectable middle class people* ». Le PQ n'est plus la « particule » de ses premières estimations. Destiné au comité du Cabinet chargé des questions de sécurité et de renseignement, le document porte la date du 17 décembre 1969, soit quatre mois avant les élections d'avril 1970 et moins d'un an avant la crise d'octobre.

Pierre Trudeau demande en pratique à la GRC de considérer le parti de René Lévesque, parti démocratique, comme un groupe subversif qui cherche à diviser le pays, et de l'espionner. À cette fin, il propose également la mise sur pied d'un bureau central de renseignement dont il veut confier la responsabilité à Marc Lalonde, son chef de cabinet.

En 1992, quand ce document deviendra public grâce à la loi d'accès à l'information, la presse notera sa dureté extrême et la confusion inquiétante qu'il trahit quant aux distinctions élémentaires à faire en démocratie. Comme si Pierre Trudeau avait fait semblant de ne pas comprendre qu'on ne pouvait mettre sur le même pied le PQ, qui avait choisi les élections pour changer les choses, le FLQ qui utilisait la dynamite pour se frayer un chemin, ou encore le Parti communiste (auquel il compare le Parti québécois dans son mémoire) qui prônait la dictature du prolétariat.

En janvier 1994, tentant de se justifier après coup, au cours d'une série télévisée sur sa carrière mitonnée avec une complaisance rare par Radio-Canada, Pierre Trudeau évoquera le climat politique violent de l'époque : « Il y avait eu des attaques à la bombe, des vols de dynamite, plusieurs émeutes. Ça devenait sérieux. Je voulais savoir comment la GRC se préparait à lutter contre le FLQ. »

L'intention était honorable, mais les moyens suggérés l'étaient moins. Publiquement, Pierre Trudeau ne parle que du FLQ ou des « séparatistes », jamais du PQ. Cependant, derrière le huis clos de la raison d'État, et sous la pulsion de sa vendetta politique avec René

Lévesque, il en va autrement. Il vise carrément le PQ, comme l'atteste son mémoire, dans lequel il classe au rang d'événements menaçants pour l'ordre public et l'unité nationale — « *events which could seriously jeopardize national order and unity* » — la perspective de voir le PQ détenir la balance du pouvoir aux prochaines élections ou, pis encore, de le retrouver à la tête de l'État après une élection subséquente.

Pierre Trudeau presse donc ses ministres d'adopter un plan d'action pour contrer le PQ et leur pose une série de questions qui trahissent ses arrière-pensées : « Quelle position devons-nous adopter face au Parti québécois ? » — « Y a-t-il un risque sérieux à adopter une position plus dure face au séparatisme québécois ? » — « Quelle est l'ampleur de l'infiltration séparatiste au sein du gouvernement de Québec, des fonctionnaires, des partis politiques, des universités, des syndicats et des milieux professionnels ? »

Sa conclusion, qui s'adresse cette fois à la GRC, est tout aussi limpide. Il s'agit d'une directive de l'autorité suprême du pays lui intimant l'ordre de « déclencher une opération policière contre un adversaire politique », tel que le dira plus tard le directeur de la sécurité John Starnes, qui assistait à la réunion subséquente du Cabinet consacrée à l'étude du mémoire de Pierre Trudeau. En voici le libellé : « *That the R.C.M. Police be asked to provide a detailed report on the present state of separatism in Quebec in terms of organisation, numbers involved, strategy and outside influence…* » Ce qui veut dire en français que le premier ministre fédéral exige de sa police un rapport détaillé et complet sur les activités, le membership et la stratégie d'un parti démocratique, le Parti québécois, qu'il englobe dans sa requête.

Les discussions du Cabinet font voir aussi que Pierre Trudeau adoptait les positions les plus extrêmes. Comme si le cauchemar du séparatisme québécois, qui hantait sa carrière politique, le raidissait. Il est intéressant de rappeler aussi sa défense a posteriori, dans le cadre de l'émission de Radio-Canada mentionnée plus tôt. Se comparant à René Lévesque, « une *prima dona* surper-émotive qui improvisait », lui se voulait toujours rationnel et ne se laissait jamais guider par ses émotions. Celui qui avait les idées confuses, disait-il, c'était René Lévesque ; lui savait toujours où aller.

Pourtant, la lecture du procès-verbal de la réunion du Cabinet fédéral donne parfois l'impression du contraire. Sa vindicte anti-séparatiste dans laquelle il incluait le PQ (« *separatism as a whole* ») aveuglait Pierre Trudeau à un point tel qu'au moins trois de ses ministres, John Turner, Gérard Pelletier et George McIlraith, durent lui rappeler certaines nuances qu'un démocrate comme lui se devait de respecter.

John Turner, ministre de la Justice, s'était interposé le premier. L'insistance de son chef à exiger du Cabinet une position non équivoque devant le mouvement séparatiste tout entier, à suggérer que l'armée soit mise à contribution pour l'espionnage, à évoquer la possibilité d'actions clandestines, et à rappeler que les communistes étaient sous surveillance policière même si leur parti était reconnu légalement (comme le Parti québécois) le troublait terriblement.

John Turner : « Il ne faut pas confondre le problème politique avec celui de la loi et de l'ordre (*law and order*). Il est clair que les terroristes peuvent utiliser le mouvement séparatiste pour leurs propres buts, comme établir un régime de type cubain au Québec. Mais le problème posé par le Parti québécois est différent. Il n'a rien à voir avec la loi et l'ordre mais plutôt avec l'unité nationale. Et en cette matière, le code criminel n'interdit pas la subversion pacifique... »

Gérard Pelletier, secrétaire d'État : « Il est important de ne pas perdre de vue les distinctions fondamentales. Aussi longtemps qu'il ne sera pas illégal d'être séparatiste, on ne peut faire suivre ni espionner les séparatistes au nom de la loi et de l'ordre. Ce serait illégitime. »

George McIlraith, solliciteur général : « Je m'inquiète qu'on puisse recourir à l'armée pour faire du renseignement. Ce serait mêler les militaires à des problèmes civils. Il faudrait arrêter aussi d'utiliser le mot séparatisme à toutes les sauces et distinguer entre ceux qui utilisent le séparatisme pour créer le chaos et ceux qui veulent établir un État séparé par des voies politiques légitimes. »

Jusqu'au commissaire en chef de la GRC, Len Higgitt, présent à la réunion, qui se braquait contre le plan de Pierre Trudeau : « J'aurais besoin de directives plus claires du gouvernement avant de mêler la GRC dans des activités anti-séparatistes de même nature que celles utilisées contre les communistes. Pour ce qui est de recueillir de l'information par des moyens clandestins, c'est possible, mais je dois vous signaler les risques. »

Devant ce cocktail d'opinions contraires, Pierre Trudeau avait reculé : « Si je vous comprends bien, il est nécessaire de combattre les séparatistes, mais pas comme nous combattrions des révolutionnaires… »

Des années plus tard, voulant expliquer le jusqu'au-boutisme de leur chef, certains de ses ministres, comme Gérard Pelletier, soutiendront qu'il ne fallait pas toujours prendre au pied de la lettre les interventions de Pierre Trudeau, qui aimait bien se faire l'avocat du diable pour que s'expriment toutes les dimensions d'un problème. Mais à la lumière de la lutte clandestine contre le parti de René Lévesque qui suivra cette réunion du Cabinet, il était tout aussi plausible de penser que le chef du gouvernement savait très bien où il allait, comme il le dira à Radio-Canada.

En 1993, voulant se donner le beau rôle, Pierre Trudeau soutiendra aussi dans ses mémoires écrits qu'il n'était pas question d'inciter les policiers à faire enquête sur l'opposition démocratique et encore moins d'avoir recours à des moyens illégaux. À la suite d'une analyse serrée des documents publics déposés l'année précédente aux Archives du Canada, Reg Whitaker, spécialiste des questions de renseignement de l'université York, se scandalisera du « culot » du premier ministre.

En plus de rappeler la réunion du Cabinet de décembre 1969, où Pierre Trudeau avait demandé clairement à la GRC d'enquêter sur le mouvement indépendantiste « dans son ensemble », le politologue Whitaker rappellera aussi que la gendarmerie avait obtenu dès 1965 le feu vert pour espionner les membres du RIN de Pierre Bourgault.

Comme l'écrira Richard Cléroux, autre spécialiste des questions de sécurité : « Ce procès-verbal du 19 décembre place Trudeau au cœur de la chasse aux sorcières séparatiste que la GRC a ouverte [par la suite]. Pour la GRC, la réunion du 19 décembre fut le signal d'aller de l'avant, l'assurance que tous les moyens étaient bons pour lutter contre le séparatisme. Au début de 1970, Starnes ordonna de mettre sur pied la fameuse section G qui serait responsable de tant de méfaits au Québec au cours des trois années suivantes. »

Dès ce jour, l'assimilation du PQ au séparatisme terroriste devient courante, comme le notera l'avocat Jean Keable, président de la commission d'enquête mise sur pied par le gouvernement de René Lévesque, en 1977. L'expression « séparatiste-terroriste » revient constamment dans la plupart des documents émanant du gouverne-ment fédéral examinés par la commission Keable.

La même confusion délibérée règne dans les dossiers de police entre l'activité véritablement criminelle des terroristes et l'activité d'opinion politique. Dans la masse d'informations classée dans la catégorie séparatiste-terroriste, on trouve pêle-mêle le nom d'un journaliste, d'un poète et celui… d'un véritable terroriste. « Il y avait une association entre le délit d'action terroriste et ce qui était consi-déré à l'époque par Ottawa comme un délit d'opinion », soutient aujourd'hui Jean Keable.

La vie normale commence le 29 avril 1970

Dans ce contexte politique troublant, dont toutes les facettes ne sont alors connues ni de René Lévesque ni de la population, le pre-mier ministre Jean-Jacques Bertrand annonce, le 12 mars, que le peuple ira aux urnes le 29 avril. Solliciter un nouveau mandat consti-tue tout un défi pour l'Union nationale : le nombre de ses partisans est en chute libre depuis 15 ans et son chef est un homme malade et discrédité depuis l'épisode de la loi 63.

L'improvisation totale entoure sa décision de recourir à des élections hâtives. La moitié du Cabinet aurait préféré l'automne pour laisser à Robert Bourassa, chef inexpérimenté, le temps de se pendre lui-même. L'autre moitié voulait comme lui frapper vite, terrasser l'adversaire avant qu'il ne s'affirme. Sa femme Gabrielle, qui exerce une grande influence sur lui, favorise elle aussi le printemps, mais pour en finir au plus vite. Elle le voit dépérir. Il ne tiendra pas jusqu'à l'automne.

Les organisateurs n'en reviennent pas. Le premier ministre a déclenché les élections sans commander de sondage pour évaluer l'humeur de l'électorat. Comme le diront ses détracteurs le soir de la défaite, il aurait au moins vu que le PQ recueillait déjà plus de voix que l'Union nationale.

Enfin, la situation financière du gouvernement est catastro-phique. L'exercice financier s'est terminé par un déficit de 357 mil-lions de dollars. Depuis, Jean-Jacques Bertrand laisse planer la menace de la double taxation si Ottawa ne lui retourne pas les 200 millions perçus par le fédéral au Québec pour son programme d'assurance-maladie auquel la province ne participe même pas. L'impasse budgétaire est telle, que le ministre des Finances, Mario Beaulieu, a averti les 25 décideurs convoqués par le chef au Club Renaissance pour arrêter la date du scrutin : « Ne m'en demandez pas davantage. Je suis lié par mon serment comme ministre des Finances. Je ne peux pas faire de budget sans augmenter les taxes. »

Pour éviter la débâcle, il ne restait qu'une solution : reporter le budget après le vote. Mais c'était donner des armes à l'adversaire.

Pour couper l'herbe sous les pieds de René Lévesque, qui représente « l'aventure », Jean-Jacques Bertrand accompagne l'annonce des élections d'un ultimatum : le reste du Canada a jusqu'à 1974 pour donner une réponse claire aux exigences minimales du Québec, sinon il tiendra un référendum.

Bousculé par cette élection précipitée qui l'estomaque, René Lévesque retourne néanmoins la politesse dans sa chronique du *Clairon* de Saint-Hyacinthe : « Nous irons donc aux urnes. Et il n'en tient qu'à nous pour que ce soit le dernier jour de la survivance folklorique et le premier d'une vie enfin normale. Nous croyons que le 29 avril 1970 peut et doit être la date historique d'un vrai nouveau départ, le dernier jour du vieux Québec impuissant... »

La première réaction de Robert Bourassa se veut moins lyrique et plus factuelle. Il décèle l'erreur du gouvernement de ne pas présenter de budget en avril, mois de la déclaration d'impôt, et d'aller devant le peuple sans lui rendre compte de la situation financière et en lui cachant la hausse des taxes déjà décidée.

CHAPITRE XXXIX

Les marchands de peur

On a les plus belles chances au monde de
devenir une sorte de paradis terrestre.

RENÉ LÉVESQUE, *L'Action*, décembre 1961.

L e 3 avril, poussé par l'élan de sa campagne au leadership, Robert Bourassa se jette à l'eau avant René Lévesque, dans une atmosphère de kermesse mondaine. Les reporters brûlent de lui poser les colles habituelles, mais doivent se contenter des petits fours servis par les hôtesses un peu figées de « Robert ». Le gringalet de 36 ans qui tient lieu de chef libéral lance *Bourassa-Québec* qui contient les lignes de force de sa pensée politique et propose un sous-titre prometteur : *Nous gouvernerons ensemble une société prospère.*

Aussi étonné de ce scrutin surprise que René Lévesque, Robert Bourassa avait lâché un « Batêche ! Ils vont vite. Mais on fera face à la musique ! ». Une semaine plus tard, il avait déjà senti le vent tourner : « Ce sera une belle lutte ! » Comment la gagner ? En mettant l'adversaire sur la défensive. C'est-à-dire en s'en tenant à l'économie, sa matière forte, ce qui lui évitera de se compromettre à propos de constitution et de langue.

Mais pour faire de l'économie un thème captivant pour l'électorat, il devra dépasser la simple dénonciation du chômage et présenter des solutions concrètes. Il a fait sortir les statistiques sur la création d'emplois au cours des années précédentes pour constater qu'en 1967, le Québec avait créé 85 000 emplois. Voilà son cheval de bataille. Ce sera « Québec au travail », qu'il étoffera par l'engagement de créer 100 000 emplois, montrant ainsi sa volonté de s'attaquer au chômage.

Promesse brillante dans une province où le chômage se situe à un sommet inégalé de 8,7 pour cent et reste la préoccupation principale de 47,8 pour cent des électeurs, selon un sondage du parti. C'est la première fois qu'un homme politique chiffre ses engagements. Un jour, Robert Bourassa se fera dire par le premier ministre français, Jacques Chaban-Delmas : « J'ai trouvé fantastique votre idée d'avoir un slogan électoral chiffré. J'ai fait comme vous, j'ai promis 30 000 emplois comme maire de Bordeaux. »

Le bras droit du chef libéral, Paul Desrochers, a commandé un sondage qui lui a appris que son principal adversaire serait le Parti québécois. Certes, les libéraux dominent avec 18 pour cent des intentions de vote, mais le PQ mène dans plusieurs comtés et récolte 14,3 pour cent des voix. En pleine débâcle, l'Union nationale se classe troisième avec 12 pour cent des intentions. Les créditistes de Camil Samson suivent avec 9 pour cent.

Une stratégie anti-séparatiste s'impose donc parallèlement. Robert Bourassa ne craint pas, à court terme, le Parti québécois à cause de son image trop négative. Cependant, il redoute les effets, difficiles à mesurer, de la force politique de René Lévesque. « Non au séparatisme ! » s'exclame-t-il donc en annonçant ses couleurs. Il ajoute : « Le Parti québécois nous propose une aventure dont il se refuse à mesurer les conséquences tragiques pour les Québécois. Moi je mise sans équivoque sur le fédéralisme. »

Le 5 avril, le pittoresque créditiste Camil Samson inaugure sa campagne au palais des sports de Saint-Georges-de-Beauce. Son programme s'adresse au petit peuple des zones défavorisées et prévoit rien de moins qu'une réduction d'impôt de 35 pour cent. Le slogan de sa campagne est tout aussi original : « En 1970, pas de caprice, tout le monde vote créditiste. »

Ce jour-là, René Lévesque plonge à son tour. Il fait un pari risqué en se présentant dans Laurier malgré la désapprobation de son entourage et le fait qu'un sondage interne le donne pour battu.

Les 43 000 électeurs, dont 30 pour cent sont allophones, l'ont élu trois fois déjà, mais comme libéral. Comment pourra-t-il convaincre Grecs, Italiens et Slaves de le réélire, maintenant qu'il a répudié ce Canada si généreux et si accueillant pour eux ?

Et comme pour annihiler à tout jamais ses chances de réussite, la révision de la carte électorale de 1966 a amputé Laurier de son électorat francophone du Sud qui aurait pu faire contrepoids au vote libéral des 12 000 Néo-Québécois de Parc-Extension. Ti-Loup Gauthier, directeur de la campagne, a tout essayé pour le convaincre d'aller dans Taillon. Ou même dans Maisonneuve ou Saint-Jacques, deux comtés plus sûrs.

René Lévesque s'est entêté pour deux raisons. D'abord, par fidélité à ses électeurs. Rien ne prouvait que les groupes ethniques ne lui seraient pas loyaux, comme lui l'était en restant avec eux. « Ils m'ont appuyé trois fois, ils ne me lâcheront pas, je vais leur expliquer », objectait-il en ajoutant sans trop se faire d'illusions : « Je vais me battre ! »

Orgueilleux, il lui répugnait aussi de se sauver dans un comté facile alors qu'il ne se gênait pas pour traiter les transfuges de peureux. N'aurait-il pas l'air lâche lui qui, en 1966, avait persuadé Robert Bourassa de se présenter dans Mercier, comté difficile, plutôt que dans Saint-Laurent où l'électorat anglophone, qui vote rouge en bloc sans se soucier de la qualité du programme, l'assurait d'une victoire sans risque ?

Quelques années plus tard, René Lévesque s'amusera de son erreur de jugement : « Je savais que j'étais battu, ça fait… que personnellement je n'étais pas très gai durant cette campagne. » Il ne se raconte pas d'histoire non plus pour le reste. Le gouvernement unioniste est en chute libre, le soir du 29 Robert Bourassa deviendra premier ministre.

Il s'impose une alternative simple mais exigeante : faire une percée ou mourir. Comme le PQ part de zéro, il devra supplanter l'Union nationale pour se faire une place. Concrètement, René Lévesque veut emporter le plus de votes possible — 20 pour cent serait honorable — et « cogner au maximum » dans une trentaine de comtés cibles pour faire élire au moins une dizaine de députés.

La notion de comté favorable est cependant tout aléatoire. Elle ne repose sur aucun sondage scientifique, plutôt sur une classification établie à l'œil par Michel Lemieux, futur sondeur du parti recruté par le chef pour rédiger ses textes durant la bagarre contre la loi 63.

Ainsi, des 108 comtés, on en trouve 41 où le vote combiné en faveur des candidats du RIN et du RN, aux élections de 1966, est supérieur à la majorité du candidat gagnant. Il y a aussi les comtés où le vote indépendantiste a atteint près ou plus de 10 pour cent des voix. Enfin, il y a les comtés où le député a été élu de justesse, comme dans Saint-Hyacinthe ou Matapédia.

Un comté « prenable », c'est à peu près cela. Autant dire qu'on y va à l'intuition. Mais l'enthousiasme peut soulever des montagnes et les troupes de René Lévesque n'en manquent pas. L'organisation a démarré en trombe dès les premières rumeurs électorales. De sorte que son grand patron, Gérard Bélanger, l'homme de confiance du chef péquiste dans Laurier, plastronne déjà : « Le PQ possède la machine la plus puissante des quatre partis. »

Si l'on parle de membership, de dévouement et de dynamisme, c'est vrai. Mais l'argent manque. Avant la campagne, en se basant sur son expérience libérale, René Lévesque a évalué les besoins financiers à 360 000 $ au minimum, à prélever chez les membres et les sympathisants. Débordante d'optimisme, Thérèse Guérin, la mère nourricière, comme disent les jeunes turcs de la permanence, a fixé à un million l'objectif de la campagne de financement. Il suffisait d'aller chercher 24 $ dans la poche de chacun des 40 000 membres et le tour était joué.

En réalité, les guérinettes n'ont récolté que 145 000 $. Des broutilles à côté de la caisse électorale secrète de Robert Bourassa qu'alimentent la bourgeoisie anglophone et des entreprises au profil parfois douteux, comme Obie's Meat Inc., propriété du grand caïd de la viande avariée, William Obront. (René Lévesque rappellera l'affaire, en octobre 1976, en s'appuyant sur la lettre de remerciement de Guy Bernier, collecteur de fonds de Robert Bourassa, à William Obront.)

Coiffée par un comité national de coordination, la campagne péquiste veut privilégier l'échelon régional. L'organisateur en chef Gérard Bélanger a divisé le Québec en cinq grandes régions que René Lévesque parcourt les week-ends, consacrant le milieu de la semaine à son comté de Laurier.

À chacune des grandes assemblées régionales, les orateurs vedettes, René Lévesque, Jacques Parizeau, Gilles Grégoire et Camille Laurin, vulgarisent la souveraineté tout en dénonçant le chômage, le désordre agricole et les financiers apatrides qui manœuvrent comme des pantins Robert Bourassa et Jean-Jacques Bertrand. Le chef du PQ mesure la force du courant qui porte son parti par l'importance de l'assistance, toujours supérieure à 1 000 personnes, et par la grosseur de la cagnotte recueillie durant l'assemblée.

René Lévesque a donné à son programme le titre catégorique de *La solution*. Comme le précise Jacques Parizeau sur la quatrième page de couverture du livre qui la résume : « La solution du Parti québécois, c'est un seul gouvernement. C'est logique et c'est l'assurance d'une administration saine, dynamique et efficace. » En préface, René Lévesque enfonce le clou : « Ou bien nous continuons à tourner en rond dans la cage d'un régime usé et durci, ou bien nous relevons le défi fécond de la responsabilité pour nous ranger enfin parmi les peuples normaux. »

L'organisation fait distribuer *La solution* dans plus de 300 000 foyers. Ce manifeste n'est rien d'autre en fait que le programme adopté par les péquistes aux congrès de 1968 et 1969 : français langue officielle, économie mixte, salaire minimum à 2 $, syndicalisation pour tous, assurance-maladie universelle, formation de la main-d'œuvre, création de logements sociaux, régime présidentiel, inviolabilité du territoire, etc.

On a eu du mal à s'entendre au sujet des slogans de la campagne. Ce n'est pas tant le « Nous sommes québécois » de René Lévesque qui a fait grimper les taux d'adrénaline, que le « Parti québécois Oui » qu'on oppose au « Non à la séparation » des libéraux. Plutôt facile et intello comme slogan, soutiennent les organisateurs (comme les anciens créditistes partisans de Gilles Grégoire qui, battu dans Jonquière, rendra Pierre Renaud, concepteur du Oui, responsable de sa défaite).

René Lévesque a fini par l'accepter tout en surveillant par-dessus leur épaule le travail des propagandistes. Il s'amène vers les deux heures du matin chez Pierre Renaud, rue Clark, à Montréal. C'est là que celui-ci conçoit avec Maurice Leroux et une équipe de bénévoles les annonces pour les médias, les affiches et les pancartes reproduites gratuitement par l'imprimeur Véronneau de la rue Saint-Laurent.

Le chef du PQ lit tout et fait ses corrections, s'il y a lieu, en laissant tomber des « Ça, je n'en veux pas » ou : « Je pense qu'il faudrait ajouter cette phrase… » Flanqué de Johnny Rougeau, il agace Pierre Renaud avec sa manie de consulter sans cesse le lutteur : « Qu'est-ce que tu en penses, Johnny ? »

Les faiseurs d'image à la Kennedy que se targuent d'être Pierre Renaud et Maurice Leroux aimeraient bien soigner celle de leur chef mal fagoté qui jure comme un charretier.

Un jour où René Lévesque s'est enfin laissé convaincre de visiter un tailleur italien, pour qu'enfin les poches de son pantalon ne soient plus à égalité avec ses genoux, il revient furieux en jurant : « Vous voulez me faire porter des culottes avec les fesses rebondies par en arrière ! »

Impossible de lui donner l'allure respectable d'un premier ministre, concluent les Renaud et Cie, à la suite de l'ancien attaché de presse Pierre O'Neill, qui s'était juré du temps du MSA de lui faire ajuster ses vêtements, de lui apprendre à s'exprimer sans invoquer en vain tous les saints du paradis et à manger sans tartiner sa cravate de beurre d'arachide ou de ketchup.

Le parti des gros canons

Le clou de la campagne de René Lévesque, c'est l'assemblée monstre à l'aréna Maurice-Richard. C'est tout le peuple de Montréal qui remplit les gradins pour entendre son messie. À deux exceptions près : anglophones et allophones qui se sont exclus eux-mêmes malgré ses appels. « Vous êtes des Québécois comme les autres, l'indépendance, c'est pour vous aussi », lance-t-il non sans naïveté à leur intention.

Ce soir, plus de 12 000 « pure laine » ont bravé le froid extrême d'un printemps tardif, alors que la salle n'offre que 8 000 places. Délire total, à l'extérieur comme à l'intérieur, résume la presse du lendemain en s'arrêtant sur l'ovation nourrie qui a marqué pendant 10 minutes l'apparition de René Lévesque.

Les journalistes notent qu'il paraît ému et qu'il a les mains suppliantes lorsque les applaudissements enterrent sa voix. Il est même indulgent, ce soir. Il tolère la présence de Pierre Bourgault à ses côtés. C'est que ce dernier est au nombre des 108 candidats qui l'entourent sur l'immense scène. Mais quand la foule se met à scander « On veut Bourgault », il laisse voir son agacement en se prenant la tête à deux mains. Gilles Grégoire sauve la situation en invitant le riniste à prononcer quelques mots.

Pierre Bourgault évite les éclats même s'il a mille raisons d'embêter ce chef qui l'humilie sans cesse. Il a dû renoncer au comté gagnable de Taillon pour se réfugier dans celui, imprenable, de Mercier où règne Robert Bourassa. Encore un coup de Jarnac de René Lévesque, ont conclu ses supporteurs.

Des éléments douteux de Taillon reliés au maire de Jacques-Cartier, J. Aldéo Rémillard, pistonnaient la candidature de l'assureur Jacques-Yvon Lefebvre contre celle de Pierre Bourgault. Mais au lieu de l'appuyer, René Lévesque avait pris fait et cause pour l'assureur malgré les irrégularités qui lui étaient reprochées. Pierre Bourgault en avait conclu que René Lévesque préférait perdre Taillon plutôt que de le voir porter les couleurs du PQ au Parlement.

Le mal-aimé en avait eu ras le bol. Il avait demandé à rencontrer René Lévesque, qui l'avait écrasé sous son mépris : « Vous êtes dangereux parce que vous provoquez le fanatisme. Lefebvre vous vaut cent fois parce qu'il travaille, lui ! Si l'indépendance vous tient vraiment à cœur, monsieur Bourgault, faites donc comme François Aquin et rentrez chez vous ! »

En public cependant, le chef tient un autre discours. Il répète aux journalistes qui tentent de le coincer : « Bourgault est membre loyal et en règle de notre parti depuis 15 mois. Et maintenant, il est l'un de nos 108 candidats. »

Contrairement à Robert Bourassa, qui a eu du mal à dénicher des candidats prestigieux, René Lévesque n'a eu que l'embarras du choix. Impressionnants, en effet, ces gros canons alignés à ses côtés devant la foule exubérante des grands soirs. Au premier rang figure Jacques Parizeau, qui brigue les suffrages dans Ahuntsic, comté de choix du Nord montréalais. Massivement francophone et nationaliste, même si le député en était jusque-là le fédéraliste Jean-Paul Lefebvre, ce comté très classe moyenne s'est mis à glisser vers le PQ après 1967.

Pour obtenir l'investiture, Jacques Parizeau a dû évincer Pierre Renaud, qui convoitait ce comté où il habite. Il l'a fait en gentleman cependant : « Si vous vous présentez dans Ahuntsic, monsieur

Renaud, je n'irai pas contre vous. » L'Union nationale considère la circonscription comme perdue alors que les libéraux ont remué ciel et terre avant de jeter leur dévolu sur le très ministrable François Cloutier, psychiatre connu grâce à l'émission de radio *Un homme vous écoute.*

Le psychiatre du camp péquiste se nomme Camille Laurin et il est candidat dans Bourget. Entré en politique à reculons, mais poussé par son amour profond envers ce peuple qu'il veut guérir de sa crise d'identité grâce à l'indépendance, élu à l'exécutif du parti à sa grande surprise (et à celle de René Lévesque qui ne l'avait pas inscrit sur sa liste de favoris), bombardé ensuite président de l'exécutif où sa force tranquille s'est imposée en même temps que son ascendance grandissante sur le chef, le voilà aujourd'hui candidat.

Les militants de Bourget cherchaient quelqu'un de connu à opposer à l'étoile montante du Parti libéral, l'avocat sans peur et sans reproche Gérard Beaudry. Le Dr Laurin a beaucoup réfléchi avant de plonger car il était à un tournant de sa vie. Il s'est posé une seule question : « Est-ce que je crois ou non à l'indépendance ? » Il a répondu oui et, conséquent avec lui-même, a conclu qu'il devait s'engager pour mieux « dialoguer avec ce pays qui se construisait sous ses yeux et le transformait à son tour ».

Le vice-président du PQ, Gilles Grégoire, a choisi Jonquière, l'équivalent provincial du comté fédéral de Lapointe où il a été élu à trois reprises comme créditiste. « L'affaire est dans le sac ! » crâne-t-il aux réunions de l'exécutif. En 1966, les indépendantistes avaient accumulé près de 6 000 voix dans le comté.

Doris Lussier fera face à Bona Arsenault, élu en 1966 dans Matapédia avec une mince majorité de 22 voix. Le « père Gédéon » convoitait Fabre, où il promettait la victoire à René Lévesque, mais celui-ci l'a prié d'aller plutôt en Gaspésie : « On ne te demande pas de gagner, mais tu es bien connu par là, ça va nous aider. » En fait, il réservait Fabre à Jean-Roch Boivin, son seul intime à l'exécutif.

Dans Maisonneuve, comté très prenable, une grosse candidature aussi, celle de Robert Burns, bouillant avocat syndical de la CSN, qui convient parfaitement à son électorat de défavorisés. Le parti a dû se mettre à genoux pour le décider à l'action politique. Robert Burns s'est finalement incliné pour contrer le chimiste Marcel Chaput, co-fondateur du RIN, dont René Lévesque ne voulait pas à cause de son image de personnage farfelu. Quand l'ex-riniste s'était inscrit au PQ, on l'avait reçu comme un chien dans un jeu de quilles. Depuis il répète, amer : « Lévesque, c'est un général qui tire sur ses soldats. Ce n'est pas parce qu'on a chahuté pour l'indépendance qu'on est un criminel. »

Le *golden boy* de la Bourse, Guy Joron, a choisi Gouin, comté ouvrier francophone plus prospère que Maisonneuve mais dont la minorité italienne de 20 pour cent lui interdit de crier victoire trop tôt. Désigné comme candidat dès juin 1969, le courtier a comme adversaire le député libéral Yves Michaud, que René Lévesque a tenté en vain d'enrôler sous sa bannière durant la crise de la loi 63. « Si tu me veux tant que ça, lui avait jeté à la figure l'ami Michaud, pourquoi as-tu mis Joron comme candidat dans mon comté ? »

René Lévesque a fait une autre conquête, le constitutionnaliste Jacques-Yvan Morin, celui-là même qui l'avait humilié devant les étudiants de l'Université de Montréal à propos de la formule d'amendement Fulton-Favreau. Comme Jacques Parizeau, ce juriste à la langue très pointue qui porte une barbiche à la Napoléon III avait fini par conclure qu'il n'y avait plus qu'une alternative : l'option Québec ou l'option Canada. Mais seule la première pouvait libérer le Québécois de son « complexe du locataire » en lui donnant une vraie patrie.

Jacques-Yvan Morin a fait un autre choix aussi difficile, celui de tenter sa chance dans le comté de Bourassa, à Montréal-Nord, où l'importante minorité italienne risque de le faire sombrer. Parmi les candidats connus, on compte aussi le député de Saint-Jean, Jérôme Proulx, passé au PQ à la faveur de la tourmente linguistique de l'automne 1969, et Marc-André Bédard, l'ancien dirigeant du Ralliement national que René Lévesque a appris à apprécier depuis qu'il siège à l'exécutif. L'avocat nationaliste est candidat dans Chicoutimi, sa ville.

Il y a encore une brochette de jeunes candidats moins connus mais prometteurs qui font leurs premières armes. Dans Saint-Jacques, comté défavorisé du sud-est de Montréal, mais éveillé grâce à l'animation sociale, Claude Charron devient, à 23 ans, le plus jeune candidat du PQ. Avec sa bande d'étudiants contestataires, il tentera de déloger le ministre Jean Cournoyer, nouvelle vedette unioniste élue à la partielle d'octobre 1969, et qui passera chez les libéraux après les élections.

Il ne faut pas oublier enfin « la bande des quatre », les Bernard Landry, Pierre Marois, Yves Duhaime et Jacques Léonard. Ils se sont croisés à Paris où ils terminaient leur formation qui en économie, qui en coopération, qui en relations internationales, qui en administration municipale et régionale. Quatre « beaux esprits », dirait René Lévesque.

Le plus provincial des quatre, Yves Duhaime, établi à Shawinigan, n'a jamais oublié le cri du cœur de Pierre Bourgault qu'il avait conduit à son hôtel de la rue Saint-Honoré alors qu'il était en visite à Paris. « Tabarnac ! Pas encore l'Union Jack ! » s'était-il exclamé en ouvrant sa fenêtre, qui donnait sur... l'ambassade de Grande-Bretagne ! L'avocat Duhaime se jure de conquérir Saint-Maurice, où règne au fédéral Jean Chrétien, l'économiste Landry, Joliette, le coopérateur Marois, Chambly, et le comptable Léonard, Labelle.

Les « poseurs de bombes » de René Lévesque

René Lévesque mesure rapidement où ses adversaires libéraux veulent en venir : jouer avec le complexe d'insécurité des Québécois francophones en exagérant les coûts économiques supposés de l'indépendance. La peur de l'inconnu est au centre du scrutin du 29 avril. Alors que les libéraux la provoquent par une propagande massive, René Lévesque s'efforce de la banaliser en faisant appel à la confiance en soi et en insistant sur l'association économique avec le reste du Canada, comme s'il s'agissait d'une police d'assurance pour une après-indépendance tranquille et paradisiaque.

La publicité libérale n'a rien à envier aux *negative adds* des campagnes électorales américaines. On y voit un homme vêtu d'un costume bleu de pdg sciant la branche sur laquelle il est assis avec la mention : « Non au séparatisme des Lévesque, Bourgault, Chaput, Chartrand*, Grégoire parce que personne ne veut voir baisser son salaire, ne veut risquer de perdre son emploi, ne veut perdre les avantages du fédéralisme : les pensions de vieillesse, les allocations familiales et l'assurance-chômage. »

---

* Il s'agit de Michel Chartrand, controversé chef syndical de la CSN qui aime bien en découdre avec les capitalistes et les fédéralistes.

Les libéraux ramènent à l'avant-scène le « classique » de la fuite des sièges sociaux. Durant sa campagne au leadership, Robert Bourassa en a fait son thème préféré. Maintenant, il lance au conditionnel et sans plus préciser : « La menace séparatiste inquiète les investisseurs comme le montre le cas des 22 industries qui s'implanteraient à Hawkesbury, juste à la frontière Québec-Ontario. »

Robert Bourassa sillonne le Québec en demandant aussi à René Lévesque : « L'indépendance, c'est combien ? » Se défendant de cultiver la peur, il soutient que la séparation provoquerait un déficit d'un milliard de la balance des paiements, à cause de l'incertitude. Enfin, le chef libéral met au monde un petit monstre dont le vilain fantôme reviendra hanter chaque élection et chaque référendum à venir : les milliers d'emplois menacés chez Bombardier, la grande entreprise francophone qui compte alors 7 000 ouvriers et dont les ventes atteignent 130 millions de dollars. Les Américains voudront-ils accorder à un Québec indépendant les avantages tarifaires du Pacte canado-américain de l'automobile ? Sinon, qu'arrivera-t-il aux milliers de motoneiges exportées par Bombardier aux États-Unis ?

Pierre Laporte indigne tout autant les péquistes en prédisant que « la piasse à Lévesque » ne vaudra plus que 65 ¢ après l'indépendance. Sans savoir qu'il sera victime du FLQ dans moins de six mois, il traite les militants de René Lévesque de « poseurs de bombes ». Le candidat libéral de Saint-Henri, Gérard Shank, fait circuler un tract montrant saint Jean-Baptiste décapité par les séparatistes avec la question : « Quelle sera la prochaine tête à tomber ? La vôtre, celle de vos enfants ? »

Ralliée à Robert Bourassa, la presse anglophone ne fait pas non plus dans la dentelle. Une seule fois pendant la campagne René Lévesque s'abandonne à la colère et c'est contre le *Montreal Star,* dont il taxe les propriétaires de Rhodésiens dominateurs. L'éditorialiste du quotidien affirme que les Anglais prendront les armes s'il le faut, réduit le Québec à une république de bananes et met en doute la capacité des Québécois de se gouverner eux-mêmes, étant donné leur penchant… pour l'autoritarisme et la dictature. L'insulte est si énorme que plusieurs reporters se dissocient de leur journal.

Face à cette escalade, que peut faire René Lévesque sinon tourner en ridicule ces critiques dans ses discours et dans sa chronique du *Clairon* : « M. Pierre Laporte va jusqu'à nous traiter de poseurs de bombes. Est-il possible qu'on en soit rendu à se concerter avec monsieur Caouette, qui en est déjà lui aux bains de sang pour très bientôt ? Ils crient de plus en plus fort, mais c'est parce qu'ils se voient descendre, comme une vieille marée épuisée... »

Tantôt, le chef du PQ profite d'une tribune pour fustiger les vieux partis et leurs arguments de panique : « Mes anciens collègues libéraux se déshonorent et mentent pour protéger leur carrière provinciale. Le délire sur la catastrophe fait partie de la propagande libérale. Bientôt, ils tenteront de nous faire croire qu'un Québec séparé serait un Biafra ! »

Les libéraux ont beau jeu de rappeler que peu d'États se sont séparés sans qu'il y ait violence. Les cas des États-Unis, de la Suisse et celui, tout récent, du Biafra parlent par eux-mêmes. Mais ils n'iront pas citer en exemple Singapour, séparé de la Malaisie depuis 1965, mais qui reste associé économiquement à la fédération malaise selon une formule proche de la souveraineté-association. Ni le cas, que René Lévesque aime rappeler, de la séparation réussie de la Norvège et de la Suède. Sans compter celui de l'Autriche et de la Hongrie.

Avant le match électoral, il a fait préparer pour les militants un manuel contenant un tas d'arguments à asséner à l'adversaire. Le Québec a-t-il le droit de devenir souverain ? Réponse : oui certainement, en vertu du droit international. Les Nations Unies reconnaissent en effet le droit des peuples à l'autodétermination. Depuis la Guerre, plusieurs peuples soumis comme les Québécois à la volonté d'un autre sont devenus souverains.

Les investisseurs ne bouderont-ils pas un Québec souverain ? Réponse : ce qui les inquiète, c'est l'incertitude. Quand le Québec sera souverain, elle disparaîtra car la situation sera claire. Oui, mais les capitaux déjà investis au Québec ne vont-ils pas s'enfuir ? Réponse : l'Alcan produit de l'aluminium à bon marché, pourquoi s'en irait-elle ? Bell va-t-elle cesser d'installer ses appareils au Québec ? Et si le Canada boudait les produits québécois ? Réponse : le Québec achète plus en Ontario que l'Ontario n'achète au Québec. Si les Ontariens ferment la frontière, ils auront plus à perdre que les Québécois.

René Lévesque s'efforce également de désamorcer le cauchemar que brandissent les libéraux d'un exode de la population après l'indépendance. C'est à ses yeux pur chantage, car les Québécois francophones n'émigrent pas facilement. Des facteurs humains et pratiques, comme l'enracinement culturel et linguistique, retiennent les gens ici. Il note par exemple que, durant la grève des radiologistes, l'exode aux États-Unis a été très limité, même si les médecins avaient crié qu'ils s'en iraient tous. De même, en 1962, les cadres supérieurs des compagnies d'électricité avaient juré de quitter la province si la nationalisation se réalisait, mais une minorité seulement s'y était résignée.

Pour les plus sceptiques, René Lévesque ajoute : « Dans les dix ans qui suivront l'indépendance, on peut compter sur un élan psychologique global, un dépassement, une mobilisation qui attirera des gens de l'extérieur, comme ça s'est produit ici avec la révolution tranquille, entre 1960 et 1964, au Manitoba à l'époque du gouvernement socialiste de la CCF, en Israël et en Finlande après l'indépendance. »

René Lévesque veut enfin répondre à ce qu'il considère comme un autre bobard électoral : le Québec est trop petit pour être souverain. Géographiquement, il est déjà plus grand que la majorité des pays et sa population est sensiblement égale à celles de pays très prospères comme Israël, la Suisse ou la Suède.

Mais un autre aspect de la question le frappe. Les Québécois vivent depuis 200 ans sous la dépendance d'un autre peuple. Ils survivent, oui, mais toujours dans l'incertitude, toujours à s'interroger sur la langue qu'ils parlent et sur le danger culturel que représentent les immigrants.

Les peuples qui se sentent chez eux, dit-il, ceux qui ont leur propre pays, ne se posent pas éternellement des questions sur leur langue et leur avenir. Ils se contentent de vivre leur vie et de parler leur langue parce qu'ils sont chez eux et que tout le monde le sait, les immigrants compris. Dans une note manuscrite pour un discours électoral, il conclut : « Donc, pas d'erreur. Seuls les parfaits inconscients ne s'en rendent pas compte, la souveraineté est désirable. Mais est-elle viable, réalisable, et avons-nous les reins assez solides ? »

René Lévesque n'a aucun doute à ce sujet. Et pour mieux le prouver, il compare le Québec à quatre pays de taille et de population à peu près équivalentes « qui réussissent assez bien merci aux plans économique, social et politique ». Il s'agit de la Finlande, du Danemark, de la Suisse et du pays le plus avancé du monde, la Suède.

Ces quatre États souverains ont un PNB par tête à peu près identique à celui du Québec, qui s'établit à 2 525 $. Seule la Finlande est en dessous avec un PNB de 1 800 $. Celui du Danemark se situe à 2 330 $, celui de la Suisse à 2 625 $, celui de la Suède à 3 330 $. Sa conclusion va de soi : on peut être petit, riche et souverain.

Deux semaines avant le vote, deux sondages donnent à penser que la stratégie de peur de Robert Bourassa ne rapporte pas de gros dividendes. Libéraux et péquistes sont au coude à coude. Le sondage Crop de *La Presse* accorde aux libéraux 25,6 pour cent des voix et 24,9 pour cent au PQ. L'Union nationale s'effondre avec 13,4 pour cent des voix, guère plus que les créditistes dont le score de 11,7 pour cent étonne. Le second sondage, publié dans *Le Soleil* et *The Gazette,* va dans le même sens.

René Lévesque doit retenir le délire de ses militants qui croient le grand jour déjà arrivé. Lui aussi se prend à rêver d'une récolte de comtés plus abondante que prévu, comme s'en souvient Michel Carpentier, organisateur de ses tournées : « On évaluait mal notre force réelle à cause des sondages et de l'enthousiasme qui régnait à travers la province. »

Robert Bourassa sait qu'il a gagné. Il a senti l'Union nationale tomber rapidement. Son nez-à-nez avec René Lévesque ne le dérange pas : les Québécois sont trop conservateurs pour élire un gouvernement péquiste du premier coup. Le 29 avril, il aura les indécis. « Dans la boîte, ça va voter pour moi », se rassure-t-il.

Du côté des unionistes, c'est la débâcle. Le chef libéral exploite si bien l'absence de budget que le ministre des Finances, Mario Beaulieu, doit déposer en catastrophe une « déclaration budgétaire » qui ne prévoit plus de modification du fardeau fiscal des citoyens… Rien ne va plus pour Jean-Jacques Bertrand. Se sentant plus ou moins trahi par les siens, il agit comme un tireur fou. Au lieu de s'en prendre aux libéraux qui lui arrachent le pouvoir, il attaque René Lévesque « qui fanatise les jeunes ». À Mont-Joli, il met en garde ses électeurs : « La dictature serait l'aboutissement logique de l'accession au pouvoir du PQ. »

Pis : la guigne s'acharne sur sa campagne mal planifiée. Au théâtre de Val-d'Or, plein à craquer, le chef unioniste demande maladroitement à la foule truffée de péquistes : « Je vous ai promis un référendum. Nous le tiendrons et nous vous poserons la question clairement : en voulez-vous, oui ou non, de l'indépendance ?

— Ouiiiiii… répond une partie de l'assistance. »

Quelques jours plus tard, dans Pontiac, le pilote de l'hélicoptère qui l'emmène perd sa route et doit se poser dans un camp forestier. Le premier ministre saute dans une voiture qui arrive à 130 km à l'heure, mais avec deux heures de retard, à Aylmer où l'attendent ses partisans. Furieux, Jean-Jacques Bertrand accuse ses organisateurs de saboter sa campagne.

Pour terminer le cirque, voilà que le plus nationaliste de ses ministres, Marcel Masse, avance unilatéralement l'idée d'une coalition avec le PQ en cas de gouvernement minoritaire. Au même moment, le bras droit du premier ministre, Jean Bruneau, tend une perche à Jean-Roch Boivin : « Bertrand peut peut-être parler à René Lévesque... » Ce dernier trouve l'idée trop baroque pour y donner suite. Les sondages, et le triomphe de sa tournée québécoise, le placent dans une position où il n'a pas besoin d'une alliance avec un parti à l'agonie.

CHAPITRE XL

Une victoire morale

Il a fallu résister à l'intervention illégale des libéraux fédéraux, au coup de la Brink's, aux insultes sanglantes des médias anglais y compris l'appel à la guerre civile.

RENÉ LÉVESQUE, avril 1970.

Flanqué de deux jeunes aides qui trouvent l'aventure exaltante — Jean Doré, attaché de presse et futur maire de Montréal, et Michel Lemieux, recherchiste qui voit à ses discours —, René Lévesque se lance dans le dernier droit de la course avec l'espoir, ravivé par le succès de sa campagne, de remporter au moins 15 comtés.

L'organisateur de sa tournée, Michel Carpentier, est tout aussi enthousiaste. Ce jeune idéaliste à la tête d'Amérindien a mis deux ans à gagner la confiance de René Lévesque. Avant les élections, il a voulu retourner à l'enseignement, mais le chef l'en a dissuadé : « Michel, vous ne pouvez pas nous quitter. Qu'est-ce que vous allez faire dans les cégeps ? » Il était devenu, avec Jean-Roch Boivin, le conseiller le plus écouté.

Depuis, il initie René Lévesque, tout en s'initiant lui-même, à de nouvelles méthodes électorales comme les assemblées de cuisine, le porte-à-porte et les grands meetings régionaux, une invention péquiste que copieront les autres partis. Comme organisateur, il doit se battre lui aussi contre sa négligence vestimentaire. S'il tente de lui faire porter une cravate bleue plutôt que verte à cause de la télé, il se voit servir un argument sans réplique : « L'image n'a pas d'importance, monsieur Carpentier, ce sont les idées qui comptent… »

Vivre dans l'intimité de René Lévesque réserve de l'inattendu, comme le découvrent de leur côté Jean Doré et Michel Lemieux au cours d'une tournée au Lac Saint-Jean. Certes, il faut se farcir le train d'enfer : nuits courtes, horaires surchargés, villes traversées au pas de course, bouchées avalées en vitesse avec un chef qui poivre tout, même son steak au poivre, comme si ce condiment maintenait son taux d'adrénaline, et qui n'arrive pas à finir son troisième discours de la soirée.

Mais les frasques du séducteur sont plus redoutables encore. Un soir où l'équipe récupère à l'hôtel Chicoutimi, Ti-Loup Gauthier, directeur de la campagne, joint Michel Lemieux au téléphone pour lui apprendre que *La Presse* du lendemain s'apprête à publier que René Lévesque aurait séduit une mineure. Le notaire veut savoir si l'information est fondée ou non, pour pouvoir déjouer la manœuvre du journal proche des libéraux.

Mais comment poser la question à l'intéressé sans se faire jeter hors de sa chambre ? Après maints détours et mille précautions, Michel Lemieux et Jean Doré y parviennent. À leur grande surprise, René Lévesque ne les enguirlande pas, et répond calmement après avoir passé en revue dans sa tête la liste de ses dernières conquêtes : « Une mineure… ? Laissez-moi réfléchir… non, je ne vois pas… »

La politique reprend toujours ses droits. « C'est la mort de l'Union nationale mais attention à un excès d'enthousiasme », lance le chef péquiste à Arvida avant de sauter dans un bon vieux DC-3 pour faire la tournée des villes principales de la Côte-Nord. Saguenay et Duplessis, les deux comtés de cette région vaste comme un pays, sont une terre péquiste. Pierre Bourgault y a fait une trouée, en 1966. Les succès de foule de René Lévesque sont énormes non seulement parce qu'il joue partout à guichet fermé, mais grâce au climat électrisant de ses assemblées.

Là comme ailleurs, l'auditoire s'amuse quand il tourne en ridicule la maison de fous canadienne avec ses deux moignons de gouvernement qui se frappent mutuellement dans le dos. Mais s'il proclame en humant l'air de la victoire que « le long hiver de notre impuissance est terminé », ses auditeurs se font graves soudain. La presse s'étonne de son triomphe. « Il fait réfléchir les foules », note Guy Deshaies, du *Devoir*. Au début, Jean Doré et Michel Carpentier avaient la hantise de la salle vide, mais depuis qu'à Cap-de-la-Madeleine plus de 2 500 personnes ont rempli à craquer la salle, ils dorment en paix.

Le reporter Jean-V. Dufresne remarque que René Lévesque paraît songeur parfois en remontant dans l'autobus ou l'avion. Est-ce vraiment le début d'un temps nouveau ? lui demande-t-il. « Il y a une maudite vague ! » lui confie le chef péquiste. Mais cette vague, aussi puissante à Rimouski qu'à Amos ou Asbestos, saura-t-elle résister, le 29 avril, à la peur de l'inconnu ? Comme pour faire écho à l'observation du journaliste, le chef du PQ écrit dans sa chronique du *Clairon* : « Est-il possible qu'un tel élan porté par des milliers de Québécois, qui s'arrachent le cœur sans autre motif que de se sentir chez eux, retombe sans résultat à la fin d'avril ? Retomber en automne au mois de mai... Mais nos Cassandres se déchaînent. Comme un vol de corneilles désaxées qui se trompent de saison, ils vont tâcher de faire tomber les feuilles au moment où la sève monte... »

Tranquilles jusque-là, les politiciens fédéraux francophones, que René Lévesque traite de « béni-yes-yes » du Canada anglais, s'inquiètent de la force inattendue du PQ. Le directeur du *Devoir*, Claude Ryan, avive leur crainte en constatant dans ses éditoriaux que l'idée souverainiste accède au rang de force politique solidement implantée partout.

La rue Saint-Jacques traduit les tourments des fédéralistes. J. B. Porteous, président du Board of Trade de Montréal, avertit les électeurs québécois : « Pas d'investissements au Québec sans stabilité politique. » Le chantage des financiers, qu'ils soient francophones ou anglophones, ulcère René Lévesque. Les véritables ennemis d'un Québec qui veut se prendre en main, ce sont eux. Bien plus que Pierre Trudeau ou Robert Bourassa qu'il voit au mieux comme leurs alliés politiques, au pire comme des rois nègres.

À cette époque, en lisant le livre de l'activiste noir américain Rap Brown, *Crève, sale nègre, crève,* il souligne des phrases dont on peut penser qu'elles lui rappellent financiers et politiciens francophones à l'égard desquels il use abondamment de l'épithète de roi nègre.

Comme celle-ci : « Les prédicateurs nègres volent l'argent des pauvres noirs le dimanche et circulent en Cadillac toute la semaine... » Il note aussi ce cri du cœur de Rap Brown : « J'avais accepté le grand mensonge de la possibilité pour un Noir de réussir. » Et cet autre : « C'est de la libération de mon peuple dont j'ai faim. »

En public, René Lévesque ne se gêne pas pour ravaler les financiers à des déracinés sans foi ni loi autres que celles de l'argent. Personne n'est plus éloigné d'eux que lui. Depuis l'époque de la nationalisation de l'électricité, il nourrit de solides préjugés envers eux. La seule question qui leur importe, c'est « Combien ? ». Et la seule liberté valable à leurs yeux, c'est celle de vendre et d'acheter. Leurs idéaux s'appellent profit et rendement, les siens justice, liberté, solidarité. Faire de l'argent est pour lui la moins noble des activités humaines. Aussi n'hésitera-t-il pas à traiter les financiers d'« enfants de chienne » s'ils se mêlent de tomber dans le chantage politique.

Il trouve chez George Grant, auteur de *Lament for a Nation,* des pensées qui confirment ses jugements et qu'il note soigneusement. Par exemple : « Si le nationalisme entre en conflit avec leurs intérêts, les riches s'en débarrassent vite. Aucun petit pays ne peut compter sur la loyauté de ses capitalistes pour exister. » Et cette autre : « L'élite financière *(corporation elite)* est fondamentalement anti-nationale. Tout régime fédéral renforce son pouvoir. »

Mais la bête noire de René Lévesque reste les prêteurs anglophones de Montréal. En causant avec le consul américain Francis Cunningham, il avoue sans détour qu'il sent parfois chez eux de la haine à son endroit. Il ajoute, en pensant à l'avenir : « Les firmes anglophones montréalaises comme Wood Gundy vont tout faire pour saboter le crédit du Québec à l'étranger si jamais les Québécois évoluent vers la séparation. »

Pour lui, le sabotage est déjà commencé. Chaque fois qu'un banquier, ou Robert Bourassa à sa suite, ranime le cauchemar de la fuite des capitaux, il endommage l'économie québécoise. Depuis 1960, la province a emprunté massivement pour rattraper son retard et financer les grands travaux comme le métro, l'Expo et les autoroutes. Le flottement financier qui en est résulté depuis est dû à la saturation du marché des actions et non au « séparatisme », comme fédéralistes et financiers le laissent entendre. Ce qui indigne René Lévesque, c'est de voir ses adversaires exploiter ce tassement normal à des fins politiques.

Une « illégalité crapuleuse »

La rumeur d'une intervention de Pierre Trudeau vient perturber le match électoral qui s'achève. Redoutant les effets pervers d'une immixtion fédérale dans sa propre campagne, Robert Bourassa le prie en termes polis mais fermes de se mêler de ses affaires : « Aux libéraux du Québec de se débrouiller seuls. » S'il pense fermer ainsi la porte à l'ingérence fédérale, il se trompe. Le ministre Jean Marchand, qui a avalisé sa candidature faute de mieux, n'est pas convaincu qu'il s'en tirera seul face à la tornade René Lévesque qui emporte tout sur son passage.

Depuis le début de la campagne, le jeune chef libéral joue bien la carte du fédéralisme rentable, mais en se contentant de répéter à tous les vents : « L'indépendance, c'est combien ? » Or Jean Marchand est convaincu que les Québécois n'apprécieront pas à sa juste valeur l'appartenance canadienne tant et aussi longtemps qu'on ne leur servira pas des arguments sonnants et trébuchants.

Grand patron du Parti libéral fédéral section Québec, il réunit au siège social du parti, au 102 de la rue Bank, à Ottawa, Lloyd Francis, financier et député d'Ottawa-Ouest, et Jack Saint-Laurent, cadre du parti, pour monter une opération électorale*. Le 24 avril, à cinq jours du vote, le bulletin des libéraux fédéraux, *Quoi de neuf,* apprend aux Québécois qu'ils retirent chaque année d'Ottawa 500 millions de dollars de plus qu'ils ne versent en taxes et en impôts.

Mais le pamphlet est bourré d'erreurs et Jacques Parizeau le taille en pièces devant la presse, exemples à l'appui. Ses auteurs, dit-il, ont inscrit 151 millions en dépenses d'assurance-chômage, mais ils ont oublié de noter dans la colonne des revenus les cotisations versées par les travailleurs. De même, ils ont compté 261 millions en salaires payés aux employés québécois des sociétés de la Couronne sans mentionner les recettes de ces mêmes sociétés. Et le reste est à l'avenant.

De son côté, René Lévesque ne trouve pas de mots assez cinglants, dans le registre de la violence verbale il est pourtant champion, pour condamner les fédéraux : insulte à l'intelligence, men-

---

* Selon le témoignage du sénateur Maurice Lamontagne, relégué après 1968 à l'arrière-banc du parti par le clan Trudeau.

songe public, banditisme politique, canaillerie illégale. Il est en grande forme ! La falsification des chiffres est si grossière, que le lendemain même de la conférence de René Lévesque et de Jacques Parizeau, Robert Bourassa et Pierre Trudeau, pour une fois au même diapason, désavouent *Quoi de neuf.*

Autre anecdote piquante de ce théâtre électoral : le premier ministre Bertrand dispose d'un rapport contradictoire, préparé par le sous-ministre Claude Morin, qui démontre qu'en 1968-1969 le fédéral a réalisé au Québec non pas un déficit, comme l'affirme *Quoi de neuf,* mais un surplus de 519 millions. Bien sûr, en fédéraliste soucieux de ne pas donner d'armes au PQ et se méfiant aussi des calculs de Claude Morin, il l'a gardé secret. Mais la tournure des événements l'oblige à le rendre public.

Le rapport Morin conforte donc les souverainistes, pour qui le fédéralisme n'est pas rentable. Ainsi, selon la méthode de calcul dite des flux financiers, entre 1963 et 1968, Ottawa a encaissé un surplus d'un milliard de dollars, soit 203 millions par année.

Ce ne sont là que les premiers tirs d'une guerre de chiffres qui s'accentuera quand les gouvernements se mettront à publier leurs comptes économiques. Statistique Canada évaluera à 2,4 milliards de dollars le bénéfice fédéral au Québec, de 1966 à 1971. Le Bureau de la statistique du Québec le fixera à 4,8 milliards, mais pour toute la décennie 60.

Le pétard mouillé de ses amis fédéraux n'aide en rien Robert Bourassa : il a déjà gagné la course — sans eux. Réalisés une semaine avant la publication de *Quoi de neuf,* les derniers sondages de la campagne élargissent considérablement l'avance libérale et ramènent sur terre la famille péquiste qui se prenait à rêver de pouvoir. Publiée dans *Le Devoir* du 24 avril, l'enquête du politologue Peter Regenstreif accorde 32 pour cent des voix aux libéraux, 23 au PQ, un maigre 16 pour cent à l'Union nationale, et 9 pour cent aux créditistes.

Les sondages précédents plaçaient libéraux et péquistes à égalité. À cinq jours du vote, Robert Bourassa détient une avance incontournable de 11 points. La vague René Lévesque n'était donc qu'un clapotis ? Les publicitaires Maurice Leroux et Pierre Renaud ont vu venir la descente dont ils attribuent la responsabilité à un chef têtu qui a fait peu de cas du scénario de la campagne et n'a suivi que son pif.

Au début du match, René Lévesque devait accentuer les aspects négatifs de l'appartenance des Québécois au Canada : la jungle du fédéralisme, avec ses gaspillages de ressources et ses dédoublements coûteux, le statut de locataires, le patrimoine dilapidé par les autres, la maison de fous avec son nouvel aéroport international qui serait ou pas à Mirabel, ses parcs nationaux taillés à même le territoire québécois, la gestion des politiques sociales et de la main-d'œuvre refusée jusqu'à la nausée, l'Ontario gavé d'investissements colossaux en recherche et développement et dans le nucléaire.

Il s'agissait de mettre le nez des électeurs « dans la merde » afin qu'ils réalisent leur condition de *Canayens* bernés par leurs marchands de peur. Après quoi, il devait enterrer sa fureur pour leur expliquer, sur le ton serein et confiant d'un gagnant, qu'ils pouvaient devenir, s'ils le voulaient, les premiers citoyens d'un pays normal, d'un Québec qui ne se prenait pas pour un autre mais allait devenir une société modèle, et qui était le seul endroit au monde où ils seraient vraiment chez eux à la condition d'en devenir les maîtres et de se faire respecter.

Mais René Lévesque n'a pas suivi le plan, préférant charger l'adversaire comme un taureau enragé et faire peur aux électeurs, lui aussi. Maurice Leroux, assez intime pour le tutoyer, a tenté de le raisonner : « René, cristal ! il faut que tu corriges le tir… » Il s'est fait rabrouer. Fourbu et irascible, le chef n'acceptait plus qu'une seule réponse : « Oui, monsieur Lévesque. »

À deux jours du scrutin, un commando politico-financier téléguidé à la fois de Montréal et de Toronto lui fournit une occasion supplémentaire de tempêter contre « les 40 familles et 200 enfants de chienne de l'establishment de Montréal », comme il dit. Alors qu'il boucle sa campagne en compagnie de 75 000 militants dispersés dans huit villes différentes mais reliés par l'audiovisuel, le genre de *pow-wow* dont est friand l'organisateur Carpentier, la presse, alertée par des appels anonymes, diffuse une nouvelle sensationnelle.

Neuf camions blindés de la société Brinks remplis de valeurs mobilières, et gardés par 30 policiers armés, ont quitté le siège social de la fiducie Trust Royal, boulevard Dorchester, à Montréal, pour Toronto. *The Gazette* possède une photo du convoi mais refuse de la publier « pour ne pas déclencher la panique ». Mais elle lance l'information, comme le *Montreal Star* qui évalue à 150 millions de dollars les titres déménagés. D'autres rapports de presse iront jusqu'à 450 millions.

La Presse écrit crûment que « les boîtes pleines de valeurs seront rapportées à Montréal après les élections ». À Toronto, le *Globe and Mail* projette l'affaire en manchette cependant que le *Toronto Star*, qui est allé à la rencontre des camions à Kingston durant la nuit, publie un cliché du convoi à la une.

Deux hauts dirigeants de la fiducie complètent la mise en scène. Le vice-président J. P. M. Seattle se justifie : « Nous avons cédé aux vœux de certains clients nerveux mais nous regrettons ce geste, car il crée l'impression d'une fuite de capitaux... » Un autre vice-président, J. R. Wilson, avoue sans pudeur que le transfert « a été fait en attendant le résultat des élections québécoises ».

Première fiducie canadienne en importance, Trust Royal est reliée aux libéraux depuis les années 30. Alexandre Taschereau en était directeur en même temps qu'il était premier ministre et George Marler, pendant qu'il conseillait Jean Lesage. En 1969-1970, tous ses directeurs québécois sont des membres en vue du Parti libéral. Comme maître Antoine Geoffrion, grosse légume du parti qui a joué un rôle clé dans l'élection de Robert Bourassa comme chef. « Gros Toine, ton jupon dépasse », ironiseront tantôt ceux qui l'accuseront d'avoir manigancé toute l'affaire.

Robert Bourassa le savait-il ? s'interrogera la presse. Il s'en absoudra toujours. « Cette action était symbolique de la peur des milieux financiers à être libellés en monnaie québécoise », dira-t-il après les élections. Des années plus tard, il réduira l'incident : « Si certaines personnes au parti ont manigancé cela, c'était en dehors de la connaissance du chef. Pour moi, c'était un fait divers et je me disais : les gens sont plus sérieux que cela, ils vont en rire. »

Mais autour de René Lévesque, la thèse d'une tentative d'extorsion du vote, d'une fuite des capitaux organisée, prévaut. Chez les investisseurs institutionnels, toutefois, on ne panique pas. Charles Bronfman, pdg de Seagram et des Expos, tente même d'adoucir l'impact du coup spectaculaire du Trust Royal : « Je n'ai pas peur. Le Trust Royal peut bien déménager des valeurs, pas moi ! » Trois ans plus tard, la Banque royale avouera que pour contrer la fébrilité de ses petits clients apeurés par le convoi de la Brinks, elle avait dû émettre des lettres de garantie pour les convaincre de garder leurs valeurs au Québec.

Le montage médiatique du Trust Royal irrite aussi le financier

Marcel Faribault, président de la fiducie Trust général du Canada et ex-conseiller du premier ministre Daniel Johnson. « On a déménagé des paperasses inutiles, accuse-t-il. Quand les valeurs existaient sous forme d'or, on pouvait déménager de l'argent dans un camion. Aujourd'hui, ce sont des écritures qu'on transfère au téléphone. » Pour lui, le Trust Royal a tablé sur l'ignorance des francophones en matière financière pour manigancer une opération « partisane et hystérique ».

L'establishment financier auquel René Lévesque s'est frotté au moment de la nationalisation de l'électricité lui démontre une fois de plus de quelles tactiques déloyales il est capable pour le détruire tout en sabotant le crédit du Québec à l'étranger. « C'était quelques enfants de chienne du milieu des affaires », accusera-t-il chaque fois qu'on lui demandera qui se cachait derrière l'escadre blindée du Trust Royal.

Si la manœuvre ne change pas l'issue du scrutin, déjà arrêtée depuis la mi-avril, comme l'indiquent les sondages, elle influence les indécis encore nombreux : 35 pour cent, selon le sondage CROP publié dans *La Presse* du 25 avril, et 19 pour cent, selon Peter Regenstreif. En plus de nourrir la psychose anti-indépendantiste jusque dans l'isoloir même. Dans les comtés de classe moyenne, la clientèle péquiste reculera, le 29.

C'est la faute « aux ethniques » !

Le mercredi 29 avril, il fait 25 °C. C'est déjà l'été. Mais René Lévesque n'a pas le sourire estival. Il crâne, bien sûr, en répétant que son parti attend les résultats avec confiance. La grande presse célèbre déjà la victoire libérale. Dans *Le Devoir*, Claude Ryan a statué : « Le Parti québécois, un pari douteux et prématuré ». Plus tôt, un autre éditorial l'a fait bondir. Celui du *Suburban*, hebdo anglophone de l'ouest de l'île. Sa rédactrice, Mme Wilcox, a convié ses lecteurs à la guerre civile — « pour le cas où nous réussirions au-delà de nos espoirs », note avec humour René Lévesque dans ses mémoires. Un peu avant, à la télévision anglaise, il avait lui-même chargé les anglophones en annonçant, l'œil méchant, qu'il n'avait pas de leçon à recevoir d'une bande de Rhodésiens blancs racistes : « *If we had colors here, you'd feel it !* »

Dans Laurier, au comité électeur de René Lévesque, angle Ville-ray et Châteaubriand, le moral de ses supporteurs est bas. « On aura pas trois comtés ! » prédit l'un. « Même Ahuntsic, on va le perdre ! » gémit l'autre. Gérard Bélanger, l'organisateur du comté, a passé son temps à dire à l'apprenti sondeur Michel Lemieux : « On l'aura pas, c'est bloqué dur chez les immigrants. » René Lévesque a eu beau tenir trois de ses cinq assemblées publiques dans Parc-Extension, les allophones ne sont pas venus, même pour simplement s'informer.

Aussi, se sentant battu, a-t-il réduit ses activités dans Laurier alors que les libéraux dirigés par deux députés fédéraux, Marcel Prud'homme et André Ouellet, mettaient le paquet pour le laminer. Le premier, son admirateur du début des années 60 devenu partisan du député fédéral Azellus Denis, a fait preuve d'une démagogie sans nom.

Marcel Prud'homme a inondé les allophones de tracts dans lesquels les trois filles naturelles du séparatisme, « l'anarchie, la révo-lution et la catastrophe », tenaient la vedette. D'autres pamphlets avertissaient les immigrants qu'ils perdraient leurs écoles anglaises et la citoyenneté canadienne s'ils réélisaient le « déserteur Lévesque ». Enfin, de concert avec André Ouellet, il a alimenté la peur qui s'est emparée des milieux ethniques à la suite du transfert de valeurs à Toronto.

Mais les sondeurs avaient raison. Avec 45 pour cent des voix et 72 députés élus sur 108, le triomphe de Robert Bourassa est indis-cutable. Avec son chef battu dans Laurier, le PQ arrive second pour le nombre de voix, près de 23 pour cent, mais dernier pour la récolte des députés, sept seulement. L'Union nationale en a fait élire 16 avec moins de voix, soit 20 pour cent des voix seulement.

Soutenu discrètement par les libéraux fédéraux dans les comtés où une victoire des provinciaux était impensable et celle des crédi-tistes possible à cause de la concentration de leurs votes, Camil Sam-son a réussi le tour de force de faire élire deux fois plus de députés que le PQ avec deux fois moins de suffrages, soit 13 élus et 12 pour cent des voix. On ne pourra reprocher au chef créditiste, à peu près ignoré par les médias durant la campagne, de trouver sa perfor-mance « merveilleuse ».

Comme toujours, Robert Bourassa a le triomphe modeste. Durant la journée, il se disait : « Au pire, je vais être minoritaire. »

Mais le soir, à l'hôtel Le Reine Elizabeth où courtisans et chasseurs de contrats l'entourent déjà, il se félicite de son « opportunisme intellectuel » qui lui a fait choisir les thèmes qui inquiétaient le plus l'électorat. Son discours axé sur les emplois a compensé son allure de jeunot et fait grimper sa popularité.

Dans son premier laïus comme premier ministre, Robert Bourassa décoche une flèche à Pierre Trudeau qui n'a cessé de l'importuner depuis le jour où il s'est porté candidat. « Notre défi, dit-il, consistera à démontrer que le Québec peut rester dans le Canada mais en tenant compte du fait qu'il n'est pas une province comme les autres. » Le pouvoir, ce défi intellectuel suprême, comme il aime dire, lui donne déjà de l'audace.

Le nouveau premier ministre se désole cependant de la défaite de René Lévesque dans Laurier. Il ne lui a pas opposé de gros canon et est passé en coup de vent dans le comté. Son indifférence était telle, que son entourage l'accusait de le protéger. En guise de prix de consolation à son malheureux adversaire, il conteste, dans son discours, la volonté de Pierre Trudeau de transformer l'élection en plébiscite en faveur du fédéralisme : « Ce n'est pas notre option fédéraliste qui nous a valu la victoire, mais l'insistance que nous avons mise sur les problèmes économiques. Je ne considère donc pas l'élection comme un référendum sur la constitution… »

Dès la fin de l'après-midi, à la permanence du Parti québécois, rue Christophe-Colomb, le triomphalisme des beaux jours avait cédé la place à un climat de veillée funèbre. Le soir, en surveillant les résultats à la télévision avec Michel Carpentier, le chef péquiste paraît terriblement déçu. Au début de la soirée, chacun a fait ses prédictions. Lui a inscrit le chiffre de 15 comtés sur un bout de papier. Le résultat — sept députés seulement — lui coupe les jambes, constate Michel Carpentier. Mais le vote substantiel le réjouit. Six cent mille électeurs ont choisi le PQ : impressionnant pour une première. Une victoire morale, comme disait avant le vote le conseiller Jacques Brossard, pour qui la carte électorale empêcherait l'obtention d'un grand nombre de sièges.

Ce qui paraît à René Lévesque plus fâcheux encore, c'est d'avoir été battu par le vote non francophone qui s'est porté en bloc en faveur des libéraux. Le monolithisme partisan des anglophones et des allophones a eu raison du PQ et de son chef. Dans plusieurs comtés, les francophones ont voté en majorité pour le PQ, et cela promet pour l'avenir, mais la victoire lui a échappé à cause du vote anglophone ou allophone massivement libéral. Une défaite qui laissera de l'amertume.

L'histoire se répète. Toujours la même polarisation ethnie/parti. Le PQ succède à l'Union nationale comme « parti des francophones », le Parti libéral reste, à Montréal surtout, le « parti des anglophones ». On est revenu à l'époque de Maurice Duplessis. Dans Ahuntsic, Jacques Parizeau a récolté plus de 52 pour cent des voix francophones et François Cloutier, son adversaire libéral, seulement 33 pour cent, mais les allophones et les anglophones lui ont réglé son cas.

Dans Laurier, René Lévesque a sombré même si 57 pour cent des francophones l'ont appuyé. Comment aurait-il pu gagner quand, dans le bureau de vote 66 de Parc-Extension, secteur massivement immigrant, son adversaire libéral obtenait 221 voix, et lui à peine 6 ? Et quand cet écart béant se répétait de bureau de vote en bureau de vote dans tous les quartiers allophones de Laurier ?

Au début du dépouillement, une brève euphorie s'est emparée des militants du comté quand est entré le vote francophone. « Attendez Parc-Extension avant de fêter », leur a conseillé René Lévesque. Quand le vote grec a déferlé, lavant tous les espoirs, un employé du parti, André Milot, a eu le malheur de lancer : « Merde aux ethniques ! » Mais le chef l'a rabroué. On ne réglerait pas ce problème en le niant. Il faudrait redoubler d'ardeur pour convaincre les immigrants de ne pas mettre tous leurs œufs dans le même panier et que l'indépendance, c'est aussi pour eux.

La joie des sept premiers députés souverainistes jamais élus dans l'histoire du Québec est assombrie par la défaite personnelle de René Lévesque. Le « p'tit père des peuples » ne sera pas au Parlement avec eux. Et lui-même est perplexe devant ceux que les urnes ont favorisés. Avec les Camille Laurin, Robert Burns et Claude Charron, la députation sera dominée par l'aile radicale du parti. Est-ce bien eux qu'il aimerait voir à Québec ?

La stature du nouveau député de Bourget, Camille Laurin, le met dans une catégorie à part, même si René Lévesque a parfois du mal à se faire à sa vision absolutiste du monde. Le « doc », comme on le surnomme dans le parti, sera néanmoins son premier répondant. Nullement certain d'être élu, Camille Laurin a arraché le comté par 500 voix de majorité après une lutte serrée contre deux adversaires de taille.

Second poids lourd de la minuscule députation péquiste, Robert Burns n'est pas trop heureux de sa victoire, même si l'électorat ouvrier de Maisonneuve lui a donné la plus forte majorité des élus péquistes, 4 605 voix. Avocat étoile de la CSN, il voyait son avenir dans le syndicalisme plutôt qu'en politique. Résolument plus à gauche que René Lévesque, et tête de pont de l'aile sociale du PQ, le voilà maintenant porte-parole d'un parti décapité. Un scénario qu'il n'avait pas prévu.

Le nouveau député de Saint-Jacques, Claude Charron, est bien dans sa peau et fier comme un coq. Avec sa bande de jeunes, bruyants et inexpérimentés, qui ont mis partout des affiches, faisant de Saint-Jacques la circonscription la plus placardée du Québec, il a vaincu avec près de 1 500 voix le réputé imbattable Jean Cournoyer. Sa jeunesse et son style sympathique et humain ont eu raison du slogan prétentieux de son adversaire : « Saint-Jacques ne peut se passer d'un député compétent ni d'un ministre du Travail ».

Il y a encore Guy Joron, élu dans Gouin, mais par une mince majorité de 121 voix. Victoire chancelante, qu'un recomptage judiciaire exigé par le vaincu, Yves Michaud, mettra un moment en péril mais qui sera finalement acquise par 12 voix seulement. Enfin, la micro-opposition souverainiste comptera trois autres députés dont l'un, Lucien Lessard, est le seul élu hors Montréal. Arrivé au PQ sur les ailes du chef créditiste Gilles Grégoire, l'instituteur Lessard a remporté facilement le comté dit imprenable de Saguenay, détenu depuis belle lurette par le « p'tit gars de la Côte-Nord », le libéral Pierre Maltais.

Dans Lafontaine, comté d'ouvriers spécialisés de l'extrême-Est montréalais, Marcel Léger a surpris les sondeurs en coiffant le libéral au fil d'arrivée. Enfin dans Sainte-Marie, comté du centre-sud de Montréal voisin de Saint-Jacques et tout aussi défavorisé, c'est un homme du peuple qui a été élu. Sorti de nulle part mais sachant parler aux ouvriers, le syndicaliste Charles Tremblay a récolté l'une des bonnes majorités parmi les élus du PQ, en plus de faire mentir tous les devins qui tenaient ce château fort bleu pour imprenable.

Plusieurs têtes d'affiche se sont fait proprement guillotiner. À commencer par le vice-président du parti, Gilles Grégoire, qui se croyait élu dans Jonquière. Les libéraux ont misé sur sa personnalité contestée de « grand parleur, p'tit faiseur » pour le terrasser en faisant alliance avec les unionistes, qui n'étaient pas dans la course.

La pilule est dure à avaler aussi pour Jacques Parizeau. Ahuntsic était pourtant un comté en or. Un sondage préélectoral avait accordé 30 pour cent des voix au PQ contre 15 pour cent aux libéraux. L'économiste a échoué devant le psychiatre François Cloutier, qui n'a obtenu que 972 voix de plus que lui, à la suite d'une campagne méchante, comme il l'écrira dans ses mémoires politiques. Le Dr Cloutier avait été sidéré de voir défiler dans les rues du comté une jeep militaire conduite par un chauffeur en treillis de combat et couverte d'affiches du PQ. « Qu'en pensez-vous ? lui avait demandé un partisan âgé. Il ne manque que la mitraillette ! »

Les militants libéraux n'ont pas été moins agressifs, se lançant dans une campagne haineuse pour discréditer Jacques Parizeau qui avait refusé d'y donner prise en l'ignorant superbement. Pierre Trudeau lui-même n'était pas loin du champ de bataille grâce à son secrétaire parlementaire, le député Jean-Pierre Goyer, qui avait justement choisi Ahuntsic comme terrain d'envoi de *Quoi de neuf*.

Dans Fabre, circonscription du nord de Montréal, 91 voix seulement ont séparé Jean-Roch Boivin de la victoire. Fait amusant, le reporter de Radio-Canada, Claude-Jean de Virieux, a négligé de parler de lui quand il est passé dans le comté, affirmant sans hésiter qu'il n'était pas dans la course. Dans Bourassa, malgré 50 pour cent du vote francophone, Jacques-Yvan Morin s'est vu privé de la victoire par les Italiens qui forment 20 pour cent de l'électorat.

Dans Matapédia, fief de la pauvreté absolue où l'on ne voit jamais cette mer gaspésienne si chère à René Lévesque, le comédien Doris Lussier n'a pas réussi à vaincre le légendaire roi des Acadiens, Bona Arsenault. Durant la campagne, la presse donnait pourtant « le père Gédéon » gagnant. L'amuseur avait labouré le comté durant neuf mois, déplacé beaucoup de montagnes et déridé ses auditoires. Mais le rusé Bona avait prédit : « Il a semé mais il ne récoltera pas. »

Dans Saint-Jean, Jérôme Proulx, seul autre député avec René Lévesque à avoir opté pour le PQ en cours de mandat, s'est effondré lui aussi malgré le fait que bien des électeurs disaient de lui qu'il s'était « tenu debout » durant la crise de la loi 63. Dans Mercier, Pierre Bourgault a chauffé de près Robert Bourassa. Peu avant le scrutin, un sondage CROP le donnait à égalité avec le chef libéral et il a partagé avec lui le vote francophone dans une proportion de 41 et 42 pour cent. Il était allé dans Mercier pour prouver à René Lévesque que son image n'était pas aussi terrible qu'il le prétendait. Mission accomplie.

Enfin, aucun des quatre jeunes turcs de l'extérieur de Montréal n'a atteint le poteau d'arrivée le premier. Dans Chambly où son adversaire était nul autre que Pierre Laporte, Pierre Marois a commencé sa campagne en disant : « On va gagner. » Il a fini par y croire. Les francophones lui ont accordé 44 pour cent des voix, contre 39 pour cent à Pierre Laporte, mais ce n'était pas suffisant pour neutraliser le vote des non-francophones de Saint-Lambert et de Greenfield Park, qui forment 28 pour cent de l'électorat.

Dans Joliette, Bernard Landry a pris une raclée, arrivant troisième seulement. S'il doit en vouloir à quelqu'un, ce ne sera ni aux anglophones ni aux allophones, mais à son propre parti dont la réputation soulève la crainte. Une Joliettaine en vue, Jacqueline Poirier, lui a dit devant la caméra du cinéaste Denys Arcand : « On voterait pour vous si c'était pas de votre damné parti ! » Dans Labelle, le ministre unioniste Fernand Lafontaine a fait une bouchée du comptable Jacques Léonard, qui s'est classé troisième lui aussi.

Dans Saint-Maurice, fief de Jean Chrétien au fédéral, Yves Duhaime a payé le prix de sa rupture avec les libéraux. Il est arrivé derrière le bleu et le rouge ligués contre lui. Et il en a vu de toutes les couleurs ! À Yamachiche, il y avait 10 personnes dans la salle. À Saint-Sévère, il a dû racoler les cultivateurs sur le parvis de l'église pour se faire entendre. Quand il faisait du porte-à-porte, on lui fermait la porte au nez comme s'il était un témoin de Jéhovah. Pour finir, le député Philippe Demers racontait qu'il était un dangereux terroriste entraîné en Algérie — en fait, avant de rentrer au pays, il s'était rendu avec sa femme dans le Sahara algérien se recueillir sur la tombe du bon père Charles de Foucauld…

À Montréal, au centre Paul-Sauvé plein à craquer de partisans qui ont déjà assumé la défaite et scandent le cri de ralliement des contestataires français de mai 1968 « Ce n'est qu'un début, continuons le combat ! », René Lévesque tire les leçons de l'élection du 29 avril 1970 où figurait pour la deuxième fois de l'histoire un parti voué à l'indépendance du Québec.

En se rendant à Paul-Sauvé avec le fidèle Johnny Rougeau, tuméfié plus que lui par sa défaite, il a griffonné quelques notes : « 1970, 29 avril, les 7 premiers… Avec plus de 23 pour cent* des suffrages, c'est nous qui sommes l'opposition officielle dans l'opinion publique. Ne trouvez-vous pas que c'est une défaite qui a l'air d'une victoire ? »

Cette phrase, René Lévesque la lance à ses partisans en forçant un peu la note. C'est de défaite qu'il devrait parler, non de victoire morale. Mais il ne veut voir que le côté positif des choses, malgré sa déception. Son parti vient de rompre la glace. Pour la première fois, des indépendantistes déclarés sont élus et disposeront désormais d'une tribune au Parlement au lieu de devoir se contenter de la rue.

« C'est une percée extraordinaire, observe-t-il. Nous avons plus de 22 et demi pour cent des votes. Ça veut dire que du point de vue des citoyens qui ont pris par leur vote une option sur l'avenir du Québec, nous sommes le parti de l'opposition officielle. »

Mais René Lévesque ne serait pas René Lévesque s'il ne réglait pas aussi ses comptes avec ses adversaires libéraux : « Nous avons dû faire face aux puissances extraordinaires de l'argent, du statu quo et de la peur. Les tuteurs traditionnels des Québécois ont réussi à obtenir par une propagande de la peur la réaction de recul qu'ils espéraient des électeurs… »

Même s'il félicite Robert Bourassa avec un brin d'hésitation, comme il le dit, René Lévesque accorde la chance au coureur. Il le voit comme un nationaliste d'attaque, bien placé pour accomplir au moins l'équivalent des réalisations du gouvernement Lesage dans ses bonnes années. Pour le tester, il le presse de réformer sans tarder une carte électorale antidémocratique qui attribue au parti qui a pourtant obtenu le quart des suffrages le plus petit nombre de sièges.

Ce soir-là, en rentrant chez lui, rue Woodbury, il ne trouve que des libéraux à la réception organisée par Louise L'Heureux, pour le narguer. « Ils ont fêté leur victoire avec ma boisson en plus ! » dira-t-il par la suite en rappelant la rouerie délicieuse imaginée par son ex-femme.

---

* Durant le dépouillement des votes, la proportion accordée au Parti québécois oscillait entre 22 et 24 pour cent. Elle se stabilisera à près de 23 pour cent.

CHAPITRE XLI

Post mortem doux-amer

*L'élite anglophone de Montréal s'est conduite
comme la garnison du vieil Empire britannique
à Hong Kong avec la couleur en moins, mais le
mépris était le même.*

RENÉ LÉVESQUE, août 1970.

Mon pauvre petit gars... c'est épouvantable ce qu'ils sont en
train de te faire... », se lamentait Diane Dionne en suivant
le dépouillement du vote avec sa fille, Alice, et son gendre,
Philippe Amyot. « Laisse donc ça, les honneurs, mon pauvre René... »
répétait-elle en observant à l'écran le visage défait de son aîné.

Le post mortem du lendemain est aussi amer pour le fils que la
soirée des élections pour la mère. La joie débordante de ses adversaires, fédéraux, financiers et anglophones, le crucifie. Même si
Robert Bourassa s'est hâté de dire que la victoire du Parti libéral ne
tenait pas à son option fédéraliste, et que l'élection n'avait aucun
caractère référendaire, ses alliés fédéraux n'en pensent pas moins le
contraire et s'ingénient à réduire le vote péquiste à une quantité
négligeable.

Comme pour chasser le cauchemar qu'aurait été une victoire de
la souveraineté-association, qui aurait mis en péril sa vision centrali-
satrice du pays, Pierre Trudeau se fait catégorique : les voix recueil-
lies par le PQ sont celles d'une faible minorité et ne sont pas « repré-

sentatives de la population du Québec ». L'issue du vote soulage aussi le secrétaire d'État Gérard Pelletier : « Je trouve extrêmement significatif que René Lévesque ait essuyé la défaite, cela prouve que le mouvement séparatiste n'est pas si fort auprès de la population. »

Le milieu des affaires interprète la victoire libérale « comme une adhésion massive du peuple québécois au régime fédéraliste ». À Toronto, un porte-parole du Trust Royal annonce sans gêne que les valeurs qui ont pris le chemin de l'Ontario avant les élections seront rapidement rapatriées dans la métropole. À Montréal, Robert C. Scrivener, président de Bell Canada, voit l'avenir en rose : « Les résultats vont entraîner une renaissance de la province qui pourra recouvrer le capital perdu... »

Au Canada anglais, on dort mieux. John Robarts, premier ministre de l'Ontario, se dit enchanté qu'on ait « réglé le cas des séparatistes ». Gil Molgat, chef du Parti libéral manitobain, s'exclame : « Toute ma reconnaissance va au peuple du Québec qui a rejeté René Lévesque. »

L'éditorialiste de *La Presse,* Jean Pellerin, calcule que le vote souverainiste ne dépasse pas 12 pour cent car la moitié de l'électorat du PQ n'est pas séparatiste. Additionnant pêle-mêle voix libérales, créditistes, unionistes, plus 50 pour cent du vote péquiste, il conclut sans hésiter que 88 pour cent des Québécois ont voté contre la séparation. Ceux qui ont appuyé le PQ ne voulaient que protester contre les vieux partis et le chômage. (Argument qu'on entendra encore en 1976, même après la prise du pouvoir par le PQ : les Québécois ne voteront pas alors pour René Lévesque, mais... contre Robert Bourassa.)

Simplisme que ridiculise le pape du *Devoir,* Claude Ryan. On pourrait, écrit-il, retourner le raisonnement et dire que la moitié des électeurs libéraux ou unionistes ne sont pas fédéralistes. Claude Ryan partage néanmoins l'enthousiasme du moment : « La population du Québec a clairement préféré le fédéralisme à la souveraineté-association que lui proposait le PQ. » Mais après mûre réflexion et une étude plus poussée des résultats, il tempère l'optimisme de sa première bulle en observant qu'un Québécois francophone sur trois a tout de même voté pour le PQ.

La presse anglophone marque elle aussi la victoire du fédéralisme, mais s'inquiète de l'avenir. Le Canada vient de s'assurer d'au moins quatre ans de grâce comme nation, mais il ne faut pas écarter à la légère les 23 pour cent de Québécois qui ont suivi René Lévesque. À Londres, le *Financial Times* reprend le défi lancé par ce dernier aux fédéralistes : « Le nouveau gouvernement libéral devra prouver que la province peut mieux s'épanouir dans la fédération canadienne que par ses propres moyens. »

Pendant que déferle cette vague d'opinions, le chef péquiste procède à une analyse détaillée des résultats. Convaincu que les fédéraux ont davantage de raisons de s'inquiéter que de pavoiser, il dit à ses proches : « On vient de faire la job à l'Union nationale, maintenant c'est au tour des libéraux. » Face à trois autres partis, le Parti québécois a conquis le vote de 30 pour cent des francophones, affirmé sa force dans 45 comtés et terminé second dans 35.

Tous les espoirs sont permis. Qu'on soit au travail ou aux études, si on a moins de 35 ans, on est péquiste. De plus, le PQ s'enracine dans tous les milieux sociaux. Cols blancs, professionnels, cadres, ouvriers spécialisés, ouvriers non spécialisés, étudiants et femmes au foyer l'ont adopté dans une proportion variant de 25 à 46 pour cent. Chiffres qui contredisent un Gérard Pelletier prétendant que les ouvriers sont anti-indépendantistes, et un Pierre Trudeau affirmant que le PQ n'est pas représentatif de la population.

Deux ombres au tableau, cependant. Le vote monolithique des non-francophones en faveur des libéraux et l'effet pernicieux d'une carte électorale qui viole le principe démocratique « un homme un vote » et crée une distorsion entre la force réelle du PQ et sa représentation parlementaire. Le parti de René Lévesque n'a obtenu en effet que 6,4 pour cent des sièges alors qu'il a récolté 23 pour cent des voix. Pour élire un libéral, il ne fallait que 17 000 votants, contre 82 000 pour élire un péquiste.

Selon le chef du PQ, son parti « s'est fait voler comme au coin des bois par le présent système électoral ». La carte électorale accorde jusqu'à six fois plus de poids au vote rural, où l'idée souverainiste pénètre plus lentement, qu'au vote urbain. Facile de mesurer les conséquences pour le PQ qui n'a récolté que 4 pour cent du vote des campagnes.

Il y a enfin l'injustice des 13 petits comtés protégés, qui étaient à majorité anglaise à l'époque de la Confédération, et dont les frontières sont intouchables. Jacques-Yvan Morin a obtenu 20 000 voix dans Bourassa mais il est défait. Glen Brown est élu dans Brome, et

Kenneth Fraser dans Huntingdon, avec 4 000 voix seulement. La disproportion est criante.

Le 5 mai, importante conférence de presse de René Lévesque. Le bruit court depuis l'élection qu'il accroche ses patins. Il y songe en effet mais il n'est pas encore prêt à faire ce plaisir aux fédéraux. Il conserve la présidence du parti mais en confie la direction parlementaire à Camille Laurin et Robert Burns.

Le chef battu réclame vivement le remaniement de la carte électorale, en plus de régler ses comptes avec Pierre Trudeau : « Les militants péquistes ont résisté admirablement, d'une façon surhumaine, aux ultimes provocations de l'intervention illégale et scandaleuse des libéraux fédéraux avec leurs chiffres faussés... »

Mais c'est aux anglophones qu'il en veut le plus. Il a fait à leur sujet un rêve qui a tourné au fiasco. « J'ai sérieusement espéré qu'une portion certes ultra-minoritaire mais quand même visible de nos concitoyens anglophones accepteraient de venir avec nous », avoue-t-il. Il se sent floué car ils n'ont pas hésité à manifester une fois de plus leur « mépris manifeste pour toute une population, pas seulement pour un parti, qui demeure à leurs yeux des indigènes ».

En même temps, René Lévesque admire le sens politique des anglophones québécois qui fait défaut aux francophones. Alors que les premiers se serrent les coudes, les seconds se morcellent. Dans une panique de fin du monde qu'ils ont splendidement orchestrée, dit-il, les anglophones ont massivement appuyé les libéraux, parti qui garantit leurs privilèges. Le drame, c'est que les anglophones ont voté pour un seul parti, les francophones pour quatre.

« Ma Corinne pour toujours si tu le veux... »

La poussière électorale retombée, René Lévesque se penche sur sa vie amoureuse. Connue seulement de ses intimes et des employés du parti, qui l'ont côtoyée avant les élections alors qu'elle était recherchiste avec Michel Lemieux, à son bureau de l'Assemblée nationale, au salaire mirobolant de 25 $ par semaine, Corinne Côté s'est faite discrète durant la campagne. Cloîtrée à Québec, elle lisait les journaux ou regardait la télévision comme tout le monde. Mais de temps à autre, René l'appelait pour lui rappeler son amour et lui donner le pouls électoral.

Elle lui téléphonait, elle aussi. Parfois, après l'un de ses appels, l'amant trempait sa plume dans une encre plus passionnée que jamais :

« Tu viens de téléphoner, et ça faisait drôle de cesser de penser à toi — pour te parler ! Je t'aime. Je veux que toi aussi… longtemps, aussi longtemps que tu pourras m'endurer. Ma Corinne, toujours, si tu veux — et on s'arrangera pour que la vie le permette. Je suis bien, en pensant à toi de nouveau, après le téléphone. Juste le fait d'entendre ta voix, et vu que j'étais bien "conditionné", je me suis mis très précisément à avoir envie de toi ! Exactement comme au début… Je suis mieux de partir, ça va devenir du vice solitaire ! Corinne, je t'aime, c'est écœurant (c'est pas beau, ça ?) René. »

En mai, amoureux comme un collégien, il se sauve avec elle pour quelques jours, loin de tout. Au retour, pour mieux lui exprimer ses sentiments, il lui écrit une longue lettre dans laquelle il lui demande enfin et en tremblant presque de vivre avec lui :

« Ça prend juste une petite chose et tu reviens en force. Cette fois, c'est le petit cendrier blanc sur lequel mes yeux sont tombés, et aussitôt je t'ai revue, l'autre soir, en train de le fourrer dans ton sac, en voleuse très "amateur" ! Et je me suis mis à revoir nos quatre jours en pièces détachées, y compris la soirée que je t'ai bêtement gâtée.

« Malgré ça, c'était un beau voyage, j'espère que tu es d'accord. Comme j'en avais besoin ! Et c'était merveilleux parce que grâce à toi, il y a un monde à nous deux où je n'ai qu'à replonger pour me sentir vivre bien mieux que dans celui de tous les jours. Avec chaque fois, plus qu'avant, le goût d'être plus, mieux, différemment et pourtant avec toujours la peur de changer l'essentiel, amoureux de toi.

« Je crois savoir, autant qu'il est humainement possible de savoir ces choses, que je veux que ce soit toi, toi toute et tout le temps et seulement toi dans ma vie — si tu es du même avis, bien sûr. Ç'a quand même été un tournant, avril 70, une des trois ou quatre bifurcations importantes que j'ai vécues dans mon parcours jusqu'ici. En ce moment, je me sens encore en devenir pour la suite — sauf sur un point : toi.

« Je te l'ai dit, mal, l'autre soir, en revenant. Il n'y a qu'une chose que j'ai aperçue clairement, très vite, en faisant le tour de mon jardin du mois de mai et des années qui viennent, qui ont cette brusque et étrange imprécision d'un monde à découvrir après dix ans d'un seul et même sillon, c'est que ce monde-là serait "plate" à mort et ne me dirait plus grand-chose si tu n'y es pas avec moi. René. »

Au début de cet été 1970, René Lévesque hésite entre deux femmes et deux vies. Il prend la décision, sans cesse retardée à cause des enfants, de quitter Louise L'Heureux, sa compagne des 20 dernières années, pour vivre avec une femme qui a 20 ans de moins que lui, ce qui le rend inquiet. De plus, cet homme en devenir devant un monde nouveau à découvrir, comme il l'écrit à Corinne, songe sérieusement à en finir avec la politique.

Le score pitoyable de son parti et sa défaite personnelle dans Laurier l'ont déboussolé plus qu'il n'y paraît. Son drame de chef politique terrassé, Corinne Côté le vit à travers ses sautes d'humeur envers tout un chacun, surtout envers les anglophones à qui il réserve ses jugements les plus durs, et parfois envers elle-même. Son avenir le déprime. Ni salaire ni fauteuil de député. Il ne lui reste plus que son titre de président du Parti québécois.

Corinne le trouve désabusé, comme s'il renonçait à l'objectif de toute sa vie d'aider les Québécois à trouver un « pays normal ». Il est si mal dans sa peau, que parfois il lui fait des scènes d'une jalousie possessive et déraisonnable.

« Je ne t'en veux plus au fond, lui écrit-il, de m'avoir fait t'aimer comme ça. Tout ce qui me fait encore râler — et je sais bien que tu le sais, mais j'ai besoin de te le dire — c'est que je t'aime encore mal parfois parce que, plus ça va, plus je te voudrais toute à moi, et que je n'ai pas été le premier à te connaître. C'est fou et quand j'y pense, je me dis que c'est sûrement que je suis mal fait au point de ne pas avoir le sens du ridicule. Peut-être qu'à la longue… À condition que ça ne change rien parce que j'aime mieux grincer des dents et t'aimer, que de perdre les deux ! »

Malgré ses déboires politiques, René Lévesque trouve lui aussi qu'il fait doux vivre, en cet été 1970. Il emménage avec Corinne au 1400, avenue des Pins Ouest.

Sa rupture avec sa femme a été difficile. De son côté, lasse de le voir prendre à tout bout de champ le chemin du foyer conjugal après tant de mois à lui jurer son amour à la vie à la mort, Corinne Côté l'a mis en demeure de choisir, entre elle et Louise, ce qu'elle-même avait fait plus tôt en disant adieu à l'homme qui la courtisait au moment de leur rencontre. Se séparer de Louise a également été onéreux pour René Lévesque qui lui a tout laissé, maison et pension de député.

« Il est arrivé dans ma vie avec son pyjama et sa bibliothèque, déménagée livre par livre chaque fois qu'il revenait de chez lui », se rappellera Corinne Côté. C'est elle qui a choisi la conciergerie de l'avenue des Pins parce que son frère Fernand, qui est procureur de la Couronne, y habite. Cela la rassure de le savoir tout près quand René, qui ne reste jamais en place, la laisse seule dans cette grande ville inconnue.

La vie à deux établit peu à peu sa routine rassurante. René s'affaire dans la cuisine où il mijote des petits plats qui finissent toujours en hors-d'œuvre épicés, copieusement pourvus en poivre et sauce Tabasco. Il ne déteste pas non plus se plonger les mains dans l'eau de vaisselle tout en faisant la conversation avec elle. Une chose l'inquiète cependant, c'est la blancheur anémique de la peau de Corinne. Il n'arrête pas de lui servir des *T-Bone* géants même si elle préfère le filet !

« Toi et tes escaliers ! lui écrit-il un jour avant de se sauver sur la pointe des pieds. Je t'en supplie, écoute-moi et profite de la bienheureuse occasion (mon absence…) pour te remonter tranquillement. Ne pas courir — au simple sens premier : aller trop vite — et manger comme du monde. Qu'est-ce que je ferais si tu étais malade ? Salut, Corinne, mon amour. René. »

Le couple partage son temps entre le nid de l'avenue des Pins et le chalet haut perché du vieil ami Marc Brière, au lac L'Achigan, dans les Laurentides. Cet été d'amour et de farniente aide René Lévesque à panser ses blessures électorales. Du tennis à profusion et quelques bonnes cuites — qui lui font oublier sa hargne antianglaise. Mais pas toujours. Chaque fois qu'il griffonne des choses au sujet des élections, ça tourne toujours contre les Anglais :

« Nous avons entrepris la campagne dans la joie et la dignité. Nous avons été accueillis par la bassesse et la calomnie. Ils vont nous combattre jusqu'à la dernière minute parce que le jour où le Québec deviendra indépendant, ceux qui resteront ici avec nous deviendront une minorité. J'espère qu'on les respectera et qu'on leur gardera leurs droits essentiels. Mais ils devront se comporter comme une minorité, et ils n'ont jamais été obligés de se comporter de la sorte. Alors, si je me mets à leur place, ils ont raison de se battre. C'est logique leur affaire. »

Quand il délaisse le thème électoral, c'est pour ressasser son envie d'abandonner la politique, sans cependant se résoudre à le faire. C'est cet été-là aussi qu'il atteint 48 ans, l'âge fatidique qui a vu disparaître son père. Depuis qu'il connaît Corinne, il n'a pas cessé de la prévenir : « Moi, de toute façon, il me reste très peu de temps à vivre... » Au cours d'un dîner avec les Michaud au Saint-Tropez, il a confié à Monique Michaud : « Ah ! je le sais, je ne vivrai pas vieux. Mon père est mort à 48 ans... »

Mais après le 24 août 1970, la borne des 48 ans franchie sans mal, il change de disque : « Maintenant, je peux souffler... » Et si on lui parle de la mort, il interrompt son interlocuteur, comme il le fait avec Jean-Roch Boivin qui, le vin rouge aidant, déballe ses angoisses métaphysiques : « On peut mourir mille fois. On est aussi bien d'attendre et de ne mourir qu'une seule fois. Moi, j'ai chassé l'idée. Quand ça arrivera, ça arrivera... »

Le polémiste et le bon frère

Durant l'été, la situation financière du couple s'améliore. Le député de Gouin, Guy Joron, y est pour quelque chose. Il offre à Corinne le poste de secrétaire de comté. Le second mécène s'appelle Pierre Péladeau.

L'habile propriétaire du *Journal de Montréal* recherche une vedette pour faire franchir à son journal le cap des 100 000 lecteurs. Il a toujours admiré René Lévesque, qui est chômeur et honni de tous les bien-pensants mais adulé par le petit peuple qui lit son journal. De plus, un demi-million de personnes ont voté pour lui. Pierre Péladeau prend le téléphone et lui offre une chronique quotidienne : « Je vais vous payer convenablement », lui assure-t-il.

Côté argent, René Lévesque n'est pas gourmand. Pourtant il pourrait l'être à cause de sa « valeur marchande », et aussi parce qu'il ne lui reste plus pour vivre que sa pension de député que dévorent les besoins de sa famille. Il a refusé net que le PQ lui verse un salaire. Au *Journal de Montréal*, il accepte 200 $ par semaine. Jean-Roch Boivin juge la somme dérisoire, mais comme il n'a pas été consulté et qu'il y a eu entente avec Pierre Péladeau, il prépare tout de même le contrat.

La première chronique de René Lévesque paraît le 29 juin dans les deux quotidiens du groupe Péladeau, à Montréal et à Québec. Il n'a pas touché au journalisme depuis 10 ans ; aussi le titre « J'ai le trac » s'impose-t-il tout naturellement. Il affiche en partant ses couleurs : « Je n'ai pas envie de jouer au faux objectif ni au pontife… Je travaille franchement contre un régime qui, à mon avis, nous retarde et nous stérilise dangereusement. Et je vais continuer à le faire ici. »

Le nouveau pamphlétaire salue au passage l'ouverture d'esprit de Pierre Péladeau aux idées nouvelles et prévient ses futurs lecteurs qu'ils ne doivent pas s'attendre à lire l'une « de ces prudentes colonnes éditoriales sur lesquelles flotte l'ombre massive et cauteleuse des patronats déracinés. » Justement, dès son deuxième papier, il passe à l'attaque contre le titulaire de l'une de ces rubriques « cauteleuses » : Jean-Paul Desbiens, l'ex-frère Untel du début des années 60 devenu depuis peu chef éditorialiste à *La Presse*.

Une semaine plus tôt, à Toronto, René Lévesque s'est vidé le cœur contre la haute finance anglophone et les libéraux fédéraux qu'il a accusés d'avoir faussé la démocratie en semant la peur. Il a joué avec le feu, comme au collège Sainte-Marie, en 1964, quand il avait dit souhaiter que l'indépendance se fasse sans violence si possible et que le *Montreal Star* en avait profité pour faire de lui un partisan avoué du terrorisme.

Cette fois, il a pris soin d'affirmer clairement qu'il condamnait la violence politique, comme la Presse Canadienne en a fait état dans sa dépêche. Seulement, il a commis l'imprudence d'ajouter, avec sa franchise habituelle, qu'au moins la violence des jeunes était plus honnête que la violence sournoise de l'establishment anglo-canadien. « Quand votre premier ministre, monsieur Robarts, a-t-il lancé, affirme qu'il ne permettra jamais au Québec de se séparer, on peut comprendre que les jeunes aillent poser des bombes… »

Pour la grande presse, qui a retenu ce bout de phrase sans s'arrêter à la menace à peine voilée du premier ministre ontarien qu'elle aurait pu tout aussi bien taxer d'appel à la violence, il est devenu l'ami des poseurs de bombes du FLQ. *Le Devoir* lui-même y est allé d'un titre réducteur : « Je comprends les poseurs de bombes ! »

De son côté, la « commère de service », comme René Lévesque appelle *La Presse,* lui fait un procès d'intention insolite faisant appel aux éléments déchaînés de la nature pour insinuer qu'il approuve la violence. Jean-Paul Desbiens écrit : « Monsieur Lévesque vient de dire qu'il comprenait les poseurs de bombes. Il n'est pas plus difficile de comprendre la violence que de comprendre un cyclone. Seulement, on n'a pas à approuver ou désapprouver un cyclone. Mais on doit dire clairement si on approuve ou non le terrorisme... »

Dans sa réponse intitulée « Les racines de la violence », l'accusé réplique à l'auteur de ce « hautain petit plat » qu'il a tronqué ses propos. Dire qu'on comprend les poseurs de bombes ne veut pas dire qu'on les approuve. De plus, il a bel et bien condamné la violence comme en font foi les rapports de presse : « Cela, je l'avais dit et redit ad nauseam et bien avant que le bon frère ne vienne philosopher sur la place publique. »

Si la presse fait si grand cas de sa dernière frasque, c'est qu'après la trêve électorale, les attentats ont repris. Début juin, le quartier des affaires de Montréal et deux résidences de la richissime famille Bronfman ont été secoués par des déflagrations. Comme si les artificiers du FLQ avaient conclu que les sept ridicules députés de René Lévesque étaient tout ce qu'on pouvait attendre de l'électoralisme. Le « pays normal » ne naîtrait jamais des urnes, mais bien de la violence, comme Cuba, pays mythique des révolutionnaires québécois, l'avait montré.

Depuis les premières bombes de 1963, la police n'a pas chômé. En juin de cette année-là, une vague d'attentats sur Montréal avait coûté la vie à un gardien de nuit et rendu invalide le sergent-major Walter Leja. Animé par le journaliste Pierre Vallières et le sociologue Charles Gagnon, un deuxième FLQ avait pris la relève du premier, démantelé par les policiers. En mai 1966, ses engins meurtriers déposés pour le bonheur des travailleurs (on en était aux bombes sociales et ouvrières) avaient déchiqueté une vieille dame employée dans une fabrique de chaussures et l'un de ses membres de 16 ans, Jean Corbo, qui avait sauté avec sa charge de dynamite.

La vingtaine de membres du réseau Vallières-Gagnon neutralisés à leur tour, un troisième groupe avait assuré la suite à partir de l'été 1968. On avait assisté à un véritable *pow-wow* de violence — pas moins de 50 surperbombes, abandonnées à droite et à gauche, dont deux chez Eaton qui bafouait le français. Ce feu d'artifice avait culminé le 13 février 1969 sur le parquet de la Bourse : six gros bâtons de dynamite avaient arraché le plafond et les murs avant d'amocher 27 personnes.

Un mois plus tard, Pierre-Paul Geoffroy, fils de bonne famille, avouait tranquillement sa culpabilité à 129 chefs d'accusation. Les attentats avaient continué comme si de rien n'était. En août de la même année, l'escalade de la violence était telle que René Lévesque avait cru de son devoir de protester : « La seule révolution faisable, nécessaire, est démocratique et pacifique. Elle exige plus de courage que la dynamite anonyme... »

Puis, au printemps 1970, le FLQ s'était tu pour donner sa chance à la démocratie électorale. Mais à l'été, devant la reprise de la violence, le nouveau ministre de la Justice, Jérôme Choquette, met un prix de 50 000 $ sur la tête des dynamiteurs, tout en rappelant à la population qu'« il fait encore bon vivre au Québec ».

À l'automne, René Lévesque convoque deux journalistes de la Presse Canadienne pour leur dire qu'il réfléchit à son avenir. « Je suis sorti de l'élection les batteries vides, dit-il. Je me demande si je suis encore rentable et si je ne devrais pas laisser la place à un autre... » Le reste de l'entretien donne un article virulent que *La Presse* titre : « René Lévesque : l'élite anglo-saxonne croit à la manipulation des indigènes et non à la démocratie. »

Visiblement, il n'arrive pas à pardonner aux anglophones leur vote massif pour le Parti libéral. Il est loin le temps où il s'érigeait en rempart de leurs droits face aux thèses unilinguistes de François Aquin. Il confie encore aux deux journalistes : « Je n'ai jamais vu un dégoût qui donne envie de vomir comme celui que m'a donné durant la dernière campagne électorale l'establishment anglo-saxon. Quand j'ai vu le *Montreal Star* insulter les Canadiens français et ne pas se rétracter devant la menace de ses propres journalistes de démissionner, j'ai compris à quel point ces gens-là nous méprisent... »

Dans une autre entrevue, il prévient : « Nous n'avons plus d'illusions, nous savons que la lutte sera dure. Nous serons plus radicaux et nous nous passerons de l'appui de la minorité anglophone du Québec. » Voilà dans quel état d'esprit se trouve René Lévesque quand, soudain, la terreur fond sur la province.

CHAPITRE XLII

La terreur

On a poussé tous les boutons de la peur pour
conditionner les Québécois à penser
tragiquement, à se préparer au pire et à accepter
docilement les décisions des gouvernements.

RENÉ LÉVESQUE, *Weekend Magazine*, 1975.

À peine remis de sa déconfiture électorale, René Lévesque se sent agressé par « deux terrorismes », celui du FLQ et celui de l'État, comme il le notera dans ses mémoires. L'un et l'autre constituent un danger mortel pour son parti et pour la souveraineté.

Le 5 octobre 1970, le ministre des Affaires extérieures Mitchell Sharp, premier porte-parole fédéral à réagir à l'enlèvement du consul britannique James R. Cross, n'hésite pas à associer insidieusement le PQ au crime du FLQ. « Que les séparatistes soient prêts à recourir à un geste aussi extrême porte un dur coup à leur cause », lance-t-il, comme si le rapt felquiste avait été mijoté au PQ. Il ajoute sans plus de nuance : « Quand des criminels traitent d'innocents diplomates de cette manière-là, on peut se demander quelles sont les vraies motivations de ceux qui prônent l'indépendance par des moyens démocratiques… »

Dans sa première chronique du *Journal de Montréal* consacrée à

la crise d'octobre, René Lévesque se rebiffe contre cette chasse aux
sorcières : « Il faut beaucoup de mauvaise foi pour confondre l'action
démocratique du PQ avec cette violence anarchique dont l'enlèvement de monsieur Cross souligne l'escalade. Je n'insiste pas sur la
bassesse anonyme d'agents provocateurs, de rats d'égout dont toute
société est affligée dans ses bas-fonds partisans, qui tâchent de nous
impliquer dans cette affaire. Mais qu'un homme comme le ministre
Mitchell Sharp profite de l'événement pour semer hypocritement la
confusion, c'est dégoûtant. »

René Lévesque se distancie rapidement de la violence felquiste
car il se doute que les auteurs du kidnapping ont probablement
milité au PQ avant d'opter pour la terreur. Au troisième jour du
drame, les ravisseurs posent sept conditions dont la libération de
23 prisonniers politiques, une rançon de 500 000 $ et la diffusion
publique de leur manifeste, pour relâcher l'otage.

Malgré la crise qui ébranle son jeune gouvernement, Robert
Bourassa grimpe le même jour dans son DH-125 et file comme
prévu à New York assurer les banquiers que leurs capitaux sont toujours bienvenus au Québec. Sa décision étonne l'entourage de Pierre
Trudeau qui, lui, contremande son voyage à Moscou à cause de la
crise. Pendant l'absence du premier ministre du Québec, Mitchell
Sharp autorise Radio-Canada à diffuser le manifeste, convaincu que
l'opération se retournera contre ses auteurs, tant le ton du manifeste
est grossier et stupide : « Drapeau le dog, Bourassa le serin des
Simard, Trudeau la tapette… »

« Un honnête homme ne s'étonne de rien », avait ricané Pierre
Trudeau en citant Flaubert à la lecture des énormités du manifeste.
Mais l'initiative de Mitchell Sharp le met hors de lui : « Vous n'auriez
pas dû faire cela ! le semonce-t-il. On commence à lâcher des
bouts… » Dès le début de la crise, il a donné ordre de ne pas céder
au FLQ. S'incliner devant un coup de force ne peut qu'inciter ses
auteurs à récidiver. C'est la « leçon de Munich », comme disent les
chefs d'État européens face au terrorisme.

René Lévesque est aussi malheureux que lui, mais pour une tout
autre raison. En plus de confirmer que les ravisseurs du consul britannique ont déjà eu en poche une carte de son parti, le manifeste le
compromet en le citant nommément : « Nous avons cru qu'il valait
la peine de canaliser nos énergies, nos impatiences comme le dit si

bien René Lévesque, dans le Parti québécois. Mais la victoire libérale montre bien que ce qu'on appelle la démocratie au Québec n'est que la *democracy* des riches. Le parlementarisme britannique, c'est fini, et le Front de libération du Québec ne se laissera jamais distraire par les miettes électorales que les capitalistes anglo-saxons lancent dans la basse-cour québécoise. »

Dans le livre qu'il consacrera à la crise d'octobre, le secrétaire d'État Gérard Pelletier s'amusera des caresses empoisonnées du FLQ à René Lévesque en citant le vers de Sophocle : « Mon Dieu, gardez-moi de mes amis ! » Le chef souverainiste conjure les auteurs encore anonymes du coup, les Jacques Lanctôt, Marc Carbonneau, Nigel Hamer et Yves Langlois, de rebrousser chemin :

« Nous sommes dans une société qui permet encore l'expression et l'organisation de la volonté de changement. Le 29 avril, ce recul que nous avons subi n'était-il pas aussi un début de victoire ? Il n'y a rien qui autorise à croire que [la] voie du changement pacifique est impraticable. Celle où vous voilà engagés, à quoi d'autre mène-t-elle qu'à la haine et la répression ? »

Pendant que René Lévesque se débat pour neutraliser les pièges des uns et des autres, les gouvernements se durcissent. La lecture publique du manifeste aura été leur unique concession. À Québec comme à Ottawa, la valse-hésitation entre souplesse et intransigeance paraît terminée. C'est donc dire qu'on accepte l'idée désagréable que James Cross puisse y laisser la vie. Dans ses mémoires, Gérard Pelletier le reconnaît lorsqu'il écrit : « Sur ce point, la religion des ministres était faite. Il ne fallait rien épargner pour faire libérer Cross. Rien, si ce n'est la capitulation du système judiciaire ou la fourniture d'armes au FLQ par le versement d'une rançon. »

À Ottawa, deux cellules de crise ont été formées après l'enlèvement de James R. Cross. La première, dirigée par Claude Roquet, relève des Affaires extérieures, que le rapt du diplomate concerne directement. La GRC y a son représentant et le premier ministre Trudeau y a délégué Marc Lalonde.

La seconde cellule est plus secrète et plus décisive. Il s'agit du Strategic Operations Centre (SOC), relié directement à Pierre Trudeau par trois hommes de confiance : Jim Davey, Marc Lalonde et Jean-Pierre Goyer, son secrétaire parlementaire. C'est le navire amiral qui définit la stratégie en trois points : rejet des exigences des kidnappeurs, prolongation maximale du dialogue pour permettre aux policiers de repérer leur cachette, offre d'un sauf-conduit pour l'étranger en échange de l'otage.

Pendant que Robert Bourassa conforte les financiers de New York et de Boston, le ministre de la Justice Jérôme Choquette passe à l'action. Sa philosophie est simple : fermeté, ne jamais céder aux demandes du FLQ concernant les prisonniers et la rançon, mais éviter toute provocation inutile de nature à braquer les kidnappeurs, et volonté de comprendre leurs mobiles.

Aussi, deux jours après la disparition du consul britannique, ce ministre aux allures de shérif costaud annonce-t-il en conférence de presse que le gouvernement est prêt à négocier et attend un signe de la part des ravisseurs. C'est alors que Marc Lalonde reçoit un appel de Julien Chouinard, secrétaire exécutif du gouvernement québécois. Le ton est celui de l'urgence : « Monsieur Bourassa est aux États-Unis. Jérôme Choquette veut faire appel à un gouvernement d'unité nationale formé de tous les partis provinciaux. Il l'annoncera dans quelques heures… »

(Une initiative que nie aujourd'hui Jérôme Choquette en accusant Marc Lalonde de réécrire l'histoire à son avantage. « Si le fédéralisme canadien est si mal en point actuellement, dit-il, c'est qu'à Ottawa, il y a toujours eu des gens [comme Marc Lalonde] pour adopter un comportement dominateur et hautain vis-à-vis du Québec. » En réalité, l'idée qu'il avait soumise à Robert Bourassa, qu'il avait rencontré discrètement dans sa limousine stationnée sur un Champ de Mars désert, à son retour de Boston, n'avait rien à voir avec la création d'un front national. Il lui avait plutôt suggéré de créer un ministère de la paix sociale afin que la population ne retienne pas seulement de l'action gouvernementale que son côté répressif et policier.)

Mais Marc Lalonde prend tout au sérieux. Sa réputation de père Fouettard est bien connue. Grand, nez fortement aquilin, front haut et bombé comme celui de Robespierre dont il partage la vertu spartiate et l'esprit revanchard, Marc Lalonde a appris à la radio le rapt du malheureux Cross. Un coup de massue : l'enlèvement d'un diplomate, c'est quelque chose ! Une attaque directe contre l'autorité d'Ottawa qui ne peut s'en laver les mains en abandonnant l'affaire à la police de Montréal et à la Sûreté du Québec.

Ce que lui a dit Julien Chouinard de la décision de Jérôme Choquette est très grave. Un ministre ne peut passer outre à l'accord du premier ministre. Cet incident confirme ce que Marc Lalonde observe depuis l'enlèvement du diplomate Cross. Robert Bourassa est désorienté et n'a pas la situation en main. Il est trop jeune et trop inexpérimenté pour faire face à la musique.

Marc Lalonde apprend aussi de Mitchell Sharp que Jérôme Choquette, avec qui ce dernier reste en contact, songe à libérer cinq prisonniers politiques, pour démontrer au FLQ la bonne foi du gouvernement. Pour Pierre Trudeau, la notion même de prisonnier politique est une hérésie. Dans une démocratie, il n'existe pas de prisonniers « politiques », seulement des criminels de droit commun.

Averti par Marc Lalonde, le premier ministre canadien informe aussitôt Robert Bourassa, toujours à Boston, des plans de son ministre. Et avant que n'expire le délai de l'ultimatum, fixé par les ravisseurs au samedi 10 octobre, à 18 heures, la brebis provinciale égarée retrouve le droit chemin fédéral. Le ministre Sharp demande à Jérôme Choquette de refaire ses devoirs, c'est-à-dire d'enlever à la réponse qu'il doit faire au FLQ son ton trop conciliant. Son deuxième brouillon, plus intransigeant sur le fond, plaît au ministre fédéral qui lui suggère cependant, pour montrer que la fermeté sait s'accommoder de la souplesse, d'offrir au FLQ un sauf-conduit pour Cuba en échange de l'otage.

Jérôme Choquette n'a plus qu'à répéter à la télévision d'un ton faussement solennel le texte remanié par le ministre Sharp : aucune société ne saurait céder au chantage car ce serait la fin de tout ordre social.

S'il fallait que deux hommes meurent

Le refus des gouvernants de libérer les felquistes emprisonnés et de verser une rançon résonne encore sur tous les écrans de télévision de la province que la cellule Chénier, constituée des frères Rose, de Francis Simard et de Bernard Lortie, s'empare du ministre du Travail, Pierre Laporte, qui joue au ballon avec son neveu Claude, devant sa résidence de Saint-Lambert. Il est à peu près 18 h 20. Une trentaine de minutes se sont écoulées depuis le discours du ministre Choquette. La terreur et la peur montent d'un cran.

Au même moment, au lac L'Achigan, tandis que Corinne Côté admire le coucher de soleil d'un été indien particulièrement doux, René Lévesque tente de battre au tennis l'ami Marc Brière. Plus tôt, il a pris acte de la fin de non-recevoir de Jérôme Choquette et conclut que l'espoir de retrouver vivant James R. Cross vient de s'amenuiser. Cinq ans plus tard, il dira au magazine torontois *Weekend Magazine* : « La décision d'Ottawa de refuser toute négociation avec le FLQ était contraire à la politique adoptée à l'époque par les gouvernements britanniques et japonais. Confrontés à des situations similaires, ils avaient négocié en s'appuyant solidement sur leur population. Mais ici, les politiciens fédéraux se sentaient contestés dans leur légitimité par la montée souverainiste. Ils ont claqué la porte et trente minutes plus tard, l'homme qui devait payer de sa vie leur politique du pire était kidnappé. »

Au moment où les joueurs de tennis du lac L'Achigan commencent une autre partie, le neveu de Marc Brière leur annonce tout excité que le FLQ vient d'enlever Pierre Laporte. Dans son autobiographie, René Lévesque confessera que sa première réaction avait été de dire « qu'ils avaient du nerf, les p'tits gars » tout en déplorant l'enlèvement de l'homme qu'il considère toujours comme un ami, même si leur route s'est séparée depuis les années où ils se mesuraient sur les terrains de tennis du Quebec Winter Club.

Le soir même, en filant sur Montréal, René Lévesque apprend à la radio que le premier ministre Bourassa a demandé à rencontrer d'urgence les partis d'opposition à ses bureaux de Montréal, le lendemain. Comme il ne siège pas lui-même à l'Assemblée nationale, il décide d'y déléguer Camille Laurin, chef parlementaire du PQ. Montréal a l'air lugubre d'une ville fantôme, ses rues sont désertes, comme il le fait remarquer à Corinne qui le dépose au *Journal de Montréal* où il va rédiger sa chronique.

La tournure dramatique des événements inquiète également Pierre Trudeau. Que le FLQ ait eu l'audace d'enlever un ministre devant sa maison l'abasourdit. Ces rapts confirment sa thèse sur la fragilité de la démocratie québécoise. Comme l'écrira l'un de ses biographes, George Radwanski, sa haine des « séparatistes » s'en trouve décuplée.

Et il commence aussi à donner raison à ceux qui affirment que le FLQ est super-organisé et dangereux. Le député Pierre De Bané, jeune recrue nationaliste du Québec que Pierre Trudeau a enrôlé aux élections de 1968, l'entendra dire dans les jours qui suivront : « Ça doit être un génie, le chef du FLQ, il a réussi à me faire annuler mon voyage à Moscou ! »

Pierre Trudeau ne veut pas céder à la panique comme en fait foi le refus poli qu'il oppose, le soir même du kidnapping, à Robert Bourassa qui lui parle déjà de faire venir l'armée et de déterrer la vieille Loi des mesures de guerre. Des années plus tard, Pierre Trudeau se rappellera lui avoir dit, ce soir-là : « Si vous voulez l'armée, demandez-la en bonne et due forme. Vous l'aurez★. Mais pas question d'invoquer la Loi des mesures de guerre. Ce n'est pas nécessaire. Je ne vois pas de guerre ni déclarée ni appréhendée… »

Le dimanche 11 octobre, lendemain de l'enlèvement de Pierre Laporte, Robert Bourassa s'enferme avec ses ministres au 20ᵉ étage de l'hôtel Reine Elizabeth de Montréal. Pour Marc Lalonde, cette fuite en catastrophe du gouvernement confirme une fois de plus sa thèse selon laquelle la crise a désarçonné le chef de l'État. C'est aussi l'avis de René Lévesque, à qui Camille Laurin transmet un rapport surréaliste de sa rencontre avec le premier ministre.

Des policiers armés de mitraillettes arpentaient l'étage où il se trouvait, recréant une atmosphère de lendemain de coup d'État dans une république de bananes. Alors que les aides de Robert Bourassa agissaient comme des assiégés en proie à la panique, lui-même paraissait fortement secoué par l'enlèvement de Pierre Laporte. Le ministre de la Justice ajoutait à la scène une touche western en exhibant un revolver à sa ceinture — ce qui lui vaudra de la part de René Lévesque l'épithète de « *Two-Gun* Choquette ».

Le directeur du *Devoir*, Claude Ryan, se scandalise lui aussi de l'attitude vacillante du premier ministre québécois. Le samedi soir

---

★ À noter que l'appel à l'armée et la Loi des mesures de guerre sont deux choses différentes. Selon la Constitution canadienne, Ottawa ne peut refuser l'armée à une province qui fait face à des troubles que ses policiers ne peuvent maîtriser seuls. Depuis 1945, l'armée n'est intervenue qu'à deux reprises et au Québec seulement : pendant la grève des policiers de Montréal de 1969 et au cours de la crise d'octobre. En revanche, pour recourir à une législation d'urgence comme la Loi des mesures de guerre, qui bafoue droits et libertés, Ottawa doit s'assurer que le danger de guerre ou d'insurrection est bien fondé.

après le rapt, Robert Bourassa l'a appelé au moment où il se mettait au lit, quêtant ses conseils. « Il ne savait plus où donner de la tête, rappellera un an plus tard le journaliste. Il était à sa maison de campagne de Sorel où il avait reçu un appel anonyme disant qu'il était le suivant sur la liste. Il a eu peur et c'est alors qu'il s'est enfui au vingtième étage de l'hôtel Reine Elizabeth. Un vrai chef serait resté à Sorel. »

Ce dimanche-là, donc, le chef du gouvernement arrête avec ses ministres la position qu'il livrera en soirée à la télévision, en réponse au rapt de Pierre Laporte dont la chaise inoccupée à la table rappelle la cruauté felquiste. Une séance horrible que vient dramatiser encore la lettre pathétique (« Décide de ma vie ou de ma mort... ») que les geôliers machiavéliques de Pierre Laporte lui ont fait écrire. Où il invite son chef à écouter son cœur plutôt que la raison d'État, érigée en dictature de l'esprit par ses alliés d'Ottawa.

René Lévesque attend beaucoup de l'intervention du premier ministre québécois. Selon lui on doit tout faire, négocier avec le FLQ et même libérer des prisonniers, pour sauver les deux otages. Les politiciens, qui pour ne pas perdre la face n'ont à la bouche que le *law and order*, paraissent bien dérisoires face à une seule vie menacée. De plus, d'autres gouvernants ont déjà négocié avec des terroristes sans que leur pays sombre par la suite dans l'anarchie et le désordre. Le chef du PQ appelle Robert Bourassa et lui promet l'appui inconditionnel de son parti s'il opte pour une solution humanitaire.

Mais il n'est pas le seul à tenter d'influencer le premier ministre. Plus intransigeant que jamais, Jérôme Choquette ne veut plus entendre parler de négocier. Pour Robert Bourassa, le rapt du ministre du Travail a modifié la donne. C'est la vie même d'un collègue qui est en danger et non plus seulement celle d'un diplomate inconnu.

Il est prêt à négocier et même à libérer des felquistes. Il écarte l'avis contraire de son ministre de la Justice, qui dira plus tard en se rappelant le revirement de son chef : « Je n'ai jamais voulu raconter d'histoire aux gens du FLQ. Mais quand Bourassa a offert de libérer des prisonniers, je me suis demandé s'il était sincère. »

À Ottawa, Pierre Trudeau ne veut pas déroger au principe sacré établi par les deux cellules de crise selon lequel « la libération des prisonniers politiques ne serait jamais envisagée par le gouvernement fédéral ».

Il accepte toutefois de parlementer avec les ravisseurs afin de mettre au point un mécanisme de libération des deux otages contre un sauf-conduit pour l'étranger. À la télévision, Robert Bourassa offre donc au FLQ de libérer les prisonniers politiques — il utilise même l'expression — contre les otages.

Jérôme Choquette avait raison de penser qu'il jouait double jeu. Car il répétera plusieurs fois par la suite, et même encore en 1995 dans son livre *Gouverner le Québec*, qu'il n'avait jamais accepté le principe de la libération des prisonniers politiques. Quant à Pierre Trudeau, il temporise. Il laisse Robert Bourassa donner libre cours à ses émotions du moment.

C'est ce que confirmera 10 ans plus tard le commissaire enquêteur Jean-François Duchaîne nommé par René Lévesque, alors premier ministre, pour faire la lumière sur la crise d'octobre : « Le gouvernement fédéral a voulu laisser à M. Bourassa le temps de se rallier à la position intransigeante qu'il avait adoptée. » De son côté, le chef du PQ n'est pas dupe de la modération du premier ministre, qu'il décrira dans son autobiographie comme « une curieuse déclaration, si ambiguë qu'il n'était pas interdit d'y lire une vague intention de négocier ».

René Lévesque invite néanmoins l'exécutif du PQ à soutenir sa démarche. Malgré les pressions extérieures, dit-il, le premier ministre « a accepté le principe de la libération des prisonniers politiques ». Ensuite, il consacre son éditorial du *Journal de Montréal* à raisonner Robert Bourassa : « Deux vies nous semblent valoir bien davantage que la raison d'État, si importante que soit celle-ci. L'honneur collectif du Québec ne s'en relèverait pas de sitôt s'il fallait que deux hommes meurent dans un contexte qui ne justifie aucunement de tels extrêmes. »

L'autre terrorisme

L'appel à la négociation de René Lévesque n'est pas entendu. Une fois la crise résorbée, il ne se gênera pas pour répéter qu'après l'enlèvement de Pierre Laporte, « une opération terroriste politique avait répondu à une opération terroriste criminelle ». À la psychose de la peur déclenchée par le FLQ avait répliqué celle du gouvernement canadien. Il reviendra sans cesse sur cet épisode ténébreux de notre histoire, comme s'il n'arrivait pas à chasser de son esprit l'idée que le cauchemar vécu par les Québécois ne pouvait être attribué qu'au seul FLQ.

Dans un article pour le *Weekend Magazine,* il accusera formellement Ottawa d'avoir terrorisé scientifiquement la population : « On a poussé systématiquement tous les boutons de la peur pour conditionner les Québécois à penser tragiquement, à se préparer au pire et à accepter docilement toutes les décisions du gouvernement. »

En 1977, il mettra en cause Pierre Trudeau lui-même à l'occasion d'une entrevue au *Maclean's* : « C'est devenu une opération politique terroriste planifiée par Trudeau pour effrayer les Québécois. Et cette manipulation me rendait furieux parce qu'il essayait de déstabiliser non seulement le Québec tout entier, mais aussi ce que nous du PQ nous représentions. »

Mais revenons au 12 octobre 1970. Après le discours télévisé du premier ministre québécois, que se passe-t-il donc qui pourrait étayer les accusations de « terrorisme d'État » du chef du PQ ? D'abord, un bataillon de 500 militaires cantonnés à Petawawa, en Ontario, prend position autour des édifices gouvernementaux de la capitale fédérale, comme si l'état de siège venait d'être proclamé. Diplomates étrangers et hommes politiques se voient affubler d'office d'un soldat armé. Certains s'en irritent. Plutôt irréels, en effet, ces robots bottés en tenue de combat aux abords du Parlement canadien.

Le même jour, alimentée par la tenue d'un conseil des ministres d'urgence au bunker hôtelier de Robert Bourassa, la rumeur persistante d'une entrée massive des troupes dans Montréal oblige l'armée à préciser que « Québec n'a pas encore fait appel à l'armée ». Cela n'empêche aucunement des spécialistes de l'armée de s'installer au quartier général de la Sûreté du Québec pendant qu'une autre équipe spécialisée dans la propagande en temps de guerre occupe des bureaux voisins de ceux de Robert Bourassa.

Ottawa fait aussi placer des effectifs sur un pied d'alerte à la base de Saint-Hubert. Et pour compléter le dispositif d'encadrement du jeune et inexpérimenté premier ministre québécois, Marc Lalonde devient l'agent de liaison entre Pierre Trudeau et lui. Tantôt il accourt à Montréal auprès de Robert Bourassa, tantôt il téléphone à Julien Chouinard, bras droit de ce dernier, les avis d'Ottawa.

« Le fédéral prenait dès lors la prépondérance », conclura un rapport ultérieur du Centre d'analyse et de données (CAD) du gouvernement québécois consacré à la crise d'octobre.

De son côté, Pierre Trudeau s'énerve devant la question : à quoi rime ce dispositif de temps de guerre alors qu'aucune détonation ne claque aux oreilles des Canadiens ? Il livre en guise de réponse sa fameuse tirade sur les cœurs sensibles qui supportent mal la vue de gens casqués et armés : « Seules des poules mouillées auraient peur d'aller jusqu'au bout pour se défendre contre l'émergence d'un pouvoir parallèle et pour maîtriser des gens qui tentent de diriger le pays par le rapt et le chantage. »

Au moment où Pierre Trudeau fait son numéro de matamore devant les caméras, son cabinet est à mettre au point une « campagne psychologique » qui accompagnera l'entrée des forces armées au Québec, dès que le premier ministre Bourassa en aura fait la demande officielle. Divulgué en 1992, grâce à la Loi d'accès à l'information, le plan prévoit notamment la diffusion d'informations alarmistes, la censure des médias, le survol du Québec par des avions et des hélicoptères.

À sa manière, Jérôme Choquette contribue lui aussi à intoxiquer les esprits et à faire des Québécois un « troupeau affolé », comme dira René Lévesque. Affichant de façon ostentatoire son pistolet de shérif, il reçoit les journalistes qui s'inquiètent de son comportement de super-flic. « J'étais sur la liste du FLQ, je me sentais menacé, dira-t-il des années plus tard. La SQ m'avait même donné des leçons de tir. Mais quand je portais un revolver, c'était pour faire un *show*, pour montrer que le ministre de la Justice ne se laisserait pas intimider. »

Un comité interministériel fédéral suggère de confier des pouvoirs plus étendus à l'armée : le maintien de l'ordre public, le contrôle des foules, la collecte des renseignements et la surveillance des campus étudiants. D. S. Maxwell, l'auteur du rapport, suggère même à Ottawa de ne pas s'en faire si on crie à l'État policier, l'autorité du gouvernement sur l'armée prévenant toute dictature militaire.

Mais il n'y a pas que les terroristes ou les mandarins fédéraux à vouloir soumettre les Québécois à un climat de terreur. Aux Communes, le député conservateur de Red Deer, en Alberta, Robert Thompson, réclame rien de moins que la fouille systématique de chacune des maisons du Québec pour trouver les ravisseurs. À Toronto, un journal exige la pendaison de tous les activistes reliés au FLQ.

Le 14 octobre, le premier ministre ontarien John Robarts active lui aussi la psychose de guerre en s'écriant, comme s'il avait devant lui l'armée allemande tout entière, que « le Canada doit se lever et combattre ». Il ose mêler le PQ au drame, comme le ministre Mitchell Sharp plus tôt, et René Lévesque lui dit de se mêler de ses affaires dans sa chronique du lendemain : « En serions-nous à cette guerre totale que M. Robarts déclarait si vite, mercredi soir, de son observatoire de Toronto ? Chose certaine, nous pourrions fort bien être devant le mélange classique de panique et de raidissement dont l'Histoire prouve qu'il est le pire des conseillers du pouvoir. »

« À beau mentir qui vient… de Toronto », cinglera-t-il encore dans son autobiographie à propos de la « démesure caricaturale » de la sortie de John Robarts. En 1975, le Centre d'analyse et de données du gouvernement du Québec conclura que le radicalisme et l'intransigeance du Canada anglais avaient poussé le *French Power* à se durcir plus encore contre le Québec.

Sauf exception, la presse francophone appuie elle aussi le durcissement. Jean-Paul Desbiens, chef éditorialiste de *La Presse,* qui aime bien polémiquer avec René Lévesque, se révèle aussi intraitable que Pierre Trudeau lui-même. Il va jusqu'à se demander si ce ne sont pas les libertés « torrentielles » dont jouissent les Québécois qui expliqueraient la crise. Devant l'anarchie, écrit-il, la société doit se protéger au prix même d'une liberté diminuée. Ne faut-il pas parfois mettre la démocratie entre parenthèses pour mieux la sauver ?

S'inspirant de cette idée saugrenue, un mémoire du Conseil des ministres québécois, défendu publiquement par le député droitiste Jean Bienvenue, propose de réduire la liberté d'expression pour mieux contrer le terrorisme. Le premier ministre Bourassa lui-même n'hésite pas à parler ouvertement de réexaminer l'usage qui est fait de la liberté. Et Pierre Trudeau demande aux journalistes de mettre la sourdine et de cesser de faire la publicité du FLQ.

Des jours de dérive et d'affolement où circulent des bruits non confirmés sur un mouvement de troupes de l'autre côté de la frontière américaine. Comme l'écrira, en 1977, Eleanor S. Wanstein, de la Rand Corporation de Californie, le rôle de Washington fut surtout un rôle d'« observateur angoissé ». S'inquiétant pour la sécurité de ses diplomates et peu désireux de voir le FLQ faire école auprès de groupes violents comme les Black Panthers, les Américains appuient la politique de la main de fer. Bien que certains se montrent critiques devant de ce qu'ils considèrent comme une réaction disproportionnée d'Ottawa *« an over-reaction on the part of Ottawa to events »*.

Cette réserve n'empêche pas cependant Washington de renforcer la surveillance de sa frontière avec le Québec, comme l'en presse Ottawa. Ni d'envoyer ses espions au Nord, ce que l'analyste de la Rand Corporation soutient sans pouvoir le faire confirmer : « Il y a eu une infiltration de grande ampleur de la CIA à Montréal durant la crise, aussi bien qu'un mouvement de blindés au sud de la frontière canadienne. »

L'alliance Lévesque/Ryan

Cet horizon sinistre, à ses yeux savamment entretenu, où au terrorisme des uns répond le terrorisme des autres et où la liberté est attaquée et dévalorisée, apparaît à René Lévesque comme une menace sérieuse pour la démocratie québécoise. Le mercredi 14 octobre, quatre jours après l'enlèvement de Pierre Laporte, il joint par téléphone Robert Bourassa à l'aéroport de Dorval pour l'assurer à nouveau de son appui s'il choisit une solution non sanglante, mais le chef libéral se fait évasif. « Ce sont des petits gars de chez nous, ils ne tueront pas », répète-t-il comme pour se persuader qu'il n'y a aucun risque à les rabrouer.

René Lévesque croit le contraire. Leurs communiqués montrent que ce sont des fanatiques déterminés. « J'avais peur, avouera-t-il plus tard. J'estimais que les kidnappeurs allaient tuer si on ne les prenait pas au sérieux. »

« Et maintenant, que va-t-il arriver ? demande encore René Lévesque au chef libéral.

— On ne peut plus rester passifs longtemps, fait celui-ci. On tourne en rond. Les policiers multiplient les raids pour retrouver Pierre Laporte, mais tout ce qu'ils trouvent, ce sont des fusils de chasse. Si ça ne débloque pas, il faudra envisager des mesures plus radicales... »

De cette conversation, le chef du PQ conclut que son interlocuteur a fini par abdiquer* devant Pierre Trudeau. Après la crise, pour prouver sa démission, René Lévesque publiera la transcription de leur conversation téléphonique, qu'il a enregistrée sans l'en aviser. Procédé que Robert Bourassa qualifiera d'« amabilité discutable ». Le chef du PQ révélera aussi au journaliste torontois Ron Haggart : « Honnêtement, il avait l'allure d'un homme traqué. Son Cabinet lui causait des soucis et il me confia que la police lui poussait dans le dos. »

Robert Bourassa ne dit pas tout à René Lévesque. Il se garde bien de lui annoncer qu'il prépare au même moment les textes qui justifieront l'appel à l'armée et la proclamation de la Loi des mesures de guerre. Mais il suffit au chef péquiste de lire entre les lignes pour comprendre qu'il va jouer plus dur, au risque d'entraîner l'exécution des otages. De toute évidence, il est revenu sur son offre première de négocier la libération des prisonniers felquistes.

Pour le chef du PQ, le temps est venu d'agir. Il lui faut inciter les dirigeants à la modération et s'assurer que son parti ne fera pas les frais du jusqu'au-boutisme gouvernemental. Il compose aussitôt le numéro de l'influent directeur du *Devoir*, Claude Ryan, à qui il fait part de ses inquiétudes. Le journaliste est on ne peut plus prêt à l'écouter. Non seulement il fait la même lecture des événements que lui, mais il partage sa perplexité depuis que Robert Bourassa lui a téléphoné, plus tôt, pour l'avertir qu'un « petit virage » vers la fermeté était imminent.

Les rapports entre René Lévesque et Claude Ryan ne sont jamais faciles. Mais certaines convictions profondes en font parfois des alliés malgré leur désaccord sur l'avenir du Québec. Ils se connaissent depuis *Point de mire*. Secrétaire de l'Action catholique canadienne, et spécialiste en éducation des adultes, Claude Ryan s'est retrouvé à quelques reprises à cette émission de télévision devenue mythique.

---

* Jugement que confirme le rapport Duchaîne : « L'attitude fédérale, de même que celle de la Ville de Montréal, a toujours été marquée par la plus grande fermeté, voire l'intransigeance. À cause de l'appartenance de l'un des otages au Cabinet provincial, le gouvernement Bourassa a semblé privilégier la voie de la négociation. Il s'est par la suite résolu à adopter la même fermeté que le fédéral. »

Mais leur premier échange politique véritable date du printemps 1960, juste avant la décision de René Lévesque de rallier les libéraux. Choix qui avait estomaqué Claude Ryan. Et pour cause ! Chez Gérard Lemieux, son ami d'Oka qui a réconcilié René Lévesque et Louise L'Heureux, il lui avait laissé entendre qu'il lorgnait plutôt vers le Nouveau Parti démocratique, rejeton socialiste de l'ancienne CCF où Claude Ryan avait milité, étudiant. Ce jour-là, il avait compris que l'homme était capable de virer à 90 degrés !

Il lui réservait d'autres surprises. En 1963, devenu éditorialiste au *Devoir*, Claude Ryan s'était entendu demander par le ministre des Richesses naturelles : « J'aimerais faire le point avec vous sur certaines questions, pouvez-vous venir samedi après-midi à mon bureau d'Hydro ? » Au premier tête-à-tête, René Lévesque avait tracé un portrait brutal de ses disputes avec Ottawa à propos des autochtones et des politiques sociales dont le gouvernement Lesage tentait de reprendre la maîtrise. Il avait mis cartes sur table : « J'ai des problèmes avec le fédéralisme. Je ne pense pas que ce régime puisse convenir au Québec. Il nous faut plus de pouvoirs.

— Je vous comprends, avait répondu Claude Ryan. Il y a de gros accrochages mais ils ne sont pas insolubles. Je me demande si vous ne les exagérez pas un peu ? »

Les deux hommes s'étaient mis d'accord pour faire un examen critique du régime fédéral point par point. Mais après un premier face-à-face, leur réflexion avait avorté, René Lévesque négligeant de lui fixer un nouveau rendez-vous. Néanmoins, l'exercice avait été instructif pour l'éditorialiste. De ce jour, il avait su que René Lévesque jonglait avec l'idée de la souveraineté, mais il n'en avait jamais fait état dans ses éditoriaux. Aussi sa conversion indépendantiste de 1967 ne l'avait-elle pas trop désarçonné.

Cette fois-là encore, René Lévesque lui avait fait faux bond. Peu avant de diffuser la résolution souverainiste qu'il allait soumettre au congrès libéral d'octobre, il avait demandé à le voir avec Michel Roy pour en discuter. C'était une fin de semaine mais, ô surprise, l'imprévisible homme avait communiqué sa résolution à la presse sans trouver le temps de la leur montrer. Claude Ryan avait passé l'éponge une fois de plus. Aujourd'hui, en pleine crise felquiste, l'inflexibilité des gouvernements, qu'il réprouve comme René Lévesque, les rapproche.

Depuis l'enlèvement du diplomate Cross, l'équipe éditoriale du *Devoir* fait bande à part au sein d'une presse quotidienne à la remorque des politiciens. Pour se démarquer de l'extrémisme des gouvernements et éviter la catastrophe que serait la mort des deux otages, Claude Ryan plaide en faveur de la négociation avec le FLQ. Position à ses yeux « plus proche de l'état d'âme réel des Québécois et plus voisine du véritable esprit démocratique » que les tactiques d'intimidation des fédéraux qui aboutiront à un chaos tragique dont ils seront les seuls responsables.

« Je suis de près ce que vous faites au *Devoir* et je suis d'accord avec vous, commence René Lévesque après avoir taquiné l'éditorialiste qui ne l'a pas appuyé aux élections du 29 avril. Malheureusement, ça va se corser…

— Qu'est-ce que vous voulez dire ?

— D'après mes informations, on s'en va vers quelque chose de très grave, demain ou après-demain.

— Vous voulez parler de la Loi des mesures de guerre ?

— Oui », laisse tomber le chef souverainiste.

Claude Ryan ne paraît pas bouleversé. Après l'enlèvement de Pierre Laporte, il a réuni ses collaborateurs pour étudier les scénarios possibles. Ils ont épluché les textes de loi et conclu à une intervention militaire possible qu'accréditent depuis des rumeurs insensées. L'une veut même qu'aussitôt proclamée la Loi des mesures de guerre, le gouvernement Bourassa s'enfermera au camp militaire de Valcartier dans un abri bétonné !

« Ce qui pourrait aider, poursuit René Lévesque, ce serait qu'un groupe de personnalités fasse une intervention publique pour demander aux gouvernements de pratiquer la modération.

— Ça serait une très bonne chose », approuve Claude Ryan qui s'inquiète lui aussi de voir l'État succomber à la manière forte et à la terrible tentation de la politique du pire. Sa position est claire : il faut tout faire pour sauver la vie des otages et, une fois la crise dénouée, neutraliser le terrorisme par des réformes.

Le temps presse, conviennent les deux alliés. Chacun se met au téléphone pour appeler qui, Marcel Pepin, président de la CSN, qui, Alfred Rouleau, grand patron des Caisses populaires Desjardins, qui, Louis Laberge, président de la FTQ. Et pendant que Claude Ryan termine son journal, René Lévesque rédige le premier jet de la

Si les congrès politiques tiennent souvent de la kermesse, ceux du Parti québécois ont plutôt l'allure d'une immense salle d'étude. *Le Journal de Montréal.*

Pour ou contre ? Camille Laurin, à gauche, défendant son appui à une résolution sans doute aussi controversée que lui. Pierre Marois, à droite, dauphin présumé du chef, affiche la mine épanouie de celui qui a gagné son point. *Collection Michel Carpentier.*

Ci-contre, Jacques Parizeau et René Lévesque ne perdent pas un mot du débat. *Collection Michel Carpentier.* Ci-dessous à gauche, la pause café en compagnie de Louise Beaudoin. *Le Journal de Montréal.* Ci-dessous à droite, avec Marc-André Bédard, l'un des pionniers du souverainisme québécois. *Collection Michel Carpentier.*

La crise d'octobre 1970 a posé René Lévesque et Pierre Trudeau en frères ennemis. Ce qui ne les empêchera pas quelques années plus tard de s'amuser sous le regard attentif de Jean-Roch Boivin, au centre, et de Bernard Landry, derrière l'épaule de René Lévesque. *Le Journal de Montréal.*

Durant les événements d'octobre, René Lévesque et le maire Jean Drapeau s'entredéchiraient, mais l'eau a coulé depuis. À gauche, Gratia O'Leary, attachée de presse du chef péquiste. *Le Journal de Montréal.*

En campagne électorale, les bains de foule sont comme de l'oxygène pour René Lévesque. *Le Journal de Montréal.*

Avec les ouvriers de l'usine automobile de Sainte-Thérèse, au nord de Montréal. *Le Journal de Montréal.*

Une rencontre inusitée entre René Lévesque et son adversaire libéral, Robert Bourassa. *Le Journal de Montréal.*

Les enfants auront toujours fasciné René Lévesque que l'on voit ici à une fête scolaire. *Archives nationales du Québec.*

Jouer aux cartes avec les employés du PQ fait partie du quotidien du chef. *Collection Alexandre Stefanescu.*

Trois ouvriers de la première heure : Michel Carpentier, Pierre Renaud et Claude Malette. *Collection Alexandre Stefanescu.*

Michel Carpentier, bras droit de René Lévesque. *Collection Alexandre Stefanescu.*

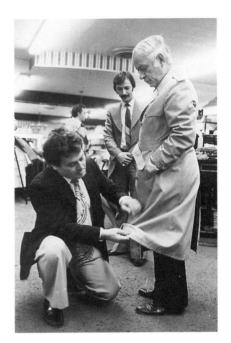

Ci-contre, il faut s'y prendre de bonne heure avant de faire entrer René Lévesque chez le tailleur, mais c'est possible ! *Le Journal de Montréal.* Ci-dessous, René Lévesque et l'une de ses plus chaudes partisanes, Dominique Michel. *Le Journal de Montréal.* En compagnie du « fou chantant », Charles Trenet. *Archives nationales du Québec.*

déclaration commune que les 16 leaders d'opinion qui ont accepté de s'y associer peaufinent, le soir même, dans un salon privé de l'hôtel Holiday Inn, à Montréal.

Outre les signataires sus-mentionnés, il y a là d'autres chefs syndicaux, comme Raymond Laliberté, Yvon Charbonneau, Fernand Daoust et Matthias Rioux, des représentants des agriculteurs, comme le secrétaire de l'UCC, Jean-Marc Kirouac, des universitaires, comme Fernand Dumont, Guy Rocher, Marcel Rioux et Paul Bélanger, et des politiques comme Jacques Parizeau et Camille Laurin.

Claude Ryan se rappellera qu'on avait mis une heure à peine à s'entendre sur le texte de René Lévesque. Un indice de l'indignation commune face à la raideur des gouvernements. La déclaration défend quatre idées principales : 1) la vie des otages passe avant tout le reste ; 2) il faut négocier leur échange contre les prisonniers politiques ; 3) le FLQ n'est qu'une fraction marginale ; 4) la crise doit se régler au Québec.

À ce propos, les 16 signataires affirment : « Certaines attitudes extérieures, dont la dernière et la plus incroyable est celle du premier ministre Robarts d'Ontario, s'ajoutant à l'atmosphère de rigidité déjà presque militaire qu'on peut déceler à Ottawa, risquent de réduire le Québec et son gouvernement à une impuissance tragique. Nous redoutons la terrible tentation d'une politique du pire, c'est-à-dire l'illusion qu'un Québec chaotique et bien ravagé serait enfin facile à contrôler par n'importe quel moyen. »

La volonté des signataires d'affirmer le caractère québécois de la crise est due à l'insistance de René Lévesque, qui en a fait une question d'honneur. « C'est notre drame, à nous d'en sortir », écrit-il le lendemain dans sa chronique du *Journal de Montréal*. Dans ses mémoires, il gémira encore : « Hélas, c'est d'Ottawa et de Toronto que se déchaîna l'offensive finale sous la furie de laquelle on ferait du Québec un goulag, et de gens responsables, un troupeau affolé. »

Pour Gérard Pelletier, la position d'Ottawa peut paraître cruelle, mais il n'y en a pas d'autres. Le secrétaire d'État prête aussi à « M. Ryan et ses amis » la visée nationaliste et peu catholique à ses yeux de vouloir faire du drame… une crise maison. Le ministre John Turner parle, lui, de l'érosion de la volonté populaire et Pierre Trudeau, de la confusion intellectuelle qui s'est emparée des esprits.

De son côté, s'il comprend la dimension humanitaire du geste de René Lévesque et de Claude Ryan, Robert Bourassa ne peut l'approuver car les prisonniers dont ils demandent la libération ont été condamnés pour vols à main armée ou attentats à la bombe. (Pourtant, après l'enlèvement de Pierre Laporte, il avait opté pour cette solution.) Le ministre Jérôme Choquette est scandalisé. À ses yeux, René Lévesque cherche consciemment à affaiblir le gouvernement et les institutions. Il a perdu le sens des valeurs. « Si je cède, comme il le demande, je fais aussi bien de démissionner comme ministre de la Justice », se répète-t-il.

Paradoxalement, les Américains sympathisent avec l'initiative de René Lévesque et de Claude Ryan. Une dépêche du consul américain Melby à Washington précise : « Les critiques des leaders québécois contre la façon dont les gouvernements gèrent les enlèvements sont constructives et s'inspirent de leur préoccupation légitime pour la vie des otages et pour l'avenir de la démocratie au Québec. »

CHAPITRE XLIII

Le jour de honte

J'ai vu Pierre Trudeau se conduire comme un gouvernant totalitaire en temps de guerre et gouverner par décret, et il n'avait même pas obtenu 45 pour cent du vote canadien.

RENÉ LÉVESQUE, novembre 1972.

« Les loups sont lâchés », dira René Lévesque de cet instant décisif où tout a basculé alors que les choses auraient pu tourner autrement si l'État avait pratiqué la modération suggérée par les leaders d'opinion québécois. Le 15 octobre, Robert Bourassa convoque l'Assemblée nationale, ajournée depuis le 17 août, pour casser la grève des médecins spécialistes qui ont choisi le pire moment pour s'opposer au nouveau régime d'assurance médicale.

Les esprits sont tellement alarmés par les coups du FLQ que le *Montreal Star* laisse entendre qu'un bain de sang se prépare et que, pour y faire face, Ottawa a imposé à Québec la loi spéciale pour forcer le retour au travail des médecins car « tous les services médicaux pourraient bientôt être requis dans la province ». René Lévesque ridiculise la prophétie d'hécatombe du *Star* qu'il réduit à une « très horrible foutaise » avant de conclure : « Pourquoi pas Auschwitz tant qu'à y être ! »

Mais Robert Bourassa réserve aux Québécois une plus grande

surprise qu'une simple loi antigrève. S'il a réuni d'urgence l'Assemblée nationale, c'est aussi pour venir à bout du FLQ. Il se prépare en effet, avec l'aide des fédéraux, à assujettir sa province à l'état de guerre, quitte à sacrifier au passage les libertés démocratiques. Geste qui hantera sa carrière politique et dont il cherchera toujours à se justifier.

Jérôme Choquette, qui observe depuis le début de la crise le comportement louvoyant de son chef, restera toujours convaincu que la Loi des mesures de guerre aura été la conséquence de sa faiblesse antérieure vis-à-vis du FLQ. Robert Bourassa s'est résigné à cette mesure extrême pour redorer son blason auprès de Pierre Trudeau et de ses ministres en se donnant l'image d'un chef à poigne.

Réduite à sept députés et privée de René Lévesque, la minuscule opposition souverainiste ne pèse pas lourd devant les forces qui entraînent libéraux, unionistes et créditistes dans la politique du pire. Après en avoir avisé Pierre Trudeau personnellement, Robert Bourassa annonce à l'Assemblée nationale que l'extrême gravité d'une situation qui menace le régime démocratique et l'épuisement généralisé des policiers lui dictent d'appeler l'armée pour assurer la protection des édifices et des personnes.

Comme chef parlementaire du PQ, Camille Laurin doit patiner vite. Il est coincé entre l'appel dramatique du premier ministre à la solidarité et la mauvaise humeur des péquistes qui ont noyauté les tribunes téléphoniques aussitôt que s'est propagé le bruit de l'arrivée imminente des soldats. À l'Assemblée nationale, le bon docteur soutient le gouvernement, mais retourne sa veste dès qu'il en franchit le seuil : « L'intervention de l'armée est prématurée. C'est une provocation qui risque d'accroître le climat de panique existant déjà. » C'est la ligne définie par René Lévesque dans *Le Journal de Montréal*.

Adopté une heure plus tôt par le Conseil des ministres, le décret 3 772 place toutefois les militaires sous l'autorité d'un civil, le directeur de la SQ, Maurice Saint-Pierre. Le Québec, après tout, n'est pas l'Amérique du Sud pour se voir infliger la loi martiale où ce sont les généraux qui commandent. Ce reste de souci démocratique n'enlève pas son caractère militaire à l'« opération Essai » qui s'enclenche dès la fin de l'après-midi par le déploiement des premiers soldats.

Historiquement, l'armée est intervenue plus de 90 fois à la demande des provinces. Mais il s'agissait généralement de prêter main-forte à des civils aux prises avec des cataclysmes naturels. Aujourd'hui, Robert Bourassa invoque des troubles sociaux et politiques. Élaboré conjointement par la police et l'armée, un mécanisme d'intervention existe depuis 1967, année où René Lévesque a formé un parti qui se bat pour l'indépendance. Au départ, l'armée ne devait intervenir qu'en cas de grève des forces de l'ordre. Mais en 1968, année fertile en agitation politique et sociale, policiers et militaires avaient ajouté « les cas d'émeutes, de désordres majeurs et de catastrophes ».

L'appétit venant en mangeant, les militaires avaient accepté en janvier 1970 d'intervenir aussi « lors de manifestations à caractère politique et linguistique » et suggéré aux policiers « qu'il serait préférable dans ces cas-là d'envoyer des bataillons canadiens-français ». Le rôle de l'armée se limiterait cependant à faire la patrouille et à protéger les édifices publics.

Visiblement, l'armée canadienne comptait flirter avec la politique. Glissement périlleux en démocratie qui incitera l'enquêteur Jean-François Duchaîne mobilisé par René Lévesque à conclure en 1981 : « Le plan parachevé en 1970 comporte un ensemble considérable de mesures qui établissent de façon détaillée la participation de l'armée au maintien de l'ordre au Québec. Il est clair que le climat social qui existait à l'époque a influé sur la nature des dispositions arrêtées dans le plan final. »

L'état de siège

À 18 heures, Robert Bourassa passe au second volet de l'opération Essai. Il convoque ses ministres et leur présente le texte d'un ultimatum au FLQ rédigé avec Marc Lalonde, l'envoyé de Pierre Trudeau à Québec. « On ne peut attendre plus longtemps, leur dit-il. Si les ravisseurs n'acceptent pas ces conditions, ce sera la Loi des mesures de guerre. »

Robert Bourassa craint un nouvel enlèvement qui mettrait à mal l'autorité de l'État. De plus, le maire de Montréal, Jean Drapeau, le presse d'autoriser ses policiers exténués à perquisitionner et à arrêter sans mandat, seule façon efficace selon lui de débusquer le FLQ.

Or, la Loi des mesures de guerre autorise ces viols de la démocratie dans le cas d'une insurrection appréhendée, comme l'a découvert le procureur de la police de Montréal, Michel Côté, le premier à voir les possibilités répressives de cette vieille loi de 1914. C'est lui aussi qui a convaincu Robert Bourassa que le FLQ avait un plan en quatre étapes — propagande, attentats à la bombe, enlèvements, assassinats sélectifs — et qu'il s'apprêtait à passer à la dernière.

Comme le dira René Lévesque des années plus tard : « Dans cette maison de fous, ce sont les policiers qui ont pris le pouvoir et mènent des élus qui, eux, ont perdu les pédales. » Marc Lalonde complétera : « Maître Michel Côté, le procureur de la police de Montréal, nous appelait constamment pour nous dire : "On est débordés. Faites quelque chose, on ne peut pas à la fois courir après les kidnappeurs et contrôler l'agitation sociale et les manifestations !" »

À 18 h 30, Robert Bourassa téléphone à Pierre Trudeau pour lui demander formellement de décréter la Loi des mesures de guerre. Le chef fédéral lui répète ce qu'il lui a déjà dit et ce qu'il a également dit au maire Jean Drapeau : « Si vous pensez qu'il y a un danger d'insurrection, écrivez-le dans une lettre et je réunirai mes ministres. »

Pour s'assurer de retrouver dans la requête officielle de Robert Bourassa l'expression « insurrection appréhendée », et non l'une de ces formules alambiquées dont il a le secret, il exhorte Marc Lalonde à lui guider la main. Le chef de cabinet en fait autant avec le maire Drapeau qui, lui, a la main plus ferme.

Après coup, Pierre Trudeau soutiendra qu'il avait hésité avant d'accorder autant de pouvoirs à la police dont il se méfiait depuis les années duplessistes. Il confiera à l'un de ses biographes qu'il avait trouvé exagéré d'invoquer la Loi des mesures de guerre, mais qu'à l'époque, elle était le seul instrument législatif qui pouvait assurer une plus grande efficacité policière. En outre, il n'avait pas la preuve d'un danger réel d'insurrection. Mais comme ses ministres du Québec (Jean Marchand et Gérard Pelletier, notamment) affirmaient qu'elle se préparait, il avait passé outre à ses réticences.

Une version des choses que contestera 20 ans plus tard Robert Bourassa en accusant Pierre Trudeau d'avoir arrangé les faits : « Quand nous avons discuté ensemble de la possibilité d'appeler l'armée et de recourir aux mesures de guerre, je n'ai pas eu à lui tordre le bras, comme si je lui faisais mal. S'il avait des réticences, comme il l'a dit par la suite, ça ne paraissait pas. »

Inspirée d'une loi britannique adoptée en 1914 mais abolie aussitôt la guerre terminée, la Loi des mesures de guerre canadienne, qui n'a jamais été abrogée, est plus draconienne que son modèle ne l'était. Elle prévoit des peines d'emprisonnement de cinq ans — celles de la loi britannique ne dépassaient pas trois mois. Cette dernière ne comportait pas non plus les termes équivoques de la loi canadienne, « insurrection réelle ou appréhendée », au nom desquels l'État peut commettre les pires abus. Enfin, contrairement à une autre loi d'urgence britannique, celle proscrivant l'IRA irlandaise, la législation canadienne permet d'arrêter et d'accuser des citoyens soupçonnés d'appartenir à l'organisation interdite sans leur donner la chance de prouver qu'ils n'en sont plus depuis qu'elle est devenue illégale.

À 3 heures du matin, Marc Lalonde dépose les lettres de Robert Bourassa et du maire Drapeau au bureau du premier ministre canadien. La première dit textuellement : « Nous faisons face à un effort concerté pour intimider et renverser le gouvernement et les institutions démocratiques par la commission planifiée et systématique d'actes illégaux, y compris l'insurrection. » La seconde se veut moins théorique : « Le directeur du service de la police de Montréal nous informe que les moyens à sa disposition s'avèrent insuffisants pour protéger la société du complot séditieux et de l'insurrection appréhendée dont les enlèvements récents ont marqué le déclenchement. »

L'essentiel, pour Pierre Trudeau, c'est que les deux S.O.S. contiennent les mots insurrection ou insurrection appréhendée sur lesquels il peut se fonder pour agir. Comme le lui reprochera René Lévesque, il s'autorise un accroc à la démocratie en se passant de l'appui du Parlement pour promulguer une loi qui met en veilleuse les libertés fondamentales garanties par la Déclaration des droits de l'homme sanctionnée en 1960 par ce même Parlement.

Invoquant l'urgence, le Cabinet fédéral adopte en pleine nuit deux décrets stipulant qu'à compter de 4 heures du matin, le vendredi 16 octobre, la Loi des mesures de guerre prévaudra jusqu'au 30 avril 1971. Les conséquences sont dramatiques et immédiates. Tout Québécois suspect peut être arrêté à vue et se retrouver *incommunicado* sans possibilité de voir un avocat comme dans la plus parfaite dictature militaire. C'est un viol flagrant de l'*habeas corpus* anglais, vieux de trois siècles, qui garantit le respect de la liberté individuelle.

Rafles et perquisitions commencent aussitôt. Avant midi, 450 personnes (évaluation de l'enquêteur Jean-François Duchaîne alors que le rapport fédéral du juge McDonald avance le chiffre de 467) auront été arrêtées arbitrairement et écrouées à Montréal, Québec, Rimouski, Chicoutimi et Hull. Le rapport Duchaîne dénoncera l'amateurisme d'une opération durant laquelle des personnes, dont le seul tort aura été de se trouver avec le suspect recherché, seront soumises « à des violences inacceptables ». Un slogan de l'époque proclamera : « Il y a six millions de prisonniers politiques au Québec... »

Le déploiement militaire est tout aussi spectaculaire. Plus tôt, durant la nuit, 6 000 soldats du 5ᵉ groupement de combat ont investi massivement le Québec. Au matin, le choc est terrible, à Montréal surtout, traversée par des convois de camions bondés de soldats. Un autre convoi de 100 camions parti de la base de Valcartier file sur Montréal, pendant que 3 avions géants Hercule remplis de militaires atterrissent à Saint-Hubert. Ceux-ci prennent position autour de l'hôtel de ville, rue Saint-Jacques, et autour des édifices fédéraux et provinciaux. Tels les Praguois encore endormis découvrant un matin du printemps 1968 les chars russes dans leur ville, les Montréalais se réveillent en état de siège. Une atmosphère d'Europe de l'Est pèse sur le Québec.

Quand l'État brime la liberté, qu'il soit démocratique ou fasciste, la recette se ressemble toujours un peu — à certaines nuances près, évidemment.

« Toutes ces choses se produisent la nuit », remarque aux Communes Thomas Bell, député conservateur du Nouveau-Brunswick, en apprenant l'ampleur de l'opération policière et militaire qui s'abat sur le Québec. René Lévesque dira : « Le jour de honte est arrivé. Ou plutôt la nuit qui cache ce qu'elle veut et dramatise tout le reste. En vrac, syndicalistes, artistes, écrivains, quiconque a osé mettre en doute les vérités officielles, sont jetés dans les paniers à salade et mis à l'ombre. Privés de leurs droits, une foule d'entre eux y resteront des jours, des semaines. Autant sinon plus qu'en 1917, où l'on avait au moins l'excuse non pas d'une insurrection appréhendée mais d'une vraie guerre. »

Le 16 octobre est une journée fébrile entre toutes. Pendant que

René Lévesque convoque d'urgence l'exécutif de son parti pour aviser de la suite des événements, le premier ministre Trudeau demande aux élus du peuple d'approuver les mesures policières décrétées pendant leur sommeil et va s'expliquer à la télévision. La loi est dure, mais nécessaire pour déraciner le cancer du terrorisme, plaide-t-il : « Demain, la victime aurait été un gérant de caisse populaire, un fermier, un enfant. » Une phrase mélo et déplacée que René Lévesque tournera en ridicule.

« On a pris un marteau de forgeron pour écraser une arachide », accuse Tommy Douglas, chef du NPD, pendant que la députation libérale francophone se tait. Sauf Pierre De Bané, émotif député de Matane qui a flirté déjà avec l'indépendantisme. Se levant de son siège, il ne peut s'empêcher de mettre son chef en garde tout en approuvant son geste draconien : « Je voudrais solliciter dès maintenant et à genoux le pardon des innocents qui auront à en souffrir... » Dans ses mémoires, Gérard Pelletier avouera qu'il avait voté la loi d'exception la mort dans l'âme, pressentant les abus qui seraient commis en son nom.

L'attitude vindicative du premier ministre canadien durant son discours télévisé renverse René Lévesque. « Ce fut certainement la plus outrancière de ses interventions publiques, dira-t-il par la suite. Il se montra froid, féroce, méprisant à l'extrême vis-à-vis les "kidnappeurs, révolutionnaires et assassins". Comme s'il avait voulu les provoquer pour qu'ils se comportent de façon aussi brutale envers leurs otages que lui envers eux, de façon à pouvoir justifier après l'exécution de ceux-ci sa folle démesure du moment. »

En soirée, au cours d'une conférence de presse, le chef du PQ prend lui aussi à témoin l'opinion publique pour exprimer à la fois la dissidence des Québécois non encore réduits au silence par le rouleau compresseur de la terreur et son inquiétude devant « l'extrémisme » des gouvernements. À la permanence du parti bourrée de journalistes, l'atmosphère devient dramatique aussitôt que René Lévesque se met à découper en petits morceaux Pierre Trudeau et Robert Bourassa.

Mais avant de s'attaquer à eux, il en appelle au FLQ, qui doit accepter les conditions de Québec et libérer les otages, et aux démocrates qui doivent recréer un pouvoir moral pour défendre les libertés fondamentales et « toutes nos chances d'avenir ». Pour lui, le FLQ est si marginal et si numériquement insignifiant (ce que prouvera d'ailleurs la suite des événements), qu'Ottawa n'était pas justifié de recourir à la Loi des mesures de guerre, à moins de vouloir « profiter de l'occasion pour disloquer et démoraliser les groupements démocratiques qui encadrent les aspirations les plus légitimes ».

En l'occurrence, le Parti québécois, dont une trentaine de membres ont été arrêtés sans motif apparent dans toutes les régions du Québec : « Ceci pourrait bien être l'indice des intentions encore inavouables sous-jacentes au recours précipité à la Loi des mesures de guerre », accuse René Lévesque. Mais il réserve à Robert Bourassa, à qui il reproche de se contenter d'un rôle de figurant dans une affaire strictement québécoise, sa plus dure diatribe : « Le Québec n'a plus de gouvernement. Le tronçon d'État dont nous disposions a été balayé au premier coup dur. Le cabinet Bourassa n'est plus que le pantin des dirigeants fédéraux. »

Sa colonne éditoriale du moment est marquée aussi par l'indignation. Dans « L'appel au troupeau », il s'en prend encore une fois à Jean-Paul Desbiens, qu'il a baptisé le « philosophe de l'anti-pensée ». Après l'imposition de l'état de siège, l'éditorialiste de *La Presse* a écrit : « Ce n'est pas le moment d'ergoter sur la liberté. Chaque citoyen doit être sans réticence avec le gouvernement car le gouvernement, c'est nous tous. »

Cette « moutonnerie primaire » est contraire aux exigences d'une vraie démocratie, en plus de susciter chez l'ancien correspondant de guerre des souvenirs douloureux : « En anglais, *my country right or wrong* demeure un des plus néfastes slogans jamais inventés. Traduit en allemand, c'est lui qui a mené tout un grand peuple à ne pas se poser de questions et à ne plus *ergoter* avec les résultats que l'on sait… »

Quelle histoire raconterons-nous ?

Dans les entrelacs kafkaïens des excuses officielles et des demi-vérités invoquées pour avaliser la Loi des mesures de guerre, René Lévesque croit déceler la volonté sous-jacente de Pierre Trudeau de discréditer l'idée souverainiste, solution de rechange possible à sa vision d'un Canada unitaire et centralisé.

L'état de guerre, avec « tout son appareil démesuré et dangereux », est si radical que René Lévesque se demande si Ottawa ne dépasse pas les limites du raisonnable. D'autant plus que les otages sont toujours vivants. Le commissaire de la GRC, Len Higgitt, lui donnera raison a posteriori. Assuré de pouvoir résoudre la crise avec les moyens habituels, le policier avait écarté les mesures de guerre, comme il le confiera à la commission d'enquête McDonald. Martin Friedland, juriste consulté par la même commission, laissera planer des doutes sur leur utilité et se demandera si Ottawa n'avait pas décrété la loi « pour des raisons d'ordre psychologique ».

Pour René Lévesque, le danger d'insurrection derrière lequel s'abrite Ottawa relève de la fumisterie. Encore là, le commissaire Higgitt confirmera sa thèse en avouant au juge McDonald qu'il n'avait à l'époque aucune preuve d'insurrection. Il avait même incité le Cabinet à ne pas accorder foi aux estimations exagérées du nombre de felquistes, faisant remarquer que des arrestations massives ne hâteraient pas la capture des kidnappeurs.

De son côté, l'enquêteur Jean-François Duchaîne tentera durant son enquête de trouver une seule analyse rationnelle fondant le danger d'insurrection. Il n'en trouvera aucune, si ce n'est le rapport du directeur de la police de Montréal, Marcel Saint-Aubin, qui s'ouvrait sur une affirmation alarmiste pour justifier les mesures d'exception : « Un mouvement subversif extrêmement dangereux s'est développé depuis plusieurs années au Québec en vue de préparer le renversement de l'État légitime au moyen de la sédition et d'une insurrection éventuelle... »

Le hic, c'est que ce document ne reposait sur aucune analyse solide ni aucune donnée factuelle, mais plutôt sur des affirmations verbales et des impressions de policiers. « Décrivait-on adéquatement la situation qui existait alors au Québec ? Nous ne le croyons pas », conclura le rapport Duchaîne.

Pourtant, et René Lévesque en est estomaqué, les autorités s'appuient sur ce rapport aussi peu convaincant dévoilé par Robert Bourassa le jour de la proclamation de l'état d'urgence. Pas plus que les lettres de Robert Bourassa et du maire Drapeau, l'appel faussement dramatique du policier Saint-Aubin ne contenait une seule preuve tangible d'insurrection. Les analystes du Centre d'analyse et de données du gouvernement du Québec donneront raison à René Lévesque. La psychose de guerre et la forte émotivité des politiciens ont poussé l'État à la démesure : « Les motifs pour justifier l'imposition de la loi semblent avoir été présentés comme dans un miroir grossissant. »

D'où le tissu de contradictions officielles qui intriguent le chef du PQ. Durant les débats parlementaires entourant l'adoption des mesures d'urgence, Pierre Trudeau s'embrouille dans ses explications quand il veut les justifier. Tantôt il invoque les trois motifs officiels — le kidnapping, les appels à l'aide de Québec et de Montréal, un vol important d'armes et d'explosifs attribué au FLQ —, tantôt il se rabat sur des « rumeurs », tantôt sur « des faits secondaires accessibles à tous ».

L'un de ses ministres, Donald McDonald, affirme qu'Ottawa n'a pas découvert de complot précis pour renverser le gouvernement québécois, mais veut contrer une stratégie globale du FLQ. Son collègue de la Justice, John Turner, doute en privé de la pertinence des mesures de guerre mais soutient le contraire en public : le gouvernement détient « la preuve » que le FLQ vise à établir un gouvernement totalitaire ; mais celle-ci ne sera peut-être jamais connue du public — pour protéger des informateurs, comme il l'explique à la réunion du Cabinet du 22 octobre.

Comme l'ensemble des ministres, stupéfiés d'apprendre que le gouvernement ne détient aucune preuve d'insurrection, Donald Jamieson, qui s'alarme de la fragilité de la position gouvernementale, réalise (comme il l'écrira dans son journal, publié en 1988) que Pierre Trudeau a décrété l'état d'urgence non pas tant pour contrer une insurrection à laquelle il ne croit pas, que pour réaffirmer de façon spectaculaire le pouvoir fédéral au Québec. Révélation qui fera dire au *Devoir* : « En octobre 1970, Trudeau a tenté un coup de force. »

Comme le révèle aussi le procès-verbal de la réunion du Cabinet du 22 octobre, soit six jours après l'entrée en vigueur des pouvoirs spéciaux, les ministres s'inquiètent de la vraisemblance des raisons invoquées par leur chef. Le ministre de l'Énergie John James Greene déclare brutalement à Pierre Trudeau : « Je veux savoir quelle histoire (*what story*) nous allons raconter au public. »

Le Cabinet s'entend pour éviter de dire qu'il existait un « scénario précis de complot » ou que le gouvernement disposait d'informations secrètes. Les seuls faits qui l'ont poussé à décréter la Loi des mesures de guerre sont connus du public ; ce sont ceux cités par le premier ministre. Vingt ans plus tard, Gérard Pelletier soutiendra qu'il y croyait, lui, au renversement du gouvernement Bourassa : « Je pensais à mai 68 à Paris, aux émeutes de 1969 à Montréal, j'avais aussi des rapports très précis sur ce qui se passait aux réunions du comité d'appui aux felquistes Vallières et Gagnon. C'était le poing en l'air et le cri FLQ ! »

Un an après la crise d'octobre, il écrira pourtant qu'il est important d'admettre « que le FLQ n'a pas tenté de prendre le pouvoir à la faveur de la crise d'octobre ». En fait, le secrétaire d'État s'inquiète bien plus de la brutalité possible des militaires que d'une insurrection. « Je me disais : si 20 000 personnes descendent dans la rue et que les soldats se sentent menacés, s'ils appuient sur la gâchette, ce sera la catastrophe. Avec 20 morts sur les bras, qu'arrivera-t-il après ? »

Si Gérard Pelletier avait connu la confidence du brigadier Jacques Dextraze au consul américain Richard Courtenaye sur sa façon de cuisiner les suspects felquistes, il se serait alarmé encore plus : « Ils auront beau crier après leurs droits, si je dois leur casser les bras pour les faire parler, je le ferai ! »

Ce haut gradé, que René Lévesque a vu en action au cours de la guerre de Corée, a même révélé à l'Américain que ses hommes ont cassé de l'os (*bones were broken*) au cours d'une manifestation étudiante à Québec où l'armée assistait les policiers. Les Québécois n'ont rien su parce que les journalistes du *Soleil* ont accepté de se censurer. Dans sa dépêche à Washington, le consul Courtenaye conclut que le brigadier est dangereux à cause de son mépris affiché « *for legal or moral niceties* ».

Pour René Lévesque, si les autorités dérapent ainsi dans le « terrorisme officiel », c'est parce qu'elles ont perdu le nord, comme il le notera dans ses mémoires. Le moindre événement sortant de l'ordinaire devient suspect de felquisme. Les gouvernements s'en réclament pour consolider leurs raisons plus cartésiennes, mais peu crédibles, de décréter l'état de guerre.

Ainsi, avant son entrée en vigueur, 3 000 étudiants grévistes de l'Université de Montréal, chassés de leurs locaux par la direction, se sont regroupés au centre Paul-Sauvé, où se déroulait une assemblée électorale du FRAP, parti municipal de tendance socialiste opposé au maire Drapeau. Une fois le ralliement frapiste terminé, des activistes sont montés à la tribune pour faire vibrer les étudiants. Quand Pierre Vallières, ex-felquiste à demi repentant, s'est enfiévré — « Le FLQ, c'est chacun d'entre vous ! » —, les étudiants ont scandé : « FLQ ! »

Les fédéraux y ont vu une autre preuve que la sédition grondait. « C'est du délire », a tranché René Lévesque dans sa chronique. Le FRAP a manqué de jugement en hébergeant les étudiants et les sympathisants felquistes qui les excitaient. Mais de là à amalgamer ce parti légitime au FLQ et à crier au complot conjoint contre l'État, il y avait marge. Mais, pour Ottawa, cette assemblée avait été un point tournant pour le fédéral : ça déraillait au Québec, il fallait créer un choc psychologique pour que les gens se ressaisissent.

Un autre non-dit a joué dans la décision d'imposer l'état de guerre. Au début de la crise, quand le bon peuple a manifesté une attitude vaguement sympathique à l'égard du FLQ, après la lecture de son manifeste à la télévision, on a tiqué à Ottawa, le ministre John Turner parlant même de défaillance de la volonté populaire. « À partir de là, dira René Lévesque, la raison d'État était à l'ordre du jour et il fallait empêcher tout nouvel affaiblissement de l'autorité fédérale. »

Pour le chef péquiste, la sortie abracadabrante du ministre Jean Marchand, au sujet des 3 000 terroristes armés de *machine-guns* qui s'apprêtaient à faire sauter le cœur de la ville de Montréal, restera comme son pire morceau d'éloquence. Quelques jours après, quand on connaîtra l'identité de la poignée de desperados du FLQ, René Lévesque comprendra que Jean Marchand avait ou basculé dans la paranoïa ou voulu excuser la loi d'exception, qui le mettait en contradiction avec son passé, en amplifiant le danger.

Cet épisode rendra ironique l'enquêteur Duchaîne : « Les efforts dérisoires de la cellule Chénier pour modifier des armes qu'elle s'était procurées dans un magasin de surplus de guerre en disent long sur l'"arsenal" du FLQ. »

Aujourd'hui, l'eau a coulé sous les ponts. La crise d'octobre est loin. Mais il est facile de déceler un malaise chez certains de ses protagonistes au sujet de la décision d'imposer au peuple québécois la Loi des mesures de guerre, la plus répressive de l'arsenal légal dont les gouvernements disposaient. Pierre Trudeau et Marc Lalonde en mettront plus que nécessaire sur le dos de Robert Bourassa qui s'empressera de se moquer de leur soi-disant réticence. Jérôme Choquette dira qu'il avait appris sa leçon et que, jamais plus, il n'appuierait une loi d'exception.

Jean Marchand avouera qu'Ottawa avait pris un canon pour tuer une mouche. Pierre De Bané dira que Pierre Trudeau s'était fourvoyé parce que le rapt de Pierre Laporte 30 minutes après le rejet de l'ultimatum du FLQ l'avait persuadé de sa force. Et Gérard Pelletier conclura que l'insuccès policier confirmait son idée que le FLQ n'était pas une armée clandestine, facile à repérer, mais quelques illuminés isolés plus difficiles à faire sortir de leur cache.

Des putschistes d'opérette

Tant de mea-culpa n'excusent pas le scénario extravagant d'un gouvernement provisoire visant à déposer Robert Bourassa. Voulant discréditer René Lévesque et Claude Ryan, les fédéraux vont jusqu'à prétendre qu'ils ont invoqué la Loi des mesures de guerre pour tuer dans l'œuf cette conspiration ourdie par les deux hommes et dirigée contre l'État de droit.

La vérité est tout autre. Aujourd'hui, en mettant les faits en perspective, Claude Ryan s'indigne encore de la petitesse de l'ancien premier ministre Trudeau qu'il accuse d'avoir inventé de toutes pièces ce putsch d'opérette. Quant à Robert Bourassa, il en riait encore peu longtemps avant sa mort en rappelant que son gouvernement pouvait difficilement être délogé du pouvoir avec sa majorité de 36 députés et que le Québec, même aux prises avec le terrorisme, n'était pas une république de bananes.

En réalité, c'est l'appel des 16 Québécois influents à Robert Bourassa qui fournit aux fédéraux le prétexte de leur intervention. Mais l'accusation de putsch est si grosse qu'elle fait long feu. Car non seulement René Lévesque n'a jamais évoqué dans son texte l'idée d'un front national ou de gouvernement provisoire, mais le fait inattaquable, c'est que la brochette de leaders rassemblés par Claude Ryan et lui ont apporté un appui public au gouvernement Bourassa pour l'inciter à la négociation. Ce qui n'est pas la façon habituelle de torpiller un gouvernement.

Imaginatifs, Pierre Trudeau et Marc Lalonde s'appuient aussi sur un autre incident. Car l'idée même qu'il faudrait peut-être en venir à un gouvernement d'unité nationale, qui inclurait René

Lévesque, pour pallier le désarroi du gouvernement Bourassa a bel et bien été examinée comme un scénario possible, par l'équipe éditoriale du *Devoir*, après l'enlèvement de Pierre Laporte.

Mais il s'agissait d'une pure hypothèse de journalistes, tient à préciser Claude Ryan en remarquant : « Jamais il n'a été question de gouvernement provisoire ni avec René Lévesque, ni avec ceux qui ont signé notre déclaration. C'est Trudeau qui a mêlé les cartes pour justifier son extrémisme. » Le directeur du *Devoir* a commis l'erreur de tester son hypothèse auprès de Lucien Saulnier, président du comité exécutif de Montréal. Homme dépressif, hanté par les cabales et les complots, le bras droit du maire Drapeau n'a retenu qu'une chose : Ryan et Lévesque se préparaient à poignarder dans le dos le premier ministre du Québec.

Lucien Saulnier a d'abord averti Robert Bourassa, qui se rappellera qu'il était tout chaviré au téléphone, puis Marc Lalonde qui, y croyant plus ou moins, en a néanmoins informé son chef. Le lendemain, ce dernier était furieux en évoquant l'affaire avec le premier ministre québécois. « Il y croyait, au complot pour m'évincer, et pensait que Claude Ryan en était capable ! » dira Robert Bourassa des années plus tard. Dans ses mémoires télévisés, Pierre Trudeau confirmera : « Saulnier m'a téléphoné, il était indigné. Je me suis dit : ils perdent les pédales au Québec. » De plus, il confiera au biographe Radwanski que « c'était la preuve irréfutable que la volonté de résister à l'anarchie et au chantage du FLQ s'écroulait au Québec ».

En encourageant publiquement Robert Bourassa à accepter les exigences du FLQ, René Lévesque et Claude Ryan étaient devenus, à ses yeux, la courroie de transmission du FLQ. Interprétation qui se retrouve également dans l'analyse du Strategic Operations Centre, la cellule de crise fédérale où siégeait son chef de cabinet, Marc Lalonde. Celui-ci admet aujourd'hui que cette affaire avait joué dans la décision de Pierre Trudeau d'invoquer l'état de guerre, car il s'était persuadé que Lucien Saulnier disait vrai. Le gouvernement Bourassa ne contrôlait plus la situation, ce qui expliquait les états d'âme de René Lévesque et de Claude Ryan qui parlaient de le remplacer.

Pierre Trudeau assistait à l'effritement de l'appui à un gouvernement élu démocratiquement : « Ça m'inquiétait terriblement, dira-t-il par la suite, et jusqu'à ma mort, je resterai convaincu que ce fut là le tournant, le moment où j'ai lu cette déclaration. Pour moi, les

personnalités québécoises qui ont signé le manifeste se sont cou-
vertes d'une honte qui les suivra jusqu'à la tombe. »

Toute cette histoire abracadabrante finit par se retrouver à la une
du *Toronto Star* : « La menace d'un coup d'État au Québec a forcé
Ottawa à réagir. » L'article anonyme, inspiré au journaliste Peter Newman par deux ministres fédéraux non identifiés, précise : « La décision du premier ministre Trudeau de proclamer la Loi des mesures
de guerre lui a été dictée par bien d'autres choses que la peur du
FLQ. Un groupe de personnalités éminentes envisageait de substituer
au gouvernement légitime de Robert Bourassa un régime provisoire. »

Marc Lalonde ne reconnaît qu'à demi son rôle dans cette histoire nébuleuse. (« Qu'on ait inspiré l'article de Newman, ça m'éton-
nerait, dit-il. Mais qu'on ait dit quelque chose d'équivalent, c'est possible car cela correspondait à ce qu'on observait. »)

La primeur de Peter Newman n'identifie pas les séditieux, mais
tous se reconnaissent, René Lévesque et Claude Ryan les premiers.
Le chef du PQ est outré. Incapables de prouver sérieusement « la
queue de l'ombre de la plus petite graine de révolution imminente »,
les dirigeants fédéraux se rabattent sur une fabrication politique où
l'infâme se marie avec le ridicule. « Fou comme ça, c'est à vous donner le goût d'aller vivre au Paraguay. N'ayant même pas le courage
de leurs malpropretés, ils les émettent à l'état d'insinuations — laissant à une presse anglophone bien conditionnée la volupté de mijoter
cette nouvelle occasion de manger du Canayen. »

Claude Ryan est consterné lui aussi par le jaunisme de Peter
Newman, journaliste de renom qu'il connaît bien. Avant de publier
son scoop, ce dernier l'a d'ailleurs appelé pour lui dire que deux
ministres fédéraux lui avaient refilé l'information. Ses dénégations
n'avaient servi à rien. Après publication, le journaliste torontois l'appelle une deuxième fois pour s'excuser en prétendant qu'on l'avait
manipulé. « Je trouve que tu te fais embarquer souvent ! » lance le
directeur du *Devoir*.

Il se vide le cœur en éditorial : « M. Trudeau et ses amis en
veulent à certains dissidents. Je ne les crois néanmoins pas capables
d'une telle bassesse. Je veux plutôt croire qu'ils sont emportés par la
panique. Il faut qu'ils justifient devant le Canada anglais une décision
dont la gravité ne s'explique pas par les faits présentement connus
du public. »

Aux Communes, loin de désarmer, Pierre Trudeau se fait un malin plaisir à commenter la rumeur du coup d'État, se refusant à la nier ou à la confirmer pour mieux la laisser courir.

Pour la dégonfler, Claude Ryan publie un second éditorial — « Un complot qui n'a jamais existé » — dans lequel il raconte par le menu détail d'une part ses discussions avec René Lévesque et d'autre part celles de l'équipe éditoriale du *Devoir*, totalement étrangères les unes aux autres. Il écrit : « Des politiciens ont cherché à établir des liens [entre les deux événements], mais de tels liens n'existaient et n'existent que dans leur imagination. Je les explique par le fait que certains d'entre eux ayant préconisé dès le début le recours à la Loi des mesures de guerre ont craint que notre intervention n'entrave la réalisation de leur dessein. »

CHAPITRE XLIV

« Kill René Lévesque ! »

Ceux qui ont exécuté froidement Pierre Laporte,
après l'avoir vu vivre et espéré durant tant de
jours, sont des êtres inhumains.

RENÉ LÉVESQUE, 18 octobre 1970.

L e 17 octobre, en soirée, le FLQ terrifie la province en annonçant par communiqué que « le ministre du chômage et de l'assimilation a été exécuté » et que son corps se trouve dans la vieille Chevrolet qui a servi à son enlèvement. À 0 h 25, le dimanche matin, la police découvre le cadavre mutilé de Pierre Laporte dans la voiture abandonnée à l'aéroport de Saint-Hubert. Les « p'tits gars de chez nous » ont tué, contrairement à ce que voulait croire Robert Bourassa.

La nouvelle foudroie René Lévesque, qui suit les événements avec ses familiers à la permanence du parti, rue Christophe-Colomb. Il notera, ce jour-là, la réflexion du philosophe russe Nicolas Berdiaeff : « La mort d'un seul homme, du dernier des hommes, est un événement plus important et plus tragique que la mort d'un État ou d'un empire. »

Louise Harel, jeune militante à l'esprit critique, le voit pleurer à chaudes larmes comme un enfant. Elle s'en étonne, le sachant plutôt avare d'émotions. En évoquant ces heures sombres, Jean-Roch Boivin dira que René Lévesque avait ce jour-là perdu son innocence.

Celle de l'idéaliste un peu naïf parfois qui n'avait jamais cru qu'on en viendrait là, même si l'inflexibilité des gouvernements lui faisait craindre le pire.

L'assassinat de Pierre Laporte le perturbe tellement qu'en rentrant chez lui, cette nuit-là, la peur s'empare de lui au moment où il traverse le petit parc plongé dans le noir qui avoisine son appartement de l'avenue des Pins. Le matin, tout catastrophé encore par la tragédie qui fait les manchettes internationales, il s'amène avec deux heures de retard au conseil national du PQ qui doit arrêter la position officielle du parti.

Les débats le contrarient. Les militants condamnent sans équivoque le meurtre de Pierre Laporte, mais ils essaient de comprendre les felquistes comme s'ils étaient au fond leurs petits cousins, des membres de leur famille qui avaient mal tourné. Le midi, à la réunion de l'exécutif, l'ambiance de culpabilité et de peur frappe Marc-André Bédard.

Sans se soucier des vœux des militants, ni de ce que racontent les Jacques Parizeau, Pierre Renaud, Marc-André Bédard et les autres, René Lévesque rejette la position ambiguë du conseil national. Il griffonne des notes qui deviendront la position officielle du parti à la conférence de presse prévue en soirée à la CSN. Comme la mort de Pierre Laporte l'a rendu maussade, personne n'ose lui reprocher son autoritarisme. Ses pensées sont si macabres d'ailleurs qu'il dessine sur sa feuille un échafaud où un corps se balance au bout d'une corde et une tête de mort à qui il fait dire : « Ceci recouvre une autre atrocité du FLQ. »

Jacques Parizeau, qui n'arrête pas de marcher de long en large en déballant ses analyses, toujours brillantes mais dépourvues parfois de considérations humaines, le fait sortir de ses gonds : « Voulez-vous pas m'écœurer avec vos palabres ! Ce n'est pas le temps… » Décontenancé pour ne pas dire humilié, le président de l'exécutif se réfugie dans le silence.

Plus tôt, l'économiste a eu plus de succès avec les jeunes permanents comme Louise Harel ou Michel Carpentier. Ils buvaient ses paroles quand il leur expliquait que cette violence politique marquait une déchirure profonde au sein de la génération qui avait combattu le régime Duplessis. D'autres jeunes turcs de la permanence du PQ s'amusent plutôt de ses tendances paranoïaques. Depuis le début de la crise, Jacques Parizeau voit des espions partout et n'aborde les questions délicates que dans la rue ou dans les toilettes, où il s'empresse d'ouvrir les robinets ou de tirer la chasse d'eau pour brouiller les micros.

En soirée, lisant à la presse le texte qu'il a rédigé lui-même, René Lévesque ne mâche pas ses mots à l'endroit des ravisseurs : « Si leur sauvagerie reflétait si peu que ce soit le Québec, on voudrait s'en aller à jamais le plus loin possible. » Il accuse Ottawa d'avoir tué Pierre Laporte en refusant de négocier avec les terroristes, comme l'en avaient prié les 16 personnalités québécoises : « Nous croyons que la ligne intraitable et sans compromis qu'Ottawa a dictée a conduit jusqu'à présent à la mort de l'un des [otages] et à cette dégradation politique et sociale que nous redoutions et dont on profite déjà pour mettre tout le Québec sous régime d'occupation. »

Le cœur en charpie, René Lévesque file ensuite au *Journal de Montréal* pour rédiger sa chronique du lundi. En le voyant tassé sur lui-même dans un coin de la salle de rédaction, le chef de pupitre, Jean-Denis Lamoureux, le prend en pitié. Pour le dérider, il demande au messager de lui porter des photos amusantes. Mais, incapable de se concentrer, René Lévesque se contente de reproduire *in extenso* sa déclaration à la presse avec le titre « 18 octobre 1970 ».

Attention à vous, monsieur Lévesque

Depuis le début de la crise, son courrier est plus volumineux que jamais. Après la mort de Pierre Laporte, il devient la cible toute désignée d'une majorité silencieuse traumatisée qui a besoin d'un bouc émissaire. La lettre de J. Morris, écrite en anglais, est vraiment alarmante : « *There is a full measure of violence among people in Montreal, specially the English speaking, and I am afraid some group may decide to get rid of you by assassination, just as Robert Kennedy was. I hear meany, specially of jewish origin, yell : "Kill René Lévesque !" So, please, Sir, take care of yourself.* » (« Les anglophones de Montréal deviennent violents et j'ai peur que l'on tente de vous assassiner comme Robert Kennedy. J'en entends plusieurs d'origine juive hurler : "Kill René Lévesque !" Alors, s'il vous plaît, monsieur, faites attention à vous. »)

Signées ou non, les lettres qui le menacent de mort sont nombreuses. Marc Lefebvre, capitaine de l'Armée canadienne, n'y va pas de main morte : « Sale lâche de Québécois ! Comptez chaque heure de votre vie. Vous l'aurez votre révolution mais elle signalera votre mort ! » Les « partisans de la justice » l'avertissent : « Tes jours sont comptés — tu vas te faire tirer ! » Un anglophone qui signe *Englishman* en remet : « Je suis peut-être un Anglais, Lévesque, mais je n'enlève pas les diplomates, moi. Tu vas payer pour ça, sale bâtard d'une pute du Québec. »

Un nouveau riche qui a « un char, un chauffeur et des actions de Bell » règle ses comptes avec ses compatriotes — « Les Canadiens français, ce n'est pas du monde intelligent, ça vit au jour le jour avec des dettes » — et avec René Lévesque — « René, tu es bien malade. Tu es jaloux, tu as empoisonné la jeunesse, tu es un criminel. L'indépendance, jamais ! Je partirai du Québec. Tu resteras seul avec les barbus sales, les cheveux longs, les cassés… »

Il y a aussi les nationalistes et les péquistes déçus. Le Dr Raymond Barcelo, de Ville Mont-Royal : « Soyez assuré que chez un grand nombre de médecins, le nationalisme québécois est disparu à jamais pour être remplacé par un sentiment d'amertume. » Lettre collective de 425 ouvriers : « Nous sommes tous révoltés contre le PQ et notre ancien chef Lévesque. Nous en avons honte. »

Dans le flot des missives, 80 au moins lui remontent cependant le moral. Ulrich Rush, d'Oshawa, en Ontario, le félicite d'être resté au-dessus de la confusion générale et de l'hystérie. Il lui cite Benjamin Franklin : « Ceux qui renoncent à la liberté pour des considérations de sécurité ne méritent ni la liberté ni la sécurité. »

Sheila Adams approuve son combat contre la Loi des mesures de guerre : « Pierre Trudeau n'a qu'un but : frapper fort les Canadiens français. Cet homme n'aime pas son peuple. Quelque part, il a vendu son âme et son intégrité. Au lieu de négocier, il a créé la panique. »

L'écrivaine Andrée Maillet s'indigne : « On nous ment en pleine face en disant partout que Pierre Laporte s'est sacrifié alors que nous avons tous entendu son appel au secours. » Un anonyme abonde dans le même sens : « Quand Pierre Laporte a dit dans sa lettre à Bourassa "Décide de ma mort", eh bien, ce n'est pas moi ni le peuple qui a décidé de sa mort. C'est Bourassa qui a le sang de M. Laporte sur ses mains. »

Montréal, ville occupée

Le portrait ne serait pas complet sans le maire de Montréal, qui va aux urnes, le dimanche 25 octobre. René Lévesque l'a admiré dans le passé jusqu'à songer à faire équipe avec lui. Mais comme il termine sa campagne électorale en vrai démagogue d'extrême-droite, il soumet leur amitié à rude épreuve. Capitalisant sur le désarroi des Montréalais, consécutif au meurtre de Pierre Laporte, Jean Drapeau stigmatise le parti adverse dont les sympathies péquistes sont bien connues : « Le FRAP n'est qu'un ramassis de terroristes et de révolutionnaires. Le sang coulera dans les rues s'il est élu. »

Le maire Drapeau s'attaque ensuite à René Lévesque en faisant état du supposé putsch pour évincer Robert Bourassa dans lequel il aurait trempé. M. le maire s'attire une poursuite en diffamation de 3 millions de dollars de la part du FRAP alors que René Lévesque l'accuse de contaminer le climat : « S'ajoutant au paysage kaki de ville occupée et aux rumeurs paniques, dit-il, ces accès de démagogie dictent au gouvernement de remettre à plus tard les élections municipales. »

Claude Ryan a souhaité également mais en vain le report du vote, qui ne serait qu'une caricature de la démocratie dans les circonstances. Soutenu par l'armée qui garde les bureaux de scrutin comme dans un régime militaire, Jean Drapeau balaie une ville pétrifiée par la peur. Il obtient, avec 92 pour cent des voix, une victoire à son goût, sans opposition, comme il aime dire. Mais la moitié des électeurs ont boudé le vote.

Pour René Lévesque, la disparition de toute opposition à la mairie de Montréal est le résultat flagrant de la mise en berne de la démocratie voulue par Ottawa et dont a profité Jean Drapeau, qu'il accuse d'avoir « abusé et terrifié la population ». Piqué au vif, ce dernier s'en prend aux « théoriciens de la démocratie » et rappelle que même avec plus de 92 pour cent des voix, on peut être élu de façon démocratique.

La dégradation du climat social et politique est telle que René Lévesque se fixe trois objectifs pour sortir la province du cauchemar et redorer le blason du PQ terni par la chasse aux sorcières. Il exige le retour sans délai aux règles du droit pour que soient respectés les principes les plus élémentaires de la dignité humaine dans le cas des centaines de Québécois toujours au secret.

En deuxième lieu, il met de l'avant un plan d'action, dont l'idée lui a été suggérée par Claude Ryan, pour trouver des solutions aux problèmes les plus aigus de la société québécoise : chômage, langue, logements sociaux, immigration, statut politique. Enfin, il réclame, sur les faits et causes de la crise, une enquête publique semblable à celle du juge Warren après l'assassinat du président Kennedy. Pour cela, il faudrait faire siéger le Parlement. Robert Bourassa ne sort de son mutisme que pour refuser de le convoquer.

Ottawa aussi se fiche des appels de René Lévesque pour le retour immédiat aux libertés fondamentales, et va même jusqu'à repousser l'avis du commissaire de la GRC, Len Higgitt, pour qui les pouvoirs d'urgence sont devenus superflus, les kidnappeurs étant identifiés. Le 2 novembre, John Turner dépose aux Communes la loi de 1970 concernant l'ordre public qui atténue certes la sévérité de la Loi des mesures de guerre, mais continue de l'imposer aux Québécois jusqu'en avril 1971.

Le sort réservé aux détenus inquiète aussi René Lévesque. Environ 200 personnes ont été relâchées après 10 jours d'incarcération sans avoir été inculpées de quoi que ce soit. Pire : elles n'ont pu rencontrer un avocat, ni connaître, avant le jour de leur libération, les raisons de leur détention. Une double violation de la déclaration canadienne des droits. Fait sans précédent, à peine 10 pour cent des 450 détenus seront finalement traduits devant les tribunaux. Traduction libre : 400 auront été incarcérés pour rien.

Comment expliquer pareille bavure ? À ce sujet, politiciens et policiers se renverront la balle durant des années, les premiers affirmant que les seconds étaient de pauvres amateurs, les seconds, que les premiers avaient besoin de boucs émissaires pour masquer le fait qu'ils avaient perdu la carte. Chose certaine, la liste des personnes à arrêter n'a pas été établie au hasard. Quatre jours avant la proclamation de l'état de guerre, comme le confirmeront les commissions d'enquête, la GRC dressait déjà une liste à même ses fichiers, tout en consultant la SQ et la police de Montréal, réduites à un rôle de figurantes.

Selon Len Higgitt, grand patron de la GRC, la liste remise à Pierre Trudeau ne comprenait que 188 noms (158, selon la commission McDonald). Mais le premier ministre n'était guère rassuré. Il avait une dent contre la GRC depuis qu'à la fin des années 50 elle l'avait fiché comme gauchiste. Aussi a-t-il demandé à Gérard Pelletier d'éplucher la liste de la GRC avec Jean Marchand pour éviter les aberrations. Une mission dont ils auraient à pâtir toute leur vie, leurs adversaires leur créant une réputation d'indicateurs de police, de délateurs qui avaient fait écrouer leurs amis nationalistes d'hier.

Gérard Pelletier jurera ses grands dieux qu'il n'avait vu que la liste de la GRC, une pure ineptie, et non celles de la SQ et de la police de Montréal auxquelles il imputera plutôt les arrestations massives. Marc Lalonde abondera dans le même sens : « La GRC avait appris à pourchasser les communistes, pas les terroristes. Après l'enlèvement de Cross, elle ne savait pas par où commencer et cherchait les kidnappeurs dans la mafia ! Sa liste comprenait peu de francophones et abondait en marxistes et en maoïstes dont les noms se terminaient en *sky* et en *kov* ! »

Dans sa biographie, Pierre Trudeau emboîtera le pas à ses compagnons : Ottawa n'avait rien eu à voir avec la très grande majorité des arrestations qu'on devait à la seule initiative de la police de Montréal et de la Sûreté du Québec. Thèse contredite par Jérôme Choquette, qui affirmera n'avoir pas vu la liste qui avait servi pour les 400 premières arrestations. « Dire que Québec est responsable des arrestations est faux. Ce qui est sûr, c'est que Pelletier et Marchand ont vu la liste, moi pas. Mais après la dernière vague d'arrestations, j'ai dit aux policiers : "Plus une seule arrestation sans mon autorisation." »

D'autre part, le rapport Duchaîne, commandé par René Lévesque après 1976, établira clairement que la liste qui avait servi aux arrestations provenait de la GRC : « Il est incontestable que c'est à partir de ses dossiers que la GRC a dicté aux policiers de la SQ la liste des personnes qui devaient être arrêtées durant la nuit du 16 octobre. »

De son côté, Jean Keable, qui a dirigé l'enquête sur les activités illégales de la GRC créée en 1977 par René Lévesque, observera : « Le gros des noms qui figuraient sur la liste qui a servi aux arrestations provenait nettement de la GRC. Le rôle de la SQ s'était limité à placer les noms par ordre alphabétique sur la liste de la GRC. Il n'est donc pas exact de dire que les arrestations ont été effectuées à partir de la liste de la police de Montréal ou de la Sûreté du Québec. »

La tendance des anciens ministres fédéraux comme Marc Lalonde ou Gérard Pelletier à caricaturer le rôle de la GRC, à la dépeindre comme une police débordée et chaotique, se voit aussi contredite par les commissions d'enquête. Ainsi, 300 agents de la gendarmerie postés à Montréal luttaient déjà depuis 1964 contre le FLQ à l'intérieur de l'Escouade anti-terroriste. La Sûreté du Québec et la police de Montréal réunies n'affectaient à cette escouade que 45 policiers.

En 1964, le service de sécurité de la GRC avait accouché déjà d'un rapport étoffé sur le séparatisme et la subversion. En 1969, il avait remis au fédéral un autre rapport qui identifiait 21 organisations québécoises, dont le PQ, susceptibles « de provoquer des affrontements violents avec les autorités ». Au début de l'automne 1970, la GRC possédait un plan pour encercler Montréal en cas d'insurrection, avait fiché tous les membres du FLQ, et filait Paul Rose et Jacques Lanctôt depuis mars.

Après son enquête, le juge fédéral D. C. McDonald observera : « À la suite de la crise d'octobre, des ministres ont exprimé l'avis que les renseignements fournis par la GRC sur le FLQ avaient laissé à désirer. Il n'y a pas matière à conclure que la GRC était mal préparée pour faire face aux événements ou a été prise au dépourvu. »

Même observation de la part de l'auteur du rapport Duchaîne : « Le service de la sécurité de la GRC était le mieux équipé pour faire face à la situation. » Ernest Côté, collaborateur immédiat du solliciteur général McIlraith, chargé par Pierre Trudeau de rédiger un rapport spécial sur le FLQ, avouera à la commission McDonald : « L'information de fond fournie par la GRC sur le FLQ a été plus utile que les renseignements de la Sûreté du Québec et de la police de Montréal. »

Quand les intellos s'en mêlent

Pour René Lévesque, les arrestations injustifiées témoignent des abus commis contre les personnes, au nom de la raison d'État. Aussi appuie-t-il sans réserve l'action du « comité des huit » qui réclame la mise en liberté des personnes non encore accusées et le rappel de la loi Turner qui prolonge indûment l'état de siège. Né de la révolte d'un groupe de penseurs et d'intellectuels face aux débordements des politiciens, le comité est présidé par le sociologue Guy

Rocher qui s'est fait connaître durant les travaux de la commission Parent sur l'éducation.

Claude Ryan s'est rallié sans hésitation au comité quand l'universitaire l'a sollicité. Mais René Lévesque a préféré rester dans l'ombre : « Trudeau cherche à tout prix à m'identifier au FLQ, je risque de vous nuire si je m'affiche avec vous », lui a-t-il dit. Il garde toutefois le contact avec le groupe, qui comprend aussi les syndicalistes Jean Gérin-Lajoie et Raymond Laliberté, le père Vincent Harvey, et les universitaires Fernand Dumont, Pierre Harvey ainsi que Charles Taylor qui, comme Guy Rocher, a été lié longtemps à Pierre Trudeau et à Gérard Pelletier.

C'est la génération qui a combattu Maurice Duplessis qui se déchire. « Pierre Trudeau a créé beaucoup de séparatistes durant la crise d'octobre », ironise aujourd'hui Guy Rocher. Jusque-là fédéraliste et libéral — il a failli se présenter contre Jacques Parizeau dans Ahuntsic à la demande de Robert Bourassa —, Guy Rocher revoit ses allégeances. La volonté manifeste des Trudeau et Pelletier d'écraser la gauche nationaliste à la faveur de la répression anti-felquiste le dégoûte.

De plus, l'indifférence et le silence des intellectuels du Canada anglais, tellement prompts d'ordinaire à défendre les libertés, le choquent profondément. À Toronto, quand le sociologue leur explique pourquoi il faut s'opposer à la Loi des mesures de guerre, il se fait répondre : « C'est une bonne chose. Qu'est-ce que vous auriez fait sans cela ? » S'il leur objecte « Oui, mais imaginez comment vous auriez réagi si c'était vous autres au Canada anglais qui aviez été soumis aux mesures policières ? », fuse un cri du cœur : « Ah ! non, ça ne se serait pas passé comme ça ! »

Il y a donc deux poids, deux mesures dans ce pays. Autrement dit, ça ne vaut pas la peine de mourir pour la démocratie et la liberté s'il s'agit des Canadiens français. René Lévesque l'avait déjà compris dès la fin des années 50, à l'époque de la grève à Radio-Canada.

Encouragé en sourdine par René Lévesque, l'animateur du comité des huit, Guy Rocher a demandé rendez-vous à Robert Bourassa. Le 21 décembre, avec Claude Ryan et les autres, il le rencontre pour le prier d'accorder des cautionnements aux détenus, comme l'exige la règle du droit, et de libérer ceux contre qui ne pèse aucune accusation.

« Nous avons la preuve d'un vaste complot pour renverser le gouvernement, ce n'est pas pour rien que ces gens-là sont en prison, objecte le premier ministre, flanqué de Jérôme Choquette.

— Un complot de 400 personnes parmi lesquelles se trouve Michel Chartrand ? Ça n'a pas de bon sens ! Avec une grande gueule comme lui, aucun complot ne tiendrait plus d'une minute ! » ironise Guy Rocher, qui gardera de cette rencontre l'impression que Robert Bourassa l'avait trompé, qu'il ne croyait pas plus que lui à l'insurrection. Ce que ce dernier avouera du reste après la crise en plaidant la fébrilité du moment.

À Noël, René Lévesque s'affiche cette fois publiquement avec le comité à l'occasion d'une manifestation de plusieurs centaines de personnes devant la prison de Parthenais, rue Fullum, où végètent les détenus. À la presse qui lui demande d'expliquer sa présence, il prend soin de se distancier du FLQ tout en manifestant sa solidarité avec ceux qui sont arrêtés injustement.

À son tour, Pierre Trudeau accepte de recevoir le comité des huit « pour que nous ne puissions pas dire qu'il nous avait traités à la légère », expliquera des années plus tard Claude Ryan, en rappelant le climat glacial de la rencontre. Ce jour-là, Guy Rocher reprend le boniment qu'il a tenu à Robert Bourassa : il faut abolir la loi d'urgence et libérer les gens qui n'ont rien à voir avec le FLQ.

« J'ai une liste des personnes arrêtées, plaide le sociologue. Pauline Julien, Gaston Miron, le Dr Serge Mongeau, Gérald Godin… Ça n'a aucun sens. Tu les connais comme moi, Pierre, ces gens-là ne sont pas des terroristes !

— Si on a emprisonné 450 personnes, coupe le premier ministre, c'est parce qu'on n'a pas de police politique au Canada. Ce que tu me demandes, c'est d'en organiser une pour qu'à l'avenir, on ne fasse plus d'erreur ? C'est ça que tu veux ? »

L'argument était astucieux mais vicieux, dira Guy Rocher par la suite. Pour sa part, Pierre Harvey, l'économiste des Hautes Études commerciales qui milite avec René Lévesque, se surprend de l'attitude revancharde du premier ministre. « Trudeau avait la tête d'un officier SS qui apprend que le ghetto s'est révolté ! » se souviendra-t-il. Cependant que son secrétaire particulier, Jean-Pierre Goyer, assis en retrait, note scrupuleusement ses paroles, Pierre Trudeau s'emporte : « Vous autres, les universitaires, vous êtes dans les

nuages ! Vous ne le savez pas, mais l'université, c'est un nid de felquistes ! On commence à avoir des renseignements et je vous avertis
qu'à l'avenir il n'y aura plus une christ de faculté qui n'aura pas
d'espions ! »

Plus question de s'en aller

Alors que René Lévesque tire les leçons de la crise, qui se ré-
sorbe depuis la libération du diplomate britannique Cross, au début
de décembre, et l'arrestation des assassins de Pierre Laporte, à la fin
du même mois, les fédéraux font eux aussi leurs comptes. Ils
demeurent convaincus d'avoir agi comme il le fallait. Le terrorisme
était radicalement nouveau dans le paysage politique canadien et ils
ont fait de leur mieux avec les moyens du bord. La Loi des mesures
de guerre était le seul outil légal à leur disposition pour briser le FLQ.
Les états d'âme devaient attendre.

Pour Marc Lalonde, si c'était à refaire, les mêmes raisonnements
s'appliqueraient. « Dans ce domaine-là, on juge aux résultats, dira-
t-il. Le FLQ est disparu de la carte, le terrorisme comme moyen de
réforme politique a été discrédité, et il n'y a pas eu un seul attentat
au nom du nationalisme québécois après 1970. »

Le Strategic Operations Centre, auquel il est lié, se félicite lui
aussi : « L'insurrection a été tuée dans l'œuf, M. Cross est vivant et
libre, le FLQ ne s'attendait pas à autant de fermeté de la part des
gouvernements. » Mais le rapport de la cellule de crise passe pudi-
quement sous silence la mort de Pierre Laporte et n'offre aucune
excuse aux 400 Québécois arrêtés arbitrairement. Le rapport
McDonald observera à ce sujet : la justification par le résultat
n'excuse pas les abus commis.

Dans ses mémoires, Gérard Pelletier plaide lui aussi non coupable : « Vingt ans plus tard, il est facile de reconnaître les terroristes
pour ce qu'ils étaient : une poignée d'amateurs plus ineptes que dangereux et plus stupides encore que cruels. [Mais] l'épisode que nous
vivions, à l'automne 1970, prenait tout le monde à la gorge. »

Quant à Pierre Trudeau, il ne reniera jamais rien, comme il le
précise dans ses *Mémoires politiques*. « C'est une question qui ne m'a
jamais fait perdre cinq minutes de sommeil », crânera-t-il aussi
devant son biographe Radwanski. L'unique responsable du gâchis

d'octobre 70, c'était le FLQ, non le gouvernement. Le doigt sur la gâchette était celui du FLQ, pas celui de son gouvernement. C'est une tactique universelle des terroristes de mettre le blâme sur le gouvernement.

Quant aux arrestations, Pierre Trudeau fera grincer des dents tous ceux qui avaient été internés, fichés, photographiés, interrogés, parfois malmenés, durant plusieurs jours, coupés du monde, sans possibilité de voir un avocat. « On ne détruit pas la réputation de quelqu'un en l'arrêtant quelques jours, ricanera-t-il. Après, il devient un héros et un saint dans les milieux nationalistes ! »

À ses yeux, ce que l'histoire retiendra, c'est qu'il a pulvérisé le FLQ sous les applaudissements de la foule et de la planète qui l'a reconnu comme le premier chef d'État à tenir tête à des terroristes. En pleine crise d'octobre, malgré les protestations de René Lévesque et de Claude Ryan, 87 pour cent des Québécois approuvaient les mesures de guerre. Un an plus tard, l'appui se situera à 62 pour cent.

René Lévesque n'émerge pas abattu du séisme d'octobre, comme ses adversaires fédéralistes pourraient le souhaiter. Au contraire, la colère sourde qui l'habite le galvanise. Ses griefs sont multiples. D'abord, personne ne lui enlèvera de l'idée que Pierre Trudeau a gonflé le danger réel posé par le FLQ et fait durer le suspense pour réduire les dissidents et porter un coup mortel au PQ.

Plus encore, le refus de négocier la libération des felquistes contre celle des otages était de nature à provoquer une tragédie dont les souverainistes auraient à souffrir. Ailleurs, les États s'étaient montrés plus raisonnables. Plusieurs trocs prisonniers-otages avaient été un succès. En 1969, au Brésil, 5 prisonniers avaient été échangés contre un général japonais et 15 autres contre un ambassadeur américain. Ils avaient eu la vie sauve contrairement à l'infortuné Pierre Laporte qui s'est retrouvé coincé entre la cruauté des terroristes et le manque de compassion des autorités.

René Lévesque ne pardonnera jamais non plus aux fédéralistes d'avoir tout fait pour propager l'idée que le PQ et le FLQ étaient frères jumeaux. Il mesure déjà l'impact énorme de ce maccarthysme sur le membership — dans les mois qui suivront, son parti perdra 45 000 membres — et ceux qui lui écrivent jurent de lui faire la peau. Le slogan calomnieux PQ = FLQ se transmet de bouche à oreille et s'étale sur les murs.

À l'Assemblée nationale, quand un député du PQ se lève pour poser une question, les libéraux lui crient : « Assis FLQ ! » Jean Marchand est allé jusqu'à affirmer sans broncher : « La subversion, c'est le séparatisme, du FLQ au PQ… » Dans son coin de pays, pourtant le plus nationaliste du Québec, Marc-André Bédard s'empresse de se draper dans la respectabilité du maire ou du notable qui ne craint pas de se montrer à ses assemblées : « Ces gens-là ne seraient pas ici, dit-il à l'auditoire, si nous étions des terroristes… »

René Lévesque reste également persuadé, comme le démontrent ses écrits et sa dénonciation des mesures de guerre, que ces dernières n'étaient pas justifiées par les circonstances et visaient d'autres fins que la simple lutte au FLQ. Là-dessus, René Lévesque reçoit l'appui du chef néo-démocrate David Lewis, pour qui l'intention du gouvernement de porter des accusations contre les felquistes en vertu du Code criminel, et non en vertu de la Loi des mesures de guerre, démontre son caractère suspect.

L'ancien commissaire Jean Keable soutiendra : « Les informations qui ont conduit au dénouement de la crise ont été obtenues par des moyens d'enquête traditionnels. La Loi des mesures de guerre n'y a été pour rien. Ce qu'elle a permis, c'est d'arrêter des gens et de bâtir une banque d'informations sur les nationalistes québécois, y inclus le Parti québécois, qui a été très utile à la GRC durant les années qui ont suivi la crise d'octobre. »

De son côté, l'enquêteur Jean-François Duchaîne écrira en toutes lettres : « La crise a servi de prétexte à une répression d'envergure [et à] une manœuvre d'intimidation à l'égard de tous les groupements politiques contestataires. »

René Lévesque accepte difficilement le traitement humiliant réservé au peuple québécois. En pleine nuit, pour mieux traumatiser les citoyens, on a fait coïncider l'intervention de l'armée avec la proclamation des pouvoirs policiers spéciaux. Des Québécois ont manipulé d'autres Québécois avec des procédés dignes des dictatures, pour créer un choc psychologique afin de « reprendre contrôle d'une population qui semblait sympathique aux terroristes ».

Le rapport Duchaîne révélera que c'est le groupe fédéral Polaris relié au Strategic Operations Centre qui a suggéré cette « guerre psychologique à l'opinion publique québécoise » après avoir étudié des situations similaires en Amérique latine. Il fallait « montrer à tous les citoyens du Québec qu'il était illusoire de vouloir attenter au pouvoir de l'État». Au XIXᵉ siècle, le poète Amiel avait déjà remarqué : « L'État cimenté par la peur est une construction ignoble et précaire. »

Dans un éditorial intitulé «Le mépris du peuple», René Lévesque constate : « On nous a fait le coup en octobre. Les coupables s'appelaient Trudeau, Marchand, Drapeau, Choquette et Bourassa. Ils ont concocté ensemble le conditionnement panique d'une population grâce auquel ils ont pu décréter les mesures de guerre puis leur bâtard législatif, la loi Turner. Sans aucune raison valable, on a suspendu pour le seul Québec les droits fondamentaux des citoyens, perquisitionné et arrêté sans mandat... »

Enfin, comme le sociologue Guy Rocher, le chef du PQ n'a plus aucune illusion — si tant est qu'il en ait eu — au sujet des prétendues convictions démocratiques du Canada anglais. Pour lui, la crise d'octobre a démoli cette légende propagée au Québec par les Trudeau et Pelletier à l'époque où ils combattaient Maurice Duplessis en idéalisant tout ce qui se faisait au Canada anglais, perçu comme une terre de liberté.

Cinq ans plus tard, dans un article écrit pour un magazine de Toronto, René Lévesque remettra les pendules à l'heure : la crise d'octobre avait montré que les francophones n'étaient pas moins démocrates que les anglophones. Loin de protester contre les accrocs aux droits fondamentaux découlant de la Loi des mesures de guerre, mesure dont il n'existait aucun précédent en temps de paix dans aucun pays démocratique, dira-t-il, les anglophones ont applaudi Pierre Trudeau.

Ils n'ont rien dit parce que les abus se commettaient au Québec *« as in an occupied colony »*. Nourri de leurs solides préjugés, ils ont agi comme les spectateurs d'un match de lutte : « Vas-y, Ottawa, donne aux Frenchies une bonne raclée qu'ils n'oublieront jamais ! » René Lévesque se scandalisera encore que l'impunité sévisse toujours en haut lieu : « *The men in power have never been called upon to give a decent accounting of what they did.* » (« Ceux qui étaient au pouvoir ne nous ont jamais rendu de compte sur ce qu'ils ont fait. »)

Les fédéralistes ont tort de croire que la crise d'octobre signe l'arrêt de mort du séparatisme québécois. René Lévesque tire une autre conclusion : il n'a plus le droit de se retirer dans ses terres. Comme il le dit à Corinne Côté, c'est son devoir — un mot important pour lui — de rester au poste. Au PQ, on constate que la crise d'octobre l'a fait rebondir en le tirant de sa déprime post-électorale qui l'incitait à bouder la vie du parti.

Un griffonnage de sa main datant de l'époque dit : « Goût de sacrer ça là... temporairement du moins. Mais crise d'octobre = essentiel. Tête froide — PQ = FLQ. » Selon une formule journalistique de l'époque, René Lévesque porte plus que jamais sur son dos « le havresac du peuple du Québec ».

CHAPITRE XLV

René contre ses radicaux

Car les partis aussi peuvent mourir.

RENÉ LÉVESQUE, septembre 1967.

L e Parti québécois a-t-il encore de l'avenir ? L'occasion de le vérifier se présente à René Lévesque, dès le 8 février 1971, à la partielle du comté de Chambly rendue nécessaire par la mort de Pierre Laporte. Depuis la crise d'octobre, les prophètes de malheur s'en donnent à cœur joie. Gilles Lalande, politologue proche des libéraux fédéraux, soutient dans *Le Devoir* que le FLQ a tué l'idéal indépendantiste. La crise d'octobre marque la fin de la vague séparatiste et un gain marqué pour le fédéralisme.

Gérard Pelletier, qui l'écrira dans un livre consacré à la crise, est convaincu que l'option du Parti québécois est devenue suspecte. Alors que Pierre Trudeau prédit que la mort de Pierre Laporte passera à l'histoire comme le point tournant de l'unité canadienne. Plus terre à terre, Jean Marchand fait le pari que le candidat péquiste dans Chambly, Pierre Marois, n'aura pas 10 pour cent des voix même s'il en a recueilli 31 pour cent aux dernières élections.

Ce jeune avocat spécialisé en coopération et en consommation avait rêvé de victoire, aux élections du 29 avril 1970. Mais après la crise d'octobre, son défi consiste plutôt à garder le fort et à ne pas céder un seul pouce de terrain afin de faire mentir les fédéraux. À 30 ans, Pierre Marois apparaît déjà comme le protégé de René Lévesque avec qui il a en commun une petite taille et une énergie débordante qu'il consacre aux coopératives d'économie familiale vouées à la défense des défavorisés.

Il est venu au politique par le social, et à cause aussi de ses accointances familiales. Son parrain était le fameux médecin de Maurice Duplessis, le Dr Joseph-Arthur Dufresne. À l'Université de Montréal, l'étudiant s'était mêlé, avec Bernard Landry, aux revendications de l'heure. Un jour, René Lévesque lui avait téléphoné. Il voulait comprendre pourquoi les étudiants faisaient grève pour contester une hausse modeste de 10 ¢ du prix des repas. « C'est quoi votre maudite affaire ? » Une rencontre marquante pour Pierre Marois qui le suivra après 1967 sur le terrain de l'indépendance, persuadé qu'avec une boîte à outils complète, les Québécois iraient plus loin.

Aux élections dans Chambly, son adversaire est Jean Cournoyer, battu par Claude Charron dans Saint-Jacques et que Robert Bourassa a tiré des rangs unionistes pour en faire son ministre du Travail. Pour les libéraux fédéraux, qui s'engagent à fond dans la bataille, la partielle a son petit côté référendaire. Si le PQ est laminé, ce sera une autre victoire du fédéralisme. On parlera sans doute encore d'indépendance mais au passé.

La stratégie de René Lévesque consiste à convaincre les francophones du comté, qui forment 73 pour cent de l'électorat, de se rallier derrière le PQ. D'une assemblée à l'autre, Pierre Marois enfonce le clou : « Les anglophones nous ont donné une maudite leçon, le 29 avril dernier, en votant en bloc pour les libéraux. Eux, ils se tiennent ! »

L'intimidation à laquelle font face les péquistes de Chambly n'a d'égale que celle qui sévit partout en province. Il ne fait pas bon se dire du PQ par les temps qui courent. René Lévesque est inondé de lettres de militants aux abois, comme celle-ci : « On nous soupçonne d'être du FLQ. La nuit, on reçoit des appels à la bombe. On nous questionne, on nous boude, on va même jusqu'à nous dire de quitter notre job à l'usine ou de sacrer notre camp en France si on tient tant à parler français… »

Pierre Marois en voit de toutes les couleurs, lui aussi. Des coups de fil anonymes lui annoncent les pires châtiments. Il doit faire venir les pompiers pour éteindre un début d'incendie à la porte de sa maison. Une nuit, il doit s'enfuir avec femme et enfants à la suite de

menaces de mort. Ces tactiques sont celles des mafieux et des prêteurs sur gages que ses clients des quartiers pauvres connaissent
bien. Que les libéraux y recourent le choque.

Quinze jours avant le vote, nouvelle tuile. La rumeur court que
la date du procès des felquistes Jacques et Paul Rose, qui habitent la
rive sud de Montréal, a été devancée pour qu'elle coïncide avec celle
du vote. René Lévesque accuse Robert Bourassa de tripoter la justice
pour intimider les électeurs. Son impatience grandit encore quand
une seconde rumeur laisse entendre que Pierre Marois serait assigné
comme témoin au procès ! C'en est trop. René Lévesque téléphone
à Robert Bourassa pour démêler le vrai du faux. Le chef libéral
dégonfle le ballon.

Jacques Parizeau, qui reste méfiant, veut s'assurer qu'aucun
huissier ne pourra remettre à Pierre Marois une citation à comparaître en main propre. Il le fait monter en pleine nuit avec femme et
enfants dans une voiture qui quitte le comté en trombe. L'idée est de
le cacher quelques jours, le temps de mesurer si le premier ministre
Bourassa tiendra promesse.

C'était oublier Jean Marchand qui, pour s'assurer de gagner son
pari, se mêle de l'élection de Chambly. À la veille du vote, il brandit
le spectre de la guerre civile qui attend les Québécois avec le PQ et
René Lévesque, ce « traître » qui sème la violence sur son passage.
Chasse aux sorcières qui tombe à plat. Pierre Marois récolte
32,6 pour cent des voix, un peu plus qu'en avril. René Lévesque a
eu chaud et le « lugubre ami Marchand qui n'existe que pour empoi-
sonner les campagnes électorales » perd sa gageure et se déshonore
à tout jamais à ses yeux.

« *The coma was over. Hope had come back* », dira René Lévesque à
la presse de Toronto en évoquant cette élection sordide. L'éditorialiste Jean-Claude Leclerc note dans *Le Devoir* : « Avec un si fort pourcentage de Québécois acquis à l'option péquiste, on voit mal comment ceux qui ont misé sur le "référendum de Chambly" pourront
résoudre le problème canadien comme s'il n'existait pas de problème
québécois. » *The Gazette* écrit que le PQ a déjà digéré octobre.

René Lévesque n'a plus qu'une seule idée en tête : refaire l'image
de son parti en gommant toute référence extrémiste et en matant ses
radicaux, en particulier ceux qui « comprennent » trop facilement les
terroristes. Durant la crise d'octobre, des correspondants, comme

Suzanne Arcouette du comté d'Ahuntsic, le mettaient en garde : « La purge actuelle vous permettra de vous débarrasser des indésirables. Je puis vous assurer que la crainte de vous voir impuissant à dominer les péquistes radicaux vous a fait un tort immense aux élections. Un gars comme Claude Charron n'aide en rien votre cause… »

L'objectif de René Lévesque est de revenir aux temps plus cléments d'avant les crimes du FLQ dont l'odieux a rejailli sur le PQ. À ce moment-là, les sept députés péquistes élus en avril avaient réussi à gagner leurs épaulettes. Camille Laurin et Robert Burns, à qui il avait confié la direction du parti à l'Assemblée nationale, l'avaient vite imposé comme l'opposition officielle. Tellement, que le ministre Gérard D. Lévesque appelait ses députés les sept plaies d'Égypte, alors qu'une presse toute conquise observait que le PQ devenait le *deus ex machina* des libéraux jaloux de son succès.

Pourtant, l'improvisation la plus totale avait accompagné les premiers pas des péquistes. Inspirés par Marcel Léger, député de Lafontaine résolu à ne prêter serment qu'au peuple du Québec, six députés avaient refusé de jurer loyauté à la reine alors que le septième, Charles Tremblay, député ouvrier de Sainte-Marie, n'avait pas fait de chichi. Il s'était retrouvé seul en Chambre, les autres ayant été confinés aux galeries jusqu'à ce qu'ils eurent juré obéissance à Élisabeth II. René Lévesque n'y avait vu qu'une chinoiserie et s'était irrité de ce faux départ.

C'est alors qu'un jeune technocrate très autonomiste, mais capable de rester de marbre devant la pire provocation, avait offert à René Lévesque son expertise et sa connaissance du milieu gouvernemental. Louis Bernard, adjoint de Claude Morin aux Affaires intergouvernementales, ne lui était pas inconnu. En 1965, il l'avait conseillé alors qu'il était ministre aux Affaires sociales. Par la suite, il était arrivé à René Lévesque de le consulter. La force de ce mandarin tranquille tient à sa discrétion et à son détachement qui le rend capable d'analyses objectives et de choix clairs.

Proche de Robert Bourassa depuis longtemps, Louis Bernard s'était senti incapable de miser sur lui. Il ne doutait ni de sa sincérité ni de ses ambitions autonomistes. Seulement, il devinait que Pierre Trudeau bloquerait tout renouvellement du fédéralisme. Mal préparé, privé de l'aile libérale nationaliste (passée au PQ) qui soutenait naguère Jean Lesage contre Ottawa, Robert Bourassa serait fatalement réduit à l'impuissance. « Tu n'auras pas les moyens de ta politique, lui avait-il dit en l'avisant de son départ. Je préfère investir dans le Parti québécois qui correspond mieux à l'avenir du Québec. »

Louis Bernard s'était donc proposé comme chef de cabinet d'un Camille Laurin gêné dans son action parlementaire par son ignorance des rouages administratifs et peut-être aussi par son trop grand penchant pour la psychothérapie politique. Sa première tâche avait été de fermer la somptueuse maison du 29, rue Sainte-Ursule, à deux pas de l'édifice du Parlement, louée par Jacques Parizeau pour loger les recherchistes du parti. Location qui en avait scandalisé plus d'un. Avec son loyer faramineux, ses escaliers de chêne et ses riches moquettes, la maison était un vrai château. Autant de luxe gênait les besogneux à peine rétribués du parti, qui y campaient, dormant dans des sacs de couchage à même le plancher. Et qui, plus ennuyeux encore, perdaient leur temps à faire la navette, documents sous le bras, entre l'Assemblée nationale et la rue Sainte-Ursule.

André Larocque, spartiate patron de la bande de recherchistes barbus, n'allait jamais oublier de sa vie l'irruption de Louis Bernard dans la famille péquiste. « C'est un traître, un fédéraliste qui couche avec Bourassa ! » l'avait-on prévenu. Mais ses plus noirs pressentiments étaient tombés d'un seul coup après une visite du « château à Parizeau » en sa compagnie. « Il me semble qu'on serait mieux à l'Assemblée nationale », avait simplement dit Louis Bernard en l'invitant à l'accompagner au Parlement.

Le nouveau chef de cabinet avait pénétré, comme s'il avait été chez lui, dans le bureau du président de l'Assemblée nationale, Jean-Noël Lavoie, pour le prier de le suivre au deuxième avec un messager. « Je veux ce bureau-ci, celui-là, cette petite salle aussi, au bout du corridor... » André Larocque était sans voix. En une heure, il avait obtenu de l'espace pour son centre de documentation. Il ne lui restait plus qu'à réunir ses troupes : « Lavez-vous et roulez vos sacs de couchage, on entre au Parlement ! »

La respectabilité avant tout

Au début de 1971, les péquistes continuent de souffler à la presse que leur parti compte 80 000 adhérents. En réalité, ils ne sont plus que 30 000. Amorcée par la défaite électorale d'avril, la saignée s'est accrue avec la crise d'octobre. Aussi René Lévesque voit-il dans le congrès qui s'ouvre à Québec, le 26 février, l'occasion de stopper l'hémorragie.

La partielle de Chambly a prouvé que le PQ pouvait remonter la pente. Mais une véritable relance repose sur la condamnation sans équivoque de toute violence politique et la mise au pas, voire l'expulsion, des extrémistes. Dès l'ouverture du congrès, le chef met cartes sur table : « Le Parti québécois n'est pas, n'a pas été, ne sera jamais une couverture pour ceux qui veulent coucher avec la violence. »

S'il reste à la barre, ce n'est pas pour voir le parti qu'il a fondé devenir le repaire des contestataires qui flirtent avec la politique de la rue et le felquisme. « Je suis fatigué de me faire tasser dans le coin, dit-il aux délégués ébahis. C'est pourquoi je souhaite l'affrontement et j'espère qu'une fois bien lavés, bien battus, ils s'en iront ailleurs. »

Après une mise au jeu aussi provocante, il serait étonnant que la soif de respectabilité de René Lévesque ne soulève pas la tempête chez les radicaux. Ceux-là, venus de groupes aussi divers que le RIN, le FRAP, les mouvements populaires, les chapelles gauchistes, les étudiants et les syndicats, forment le tiers du membership. Mais la grande nouveauté du congrès est ailleurs. Pour la première fois dans l'histoire du PQ, un brave soldat ose faire la lutte au chef.

André Larocque, car c'est lui, n'a aucune illusion sur ses chances de victoire. « La lutte ne sera pas déchirante », ont d'ailleurs ironisé les journalistes en apprenant que René Lévesque aurait un adversaire à la présidence du parti. Ce permanent inconnu du public est dans cette galère à cause de Radio-Canada. Prévoyant que René Lévesque serait seul en lice, la société d'État a décidé avant le congrès, en invoquant toutes sortes de bonnes et de mauvaises raisons, de ne plus couvrir en direct que les congrès où le leadership serait en cause. Au PQ, on a vu là une manœuvre pour réduire la couverture accordée aux indépendantistes. D'où l'idée de présenter un candidat contre le chef *.

René Lévesque avait d'abord refusé de jouer le jeu, puis s'était ravisé à la condition que la lutte soit réelle. André Larocque avait

---

* Subterfuge qui ne réussira pas, Radio-Canada s'obstinant à ne diffuser qu'une émission spéciale de 30 minutes le dimanche soir, de 23 h 30 à minuit, comme à l'époque de *Point de mire* !

donc tenté de dénicher un téméraire, connu, qui accepterait de s'immoler devant les 1 200 délégués. Mais Pierre Bourgault s'était défilé. Un jour où le documentaliste demandait à la ronde « Qui est-ce qui est le plus anti-Lévesque dans ce parti ? », Michel Carpentier avait répondu : « C'est toi, tu es toujours en train de te chicaner avec lui ! » Il était pris au piège. René Lévesque avait accueilli sa candidature par un long silence signifiant que la lutte serait trop inégale. Puis : « Vous voulez vraiment y aller, monsieur Larocque ? »

Mise en garde non inutile. Au Mexique, où le vaillant candidat est allé se reposer avec son ami, le député Guy Joron, avant d'entreprendre sa campagne, il s'est infligé à la tête une blessure grave qui a saboté sa campagne. Pour exposer ses idées, il a dû se limiter à une plaquette financée par Guy Joron, et publiée ultérieurement sous le titre de *Défis au Parti québécois*. André Larocque, c'est le roi de la participation depuis les tout débuts du PQ. Aussi en a-t-il fait son cheval de bataille en reprochant à René Lévesque de penser en démocrate mais d'agir en despote.

Sa candidature a fait rebondir le vieux débat entre technocrates et participationnistes, c'est-à-dire entre ceux qui, par souci d'efficacité et de réalisme, misent sur un fonctionnement plus directif et ceux qui, par conviction démocratique, souhaitent que la base militante participe vraiment à la prise des décisions. Ses adversaires appellent André Larocque le candidat des menacés d'octobre : « On va pouvoir enfin évaluer tout ce que le parti compte de pointilleux, d'idéalistes et d'anarchistes de la participation », soupirent-ils.

Ce troisième congrès péquiste n'offre pas seulement le numéro du cascadeur Larocque. Mais aussi celui de l'agent 007, en l'occurrence Jacques Parizeau, chasseur attitré d'espions fédéralistes, qui fait tout un boucan avec une rumeur voulant qu'un informateur ait réussi à s'infiltrer à la direction du PQ. Il jure aux délégués fiévreux de le démasquer avant la fin du congrès.

Plus tôt, René Lévesque lui-même avait attaché le grelot en révélant que des bénévoles de la première heure étaient des agents doubles à la solde de la GRC. C'était vexant bien entendu, mais c'était là le lot « de toutes les entreprises prospères ». Le nom de l'indicateur qui circule sous le manteau est celui de Claude Larivière, activiste de la Compagnie des Jeunes canadiens, financée par Ottawa. Il est membre de l'exécutif de la section péquiste de Montréal-

RENÉ CONTRE SES RADICAUX 537

Centre, fer de lance de la gauche sociale du parti, et certains le soupçonnent depuis au moins deux bonnes années d'être un agent
double, sans toutefois pouvoir le prouver.

Claude Larivière a été arrêté durant la crise d'octobre à cause de
ses liens avec le FLQ. Réuni en catastrophe pour étudier les faits, qui
s'avèrent peu convaincants, le conseil national dégonfle le ballon du
bouillant Parizeau. Qui doit ramener son accusation « à une petite
affaire classée ». Cependant, en matière d'espionnage, l'avenir lui
donnera raison, comme nous le verrons plus loin.

Et dire que la presse avait décidé à l'avance que ce congrès serait
ennuyeux ! C'était compter sans André Larocque, sans Jacques
Parizeau, et sans le penchant inné des péquistes pour l'affrontement.
Le deuxième jour du congrès, le débat jamais vraiment tranché sur
la langue d'enseignement de la minorité anglaise surgit de nouveau.
Comme lors de son duel de 1968 avec François Aquin, René Lévesque doit mettre sa tête sur le billot pour écraser une résolution,
défendue en atelier par Claude Charron et Paul Unterberg, qui exige
l'abolition du secteur scolaire anglophone après l'indépendance.

Pour le chef du PQ, un parti n'est pas une fin en soi. C'est un
outil, et si cet outil se transforme en un organe raciste qui veut jeter
hors du Québec les anglophones, fussent-ils entêtés et irréductibles,
il s'en ira. « On n'a pas besoin de brutaliser les autres, attaque-t-il. On
n'a pas besoin de claquer sur une minorité ! Quand on partage une
telle optique de l'indépendance, cela me paraît tenir de la schizo-
phrénie… »

René Lévesque arrache la décision par 541 voix contre 346. Un
vote qui témoigne de l'emprise des radicaux sur le parti. Ceux-ci
tentent d'ailleurs de faire étalage de leur force une seconde fois en
soumettant une motion qui réclame la libération des ex-felquistes
Pierre Vallières et Charles Gagnon pris tous deux dans la rafle d'octobre. René Lévesque est hors de lui et la presse l'entend crier ses
directives au président d'assemblée.

Pourtant identifié au courant radical, André Larocque s'allie à lui
pour combattre la résolution, faisant remarquer que « ces gens
s'étaient illustrés comme membres du FLQ » et qu'il ne fallait pas
qu'il subsiste dans l'esprit de la population le moindre rapprochement possible entre les terroristes et les péquistes.

Ce n'est pas ce court moment de complicité avec son chef qui va changer quoi que ce soit à l'issue de la lutte qui l'oppose à lui. Peu avant le congrès, évaluant ses chances, André Larocque était tombé sur Robert Bourassa qui mangeait au Georges V.

« Allez-vous battre votre chef ? avait demandé ce dernier d'un air narquois.

— Il paraît que vous êtes fort en prédictions, monsieur Bourassa, combien me donnez-vous de votes ?

— Combien y a-t-il de délégués votants ?

— Autour de 1 000.

— C'est un congrès du PQ, 1 000 délégués, tous des malades, je vous en donne 200. »

André Larocque avait aussitôt gagé 20 $ avec un René Lévesque incrédule qu'il emportait au moins 200 voix : « Je suis sûr de mon *coach*, c'est Robert Bourassa, et il me donne 20 pour cent du vote ! »

C'est ce qu'il obtient. Pourtant, la presse avait prédit du 10 contre 1. Le score de son adversaire étonne René Lévesque, tout de même réélu par 80 pour cent des délégués.

Sa véritable défaite, et l'unique victoire des radicaux, c'est plutôt l'élection de Pierre Bourgault à l'exécutif. Il a pourtant manœuvré pour s'épargner cette épreuve. Mais son bras droit, Michel Carpentier, a noté qu'il y a mis moins d'ardeur qu'en 1969, contre Claude Charron. Néanmoins, la perspective de se retrouver face à l'imprévisible Bourgault ne sourit pas tellement à René Lévesque, qui gémit littéralement en écoutant son discours de candidature. Une envolée bien caractéristique qui déroge comme cela n'est pas permis de la ligne respectable et rassurante à laquelle il tente d'arrimer le PQ.

Provocant comme jamais, Pierre Bourgault va même jusqu'à réhabiliter Michel Chartrand et le révolutionnaire vietnamien Ho Chi Minh, des personnages conspués par les notables et les bourgeois, mais dont l'action, dit-il, se révèle bonne pour le peuple.

Si René Lévesque ne peut plus rien contre Pierre Bourgault, il fera au moins élire un président d'exécutif modéré. Aussitôt le congrès levé, il convoque le nouvel exécutif — qui inclut aussi Camille Laurin, Jacques Parizeau, Pierre Marois, Pierre Renaud, Marc-André Bédard et Guy Joron —, à qui il revient de désigner son président.

« Nous allons régler tout de suite la question de la présidence », annonce-t-il. Puis, se tournant carrément vers Pierre Marois : « Vous n'avez pas songé à vous porter candidat ? » Jacques Parizeau, le président sortant qui aspire à un second mandat, s'entend demander à son tour : « Et vous, monsieur Parizeau, maintenez-vous toujours votre candidature ? »

Autour de la table, tous comprennent le message : le chef ne veut plus de Jacques Parizeau dont il n'apprécie pas toujours le style triomphaliste, les choix trop raisonnés pour être vraiment réalistes, et la sympathie évidente envers le mouton noir Bourgault. Le favori, Pierre Marois, a le vertige à la pensée de devenir grand manitou de l'exécutif, mais il admire tellement René Lévesque qu'il n'ose pas se défiler. Jacques Parizeau avale la pilule comme le bon soldat qu'il se targue d'être doit savoir le faire.

La pasionaria de la rue Christophe-Colomb

À la permanence du parti, la vie reprend son cours en dépit des désaffections, des perquisitions et des arrestations qui se sont multipliées durant la crise d'octobre. Les péquistes sont jeunes, fortement politisés et terriblement actifs dans les syndicats, les groupes populaires et les factions gauchistes. Profil de nature à attirer sur eux le fiel des délateurs.

La téléphoniste-réceptionniste de la centrale du PQ, qui a eu le malheur de s'occuper du comité d'appui aux felquistes Vallières et Gagnon, s'est retrouvée en prison elle aussi. À son retour au travail, Jacques Parizeau l'a congédiée pour des raisons de sécurité. Geste qui a soulevé l'ire des employés qui n'ont pas oublié que le même Parizeau a fait voter un fonds pour défendre les péquistes victimes de l'arbitraire policier durant la crise.

C'est dans ce climat brouillon, encore figé par la peur, que Louise Harel, une passionnée fortement imbue de syndicalisme dont l'intelligence frappe autant que la ferveur militante, décide que le temps est venu de syndiquer les 25 employés du parti. C'est une fonceuse, Louise Harel. Elle a tout de la contestataire que René Lévesque exècre. Elle est l'amie de cœur de Michel Bourdon, bouillant journaliste syndical qui a eu maille à partir avec Radio-Canada, son employeur, après qu'il eut révélé que durant la crise d'octobre le maire Drapeau lisait le bulletin de nouvelles du soir avant sa diffusion.

Activiste de la première heure, elle s'était liée à l'université aux Jean Doré, Claude Charron, Gilles Duceppe, et Pierre-Paul

Geoffroy avant qu'il n'opte pour la dynamite. En 1969, quand le syndicalisme étudiant avait viré à l'anarchisme, se fragmentant en groupuscules d'extrême gauche ou en chapelles adeptes du spontanéisme des masses révolutionnaires, elle avait tout lâché. Pour elle, et c'était là son côté conservateur, les structures avaient leur importance, quand ce n'était que pour assurer la pérennité d'une société.

Elle avait alors commencé à s'intéresser de plus près au Parti québécois. Son père, historien nationaliste de la région de Saint-Jérôme, vouait un véritable culte à André Laurendeau et l'avait initiée aux malheurs de la nation. Comme tant d'autres de sa génération, elle était tombée sous l'emprise de René Lévesque. Aux élections d'avril 1970, elle avait parcouru l'Abitibi dans une caravane aux couleurs du PQ que les enfants lapidaient. Dans ce fief créditiste régi par le crois-ou-meurs de Réal Caouette, les curieux attendaient la brunante pour tourner autour du convoi péquiste.

En été, l'attaché de presse de René Lévesque, Jean Doré, l'avait fait entrer, à 23 ans, à la permanence. Depuis, l'inconditionnelle qu'elle est tient tête au chef chaque fois qu'elle ne peut faire autrement. Leurs querelles intenses feront dire à certains que Louise Harel, comme Pierre Bourgault, entretenait une relation amourhaine envers René Lévesque.

Naturellement, ils se heurtent à propos de la syndicalisation des employés du parti. Louise Harel veut introduire plus d'équité dans les salaires, dont les écarts incroyables dépendent de l'importance du « parrain » qui a pistonné l'un ou l'autre à l'embauche. Jeune et idéaliste, le staff l'appuie. Les opposants sont rares mais il s'en trouve. La journaliste Michelle Juneau par exemple qui, influencée depuis toujours par René Lévesque, objecte que le parti avec ses maigres revenus n'a pas à jouer les patrons d'avant-garde, ni à donner le bon exemple.

Là-dessus, ce n'est pas le chef qui la contredirait. Pour lui, voilà un beau cas de « pelletage de nuages ». Avec 50 000 membres qui n'ont pas renouvelé leur carte et des revenus qui ont fondu à moins de 100 000 $, le parti est déficitaire pour la première fois de son histoire.

« Nous sommes un parti pauvre », prévient René Lévesque pour qui il est illusoire de prétendre négocier une convention collective de travail. Les cinq journalistes et demi de l'hebdo pro-péquiste *Québec-Presse*, qui se sont syndiqués malgré la précarité financière de l'entreprise, en savent quelque chose. René Lévesque se fait une raison, de peur de passer pour un dinosaure antisyndical. Mais quand Louise Harel, présidente désignée du nouveau syndicat, lui présente une demande d'affiliation à la CSN, il lui dit : « *Over my dead body.* »

Le comité de négociation, où elle s'active avec Jean Doré, Michel Beaubien et Michel Sabourin, se retrouve sur le trottoir en moins de deux. Au conseil national du Saguenay, Louise Harel affronte son chef mais perd la bataille. Elle doit vider les lieux, cédant son poste de permanente à une militante plus souple de la région de Québec, Martine Tremblay, qui a déjà l'oreille de René Lévesque. Il fera d'elle un jour son chef de cabinet.

À l'assaut des anarcho-patriotes

Si René Lévesque pensait avoir désarmé les radicaux au congrès de février, il se trompait. C'était oublier que le PQ constitue un agrégat de chapelles, dont la syndicale n'est pas la moins active. À l'automne 1971, il l'apprend à ses dépens alors que tout ce que Montréal compte d'activistes syndicaux se dresse contre le propriétaire de *La Presse,* Paul Desmarais, qui a décrété un lock-out contre les syndiqués de la production, pour faciliter les changements technologiques.

Le patron de Power Corporation a acheté ce journal trois ans plus tôt pour le mettre au service de la cause fédéraliste. Ses journalistes, qui sont plutôt pour la cause de René Lévesque, crient à la censure politique et l'accusent de profiter du conflit avec les typos et les pressiers pour s'attaquer à la liberté de presse.

À la fin de l'été, René Lévesque s'en est mêlé, dénonçant « le parfait mélange d'inhumanité et de duplicité » du magnat Desmarais qui a fomenté un conflit pour dégraisser son entreprise. Il a demandé aux Montréalais de boycotter le journal. Maintenant, il craint le pire, à l'approche de la manifestation syndicale qui doit avoir lieu le 29 octobre, malgré le règlement anti-manifestation du maire Drapeau. La situation est explosive et la décision de l'aile parlementaire du PQ de se joindre aux manifestants n'est pas pour lui faciliter les choses.

Sa hantise : que les « anarcho-patriotes » de son parti cèdent à la tentation de braquer les policiers. Elle serait jolie la scène où des manifestants brandiraient des pancartes du PQ au milieu de la mêlée générale ! Depuis Dachau, René Lévesque a une peur viscérale de la violence politique. Et il redoute tout autant la foule, si prompte à céder à l'extrémisme.

Chaque fois qu'on l'invite à descendre dans la rue, il esquisse un rictus qui en dit long. Pour lui, la politique est affaire de jugement, de débats francs mais civilisés, de démocratie raisonnée. L'action prolétarienne spontanée n'a jamais été son fort. Aussi rabroue-t-il ses députés : la manifestation contre *La Presse* est un piège. Elle ne peut que mal tourner car elle aura lieu à 20 heures, dans la noirceur d'octobre, dans un climat de tension morbide qui est une invitation « aux voyous et aux dévoyés qui souffrent de révolutionnite ».

Pour les radicaux du caucus, notamment Robert Burns et Claude Charron, ce type de discours ne fait qu'appliquer du sel sur les blessures que le chef leur inflige depuis qu'ils siègent à Québec. René Lévesque boude 9 fois sur 10 la réunion hebdomadaire du caucus, se contentant de placoter au téléphone avec Louis Bernard, comme le lui reproche vivement Claude Charron. Si une question brûlante divise le parti, il refuse aussi d'en discuter avec les députés. De là la cacophonie récente au sujet de la loi 28 sur la restructuration scolaire, approuvée par le caucus mais démolie par le chef dans sa colonne du *Journal de Montréal*. « Même le PQ est tout mêlé », avait ironisé à ce propos Michel Roy, dans *Le Devoir*.

À quelques heures de la manifestation, René Lévesque convoque donc ses députés à un exécutif élargi qui tranchera le différend. Avant, il va avec Pierre Marois rencontrer le président de la CSN, Marcel Pepin. Tel un bouddha, celui-ci les attend seul, sirotant son habituel scotch, dans un coin du restaurant où il leur a donné rendez-vous. Le chef syndical reste vague au sujet du service d'ordre et de l'itinéraire de la marche. Il ne peut garantir à René Lévesque que le cortège s'écartera de l'édifice de *La Presse* pour éviter tout accrochage avec les policiers.

Au retour, le chef du PQ confie à Pierre Marois : « On ne compromettra pas le parti dans un fouillis comme celui-là. Si la violence éclate, on s'en mordra les pouces. » Il met ensuite en garde l'exécutif et le caucus des députés : « Si nous y allons avec nos pancartes, et que ça tourne au casse-gueule, ça va retarder nos chances de prendre le pouvoir. Il ne faut pas faire exprès de nourrir la stratégie des libéraux qui cherchent à nous identifier à la violence. »

De tous les députés qui assistent à la réunion, Robert Burns est celui qui paraît le moins ébranlé par les arguments de René Lévesque. Entre eux, le dialogue n'est jamais facile. Pourtant, l'affection que porte cet ancien avocat de la CSN à la tête d'Irlandais obstiné à celui qu'il appelle familièrement René et qu'il tutoie sans que celui-ci y trouve à redire, n'échappe à personne. « Le PQ doit être du bord des travailleurs et des exploités, plaide-t-il. Il faut le montrer clairement en se solidarisant avec les 300 syndiqués de *La Presse* jetés dehors par Desmarais. Il ne faut pas prendre le pouvoir sous de fausses représentations. »

Claude Charron brûle d'envie lui aussi de participer à la manif, quitte à défier une fois de plus son chef. Au congrès de février, il a appuyé l'abolition du secteur scolaire anglophone en précisant du haut de ses 23 ans : « Je suis de ceux qui favorisent la radicalisation du parti. » Certes, il a retourné sa veste par la suite, mais aujourd'hui il paraît décidé à aller au bout de son radicalisme. Camille Laurin également, même si l'idée de voter contre René Lévesque le déchire visiblement.

À 19 heures, au moment où les milliers de marcheurs vont quitter le carré Saint-Louis en direction de *La Presse* transformée en forteresse par l'escouade anti-émeute, le vote est égal. Le président de l'exécutif, Pierre Marois, doit le départager. Il fait excessivement chaud au quartier général de la permanence. Michel Carpentier observe René Lévesque. Que fera-t-il si la participation à la manifestation l'emporte ?

« Vas-y, Pierre, vote ! » lance Robert Burns en défiant du regard Pierre Marois, dont il devine qu'il se ralliera au chef. Ce qu'il fait en effet. Ce n'est donc pas encore ce soir que le PQ craquera !

Ulcéré, le député Burns quitte la pièce en claquant la porte si fort que la vitre se fracasse. Il est le seul à se joindre à la marche populaire qui se terminera par un matraquage en règle des manifestants et la mort d'une femme. Pour René Lévesque, Robert Burns a cédé à ses impulsions et s'est montré incapable de résister à la mode, ni d'aller contre le corporatisme syndical. C'est une marque de sa myopie politique. Quant à Claude Charron, ébranlé, il s'est éclipsé dans la nuit pour réfléchir aux avatars d'un métier difficile qu'il n'aime pas beaucoup, confie-t-il parfois à ses amis.

Mais dans ce parti, rien n'est jamais vraiment tranché. Après la manifestation, René Lévesque fait face à une levée de boucliers des syndicalistes du parti et d'une douzaine d'associations de comté. Robert Burns le premier le houspille dans une entrevue à *Québec-Presse* où il se demande, en y mettant du dégoût, « si le Parti québécois n'est pas simplement une aile un peu plus avancée du Parti libéral ». La réplique de René Lévesque est tout aussi cinglante : « Si monsieur Burns est dégoûté, c'est à lui de prendre ses décisions. Il est libre de partir. »

La suite est orageuse. L'intimé n'a pas l'intention de s'en aller et note que ce n'est pas à René Lévesque, mais aux instances du parti, à décider s'il a raison ou non de critiquer le PQ. Coincé entre le chef et le rebelle, le Dr Laurin convoque la presse pour lui apprendre, comme si elle ne s'en doutait pas déjà, que « le PQ est aux prises avec un sérieux problème ». Son respect pour René Lévesque finit par faire taire ses hésitations. Il ne veut pas se laisser entraîner par les syndicats « dans l'aventure de la violence ».

Enfin, comme tous les grands drames de la vie péquiste, celui-là se rejoue au conseil national. Le 29 novembre, René Lévesque ne s'y présente pas les mains vides. Il a pondu un manifeste d'une violence rare qui s'attaque d'abord aux chefs syndicaux, principalement Louis Laberge et Marcel Pepin, à qui il reproche de s'adonner depuis la manifestation du 29 octobre à *La Presse* à « une espèce d'orgie vengeresse et à un vrai délire de radicalisme verbal » qui empoisonnent les esprits.

Il pourfend surtout les agitateurs de son propre parti, les ravalant à « des missionnaires de la table rase qui grenouillent dans les chapelles marginales de la révolution miracle ». Jamais René Lévesque n'a laissé aussi clairement filtrer son mépris pour les partisans de la politique du pire.

Le leader souverainiste demande à tous ceux qui l'écoutent de prendre l'engagement d'exclure impitoyablement toute forme de violence et même tout flirt ambigu avec elle car elle va contre la façon d'agir du Parti québécois. Non seulement le conseil national approuve massivement son manifeste mais, à l'intention de Robert Burns, il précise les modalités du droit à la dissidence. À l'avenir, si le député de Maisonneuve ne peut calmer sa conscience sans faire d'éclat, il devra préciser qu'il parle à titre individuel et non comme député péquiste.

CHAPITRE XLVI

Incursion en zone interdite

Qu'on tente de nous noyauter, de nous infiltrer,
de nous saboter, voilà le sort de toutes les
industries prospères.

RENÉ LÉVESQUE, *Point de mire*, février 1971.

Malgré tous les efforts de René Lévesque pour expurger le Parti québécois de ses éléments extrémistes, voilà que le grand Satan de la violence politique, le FLQ, s'invite à sa table, en la personne de Pierre Vallières, son penseur le plus influent et l'une de ses figures mythiques. L'année 1972 commence raide.

Six ans plus tôt, attiré par les thèses exotiques de Che Guevara sur la libération nationale armée, l'ex-journaliste de 33 ans, issu du milieu ouvrier, a rompu avec la démocratie. Aujourd'hui il est de retour à la case départ et redécouvre avec une candeur désarmante l'inanité de la violence comme médium de changement politique de la société québécoise.

Sa feuille de route est chargée. Arrêté à New York, à l'automne 1966, avec son camarade felquiste Charles Gagnon, il avait été ramené à Montréal où l'attendait une accusation de meurtre. Lors d'un attentat à l'usine Lagrenade, une femme de 64 ans, Thérèse Morin, avait trouvé la mort. Deux ans plus tard, Pierre Vallières était condamné à la prison à vie. Il avait alors écrit à René Lévesque pour le remercier d'avoir accepté de témoigner à son procès. Celui-ci nota dans la marge : « Il n'y avait pas de quoi. »

Cette lettre n'était pas celle d'un repenti mais d'un révolté : « De ma cellule de Bordeaux, je ne perds rien de ce qui se passe au dehors, surtout de ce qui concerne notre libération collective. Je ne m'en fais pas avec ma condamnation car je sais qu'on me sortira de là par amnistie ou autrement. En attendant, je complète ma formation politique et… humaine. J'apprends une foule de choses, en particulier qu'il n'y a pas de justice dans le présent système ni même un minimum de respect pour l'homme. Ce que je vois ici suffit à justifier une révolution violente. »

Pierre Vallières jurait cependant de son innocence à René Lévesque :

« Vous avez sans doute été surpris de ma condamnation à perpétuité alors qu'il n'existe aucune preuve de ma participation à l'offense qu'on me reproche. J'ai été condamné uniquement pour mes idées, pour mon appartenance au FLQ. C'est la conclusion logique d'un procès essentiellement politique. Mon procès et ma condamnation constituent des précédents dangereux. Avec des actes d'accusation rédigés et modifiés à volonté par le juge, comme celui qui a servi à me faire condamner, on pourrait envoyer en prison toute l'opposition. Il y a longtemps qu'on n'avait pas vu au Québec un semblable procès d'intention. Vive le Québec libre ! »

En 1970, la Cour d'appel avait cassé le jugement : on l'avait bel et bien condamné pour ses paroles et ses attitudes, non pour le crime qu'on lui reprochait. Remis en liberté, et toujours résolu à la lutte révolutionnaire, le felquiste avait refait surface durant la crise d'octobre, à la fameuse assemblée du FRAP qui avait alarmé Pierre Trudeau. « Le FLQ, c'est chacun d'entre vous ! » avait-il lancé. Comme si ce cri d'appartenance à une organisation illégale ne suffisait pas, il avait avoué au quotidien français *Combat* : « Je suis un militant du FLQ. Ce que nous voulons, c'est une révolution globale au Québec. »

Pierre Vallières s'était retrouvé une fois de plus en prison. Malade et peu loquace sur ses projets d'avenir, il en était sorti huit mois plus tard en promettant de se présenter en cour, en septembre 1971, pour répondre à une accusation de sédition reliée à *Nègres blancs d'Amérique*, le best-seller qu'il venait de publier. Las de ce harcèlement judiciaire, et convaincu qu'aucun parti révolutionnaire ne surgirait de l'action légale et ouverte, il avait fait faux bond à la justice et était retourné à la clandestinité.

Bientôt, comme d'autres militants de la mouvance felquiste, il s'était surpris à douter de la méthode révolutionnaire. Durant sa réflexion, qu'il résumera dans *L'urgence de choisir,* il avait dévoré le manifeste de René Lévesque contre l'extrémisme politique, dont le conseil national du 29 novembre 1971 avait fait sa bible. Certaines mises en garde, dont celles sur l'illusion des raccourcis et sur la miraculeuse métamorphose collective qui naîtrait de la violence, mais dont l'histoire n'offrait aucun exemple, l'avaient frappé.

Le pari de René Lévesque, qui exigeait équilibre et lucidité mais imposait d'avancer sans faux pas sur un chemin miné par les fédéraux et les aventuriers de la provocation, avait pris chez lui une tout autre résonance. Pierre Vallières découvrait la justesse et le progressisme de la stratégie du chef péquiste qui appelait au rassemblement des démunis, des sans voix, des travailleurs non syndiqués et des syndicats, pourvu qu'ils ne considèrent pas le PQ comme un mouvement d'agitation sociale mais comme un vrai parti soumis aux contraintes de la démocratie.

Début décembre, dans une autre lettre, Pierre Vallières annonçait à René Lévesque une primeur qui serait « publiée incessamment ». Sa décision était prise : il retirait tout appui au FLQ et dénonçait la violence comme mode d'action et philosophie politique. Sa lettre était un véritable mea culpa qui avait touché René Lévesque, et pour cause :

« Je regrette de n'avoir pas été capable de voir clair plus tôt. Cette décision m'a été très pénible, mais je ne pouvais hésiter plus longtemps. Votre mini-manifeste n'a fait qu'accélérer les choses. Je me suis senti directement concerné par plus d'un passage de votre appel. Comme quoi, il ne faut jamais désespérer de personne ! La libération des Québécois est tout ce que je désire. Rien de plus, mais rien de moins. »

La nouvelle de l'apostasie de l'un des héros du FLQ était tombée sur la province comme une bombe. Dans un texte de 27 pages au *Devoir,* Pierre Vallières concluait : « La grande leçon d'octobre 1970, c'est que les gouvernements ne craignent pas tant le FLQ que le Parti québécois. Si on me demandait, dans ces conditions : est-ce que l'action violente reste nécessaire ? Je répondrais par un non catégorique. Le Parti québécois est dorénavant la seule alternative. »

René Lévesque aurait eu mauvaise grâce à ne pas saluer le « courage et la réflexion lucide sur la stérilité de la violence politique » de l'apostat du terrorisme. D'autant plus qu'il y était pour quelque chose, de l'aveu même de Pierre Vallières, dont le geste allait contribuer à détourner les jeunes de la violence. Et d'ailleurs, l'approbation était générale.

« Pierre Vallières a cherché à servir ses compatriotes, avait écrit Claude Ryan. Il l'a fait en préconisant des méthodes que réprouvent l'immense majorité des Québécois. Aujourd'hui qu'il accepte d'emprunter une voie différente, qui sera assez mesquin pour ne pas se réjouir ? » Pierre Trudeau aussi était satisfait, surtout qu'il y voyait un effet de son intransigeance d'octobre 1970. « C'est un aveu d'échec, avait-il dit. Vallières avoue qu'il est impuissant devant le gouvernement. Il a décidé de rejeter la violence mais cela ne veut pas dire qu'il n'y aura pas d'autres événements violents. »

Mais le second volet du virage du felquiste, c'est-à-dire son appui au PQ, dérangeait René Lévesque. Depuis un an, il s'acharnait à annuler l'équation PQ = FLQ. La partielle de Chambly prouvait qu'il n'avait pas si mal réussi. Mais le ralliement de Pierre Vallières à son parti ne risquait-il pas de ranimer la chasse aux sorcières fédéraliste ? Et s'il devenait le chef de file des extrémistes dont il avait apaisé le courroux et les transports ?

René Lévesque avait laissé au chef parlementaire du PQ, Camille Laurin, le soin de fermer la porte au nez du gêneur : « On n'attend rien de Pierre Vallières. Il n'est pas le bienvenu dans notre parti. Si jamais il veut y adhérer, l'exécutif en décidera et il pourrait lui dire non. » Dix jours plus tard, Pierre Vallières adressait une longue lettre à René Lévesque ; il lui demandait de soumettre son adhésion à l'exécutif et lui soulignait qu'un refus risquait de contribuer au maintien d'une violence inutile : « Je tiens à vous assurer que mon intention n'est nullement d'infiltrer le PQ. Je suis très conscient des exigences délicates de l'action électorale et des compromis qu'impose l'efficacité politique. Je m'inquiète cependant des récentes déclarations de Trudeau. Que prépare-t-il ? Ses déclarations ne facilitent pas les efforts que je fais pour persuader tous les felquistes d'adopter la stratégie définie par le PQ. Je suis résolu à appliquer à la lettre la démarche du PQ même si je redoute une accélération des provocations du pouvoir en place. »

Pierre Vallières terminait sa lettre en se distançant de ses alliés d'hier : « Je n'ai rien de l'opportuniste qu'on se plaît tout à coup à voir en moi dans certains secteurs de la gauche qui, je dois le dire, ont trop souvent trouvé le moyen de m'annexer, sans me demander mon avis, à des actions avec lesquelles je n'étais pas d'accord. Le mythe qu'ils ont entretenu et cultivé, pendant que j'étais en prison, faisait bien leur affaire. Aujourd'hui, le mythe éclate pour laisser place à l'homme, au Québécois que je suis réellement. Que la gauche se fabrique un autre mythe si elle le veut. Moi, je suis intéressé seulement à la réalité. »

Voilà donc où en sont les choses au début de 1972. René Lévesque peut respirer, Pierre Vallières ne risque pas de venir hanter ses assemblées. La justice le recherche et lui mettra le grappin dessus aussitôt qu'il se livrera. Ce qu'il fait le 24 janvier 1972, au quartier général de la SQ. Où l'agent Marcel Demontigny, qui le reconnaît, lui tend la main en disant : « Bonsoir, Pierre ! »

Sa reddition ne l'empêche pas de demander publiquement sa carte du PQ. La réponse de René Lévesque est favorable et en étonne plus d'un. Son calcul : les conséquences de l'adhésion d'un ex-terroriste à son parti seront à la fois positives et négatives, mais au total, le positif l'emportera. D'un côté, sa présence au PQ alimentera les démagogues fédéralistes qui cherchent à lier le PQ au FLQ. Mais de l'autre, son rejet du terrorisme adoucira le climat politique. Évoquant devant la presse un incident récent — un commando de jeunes avait tenté de « libérer une caisse populaire » —, René Lévesque conclut : « Le changement d'attitude de Vallières va éviter d'autres folies du genre. »

« Je m'étais trompé d'espoir »

En mai 1972, une nouvelle adhésion, d'une portée autrement plus significative que celle de Pierre Vallières, défraie la manchette. Claude Morin, sous-ministre des Affaires intergouvernementales, qui a vu son influence fondre après l'arrivée de Robert Bourassa, se rallie à René Lévesque au terme d'une réflexion de plusieurs mois. Exaspéré par les manœuvres des libéraux fédéraux qui le tiennent à la fois pour Méphisto et Machiavel, dénoncé publiquement par Pierre Trudeau qui s'en méfie, il quitte de lui-même le poste qu'il détenait depuis 1963, s'épargnant ainsi l'écorchure d'un congédiement.

Sa cigarette perpétuellement accrochée à la lèvre, René Lévesque n'a rien à envier, côté boucane, à ce fonctionnaire extraverti de 43 ans qui bourre sans cesse sa pipe d'Amphora. Claude Morin fait plus de six pieds, a la carrure athlétique mais le crâne précocement dénudé. Quand il sourit, il dévoile deux canines que les caricaturistes ont tôt fait d'identifier à celles d'un vampire.

Ce mandarin avance prudemment en ménageant ses arrières. « Quand je saute, j'ai mon parachute », crâne-t-il. Il sert tous les régimes, peu importe leur couleur, pourvu qu'ils soient québécois. À Ottawa, on l'a vite taxé de sécessionniste inconscient, selon la formule de Gérard Pelletier, tant il met de passion obstinée à poursuivre l'idée qui l'agite : la grandeur du Québec. Tout ce qui accroît les pouvoirs du Québec est bon, tout ce qui les réduit est mauvais.

Peu après 1960, alors que s'amorçait la révolution tranquille, Claude Morin s'était trouvé à rédiger les discours de Jean Lesage, qu'il truffait de formules ronflantes comme « l'État du Québec, point d'appui du Canada français » ou ce fameux « Maîtres chez nous ! » emprunté au chanoine Groulx. Il écrira ainsi plus de 250 discours.

En 1963, le chef libéral l'avait nommé sous-ministre aux Affaires fédérales-provinciales. Son apparition dans le paysage tourmenté des relations Ottawa-Québec avait radicalisé Jean Lesage qui s'était mis à exiger pour sa province de plus en plus d'argent et de pouvoir.

Abasourdi par la défaite de Jean Lesage, en juin 1966, il s'était rallié sans se renier à l'« évangile selon saint Daniel Johnson » : égalité ou indépendance. Mais s'il voulait bien de l'égalité, il n'envisageait pas du tout l'indépendance. À l'automne suivant, il avait suggéré au chef de l'Union nationale, dont le flirt avec le séparatisme l'intriguait, la stratégie à suivre face à Ottawa : « Les Québécois veulent être maîtres de leurs décisions comme nation mais ne réclament pas l'indépendance. Dans la mesure où ils peuvent réaliser leurs aspirations, il ne leur semble pas nécessaire d'exiger une séparation totale qui soulèverait de nouveaux problèmes à la place des anciens. »

Au lieu de pratiquer le chantage de l'indépendance ou de s'ensabler dans la thèse des deux nations, irrecevable au Canada anglais, Daniel Johnson devait revendiquer, comme Jean Lesage avant lui, un statut particulier. C'était la meilleure formule pour exprimer le fait évident que les francophones formaient un peuple distinct au Canada.

Au départ, le nouveau premier ministre lui était apparu comme un politicien de village, qui détonnait après Jean Lesage. Il s'était trompé. Son seul défaut : l'immobilisme. Aussi, au début de septembre 1968, Claude Morin lui avait-il écrit, pour le pousser à l'action : « Les révolutionnaires espagnols de 1936 avaient une phrase : "Mieux vaut mourir debout que de vivre à genoux." C'est vrai également pour les Québécois de 1968… » Pour lui, le défi lancé à ses compatriotes par le *French Power* — maîtres chez nous partout au Canada — était fascinant, mais simpliste et dangereux. C'était la porte ouverte à l'assimilation en douceur ; comment pouvait-il en être autrement puisqu'il proposait aux Québécois de se désintéresser du seul gouvernement qu'ils dirigeaient à 90 pour cent pour en conquérir un autre où ils seraient perpétuellement minoritaires ?

Claude Morin terminait son appel par un cri du cœur : « Il n'y a qu'une seule véritable conclusion. Il ne peut y en avoir plusieurs. Ce serait trop rassurant. Pas des recettes, une conclusion : c'est un pays que nous avons à nous construire. »

À la fin du mois, Daniel Johnson décédait subitement. Et ce n'était pas avec Jean-Jacques Bertrand, son successeur, que Claude Morin allait construire son pays. Fédéraliste inébranlable, le nouveau premier ministre l'avait écarté en faveur du seul homme à qui il faisait confiance, le secrétaire général du gouvernement, Julien Chouinard.

Ce n'est cependant qu'à la fin de 1970, sous Robert Bourassa, que le sous-ministre avait vraiment songé à démissionner. Déstabilisé par la crise d'octobre, le jeune chef libéral tenait à éviter toute guerre avec Ottawa. Sa décision de céder la primauté en matière d'allocations familiales, revendiquée en 1965 par René Lévesque alors ministre des Affaires sociales, avait révélé à Claude Morin la tendance irréversible du fédéralisme canadien de tout accaparer quand il faisait face à un pouvoir provincial faible.

Mais avant de plier bagage pour rejoindre René Lévesque, il s'était payé une douce revanche : il avait coulé dans la presse le projet impensable de Paul Tellier, adjoint de Julien Chouinard (qui était resté à son poste sous Robert Bourassa), d'abolir purement et simplement le ministère des Affaires intergouvernementales ! « Je ne travaillais plus pour l'État du Québec, avait-il expliqué en démissionnant, mais pour une administration régionale. »

Mais malgré son cri du cœur à l'intention de Daniel Johnson, Claude Morin se considérait toujours comme fédéraliste, même si les fédéraux colportaient le contraire. Il ne jurait encore que par le statut particulier, convaincu que les Québécois ne voudraient jamais payer le prix de l'indépendance. Lorsque des hommes compétents comme Jacques Parizeau et Louis Bernard, son *alter ego* du ministère, étaient montés dans le train de René Lévesque, ses certitudes avaient été mises à rude épreuve. Mais la question restait posée : pourquoi emprunter la route périlleuse de l'indépendance quand, dans le régime fédéral, le Québec disposait déjà d'une marge de manœuvre de 50 pour cent qui, avec un statut particulier, passerait à 75 pour cent ?

Voulant aller au bout de sa « nuit », il avait écrit après sa démission *Le pouvoir québécois... en négociation,* un bilan des gains et des pertes de la province pendant qu'il était aux commandes. C'était tenter le diable. Il avait dû se rendre à l'évidence : malgré les flonflons triomphants du discours nationaliste des dernières années, les « gains » québécois n'avaient pas accru la force politique du Québec. Ils avaient été réalisés temporairement dans des domaines de sa propre juridiction (le social et le culturel), envahis par Ottawa à la faveur de la centralisation d'après-guerre.

Avant de rendre publique sa conversion, Claude Morin en avait discrètement avisé René Lévesque. Mais il avait été accueilli par le héros de sa jeunesse d'un air si détaché, presque indifférent, qu'il en avait été déçu. Comme toujours, René Lévesque n'avait pas laissé transparaître ses sentiments.

Aujourd'hui, 21 mai 1972, devant les péquistes rassemblés au centre Monseigneur-Marcoux, à Québec, Claude Morin annonce, sur un ton tout simple, allégé de ses raisonnements pointus de technocrate : « J'ai espéré pendant des années qu'à l'intérieur du cadre fédéral, le Québec finirait par trouver sa place et se sentir à l'aise. Mais je m'étais trompé d'espoir. Le régime fédéral actuel tend à l'effritement du pouvoir québécois. Je prends parti pour le PQ parce que je n'ai plus d'autre choix. »

René Lévesque salue devant ses partisans cette « acquisition d'une importance capitale ». Il lui consacrera deux éditoriaux dont le dernier conclura : « Claude Morin donne une nouvelle preuve éclatante de cette grande évidence : rien ne détache d'un régime fini comme de l'avoir vécu à fond et jusqu'à la limite. » À la petite fête intime qui suit l'assemblée, Louise Beaudoin, collègue de Claude Morin à l'École nationale d'administration publique, se pavane en proclamant que c'est grâce à elle s'il s'est enfin décidé à passer au Parti québécois : elle l'a « travaillé » tellement qu'il a fini par voir où se trouvait la vérité !

Est-ce bien un ami qui vient aider René Lévesque ?

Le chef du PQ ignore un fait crucial qu'il découvrira un jour, dans des circonstances dramatiques. La nouvelle recrue dont il est si fier est une source sporadique de la GRC depuis 20 ans. Quand le fait sera connu de quelques initiés, en 1981, grâce à Loraine Lagacé, ex-collaboratrice de Claude Morin aux Affaires intergouvernementales, qui mettra René Lévesque au parfum, et du grand public, en 1992, grâce au scoop du journaliste Normand Lester, il s'en trouvera au PQ pour écarquiller les yeux et le soupçonner d'avoir été un espion à la solde de la GRC.

Accusation d'espionnage que Claude Morin niera toujours, mais qui venait naturellement à l'esprit. Peu importe ce qu'il dira pour sa défense, peu importe sa motivation, les faits resteront à jamais troublants pour ceux qui formaient le premier cercle autour de René Lévesque, les Jean-Roch Boivin, Michel Carpentier, Louise Beaudoin et Corinne Côté, pour ne citer que ceux-là.

La question que tous se poseront alors, c'est celle-ci : dans le sillage de la crise d'octobre et au beau milieu de la guerre clandestine livrée au PQ par la police fédérale, à qui Pierre Trudeau avait confié la mission de surveiller les groupes séparatistes, René Lévesque a-t-il fait entrer un loup dans sa bergerie ? Et même une taupe, dont le nom de code que la GRC lui avait attribué était Q-1, la lettre Q indiquant la province d'origine, et le chiffre 1, qu'il était la plus ancienne source de la GRC au Québec.

Il faut remonter loin en arrière pour situer le premier contact de Claude Morin avec le monde du renseignement dans lequel il adorera circuler des années plus tard, se croyant bien armé pour manipuler et confondre ceux qui comptaient l'utiliser à leur profit. Un monde qu'il évoquera parfois de façon euphémique, en rappelant son « incursion derrière les lignes de la GRC ».

Né en 1929 à Montmorency, ville dominée par l'industrie textile qui regarde l'île d'Orléans, Claude Morin est le fils du médecin des ouvriers de la Dominion Textile. L'un d'eux était le père du futur sociologue Fernand Dumont, l'ami d'enfance de Claude, avec qui il partage une honte plus ou moins dissimulée à l'égard du Québec de son époque, fermé et sous-scolarisé. Au séminaire de Québec où il étudie en 1942, il commence à se demander comment réformer cette société arriérée.

Préoccupation bientôt suspecte car, dans le contexte de la guerre froide qui a mis les soviétiques au banc de l'Occident, réforme sonne comme révolution. Cela importe peu à l'étudiant qui, en 1949, se met à s'intéresser à la Russie, mère-patrie d'une « réforme » en voie de se propager sur la planète. Il a 19 ans et achève son cours classique. Il apprend le russe, peut le déchiffrer, et dévore périodiques et brochures célébrant les miracles du communisme. Il lit aussi les ouvrages de Marx, de Lénine et de Staline qu'il se procure, en 1950, lors d'un voyage à Paris au cours duquel, dira-t-il, il a connu ses premiers vrais communistes.

1950, c'est aussi l'année où il s'inscrit à l'École des sciences sociales de l'université Laval. Y règne alors en maître le père Georges-Henri Lévesque dont les démêlés avec Duplessis resteront célèbres. Le climat de contestation sociale et politique de la faculté convient à Claude Morin. C'est à cette époque qu'il décide de faire trois choses dans sa vie : voyager beaucoup, changer la société et épouser une étrangère !

Son premier contact connu avec la GRC se situe en 1952. L'officier s'appelle Raymond Parent. Plus tard, les spécialistes du renseignement affirmeront que ce dernier aura été son « contrôleur » durant plus de 20 ans. Un homme que Claude Morin prendra en affection. À sa mort, il dira qu'il avait été un père pour lui. Le motif de cette première rencontre avec la police fédérale ? La diffusion du *Cuirassé Potemkine,* un film russe très mal vu à l'époque, au ciné-club de la faculté.

Tout avait commencé quand l'administrateur de la faculté, scandalisé que les étudiants projettent des films communistes, s'en était plaint au père Lévesque, qui avait fait venir Claude Morin : « Vous ne trouvez pas que nous avons assez de difficultés comme cela ? » Et le doyen lui aurait suggéré « d'aller voir quelqu'un, pour obtenir la bénédiction de la GRC sur les films communistes ».

Le père Lévesque confirmera cette version sauf sur un point : il n'avait pas demandé à l'étudiant d'aller à la GRC. Mais celui-ci l'avait tenu au courant de sa rencontre avec Raymond Parent. Claude Morin, dira encore le père Lévesque, était le seul de ses étudiants à parler à la GRC ; jamais cependant il ne sollicitait son approbation ni sa permission. En 1994, dans *Les choses comme elles étaient,* Claude Morin écrira qu'il ne se souvenait plus qui « eut d'abord l'idée » d'obtenir l'aval de la police pour la diffusion du film.

Quoi qu'il en soit, l'étudiant se rend bel et bien au bureau de la GRC, dans Grande-Allée. Raymond Parent est à l'époque tout jeune et fort sympathique. Il se moque presque en apprenant que les étudiants veulent projeter un film sur un vilain cuirassé soviétique, écartant du même souffle la confession que le jeune Morin croit bon de faire à propos de ses lectures suspectes. Non seulement le policier ne s'offusque pas du fait qu'il est abonné à des revues communistes, mais il tente de le recruter, lui tendant un formulaire qu'il n'a qu'à remplir et à acheminer à Ottawa.

Claude Morin affirme qu'il a décliné l'invitation car il lui restait deux années d'études en économie à terminer. Toutefois, l'idée d'une carrière dans la « police montée », symbole prestigieux du Canada à l'étranger, lui trotte dans la tête. Cette même année 1952, il se rapproche des milieux communistes canadiens et québécois. Il prend le train pour Toronto où se déroule le Congrès pour la paix, organisation pacifiste qui sert de couverture au communisme international. Quelques années plus tard, Raymond Parent lui reparlera de ce voyage, ce qui confirme que, dès leur premier contact, il avait commencé à surveiller ses faits et gestes et à les consigner dans un dossier doté d'un nom de code.

Au même moment, Claude Morin s'arrange pour se lier avec Gérard Fortin, l'animateur du Syndicat des bûcherons, seul syndicat québécois ouvertement communiste. C'est dans le local de ce syndicat qu'il fait la connaissance d'un autre communiste notoire, Pat Walsh, qui est en réalité informateur pour la GRC. Walsh habite Boischatel, tout à côté de Montmorency, et les deux hommes se croisent régulièrement dans le train.

Vers la fin de 1953, avant de terminer ses études, Claude Morin entreprend des démarches pour se trouver un emploi. Les Affaires extérieures l'intéressaient mais Maurice Lamontagne, son prof d'économie qui a ses entrées au cabinet du premier ministre Louis Saint-Laurent, a tôt fait de rafraîchir ses ardeurs : à Ottawa, il est très suspect. On le considère comme un communiste...

En d'autres mots, il constitue un « *security risk* ». Pas question, donc, de faire carrière au fédéral. Ni à la faculté, aucun poste de professeur n'étant disponible. Claude Morin se tourne du côté de la GRC où, croit-il, il pourrait devenir analyste politique de l'Europe de l'Est et de la Russie. Son contact, Raymond Parent, a quitté Québec ; son successeur, le caporal Len Gendron, qui chasse les espions soviétiques et les révolutionnaires sur le campus de l'université Laval, lui répond : « Je ne m'occupe pas de recrutement. Adressez-vous à Ottawa. »

C'est après cette visite que tout débloque, selon ce que Claude Morin racontera dans ses mémoires. Le père Lévesque lui promet un poste de professeur à l'École de service social jumelée à la faculté. Plus encore, et c'est un vrai miracle, il lui offre une bourse... fédérale de 3 000 $ par année, pour lui permettre de se spécialiser en économie sociale à l'université Columbia, à New York. Il n'est donc plus sur la liste noire d'Ottawa ? S'y est-il seulement trouvé ?

De son séjour aux États-Unis, entre 1954 et 1956, naîtront diverses rumeurs l'associant qui au KGB, qui à la GRC, qui à la CIA... Ce que Claude Morin rejettera toujours catégoriquement, en réitérant que sa réputation d'espion est née du banal incident du *Cuirassé Potemkine*. Des initiés émettront cependant l'hypothèse qu'il aurait été recruté par un frère de sa femme, l'Américaine Mary Lynch épousée à Philadelphie en 1955, qui aurait appartenu à la CIA. « Une fable extravagante », oppose Claude Morin en rappelant que ses beaux-frères américains étaient du monde ordinaire — comptable, employé de bureau et technicien — qui ne s'intéressaient pas à la politique, encore moins à la CIA.

Une autre piste, signalée par Louise Beaudoin, mènerait plutôt à son autre beau-frère roumain, Nicolas Radoiu, marié à sa sœur Denise. Plus âgé de quelques années que Claude Morin, Nicolas Radoiu avait débarqué au Canada en 1950 et s'était fixé à Québec où il avait dû reprendre à zéro ses études de médecine. En 1954, il se trouvait à New York, pour s'y spécialiser, au moment où Claude

Morin étudiait à l'université Columbia. Les deux jeunes gens s'étaient liés d'amitié, trois ans plus tôt, à Kingston, où ils travaillaient comme étudiants. Au retour, Nicolas Radoiu avait pratiqué la médecine à Hull avant d'émigrer à Detroit où il vit aujourd'hui.

Selon cette thèse, le Roumain aurait fait de l'espionnage sur le front russe pour le compte des nazis, alors que son pays était allié à l'Allemagne. Après la guerre, recruté par les Américains, il aurait été parmi les espions nazis récupérés par la CIA qui voulait tirer profit de leur expertise et de leur connaissance du KGB et de l'Union soviétique, devenue l'ennemie numéro un de l'Occident.

Pareille histoire d'espionnage apparaît à Claude Morin comme saugrenue et bancale. Durant la guerre, Nicolas Radoiu avait 19 ans quand il avait été conscrit. Il n'avait pas eu le temps d'aller bien loin sur le « front russe », car les Allemands reculaient et l'Armée rouge envahissait la Roumanie. Alors, comment imaginer qu'un conscrit étudiant, sans expérience ni formation, aurait pu se métamorphoser en un super-espion traversant les champs de bataille sans connaître la langue de l'ennemi pour y glaner des informations secrètes retransmises par la suite à ses supérieurs ?

Rentré de New York, en 1956, Claude Morin aborde à 27 ans sa carrière de professeur. Cette année-là, il remporte le deuxième prix du concours de l'ambassade soviétique d'Ottawa destiné à évaluer les connaissances des participants sur l'Union soviétique. Quand on lui demande d'expliquer le contexte, il répond : « Je vais vous amuser. J'avais la grippe asiatique et j'ai dû rester au lit deux semaines. J'ai demandé à ma secrétaire de m'envoyer des revues. Dans l'une qui venait de l'ambassade soviétique, il y avait ce concours. J'ai pris l'encyclopédie britannique pour répondre aux questions et j'ai gagné ! »

En 1963 débute sa carrière aux côtés de Jean Lesage. De son propre aveu, jusqu'en 1966, ses rapports avec le monde du renseignement s'étiolent. Mais au printemps de cette même année, le premier ministre lui demande de rencontrer discrètement un officier de la GRC, qui s'avérera être nul autre que Raymond Parent★. « Ottawa

---

★ Selon Donald Cobb, ex-agent sous les ordres de Raymond Parent, ce serait plutôt Claude Morin qui aurait demandé à Jean Lesage la permission de rencontrer Raymond Parent. C'est du moins ce qu'il a confié à Richard Cléroux, auteur d'un livre fortement documenté sur les Services secrets canadiens.

s'énerve au sujet d'un agitateur français, dont les entreprises plus ou moins clandestines en sol canadien dépassent les cadres des ententes franco-québécoises », lui confie alors le policier. Il s'agit de Philippe Rossillon, un zélé de la francophonie qui se bat partout dans le monde où le français est menacé et qui a ses entrées dans le mouvement indépendantiste québécois.

Quelques mois plus tard, le passé de Claude Morin le rattrape encore. Au cours d'une réception à l'Exposition universelle de 1967, où les agents de la GRC abondent, un grand gaillard l'arrête au sommet d'un escalier mécanique : « Je vois que vous n'avez pas eu besoin d'un emploi chez nous ! Vous vous êtes bien débrouillé... » Il s'agit de Len Gendron à qui il avait demandé du travail, en 1953. Claude Morin conclut : « Ils me surveillent à la RCMP ! » Et comment ! Sa fonction de sous-ministre le mettant en contact avec l'étranger, la GRC croyait avoir trouvé l'homme idéal pour faire le pont entre elle et le gouvernement du Québec, que la tenue de l'Expo universelle place au cœur d'un chassé-croisé d'agents secrets.

En 1969, Raymond Parent lui fait signe de nouveau. Devenu l'un des hauts gradés de la police fédérale, il vient d'accoucher d'un plan de sabotage du mouvement séparatiste québécois, comme le révélera dans les années 80 la commission d'enquête fédérale McDonald sur les activités clandestines de la GRC.

Selon l'ex-agent Donald Cobb, Raymond Parent a utilisé avec Claude Morin la technique classique qui consiste à confier à quelqu'un des informations délicates qui finissent par le compromettre. Débute alors une série de rencontres où Claude Morin sera amené à aborder la question séparatiste. Raymond Parent lui parlera des espions soviétiques qui ont infiltré les services français d'espionnage qui ont infiltré à leur tour la coopération franco-québécoise... Il lui citera au passage les noms de fonctionnaires québécois et de ministres jugés plus ou moins suspects par la GRC : Gilles Loiselle, Marcel Masse, Jean-Guy Cardinal...

Le « Vive le Québec libre » de Charles de Gaulle ne s'explique pas autrement, affirme le policier. Le général a été manipulé par les agents soviétiques qui voulaient briser l'unité de l'Amérique du Nord en provoquant la sécession du Québec. Pour le prouver, Raymond Parent lui remet le roman de Léon Uris, *Topaze*. Basé sur des faits véridiques, ce livre décrit le noyautage par les Russes du cabinet du président français. Claude Morin prend cela avec le sourire, comme il le dira par la suite. Mais le fait demeure qu'il échange avec la GRC de l'information (non accusatrice, jurera-t-il) à propos de ministres québécois. Quelques années plus tard, l'un d'eux, Marcel Masse, exigera de lui des explications.

Après 1970, s'amorce ce qu'on appellera la « sale guerre » de la GRC contre le Parti québécois, surnommée par la presse anglophone « *dirty tricks* ». Raymond Parent, décrit comme le plus redoutable traqueur de séparatistes, en est l'un des généraux avec le fameux John Starnes, qui défraiera les manchettes en mettant le gouvernement Trudeau dans le bain. Une question vient naturellement à l'esprit : Claude Morin faisait-il partie de l'opération ? Car c'est ce moment-là qu'il choisit pour entrer au PQ.

Cet homme est un personnage complexe. Qui est-il vraiment ? se demandent encore aujourd'hui ses proches et les ministres qui l'ont connu de près. Les uns lui donnent le bénéfice du doute, car de tous les grands mandarins de l'époque, il est celui qui a fait le plus avancer sa province sur la voie de l'autonomie, au point de devenir la « bête noire » de Pierre Trudeau. Côté espionnage, il a fait ce que font tous les gouvernements du monde : infiltrer l'adversaire pour mieux le contenir. La partie qui se jouait était serrée et les gens d'en face, redoutables. C'est de la sécession du Québec dont il était question.

Les autres le condamnent tout aussi résolument. Claude Morin n'aura été en définitive qu'un mandarin venant du froid, qu'un espion fédéraliste très futé qui a adhéré au PQ avec un seul objectif : faire échouer le grand rêve de René Lévesque. Une accusation qui, de son propre aveu, le blesse profondément : « C'est une absurde invention véhiculée par les ignorants ou des paranoïaques », se défend-il, en rappelant qu'il aurait plus nui au PQ s'il avait refusé d'y militer. Il apportait au parti sa connaissance intime du régime fédéral, des arguments nouveaux, sans oublier non plus qu'il était en quelque sorte une preuve vivante que le fédéralisme était nocif aux Québécois.

Quand on lui reproche ses conversations avec la GRC, en 1966, en 1969 et en 1974, Claude Morin se justifie en rappelant que durant les années 60 il agissait comme sous-ministre dans le cadre d'une mission gouvernementale. Après 1974, s'il a décidé « d'aller voir », c'est parce qu'il redoutait des infiltrations fédéralistes ou étrangères susceptibles de déstabiliser le PQ. « J'ai cru de mon devoir d'aller de l'avant parce que je savais que la GRC se livrait à des opérations contre le PQ et que la meilleure façon de se protéger contre ce qu'elle mijotait était de se renseigner. »

Quoi qu'il en soit, nous reviendrons sur l'énigme Morin dans le troisième tome de cette biographie. Mais le paradoxe, s'il y en a un, c'est que, en 1972, René Lévesque a un urgent besoin de lui pour tenir en échec les éléments radicaux de son parti qui cherchent à le pousser vers des positions extrémistes. Comme le dira un jour Claude Morin, la meilleure façon de nuire au Québec, au début des années 70, aurait été de le pousser dans une direction « pure et dure » qui garantissait l'insuccès. « Aider Lévesque », voilà le titre qu'il donnera d'ailleurs au chapitre de ses mémoires consacré à son adhésion au PQ.

CHAPITRE XLVII

Carnet de voyage

Mais on se sent chez nous ici !

RENÉ LÉVESQUE en Normandie, juin 1972.

À l'été 1972, le chef du Parti québécois part à l'étranger pro-mouvoir l'indépendance. Depuis la fondation de son parti, c'est sa première incursion politique en Europe. Avant les élections d'avril 1970, il s'y refusait de peur de s'attirer le ridicule, lui le chef d'un parti sans député. « Ça ferait un peu gogo », objectait-il.

Maintenant, le PQ forme l'opposition officielle véritable, même avec si peu d'élus, et il peut aspirer au pouvoir. Sans faire de lui l'interlocuteur obligé des dirigeants des trois pays visés, France, Belgique et Angleterre, son score électoral de 24 pour cent des voix a soulevé l'intérêt. De plus, le Québec a fait couler beaucoup d'encre durant la crise d'octobre. Le moment lui paraît propice pour expliquer à l'étranger la nouvelle donne canadienne. Propulsée en 1967 par Charles de Gaulle, la question québécoise refuse de mourir.

Le plat de résistance est la France où il séjournera 10 jours, s'en réservant cinq pour la Belgique et l'Angleterre. Il poursuit plusieurs objectifs. D'abord, renouer avec les Français dont la connaissance du Québec se limite trop souvent aux arpents de neige de Voltaire, à ma cabane au Canada, au Québec libre du général de Gaulle et au FLQ qui a tué un ministre.

Certes, les ententes franco-québécoises ont ouvert de nouvelles portes et créé un courant de sympathie, mais le danger pour René Lévesque serait de croire qu'au-delà des clichés habituels les deux peuples se connaissent bien. Deux siècles se sont écoulés avant le coup de foudre du balcon de l'hôtel de ville de Montréal qui a choqué la planète (lui compris), mais envoûté le peuple québécois, comme les sondages l'ont montré.

Son défi est de convaincre les Européens que le Canada et le Québec sont vraiment deux pays différents. « Ça ne sera pas facile », confie-t-il à ses proches. Georges Pompidou, successeur du général, est un orthodoxe. Il ne reconnaît au Canada qu'un seul gouvernement national, celui d'Ottawa. Voilà pourquoi son ministre des Affaires étrangères, Maurice Schumann, s'est rendu dans la capitale fédérale célébrer les progrès du bilinguisme au Manitoba ! Depuis le départ de Charles de Gaulle et l'entrée en fonction de Robert Bourassa, Maria Chapdelaine et toutes les banalités d'usage sur le Canada uni sont de retour.

René Lévesque compte bien faire connaître les aspirations réelles des Québécois, en dessinant là-bas « une image équilibrée » de l'évolution de la province, afin de contrecarrer la désinformation de la presse anglo-américaine et des diplomates fédéraux canadiens-français. Parallèlement, il corrigera l'image déformée qu'Ottawa s'ingénie à donner du PQ en ravalant son programme social-démocrate à du gauchisme, et son option souverainiste à du felquisme déguisé. Enfin, il entend se ménager des appuis pour l'avenir dans les milieux qui pèsent lourd. De là, certains contacts secrets prévus à son programme.

Cela dit, René Lévesque n'est pas convaincu que la carte française sera la meilleure à jouer, le jour J. Car pour lui, l'attitude américaine fera foi de tout. Ses proches savent comme il n'est pas facile de lui faire admettre l'importance des relations du Québec avec la France. S'il arrive qu'un visiteur français se montre impérialiste, ils doivent s'y mettre à plusieurs pour modérer ses ardeurs en lui faisant valoir que les relations avec la France doivent être conduites de façon discrète sur une base d'affaires, sans émotivité, en évitant d'encourager la francophobie des Québécois.

Sa propre expérience, durant la Seconde Guerre mondiale, ne l'aide pas à adopter une attitude objective. De plus, à la fin des années 50, en pleine guerre d'Algérie, Paris lui avait interdit l'entrée du pays en l'accusant d'être en faveur des insurgés. Il a gardé de l'incident le souvenir d'une France autoritaire imbue d'un colonialisme d'un autre âge.

En 1962, ministre, il mangeait encore du « maudit Français ». Reçu à Amos pour inaugurer la route Amos-Matagami, il avait sursauté quand Lucien Cliche, député d'Abitibi-Est, et Mgr Albert Sanschagrin avaient annoncé que Matagami allait devenir Mazenod. Du nom du fondateur français des Oblats, qui avaient été les premiers à fouler le sol de Matagami. « Je ne donnerai jamais le nom d'un maudit Français à un pouce de territoire de la province ! » avait-il lancé à l'évêque qui, outré, exigeait des explications.

Aujourd'hui, en montant dans l'avion avec Bernard Landry, promu chef de cabinet pour la circonstance, René Lévesque s'émerveille de « l'intérêt extraordinaire » suscité par sa visite en France. Ses organisateurs ont dû refuser des invitations. À Paris l'attendent les deux guides qui le piloteront dans le monde piégé de la politique et des médias européens. Le premier s'appelle François Dorlot. C'est un étudiant québécois d'origine française qui a préparé le terrain. Le second est une femme, Louise Beaudoin, future pasionaria de la cause québécoise en France.

Dans deux ans, ces deux-là s'épouseront. Mais l'un et l'autre sont déjà aussi exceptionnels que le couple qu'ils formeront bientôt. Contrairement à sa future femme, François Dorlot préfère l'ombre. Par tempérament, mais aussi pour faire oublier peut-être que son nom a été associé au FLQ. (Pauvre René Lévesque ! il n'arrivera jamais à s'entourer de personnes au-dessus de tout soupçon !) La GRC le soupçonne de faire partie de la filière française qu'anime le gaulliste Philippe Rossillon, l'espion « plus ou moins secret » dépisté par Pierre Trudeau et qui a aidé des felquistes réfugiés à Paris durant les années 60.

En 1965, étudiant le droit à l'Université de Montréal, François Dorlot est interpellé par la police lors d'une rafle consécutive à l'attentat à la bombe contre la statue de la Liberté tramé par deux de ses amies, Michèle Duclos, animatrice de télé, et Michèle Saulnier, professeur de psychologie, et une organisation noire américaine, le Black Liberation Front de New York.

Appelé à témoigner, lors de la comparution préliminaire de Michèle Saulnier, François Dorlot doit expliquer ce qu'il a vu dans la boîte de carton qu'il a transportée dans la Rambler blanche de

Michèle Duclos, quelques minutes avant le départ de celle-ci pour New York. La police soupçonne que la dynamite devant servir à faire exploser la statue de la Liberté s'y trouvait. Le jeune étudiant est convaincu du contraire et répond à l'avocat de la Couronne, Jean-Guy Boilard : « Par les interstices de ses pattes, j'ai vu des livres. Des livres de poche dont les couvertures étaient de couleur vive… »

En 1968, le nom de François Dorlot, alors recherchiste à la Commission d'enquête fédérale sur le bilinguisme et le biculturalisme, refait surface avec celui de Louise Beaudoin dans un rapport secret de la GRC remis à Pierre Trudeau. Le dossier, coulé dans la Presse canadienne par le fédéral « afin de dresser un véritable réquisitoire selon la méthode du *guilt by associations* », écrit Michel Roy, du *Devoir*, accuse François Dorlot d'être un agent du fameux Philippe Rossillon, qu'il a rencontré à Montréal. Mais comme le dénommé Rossillon a rencontré également quantité d'autres indépendantistes, de Marcel Chaput en passant par Raymond Lemieux jusqu'à Jacques Poisson, linguiste militant au RIN, cela ne prouve rien, remarque Michel Roy.

De son côté, le secrétaire d'État, Gérard Pelletier, déclare aux Communes : « Il n'y aura pas d'affaire Dorlot. » Et quand Pierre Trudeau accuse « l'espion » français d'être allé fomenter la révolte chez les francophones du Manitoba, les caricaturistes s'en donnent à cœur joie. Officiellement secrétaire général du Haut-Comité pour la défense de la langue française subventionné par le gouvernement français, Philippe Rossillon circule néanmoins dans le paysage québécois depuis aussi loin que 1956, alors qu'il se trouvait à Trois-Rivières, à la clôture de la campagne électorale de Maurice Duplessis. Sous Jean Lesage, il a pris contact avec des membres du Cabinet et avec des hauts fonctionnaires, dont Claude Morin.

Ce zélé de la francophonie a noué des rapports avec les indépendantistes dès le début des années 60. Il se trouvait à Québec lors du « samedi de la matraque » de 1964, déclenché par l'opposition des rinistes de Pierre Bourgault à la visite de la reine. Il était en relation avec Michèle Duclos avant son arrestation à New York. À Paris, il a aidé des felquistes en fuite. En 1965, il a participé à la signature de l'Accord culturel franco-québécois, puis s'est mêlé aux préparatifs de la visite du général de Gaulle au Québec, à l'été 1967. Et quand la guerre linguistique a fondu sur Saint-Léonard, en 1968, Philippe

Rossillon a pris sa carte du Mouvement pour l'intégration scolaire (MIS), dirigé par l'architecte Raymond Lemieux.

Bref, les services de renseignement français pourraient dire de lui qu'il est depuis 15 ans « notre homme au Canada ». C'est donc avec cet activiste que François Dorlot a partie liée, affirme Ottawa. Peu avant la crise d'octobre, muni d'une bourse d'étude du Conseil des Arts du Canada d'une valeur de 4 500 $, l'étudiant s'est installé à Meudon, en banlieue de Paris, pour préparer une thèse sur la navigation fluviale canadienne au XVIIIe siècle. Il s'est mêlé comme tout le monde au milieu étudiant québécois, dont les sympathies felquistes affleuraient, et s'est lié aussi avec Mario Bachand, ex-felquiste en fuite qui sera assassiné plus tard dans son appartement de Saint-Ouen.

La feuille de route de Louise Beaudoin, Zonzon pour les intimes, est tout aussi spéciale. Naturellement rebelle, aimant séduire, très émotive aussi, comme le lui reproche René Lévesque, elle traînera toute sa vie une réputation de femme fatale, voire de Mata Hari qui ne compte plus ses conquêtes. Née à Québec dans une famille bourgeoise où le père, juge, votait bleu et la mère, issue d'une famille de banquiers, ne jurait que par les rouges, Louise Beaudoin se trouve chez elle en politique.

Après des études en histoire à l'université Laval, elle s'inscrit à la Sorbonne au moment où les étudiants contestataires de mai 1968 montent aux barricades. Elle dira par la suite : « J'ai vécu aux premières loges ce que les Français se permettent de faire tous les 50 ans depuis la révolution de 1789. » Venant d'une famille très francophile, en France elle se sent vite comme chez elle.

Mil neuf cent soixante-huit, c'est aussi l'année du décollage du Parti québécois dont elle suit de Paris les moindres péripéties, quêtant auprès des Québécois de passage documentation et information. Femme d'action, elle se fait élire secrétaire de l'Association générale des étudiants du Québec en France et quand Fernand Paré, un proche de René Lévesque, passe par Paris, elle lui annonce son intention de créer une section française du Parti québécois.

René Lévesque pèse déjà lourd dans sa vie. Elle l'a connu à 20 ans et des poussières, alors qu'elle fréquentait comme tant d'étudiants politisés le restaurant L'Aquarium, en face du Château Frontenac. Elle confiera plus tard à la journaliste Micheline Lachance : « Il m'appelait la petite bourgeoise à cause de ma famille et après, il m'a eu à l'œil dans tous les sens... »

Femme émancipée, elle l'a tutoyé dès le départ, sans qu'il la corrige devant les autres. Il n'en fallait pas plus pour que fuse la rumeur d'une aventure amoureuse, comme cela se reproduira aussi avec Claude Morin, le deuxième homme important de sa vie politique de ce côté-ci de l'Atlantique.

Entre René Lévesque et elle subsistera toujours une bonne relation accompagnée d'échanges épistolaires sporadiques. Durant son année à Paris, elle le tient au courant des moindres détails de sa vie. Ainsi, en février 1969, elle lui écrit : « On vient de me faire parvenir le *Maclean* sur lequel apparaît ta photo, qui m'a déçue puisque tu sembles avoir les yeux bruns. Or ce qui m'a toujours fascinée chez toi, ce sont tes yeux verts, d'un vert assez rare. »

Dans ses lettres, elle regrette d'être mal informée de la situation québécoise : « *Le Monde* a surtout rapporté les "niaiseries" de Pierre Elliott à Londres et à Rome, mais est demeuré muet ces derniers temps sur le Québec, sauf lors du voyage du vice-premier ministre [Jean-Guy Cardinal] de la république-de-pelures-de-bananes. Charles [de Gaulle] a été grandiosement éloquent. Nous, nous étions gênés ! »

Elle se plaint aussi de ses difficultés à vendre la souveraineté : « Les Français ne comprendront jamais que nous ne voulons pas faire l'indépendance au nom de la civilisation et de la culture française. Que nous parlions français est un accident. L'essentiel, c'est que nous sommes colonisés et que nous désirons être maîtres chez nous. »

Même Maurice Duverger, sommité qui lui enseigne la science politique, n'arrive pas à bien saisir le projet de René Lévesque. Quand elle le lui décortique avec la logique passionnée qui la caractérise, le savant professeur s'émeut plutôt de son accent charmant qui lui rappelle, dit-il, celui de ses ancêtres charentais ! « Tout de même, conclut-elle, je persiste à croire qu'il faut se servir de la France sur le plan international. Grand chef, salut ! Écris un mot, même s'il n'est que petit, petit... Louise. »

Rentrée à Québec à l'été 1969, elle amorce une carrière de fonctionnaire avec Claude Morin, aux Affaires intergouvernementales dirigées par le ministre unioniste Marcel Masse. Elle a 24 ans. Sa carrière prend fin brusquement peu après l'arrivée de Robert Bourassa au pouvoir. Avant qu'elle n'ait eu le temps d'obtenir sa permanence, le nouveau ministre de la Fonction publique, Oswald Parent, la fait virer, en 1971, à cause de ses convictions souverainistes.

Pourtant, elle ne faisait pas trop de vagues depuis son retour. Durant la crise d'octobre, elle s'est tenue peinarde, prenant au sérieux la mise en garde de son père : « Même si je suis juge, une fois les mesures de guerre adoptées, je ne pourrai rien pour toi. »

C'est alors que sa vie se lie plus étroitement à celle de Claude Morin, lui-même sur le point de démissionner. Il la fait venir à son bureau pour lui lire la lettre qu'il a remise à Oswald Parent en guise de protestation contre sa mise à pied. Les libéraux reviennent à l'ère duplessiste où les fonctionnaires qui ne votaient pas du bon bord étaient congédiés. Claude Morin lui confie qu'il entre comme professeur à l'École nationale d'administration publique et lui propose de le suivre. Elle y enseignera jusqu'à 1976, année où elle retournera au gouvernement avec lui comme chef de cabinet.

Une fête de la Rose très arrosée mais ratée

À Paris, le 9 juin, premier test — réussi — de René Lévesque qui fait face à une batterie d'experts du Centre d'études politiques, rue de Varenne. Un auditoire guindé qui s'étonne, le mot est faible, de son style simple et de « son joual de bon aloi ». Parlant de pieds, de pouces, de milles, de Schefferville, du Forum, de la Gaspésie, gesticulant et fumant comme une locomotive, le chef du PQ déride l'assemblée qui, bientôt conquise, l'ovationne quand il rappelle en terminant que le Québec souverain deviendra « le deuxième pays en importance de la francophonie mondiale ». Une chose le frappe : ses interlocuteurs paraissent très informés du Québec, et mieux que leurs homologues de Toronto ou d'ailleurs au Canada.

Le lendemain, en Normandie où il a été correspondant de guerre et où les soldats canadiens se sont illustrés lors du débarquement allié de 1944, René Lévesque fait l'objet d'une protection policière étroite. À Caen, les affiches de sa conférence publique ont été déchirées ; la mairesse de Saint-Martin-des-Prés, Marie-Annick Dubois, a réduit devant la presse l'indépendance du Québec à une lubie d'intellectuels.

L'après-midi, le député Buot l'emmène au tombeau de Guillaume-le-Conquérant. Après quoi le maire de Caen lui fait visiter sa ville, reconstruite entièrement et débordant de prospérité, avant de le recevoir à la mairie, l'ancienne Abbaye aux Hommes, où l'attendent les parlementaires de la région.

Le samedi soir au cours d'une assemblée publique, « l'homme aux cheveux poivre et sel et à la cigarette agitée », comme le décrit la presse locale, explique dans son style direct qu'avec ses six millions d'habitants, un budget de plus de 40 milliards de francs, un revenu national par habitant supérieur à celui de la France, des ressources naturelles énormes, un Québec souverain serait viable.

René Lévesque met les Français en garde contre « les images désuètes » que montrent du Québec l'ambassade du Canada et la propagande fédéraliste. Il décrit la crise d'octobre, qui a fait beaucoup jaser ici, comme « un complot dirigé contre le Québec » et rassure ses auditeurs : l'indépendance se fera sans effusion de sang car le Parti québécois n'a aucun lien avec le FLQ.

Un message qu'il répétera souvent, n'hésitant pas à dire que Pierre Trudeau avait déshonoré le Canada en invoquant la Loi des mesures de guerre, une loi si extrême que ni la Grande-Bretagne durant le blocus nazi, ni les États-Unis lors de l'assassinat du président Kennedy n'avaient osé l'imposer à leurs compatriotes. Touché par l'accueil normand, le chef péquiste ne peut s'empêcher de répéter le mot de Charles de Gaulle, au Québec : « Mais on se sent chez nous ici ! »

Le lendemain, dimanche, Louise Beaudoin, François Dorlot et Bernard Landry le conduisent dans la petite localité de Mézidon où se déroule la fête socialiste de la Rose dont l'invité est François Mitterrand, chef du Parti socialiste et futur président de la France, qu'il doit rencontrer brièvement. Il pleut à boire debout sur le terrain de la kermesse de Mézidon, sans compter que le rosé coule à flot pendant que la foule espère le grand homme qui a deux heures de retard.

François Mitterrand partage avec René Lévesque une absence de ponctualité, mais c'est à peu près tout. Sa poignée de main est molle et manque de chaleur. Le chef socialiste s'attarde plus longuement avec le poète grec en exil, Mikis Théodorakis, qui est de la fête, qu'avec le chef péquiste qui a l'impression nette d'être snobé.

C'est qu'en bon socialiste européen, François Mitterrand se méfie du nationalisme, fût-il de tendance social-démocrate comme celui des cousins d'Amérique. Pour lui, nationalisme ne rime pas avec gauche. En 1967, quand de Gaulle a fait mousser la cause québécoise, il s'est réfugié dans le silence par anti-gaullisme certes, mais aussi parce qu'il refusait de s'associer à ce débordement de nationalisme vétuste provoqué par la droite et que René Lévesque incarne à ses yeux.

Le mal-aimé de la fête de Mézidon (le lendemain, *Paris-Normandie* parlera de « Régis » Lévesque) gardera le plus mauvais souvenir de François Mitterrand, dont visiblement il faudra faire l'éducation, tâche dont se chargera plus tard Louise Beaudoin quand elle sera parvenue à l'amadouer.

À son retour à Montréal, René Lévesque se défoulera auprès de ses proches, laissant tomber devant Pierre Marois : « Quel homme chiant ! Il se prend pour de Gaulle, il ne lui va pas à la cheville ! » Dans sa colonne du *Journal de Montréal*, il le réduira à « un ancien ministre d'une foule de cabinets qui promet toujours ». Il y racontera : « On attend M. Mitterrand, parti de Marseille dans un petit avion qui cherche interminablement dans les nuages noirs le chemin obscur de Mézidon. Naturellement lointain et réservé, il serre quelques mains, se montre modérément intéressé par notre présence et laisse tomber quelques phrases diplomatiquement incolores sur le cas québécois... »

Rentré à Paris, René Lévesque abandonne l'hôtel Lutétia, boulevard Raspail, hors de prix pour le pauvre budget dont il dispose — 2 500 $ pour un voyage de 15 jours. Il déménage à l'hôtel plus modeste du Pas-de-Calais, rue des Saints-Pères, à deux pas des Deux-Magots, café rendu célèbre par Jean-Paul Sartre et Simone de Beauvoir. Dans la lettre qu'il écrit ce soir-là à sa Corinne « loin-loin, comme perdue », il a le cafard : « J'arrive de Caen et autres lieux en Normandie, tout crevé et crotté. On nous a promenés à la pluie jusqu'à une fête champêtre socialiste où j'ai eu l'honneur de frôler François Mitterrand — plutôt "faiseux" et vieux politicien. Il est une heure du matin. Je m'ennuie. J'ai pensé à toi tout le long du parcours de deux heures en train. Je te revois l'autre soir quand tu as failli me dire quelque chose, juste au moment de partir. Tu avais un air d'urgence, puis tu as fait signe que non et je suis parti. En me retournant, après 30 secondes, tu avais déjà disparu. Ça m'a traumatisé, ce départ. Je te garde comme tu étais — "en midi" qui te va... trop bien, trop belle, et presque "partie" avec tes deux Scotchs !

« Dès l'arrivée, vendredi, à 8 h 30, limousine s.v.p., plus M. Dorlot avec l'inévitable Louise Beaudoin — qui trahit C. M. avec le dénommé D. ! — et quelques autres volontaires du terroir… Moi, ils vont me vider, c'est presque aussi tuant qu'une campagne électorale. Pire même, parce qu'on n'est pas chez nous, qu'il faut s'ajuster et faire attention parce que c'est sans cesse pelure de banane. »

René Lévesque raconte à Corinne dans le détail ses premiers démêlés avec « la soixantaine de cerveaux québécophiles » du Centre d'études politiques de la Sorbonne, avec un Jurassien qu'il a expédié en 30 minutes, avec « les enragés » de l'Association des étudiants québécois en France, des « gauchistes à mort qui se sont révélés des moutons déguisés en tigres », avec les notables de Caen « où nous apportions un parfum de vieille France, ma parole ! »

Après avoir évoqué « le meeting socialiste… ouf ! », l'amoureux se fait plus tendre : « Demain, le vrai pire commence. Si je tiens le coup, c'est parce que je te "gagne" au bout (allusion à leurs vacances en France une fois la visite officielle terminée). À peine le temps de voir un peu la France incroyablement plus dynamique et riche que je ne l'avais vue, il y a 5 ans. Tu devrais aimer ça. En attendant, vite, écris-moi. C'est affreux ce que c'est long. Je t'ai dans la peau, mais ça ne m'avance guère ! Je t'aime. René. »

Pas de tapis rouge pour René Lévesque

À Paris, où il séjourne du 12 au 15 juin, le chef souverainiste doit éviter les faux pas de la diplomatie hautement névrotique du triangle : Ottawa-Paris-Québec. Jean Chapdelaine, délégué général du Québec en France, admire René Lévesque et ne s'affole pas de son souverainisme. Après 1976, il reprendra du service à ses côtés. Mais aujourd'hui, en vrai diplomate, il tait ses opinions et fait la politique des libéraux.

Quelques semaines plus tôt, il a laissé savoir à Pierre Marois, qui tâtait le terrain, qu'il n'était pas question de ménager des rencontres officielles à René Lévesque. Tout au plus mettrait-il une limousine à sa disposition et soulignerait-il sa présence par un modeste déjeuner d'une vingtaine de couverts.

Après quoi, il a expédié un télégramme à Gérard D. Lévesque, ministre libéral des Affaires intergouvernementales : « Pas de grande réception, ce n'est pas à la délégation de faire la publicité d'un personnage de l'opposition ou d'ameuter la colonie québécoise à le rencontrer ici, pas de pilotage ni dans l'administration, ni dans le gouvernement, ni dans le monde des partis ou des syndicats. »

Le ton de la missive, qu'elle avait obtenue par quelques chemins détournés (Mata Hari déjà à l'œuvre ?) a rendu Louise Beaudoin furibonde. « On ne se méfiera jamais assez de la mesquinerie du gouvernement en face, écrit-elle à René Lévesque. Le télex de Chapdelaine constitue un chef-d'œuvre de prudence bureaucratique. Grâce à ses attitudes serviles, [Chapdelaine] retrouvera une situation d'ambassadeur du Canada après avoir terminé son mandat à la Délégation. Louise. »

Déjà bien connu des milieux français informés, René Lévesque peut se passer de Jean Chapdelaine. Et aussi de l'ambassadeur canadien Léo Cadieux à qui ses organisateurs, François Dorlot le premier, n'ont surtout rien demandé. René Lévesque ne voulait surtout pas voir le diplomate canadien, mange-séparatistes notoire.

En 1970, au cours des débats du Cabinet fédéral sur le « *separatism as a whole* », il était ministre de la Défense et poussait Pierre Trudeau à faire surveiller les péquistes par l'armée, comme si le Canada avait été une dictature militaire. Léo Cadieux n'a pas pris contact avec René Lévesque, laissant plutôt savoir à Paris qu'Ottawa verrait d'un très mauvais œil tout rapport officiel entre René Lévesque et le président Pompidou, le premier ministre Chaban-Delmas et le ministre des Affaires étrangères Schumann.

René Lévesque met donc les Français dans l'embarras. Les relations entre Paris et Ottawa se normalisent alors que celles avec Québec s'étiolent depuis que Robert Bourassa tient la barre. Tout de même, les Français sont curieux de connaître René Lévesque. Ils le traiteront convenablement, mais sans offusquer Ottawa, comme l'écrit Marcel Adam, correspondant parisien de *La Presse*. Car ce René Lévesque qui fait tant de bruit pourrait bien devenir un jour leur interlocuteur.

L'ambassadeur Cadieux doit donc se résigner à la présence de conseillers du président Pompidou et du premier ministre Chaban-Delmas autour du visiteur québécois. Et à plus encore. À Matignon, où règne le premier ministre, René Lévesque s'entretient avec Jacques Delors, premier attaché de mission et futur grand architecte de l'Europe unie. Il rencontre les ministres Galley, des Communications, Guichard, de l'Éducation, et le secrétaire d'État administratif Malaud.

Plus discrètement, il dîne à l'Élysée en compagnie de trois proches collaborateurs de Georges Pompidou, dont Martial de la Fournière, membre du lobby parisien favorable à l'indépendance du Québec. Jean Jurgenson, personnage clé du Quai d'Orsay et membre lui aussi de la « mafia québécoise », l'invite à un déjeuner tout aussi discret avec des collègues, dont Saint-Ligier de la Sausaye, directeur pour l'Amérique des Affaires étrangères.

René Lévesque note que ses interlocuteurs, ministres ou hauts fonctionnaires, ont une idée très claire du dossier québécois. Son parti a la cote et personne ne se désole des difficultés du gouvernement Trudeau. Quant à Robert Bourassa, passé à Paris avant lui, on semble avoir oublié jusqu'à son nom. À son retour au Québec, René Lévesque dira : « Pas une seule fois on n'a fait allusion à son passage. Ou bien ça n'a pas laissé de traces, ou alors les traces sont de celles qu'on préfère oublier. Comme si on voulait éviter de nous faire de la peine ! »

À gauche, syndicats inclus, son entreprise de séduction est plus ardue. Il est vu comme une créature gaulliste. Aussi répète-t-il inlassablement que l'indépendance ne se fera pas à droite : « Dans votre contexte, nous serions conservateurs. Mais en Amérique, nous sommes à la gauche du centre, nous sommes sociaux-démocrates. »

René Lévesque a au moins un ami socialiste, Michel Rocard, chef d'une faction alliée à François Mitterrand. C'est un homme très relax, et nullement « faiseux » comme l'homme de Mézidon. Le courant passe entre eux. Les banquiers accueillent bien René Lévesque eux aussi. Sortant d'un meeting avec François Bloch-Lainé, président du Crédit lyonnais, le chef péquiste s'amuse : « C'est un vieil ami du Québec et nous avons nettement l'impression qu'à ses yeux, notre crédit est bon ! »

Après quoi il se mesure aux pontifes de la presse afin de les sensibiliser aux réalités gommées ou triturées par l'information fédérale. Comme le fait brutal que la fédération canadienne est « une camisole de force » pour les Québécois, et que même si 80 pour cent de la population du Québec est francophone, 80 pour cent des postes de direction de l'économie sont aux mains des anglophones.

René Lévesque avait demandé à rencontrer les grands éditorialistes de France, les Jacques Fauvet, Jean Lacouture, Jean Daniel et Raymond Aron, mais avait exclu Claude Julien. Avant son départ, il confie à Michel Roy, du *Devoir,* que ce bon ami de Gérard Pelletier « dit des conneries sur le Québec depuis des années dans *Le Monde* ».

Son entourage note qu'il a beaucoup de succès auprès de la presse française. Libérés du handicap de leur opposition à de Gaulle, les journalistes peuvent mieux apprécier le cas québécois. L'un d'eux écrit : « M. Lévesque a réussi à modifier l'idée que se faisaient de l'indépendance les Français, qui le perçoivent maintenant comme un véritable chef d'État et non plus comme le chef d'un mouvement idéaliste romantique. »

Cela est aussi vrai pour les grands patrons qui l'interrogent sur son programme économique. Tout le gratin de la haute finance est venu entendre le petit homme au costume de plus en plus défraîchi qui chausse des souliers sport : Pierre Calvet, de la Banque de Paris, Georges Azière, de la Compagnie financière de Suez, Robert Jablon, de la Banque Rothschild, Serge Allain, de Péchiney, pour ne citer que ceux-là.

Incident diplomatique

Face aux initiatives internationales du PQ, Washington, comme Paris ou Ottawa, ne sait trop sur quel pied danser. En avril, Jacques Parizeau avait rassuré les diplomates américains à Québec. Il leur avait expliqué les fondements de l'action internationale du PQ et avait promis qu'un Québec indépendant ne serait ni un autre Cuba, ni un cheval de Troie nordique, car René Lévesque s'appliquait à éliminer les gauchistes de son parti.

Le State Department est divisé sur la façon de traiter les déplacements du chef du PQ à l'étranger. Faut-il bouder ses activités officielles ou au contraire y participer ? La première attitude paraît indiquée à ceux qui croient que le PQ n'est qu'un feu de paille. Mais le hic, c'est que René Lévesque lui-même et les autres têtes d'affiche du PQ sont très prisées des milieux universitaires et politiques américains. L'oncle Sam peut-il se payer le luxe d'ignorer ce qu'il s'y dit ? répliquent ceux qui sont convaincus que l'indépendantisme ne fera que grandir.

Et Ottawa complique les choses pour les Américains. Chaque fois que des officiels américains s'affichent avec des indépendantistes, les diplomates canadiens protestent. Début mai, quand Jacques Parizeau est allé à Boston, l'ambassadeur canadien à Washington,

Marcel Cadieux, a tempêté si fort que le département d'État a interdit à ses représentants de se montrer.

Au moment même où René Lévesque s'apprêtait à partir pour Paris, les deux écoles s'affrontaient. Finalement, l'intransigeance a prévalu. L'ambassade américaine à Ottawa a recommandé à ses diplomates de Paris, de Bruxelles et de Londres de garder leurs distances face à René Lévesque : « Nous vous recommandons fortement de l'ignorer complètement. »

L'ambassadeur Cadieux a beau garantir aux agents américains à Paris qu'il n'y a « rien de grave » à ce que René Lévesque soit reçu à Matignon par des ministres et qu'il discute avec des conseillers du président Pompidou et du premier ministre Chaban-Delmas, ceux-ci s'étonnent alors qu'à Ottawa, on s'irrite de l'ampleur et de la chaleur de l'accueil qui lui est réservé.

Pendant que le ministre des Affaires extérieures, Mitchell Sharp, jure qu'Ottawa n'a rien fait pour nuire à la visite de René Lévesque en France, son haut-parleur francophone, le député Gaston Isabelle, le compare à « un artiste de la parole » qui représente en France un parti qui a fait élire sept députés… De son côté, quitte à créer un froid avec Paris, Pierre Trudeau ne résiste pas à son envie de morigéner le chef séparatiste.

C'est Jean Charbonnel, l'ancien ministre de la Coopération qui préside la commission des Finances de l'Assemblée nationale française, qui lui en fournit l'occasion. Il a osé dire au Québécois, en le regardant droit dans les yeux : « Monsieur le président Lévesque, l'indépendance du Québec, nous la croyons inéluctable et nous la souhaitons tous. » La riposte du premier ministre canadien cingle : « Ottawa n'a pas à s'inquiéter de ce qu'un vague petit fonctionnaire français appelle René Lévesque monsieur le président et dise que la France souhaite l'indépendance du Québec. Ce serait une erreur de donner trop de publicité à un *Canadien* qui circule en Europe pour aller chercher des votes qu'il ne peut trouver ici. »

Pour René Lévesque, si le député Charbonnel (qui deviendra ministre de tutelle du Développement industriel quelques jours plus tard) s'est permis cette intervention, c'est qu'il avait consulté qui de droit. Signe de plus que les Québécois pourront compter sur une sympathie agissante en France le jour où ils décideront de leur avenir.

Alors qu'il se trouve du côté de Grenoble, le chef du PQ s'amuse à scandaliser les Français en exhibant la manchette de *La Presse* qui décrit Jean Charbonnel comme un fonctionnaire de troisième zone. « Monsieur Trudeau, leur dit-il en y mettant du vitriol, c'est le fils à maman qui panique devant la montée des aspirations du peuple québécois et qui risque de sombrer dans le ridicule. »

Le calme revenu, René Lévesque grimpe dans le train turbo, l'ancêtre du TGV, et file en Belgique où, lui ont affirmé ses organisateurs, il est très attendu. Premier arrêt : Liège, cité ardente et capitale de la Belgique francophone. Mais son vrai rendez-vous est à Bruxelles où Wallons et Flamands, comme chez nous Québécois et Canadiens, se déchirent depuis toujours.

C'est ici que, pour justifier son refus de comparer le sort des Wallons à celui de ses compatriotes, question plutôt délicate, il lance à un journaliste du *Soir*, le grand quotidien de Bruxelles : « Je suis une vraie pelure de banane ambulante ! » Et le reporter d'écrire : « J'adore son style, ça prend beaucoup ici. » Mais le clou de son circuit de deux jours chez les Belges, c'est son « duel » avec Paul-Henri Spaak, ancien premier ministre et l'un des plus chauds défenseurs d'une Europe fédérale.

On voit le piège. C'est comme si on mettait devant lui le grand champion du fédéralisme canadien, Pierre Trudeau. Sans compter que, depuis son arrivée, René Lévesque ne cesse de répliquer à ceux qui opposent l'Europe unie à son projet d'indépendance que le fédéralisme européen est un « mirage romantique » et qu'en cette matière, les Québécois parlent d'expérience.

Malgré sa tête fatiguée de bouledogue et ses 72 ans bien comptés, Paul-Henri Spaak n'a rien perdu de sa vivacité. Il décoche le premier droit en faisant savoir au Québécois que si sa démarche se comprend, elle n'en contredit pas moins les idées des fédéralistes européens. « Ce qui me frappe, monsieur Lévesque, c'est que nous sommes d'accord sur l'impossibilité d'agir seul, mais que vous songez à vous séparer, alors qu'en Europe, nous pensons plutôt à nous unir.

— Le fédéralisme est pour vous un rêve, monsieur Spaak. Pour nous, c'est une triste réalité. Vous voulez vous unir parce que vous êtes chacun vous-même. Laissez-nous donc en faire autant ! »

Ce que retiendra Louise Beaudoin de ce match aussi pédagogique que passionnant, c'est que l'apôtre de la supranationalité admettait tout de même comprendre au soir de sa vie (il allait mourir peu après) que le fédéralisme pouvait être néfaste aux Québécois. Peut-être pensait-il aussi que les Belges francophones pâtiraient d'une Europe fédérale, puisqu'il venait de donner un appui spectaculaire au parti nationaliste wallon qui avait balayé Bruxelles. « C'est sans doute ainsi que s'explique l'intérêt qu'il s'est découvert pour le cas québécois », dira de son côté René Lévesque à son retour.

Ce n'est pas que le chef péquiste n'aime pas l'Angleterre. Bien au contraire. Il y a vécu durant la guerre et, depuis, Londres est sa ville préférée. Jacques Parizeau, qui y a étudié et en est resté marqué jusque dans sa façon très *british* de parler l'anglais, a vu à l'organisation de son programme londonien. Malheureusement, une grève mondiale des pilotes empêche René Lévesque de traverser la Manche.

Mais, au bout du rouleau, il apprécie ce bref repos forcé. À son retour de Bruxelles, une lettre de Corinne l'attend. Il lui écrit aussitôt son impatience de la voir débarquer à Paris : « C'est vraiment une tournée électorale qu'on m'a fabriquée ici ! Il y a aussi, ce qui garde son importance, que je t'aime. Tu "m'occupes" et il n'y a plus de place, je n'ai même pas de mérite. Je vois passer une paire de jambes (rarement d'ailleurs, ce n'est pas la hache des Parisiennes !), c'est aux tiennes que je pense et j'ai les mains qui ont la rage de te toucher. Les seuls visages que je remarque, c'est le tien caricaturé par d'autres. Je suis tanné de te chercher comme ça, arrive ! »

Heureusement que son voyage achève, continue-t-il. Encore quelques mondanités à subir : dîner de la « mafia parisienne » qui s'occupe du Québec, salade de rencontres à Paris et à Lyon, et avant la conférence de presse d'adieu, déjeuner avec le fils à papa le plus à la mode à Paris, l'amiral Philippe de Gaulle.

« C'est mieux que la couronne de fleurs à Colombey ! Pour le reste, un peu moins en Belgique, mais d'une façon phénoménale en France, c'est la porte grande ouverte, une sympathie pas mal renversante, comme si on était déjà ce qu'on n'est qu'à moitié sûr de devenir. Je crois même qu'ils en ont trop mis pour Ottawa. On me raconte que Pet et Cie seraient en beau câlisse. Si c'est vrai, c'est trop beau.

« Comme tu vois, je suis revenu au nouvel hôtel où j'attends au moins une deuxième lettre de la fille qui devrait avoir un peu de loisirs ! Ici, c'est la rive gauche à côté de Saint-Germain-des-Prés (où nous viendrons), mais c'est aussi semi-Québécois, genre Old Orchard-in-Paris ! J'aime vraiment mieux l'autre côté et, autant que possible, perdu dans Paris et autres lieux. Salut, ma Corinne, salut mon amour. Je t'… et je t'… et je t'… (cherche les trois verbes !) »

Le 24 juin, retour momentané à l'hôtel Lutétia, qui fait plus chic pour sa conférence de presse. René Lévesque résume aux 50 journalistes présents sa tournée : « Nous avons redécouvert la France. Nous l'avons trouvée économiquement dynamique, surtout par rapport à notre stagnation. Je suis allé de ravissement en ravissement. J'ai réajusté mon image de la France. »

De ce jour, René Lévesque imaginera ses appuis extérieurs au sein d'un triangle constitué des États-Unis, de la France et du Canada anglais auxquels il consacrera de patients et longs efforts de sensibilisation. Mais si les Français l'ont impressionné, ils l'ont été eux aussi en le voyant et l'écoutant au journal télévisé.

Décontenancés par sa mine renfrognée, son costume marine tout froissé, sa cigarette pas très protocolaire et ses tics, ils ont succombé au charme de son verbe tantôt fougueux, tantôt drôle, mais surtout non orthodoxe, qui tranche avec la langue de bois et le style ampoulé de leurs politiciens. « Il a l'air de savoir ce qu'il veut ce gars-là, et pas bête avec ça ! » a confié un chauffeur de taxi au reporter du *Devoir*, Guy Dehaies, qui faisait sa petite enquête.

Une autre découverte de René Lévesque, c'est l'incapacité des Français à comprendre pourquoi les Québécois hésitent devant l'indépendance. Un Québec pays, c'est important, mais la « belle province » n'offre pas plus d'intérêt pour eux que le Dakota du Sud ou la Virginie occidentale ! Combien de fois n'a-t-il pas entendu : « Mais avec un budget et des ressources comme les vôtres, vous seriez au départ parmi les 12 ou 15 sociétés les plus avancées du monde… »

De loin, notera-t-il à son retour, il est facile d'apercevoir la forêt ; de près, on peut se cogner longtemps aux arbres. Avec un sentiment voisin de l'impuissance, il stigmatisera dans sa colonne du *Journal de Montréal* ceux qui encouragent pour leur profit personnel la minorisation politique de leurs compatriotes, ceux-là même qu'il appelait durant la campagne de la nationalisation de l'électricité les satellites du Canada anglais : « Il faut être chez nous, pour savoir à quel point notre colonialisme est bien nourri, bien encadré par ses privilégiés de tous poils et de tous niveaux, bien camouflé même à l'intérieur d'un fédéralisme qui s'évertue à nous faire prendre ses secours directs pour du progrès. »

CHAPITRE XLVIII

La tentation du siècle

*Ce serait une sinistre ironie de sombrer à portée
d'objectif après avoir survécu pendant deux
siècles.*

RENÉ LÉVESQUE, avril 1972.

Avant de reprendre le collier, René Lévesque fait découvrir la
France à Corinne Côté. Il emprunte avec elle le circuit cher
aux Québécois : Paris, Avignon et la Côte d'Azur avec sa
Méditerranée « aussi bleue-bleue-bleue que jamais », comme il le
note dans ses carnets de voyage. Amoureux et jaloux, mais combien
fier des regards qu'elle suscite, il lui fait ensuite franchir la Manche
pour lui communiquer son amour de Londres.

La grande cité restera toujours pour lui la plus attachante capitale du monde avec ses *bobbies,* Hyde Park, Westminster, Bucking-
ham Palace, Trafalgar Square et Carnaby Street, célèbre à plus d'un
titre, dont celui d'avoir lancé la mini-jupe qui va si bien à Corinne.
Jamais René Lévesque ne s'est senti aussi heureux avec une femme.
C'est le grand amour, qui n'empêche cependant pas les hauts et les
bas d'une vie à deux ponctuée des inévitables scènes de ménage.

Car même fortement épris, cet homme est incapable de fidélité.
Parfois, elle devine qu'il l'a trompée. Alors, c'est l'orage. Mais le tri-

cheur nie, n'admet jamais son péché. C'est sa technique. Elle finit par lui pardonner, assurée de son amour. Elle le prend comme il est et se répète qu'un leader comme lui est tellement seul qu'il a peut-être besoin de se faire dire plus souvent que d'autres qu'on l'aime.

Plus grave que les autres, du moins en apparence, la parenthèse Geneviève Bujold, dont la mère avait été bonne, jadis, chez l'avocat Lévesque de New Carlisle, avait failli provoquer leur rupture. Des signes qui ne trompent pas, et des papotages aussi, avaient fait comprendre à Corinne que René avait une liaison avec la star de cinéma.

La sachant nationaliste, René Lévesque lui a téléphoné pour lui demander la permission d'utiliser son nom. Ils avaient pris rendez-vous pour en discuter. Geneviève Bujold avait fini par accepter d'aller révéler ses penchants séparatistes au cours d'une assemblée du PQ au Colisée de Québec. Elle avait fait un discours tout simple, mais bien senti, qui parlait du grand bonheur d'appartenir à un pays, de la joie ressentie après une longue absence en « rentrant chez soi ». Un flirt s'en était suivi et il était même arrivé à René de refuser de revenir à Montréal pour passer la nuit à Québec où se trouvait l'actrice.

Une terrible querelle avait éclaté. Au milieu de ses pleurs et de sa colère, Corinne avait lancé : « Je suis follement amoureuse de toi, René, mais je ne suis pas masochiste à ce point-là ! » Il était sorti de la chambre sans rien dire. Une semaine après, pour se faire pardonner, il lui avait offert un collier de perles : « C'est vrai ce que tu m'as dit l'autre jour ? Que tu m'aimais comme une folle ? » La jalousie de Corinne l'avait rassuré sur sa capacité d'être aimé d'elle, en dépit de la différence d'âge et de son physique ingrat. Par la suite, leur idylle s'était approfondie.

Quand Corinne était devenue secrétaire de direction à la permanence du parti, son défi était d'un autre ordre. Elle a dû se faire accepter de son entourage. Pas facile d'être la blonde du chef. Mais tout le monde remarquait combien il avait l'air heureux avec elle. Lui qui évitait de montrer ses sentiments, il lui prenait la main et lui exprimait sa tendresse de mille façons. Si elle s'énervait, par exemple quand il arrivait au dernier moment avec un texte à taper en vitesse, il se moquait gentiment d'elle au lieu de s'impatienter comme il pouvait le faire avec les autres.

L'eau ou l'atome ?

À peine est-il rentré de vacances que l'actualité ramène René Lévesque sur terre. La guerre au projet de la Baie James, déclenchée un an plus tôt par le PQ, les écolos et les autochtones, reprend de plus belle. En avril 1971, en dévoilant le « projet du siècle » devant 8 000 partisans massés au Colisée de Québec, Robert Bourassa avait prédit : « Le monde commence aujourd'hui ! » La Baie James serait la nouvelle frontière, la clé de la stabilité politique, le point culminant dans l'histoire du Québec, qui entrait dans l'ère des mégaprojets.

Robert Bourassa ne manquait pas de mots pour évoquer l'aventure fabuleuse que serait la mise en valeur des milliards de kilowatts de cette région nordique, grande comme les deux tiers de la France, où dormaient 75 pour cent des ressources hydrauliques exploitables. Avant lui, Daniel Johnson avait rêvé d'ouvrir l'immense chantier, mais son conseiller Jacques Parizeau l'en avait dissuadé. Trop cher. Mieux valait miser sur l'électricité bon marché du Labrador et sur l'énergie nucléaire en voie de conquérir la planète.

Le premier ministre Bourassa ne s'est pas laissé impressionner par la percée fulgurante du nucléaire. Même si l'Ontario prévoyait que dans 20 ans les trois cinquièmes de son électricité viendraient de l'atome. Ou qu'aux États-Unis les experts prédisaient qu'en l'an 2000 l'énergie nucléaire compterait pour le quart de la consommation totale d'énergie. Le simple bon sens lui disait que la province trouverait son énergie dans l'eau plutôt que dans l'atome encore mal maîtrisé, et que sa force économique reposait sur ses richesses naturelles dont l'atout majeur était l'hydro-électricité.

Il avait dû bousculer Hydro-Québec dont les ingénieurs, qui rêvaient eux aussi du nucléaire, criaient à l'improvisation en invoquant les études préliminaires non complétées. Il avait fait dire à la direction par son bras droit, Paul Desrochers : « La Baie James se fera avec ou sans Hydro. » Sa hâte tenait à deux facteurs. D'abord, il avait promis de créer 100 000 emplois. Or, ce projet de 5,8 milliards de dollars en créerait plus de 125 000. Ensuite, il voulait dissiper la morosité issue de la crise d'octobre et susciter l'espoir par un défi collectif digne des pyramides d'Égypte.

Au Parti québécois, on considérait le projet du siècle comme une opération poudre aux yeux pour faire oublier les abus de la crise d'octobre. Le député Guy Joron, critique péquiste de l'énergie, menait la bataille contre les coûts astronomiques du projet qui doublerait la dette de la province en plus de provoquer une surproduction d'électricité. Le député de Gouin avait calculé que le kilowatt de la Baie James coûterait deux fois plus que celui du nucléaire.

À Robert Bourassa qui avançait l'idée de vendre les surplus provenant de la Baie James aux Américains, Guy Joron n'avait rien trouvé de mieux à répliquer que cette bêtise qu'on lui rappellerait souvent par la suite : « Comment pouvons-nous envisager, même pour un instant, la possibilité d'exporter de l'électricité aux États-Unis ? » Lorsque la crise du pétrole combinée aux accidents nucléaires rendront l'énergie québécoise très populaire au Sud, le ministre de l'électricité que sera alors devenu Guy Joron battra sa coulpe : « Bourassa avait vu juste. »

De son côté, Jacques Parizeau, vendu au nucléaire depuis toujours, ridiculisait le « mythe » des richesses naturelles en ne s'arrêtant pas sur le fait que son principal créateur s'appelait René Lévesque. Sa boutade préférée : « Il est inutile de se targuer d'être les champions du monde dans la fabrication des chandelles au moment où on invente les ampoules électriques. » En d'autres mots, le projet de la Baie James était dépassé avant que d'être concrétisé. Au lieu de mettre tous leurs œufs dans le panier de l'hydro-électricité, les Québécois devaient acquérir la nouvelle technologie, sans quoi ils rateraient la révolution du nucléaire. Analyse que les événements allaient démentir.

Confiné à son rôle de chef extraparlementaire plus ou moins à l'écoute de ses députés, René Lévesque a suivi la polémique depuis sa tribune du *Journal de Montréal*. Il a fait sien le gros des arguments de la critique péquiste, mais est demeuré perplexe sur le fond. Lui, le champion de l'hydro-électricité des années 60, pouvait-il vraiment gober la thèse de Jacques Parizeau et conspuer le projet du siècle ?

Certes, l'option nucléaire le fascinait, et certains arguments comme celui du retard dans lequel Hydro se placerait si elle renonçait à acquérir l'expertise de l'atome, l'interpellaient. Toutefois, la croisade emportée d'un Parizeau catégorique le rendait prudent.

À l'époque où René Lévesque était responsable d'Hydro, il était déjà bien au fait du parti pris de l'économiste contre l'hydro-électricité. Et le commissaire Jean-Paul Gignac, éberlué de le voir manipuler les faits pour asseoir des opinions parfois contraires à la logique, lui avait dit un jour : « C'est Parizeau qui fait le bordel. Si on l'écoutait, il faudrait mettre la clé dans nos centrales pour ne faire que du nucléaire. Il est dans les prunes ! »

Le chef péquiste s'interrogeait aussi sur le processus de développement du grand ouvrage. Son lancement, un « show purement partisan », l'avait choqué autant que l'avait été le directeur du *Devoir*, Claude Ryan. De plus, la décision de Robert Bourassa de ne pas confier la réalisation de la huitième merveille du monde à la seule Hydro, mais de faire appel au privé, le chicotait.

Se méfiant de l'éthique malléable des libéraux, à ses yeux les plus grands patroneux du monde, il prévoyait les combines pouvant découler d'un projet aussi gigantesque, si un consortium privé le chapeautait. Il imaginait — la rumeur courait déjà — les grands entrepreneurs en ingénierie de l'Ontario, aux solides accointances avec la caisse rouge, comme Acres, les anciens patrons du ministre Guy Saint-Pierre, mettant la main sur ce gros gâteau au détriment de firmes québécoises comme SNC, Montreal Engineering ou Janin.

Quand Robert Bourassa avait présenté la loi 50 qui attribuait à la Société de développement de la Baie James, sur le point d'être créée, la construction des barrages et l'aménagement du territoire, le chef péquiste l'avait accusé de créer une deuxième Hydro, une Hydro-James, pour tenir « la porte grande ouverte aux manœuvres des affairistes, des caissiers et du cortège de parasites » agglutinés à son gouvernement.

René Lévesque n'exagérait pas. L'ingénieur d'Hydro Antoine Rousseau, qui deviendra le grand patron des achats et des contrats sur le chantier, en verra des vertes et des pas mûres. Comme l'épisode du gros avion Hercule parqué à Manille et qu'il devra acheter sur « recommandation » de son propriétaire, la société américaine Bechtel, chargée de la gérance du projet. Des années plus tard, il résumera ainsi les pratiques en usage à la Baie James : « Le patronage a recommencé sous le gouvernement Bourassa. Ça ne se passait pas comme à la Manic où c'était Hydro-Québec qui recrutait et achetait. À la Baie James, c'était Bechtel, Lavalin et Janin. Au départ, Bourassa voulait offrir toute la Baie James à l'entreprise privée, mais il a dû y associer Hydro parce qu'il avait besoin de sa crédibilité pour obtenir le financement. »

Quant à l'exigence du contenu québécois, c'était une farce. Une entreprise ontarienne ou américaine en mal de bénéfices n'avait qu'à ouvrir un bureau à Montréal pour décrocher des contrats.

Le chef parlementaire du PQ, Camille Laurin, voyait dans la polémique une occasion d'imposer son parti comme la véritable opposition officielle. Il avait déclenché une obstruction parlementaire qui avait duré une partie de l'été 1971 contre « cette politique de dépossession doublée d'une mentalité de colonisés », qui ferait dépendre de l'initiative privée étrangère l'aménagement du vaste territoire de la Baie James. Il fallait forcer le gouvernement à confier la maîtrise d'œuvre à Hydro-Québec, qui l'exigeait au nom de ses ingénieurs insultés du manque de confiance à leur endroit.

Mais la volonté de Robert Bourassa d'écarter Hydro au profit de l'entreprise privée était en partie vouée à l'échec. La vigueur de l'opposition péquiste et l'hostilité des éditorialistes — Claude Ryan était allé jusqu'à qualifier la loi 50 de simpliste et dangereuse — l'avaient fait reculer. Le 14 juillet, jour de son anniversaire, il était tombé comme la Bastille. Hydro aurait le dernier mot. Elle disposerait de 51 pour cent de l'actionnariat de la filiale à créer pour aménager les trois centrales du complexe La Grande.

Pour une fois, René Lévesque n'avait pas lésiné sur les fleurs. Il avait salué le brio et l'efficacité du maigre noyau des sept députés du PQ. La « tentation du siècle » (l'assiette au beurre libérale) n'était pas complètement repoussée, mais le pire avait été évité dans ce qu'il appelait le « détournement » de la Baie James.

Tout était-il dit ? À l'automne 1972, au moment même où il reprend le collier après son échappée estivale avec Corinne, le PQ doit réengager les hostilités, car Robert Bourassa revient à la charge par la porte latérale. Il entend confier la gérance du projet du siècle à la société Bechtel, multinationale américaine qui a aménagé le Labrador et mène de front une centaine de projets partout dans le monde.

« La Baie James, c'est pour les Américains ! » proteste le caucus péquiste. Fort de sa victoire de l'été 1971, Camille Laurin promet de faire tomber le gouvernement au terme d'une lutte sans merci. Mais cette fois, les choses tournent autrement. Robert Bourassa délègue auprès de René Lévesque le président d'Hydro, Roland Giroux, qui lui explique que l'expertise de gestion d'un projet de cette taille fait encore défaut aux firmes d'ingénieurs québécoises.

Le choix de Bechtel garantira le contrôle des coûts et le respect des échéanciers et fera épargner des millions à la province. Pour contrer l'argument de la grosse firme américaine qui va tout diriger, Roland Giroux oppose à René Lévesque que Bechtel devra partager la gérance avec l'entreprise québécoise Lalonde, Valois, Lamarre, Valois et Associés (ancêtre de la multinationale Lavalin) qui tirera profit de l'expérience.

Convaincu, le chef du PQ ne suit plus son caucus qui, non content de vouer Bechtel aux abysses, continue de rejeter en bloc l'aménagement de la Baie James. Bientôt, sa dissidence devient si forte qu'il déclare à un congrès d'ingénieurs : « Si notre parti est porté au pouvoir, il ne sera pas question de *scraper* la baie James. » Au journaliste curieux de savoir pourquoi il se dissocie de son parti, il dit tout bonnement : « Seuls les imbéciles ne changent pas d'idée ! »

Le supplément d'âme

Mil neuf cent soixante-douze marque la fin du traumatisme politique d'octobre 1970 qui a saigné le PQ de 50 000 membres et coupé ses revenus des deux tiers. Le militantisme revit et la cote de popularité remonte. L'appui populaire dépasse maintenant 30 pour cent des voix, six points de plus qu'aux élections de 1970.

Mais le membership est toujours trop concentré à Montréal où campent 65 pour cent de la troupe. Au début de l'année, le PQ ne comptait que 8 000 membres dans la région de Québec et 5 000 dans celle de Trois-Rivières. D'où l'avalanche de colloques régionaux qui a suivi sur des thèmes aussi variés que l'agriculture, le développement des mines, le coopératisme ; ou encore l'avenir de la fonction publique fédérale advenant l'indépendance, colloque qui s'adressait particulièrement, celui-là, aux fonctionnaires de l'Outaouais.

Craignant que son parti ne se laisse emporter par la spirale du gauchisme syndical qui déferle sur la province depuis l'automne 1971, René Lévesque publie un manifeste socio-économique intitulé *Quand nous serons vraiment chez nous*. Le texte, qu'il a rédigé avec Jacques Parizeau et Guy Joron, structure la social-démocratie péquiste et encadre l'action syndicale des militants tout en indiquant à ses députés Laurin, Burns et Charron, prompts à courir aux barricades, les balises à respecter dans l'action extraparlementaire.

Quelques mois plus tôt, en avril plus précisément, il a encore eu maille à partir avec eux. Élargissant la revendication syndicale proprement dite jusqu'à la contestation du « système » tout entier, les trois grandes centrales ouvrières ont paralysé la province. Comme lors de la grève de *La Presse,* à l'automne de la même année, René Lévesque a dû affronter son caucus qui, inspiré par Camille Laurin, voulait appuyer la grève générale du front commun syndical en dépit du fait qu'elle était illégale.

Pour le chef, il n'était pas question de se compromettre dans un mouvement de désobéissance civile, même si ceux qui l'animaient appuyaient son parti. Il s'était interposé : « Peu importe notre sympathie agissante envers les travailleurs, nous ne sommes pas l'outil des syndicats. Si nous étions au pouvoir, nous n'admettrions pas que les syndicats profitent des négociations pour casser le régime. »

À elle seule, sa sortie avait alimenté le schisme des éléments modérés de la CSN contre leurs dirigeants qui les encourageaient à désobéir aux lois. Mais quand Robert Bourassa avait fait jeter en prison les chefs des trois centrales, René Lévesque l'avait conspué. Cela s'était passé en mai et, le mois suivant, en France, les syndicalistes l'avaient accueilli par des « Mais qu'est-ce que c'est que ce Québec qui embastille ses chefs syndicaux ? »

En plus de s'attaquer à la question sociale, le manifeste *Quand nous serons vraiment chez nous* met l'accent sur les bénéfices qui découleront de la souveraineté, ce que René Lévesque appelle le « supplément d'âme », c'est-à-dire l'explosion des talents « qui ne demandent qu'à être employés mais que nos élites et dirigeants traditionnels ont toujours eu peur de réveiller ».

Pour lui, tous les peuples qui accèdent à leur souveraineté font l'expérience de ce débordement de créativité, impossible quand ils vivent sous la domination d'un autre : « Alors, nous cesserons de gaspiller temps et énergies dans des luttes défensives. C'en sera fini aussi des rechutes dans l'incertitude et l'insécurité, de ces envois dans l'irréel, qui n'arrivent qu'aux peuples qui n'ont jamais eu à diriger leur propre destin. »

Le chef péquiste en veut pour preuve certaines « souverainetés sectorielles » qui ont déjà permis aux Québécois de vivre ce « supplément d'âme », mais en pièces détachées. Ainsi, ce n'est qu'une fois maîtresse de tout le territoire québécois qu'Hydro a pu devenir un colosse. De même, les spécialistes de la Caisse de dépôt en ont fait l'un des grands centres de placement efficaces du continent. Et René Lévesque d'observer : « Qui n'a pas noté la croissance miraculeuse des compétences et la floraison d'idées qui se manifestent en puissance dès qu'il commence à sembler possible d'être maîtres chez nous ? »

À l'automne 1972, le chef du PQ visite une vingtaine de comtés avec comme objectif de doubler le nombre de membres avant les prochaines élections, que les initiés voient venir pour 1973. Ce sont des comtés difficiles comme Gatineau, Shefford, Duplessis ou Saint-Laurent, classés C aux élections d'avril 1970. Là, PQ égalait FLQ après la crise d'octobre. Et l'hostilité diffuse qu'on y observait empêchait le parti d'y établir ses structures.

Or René Lévesque y détecte maintenant une certaine ouverture. Au conseil national de Sherbrooke, durant lequel il résume ses impressions, il note que l'idée d'indépendance pénètre plus facilement qu'avant. Le Québécois moyen ne sait plus trop à quel parti se vouer. Il pourrait venir au PQ, mais à la condition « qu'on ne fasse pas exprès » de lui fermer la porte.

Un bloc québécois à Ottawa, une imposture

À Sherbrooke, au cours de la même assemblée, René Lévesque impose son veto à toute participation du PQ aux élections fédérales du 30 octobre. Il réitère son opposition à l'idée d'un bloc québécois à Ottawa, lancée avec fracas par l'avocat Guy Bertrand, candidat péquiste issu de l'Union nationale, qui avait été défait en avril 1970. À ses yeux, c'est une idée nocive qui repose sur une analyse confuse de la réalité politique.

Quand il avait vu l'entourage de l'avocat Bertrand, un mélange d'anciens bleus, comme Antonio Flamand et François-Albert Angers, et de séparatistes de la première heure, comme Marcel Chaput, il avait dressé l'oreille. Ensuite, la lecture du mémoire que lui avait adressé Guy Bertrand pour justifier son plan l'avait rendu nettement hostile. Ce n'était pas le projet d'un souverainiste, mais plutôt celui d'un fédéraliste en recomposition, à la Daniel Johnson, son mentor politique.

Cette idée qui avait germé dans l'esprit d'un bourgeois toujours colonisé n'était rien d'autre à ses yeux qu'une aventure. Une couverture pour politicien en quête d'un tremplin, une manœuvre de diversion empruntée à la vieille politique qui veut entretenir l'indécision et semer la confusion entre l'espace Québec et l'espace Canada.

De plus, l'analyse de Guy Bertrand lui apparaissait tirée par les cheveux. Jusqu'à nouvel ordre, disait l'avocat, les Québécois font partie du Canada. Mais ils se voient forcés d'élire à Ottawa des députés acquis à une idéologie fédéraliste complètement déphasée par rapport au Québec nouveau. Une situation dangereuse à laquelle on pourrait remédier en déléguant à Ottawa un parti qui élirait des « Québécois d'abord ».

La pierre angulaire du futur bloc était que ces « Québécois d'abord » ne devaient pas être indépendantistes. Pourquoi ? Parce que le Québec nouveau qu'ils représenteraient n'était pas « forcément indépendantiste même s'il était susceptible de le devenir ». Guy Bertrand ancrait en réalité son projet dans deux idées chères à Daniel Johnson : la reconnaissance des deux nations et le droit des Québécois à l'autodétermination, plus faciles selon lui à négocier avec le Canada anglais que l'indépendance*.

Pour le chef du PQ, le projet et son auteur constituent « une pelure de banane sur le chemin malaisé de la souveraineté ». Pour tuer dans l'œuf toute velléité du PQ de s'engager dans ce « piège à ours », René Lévesque demande au conseil national de répudier la thèse de Guy Bertrand. Et pour donner plus de résonance encore à son rejet, il étale ses raisons dans un éditorial du *Journal de Montréal*.

Pour un souverainiste, il ne peut y avoir qu'une seule arène politique, qu'un seul Parlement et qu'un seul gouvernement, ceux du Québec. « C'est entre Québécois que l'indépendance se décidera. L'élection fédérale ne reflète pour nous que les soubresauts d'une fin de régime. » Aller au fédéral risquerait d'émietter les souverainistes. Ce serait faire le jeu des fédéralistes qui voudraient transformer les

---

* Il est ironique de constater que, 25 ans plus tard, Guy Bertrand retournera sa veste et rejoindra le camp fédéraliste en niant à ces mêmes Québécois le droit d'exercer par référendum le droit qu'il plaçait au cœur même de son projet bloquiste, c'est-à-dire « le droit pour le peuple québécois à l'autodétermination », comme il l'écrivait alors à René Lévesque, un droit reconnu par la communauté des nations.

élections fédérales en référendum comme ils le font déjà chaque fois que le PQ conteste un siège au Québec.

Face à ce veto, Guy Bertrand convoque la presse pour lui signifier que le Bloc naîtrait malgré « une certaine élite ». Puis, dans une lettre personnelle à René Lévesque, il lui reproche ses « déclarations agressives et insultantes » et lui annonce qu'il se met à la recherche de 74 candidats parce que « l'indépendance du Québec est au-dessus de tous les hommes ». L'accusé de réception du chef est de nature à couper à jamais les ponts entre eux : « Vous me permettrez de noter ce qui m'apparaît comme certaines faussetés ou incongruités flagrantes… » Et le projet de l'avocat avorte.

Mais la victoire de René Lévesque n'est pas acquise sans mal, la base militante n'étant pas aussi hostile que lui à la formation d'un parti souverainiste fédéral. Au dernier conseil national de l'année — les élections fédérales auront alors eu lieu —, la grogne sera manifeste. Des militants en vue contesteront son leadership, lui reprocheront d'avoir laissé passer les circonstances favorables en refusant de s'engager dans l'arène fédérale où l'attendait Pierre Trudeau. D'autres lui mettront sur le dos la piètre performance du PQ lors de la partielle du début d'octobre dans le comté de Duplessis.

Cette mini-fronde mise à part, la situation du parti paraît nettement meilleure à la fin de l'année 1972. La campagne de financement populaire a rapporté plus de 632 154 $ et le parti a recruté 30 000 nouveaux membres. René Lévesque conclut qu'après quatre ans et demi d'une existence difficile, le PQ trouve son second souffle. La morosité et l'apathie semblent révolues. Tant mieux car les élections provinciales approchent.

Une résolution, ça se change

Mil neuf cent soixante-treize débute mal, pourtant. Ses irréductibles radicaux l'attendent de pied ferme au congrès de la fin février dont le slogan électoraliste bon papa — « Le temps presse » — ne donne pas une juste idée de ce qui s'y passera vraiment. Un dur affrontement se dessine au sujet d'une résolution de l'exécutif pour modifier le programme du parti de façon à lier la souveraineté à un référendum obligatoire. Depuis qu'il existe, le PQ a pourtant toujours annoncé qu'il ferait l'indépendance aussitôt élu.

Avant le congrès, René Lévesque a affiché ses couleurs dans une entrevue à *La Presse*. « Ne nous racontons pas d'histoire, a-t-il dit. Si le PQ est élu, il fera un référendum. » Le vieux fonds des militants a tressailli d'indignation devant l'hérésie : ni l'esprit ni la lettre du programme n'obligeaient un futur gouvernement du PQ à consulter la population avant de proclamer l'indépendance.

Pour les modérés, au contraire, il y a là une faille antidémocratique qui pourrait peser lourd aux élections, en fournissant un argument de taille à l'adversaire libéral. Aussi veulent-ils la résolution référendaire qui dissocie élection et indépendance. Avant de déclarer la souveraineté, il y aura des négociations avec le Canada suivies d'un référendum au moment jugé opportun. Chaque chose en son temps. La démocratie bien comprise interdit de bousculer les électeurs et de sauter les étapes.

« On n'est plus au XVIIIe siècle pour ne pas donner aux citoyens le temps de se faire une idée sur la souveraineté et l'occasion de se prononcer en toute connaissance de cause », a rappelé le chef péquiste. Claude Morin, lui, a inventé une formule qui a beaucoup de succès : « Une fleur ne pousse pas plus vite parce qu'on tire dessus ! »

Mais les ténors de la région de Montréal-Centre, forteresse de la gauche nationaliste et sociale qui se veut la gardienne du programme, ne l'entendent pas ainsi. Ils en appellent eux aussi à la démocratie, celle du parlementarisme britannique bien compris qui donne tous les droits au parti élu, même celui, aux conséquences terribles, de déclarer la guerre. Les cabaleurs de Montréal-Centre ont donc ameuté les 1 200 délégués qui se pressent au centre sportif de Laval, où s'amorce le congrès, pour entendre le discours de René Lévesque.

Chaque fois que le PQ rassemble ses militants, les observateurs étrangers, toujours nombreux, s'étonnent de son élitisme. Détaillant dans sa dépêche à Washington le profil du parfait délégué péquiste, le consul américain Melby note qu'il y a, au PQ, plus de matière grise au pouce carré que dans tous les autres partis réunis. Les deux tiers des délégués ont moins de 35 ans, 80 pour cent sont étudiants, professeurs, professionnels ou cols blancs, et 47 % ont fait des études universitaires.

Rien à voir avec le Québec réel, plus prolétarien et moins scolarisé, mais il y a là matière à réflexion pour les tenants du statu quo canadien. René Lévesque pressent la tempête verbale qui déferlera une fois de plus sur son parti. Les yeux tournés vers les élections toutes proches, il lance un appel à la modération et à la discipline de parti qui doivent prévaloir sur « les clameurs romantiques ».

Il prêche dans le désert. Dès que s'engage le débat sur la résolution référendaire, le réalisme électoral s'éclipse au profit du respect du programme. Gilbert Paquette, fils d'ouvrier de l'est de Montréal devenu mathématicien, soumet au nom de la région de Montréal-Centre, qu'il préside, une proposition amendée qui démolit la résolution de l'exécutif.

Ce contestataire à la tête de crack, qui mord sa pipe comme Claude Morin, possède une culture politique qui lui interdit « de faire la génuflexion devant le chef parce que chef ». Attitude qui déroge aux règles de la vie de parti et lui complique l'accès au leader. Sa résolution stipule qu'après une victoire du PQ, le gouvernement mettra immédiatement en branle le processus d'accession à la souveraineté, qui sera acquise par proclamation de l'Assemblée nationale sans qu'il soit nécessaire de recourir à un référendum. Louise Harel et le syndicaliste Michel Bourdon, qui la défendent, sont ovationnés.

Yves Duhaime, président de la région de la Mauricie, et qui sera un jour ministre et confident de René Lévesque, s'attire ses foudres parce qu'il défend l'amendement de Gilbert Paquette. Il regrette que Pierre Marois et Bernard Landry, qui diffèrent d'opinion avec le chef, restent cloués à leur siège pour ne pas l'affronter. Mais lui, en bon provincial peu familiarisé avec les jeux de coulisses et les subtilités de la vie partisane montréalaise, va droit au micro pour dire tout le mal qu'il pense d'un éventuel référendum. Prestation qui lui vaut d'être placé sur la liste noire de René Lévesque avec l'étiquette « radical à surveiller ».

Peu avant le congrès, Claude Morin a laissé savoir à René Lévesque qu'il était en désaccord total avec la façon dont le PQ envisageait de déclarer l'indépendance. Il est fréquent, a-t-il argumenté, qu'un parti forme le gouvernement avec moins de 40 pour cent des voix, et cela risque d'être le cas du PQ ; alors il ne serait ni démocratique ni légitime de proclamer la souveraineté sans une majorité de voix, soit 50 pour cent plus une, règle reconnue internationalement.

C'est ce raisonnement qu'assènent les partisans du référendum obligatoire au camp irréductible des « purs et durs » — sobriquet que la presse donnera bientôt aussi bien à la gauche sociale du Parti québécois qu'aux militants opposés à la ligne plus souple de René Lévesque sur la souveraineté. La formation d'un *nouveau pays* est si délicate que s'y adonner sans disposer d'une majorité populaire serait courir au suicide. De plus, on ne peut jurer que la clientèle électorale du PQ se compose exclusivement de souverainistes.

Jacques Parizeau a du mal à se tirer indemne du débat. Il a le doigt entre l'arbre et l'écorce. Jusque-là, il a défendu avec Camille Laurin et Jacques-Yvan Morin le principe suivant lequel le droit de déclarer la souveraineté découlait d'une majorité parlementaire. Il est donc plutôt d'accord avec la résolution de Montréal-Centre et l'a laissé savoir dans les coulisses. Il ne veut pas plus de référendum que Gilbert Paquette, mais en bon soldat, il se range avec René Lévesque.

Son jupon dépasse toutefois. Au lieu de prendre de front les radicaux sur le principe démocratique en cause, il s'interroge sur la pertinence du « texte tel que soumis » ou sur la nécessité d'indiquer dans la résolution que l'intervention d'Ottawa est exclue sous toutes ses formes. Certes, dit-il, le Parlement a tous les droits, mais il pourrait « juger utile de procéder à un référendum si les circonstances le justifiaient ». Traduit en Parizeau, cela veut dire un référendum si nécessaire, mais pas nécessairement un référendum. Appui bien timide à son chef qui, lui, en fait une obligation démocratique.

Mais rien ne peut ébranler les radicaux. En bon tacticien qui ne s'obstine pas devant l'inévitable, René Lévesque finit par souffler à Jean-Roch Boivin de laisser passer leur résolution : « On se reprendra plus tard ; une résolution, ça se change. » D'ailleurs, ça n'est qu'un demi-mal puisqu'une autre résolution dûment votée stipule que la constitution du futur pays sera soumise à une consultation populaire.

René Lévesque ne serait pas lui-même s'il ne tentait pas de changer sa défaite en victoire, en jouant de son autorité. Suant à grosses gouttes sous les projecteurs de la télévision* et aspirant la

---

* Radio-Canada, qui a boudé le déroulement du congrès comme en 1971, était là pour le discours final du chef. En revanche, la société fédérale a couvert du début à la fin celui des créditistes provinciaux, sous prétexte qu'y figurait une course au

bouffée de sa cigarette entre deux phrases aussi longues que char-
gées de cette émotion qui galvanise les délégués, il leur demande
dans son discours de clôture : « Est-ce que je me trompe si j'interprète ainsi votre pensée ? L'élection du Parti québécois signifierait
que nous avons un mandat pour faire la souveraineté, mais que nous
croyons qu'avant de partir à notre compte, nous avons aussi le devoir
de le faire dans l'ordre, la clarté et la consultation indispensable des
citoyens — oui ou non ?

— Oui... oui ! » font les délégués qui, la veille, ont opté pour la
position contraire. Une astuce oratoire qui fait de bonnes manchettes, mais ne change rien au fait que la ligne dure a triomphé
puisque le programme du parti proscrit tout référendum. Le PQ
aura donc un fil à la patte aux prochaines élections.

Le nouvel exécutif n'enchante pas non plus René Lévesque.
Certes, Pierre Bourgault n'y sera plus. Il a abandonné la vie politique
active « pour pouvoir gagner sa vie ». Claude Morin, qui vient de
perdre sa première bataille et de mesurer sa petite influence, entre à
l'exécutif. Avec Marc-André Bédard, il fera contrepoids aux Camille
Laurin, Jacques Parizeau, Rose Gélinas, nouvelle venue identifiée
aux intransigeants, et Gilbert Paquette, élu conseiller au programme.
Poste stratégique que le chef destinait à Claude Morin qui n'en a pas
voulu.

René Lévesque a au moins obtenu la tête de Claude Charron
dont il ne peut plus souffrir le radicalisme verbal sur le thème chimé-
rique de la participation infinie. Avant le congrès, le jeune député lui
a reproché de mettre de côté participation et information pour ne
s'intéresser qu'à « une machine électorale huilée à la perfection ».

René Lévesque a répliqué que le PQ était un parti de gouvernement et devait se préparer à gouverner. Quant à l'information, le
parti n'avait rien à se reprocher : les Éditions du Parti québécois, qui
en étaient responsables, connaissaient un grand succès. Et cela était

---

leadership. Qui a tourné à la farce : le chef fédéral Réal Caouette voulait imposer
l'ex-ministre libéral Yvon Dupuis, si décrié qu'il a dû se cacher dans les toilettes !
René Lévesque a accusé la télévision fédérale de mélanger cirque et politique en
accordant plus d'importance à « un suspense artificiel et frauduleux » qu'à un véritable événement politique.

d'autant plus miraculeux qu'il ne s'agissait pas « de bandes dessi-
nées » — allusion méchante aux 26 ans de l'enfant terrible du PQ.
C'est le député Marcel Léger, organisateur réaliste, qui s'est chargé
de discréditer le jeune Charron en faisant circuler au milieu des délégués que le temps n'était plus aux « parleux » mais aux « faiseux ».

À l'exception de l'article sur la souveraineté, que René Lévesque
compte bien faire sauter à la première occasion, le nouveau programme lui plaît. Il est « vendable, réalisable et progressiste », dit-il, il
établit clairement la voie sociale-démocrate et formule de façon plus
cohérente les politiques économiques et sociales élaborées dans le
manifeste *Quand nous serons vraiment chez nous.*

En réalité, c'est un véritable programme électoral que les péquistes se sont donné. On y promet le revenu minimum garanti,
la participation des travailleurs aux décisions, des congés de mater-
nité, la rémunération du travail au foyer, l'extension de l'assurance-
maladie, la démocratisation de l'économie, l'abolition des privilèges
fiscaux aux entreprises, un régime présidentiel à l'américaine et une
charte des droits s'inspirant des principes de la Déclaration universelle des droits de l'homme des Nations Unies.

Au sujet des autochtones et des Inuit qui auront droit de conserver et d'affirmer leur identité culturelle et pourront se regrouper en
gouvernements municipaux autonomes, un René Lévesque tout fier
proclame : « Nous sommes maintenant le seul parti politique qui
s'occupe vraiment du problème indien au Québec. »

CHAPITRE XLIX

Trudeaugate

*Depuis que Trudeau est au pouvoir, la
Gendarmerie royale du Canada est fourrée
partout au Québec.*

RENÉ LÉVESQUE, apprenant que le PQ
a été espionné aux élections d'avril 1970.

T rois ans après la crise d'octobre, les péquistes font toujours
l'objet d'une surveillance policière, tout démocratique que
soit leur parti. Lorsqu'il paradera cinq ans plus tard devant
la commission McDonald, le chef des Services secrets canadiens,
John Starnes, dira que l'espionnage politique du mouvement nationaliste émanait d'une requête du Cabinet Trudeau, datant de la fameuse
réunion du 19 décembre 1969, soit avant les événements d'octobre.

Aussi ne faut-il pas s'étonner si, avant le congrès du PQ de
février 1973, John Starnes, qui avait accès à la documentation interne du parti grâce à des taupes rémunérées, a fait livrer au bureau
du solliciteur général Warren Allmand le document de base utilisé
dans les ateliers économiques, avec la mention « envoyé par le Parti
québécois à ses membres ».

Son prédécesseur Jean-Pierre Goyer, dans un télex daté du
19 septembre 1972, avait réclamé d'urgence à la section G de la
GRC, responsable de l'espionnage politique au Québec, une liste de

tous les souverainistes reconnus ou supposés à l'emploi du fédéral, avec leur adresse, le service auquel ils étaient attachés et leur numéro de dossier, pour mieux les dépister.

Les manœuvres de la Gendarmerie au congrès de 1973 sont somme toute anodines car les documents interceptés n'ont rien de secret. Mais elles cachent cependant des opérations clandestines plus sérieuses, qui violent carrément la loi et les droits de la personne. Un exemple : des microphones sont dissimulés par la GRC, à la même époque, dans la chambre à coucher chez Louise Beaudoin, Terrasse Dufferin, à Québec, à deux pas du consulat américain. Lorsqu'elle découvrira le pot aux roses, 20 ans plus tard, en même temps que seront divulgués les contacts policiers de Claude Morin, elle réagira, selon ses propres mots, avec « une intense fureur ». Frappée par la coïncidence entre l'intrusion chez elle des agents fédéraux et l'adhésion de l'ami Morin au PQ, elle ne fera ni une ni deux : « Est-ce toi qui m'a fait taper ? » lui demandera-t-elle d'un ton outré. Mais Claude Morin lui jurera qu'il n'en savait rien, qu'il l'avait appris en même temps qu'elle.

Les policiers fédéraux tournent aussi à la même époque autour de la permanence du PQ. « Le 3 avril 73, le (nom raturé) et moi-même avons pris des photographies du nouveau local du PQ situé au 8785, avenue du Parc », dit un document d'archives censuré aux deux tiers, obtenu par le journaliste de Radio-Canada Normand Lester. L'agent dont le nom est biffé appartient à la section G de Montréal. Les policiers ont pris au téléobjectif les fenêtres et les climatiseurs de la permanence, en vue d'une entrée par effraction pour y installer des micros.

En juillet de cette même année, René Lévesque explose. Non qu'il soit parvenu à débusquer les policiers qui surveillent son parti (contrairement à Jacques Parizeau, il accueille toujours avec un brin de scepticisme mêlé d'ironie les histoires d'espionnage), mais parce qu'il prend au sérieux un article de *La Presse* qui fait du bruit. Avant les élections d'avril 1970, révèle Michel Auger, qui a obtenu son scoop de policiers mécontents d'avoir été affectés à une « opération politique », une vingtaine d'agents de l'Unité des renseignements spéciaux de la Sûreté du Québec, dirigée par l'inspecteur-chef Hervé Patenaude, avaient placé des micros dans les locaux du PQ à Shawinigan.

Le candidat péquiste de Saint-Maurice, Yves Duhaime, n'en a

jamais rien su, ni René Lévesque, qui se vide le cœur dans les pages du *Devoir* : « Si ça s'est passé dans Saint-Maurice, ça s'est passé partout. Tous les comités du PQ étaient *buggés* en 1970 et l'endroit le plus *buggé* était la centrale du parti à Montréal. De cela, je suis certain. »

Michel Carpentier, bras droit de René Lévesque à l'époque, dira plus tard : « On savait qu'on pouvait être espionnés, la permanence était une véritable auberge espagnole ! Notre seul agent de sécurité était le père Hardy, le concierge, qui se contentait de barrer la porte et de mettre en marche un système d'alarme plutôt artisanal. »

Pour René Lévesque, bien que la Sûreté du Québec soit en cause dans l'opération de Shawinigan, l'impulsion vient sûrement du fédéral : « De quel intermédiaire s'est servi le gouvernement Trudeau ? Je l'ignore. Mais chose certaine, depuis que Trudeau est à Ottawa, la gendarmerie royale est fourrée partout au Québec. Elle est à l'origine de la décomposition de la vie politique à laquelle nous assistons. »

Le général Dare, nouveau chef du service de sécurité qui vient tout juste de succéder à John Starnes, suggère dans une note secrète au ministre Warren Allmand de nier les accusations de René Lévesque. La GRC, l'assure-t-il, n'a pas les moyens de placer des micros à la permanence du PQ, et même si elle les avait, cela ne serait pas légal.

Un beau mensonge. Ces cas d'espionnage illégal, dévoilés par inadvertance, ne sont que la pointe de l'iceberg. En 1981, la commission McDonald révélera qu'avant juillet 1974, les installations de micros « ont été nombreuses et, partant, nombreuses les entrées par effraction ». En 1972 seulement, la GRC a effectué 42 installations majeures et 42 mineures. De 1971 à 1978, les policiers ont posé 580 dispositifs d'écoute.

En fait, la police canadienne a pris le PQ dans son collimateur bien avant la crise d'octobre. La surveillance a commencé dès sa fondation, en 1968, comme le dévoilera le juge David G. McDonald : « À la fin des années 60, le gouvernement fédéral s'attendait que la GRC recueille des renseignements sur l'effectif et les finances des organisations séparatistes (exigence formulée par Pierre Trudeau à la réunion du Cabinet du 19 décembre 1969). Il était donc dans la logique des choses que la GRC en déduise qu'elle avait le pouvoir d'enquêter sur le Parti québécois. »

D'autant plus que le cabinet Trudeau l'y poussait, comme le révèlent divers témoignages et les dossiers du service de sécurité de la GRC accessibles au public. Ainsi, le 8 mai 1970, Marc Lalonde suggérait dans un mot à Don Wall, secrétaire adjoint du Cabinet, de demander à la Gendarmerie de vérifier un renseignement concernant le PQ, auprès d'un informateur dont le nom est gommé. John Starnes n'avait pas d'objection à procéder à l'enquête demandée par Marc Lalonde, mais il avait tout de même signalé au ministre responsable de la GRC à l'époque, George McIlraith, les risques politiques d'une collaboration aussi étroite avec le bureau du premier ministre.

Le rapport McDonald révélera aussi qu'au mois d'août de la même année, la direction générale de la GRC ordonnait à ses agents de la division C, à Montréal, d'obtenir des renseignements à l'échelon le plus élevé du PQ, qu'elle jugeait… subversif : « Le Parti québécois s'est publiquement engagé à amener la dissolution du Canada. Il nous incombe donc de surveiller les diverses influences politiques qui s'infiltrent au Parti québécois, ainsi que les décisions susceptibles d'ouvrir la voie à des activités séditieuses ou à la participation étrangère. Nous devrions avoir la capacité d'identifier et d'évaluer les personnages importants. »

Pourtant, John Starnes jurera que son service « n'enquête pas sur le Parti québécois comme tel ». Le chef des Services secrets semblait tellement s'en être convaincu lui-même qu'au cours d'une discussion avec Jean-Pierre Goyer*, alors proche collaborateur de Pierre Trudeau, il lui avait fait la morale : le gouvernement pourrait s'attirer des critiques si la GRC aidait le Parti libéral fédéral « à combattre et à faire échouer les objectifs d'un parti politique comme le Parti québécois ».

Après les événements d'octobre 1970, pour répondre aux critiques du gouvernement Trudeau durant la crise, la police fédérale a intensifié ses opérations contre les nationalistes, en particulier contre la formation de René Lévesque. Ces activités illégales feront l'objet de trois rapports d'enquête gouvernementaux et de plusieurs procès. Le grand patron de la GRC, Len Higgitt, dira à sa décharge : « C'était une guerre entre, d'une part, le service de sécurité, et de l'autre, les forces qui semaient la confusion ou provoquaient des troubles et des désordres dans le pays… »

---

* Jean-Pierre Goyer niera qu'il ait jamais demandé à John Starnes d'espionner le Parti québécois.

Il ne fallait pas trop s'attendre à ce que le policier fasse la distinction nette entre activités politiques subversives et oppositions politiques démocratiques, ses maîtres politiques ayant eux-mêmes du mal à la faire. D'où cet autre aveu du commissaire Higgitt qui éclaire la confusion inquiétante de l'époque : « On ne savait pas au juste quels groupes partisans du séparatisme préconisaient ou utilisaient la violence ou des actes criminels. Le service de sécurité a modifié ses activités de façon à obtenir des renseignements sur [tous] les groupes et organismes qu'on savait partisans de la cause séparatiste. »

Durant ces années troubles, où la frontière entre démocratie et État policier s'amenuisait, les gendarmes fédéraux n'étaient pas les seuls à épier le parti de René Lévesque. Les services parallèles de renseignement reliés au bureau du premier ministre Trudeau, et dont étaient responsables Marc Lalonde et Gordon Robertson, s'y appliquaient aussi. Dans son rapport final sur la crise d'octobre 1970, le Strategic Operations Center (SOC), dont nous avons parlé précédemment, concluait qu'il fallait passer à l'offensive contre le PQ et proposait une stratégie pour le mettre en échec. L'enquêteur du gouvernement québécois, Jean-François Duchaîne, dira, sept ans plus tard, que ce rapport allait donner à la GRC le feu vert pour commettre des actes illégaux à l'endroit du Parti québécois.

Le postulat du SOC reposait sur la certitude que « *the separatists and revolutionaries* » s'étaient infiltrés partout, dans les postes clés du gouvernement, les médias, les syndicats, les universités et les établissements d'enseignement. À court terme, le FLQ restait dangereux, car il se servait du PQ comme sanctuaire. Il ne fallait pas lui donner le temps de panser ses plaies. Toutefois, l'ennemi public numéro un des années à venir serait le Parti québécois qui, pour le SOC comme pour la GRC, représentait la menace et la subversion.

Le groupe de Marc Lalonde demandait des fonds publics pour financer un service permanent qui prendrait en charge la lutte contre « la révolution et le séparatisme » et assurerait l'espionnage systématique des « *separatists and other such groups* ». Le PQ et les groupes séparatistes en marge, subversifs ou pas, étaient toujours mis dans le même panier. Comme si felquistes, séparatistes, nationalistes et péquistes formaient un seul bloc.

Le rapport de la cellule de crise fédérale (SOC) soulignait la volonté d'Ottawa d'utiliser l'argent des contribuables pour monter une opération politique et policière contre un parti légalement reconnu, ce qui dans d'autres sociétés aurait été punissable. Au lieu de s'attaquer à la racine des problèmes constitutionnels qui avaient donné naissance au Parti québécois, le SOC s'attardait à esquisser une politique d'affrontement à caractère répressif qui prévoyait même des mesures de protection pour ceux qui auraient à la mener (« *permanent security arrangements for key personnel* »).

Au début de 1971, le groupe Vidal a succédé au SOC. Formé uniquement de francophones, cette équipe de renseignement et d'analyse opérait sous la couverture d'un service de recherche voué à la défense de « l'unité nationale ». À sa tête : Claude Vidal, animateur social issu des beaux-arts, qui avait auparavant « nettoyé » la Compagnie des Jeunes canadiens de ses agitateurs pour le compte du ministre responsable, Gérard Pelletier.

Contrairement à ce qu'en dira Marc Lalonde, qui le supervisait, ce groupe ultrasecret ne se contentait pas de colliger et d'analyser les articles de presse. Avec les munitions de ses informateurs consentants du Parti libéral du Québec, et de ses taupes dans les syndicats et les milieux d'affaires, il faisait la chasse aux péquistes camouflés, à la demande des ministres du gouvernement Trudeau. En 1981, l'un de ses membres, le colonel Henri Chassé, déclarera à *La Presse* que son groupe refilait ses informations aux agents de la GRC, qui venaient les collecter au bureau du premier ministre. Il se souvenait d'y avoir vu l'inspecteur Joseph Ferraris, qui avait organisé la section G pour lutter contre « *all separatist/terrorist activities* ».

Pourtant, la cohabitation entre Claude Vidal et John Starnes n'était pas facile. Jean-Pierre Goyer, nommé solliciteur général en janvier 1971, avait dû faire pression sur le policier qui voulait bien recueillir les informations des espions improvisés du groupe Vidal, mais était réfractaire à l'idée de leur passer les siennes. Le ministre Goyer tentait alors d'instituer un mécanisme de collaboration entre la GRC et le groupe Vidal « pour lutter contre le séparatisme dans la province de Québec ».

Dans une longue note interne destinée aux dossiers de la GRC, et datée du 21 mai suivant, John Starnes disait qu'il avait averti Jean-Pierre Goyer du prix politique que paierait le gouvernement Trudeau, si la chose venait à se savoir. À ses yeux, les libéraux pouvaient, s'ils le voulaient, utiliser leurs ressources pour détruire le Parti québécois, mais ils n'étaient pas justifiés de convertir la GRC en police politique. Il fallait, écrivait-il, tirer un trait net (« *a sharp line* ») entre les deux activités. « Le gouvernement pourrait être sévèrement critiqué d'utiliser les Services secrets contre une formation dûment constituée★. »

Toujours selon le policier, le ministre Goyer avait insisté pour obtenir sa collaboration et ne voyait pas de raisons pour lesquelles il la lui refuserait. En revanche, le solliciteur général comprenait les craintes de John Starnes au sujet de l'amateurisme du groupe Vidal et lui avait suggéré de lui communiquer directement ses renseignements. Il se chargerait de les acheminer au premier ministre, qui verrait s'il y avait lieu ou non de les lui communiquer.

Le jour où ces menées de l'ombre se retrouveront à la une de *La Presse*, en 1992, Marc Lalonde sera accusé d'avoir pratiqué l'espionnage à grande échelle contre le parti de René Lévesque. Rendu furieux par un article de Gilles Paquin, « Lalonde voulait utiliser le service d'espionnage de la GRC contre le PQ », l'ancien ministre répliquera dans une déclaration écrite qu'il n'avait jamais vu cette note et qu'il n'avait jamais demandé ou fait demander à la GRC de lui fournir ses services contre le PQ.

La nuit des « plombiers »

Si le chef des Services secrets canadiens n'est pas chaud à l'idée d'échanger ses informations avec le bureau du premier ministre, en revanche il a bien compris ce que les politiciens attendent de lui : traquer « les séparatistes qui veulent briser le Canada ». Tous les séparatistes, le Parti québécois compris. « *Separatism as a whole* », avait précisé Pierre Trudeau à la séance du Cabinet du 19 décembre 1969 à laquelle il avait lui-même assisté. La proposition principale du mémorandum du premier ministre étudié à cette réunion était aussi large que limpide. La GRC devait fournir un rapport détaillé sur la

---

★ « *The government could be seriously criticized for attempting to use the facilities of the Security Service to carry out political action against a duly constituted political party in Canada.* »

situation du mouvement séparatiste au Québec : structures, membership, contacts, stratégies, influences extérieures, etc.*.

Dans la nuit du 9 janvier 1973, au beau milieu du Watergate américain qui coûtera son poste au président Nixon, et à quelques semaines du congrès de février du Parti québécois, une quinzaine de « plombiers » de la GRC, tous demeurés impunis à ce jour sauf un, volent la liste des membres du PQ conservée dans l'ordinateur des Messageries Dynamiques, rue Jeanne-Mance, à Montréal.

En une seule nuit, au mépris de toutes les lois censées régir une société démocratique, les agents de la section G fichent au bénéfice d'Ottawa près de 100 000 Québécois qui ont adhéré en toute bonne foi à un parti légalement constitué dont les députés siègent au Parlement. L'opération HAM, nom de code donné à leur crime par les agents fédéraux, n'est que le nec plus ultra d'une série de délits qui défrayeront les manchettes après 1974, quand l'agent Robert Samson, dans l'exercice de ses fonctions, aura sauté par mégarde avec la bombe qu'il s'apprêtait à déposer.

René Lévesque dénoncera publiquement comme une « saloperie inqualifiable » l'espionnage fédéral contre son parti. Avant de demander à Jean-François Duchaîne de mener une enquête préliminaire et de créer ensuite la commission Keable, il commandera des sondages qui lui indiqueront que la population condamnait les activités illégales de la GRC. Seulement 27 pour cent (22 pour cent des francophones mais 45 pour cent des anglophones) approuvaient la police fédérale. De même, 51 pour cent étaient en faveur d'une enquête sur la mise en vigueur de la Loi des mesures de guerre, en octobre 1970.

Reste à savoir si les entrées subreptices de la GRC dirigées contre le parti de René Lévesque étaient légales. Obligée de répondre à cette question de la légalité, la GRC s'abritera derrière le rapport de la Commission fédérale d'enquête sur la sécurité (rapport Mackenzie), créée alors que Pierre Trudeau était ministre de la Justice. Comme le soulignera le président de la commission d'enquête Keable, ce rapport déposé en 1969 sanctionnait l'illégalité, en ce sens qu'il laissait

---

* *« That the RCM Police be asked to provide a detailed report on the present state of separatism in Quebec in terms of organization, members involved, organizational interrelationship, apparent strategy and tactics and outside influence. »*

entendre qu'un service de sécurité devait disposer d'une certaine latitude pour enfreindre la loi et mener ses opérations à terme.

C'est sur la section du rapport MacKenzie intitulée « Le séparatisme québécois et la légalité » que John Starnes s'est appuyé d'ailleurs pour autoriser le vol de la liste des membres du PQ. Dès août 1972, ses agents ont ouvert un dossier sous le nom de code HAM. L'un des hauts responsables de l'opération, dont la signature apparaît sur une note secrète autorisant ce vol par effraction, était Raymond Parent, le premier contact de Claude Morin.

Malgré les évidences, John Starnes se réfugiera jusqu'à la fin dans la légalité, niant même catégoriquement que la GRC surveillait le Parti québécois : « Je veux qu'une chose soit bien claire, dira-t-il au commissaire Keable. Il n'y avait pas de dossier sur le Parti québécois. Nous n'étions pas intéressés par le Parti québécois. » Une affirmation contredite non seulement par l'opération HAM elle-même mais aussi par l'un de ses limiers, le caporal Maurice Goguen, qui avait monté le dossier D926 titré « Le Parti québécois » et qui avait été remis à la commission.

Un document interne de la GRC précisait très clairement d'autre part le véritable objectif du vol de la liste des membres du Parti québécois : « La valeur d'une telle opération est grande car elle fournira à la Force des renseignements sur les sujets fichés dans notre dossier D928 (différent du dossier D926) ainsi que des statistiques sur le degré d'infiltration séparatiste dans nos secteurs clés, l'éducation, la police et les forces armées, ainsi que les gouvernements provincial et fédéral. »

Officiellement, le dossier D928, ne concernait pas le PQ mais visait des personnes jugées extrémistes ou terroristes, comme les felquistes Pierre Vallières et Francis Simard. En réalité, s'y trouvaient aussi des noms de péquistes et de journalistes qui n'avaient rien à y faire ! Par exemple ceux des journalistes Lysiane Gagnon et Judith Jasmin, de l'avocat Pierre Marois et de René Lévesque lui-même (fichier D928-2470) ! Jean Keable s'inquiétera de pareille « inflation ».

Outre l'aberrant dossier D928, la note de la GRC révélait l'objectif fondamental qu'elle poursuivait en faisant main basse sur la liste du Parti québécois : obtenir une photographie de la pénétration de l'idée indépendantiste et du parti qui la portait dans différents secteurs de la société. Une motivation plus politique que policière, suintant la chasse aux sorcières, et qui permettrait aux fédéraux d'épingler les indépendantistes où qu'ils se trouvaient. Comme le résumera la commission Keable, l'opération HAM « n'avait pour fin que de recueillir le nom des membres du Parti québécois ».

En 1975, alors qu'il devenait possible que René Lévesque prenne le pouvoir, les « plombiers » du 9 janvier 1973 effaceront toute trace de leur crime en brûlant les bandes photocopiées dans l'incinérateur du quartier général de la GRC, à Ottawa. Une note de service précisera : « Si quelque partie que ce soit de cette information tombait entre de mauvaises mains, cela pourrait se révéler embarrassant autant pour le gouvernement que pour la GRC. »

« They already knew... »

Une question demeure : le premier ministre Trudeau savait-il que la GRC violait la loi à des fins politiques ? Avait-il été averti de l'opération HAM dirigée contre René Lévesque ?

La commission d'enquête présidée par Jean Keable a tenté de faire la lumière là-dessus mais a dû faire face à un véritable barrage de la part du fédéral. Non seulement elle n'a pu faire comparaître l'ancien solliciteur général Jean-Pierre Goyer, mis en cause par la GRC, mais ses requêtes de documents n'ont rencontré que refus et contestations judiciaires. En revanche, la commission fédérale du juge McDonald avait les moyens d'aller très loin. Elle n'a en effet rien négligé, entendant à huis clos jusqu'au premier ministre Trudeau.

Cependant, son rapport ménageait la chèvre et le chou quant à la responsabilité des politiciens, et comportait une omission de taille : le chapitre 10 du rapport, consacré à l'opération HAM, a été laissé en blanc sous prétexte que les poursuites déjà engagées contre les policiers impliqués auraient pu en être affectées. Le « chaînon manquant » du rapport McDonald a suscité beaucoup d'interrogations. Le juge était-il allé au fond des choses ? N'avait-il pas voulu cacher des faits incriminant le gouvernement canadien en retirant ce chapitre ?

En réalité, la faille principale du rapport était ailleurs. Plus précisément dans la non-publication de certains passages du document numéro 11, marqué du sceau *Top secret* et intitulé *Government Knowledge of R.C.M.P. Activities not Authorized or Provided for by Law* (la connaissance qu'avait le gouvernement des activités illégales de la GRC), soumis au juge McDonald par le conseil de la commission, le 12 février 1981.

Une partie de ce volumineux document d'une centaine de pages a été rejetée par le juge McDonald et a dû être réécrite du tout au tout. Pourquoi ? « Ce qu'on m'a laissé savoir à l'époque, dit aujourd'hui Me Jean Keable, c'est que le gouvernement fédéral était furieux et avait envoyé à la commission plusieurs messages lui demandant de ne pas publier cette partie de son rapport. »

Et pour cause ! La commission McDonald adressait un blâme sévère au premier ministre du Canada, l'accusant d'avoir été au courant des actes illégaux commis par la GRC, d'avoir manqué gravement à ses devoirs en fermant les yeux et d'avoir consenti implicitement à leur continuation. La lecture de la première version non expurgée du rapport McDonald ne laisse en effet aucun doute sur les responsabilités de Pierre Trudeau et de son ministre de la Justice, John Turner.

Le juge McDonald a retiré le blâme adressé au premier ministre Trudeau du rapport original en invoquant le fait qu'il ne lui appartenait pas de juger la « conduite » des ministres et des fonctionnaires. Pour s'en justifier, il a inséré une note à la page 10 de l'introduction qui donne à entendre que son changement de cap est dû à une mise en garde du Cabinet qui lui a été communiquée non pas par l'avocat du gouvernement, mais plutôt, et « très habilement d'ailleurs », note-t-il, par celui d'un informateur de la commission.

« On nous a rappelé avec insistance que notre mandat ne nous autorisait pas à faire enquête sur la conduite de personnes n'appartenant pas à la GRC, ni à faire part de nos vues et conclusions à ce sujet », écrit le juge McDonald qui remarque cependant qu'avant cet avertissement, « personne ne nous a dit que nous ne pouvions [le] faire ». Néanmoins, il s'est imposé « une très grande prudence », comme il l'avoue, lorsqu'il s'agissait d'apprécier la conduite et les décisions des ministres : « Nous avons évité de nous prononcer sur de telles décisions car nous n'estimons pas être habilités à juger de la qualité de leur gestion. »

Comme si les enquêteurs américains avaient décidé de ne pas porter de jugement sur la « conduite » du président Nixon dans l'affaire du Watergate...

Pour juger la conduite du premier ministre, la commission s'est basée sur le procès-verbal de la réunion du comité du Cabinet sur la sécurité du 1er décembre 1970, deux ans avant l'opération HAM contre la formation de René Lévesque. Le chef des Services secrets y avait fait une confidence pour le moins imprévue. Selon les notes du secrétaire du Conseil privé, R. Trudel, John Starnes avouait candidement aux ministres que, depuis 20 ans, son service était devenu expert dans l'art de violer la loi sans se faire attraper, et qu'il ne pouvait faire autrement*.

Cet aveu avait incité Pierre Trudeau à dire que ces « contradictions inhérentes aux opérations policières » ne devaient pas entraîner de poursuites pour des raisons de sécurité ; et aussi parce que l'image de la GRC en pâtirait sévèrement si ses agents étaient surpris à enfreindre les lois pour obtenir de l'information.

Convoqué par le juge McDonald, le premier ministre a eu un trou de mémoire. Il ne se souvenait plus des propos exacts de John Starnes, mais ne niait toutefois pas que ce dernier pouvait avoir dit que ses services « avaient posé des gestes illégaux depuis 20 ans sans se faire prendre », tout en doutant cependant que le policier ait utilisé le mot illégal. De plus, il ne se souvenait pas avoir pensé, en écoutant John Starnes, que la police ait pu commettre des crimes.

Pierre Trudeau a cherché à atténuer l'aveu du policier en remettant en cause l'exactitude du compte rendu du greffier Trudel qui avait sans doute forcé la note en écrivant le mot illégal. Il a aussi nié avoir dit que la GRC ne devait pas être poursuivie pour des raisons de sécurité. Le juge McDonald lui a objecté que le témoignage du fonctionnaire était pourtant limpide : son procès-verbal reflétait le plus fidèlement possible les propos échangés, et sans aucune interprétation de sa part.

Le juge McDonald a ensuite appelé John Starnes à la barre. Le policier a affirmé également qu'au cours de la discussion, il avait eu l'impression qu'il n'avait rien appris aux ministres : « Ils le savaient déjà. » (« *They already knew.* ») Devant l'insistance du juge, le chef des Services secrets a répété : « Il m'est difficile d'accepter la thèse

---

* « *... has been doing security and intelligence illegal things for 20 years but never caught, no way of escaping these things...* »

voulant que les ministres n'étaient pas été au courant des problèmes [de légalité] rencontrés par le service de sécurité. »

Len Higgitt, grand patron de la GRC, a confirmé le témoignage de son subordonné. Il a affirmé au juge McDonald qu'il avait lui-même discuté de temps à autre du côté illégal de certains gestes de la GRC avec des ministres et des hauts fonctionnaires du gouvernement sans pouvoir cependant mettre de dates précises si ce n'est que c'était durant l'année 1970.

La commission a découvert aussi que le 27 novembre 1970, au cours de la réunion d'un comité de sous-ministres présidée par Gordon Robertson, bras droit du premier ministre Trudeau, le commissaire Higgitt et son collègue Starnes avaient laissé tomber que la GRC effectuait des entrées clandestines pour installer des systèmes d'écoute et que cela continuerait malgré les risques, car le jeu en valait la chandelle.

En s'appuyant sur le procès-verbal de la rencontre, le juge McDonald a tiré une première conclusion. Les proches conseillers du gouvernement, soit MM. Gordon Robertson, Ernest Côté et Donald Maxwell, tous présents au meeting, avaient été mis au courant par MM. Higgitt et Starnes des problèmes [de légalité] rencontrés par leurs agents à l'occasion d'« opérations délicates », en vue d'installer des microphones.

Le premier ministre a manqué à son devoir

Ces constatations ne sont rien comparativement aux conclusions, dévastatrices pour le premier ministre Trudeau et le ministre de la Justice Turner, contenues dans le rapport non publié de la commission McDonald.

Le juge tient pour exact le procès-verbal du greffier Trudel sur lequel il se base pour décréter que John Turner a bien saisi le sens des aveux du directeur Starnes, lors de la fameuse réunion du Cabinet de décembre 1970, puisqu'il lui a répliqué : « Si on vous prend sur le fait, qu'arrivera-t-il à la réputation de la GRC ? Est-ce que vous ne devriez pas alors vous dissocier de l'acte commis ? »

Le compte rendu de la discussion, poursuit le commissaire, révèle que le premier ministre Trudeau a compris lui aussi la signification de l'aveu du policier et sait depuis ce jour que la GRC viole la loi. « *Accordingly, this Commission finds that Mr. Trudeau and Mr. Turner were told at the december 1, 1970 meeting of the C.C.P.P. that the Security Service had been doing illegal things for twenty years**. »

Sachant cela, continue-t-il, il était du devoir du chef du gouvernement et de son ministre d'enquêter sur ces activités illégales (« *it was incumbent upon Mr. Trudeau and Mr. Turner to inquire into the nature of the illegal things* »). Non seulement ils ne l'ont pas fait, mais ni l'un ni l'autre n'ont avisé la GRC de cesser ses infractions, négligeant ainsi de remplir leur devoir. (« *In the absence of evidence of such inquiry, it is submitted that Mr. Trudeau and Mr. Turner may be found to have breached a duty owed by them to direct the Security Service to discontinue participation in such illegal activities***. »)

Le document non divulgué au public va plus loin encore dans la condamnation. En fermant les yeux et en laissant faire, Pierre Trudeau a donné à la GRC un consentement implicite à ses crimes. En effet, à cette même réunion du Cabinet, ni lui ni le ministre de la Justice n'ont cru bon d'interroger John Starnes pour en savoir plus long, ni pour lui signifier d'arrêter de violer la loi. De telle sorte qu'en sortant de la rencontre, le chef des Services secrets était fondé à se croire autorisé par le gouvernement à continuer ses « opérations délicates ».

Et le juge McDonald de préciser qu'il n'est pas déraisonnable de conclure que MM. Trudeau et Turner donnaient un appui tacite à la poursuite des activités illégales du Service de sécurité : « *Accordingly, it would not be unreasonable to conclude that Mr. Trudeau and Mr. Turner were tacitly assenting to the continuation of such illegal activities as were then engaged in by the Security Service…* »

Sur ce dernier point, il faut noter que le rapport officiel dit exactement le contraire des pages censurées. « Le fait que le gouvernement savait que la GRC se livrait à des actes illégaux, disait le juge, ne peut pas raisonnablement être interprété comme un consentement donné implicitement à tous les actes illégaux auxquels M. Starnes a

---

* Des trois blâmes adressés par la commission à Pierre Trudeau et à son ministre de la Justice, c'est le seul qui se retrouve dans le rapport publié.

** « En l'absence d'une enquête de leur part, la commission juge que MM. Trudeau et Turner ont manqué à leur devoir d'ordonner au Service de sécurité de mettre un terme à ses activités illégales. »

ensuite participé… » Et encore : « Il n'est pas raisonnable, à notre avis, d'interpréter l'absence de questions ou de directives d'avoir à mettre fin aux actes illégaux comme un blanc-seing. » Aussi ne faut-il pas s'étonner des titres de la presse de l'époque basés sur le rapport officiel, comme celui-ci paru dans *Le Devoir* : « *Le gouvernement savait mais cela n'équivaut pas à un consentement tacite.* »

Dans son rapport officiel, la commission ne va pas cependant jusqu'à déduire que la GRC s'est dès lors crue autorisée par le premier ministre à monter l'opération HAM nommément, ce qui ajouterait encore à la sévérité du blâme. Mais 10 ans plus tard, le directeur John Starnes franchira le fossé lorsqu'il déclarera publiquement que le cabinet Trudeau avait exigé la liste des membres du Parti québécois. « La GRC a volé les listes du PQ à la demande du cabinet Trudeau », titrera alors *La Presse*.

Devant le tollé, le policier nuancera cependant ses propos. Pour cause, car il paraît douteux, du moins jusqu'à preuve du contraire, que le gouvernement ait pu donner une directive aussi précise à ses services secrets : « Chers collaborateurs, allez donc voler la liste du parti de René Lévesque, ça nous aidera ! »

Les deux grandes commissions d'enquête n'ont pu prouver hors de tout doute que le gouvernement avait ordonné l'opération HAM. Mais dans le climat d'ambiguïté et de laisser-aller de l'époque, décrit par la commission McDonald, et vu les nombreuses demandes de renseignements au sujet du Parti québécois adressées à la GRC par le gouvernement, était-il vraiment nécessaire d'émettre un ordre explicite pour que l'opération soit lancée ?

Les ministres mêlés de près à ces événements ont toujours nié que le gouvernement ait pu ordonner à la police de pénétrer par effraction aux Messageries Dynamiques et de chiper la liste du PQ. Pour l'ancien secrétaire d'État Gérard Pelletier, il était légitime toutefois d'espionner le PQ, car le FLQ, tel un rémora, lui collait au flanc. À ce propos, Marc Lalonde ajoutera : « C'était inévitable que le PQ soit surveillé. Si la GRC faisait filer Robert Lemieux, l'avocat du FLQ qui était actif aussi au PQ, comment pouvait-elle distinguer le militant péquiste du sympathisant terroriste ? »

Gérard Pelletier avancera une autre raison, la même que celle invoquée par la gendarmerie pour justifier l'opération HAM. Ottawa devait savoir ce qui se passait au PQ, car ce parti constituait une menace à l'intégrité du Canada, tout comme le Parti communiste durant les années 50 : « Par définition, le fédéral a l'obligation de défendre l'unité du pays et un parti qui veut la détruire doit être surveillé, même s'il est démocratique. »

Pour sa part, Marc Lalonde prendra avec un grain de sel les accusations des anciens patrons de la GRC à l'endroit du gouvernement Trudeau. « John Starnes nous a tout mis sur le dos, dit-il. Il a essayé de nous imputer sa décision de déclencher l'opération HAM. Nous étions impatients, c'est vrai. Quand on lui disait : "Comment se fait-il que vous n'ayez pas plus d'information ? Faites quelque chose !", il prenait cela pour des instructions. Comme si on lui avait commandé d'aller chercher l'information *by hook or by crook* ! Coûte que coûte, par tous les moyens. »

Ce type d'autojustification laissera toujours perplexe l'ancien président de la commission d'enquête Keable. À ses yeux, c'est le climat d'irresponsabilité gouvernementale mis en lumière par les enquêtes publiques qui a rendu possible l'opération HAM. Le système était simple : le gouvernement Trudeau donnait aux policiers des directives assez larges, muettes sur les moyens, qui leur laissaient toutes les interprétations possibles, dont celle de pouvoir violer impunément la loi.

Si les choses tournaient mal, chacun avait son excuse et renvoyait la balle à l'autre. Le policier soutenait que le gouvernement avait avalisé ses opérations, qu'un gouvernement qui voulait la fin voulait les moyens, qu'il était hypocrite de le tenir seul responsable des illégalités commises. En novembre 1981, Me Harvey Yarosky, procureur des agents de la GRC accusés par Québec d'avoir volé la liste du Parti québécois, plaidera leur innocence en faisant valoir qu'ils « ne faisaient qu'obéir aux ordres du gouvernement Trudeau qui les avait mis dans un contexte où ils avaient l'obligation de faire du zèle pour sauvegarder l'unité nationale ».

De leur côté, les politiciens expliquaient que leur silence sur les moyens ne signifiait pas qu'ils autorisaient l'illégalité. Ils juraient sur leur âme qu'ils n'avaient jamais demandé à la police de voler la liste des membres du PQ. Pour Jean Keable, c'était « l'institution de l'irresponsabilité ».

Autre question gênante : les ministres peuvent-ils se laver les mains de l'opération HAM, eux qui ont demandé à la GRC de

surveiller le parti de René Lévesque de la même manière qu'elle surveillait le Parti communiste ? John Starnes assurera qu'ils connaissaient parfaitement les méthodes de ses policiers utilisées contre le
Parti communiste : écoute électronique, perquisition sans mandat,
ouverture du courrier, vol de documents… Voilà pourquoi il a pu
dire au sujet de l'opération HAM : « Ils savaient ce qu'on ferait contre
le Parti québécois, puisqu'ils s'adressaient à un service qui espionnait
aussi les pays de l'Est. »

En somme, le gouvernement Trudeau a clairement manifesté sa
volonté d'obtenir des renseignements sur le Parti québécois, mais
il a pratiqué ensuite l'aveuglement volontaire sur les moyens. Il a
fait l'autruche. « Les ministres auraient pu choisir une autre voie,
aller aux nouvelles, regarder de près ce qui se passait, dit encore
Me Keable. Ils ont décidé qu'ils aimaient mieux ne pas savoir. C'est
le choix qu'ils ont fait : on va dire à la GRC de respecter la loi, mais
d'arriver à ses fins ! »

Pour sa part, René Lévesque ne se gênera pas pour dire, en découvrant l'ampleur du « cloaque politico-policier » qui avait régné à
Ottawa et dont son parti avait été victime au début des années 70 :
« Derrière ces gens [les agents de la GRC], il y a un gouvernement
qui a laissé faire… sinon organisé ces malpropretés. »

Si le juge McDonald n'avait pas écarté de son rapport officiel le
blâme sévère adressé au premier ministre du Canada, nul doute que
ce dernier se serait retrouvé au milieu d'une jolie tempête politique.
Mais de là à dire qu'il aurait démissionné comme le président
Richard Nixon l'a fait, il y a une marge.

Car la vigueur de la démocratie canadienne ne peut se comparer en aucune façon aux exigences de transparence et de rigueur
de la démocratie américaine. Après tout, c'est la même démocratie canadienne qui est demeurée insensible aux arguments de René
Lévesque et d'autres Québécois éminents, comme Claude Ryan ou
Guy Rocher, tous unanimes à condamner le caractère abusif et
antidémocratique de la Loi des mesures de guerre. Une loi qui imposait dans la réalité à la seule province de Québec une situation de
fait où chacun de ses citoyens devenait passible d'arrestation arbitraire contraire à l'*habeas corpus* et de mesures policières contraires
aux libertés et au respect des droits de la personne.

CHAPITRE L

La chance passe

*Avec la création d'Israël, tous les Juifs du monde
ont gagné subitement deux pouces en se
redressant.*

RENÉ LÉVESQUE, *Le Journal de Montréal,* juin 1973.

L a possibilité d'une élection précipitée se précise durant
l'été 1973. René Lévesque est prêt à faire face à la musique
et compte améliorer le score de 1970. Au conseil national de
Trois-Rivières, il fouette ses militants déjà excités par l'odeur de la
poudre : « Manquer notre coup serait de notre faute car nos chances
de former une opposition forte, ou même le gouvernement, sont
bonnes. »

La cote de popularité du PQ est en hausse, mais elle interdit tout
triomphalisme. En 1972, les péquistes ont eu recours pour une
dernière fois à Crop, maison de sondage trop proche du Parti libéral
pour être tout à fait fiable. Depuis, le parti de la souveraineté a ses
propres sondeurs, Pierre Drouilly et Michel Lemieux, qui lui
accordent 30 pour cent des voix — ce qui s'avérera juste à une ou
deux décimales près. Alors que les sondages Crop ont tendance à
sous-évaluer la force du PQ.

Avec le tiers des voix, René Lévesque ne peut espérer prendre le
pouvoir. D'autant moins que, d'après divers coups de sonde, l'image

du PQ reste imbuvable. Un parti trop intello (« On parle de revenu minimum garanti, et Caouette parle de 1 200 $! »), froid et hautain (« On les a, les solutions ! »), un parti qui fait peur et passe le plus clair de son temps à se tirer dans les flancs. Il faudrait être décontracté, humain, rassurant. Rassembler au lieu d'éloigner. Le chef devrait modifier son portrait : troquer l'agressivité contre la sérénité.

La campagne repose sur les épaules de l'organisateur Michel Carpentier, flanqué de Claude Malette, qui deviendra le dernier larron, avec Michel Carpentier et Jean-Roch Boivin, du trio qui conseillera René Lévesque après 1976. C'est un petit homme nerveux qui parle vite mais garde la tête froide. Ex-fonctionnaire fédéral de l'Outaouais, il a été la cible des délateurs durant la crise d'octobre. Après l'imposition des mesures de guerre, il s'attendait à être arrêté ou interrogé, comme Jocelyne Ouellette, tête d'affiche du PQ de Hull et future ministre. Lui s'en est tiré parce qu'il a pris l'avion pour Grenoble avec sa femme Marie. Il s'en allait compléter un doctorat.

Michel Carpentier s'est entouré de sang neuf. Les deux tiers des membres de son équipe en sont à leur première affiliation au parti et la moitié n'étaient pas membres du PQ, trois ans plus tôt. Le sondeur Michel Lemieux observe qu'à la veille de la bataille, les organisateurs font preuve d'un « optimisme modéré ». Mais l'argent ne manque pas, contrairement à 1970. Baptisée « Un pas de plus », la campagne de financement populaire a rapporté 800 000 $. Le budget électoral dépasse le demi-million, dont les trois quarts iront à la publicité.

Les libéraux détiennent 72 sièges, l'Union nationale, 17, les créditistes, 12 et le PQ, 7. L'objectif de René Lévesque, c'est d'être l'opposition officielle. Le PQ doit déclasser les créditistes d'Yvon Dupuis, sacré chef par la seule volonté de Réal Caouette, et les unionistes de Gabriel Loubier, successeur de Jean-Jacques Bertrand. Pour cela, il lui faut arracher au moins 30 sièges. Se faisant l'écho des visées cachées de son chef, plutôt que de son discours électoral inflationniste, Louise Beaudoin confie au consul américain Everett Melby : « Nous concédons aux libéraux les comtés anglophones. Nous concentrerons nos efforts dans 80 comtés avec l'espoir d'en gagner 25. »

Évaluation réaliste, mais qui n'impressionne pas Michel Carpentier et Claude Malette. Plus audacieux, ceux-ci fixent la barre à 55 et visent rien de moins que le pouvoir. Espérer simplement le rôle d'opposition officielle, c'est dépassé. Le PQ l'est déjà dans l'esprit des électeurs, qui verront la campagne comme une lutte à deux. Il serait curieux que Robert Bourassa soit le seul à revendiquer le pouvoir.

L'équipe du programme, que coordonne le député Guy Joron, comprend aussi le conseiller Gilbert Paquette, et Martine Tremblay, que René Lévesque a fait entrer non sans mal à la permanence, lorsqu'il en a exclu Louise Harel. Le slogan est tout trouvé. Ce sera « J'ai le goût du Québec ». Après coup, certains le trouveront creux ou narcissique, mais il fait moins tapageur et rageur que « Le Québec aux Québécois ! » de 1970.

« Le goût du Québec » a déclassé des suggestions plus hardies comme « La patrie ou la mort ! », inspirée du cri des partisans de Fidel Castro : « *Libertad o la muerte !* » René Lévesque a vu 36 chandelles quand on lui en a parlé ! Toutefois, la trouvaille péquiste a meilleur « goût » que la chanson-slogan libérale de Jean Lapointe (« Je vis dans un pays ») dans laquelle il compare le Québec souverain à la Roumanie communiste qui brime la liberté. Devant les protestations de l'ambassadeur roumain — « C'est un affront à mon pays ! » —, Robert Bourassa doit la retirer.

Le catalogue de promesses que René Lévesque récitera au cours de sa tournée de la province est tiré du programme voté au congrès de février, avec l'article litigieux de la souveraineté sans référendum. C'est une salade composite à l'image de la coalition qu'est le PQ. Les syndicalistes, technocrates, enseignants, petits bourgeois et professionnels y trouvent leur compte.

On doit à Guy Joron les principaux thèmes de la campagne. Première semaine : « On a les mains libres. Le gouvernement Bourassa dépend d'Ottawa, des financiers, de la pègre, des grosses compagnies. » Deuxième semaine : « On a les idées. Le gouvernement Bourassa est impuissant devant l'inflation, le chômage et l'assimilation. » Troisième semaine : « On a l'argent. Le gouvernement Bourassa est manipulé par les autres qui jouent avec notre argent. » Quatrième semaine : « On a les hommes. Le gouvernement Bourassa est à bout de souffle, usé, vieilli. » Cinquième semaine : « On offre un vrai gouvernement de Québécois. Le gouvernement Bourassa est le gouvernement des autres. »

Claude Morin ajoute sa griffe. Dans un tract intitulé *L'indépendance, c'est pas sorcier*, le nouveau converti trace les contours rassurants d'une indépendance toute tranquille, sans histoire, pépère. René Lévesque, lui, lance un « appel à tous » inspiré du plan de Guy Joron, qu'il précise dans ce qui restera comme son dernier éditorial au *Journal de Montréal* :

« Un Québec moderne ne saurait se satisfaire d'un gouvernement dont la vision est celle d'une petite succursale de province qui attend les instructions du bureau-chef fédéral, comme celle aussi des gros bonnets, d'une minorité dominante et des intérêts qui grenouillent autour de l'assiette mal défendue des fonds publics. C'est cet instrument pernicieux qu'il s'agit de remplacer car il pourrait saboter la chance qui ne repassera pas toujours et faire du Québec français une minorité à jamais rembarrée dans le déclin et vouée aux oubliettes, comme une pièce de musée dans un coin pour touristes pressés. »

Cette fois-ci, René Lévesque n'ira pas se mettre la corde au cou dans le comté de Laurier, où un sondage interne attribue 60 pour cent des voix aux libéraux. Michel Carpentier le convainc de se présenter dans Dorion, où le redécoupage de la carte électorale a fait grossir la proportion de francophones à 85 pour cent. En 1970, Dorion abritait un électorat ethnique important et le député libéral sortant, Alfred Bossé, y avait été élu avec 35 pour cent des voix, contre 25 au péquiste et 12 à l'unioniste. Transposé dans le nouveau comté, et compte tenu de l'effondrement anticipé de l'Union nationale, le vote de 1970 dégagerait en 1973 une majorité de 429 voix en faveur du PQ.

La publicité électorale fait mousser « l'équipe majeure de la ligne nationale de hockey » qui entoure René Lévesque. Les gros canons ne manquent pas, en effet. Jacques Parizeau est sur les rangs, mais change de comté. Il a jeté son dévolu sur le nouveau comté de Crémazie, dans la partie nord de Montréal, où péquistes et libéraux sont au coude à coude. Autre figure de premier plan, le juriste Jacques-Yvan Morin conteste Sauvé, nouveau comté où les deux principaux partis se talonnent.

Depuis son adhésion au PQ, Jacques-Yvan Morin fait porter l'essentiel de son discours sur le « nationalisme moderne » qui ne tient à ses yeux ni du racisme, ni de la société fermée, ni de l'impérialisme. Il s'appuie sur sa vaste culture pour ridiculiser les fédéraux :

« Le Grand Turc aussi devait penser, au moment de l'indépendance de la Grèce, que le nationalisme était une force rétrograde. Le véritable responsable des guerres du siècle a été l'impérialisme. Les Québécois n'ont ni le tempérament, ni les moyens de pratiquer ce vice des États puissants… »

Après avoir hésité longtemps, Claude Morin plonge dans le comté bourgeois de Louis-Hébert, à Québec, où il demeure. Durant l'été, son ami le député Claude Castonguay, qui tient le comté, lui a confié qu'il disait adieu à la politique. Comme il s'agit d'une forteresse libérale où l'ancien ministre des Affaires sociales a obtenu 51 pour cent des voix en 1970, Claude Morin se lance dans la bataille sans trop y croire. À son assemblée d'investiture, il fait plaisir à René Lévesque, mais braque les souverainistes durs, dont Louise Beaudoin, qui tiquent lorsqu'il affirme, à l'encontre du programme, qu'il n'y aura pas d'indépendance sans référendum.

L'ancien felquiste Pierre Vallières a sollicité la candidature dans Mercier, comté du premier ministre, mais l'exécutif s'est empressé de lui retirer tout espoir en chargeant René Lévesque de l'informer du refus. Yves Michaud, le vieux pote du chef péquiste, a fini par rompre avec son non moins bon ami Robert Bourassa. Déjà, lors du passage de René Lévesque à Paris, Yves Michaud, qui s'y trouvait comme émissaire du gouvernement libéral, lui avait glissé à l'oreille qu'il était prêt à faire le saut. Mais le cher René lui a refilé Bourassa, comté difficile où le vote ethnique important a fait mordre la poussière à Jacques-Yvan Morin, en 1970.

La gaffe du budget de l'an 1

Le 25 septembre 1973, Robert Bourassa dissout le Parlement après seulement trois ans et demi de pouvoir et fixe la date du scrutin au 29 octobre. Le premier ministre n'invoque aucune urgence pour justifier des élections hâtives, lui qui jouit d'une avance confortable de 70 sièges. Avant d'inviter les Québécois à le suivre pour « une autre étape », il signale modestement qu'il a relancé l'emploi, relevé les finances publiques et rétabli la paix sociale attaquée par le FLQ et les syndicats.

René Lévesque est déjà sur le pied de guerre. « Nous sommes prêts à former le prochain gouvernement », crâne-t-il, même s'il n'en croit rien. Il met ses électeurs en garde contre la campagne de peur — pertes d'emploi et fuites de capitaux — qui va déferler une fois de plus sur la province : « Méfiez-vous et informez-vous le plus possible ! »

Robert Bourassa a plusieurs bonnes raisons de brusquer les choses. Elles n'ont rien à voir cependant avec la popularité grandissante du PQ. Il ne craint ni René Lévesque, ni son option souverainiste qu'il réduit à du romantisme irréalisable que les Québécois n'achèteront jamais. Le PQ est plus attirant comme parti d'opposition — sa performance parlementaire des derniers mois lui a conféré l'image d'un critique efficace et responsable — que comme avocat du séparatisme ou parti de gouvernement.

S'il va aux urnes un an avant la limite prévue par la loi, c'est que son nez politique lui dit que le contexte le sert. Que s'il attend, la sauce se gâtera. Il y a d'abord la presse qui n'a d'yeux que pour les péquistes. En mars, ces derniers ont chahuté le lieutenant-gouverneur Hugues Lapointe qui lisait le discours inaugural en anglais. Qui a écopé pour cet affront à l'étiquette parlementaire ? Lui, la presse l'ayant taxé de colonisé parce qu'il avait imposé un « discours bilingue » au Salon de la race.

Un mois plus tard, William O'Bront, grand caïd de la « viande douteuse », selon le mot de René Lévesque, a laissé tomber en public qu'il avait fourni des sommes rondelettes à la caisse électorale de Robert Bourassa, ce que celui-ci n'a pu démentir. Début juillet, le député Robert Burns a mis à rude épreuve l'intégrité du gouvernement en citant une enquête policière qui reliait à la pègre des candidats libéraux aux élections de 1970.

Le choc a été plus grand encore quand à son tour le nom de Pierre Laporte a été associé au crime organisé. La statue édifiée par les libéraux à la victime du FLQ s'est écroulée d'un seul coup. Devant sa députation en plein désarroi, Robert Bourassa a fait diversion en accusant les péquistes « de salir la réputation d'un homme décédé ». Mais les faits soulevés par Robert Burns, et confirmés non sans mélo par le ministre de la Justice Choquette qui, victime du stress, s'est affaissé en plein débat, ont eu raison du gouvernement.

Pour se sortir du guêpier dans lequel on l'entraînait, le premier ministre a ajourné le Parlement en catastrophe, au beau milieu de l'été. C'était un indice de plus que les élections n'allaient plus tarder.

L'épineuse question linguistique lui est également tombée sur la tête, divisant ses députés francophones et anglophones. Il fallait, le temps d'un scrutin, fermer cette boîte de Pandore avec laquelle s'amusait le PQ. Ce débat incontournable, qui risquait de coûter cher à son parti, Robert Bourassa y ferait face, mais en début de mandat, non à la fin, quand l'imminence des élections constitue un handicap politique sérieux.

Enfin, autre facteur favorable à un scrutin hâtif, l'économie tourne bien et l'invite à encaisser ses dividendes électoraux. Il a réussi l'exploit de présenter quatre budgets sans hausse d'impôt. De plus, même si c'est avec deux ans de retard par rapport à sa promesse d'avril 1970, il a créé plus de 125 000 emplois grâce notamment aux travaux de la Baie-James.

Robert Bourassa confiera, 20 ans plus tard : « Je me disais : pourquoi attendre au printemps ? J'avais eu une année économique exceptionnelle et fait la preuve d'un bon gouvernement. Mais la machine commençait à bloquer, je recevais des punches de tout côté à cause de l'affaire Laporte et de la langue. Il fallait bouger vite, ne pas attendre d'être K. O. Et après l'été, les gens sont de bonne humeur, c'est connu... »

Le 9 octobre, trois semaines avant le vote, René Lévesque déploie sa plus grosse batterie, le premier budget d'un Québec souverain. Il assure que la province a « les ressources requises pour être un pays ». Jacques Parizeau, qui défendra ce « budget de l'an 1 », en définit la philosophie, qui braque la clientèle libérale. Au Québec souverain, les riches paieront plus d'impôt, les sociétés commerciales ne jouiront plus d'exemptions fiscales indues, les petits salariés seront moins imposés et les classes moyennes ne le seront pas plus.

Une fois maîtres de tout leur butin, les Québécois disposeront d'un budget total de 12 milliards de dollars, deux fois plus que les 5 milliards du budget « provincial » de 1973. Au pouvoir, le PQ couperait de moitié les dépenses militaires et celles des Affaires étrangères, dépenserait davantage pour stimuler l'activité économique et consacrerait 45 pour cent des crédits à la politique sociale.

C'est le député Guy Joron qui s'est fait l'avocat principal du budget auprès de René Lévesque. Mais comme, pour ce dernier, les chiffres, c'est de la sorcellerie, il a confié au chef de cabinet Louis Bernard le soin de bâtir un projet avec les économistes Jacques Parizeau, Pierre Lamonde et Michel Leguerrier.

Pour René Lévesque, il s'agit de démontrer, chiffres à l'appui, ce qu'un Québec souverain fera de son budget, une fois récupérée du fédéral la totalité de ses impôts. C'est un outil pédagogique pour banaliser la peur de l'inconnu et faire mentir ceux qui disent : « Un Québec souverain ? Impossible. On n'est pas capables. On n'aura jamais les moyens. » Bref, dit encore le chef du PQ : « C'est pour répondre à ceux qui nous tiennent dans la m… parce qu'ils nous méprisent, et qui nous méprisent, tant qu'on les laisse nous tenir dans la m… »

L'idée est à double tranchant. Est-ce vraiment à un parti d'opposition de présenter un budget qui risque de le placer sur la défensive en l'exposant aux attaques des libéraux ? On épiloguera longtemps sur l'attitude véritable de Jacques Parizeau qu'on accusera de s'être traîné les pieds. Était-il pour ou contre ? Cette affaire permet de bien situer les relations souvent conflictuelles entre René Lévesque et lui. Des années plus tard, Jacques Parizeau fera éclaircir une partie du mystère par sa biographe autorisée, Laurence Richard : « On m'a dit d'en faire un [budget], alors j'en ai fait un. J'étais en tabar… mais qu'est-ce que vous voulez, ce qu'on a à faire, on le fait. »

L'un de ses proches, Jean Royer, se rappellera que Jacques Parizeau se trouvait au Mexique quand l'exécutif avait pris la décision de procéder sans lui demander son avis. Il s'était rangé parce que René Lévesque était le chef et parce qu'ils partageaient tous deux le même projet d'indépendance. Quoi qu'il en soit, Robert Bourassa n'en demandait pas tant. Des années plus tard, il ricanera encore : « Ils m'ont donné un précieux coup de main, il faut avoir l'aide de l'adversaire à l'occasion ! »

À ses yeux, René Lévesque commet une grave erreur de stratégie, qu'il encourage d'ailleurs en le mettant au défi de publier son budget. Le chef libéral s'empresse ensuite de réduire le plan des péquistes — dont eux-mêmes diront après coup qu'il était trop beau pour être vrai — à du créditisme pour intellectuels, qui fera tomber le dollar et fuir les capitaux. Après quoi, fidèle à sa stratégie d'érosion de l'option souverainiste, il centre ses attaques sur la monnaie qu'il considère comme le talon d'Achille de la thèse de René Lévesque, comme il le lui a déjà dit lors de leur rupture politique en 1967.

Jacques Parizeau attise le feu en provoquant en duel télévisé Raymond Garneau, ministre des Finances, qui le dévore tout rond.

Le Parizeau familier qui parle comme tout le monde et se fait comprendre n'est pas au rendez-vous. C'est plutôt le professeur sorti tout droit du London School of Economics qui, les pouces accrochés aux poches de son gilet de banquier, tente de désarçonner l'adversaire. Il inflige aux téléspectateurs, qui n'y entendent rien, tout son jargon d'économiste, depuis les rendements marginaux décroissants jusqu'au taux d'élasticité, alors que Raymond Garneau parle de pain et de beurre. Paradoxe, le savant économiste ne s'aperçoit pas qu'il perd la troupe. À la sortie du studio, il se félicite de sa prestation.

Jacques Parizeau a oublié la leçon que lui a servie un jour Gilles Grégoire. Il tentait d'expliquer à un auditoire du Témiscamingue ce qu'était l'inflation, mais personne ne comprenait son charabia. Parlant après lui, Gilles Grégoire avait résumé : « Si je vous ai bien compris, monsieur Parizeau, les prix montent par l'élévateur, les salaires par l'escalier. C'est ça, l'inflation ? » Les rires avaient incité l'économiste à avouer à l'ancien créditiste : « Il va falloir que j'apprenne ça, la langue du peuple. »

Grippé, fiévreux, aphone

C'est un nouveau René Lévesque tout pondéré et d'humeur égale que découvrent ses partisans. Il n'élève plus la voix, sourit à profusion, évite les charges à l'emporte-pièce émaillées de gros mots, écrase discrètement sa cigarette quand il aperçoit un photographe. Il porte même un costume marine de bon goût agrémenté d'une cravate soigneusement nouée.

En tournée, René Lévesque ne se déplace jamais sans sa documentaliste Martine Tremblay, qui fait équipe avec l'attaché de presse Robert Mackay, ex-journaliste de Radio-Canada congédié parce qu'il a osé écrire un article politique engagé dans le mensuel de Pierre Bourgault, *Point de mire*. C'est durant cette campagne que la jeune militante apprend à connaître son chef à fond. Et lui, à apprécier à sa juste mesure ce joli petit bout de femme, très doué pour décortiquer tous les éléments d'une situation compliquée.

Fille d'un vieux bleu de Charlevoix, Martine Tremblay était étudiante à l'université Laval durant la crise d'octobre. Elle faisait partie de la poignée de leaders étudiants qui, pour protester contre la Loi des mesures de guerre, avaient fomenté une grève sur le campus.

L'année suivante, changement de programme, elle devint la « Miss Colloque » du PQ en se consacrant à l'organisation des colloques régionaux. Avant les élections, Michel Carpentier l'a affectée auprès du chef avec le double mandat de le documenter et de tenir bien fermement son horaire.

Jamais encore Martine Tremblay n'avait observé d'aussi près l'ardent contact entre René Lévesque et le peuple. Mais comme le dialogue avec les notables locaux est froid et sec ! Ils ne viennent à sa rencontre que parce qu'ils n'ont pas le choix et se sauvent aussitôt les civilités terminées.

Avec la population, c'est magique. Jamais de salle vide. Des assemblées qui se prolongent, des visites d'usines où les ouvriers, sinon les patrons, lui font la fête, des tribunes téléphoniques où on l'appelle familièrement René. Devant l'enthousiasme populaire qu'il suscite partout où il passe, comment ne pas croire que la victoire est possible ? Hélas ! la réalité est tout autre, comme Martine Tremblay le mesure à Rivière-du-Loup. Les résultats d'un sondage à mi-campagne qu'elle communique à René Lévesque lui enlèvent ses illusions et brisent les reins du chef. Le PLQ obtient 53 pour cent des voix, le PQ, 26.

Une fois le coup encaissé, René Lévesque reprend sa course comme si de rien n'était. En réalité, il est grippé, fiévreux et aphone. Tellement malade qu'il doit se cramponner au micro pour tenir debout. S'il perd la voix, Martine Tremblay, qui joue à l'infirmière autant qu'à la conseillère politique, appelle à la rescousse le Dr Maurice Jobin, seul médecin qui réussit à l'approcher. « Bonjour, René », fait-il en l'entraînant dans le Winnibago de l'équipe pour lui faire une piqûre.

À une semaine du vote, un nouveau sondage publié dans *Le Devoir* vient confirmer celui de Rivière-du-Loup, si ce n'est que libéraux et péquistes ont gagné quelques points pour récolter respectivement 54 et 30 pour cent des voix. En revanche, le Crédit social et l'Union nationale s'effondrent. René Lévesque est au moins assuré de constituer l'opposition officielle, statut qui vaudra à son parti de puissants moyens financiers et techniques facilitant son travail de critique parlementaire, en plus de le positionner comme seule contrepartie aux libéraux.

Le chef péquiste s'aperçoit que son message ne passe pas. Il a beau déplacer les foules comme un thaumaturge, marteler ses thèmes habituels avec l'opiniâtreté du pic-bois, monter en épingle les bénéfices ajoutés de la souveraineté, peur et scepticisme dominent toujours le paysage électoral. Si la crise d'octobre peut expliquer la crainte, l'émergence du *French Power* à Ottawa motive le doute. En effet, huit ministères importants sous autorité francophone — Jean Marchand (Transport), Jean Chrétien (Affaires indiennes), Gérard Pelletier (Communications), Marc Lalonde (Santé), Jeanne Sauvé (Sciences et Technologie), André Ouellet (Postes), Jean-Pierre Goyer (Approvisionnements), Jean-Eudes Dubé (Travaux publics) — constituent un démenti à la thèse voulant qu'au fédéral, les Canadiens français soient nécessairement relégués à des rôles de sous-fifres.

Mais pour René Lévesque, comme pour Claude Morin, c'est surtout l'absence d'un référendum obligatoire dans le programme du parti qui ralentit la marche des souverainistes. En trois ans, le PQ n'a réussi à accroître son électorat que de six points, passant de 23,6 aux 30 pour cent des voix qu'annoncent les sondages. Découragé, René Lévesque lance une opération anti-peur pour tenter d'augmenter sa part des suffrages. Il l'a déjà amorcée en mettant une sourdine à l'indépendance et en s'en prenant plus durement à Robert Bourassa, comme un vrai chef de l'opposition.

Comme si l'article du programme prônant la souveraineté dure était déjà caduc, René Lévesque a laissé tomber, à Granby, qu'il ne voulait pas séparer le Québec du reste du Canada, mais réclamait plutôt un mandat de la population pour négocier d'égal à égal avec Ottawa. Formule que l'ancien premier ministre Daniel Johnson n'aurait pas reniée.

À deux jours du vote, il demande à l'exécutif de faire distribuer dans tous les foyers de la province un tract qui devrait rassurer les électeurs : « Aujourd'hui, je vote pour la seule équipe prête à former un vrai gouvernement. En 1975, par référendum, je déciderai de l'avenir du Québec. Une chose à la fois ! » Voilà introduite en douce l'idée chère à Claude Morin d'une indépendance par étapes.

Cette initiative de dernière minute n'inquiète pas Robert Bourassa. Il est trop tard, la partie est jouée. Il attend les résultats avec la confiance du vainqueur, tout en concédant une trentaine de sièges à René Lévesque. Démoli par la crise d'octobre et par l'affrontement avec les centrales syndicales, le premier ministre a misé sur la campagne pour replâtrer son image de faiblard à la traîne des financiers et des fédéraux.

Paul Desrochers, son organisateur, a fait proclamer partout « Y est fort, Robert ». À l'opposé de René Lévesque, dont les publicitaires ont noyé le charisme tapageur dans l'imagerie angélique du leader bon garçon, le chef libéral a cherché la bagarre en empruntant un langage dru qu'on ne lui connaissait pas. Passant par la Beauce, il a lancé : « Cessez donc, M. Lévesque, de faire le bouffon ! »

Pour mieux mettre en échec l'option souverainiste, il a forgé le concept de « souveraineté culturelle » qu'il a mis du temps à définir clairement. Quand il y est enfin parvenu, juste avant la campagne électorale, l'expression était devenue le « degré de liberté d'action nécessaire au Québec à l'intérieur du Canada pour se doter de politiques et de programmes nécessaires au développement de la langue et de la culture françaises ». Monsieur Prudhomme n'aurait pas mieux dit.

Et contre le budget de l'an 1, Robert Bourassa a réanimé le débat sur le fédéralisme rentable. En 1971, a-t-il affirmé, l'appartenance du Québec à la fédération canadienne lui avait valu un surplus de 390 millions de dollars, que la calculatrice de René Lévesque a eu tôt fait de transformer en déficit de 20 millions.

Même si le chef libéral a passé le plus clair de son temps sur le terrain de l'économie (« Bourassa construit »), et promis de débloquer d'autres grands projets comme celui de la Baie-James, il n'a pu s'empêcher d'alimenter la peur au nom de la sécurité et de la stabilité. « Ne devenons pas un autre Cuba », a-t-il averti en évoquant l'exode des capitaux et des jeunes (« *Thousands would lose jobs* »), et la « piastre séparée », où la tête de René Lévesque remplace celle de la reine qui ne vaudrait plus que 50 ou 70 ¢ dans un Québec souverain.

Ses messages télévisés associaient carrément le PQ à des scènes de violence, supposément croquées sur le vif, que les télévisions publiques et privées diffusaient sans avoir trouvé à redire. « Ceux qui sont pour la loi sont libéraux », insinuait un slogan. Enfin, comme en 1970, les candidats libéraux les moins scrupuleux, et ils étaient nombreux, ont agité auprès des gens âgés le spectre de la pension de retraite perdue et auprès des parents, celui des allocations familiales menacées par les péquistes qui, une fois au pouvoir, hausseraient les impôts de 100 pour cent !

Un certain sourire quand même

Dans le comté de Dorion, où se présente René Lévesque, la journée du 29 octobre n'est pas rose. « Il ne faut pas que le chef soit battu », répète l'organisateur Michel Carpentier aux 500 bénévoles qui travaillent d'arrache-pied pour faire sortir le vote. Les augures ne sont pas bons. René Lévesque avait promis qu'il consacrerait à son comté au moins six jours francs de la campagne. Il a oublié ses promesses.

Ses organisateurs n'ont pas été plus avisés, s'apercevant trop tard que 200 noms à consonance étrangère ont été ajoutés à la liste finale. Comme pour pallier les ratés, René Lévesque se multiplie en quatre pour rencontrer le plus d'électeurs possible avant la fermeture des bureaux de vote. Bien inutilement, comme l'avouera son organisateur Carpentier : « On ne s'attendait pas à se faire laver comme ça, ni à ce que Lévesque se fasse battre une deuxième fois. »

Quelques minutes après 20 heures, à peine les bureaux de scrutin fermés, l'ampleur du raz-de-marée libéral qui peint en rouge la carte du Québec assomme le chef péquiste. Deux heures plus tard, Robert Bourassa a gagné 97 députés, lui… six, et encore font-ils figure de sinistrés oubliés par la vague. Que pourront ces six malheureux devant l'armée libérale qui, une fois tout bien compté, alignera 102 soldats ?

L'explication, René Lévesque la voit dans la banqueroute de l'Union nationale, qui n'a plus un seul député, et celle du Crédit social, qui n'en a sauvé que deux. Le vote bleu et vert s'est reporté massivement sur les libéraux, ajoutant encore à la polarisation prévisible. Enfin, une carte électorale peu démocratique, qui n'attribue que 5 pour cent des sièges au parti qui a obtenu 30 pour cent des suffrages, et un système électoral à un tour qui ne pardonne pas au plus faible, expliquent cette caricature de la démocratie qui s'étale sur tous les petits écrans de la province.

À l'école Christophe-Colomb, siège de l'organisation péquiste dans Dorion, c'est la consternation autour du chef abattu. Même dans un comté francophone à 85 pour cent, il n'est pas élu. Tant d'efforts pour un si maigre résultat. De quoi brailler. On croyait multiplier le nombre de députés par deux ou trois, et voilà qu'on se retrouve avec un député en moins, et la plupart des grands noms du parti sont défaits.

Comme le chef n'est pas du genre à pleurer en public, on l'isole dans une pièce où il digère en solitaire, avec un verre de cognac, la seconde défaite magistrale de sa carrière politique. Quand il émerge de son cloître improvisé avec les notes du discours qu'il livrera tantôt au centre Paul-Sauvé, à Montréal, il est comme un homme neuf. Aucune trace de sa déconfiture. Il ne veut plus considérer que la « victoire morale » remportée par son parti : le tiers des Québécois, 30,2 pour cent plus précisément, ont choisi la souveraineté.

En arrivant sur la scène du centre sportif, René Lévesque affiche même un certain sourire, qui contraste avec l'amertume mêlée de tristesse de ses partisans. Il a un moment d'agacement quand Camille Laurin l'étreint en pleurant comme un enfant dans les bras de son père. La photo fera son tour de presse. Elle laisse voir un René Lévesque tentant de se libérer de l'emprise par trop émotive du malheureux candidat défait.

« Accrochez-vous à l'histoire, demande-t-il à ses troupes. Un jour, soyez-en sûrs, le Québec réussira à passer à travers les dernières peurs qui ne l'empêcheront plus très longtemps encore de voir à quel point ce serait beau, une vie normale de peuple libre de sa destinée... »

À l'autre bout de la ville, entouré des siens, Robert Bourassa marque sa victoire avec moins de retenue qu'en avril 1970. Il s'était alors refusé à dire ce qu'il affirme aujourd'hui sans ambages : « C'est le triomphe du fédéralisme sur l'indépendance. » L'ampleur de sa victoire tient au fait que son parti a fait le plein de ses voix francophones et anglophones. Sorte de mariage contre nature entre possédants et défavorisés, unis par une même peur de voir leurs revenus chuter dans un Québec souverain, la coalition libérale provoque un véritable balayage, chaque fois qu'elle accapare plus de 50 pour cent des voix.

Si Robert Bourassa s'attriste de la nouvelle défaite de René Lévesque, il s'en trouve néanmoins soulagé car il n'aura pas à lui faire face au Parlement. Redoutable honneur dont il préfère se passer. Mais la « victoire morale » du chef péquiste l'impressionne. Dans des conditions extrêmement difficiles pour lui, face à un gouvernement populaire porté par l'emploi et la prospérité, qui a su faire preuve de fermeté devant le désordre public, René Lévesque a réussi à dégager le tiers des voix pour la souveraineté, près de 40 pour cent chez les francophones.

C'est le beau côté des choses pour le PQ. L'envers est tout simplement catastrophique. Le caucus a perdu son chef parlementaire, Camille Laurin, battu dans Bourget par 300 voix. Trop souvent absent du comté, et secondé par une organisation inexpérimentée, le médecin n'a pu empêcher ses adversaires de rayer de la liste électorale 600 de ses partisans. Autre gros canon, le critique financier de l'opposition, Guy Joron, a perdu Gouin par 600 voix. Le député ouvriériste de Sainte-Marie, Charles Tremblay, a subi le même sort, mais par 48 voix seulement.

Les députés Robert Burns, Claude Charron, Lucien Lessard et Marcel Léger ont échappé au naufrage. Ils pourront compter sur deux nouveaux venus : Jacques-Yvan Morin et Marc-André Bédard. Dans Sauvé, le premier, professeur de droit, est parvenu à se faire élire avec plus de 2 000 voix de majorité. Un rôle de premier plan l'attend à Québec. La victoire du second dans le comté de Chicoutimi a fait un petit velours à René Lévesque qui n'a jamais pardonné à son adversaire, l'ancien ministre unioniste Jean-Noël Tremblay, d'avoir insinué durant la crise d'octobre que les péquistes avaient du sang sur les mains. « Vous êtes mon prix de consolation ! » a soufflé le chef en félicitant son nouveau député.

Les vedettes du parti sont tombées au champ d'honneur. Jacques Parizeau le premier, qui n'a pas fait mieux dans Crémazie que dans Ahuntsic en 1970, malgré son rassurant slogan « Confortablement libre ». Dans Louis-Hébert, à Québec, même soulagé d'un adversaire de poids comme Claude Castonguay, Claude Morin n'a pas réussi à arracher le comté aux libéraux. Il se félicite cependant d'avoir obtenu près de 50 pour cent du vote francophone dans un comté bourgeois, fait sur mesure pour le Parti libéral. Jean-Roch Boivin, l'homme de confiance de René Lévesque, a labouré dur, mais en vain, dans Mille-Îles. Les électeurs fuyaient son regard en lui serrant la main, comme s'ils savaient déjà qu'ils le trahiraient.

Dans Bourassa, Yves Michaud s'est fait « laver » par Lise Bacon, qui a pris une majorité de près de 4 000 voix. Mais il a sauvé la face, car la majorité des francophones l'ont appuyé. Dans le nouveau comté de Laporte, Pierre Marois s'est frotté à la mafia syndicale de la rive sud de Montréal acoquinée aux libéraux. Accompagnés de fiers-à-bras, Yvon Duhamel et René Mantha, qui seront accusés tantôt du saccage de la Baie James par la commission d'enquête

Cliche, ont intimidé les électeurs en faveur du candidat libéral André Déom, sans être vraiment inquiétés par la police.

Même grabuge, avec rixes et boîtes de scrutin défoncées ou volées, dans le comté voisin de Taillon, où le péquiste Guy Bisaillon a vu la victoire lui échapper par moins de 500 voix aux mains du libéral Guy Leduc, cousin de Pierre Laporte, qui sera accusé par la commission Cliche d'avoir tenté de faire effacer le dossier criminel de « l'honnête travailleur d'élections » René Mantha.

CHAPITRE LI

L'envie de tout lâcher

Je n'en peux plus ! Je suis un être humain, j'ai le droit de vivre comme tout le monde.

RENÉ LÉVESQUE, été 1974.

Au Parti québécois, tout est prétexte à la fête, même la défaite. Celle du 29 octobre 1973 se termine au restaurant Le Bouvillon, à deux pas de l'Université de Montréal. Les Jacques Parizeau, Camille Laurin et Yves Michaud cajolent le chef blessé autour d'un verre et dressent un premier constat. C'est Claude Ryan qui est leur bête noire. L'influent directeur du *Devoir* est accusé de tous les maux de la terre dont celui, impardonnable plus que tous les autres, d'avoir refusé d'appuyer la souveraineté. Il a trahi le nationalisme francophone dont son journal est pourtant le véhicule depuis un demi-siècle.

L'envie de doter le PQ d'un quotidien souverainiste surgit tout naturellement. Une idée séduisante qu'Yves Michaud attrape au vol. « Six députés, et 30 pour cent des voix... Si on ne fait rien, la souveraineté va tomber en décrépitude, dit-il à René Lévesque, son voisin de table. La grande presse sera toujours contre nous, pourquoi ne pas fonder un journal pour porter nos idées et l'espoir ? »

Alors que Jacques Parizeau trouve le projet génial, le chef fait un « ouais, peut-être, faudrait voir... » de nature à refroidir l'ardeur du journaliste Michaud. N'empêche que *Le Jour*, premier et éphémère quotidien indépendantiste, dont le numéro d'envoi sortira des presses le 28 février 1974, est conçu ce soir-là. L'ancien député libéral s'applique dès le lendemain à le mettre au monde, alors que René Lévesque fait face à l'exécutif et au parti. L'heure des comptes sonne. Les vaincus ont besoin de boucs émissaires.

André Larocque, chef de cabinet du leader parlementaire, Robert Burns, a préparé la mise en accusation publiée dans *Le Devoir* à la veille du conseil national du 17 novembre, à Québec. Un article qui fait du bruit, car il constitue une critique sévère du leadership de René Lévesque, crime de lèse-majesté, et de sa stratégie électorale soporifique. À trop vouloir rassurer, le PQ a fini par insulter l'électeur en le traitant comme un enfant de sept ans à qui il fallait épargner les questions embarrassantes pour mettre plutôt l'accent sur les lendemains chantants de l'indépendance.

L'éternel contempteur du chef de faire remarquer en passant que les candidats les plus rassurants, de René Lévesque à Jacques Parizeau en passant par Claude Morin et Guy Joron, ont tous été défaits. Et que les candidats les moins rassurants, mais proches de la population, comme Robert Burns, Claude Charron, Lucien Lessard et Marcel Léger, se sont fait élire.

Les radicaux, qui n'ont pas digéré le tract distribué à la sauvette avant le vote, et dont ils attribuent à tort la paternité à Claude Morin, alors que l'idée de promettre un référendum était de Guy Joron, ont bien d'autres vilains griefs contre René Lévesque. Il a manqué de dynamisme et a projeté l'image d'un perdant qui ne visait que l'opposition officielle, alors que la propagande du parti portait aux nues l'équipe de rechange prête à gouverner. Il a eu trois ans pour se préparer, recruter des candidats, informer sa base, sillonner les comtés, mais n'a jamais voulu le faire « parce qu'il n'aime pas ça ». Le comble, c'est que l'année dernière, il est allé en France au lieu de s'occuper des affaires du Québec. Les couteaux volent bas.

La riposte de René Lévesque est aussi raide. Si le PQ n'a obtenu que 30 pour cent des voix et n'a élu que six députés, cela n'a rien à voir avec l'analyse incohérente d'André Larocque qui, prisonnier de sa lubie anarchique sur la participation absolue, lève le nez sur l'organisation électorale. En réalité, une carte électorale anachronique, l'effondrement des tiers partis et la fuite de leur clientèle vers le Parti libéral expliquent l'échec du PQ. René Lévesque admet toutefois que la préparation électorale a été insuffisante, mais l'attribue à la démobilisation postérieure aux élections de 1970, à la crise d'octobre et aux tiraillements entre radicaux et modérés qui ont marqué 1972.

À ses yeux, la principale erreur stratégique du PQ a été d'avoir trop tardé à rassurer l'électorat sur la tenue d'un référendum. Un aveu qui fait glousser Claude Morin, en train de devenir la bête noire des purs et durs. Avant le conseil national, l'ancien sous-ministre avait confié au journaliste du *Devoir,* Michel Roy, que la population accepterait mieux une indépendance graduelle assortie de référendums sectoriels, plutôt qu'une séparation qui tomberait comme un couperet après le grand soir.

René Lévesque termine sa défense en rappelant les évidences. Après sept ans d'existence et deux élections, la souveraineté ne cesse de gagner du terrain. Le PQ est le parti qui s'appuie sur la tranche la plus dynamique de la population. À moins d'être aveugle, on doit voir là une promesse d'avenir.

Le grand éclopé de cette première autopsie est Jacques Parizeau. Son budget de l'an 1, un four qui a nui considérablement au succès de la campagne électorale, est attaqué de toutes parts. La meute tient son bouc émissaire. Refusant de conclure à l'erreur, René Lévesque se fait son avocat : « C'était une nécessité que nous avons tous reconnue, dit-il. Ce budget a été la clé de la campagne. Il fallait établir la rentabilité de l'indépendance et nous l'avons fait de façon assez extraordinaire. »

Jacques Parizeau reconnaît qu'un budget souverainiste était peut-être prématuré, que l'avalanche de chiffres a perdu plutôt qu'éclairé l'électorat, mais il se refuse à porter le chapeau. Curieusement, son apologie s'inspire de la ligne du risque défendue par les Larocque, Charron et Burns, plutôt que de celle à laquelle s'accrochent René Lévesque et Claude Morin.

Il dit carrément, comme une sorte d'avertissement : « Je suis entré au PQ parce que je crois que l'indépendance doit se faire. Mais il faut être réaliste. Le PQ n'est pas rassurant et ne le sera jamais. Nous faisons peur quand nous parlons de langue, nous faisons peur quand nous parlons de notre place en Amérique du Nord. C'est la fierté qui nous amènera à faire l'indépendance, mais la frousse jouera toujours. Certains auront peur de se faire tuer, comme au Chili ou au Biafra, d'autres de perdre leur culotte. Il faut dégonfler la peur en l'usant. »

Cinq jours après le conseil national, blessé, « Monsieur » se retire dans son coin pour bouder et donner sa démission de l'exécutif. René Lévesque aimerait bien en faire autant, car s'il y a une idée qui lui trotte dans la tête depuis la défaite, c'est bien celle de passer le gouvernail à un autre. Il demande aux militants de réévaluer son leadership et les avise qu'il remplira son mandat au moins jusqu'au congrès de novembre 1974. Après, les paris sont ouverts et, peu importe qui sera le leader, « un autre ou votre serviteur », il faudra revoir le rôle d'un chef qui ne siège toujours pas au Parlement.

Début décembre, sa décision d'imposer Jacques-Yvan Morin comme chef de l'opposition suscite une nouvelle controverse. Les fidèles de Robert Burns sont outrés. Comme leader parlementaire, ce dernier a fait ses preuves à Québec et la succession de Camille Laurin lui revenait. André Larocque attache encore le grelot en allant raconter à la journaliste Ingrid Saumart que, devant l'incapacité du caucus à dégager un consensus, René Lévesque a abusé de son pouvoir et tranché contre Robert Burns. Il a exhumé un vieux texte qui autorisait le président du parti, c'est-à-dire lui-même, à voter en cas d'égalité.

Tous adorent Jacques-Yvan Morin. Même Robert Bourassa qui a laissé tomber avec une once d'ironie, en apprenant sa nomination : « C'est un homme charmant... » Mais est-il l'homme de la situation ? Frais émoulu de sa faculté de droit, il ne possède aucune expérience parlementaire. Les radicaux insinuent que le chef s'est donné un homme de paille à téléguider, ce qui aurait été impossible avec l'impétueux leader parlementaire.

« Avec Robert Burns, suggère encore André Larocque à sa confidente de La Presse, on était certain d'un virage radical au parti. » C'est justement ce que René Lévesque veut éviter. À ses yeux, Robert Burns est un batailleur, non un rassembleur ni un pacificateur. Pourtant très proche du député, Louis Bernard, directeur de cabinet du chef de l'opposition, donne raison à René Lévesque. Robert Burns ne possède pas la capacité d'arbitrer les conflits de tendances et de se situer au-dessus de la mêlée. Il pousse toujours de son côté au lieu de chercher le compromis.

René Lévesque préfère le garder au poste de leader parlementaire, où le boxeur qu'il est fait merveille, quitte à confier la direction du caucus à Jacques-Yvan Morin dont il voit les limites, mais qui offre des garanties de professionnalisme et de stabilité. René Lévesque aime bien taper sur les « rats » de l'université, se moquer de Jacques-Yvan Morin, qu'il trouve « faiseux », mais en réalité il respecte ces brillants universitaires capables de jugement et de pondération. Cela dit, il humilie Robert Burns dont le deuxième mandat commence mal. Le fossé se creuse encore entre eux.

Comme un animal blessé

En fait, René Lévesque n'en a cure. Durant les mois qui suivent, le Parti québécois ressemble à un parti sans chef. Débandade et morosité, voilà les mots qui définissent l'humeur des militants durant l'année 1974. « Tout s'est écrasé, se rappellera l'organisateur Michel Carpentier. Ce fut une période de découragement comme je n'en avais jamais vu encore au PQ. » Lui-même se met au neutre, abandonnant à Martine Tremblay ses tâches à la permanence pour passer recherchiste à l'aile parlementaire, à Québec.

Martine Tremblay, mal vue des militants de Montréal-Centre qui la considèrent comme la chouchoute du chef qui, pour lui faire une niche, a délogé Louise Harel, doit affronter le grenouillage des radicaux qui misent déjà sur le départ de René Lévesque. Elle est aussi dégonflée que son collègue Claude Malette. Un jour où il s'est présenté chez le chef, rue des Pins, il l'a trouvé en blue jean et mal rasé, totalement indifférent aux affaires du parti. De voir son idole prostrée ainsi a déprimé le jeune idéaliste.

Tiraillé entre son « devoir », qui lui dicte de rester à la barre, et l'envie de faire autre chose de sa vie, René Lévesque s'isole avec Corinne Côté qui ne l'a jamais eu autant pour elle toute seule. Il déserte son bureau à la permanence, où il se sent grugé par l'un ou l'autre, et se réfugie avec elle dans un petit local de la rue Saint-Denis où il peut vaquer à ses affaires et répondre à son courrier dans la paix et la solitude.

Il envoie un mot amer à Doris Lussier, qui lui a donné un coup de pouce dans Dorion : « Un peu plus et même l'absent passait ! Comme disait l'autre, à la prochaine. René. » Sa tendre amie des années 60, Marthe Léveillé, lui trouve une tête d'animal blessé quand elle le voit à la télévision. Elle lui écrit d'abandonner la politique et de revenir au journalisme car il paraît trop hargneux, digère mal son échec et a besoin de réussir pour être bien dans sa peau. Mais elle lui rappelle qu'il porte en lui un feu dévorant qui finira bien par le remettre sur ses rails.

Une amie partisane, Gisèle Bernard, lui raconte son cauchemar électoral du 29 octobre : « Je me sentais nerveuse devant l'écran de la télévision, seule au milieu de professionnels unilingues français qui, pourtant, n'hésitaient pas à dire qu'ils préféreraient boire en anglais plutôt que de diminuer leur train de vie. Quelle tristesse ! Durant toute la soirée, seul l'argent comptait : "Les libéraux, y ont mis le paquet !" D'idéal, pas question : "Un tel est sot mais il est élu, un autre est malhonnête, mais il est élu !" J'ai vu mes amis sous leur vrai jour. J'ai vu leurs yeux remplis de haine quand un péquiste était en avance. Et leurs hurlements de joie quand il était battu. Quand vous êtes apparu à l'écran, ils riaient ; moi je pleurais en silence. J'ai le mal du Québec. »

La perspective de voir René Lévesque se retirer dans ses terres inquiète Claude Morin. Sa carrière politique débute à peine. Il devine qu'il ne fera pas vieux os au PQ si René Lévesque n'est plus là pour tenir la bride aux extrémistes. Il en veut aussi aux Québécois de ne pas avoir élu un homme de cette trempe. S'il connaissait le mot de Baudelaire — « Les nations n'ont de grands hommes que malgré elles » —, sans doute s'en inspirerait-il pour écrire la lettre qu'il lui adresse, où il lui rappelle son obligation historique de rester à son poste.

Complètement à plat, René Lévesque se réfugie dans la vie privée. Une existence qui se résume à peu de choses, car il vit chichement dans son appartement plus ou moins meublé de l'avenue des Pins. Sa pension de député va à sa femme Louise L'Heureux, qui élève ses enfants. Son livret de banque de la caisse populaire de Saint-Étienne, ou celui de la caisse de Saint-Alphonse d'Youville, affiche des épargnes fabuleuses de 290,47 $ (décembre 1973) et de 76,54 $ (février 1974). Il voudrait connaître des années de vaches grasses. Comme star médiatique, il ferait fortune.

À cette époque, il fréquente beaucoup Yves Michaud, qui l'aide à surmonter ses aigreurs dans le bon vin et les cartes. Monique

Michaud, elle, s'amuse à déchiffrer le mystère de ses amours avec Corinne Côté. Il lui semble tellement fermé sur le plan sentimental, qu'elle a peine à imaginer comment la jeune femme a pu trouver le chemin de son cœur. La plus grande marque d'affection qu'elle l'a jamais vu manifester à une femme, c'est un petit sourire sec avec sa langue qui émerge un instant entre ses lèvres pincées. Pourtant, avec Corinne, il est d'une tendresse et d'une attention exquises.

Chez les Michaud, où les parties de poker s'étirent jusqu'à la nuit, certains ne sont pas sans noter l'agressivité à fleur de peau de René Lévesque. Il a du mal à trouver les idées des autres géniales et s'il perd aux cartes, alors là, tout est « de la marde ». Il a une façon aveugle de jouer qui exaspère l'un des habitués du lieu avec Marc-André Bédard, le réalisateur Claude H. Roy, qui l'a connu à Radio-Canada. Il jette une carte fermée sur la table, puis lance un gros 10 $. Et tout est dit !

De plus, il endure mal la contradiction et écrabouille volontiers l'audacieux qui ose ravaler sa souveraineté-association à de l'angélisme et lui rappeler charitablement qu'avec les descendants de la perfide Albion, la seule façon de négocier, c'est le couteau sur la gorge. Yves Michaud, lui, note que l'ami René s'intéresse de plus en plus à son projet de journal, et de moins en moins au parti. Mais il ne remet cependant pas en cause l'option indépendantiste, comme se souvient Corinne Côté, à qui il se confie.

« J'ai fait mon bout de chemin, j'accroche mes patins, lui dit-il parfois. J'ai envie de gagner ma vie comme du monde. Il me semble qu'il y en a d'autres qui pourraient me remplacer. » Il n'est plus sûr d'être l'homme de la situation. Le mandat écrasant obtenu par Robert Bourassa a écorché sa vanité de leader charismatique. Deux défaites personnelles en moins de trois ans, c'est trop. En plus, il en a assez de la vie de fou de vendeur de souveraineté qui l'oblige à filer toutes les semaines dans sa minable Datsun vers Victoriaville ou Hull, pour rentrer à trois heures du matin.

En fait, René Lévesque avoue à Corinne qu'il aimerait retourner au journalisme international comme du temps où il était grand reporter à Radio-Canada. Ce n'est pas elle qui l'en empêcherait. Certes, elle a ses doutes sur le bien-fondé de son retrait de la vie politique, mais elle n'est pas du genre à s'écrier : « Tu n'as pas le droit, tu portes le Québec sur tes épaules ! » Elle ne lui cache pas qu'elle le trouve plutôt Don Quichotte, que sa cause relève de l'uto-pie. Corinne Côté ne croit guère alors que la souveraineté se fera et quand il se met à lui parler de l'indépendance, elle l'arrête : « Bien oui, René, un jour tu seras premier ministre... » Mais dans sa tête, ce jour-là se situe vers l'an 2000...

Faites-vous donc élire !

Au conseil national du début de 1974, le chef ambivalent invite les militants à appuyer *Le Jour* dont la date de parution a été fixée au 28 février. Le parti voudrait faire sa part, mais comme il est endetté de 40 000 $, il ne pourra souscrire que 50 actions totalisant la somme de 5 000 $. Le budget du quotidien, auquel il a mis la main avec Jacques Parizeau, devenu avec lui parrain politique du journal, pré-voit pour la première année un excédent fabuleux de 20 000 $.

Un débat, vibrant comme il se doit, sur l'indépendance du quo-tidien vis-à-vis du parti oppose les apparatchiks des 17 comtés de la région de Montréal-Centre et René Lévesque. L'offensive est dirigée par le syndicaliste Guy Bisaillon, proche de Robert Burns, et par Louise Harel, revenue en force à l'exécutif de Montréal-Centre, après son mariage avec le syndicaliste Michel Bourdon.

Montréal-Centre n'est pas chaud à l'idée d'un appui du PQ au journal d'Yves Michaud. Si le parti a de l'argent à consacrer aux journaux, mieux vaudrait l'investir dans l'hebdomadaire de combat *Québec-Presse,* qui tire le diable par la queue. Mais la tendance modé-rée, les Claude Morin et Jean-Claude Scraire* notamment, se range derrière le chef en faveur d'un appui financier qui respecterait l'au-tonomie éditoriale du quotidien.

Depuis le temps, Louise Harel a appris à dépersonnaliser ses rapports avec René Lévesque, mais continue de lui tenir tête. Femme astucieuse, quand elle sent le besoin de contenir sa rage, elle délègue le bon docteur Camille Laurin, qui sert de tampon entre Montréal-Centre et le chef. Mais le débat sur *Le Jour* est si acrimonieux que René Lévesque, qui la tient pour une riniste égarée au PQ, ne peut s'empêcher de la défier : « Fondez-le votre parti, madame Harel ! »

---

* Qui sera nommé à la tête de la Caisse de dépôt du Québec en 1995.

C'est sa façon de lui dire que le PQ est sa créature, sa chose, et qu'il ne la laissera pas en faire un groupuscule doctrinaire sans avenir.

Jacques-Yvan Morin ramène la paix en dressant le bilan de l'action parlementaire du caucus. La session a été courte, et le programme législatif mince. Cependant, l'équipe petite mais musclée du PQ a réussi à marquer des points. D'abord, les Six ont mis de côté la partisanerie et soutenu le nouveau régime d'allocations familiales. Par contre, ils ont combattu la loi des loyers, défavorable aux locataires, et l'augmentation du salaire des juges, en plus de censurer le gouvernement pour son inertie à propos de la crise de l'énergie, de la langue et des coupures à l'aide sociale dont souffrent les familles nombreuses.

Heureusement qu'il y a l'aile parlementaire. Pour René Lévesque, c'est « le morceau qui tient le parti ». Il dresse son propre bilan qui témoigne à la fois de ses désillusions et de sa difficulté à dire adieu au parti qu'il a fondé en 1968.

Assommé par le choc électoral, ployant sous les montagnes de papier de sa bureaucratie, le PQ a retrouvé ses ornières : parlottes, réunionite, tiraillements. Il vit en vase clos. « Pourtant, trouve René Lévesque, on s'est assez vus nous-mêmes, il faut aller voir le monde. » L'heure est propice, car depuis que des liens ont été établis entre Pierre Laporte et la pègre, le nouveau gouvernement se décompose à vue d'œil. Les cas de patronage s'accumulent. Et l'appui scabreux de la presse à Robert Bourassa commence à gêner les journalistes. L'opposition officielle doit s'acharner contre le gouvernement.

Mais sa conclusion laisse son entourage songeur : « On est sur le chemin. Il faut une génération pour aboutir à des changements profonds. Il n'y a pas de bousculade dans l'Histoire. Certains sont partis, d'autres restent, d'autres devront partir... » Pense-t-il à lui-même ? On peut le soupçonner, car durant le printemps 1974 les choses sont loin de s'arranger entre lui et les contestataires du caucus — et du parti — qui soumettent son leadership à rude épreuve.

À Québec, privés de l'autorité tranquille d'un Camille Laurin, les députés sont laissés à eux-mêmes. Ils ressassent leurs frustrations et invitent René Lévesque à se faire élire le plus rapidement possible. Après les élections, d'ailleurs, Robert Burns et Claude Charron lui ont offert leur siège, mais il a refusé.

Plus que tous les autres, Robert Burns s'impatiente devant ce chef qui l'a consacré « remueur de merde » de l'opposition officielle, tout en confiant le beau rôle à Jacques-Yvan Morin qui ne fait pas un pas sans lui téléphoner. René Lévesque a demandé à son leader parlementaire de soulever devant l'Assemblée nationale les cas de patronage et de népotisme qui pleuvent sur Robert Bourassa. Et de monter en épingle les accointances des libéraux avec les milieux interlopes, qu'un jeune journaliste du *Devoir,* Jean-Pierre Charbonneau, s'applique, au risque de sa vie, à dénoncer dans les pages de son journal.

Malgré son amertume et leurs divergences, Robert Burns voue un véritable culte à René Lévesque. Mais son besoin d'être apprécié et complimenté par lui est rarement satisfait. Alors, quand ce chef qui se cache dans son réduit de la rue Saint-Denis au lieu de venir à Québec se permet de faire du chichi à propos de l'action des six députés plongés dans la marmite quotidienne, sa réaction fait fi du vouvoiement réglementaire : « Fais-toi donc élire, René ! Nous, on l'a été ! On va continuer de prendre nos décisions, tu n'as qu'à vivre avec ! »

À la tête de *La Presse,* l'écrivain Roger Lemelin reluque René Lévesque comme grand reporter international ; il lui offre 100 000 $. La tentation est grande. Mais la question de sa succession à la direction du PQ l'empêche de succomber. Sans compter qu'Yves Michaud lui répète que le fondateur du Parti québécois ne peut pas se laisser acheter par Paul Desmarais, ennemi juré d'un Québec souverain : « Tu viens de fonder un journal indépendantiste avec moi et Parizeau, et tu t'en irais vendre des caoutchoucs à *La Presse* ! Pour reprendre ton expression, ton jupon dépasse en christ ! »

Quelque temps auparavant, se cherchant un successeur, René Lévesque a sondé son ami Jean-Paul Gignac, qui se casse la tête pour sortir du marasme Sidbec, son canard boiteux. L'ingénieur n'a rien du politicien souverainiste et refuse ses avances : « Si j'y allais, ce ne serait pas comme *back bencher,* mais comme leader. Accepteriez-vous cela ?

— Demain matin ! » répond le chef péquiste.

C'est dire s'il est prêt à passer la main. Mais au début de l'été, les choses tournent autrement. Son entourage se donne le mot pour tuer dans l'œuf son envie de vivre comme monsieur tout le monde. Il doit se brancher, car certains, persuadés de son départ, convoitent la succession. À peine débarqué à Québec, Jacques-Yvan Morin tire déjà des plans, de même que Robert Burns.

Pierre Marois réunit chez lui une poignée d'intimes pour lancer l'opération vous-n'avez-pas-le-droit-de-partir. « Monsieur Lévesque, le supplie Michel Carpentier, vous m'avez embarqué dans votre bateau il y a quelques années. J'ai tout lâché pour vous suivre. Je sais que c'est difficile, mais je reste convaincu que vous pouvez nous mener à la victoire.

— Vous poussez fort, monsieur Carpentier, rétorque le leader qui a la larme à l'œil. Lâchez-moi ! Je ne suis plus capable de continuer ! Je suis un être humain, j'ai le droit de vivre comme du monde. »

Autre réunion touchante pour le fléchir, cette fois chez sa sœur, Alice Amyot, à Québec. Là, Pierre Marois en met trop et se fait enguirlander. Il fait l'erreur de lui remettre un texte louangeur qui se termine par « Chaque pays qui marche vers sa libération a son Ho Chi Minh, son Mao Tsé Toung. » René Mao Lévesque ? Le genre de choses à ne jamais dire devant lui !

Troisième conciliabule, dans un hôtel de Montréal. Sont présents Jacques Parizeau, et Camille Laurin qui a reçu mandat de secouer son chef. En dînant avec lui, le psychiatre perçoit bien son désir puissant de se recycler dans l'information. Les choses n'avancent pas assez vite pour lui et son image d'éternel perdant le taraude : il craint un ressac des militants à son endroit. Dans le Parti libéral, où René Lévesque a fait ses classes politiques, on ne pardonnait pas au chef vaincu.

Mais le bon docteur le rassure. Personne ne le blâme. Il sous-estime le caractère idéologique du PQ qui s'intéresse bien plus à la souveraineté qu'au leader. Camille Laurin, qui sait s'y prendre, l'assure de son estime et de sa confiance tout en soulignant, mais sans trop insister pour ne pas blesser sa modestie, son indispensable valeur et son rôle d'accoucheur de peuple.

À Jean-Roch Boivin, qu'il fait venir avenue des Pins, René Lévesque confie, en écrasant sa cigarette dans un cendrier posé sur la boîte à beurre qui fait office de table de salon : « On a payé bien cher la dernière élection, bien cher en coûts humains… » Il a envie de tout bazarder, c'est évident. Il habite avec une femme qui a 20 ans de moins que lui et qu'il ne peut faire vivre décemment. En même temps, il s'interroge : « Si je sacre mon camp, qu'est-ce qui va arriver à tous ceux qui m'ont suivi ? »

Puis c'est au tour de Marc-André Bédard, qui a gagné sa confiance autour de la table de poker, de lui répéter qu'il ne doit pas s'en aller. Sirotant un verre à l'hôtel des Gouverneurs, à Québec, René Lévesque lui oppose : « Vous connaissez les tensions qui agitent le parti, ça ne marche plus. » Il lui fait comprendre également qu'il en a assez de vivre dans la misère. Pour le dérider, Marc-André Bédard commence par lui dire qu'il est l'homme à l'unique chemise de rechange, avant d'enfoncer le clou : « Vous devez rester, vous ne devriez même pas vous poser la question… »

Au début de l'été, quand René Lévesque lâche enfin le mot que tous veulent entendre, Jacques Parizeau pond un éditorial dithyrambique dans *Le Jour*. Le Québec, dit-il, est une des dernières nations qui ne soient pas un pays. Le régime fédéral n'a pas, ici, été meurtrier. S'il l'avait été, il n'existerait plus. Il a été simplement embourbeur, parfois avilissant, toujours feutré. Pour en sortir et aller plus loin, les « nationaux » et les « sociaux » qui se disputent le PQ doivent se réconcilier autour du chef nécessaire, franc, intègre et sage qu'est René Lévesque.

Et l'économiste de conclure : « "Les cimetières, disait Clemenceau, sont remplis de gens irremplaçables." Il avait alors déjà joué le rôle que l'Histoire lui reconnaît. René Lévesque joue maintenant le sien. C'est le témoignage que peut lui rendre un vieux compagnon de luttes. »

Je reste mais vous en paierez le prix

La situation financière de René Lévesque s'améliore. Jusqu'ici, quand l'exécutif avançait l'idée de rémunérer le chef du parti, il brandissait son profond besoin de liberté : « Ah ! non, vous ne me paierez pas parce que vous allez m'attacher pieds et poings liés ! » Mais, vache enragée oblige, il accepte un salaire de 18 000 $, une pitance que le journal du parti, *Le Jour*, prendra sur son budget. En retour, il y rédigera une chronique de même nature que celle qu'il tenait au *Journal de Montréal*.

Corinne Côté le persuade d'abandonner son bureau de la rue

Saint-Denis pour réintégrer la permanence du parti. Pierre Marois, Camille Laurin et Jean-Claude Scraire, qui ont enquêté sur ses difficultés avec le caucus des députés et le parti, sont arrivés à la même conclusion. Leur rapport clarifie également son rôle de leader. Pour bien l'arrimer au parti, on mettra dorénavant à sa disposition un cabinet personnel permanent composé de Michel Carpentier, qui en sera le chef, de Claude Malette, qui verra au contenu du discours officiel avec les attachés de l'aile parlementaire, de Robert Mackay, Michel Leguerrier et Denis Blais, et d'une nouvelle venue, Gratia O'Leary, qui devient l'attachée de presse du président.

Mariée à l'un des chefs de file du séparatisme des années 30, Walter O'Leary, son aîné de 30 ans et le frère de Dostaler, journaliste qui fut l'un des piliers des Jeunes-Canada, Gratia O'Leary est de surcroît une grande admiratrice de Pierre Bourgault. Ex-riniste radicale, elle s'est convertie à la méthode péquiste durant la crise d'octobre, qui lui a fait voir l'horreur de la violence politique.

Son c.v. n'était pas de nature à lui gagner la sympathie de René Lévesque, avec qui elle a eu une prise de bec au congrès de 1972. Mais le séducteur l'avait pétrifiée de ses yeux clairs qui voulaient dire : « Toi, ma grande, je vais te faire changer d'idée... » De ce jour, elle est devenue une inconditionnelle. Grande et costaude, Gratia O'Leary est une femme forte qui s'imposera vite et dont il ne pourra plus bientôt se passer.

René Lévesque consent enfin à aller faire du *baby-sitting* à Québec de temps à autre. Il jure de ne plus brandir des « Pourquoi j'irais au Parlement, je ne suis pas député ! C'est juste une motion qu'ils débattent, viarge ! Ils sont capables de se débrouiller ». Apparemment soulagé d'avoir fait la paix avec le caucus, il se sauve ensuite comme tous les étés sur la côte du Maine avec Corinne et le couple Michaud. Ses compagnons le trouvent soudain plus facile à vivre même s'il se fait du souci pour sa famille, en particulier pour son fils Claude, qui passe par une déprime et qu'il a confié à Camille Laurin. Mais comme toujours, quand il se retrouve à la mer, il tire vite un trait sur sa vie à la ville et plus encore sur la politique.

René Lévesque en vacances, c'est quelque chose à voir, découvre, amusée, Monique Michaud. D'abord, il y a les amuse-gueule. Aussitôt installé, il part acheter des grignotines et toutes sortes de divines « cochonneries ». Après, ce sont des sandales. Il n'est pas vraiment en vacances sans sandales ! Et on peut être sûr qu'il les perdra en cours de route. Le matin, c'est toujours pareil. Aussitôt réveillé, il sort le jeu de scrabble et commande à Corinne de jouer avec lui en dégustant ses premiers cafés et ses premières cigarettes de la journée.

« Je suis assez tannée ! se lamente la jeune femme à Monique Michaud. Avec lui, il faut toujours que je joue à quelque chose !

— Il faudrait que tu lui trouves un petit nègre...

— Il aimerait mieux une petite négresse ! » s'amuse Corinne qui le prend tel qu'il est.

Côté manières, elle n'arrive pas à le changer non plus. Un jour, alors que les quatre amis marchent à la file indienne sur *The marginal way,* à Ogunquit, en léchant chacun un cône de crème glacée, René Lévesque aperçoit sur sa chemise de longues coulées laiteuses. « Ah ! maudit ! J'suis encore le seul à me salir ! lance-t-il aux autres.

— Il n'est pas élevé ! » commente Corinne en s'esclaffant.

Court répit estival dont le souvenir s'estompe aussitôt de retour à Montréal. Ceux que l'on appelle dans le parti les députés « organisateurs », les Marcel Léger et Lucien Lessard, lui plaquent sur le dos la défaite humiliante que vient de subir le PQ dans la partielle du comté de Johnson. Complètement ravagée par les dernières élections, l'Union nationale effectue un retour à l'Assemblée nationale. Elle a fait élire le coloré Maurice Bellemare aux dépens du député libéral Jean-Claude Boutin, qui avait dû démissionner à la suite d'une accusation de conflit d'intérêts, avant de se porter de nouveau candidat avec l'appui de Robert Bourassa. La vaillante opposition officielle est arrivée bonne dernière.

Le député de Lafontaine, Marcel Léger, fulmine contre René Lévesque qui a raté le coche en refusant d'aller au feu. Pourtant, les sondages de Michel Lemieux étaient favorables et sa personnalité aurait tout changé. Mais le chef a invoqué le peu de fiabilité de l'organisation péquiste locale, et le score désastreux du parti en 1973 — à peine 17 pour cent du vote —, pour refuser de s'aventurer dans Johnson. Une troisième défaite aurait terni son aura de leader.

Devant la grogne, René Lévesque se prépare à en découdre avec ses adversaires. On ne lui marchera pas sur les pieds. Comme dira des années plus tard Camille Laurin : « Il est resté par devoir finalement, mais d'avoir été ainsi sollicité et courtisé jusqu'à l'indécence lui

Claude Morin, l'homme derrière les premiers ministres du Québec, de Jean Lesage à René Lévesque, adhère au Parti québécois, en 1972. On le voit ici, en mai 1967, à Paris avec Daniel Johnson et le général de Gaulle.

Avec Marc Lalonde, grand traqueur de felquistes/séparatistes confondus durant les années noires qui ont suivi la crise du FLQ, et Yves Michaud. *Le Journal de Montréal*.

Avec son fidèle ange gardien, le lutteur étoile Johnny Rougeau, déjà atteint du cancer qui allait l'emporter. Au centre, Pierre Péladeau, grand admirateur des deux vedettes. *Le Journal de Montréal.*

Au début des années 70, tout en dirigeant le Parti québécois, René Lévesque tient une chronique au *Journal de Montréal*, puis au quotidien *Le Jour. Archives nationales du Québec.*

LE QUEBEC

Quand nous serons enfin maîtres chez nous —Lionel Groulx

LA METEO
Ensoleillé
et frais
MAX: 32°
MIN: 12°

| Vol. 1 - No. 0 | MONTRÉAL, Jeudi 14 décembre 1973 | 16 pages | 20 cents |

Grâce aux investissements des pays arabes

Prix du pétrole: 25% de moins

L'âge d'or du Québec

Au sortir d'une campagne électorale à haute teneur de cette chaleur, on doit s'émotionner à le, il faut se méfier ses jugements ou de conclusions. Ils seront forcément partiaux.

Quelques images seront cependant avec une force singulière. Il n'ont pas nécessairement de rapport les unes à les autres. Elles surnagent simplement.

"Le soir quand on est les souscliens, que chefs de partis parlent PQ. Celui qui est peut c'est Levesque.

Bourassa d'un vieux bonasseur sans une slide de la campagne. Tout la La campagne de 1976 connaît celle de 1970, une sorte de référendum sur l'indépendance. Le tournant était, dans toutes élections jusqu'à ce l'Indépendance soit faite.

Trois fois trois ou de trois ans à l'occasion de campagne électorale discutera un tripatouil et et on comptera ce qui est et pour et ceci sont contre.

Bien sûr, tout que indépendantistes se montres nombreux que fédéralistes, le vote à la fin con l'Indépendance à faire pour une à PQ sera pour une à seulement indépendantiste pour la terre, probablement. Tout libéral est le même tout PQ n'est l'indépendance est indépendantiste. C'est avec l'argent du la propre populaire tenu par le PQ, Il'est le son à défendre.

Sa Majesté

Deuxième image fraisse, la panique. T le virtuose du Québec; qu'à ce que l'indépendants soit attente, sera ma dire le conflit du state et du bien et en vient, de quietude contre la loi Tout le problème à venir à blinder, le à rapidement possible plus grand nombre de Q bécois contre le pour.

Pour ce Bagra 1963, du Chili où on du Bourgeois en cet et est le Bousardan La peur du dollar s'effondre. Des capit qui fuient. Du Bécois disparaît. De la visite qui reconnaisse. Le u sur les mains et le con en banque qui part.

Défection en visite de se souhaiter des Québecs qui ont peur de leur d

Jacques Parizeau

La revanche du "PARRAIN"

Règlement de comptes au fusil à l'eau!

Depuis que le Parti Québecois est borne, on a cherché par tous les moyens à tater passer les gens qui croient en l'indépendance politique, maintenant qu'elle du Québec, c'est à dire les péquistes, pour des racistes, fascistes, racistes, communistes, nazistes, été, "été".

Mais l'intimidation qu'on a employée contre les petites de la patron à "St-Thomas d'Aquin" au point qu'ils ont dû suspendre leurs activités ha-bituelles par "prudence" cette intimidation dis-je, ne vient elle pas de tima-tiques et d'intolérants.

Pour une fois, on ne pourra pas mettre ça sur le dos des gros méchants

péquistes (c'est pas d'valeur) car selon l'in-terprétation qu'on a faite de la déclaration des per-sonnes qui se disaient in-dépendantistes et a doré les petits qui croient de ces qui sont les victimes. C'est d'ailleurs un réflexe tout à fait rapproche.

Ils ont tout simplement menacé et dénoncé en hommes responsables, l'indépendance qui a ris-que pendant la campagne électorale et ce n'est pas leur faute si les attaques se dirigent toujours vers les mêmes. L'intolé-rance qu'ils ont détectée, de on est été victimes. Comme ainsi de rien au raison d'en parler puis-qu'on a une preuve en plus qu'il revient.

Ils voulaient qu'on ar-rête de terroriser qui mon

Entente cordiale entre patrons et ouvriers

● Le Québec revient au bi-partisme après avoir vécu en 1966 et 1970, deux élections sous le signe d'une amorce de multipartisme.

voir une fois huit le plein cour une fois bait le plein re, cette phrase présom-ré, cette phrase présom-des voix anglophones et pour la première fois a rallie le suffrage de la quasi-totalité des gens conservateurs.

Si Contrairement à ses prédécesseurs libéraux Godin, en théme Bourassa a été le premier ministre libé-ral depuis trois décennie à comprendre qu'un re-maniement de la carte électorale ne tournait pas à son parti, au contraire. On sait en effet que les gouvernements Godbart et Lesage ont été défaits en-

Les Jeux olympiques de Montréal sont enfin sortis de l'impasse

quarante ans, pour payer son à l'époque, puis Ro-re, cette phrase présom-bert Blais, puis Raymond cée comme on quittant jeudi matin à la porte d'un restaurant ne surprend pas. Elle est comme le-gique. Il est l'un des plus connus de la génération

soixante. Dix-sept ans dans la "boîte"

Quittant l'Université d'Ot-tawa en 1956, après des études au génie électro-nique, il entrait directement à l'ONF pour gagner des

Conflit réglé à la CTCUM

Carrière, et Morin, leur film doit crossrant, aurainet plus douter, plus pertenum désespoir et l'espoir hésroits à leurs per-nages On n'a trouvé a film amusant qui la mine mal. La prix de Luce Guilbault ré-dant, éloigit la film

(lire en page 2)

Billet

UN JOUR TU VERRAS!..

La brasserie Labatt qui est surtout connue p son appui aux sports en tous genres, vient de lancer dans une autre sphère d'activité: l'histo du Québec. Un communiqué du ministère des faires culturelles nous apprend en effet que brasserie Labatt a accordé un don de $10, à un groupe de chercheurs pour leur permet de poursuivre leur inventaire des actes notai du Québec. Ledit inventaire avait été comme grâce à une subvention du Québécois dans le Perspectives-Jeunesse, mais comme tous PJ ont une fin, c'est la brasserie Labatt qui décidé de faire du mécenat et d'accorder subvention aux jeunes chercheurs. C'est M. Y Dupre, du service d'information de Labatt qui annoncé l'heureuse nouvelle aux jeunes historie Ainsi, les Québécois pourront avancer un peu d la connaissance de leur passé.

Lire en page 4

"Nous sommes devenus la Suisse de l'Amérique"
—BOURASSA

● Jamais depuis 1867 un gouvernement provincial n'a obtenu une si forte majorité au parlement de Québec, même durant les plus beaux jours du gouverne-ment libéral de Taschereau et du gouvernement unio-niste de Duplessis.

identifié fédéralisme à Bourassa et ont voté pour lui en bloc pour ne pas éparpiller les votes et se retrouver avec un gouver-nement libéral minoritaire ou un gouvernement pé-quiste. Les gens ont senti le besoin de porter plus le jugement sur le pro-blème de l'Indépendance que d'appuyer un parti po-litique comme celui des libéraux." Et qui fait, voit-on M. Chautier, que la situation au Parlement ne reflete plus le si poli-tique québécoise.

Le PQ subit une si-tuation des plus injustes, en ayant si peu représen-té. En pour vins qui go, faibleue qui fait qu'on ne sent pas vraiment si "voulon compresseur" au

BUJOLD TRIOMPHE A NEW YORK

Les femmes ne doivent compter que sur elles-mê et sur leurs propres moyens pour assurer leur ration' dans le monde du travail.

Telle est la conclusion d'un plus pénible pour les hommes' soufferd-on, d'une fort intéressante et préparée pour le compte de la Commission d'enqu sur la situation de la femme au Canada et intitulée travailleur syndiqué face au travail rémunéré de femme'. Ce document, préparé par Renée Geoffroy Paule Sainte-Marie, est le résultat d'un questionn

(lire en page 13)

Chercheur de Trois-Rivières découvre un remède contre les terribles "Feux sauvages"

● Par contre, jamais l'histoire de systeme électoral dont nous sommes affublés n'a au-tant sur-représente le parti majoritaire et a instant sous-représente l'opposition au regard de la proportion des voix obtenues par chacun.

La Confédération des Sports du Québec annonce forme qui est d'un mo-demisme étonnant aussur

LÉVESQUE AU PARLEMENT

où il jouera le rôle de chef de l'opposition

ation à cette so-industrielle et québécois. Elle tou-tant le fermier et ui à ignimeré en le "Québécois et ne et y a tou-vécu. Nous nous a suivre un "pure laine" dans lieu naturel: la Il ressortira for-au fur et à me-normale, comme dans une si-

(lire en page 2)

Sommaire

prepare un dossier déjà volumineux - su les irrégularités et le fraudes qui se sont produites dans le derniers jours de 1

L'Assemblée nationale vote le BUDGET 1974-75
dans un climat d'euphorie générale

national. Les directeurs de district sont élus par vote referendum par les m bres de leur district respectif. Le directeur national du Canada est élu vote referendum par les membres Canadiens.

Le président international I. W. Abel préside les congrès et exerce un contrôle exécutif international. Il assigne des ponsabilités aux membres du comité exécutif qui sont également sous la probation de celui-ci, le comité exécutif international mais ayant à probation de celui-ci, le président international a pleine autorité pour di les affaires du syndicat international et pour interpréter la signification constitution.

Le Syndicat des Métalos est un syndicat international qui groupe des m bres aux Etats-Unis et au Canada. Fondé en 1936 à Pittsburgh, Pennsylv comme Comité d'Organisation des Métallos, il devint une Union constitut nelle en 1942 à Cleveland, Ohio, avec l'autorité décisionnelle suprême du syndicat, a à tous les deux ans. Le président, le secrétaire-trésorier et le vice-pr dent y font un rapport conjoint sur leur administration respective et des a res du syndicat. La convention ou le congrès adopte des politiques par rés lions et exige du comité exécutif international de les appliquer. Le co exécutif international est composé des trois officiers internationaux, des

René Lévesque et Yves Michaud fêtent le deuxième anniversaire du *Jour* avec l'équipe de journalistes. Mais bientôt, ce sera la fermeture. *Photo Guy Tardif.*

L'histoire du PQ, c'est celle des démêlés souvent tumultueux de René Lévesque avec les radicaux de son parti. Le député Robert Burns a droit au titre de grand « picosseux », quolibet donné par le chef à ses dissidents. *Le Journal de Montréal.*

Louise Harel admire René Lévesque tout en lui tenant tête. *Archives nationales du Québec.*

Le mal-aimé du PQ, Pierre Bourgault, réussit parfois à faire rire son chef — pourvu qu'il ne l'ait pas cravaché la veille. *Le Journal de Montréal.*

Leader du Parti québécois, un rôle qui n'a jamais été une sinécure. *Archives nationales du Québec.*

Lucien Lessard, l'un des « factieux » du caucus des députés, en grande conversation avec Denise Leblanc-Bantey, future députée des Îles. *Collection Alexandre Stefanescu.*

Autre contradicteur du chef, le député Marcel Léger, inaugurant les chrysanthèmes avec Jacques Parizeau. *Collection Michel Carpentier.*

Esprit ludique, René Lévesque n'hésite pas à courir après le ballon à l'occasion d'une fête champêtre. *Archives nationales du Québec.*

René Lévesque est comme chez lui dans la foule. En retrait, Corinne Côté. *Le Journal de Montréal.*

Un 24 juin à l'île d'Orléans en compagnie du futur député de Montmorency, Clément Richard. *Collection Clément Richard.*

a donné par après plus d'indépendance face au parti. Bon, vous me voulez, eh bien ! vous allez en payer le prix. Vous allez respecter mon autorité et mes humeurs ! »

L'épreuve de force se déroule au conseil national de Mont-Joli, début septembre 1974. Peu avant la réunion, trois députés le fusillent publiquement. Lucien Lessard, député régionaliste du comté de Saguenay, élu deux fois avec des majorités impressionnantes, se vide le cœur. Il fait parvenir aux présidents régionaux un texte critique sur les méthodes d'action électorale du PQ et sur le jeu équivoque d'un chef qu'il faudra remplacer puisqu'il refuse de jouer pleinement son rôle.

Après quoi, Marcel Léger envoie au *Jour* un commentaire dénonçant la faillite dans le comté de Johnson de la stratégie électorale « abstraite » dont il attribue la paternité à René Lévesque et à Michel Carpentier. Si un parti moribond comme l'Union nationale a réussi à déloger les libéraux, le PQ aurait pu en faire autant avec une organisation ancrée dans la réalité. Marcel Léger propose de recruter chez les militants 3 000 « Gardes bleus du Québec » (inspirés des célèbres Gardes rouges maoïstes !) qui formeraient l'avant-garde de l'organisation. Tant d'infantilisme abasourdit René Lévesque.

Enfin, le dernier mais non le moindre, l'éternel insatisfait Robert Burns laisse tomber une grenade sur les ondes d'une radio de la capitale : « Si monsieur Lévesque ne se fait pas élire avant la prochaine élection, je pense que ce serait préférable que nous ayons un nouveau chef qui ne soit pas handicapé par deux défaites. »

À Mont-Joli, René Lévesque choisit l'affrontement plutôt que la retraite. Durant la campagne dans Johnson, le sondeur Michel Lemieux l'a averti que les organisateurs locaux du PQ avaient tripoté son sondage pour atténuer la montée de Maurice Bellemare. Il prend prétexte de l'incident pour régler ses comptes avec le parti, qu'il accuse de manipulation et de pratiques malhonnêtes. Il en met tellement, que tous ceux qui l'écoutent se sentent coupables. Puis il expédie méchamment ses trois dénigreurs.

Robert Burns, qui est resté chez lui en invoquant la maladie de sa femme, se fait reprocher son manque de courage, ses tendances au vedettariat et son goût intense pour les manchettes. Également absent, et pour cause, car il accompagne Jacques-Yvan Morin à Bruxelles, le député Lucien Lessard se voit tourner en ridicule.

Le chef se moque de ses « insomnies » bien connues et met en doute sa bonne foi.

Enfin, René Lévesque accuse le député Marcel Léger, le seul à lui faire face, d'avoir « bulldozé publiquement » la direction du parti. Quant à son plan fumeux d'organisation électorale, il s'agit à son humble avis d'une « vision organisationnelle où l'ampleur des appétits excède de beaucoup ce que peut tolérer un parti démocratique ».

Mais la paix est loin d'être retombée sur les péquistes. Un schisme est en vue. Car l'ombre de Claude Morin plane sur le conseil national. L'exécutif du PQ lui a demandé d'étudier la question de l'accession à la souveraineté. Le père de l'étapisme, comme la presse le baptisera un jour, dévoile aux militants les grandes lignes de son étude qui débouche, naturellement, sur une indépendance graduelle. Claude Morin a d'abord suggéré à l'exécutif la mise en veilleuse stratégique de l'indépendance, mais devant la levée de boucliers il s'est replié sur une stratégie des petits pas, se rappellera Gilbert Paquette.

Les délégués lui réservent un accueil à peine poli, d'une tiédeur extrême qui frappe la presse. Dans les coulisses, c'est la guerre déjà entre orthodoxes fidèles au programme — qui ne prévoit aucun référendum — et révisionnistes prêts à l'amender afin de rassurer l'électorat et accroître les chances électorales du parti. Yves Duhaime et sa femme Lise se prennent aux cheveux avec René Lévesque, qui leur reproche leur fermeture d'esprit. Un avant-goût du congrès de novembre, qui restera dans la petite histoire du PQ comme celui de l'étapisme.

CHAPITRE LII

Éloge des petits pays

*J'ai envie de vous dire comme un certain général
conquérant : « Vive l'Écosse libre ! »*

RENÉ LÉVESQUE à Édimbourg, juin 1975.

J usqu'à ce que Claude Morin entre au PQ, René Lévesque soutenait que les Québécois pourraient former un pays sans nécessairement recourir à un référendum. À la fondation de son parti, en octobre 1968, il partageait l'idée, insérée dans le programme, que la décision de la souveraineté serait prise unilatéralement. Aux élections d'avril 1970, bien que le programme du parti n'ait pas prévu de référendum, il affirmait : « Si nous avons 50 pour cent ou plus du vote populaire, ça sera alors comme un référendum. Mais si nous sommes élus avec moins de 50 pour cent des voix, nous aurons l'obligation morale de clarifier les choses. »

Deux ans plus tard, dans une longue entrevue que René Lévesque accordait à Robert McKenzie, du *Toronto Star,* il n'était plus question d'aucun référendum. Le droit à l'indépendance se fondait sur la seule majorité au Parlement : « Avec ou sans majorité populaire, un gouvernement du Parti québécois mettra immédiatement en branle le processus de sécession, sans aucun autre recours à l'électorat par référendum ou par une seconde élection. »

C'est qu'entre-temps, la conduite de Pierre Trudeau durant la crise d'octobre l'avait durci. Avec moins de 45 pour cent du vote canadien, le premier ministre n'avait même pas consulté le Parlement avant d'imposer la Loi des mesures de guerre qui brimait les libertés fondamentales. René Lévesque confiait à Robert McKenzie : « Pierre Elliott Trudeau se conformait alors à la tradition parlementaire britannique qui dit : "Si vous avez la majorité au Parlement, vous êtes le gouvernement." Voilà la tradition parlementaire britannique que nous suivrons. Élus, nous appliquerons le programme que chacun connaît. »

René Lévesque s'accrochait au dicton selon lequel le Parlement peut tout faire sauf changer un homme en femme. Mais Claude Morin lui a fait comprendre que son analyse était un peu courte. Comme le dira des années plus tard Pierre Marois : « Morin l'a eu à l'usure. Il nous a tous eus à l'usure à l'exécutif. »

L'ex-mandarin a sensibilisé René Lévesque à deux faits incontournables. D'abord, son expérience — comme sous-ministre il avait négocié durant neuf ans avec les pays étrangers — lui avait appris que la communauté internationale exigerait un référendum avant de reconnaître le Québec, qui devrait démontrer que sa légitimité se fondait sur une majorité démocratique. Au moins 50 pour cent des Québécois plus un devraient alors avoir exprimé un oui non équivoque à la souveraineté.

Ensuite, le PQ ne prendrait jamais le pouvoir s'il ne détachait pas le choix du pays — qui faisait encore peur à trop de gens — de l'élection comme telle. Il fallait aller à l'indépendance en ménageant des étapes, dont celle d'une consultation qui serait plus qu'une simple élection où les enjeux étaient flous.

René Lévesque a donc encouragé Claude Morin à pousser à fond sa cabale en faveur du référendum, en prévision du congrès de novembre 1974 où lui-même interviendrait si nécessaire. Le chef du PQ a compris qu'il devait obtenir de la population un mandat indiscutable pour éviter de donner des armes aux fédéraux. Si l'accession à la souveraineté présentait quelque faille, Pierre Trudeau s'empresserait de mettre en doute sa légitimité et de miner la reconnaissance internationale du nouveau pays. Pis encore : il sauterait sur l'occasion pour créer le chaos et envoyer l'armée au Québec, comme il l'avait fait en octobre 1970.

Sur ce dernier sujet, René Lévesque préfère dédramatiser pour ne pas créer un climat de guerre civile. Mais il s'inquiète en privé des convictions démocratiques élastiques du gouvernement Trudeau. Et il ne rate jamais l'occasion de s'attaquer au maillon le plus ridicule de la chaîne, le ministre Jean-Pierre Goyer, qui tel un colonel grec prévenait avant même les élections de 1970 et la crise d'octobre, que l'armée interviendrait si l'indépendance du Québec était proclamée à la suite d'une élection.

Fortement ébranlé par l'arrestation massive de sympathisants du Parti québécois, en octobre 70, René Lévesque a avoué aussi au journaliste Robert McKenzie : « C'est là que j'ai constaté, devant l'évidence, qu'ils tenteraient n'importe quoi, y compris les attentats à la bombe simulés et autres ruses machiavéliques auxquels peut recourir un pouvoir qui se sent menacé. » Interrogé par le même reporter, Jacques Parizeau en avait remis jusqu'à en paraître alarmiste : « Des gens comme Trudeau, Goyer et Marchand seraient fous de rage si le Parti québécois prenait le pouvoir. Ils seraient tentés de monter un coup pour écraser la démocratie et jeter tous les dirigeants du parti, René Lévesque et moi compris, en prison. »

Soulevé par Claude Morin, le débat sur la nécessité référendaire connaît un rebondissement à l'approche du cinquième congrès du PQ, prévu pour le 15 novembre 1974, au Petit Colisée de Québec. Trois camps s'entredéchirent. Celui des ex-rinistes d'abord, le tiers des militants, qui s'opposent farouchement à tout référendum et défendent l'intégrité du programme qui assure la proclamation de l'indépendance après une victoire électorale.

Le deuxième groupe est celui de Jacques Parizeau, qui s'agite dans la coulisse depuis qu'il ne siège plus à l'exécutif. Les « parizistes », comme certains les appellent, semblent majoritaires. Montréal-Centre en est avec ses figures de proue habituelles, les Louise Harel, Gilbert Paquette et Guy Bisaillon, syndicaliste défait par une poignée de voix dans Taillon. S'y trouve aussi un orthodoxe de Québec, Louis O'Neill, ex-religieux devenu célèbre à la fin des années 50 pour avoir dénoncé la corruption du régime Duplessis. Aux dernières élections, il s'est fait la main en se mesurant à Robert Bourassa dans Mercier.

Pour lui comme pour Jacques Parizeau, l'étapisme obligé à la Morin est un recul. Louis O'Neill n'écarte pas la possibilité d'avoir à sonder les Québécois avant de proclamer la souveraineté, mais refuse le principe d'un référendum obligatoire qui mêlerait les cartes et nuirait à la progression de l'idée. En effet, la promesse d'un référendum amènera au PQ un électorat fédéraliste en quête d'un bon gouvernement qui se retournera contre lui au référendum, torpillant ainsi l'avènement du Québec souverain.

Quand il a vu le reporter Robert McKenzie, Jacques Parizeau ne lui a pas caché ses couleurs : « Le Québec est entré dans la Confédération sans référendum et il se retirera de la Confédération sans référendum, conformément aux règles du parlementarisme britannique. En 1867, un référendum fut réclamé mais toujours refusé en vertu de la souveraineté du Parlement. C'est le Parlement qui décide, même si l'existence du pays est en jeu ou s'il faut changer sa constitution. »

L'étapisme exaspère Louis O'Neill, futur ministre radical de René Lévesque. Une étape, deux étapes, trois étapes, ça se terminera quand ? Pour lui, l'étapisme est né de la soif de pouvoir de Claude Morin, qui a constaté que l'idée souverainiste plafonnait. Faux, conteste l'ancien abbé. Malgré un programme stipulant clairement que le PQ amorcera le processus de la souveraineté aussitôt élu, et en dépit de la machine à faire peur qui a fonctionné à plein régime aux élections de 1970 et de 1973, le parti a obtenu respectivement 23 et 30 pour cent des voix. Des « résultats impressionnants », selon Louis O'Neill.

Enfin, il y a le clan Morin dans lequel se rangent les René Lévesque, Jacques-Yvan Morin, Guy Joron, Marc-André Bédard et Claude Charron. Se sentant plus étapiste que pur et dur, ce dernier s'écarte des radicaux sur ce point. Pour les « morinistes », le pragmatisme transcende tout le reste. L'étapisme veut tenir compte de l'épaisseur des réalités, notamment du fait que le Québec n'est pas une île aux confins du continent américain, ce qui serait de nature à favoriser son indépendance, mais qu'il est très imbriqué économiquement, culturellement et socialement à l'Amérique du Nord.

Comme le dira un jour à René Lévesque Evelyn Dumas, sa conseillère pour le monde anglophone, l'étapisme est l'enfant naturel de la souveraineté-association et traduit comme elle l'ambivalence des Québécois face à leur avenir. En ce sens, c'est leur indécision chronique et leur peur schizophrène de l'inconnu, double héritage de leur condition de minoritaires et d'un conditionnement des esprits orchestré depuis 1867 par leurs élites, qui fondent la stratégie de Claude Morin. Sans la promesse d'un rassurant référendum, le PQ risque de ne jamais prendre le pouvoir ; comment alors réalisera-t-il la souveraineté ?

L'ancien haut fonctionnaire, qui se bat auprès de l'exécutif pour faire accepter l'idée d'organiser un référendum au cours d'un premier mandat gouvernemental (idée déjà acceptée par René Lévesque), découvre l'âpreté de la vie partisane. À le voir sans cesse appliquer les freins, les radicaux le soupçonnent déjà d'être un espion fédéraliste chargé de saboter le projet de René Lévesque.

L'accusation le fait sourire car du temps qu'il était au gouvernement, Ottawa l'accusait de préparer tout aussi clandestinement les conditions de l'indépendance. Il faut dire que sa manière provocante et directe d'en parler en agresse plus d'un. Pour lui, la souveraineté se fera si les gens en veulent et elle ne se fera pas s'ils n'en veulent pas ! Si la population dit non, le PQ, tout souverainiste qu'il soit, devra agir en gouvernement provincial.

Claude Morin s'est forgé une idée précise de la mentalité de ceux qui refusent le référendum, les fameux purs et durs que René Lévesque taxe de « picosseux » et de professionnels de la radicalisation. Ce sont des irréalistes plus bruyants qu'influents qui méconnaissent gravement la dynamique politique, mais qui sont passés maîtres dans l'art de médiatiser leur fanatisme. Prétendre qu'une simple majorité parlementaire suffit pour déclarer l'indépendance est antidémocratique et suicidaire, pense Claude Morin.

Quand ils soutiennent qu'un référendum aurait le désavantage de fournir aux gens l'occasion de s'opposer à la souveraineté, il en reste bouche bée. Comme si le PQ pouvait procéder sans d'abord convaincre une majorité de Québécois ! S'il le faisait, il se placerait dans la même situation explosive que l'ex-président chilien Salvador Allende qui a tenté, en 1970, d'imposer le marxisme alors qu'il n'avait été élu qu'avec 35 pour cent des voix. Le général Pinochet a eu la partie facile parce qu'Allende n'avait pas derrière lui la majorité de la population.

L'analogie chilienne frappe Claude Morin. En effet, depuis 1968, le marxisme est très prisé chez les intellectuels québécois, dans les collèges, les universités, les syndicats. Les radicaux du PQ, notamment l'aile gauche incarnée par Montréal-Centre, considèrent le parti comme l'aile avancée du prolétariat, suivant le moule marxiste.

Claude Morin les voit comme des agitateurs qui refusent inconsciemment la démocratie. Que la population soit prête ou non, d'accord ou non, cela les indiffère. L'important pour eux, c'est de l'entraîner là où le parti le veut.

Durant les conseils nationaux, l'ancien mandarin les voit à l'œuvre. Quand il leur objecte que la souveraineté n'arrivera que le jour où les Québécois le voudront, et qu'il faut les en convaincre, il s'entend répondre : « Si on attend d'avoir une majorité, on ne fera jamais l'indépendance... » Il y voit la volonté à peine déguisée de s'emparer du pouvoir pour ensuite proclamer la souveraineté par un vote de l'Assemblée nationale sans consultation populaire. Geste qui conduirait le Québec au chaos.

Le référendum si...

À six semaines du cinquième congrès du Parti québécois, Claude Morin s'explique devant ses pairs au cours d'un meeting secret de l'exécutif et du caucus, dans une discrète auberge de Sorel. Il détaille méthodiquement sa thèse sur l'accession démocratique à la souveraineté. Les citoyens doivent pouvoir donner leur avis à l'occasion d'un référendum. Cela, il faut l'indiquer clairement dans le programme du parti et en prendre formellement l'engagement. Sa conclusion provoque une levée de boucliers des radicaux que René Lévesque lui-même ne réussit pas à endiguer. « Notre parti a toujours dit aux Québécois que l'indépendance se ferait au vu et au su de tout le monde, avec la participation active des citoyens et leur consentement. Nous devons leur garantir que nous ne les bousculerons pas. »

Ni l'exécutif ni le caucus ne sont prêts à le suivre jusqu'au référendum obligatoire. De même, son idée qu'une simple proclamation de la souveraineté par l'Assemblée nationale, au lieu d'une loi formelle, suffirait pour amorcer la négociation avec Ottawa, ne passe pas la rampe. Le conseiller au programme, le mathématicien Gilbert Paquette, qui est venu à un cheveu de remporter le comté de Rosemont aux élections de 1973, fait avorter la proposition Morin. Il propose un compromis qui constitue néanmoins une avancée par rapport au programme du parti, jusqu'alors muet sur la question du référendum.

Le futur député de Rosemont se veut le chien de garde du programme, selon la tradition guerrière instaurée par son prédécesseur André Larocque. Il n'a pas digéré le tract de dernière minute de l'élection de 1973 qui insinuait : vous pouvez voter sans crainte pour le PQ, l'indépendance, c'est pour la semaine des quatre jeudis ! Gilbert Paquette, qui n'avait pas 30 ans et était intimidé par René Lévesque, avait pris son courage à deux mains pour lui dire : « Moi aussi, j'aimerais bien comme vous enlever du programme les choses qui ne me conviennent pas. Mais quand c'est voté, c'est voté ! Sans cela, à quoi bon tenir des congrès ? » René Lévesque avait regardé Jacques Parizeau du coin de l'œil avec l'air de dire : « Pas facile, le p'tit jeune, mais il changera bien avec le temps ! »

Il n'avait pas changé. Il n'était pas de ces moutons qui, comme Pierre Marois, perdaient leur esprit critique dès que le chef parlait. Depuis le débat sur le référendum, Gilbert Paquette est devenu pour René Lévesque le roi des « chiqueux de guenille » parce qu'il conteste à la virgule près la thèse du référendum obligé.

Assis en face de Morin, et tirant aussi fort que lui sur sa pipe, Gilbert Paquette fait triompher à quatre heures du matin la ligne du « référendum si », conditionnelle à l'attitude d'Ottawa. Il y aura référendum seulement si le fédéral fait obstacle à la volonté québécoise, exprimée dans une loi de l'Assemblée nationale, d'exiger le rapatriement de tous les pouvoirs (sauf ceux de nature économique que les deux gouvernements voudront mettre en commun), d'en négocier le transfert de façon ordonnée et de s'entendre sur le partage des avoirs et de la dette. En pareil cas, Québec « assumera tous les pouvoirs d'un État souverain en s'assurant au préalable de l'appui des Québécois par voie de référendum ».

Comme l'opposition d'Ottawa est absolument certaine, la consultation référendaire deviendra inévitable. Une assurance qui retient René Lévesque de déchirer sa chemise. Certes, comme Claude Morin, il préférerait le référendum sans condition, plus démocratique, mais comme la politique est l'art du possible, il se satisfait que l'option référendaire figure au moins au programme du parti.

À la sortie de la réunion secrète, le chef péquiste laisse voir aux journalistes que le débat n'est pas clos : « D'autres circonstances pourraient aussi justifier un référendum. Mais l'important, c'est que le parti reconnaisse enfin que l'indépendance, ce n'est pas une chose avec laquelle on peut bousculer la population. » Ne s'agit-il là que d'une harmonie de surface ? s'interroge la presse. Car il reste à voir ce qu'en diront les 1 400 délégués rassemblés, le 15 novembre, à Québec.

La veille du congrès, *La Presse* a publié les résultats d'un sondage qui apporte de l'eau au moulin de Claude Morin : 83 pour cent des Québécois réclament la tenue d'un référendum avant toute sécession. Les sondeurs apprennent également aux délégués euphoriques que les libéraux reculent nettement, alors que le PQ progresse.

Convaincu que la proposition sera votée par les délégués, René Lévesque donne le ton en mettant l'accent sur l'échéance électorale. Le gouvernement Bourassa vieillit très vite, et le PQ peut « franchir le mur du son » la prochaine fois, à la condition de ne pas effaroucher les Québécois. Il oublie l'ode rituelle à la souveraineté pour marteler qu'il faut en finir avec la question du référendum et autres controverses superfétatoires. « N'allez pas nous mettre des bâtons dans les roues, lance-t-il à ses militants. Ce n'est plus le temps des sparages ! Il faut sortir d'ici unis. »

Les délégués ne lui font pas une ovation du tonnerre, mais entendent son message. René Lévesque peut se montrer confiant. La base militante commence à en avoir ras le bol des tiraillements idéologiques et des victoires morales aux élections. Le vent de réalisme qui se lève aussitôt que le congrès se saisit de la proposition de Sorel indique que le PQ est prêt à sacrifier aux principes durs pour obtenir le pouvoir. L'électoralisme n'a plus tout à coup si mauvaise odeur.

Même les députés radicaux Robert Burns et Claude Charron se rallient. Le premier lance en atelier : « Il est temps qu'on sache que le PQ n'est pas une religion, mais un parti politique qui doit faire ses compromis. » Au nom du comté de Saint-Jacques, et avec comme mot d'ordre « Une chose à la fois », le second soumet au congrès une motion étapiste qui précise que si le but du PQ est la souveraineté, son objectif à plus court terme est le pouvoir.

En plénière, René Lévesque jette tout son poids dans la balance : « Nous sommes là pour faire du Québec un État souverain. Mais nous voulons le faire de façon pacifique et démocratique avec le reste du Canada. Sans reculer d'un pouce, nous irons chercher par le référendum l'appui qui confirmera la légitimité de notre mandat ici et ailleurs. Les militants et la population attendent de ce congrès l'adoption d'une position claire. »

Au milieu de la tension bruyante qui divise les délégués, Claude Morin reste cloué sur son siège. Des accusations de faux frère, de traître et de fédéraliste fusent des rangs de ceux qui vilipendent l'étapisme référendaire. Il est tellement impopulaire qu'il nuirait à la cause s'il allait au micro. René Lévesque a plutôt mobilisé Jean-François Bertrand, fils de l'ancien premier ministre, qui est entré au PQ peu après la mort de son père. C'est un orateur éloquent qui considère Claude Morin comme son père spirituel.

Il fait la synthèse des arguments en faveur du référendum, avant de conclure : « Les Québécois doivent savoir que nous nous battons pour l'indépendance, que nous sommes nés à cause de cela, que nous allons prendre le pouvoir avec cela, que nous allons gouverner avec cela ! L'indépendance, nous l'aurons si nous réussissons à lever les ambiguïtés et à faire reposer notre légitimité sur l'appui de la population. »

Le camp du non délègue Louis O'Neill pour donner la réplique à René Lévesque et à Jean-François Bertrand. L'universitaire, dont la candidature dans Mercier n'a pas plu au chef, ne répudie pas l'utilité d'un référendum avant la souveraineté. Mais il lui préfère l'élection référendaire car il se peut fort bien que le PQ soit élu avec une forte majorité ; un référendum serait alors superflu. En le rendant obligatoire, on lui attribue une valeur irremplaçable qu'il n'a pas.

De plus, poursuit Louis O'Neill en pédagogue méthodique qu'il est, les adeptes naïfs du référendum sans condition sous-estiment le travail de sape des fédéraux et des financiers. Leur intervention dans un référendum obligatoire et imposé à un moment précis faussera les résultats, compromettant gravement l'indépendance. Bref, le PQ n'a pas à se fabriquer des pièges qui profiteront aux ennemis du Québec.

Jacques Parizeau est venu au congrès comme journaliste du *Jour*, et non comme délégué. Pour être plus libre de manœuvrer à sa guise en coulisses, il a refusé de se joindre à la délégation d'Outremont, comme l'y invitait son président, Philippe Bernard. Et pour cause, car Outremont est favorable au référendum, lui pas.

Ce que Jacques Parizeau entend de son poste d'observation à la table de la presse l'indispose. La journaliste Lysiane Gagnon le voit se tortiller nerveusement sur sa chaise et lancer à la ronde des regards courroucés. Ne pouvant souffrir l'étapisme à la Claude Morin, il orchestre l'opposition. Pierre Marois, consacré déjà mais un peu vite dauphin de René Lévesque, se sentirait plus à l'aise avec Jacques Parizeau car il déteste lui aussi l'étapisme. Avant le congrès, il a fait le tour des militants de la rive sud pour les convaincre : 90 pour cent ont voté contre la proposition référendaire.

Le jeune avocat s'est amené au congrès résolu à dire non. Mais sa trop grande admiration pour René Lévesque, qui lui fait voir le monde à travers ses propres yeux, risque de le faire fléchir. Et pour son malheur, il est assis derrière lui.

« Voyons Pierre, c'est pas si fou que ça... le harcèle le chef en se retournant de temps à autre vers lui.

— Monsieur Lévesque, quand j'étais à l'exécutif, on a publié toute une série de plaquettes sur la façon dont allait se faire l'indépendance. Vous avez signé un texte qui disait : ça va se faire de la même façon qu'on est entré dans la Confédération, par une majorité parlementaire comme en régime britannique. *That's it !* Et là vous ajoutez des étapes, vous voulez un référendum, on n'en sortira pas.

— Pierre, merde ! vous ne pouvez pas vous opposer, proteste René Lévesque. Il faut un référendum dans notre programme ! »

Le doute s'empare du jeune Marois. Il est sans grande expérience politique alors que M. Lévesque a fait ses preuves. Peut-être a-t-il raison ? Avant le vote, il fait volte-face et encourage sa délégation à appuyer le référendum. Influencés plutôt par le sondage convaincant de *La Presse,* d'autres militants lui emboîtent le pas. Quand le président d'assemblée, Jean-Roch Bovin, dévoile les résultats du vote, l'étapisme référendaire gagne à 2 contre 1 : 630 pour, 353 contre.

Le pragmatisme triomphe, sinon la clarification souhaitée par René Lévesque et Claude Morin. Le PQ reste garé sur la voie du référendum conditionnel à l'attitude d'Ottawa. C'est tout de même une « étape », car le mot référendum apparaîtra au programme. Aussi les deux hommes pavoisent-ils. Le journaliste Michel Roy observe « leur indéfinissable sentiment de soulagement ».

Le vote, loin d'être unanime, indique qu'un schisme est possible. À l'annonce des résultats, beaucoup déchirent leur carte de membre qu'ils lancent avec mépris sur le parquet du congrès. Mais Jacques

Parizeau ne broie pas longtemps du noir : « On s'est fait battre, dit-il à ceux qui ont cabalé avec lui. Il faut se rallier. » Pince-sans-rire, Jean Royer, l'un de ses proches qu'il nommera chef de cabinet une fois premier ministre, en 1994, propose qu'à l'avenir les cartes soient plastifiées, pour éviter que les mécontents ne leur fassent un mauvais sort chaque fois que leur bile s'échauffe !

René Lévesque confie à son entourage qu'il faudra relancer le débat afin qu'il n'y ait plus l'ombre d'un doute sur la volonté du PQ d'obtenir le consentement de la population avant de procéder à l'indépendance. Car les libéraux vont miser sur le raccourci dont le parti se satisfait, comme le prédit l'éditorialiste Jean-Claude Leclerc : « Étant resté à mi-chemin, le PQ n'évitera pas l'exploitation que ses adversaires feront, non sans raison, de son référendum si… Les gains électoraux qu'il attend de cette manœuvre le décevront. »

En revanche, le nouvel exécutif, totalement acquis à René Lévesque à une exception près, confirme son leadership et consolide l'unité de la direction du parti. Le sondage de *La Presse* affirmait que 74 pour cent des péquistes demandaient au leader de rester aux commandes. Les Jacques Parizeau, Jacques-Yvan Morin et Robert Burns ont les pieds beaucoup trop petits pour chausser ses bottes.

Accompagnant sa boutade d'une large sourire, René Lévesque déclare à la presse : « J'admets que le PQ a connu de petites crises exhibitionnistes internes, mais je ne démissionnerai certes pas demain matin ! »

Parmi les candidats élus, certains, comme Claude Morin, ont le moral bas. Donné battu à cause de l'étapisme, il sort finalement victorieux, mais se fait huer copieusement à l'annonce de son élection. Quant à Gilbert Paquette, il a réussi son coup du référendum au conditionnel, mais il en paie le prix. René Lévesque le fait bouter dehors par Pierre Marois, qu'il a convaincu de briguer son poste de conseiller au programme.

Les autres élus sont des appuis sûrs, que ce soit Jean-François Bertrand, Bernard Landry, Alain Marcoux, Jérôme Proulx, Robert Lussier, ex-ministre unioniste converti à la souveraineté, ou Jocelyne Ouellette, activiste passionnée de l'Outaouais et première femme à avoir été élue présidente régionale du PQ. À peine en poste, écœurée de l'agiotage des gens de Montréal-Centre qui imposaient leurs volontés au parti, elle avait dit à René Lévesque : « En dehors de

Montréal-Centre et de votre Gaspésie natale, y a-t-il autre chose qui existe dans le monde ? » Pour sensibiliser le PQ aux problèmes des régions, qui se fichent comme de l'an quarante du débat référendaire, elle a fait front commun avec des provinciaux comme Marc-André Bédard, Lucien Lessard et Yves Duhaime.

Âgée de 30 ans, cette brune décidée et au franc parler réussira l'exploit de se faire élire députée de Hull aux élections de 1976, dans ce château fort fédéraliste jugé imprenable. Et cela, aux dépens du potentat local qui contrôle tout — patronage, police, médias —, le ministre libéral Oswald Parent, qui aime à rouler en Cadillac grise aux vitres teintées dans les rues de la ville en snobant ses amis d'antan.

Obsédé par cette battante, qu'il qualifie d'agitatrice séparatiste à la tête montée par des gens de Montréal, ce ministre truculent pour les caricaturistes, mais qui sème la crainte à Hull, a tout essayé pour l'arrêter. Depuis les menaces faites à son père hôtelier (Roland Ouellette devait faire taire sa fille sinon gare à son permis d'alcool !) jusqu'à une tentative de l'acheter, elle, en lui offrant un poste d'attachée politique.

À l'exécutif, Jocelyne Ouellette appuiera René Lévesque les yeux fermés. En fait, sauf Robert Burns qui y siège d'office comme représentant du caucus, un seul contestataire a réussi à passer à travers les mailles du filet du chef. C'est le syndicaliste Guy Bisaillon. Un radical mal aimé, comme Robert Burns, qui lui a confié un jour : « Si tu avais été élu en 1973, ç'aurait été différent pour moi à l'Assemblée nationale. » Façon de lui dire que, grâce à son vote, lui, Robert Burns, aurait été chef de l'opposition à la place du béni-oui-oui Jacques-Yvan Morin.

René Lévesque se méfie de Guy Bisaillon. Il l'a vu recourir à des tactiques agressives lors de la violente grève qu'il a organisée à la United Aircraft de Longueuil. Et, en 1972, durant la grève illégale du front commun, pousser le syndicat des enseignants de Chambly, qu'il dirigeait, à défier la loi.

Aux élections de 1973, un autre incident a fini de brouiller les deux hommes. Reluquant la candidature dans Taillon, Guy Bisaillon a convaincu le candidat prestigieux pressenti par le chef du PQ, André Camaraire, cadre supérieur à Hydro-Québec et président de la commission scolaire régionale de Chambly, de se retirer en sa

faveur. En guise de représailles, René Lévesque l'a laissé se débrouiller seul contre les libéraux et leurs gorilles syndicaux de la rive sud.
Guy Bisaillon devient donc la mouche du coche du nouvel exécutif.

Vive l'Écosse libre !

Chaque fois que René Lévesque trouve l'occasion de faire
l'éloge des petits pays de la taille du Québec, comme la Suisse, la
Suède ou le Danemark, et qui ont un revenu par tête équivalent, il ne
se prive pas de monter en épingle leurs réussites. Le pédagogue
souverainiste cherche alors à prouver qu'un Québec devenu pays se
tirerait mieux d'affaire qu'une simple province dépendante d'un
autre peuple majoritaire dont les intérêts et les visées ne coïncident
pas toujours avec les siens.

Ses notes de lecture abondent en citations et en soulignés à la
gloire des petits pays. La nation est pour lui une donnée éternelle,
aussi nécessaire que la famille à l'équilibre et à l'épanouissement de
l'individu. Quand le peuple est appauvri, craintif et incertain, comme
celui du Québec, l'individu est désaxé, dégradé et diminué. Dans un
petit pays dynamique, comme la Norvège ou la Hollande, l'individu
se sent grand, fier et plus fort. En ce sens, la réalité juridique de la
nation canadienne, brandie par les fédéralistes comme les dix tables
de la Loi, ne pèse pas lourd devant la réalité humaine, linguistique et
sociale du Québec distinct.

Certes, la pensée de René Lévesque est influencée par l'idéologie
à la mode des années 1970. Pour lui, *small is beautiful,* mais pour un
peuple, le fait d'être petit n'empêche nullement d'être grand et de se
développer pourvu qu'on ne confie pas aux autres la gestion de ses
affaires. Il note cette pensée que la régente Emma des Pays-Bas
livrait à sa fille Wilhelmine : « Un peuple est grand dans toutes les
choses dans lesquelles un petit pays peut être grand. »

Parcourant le livre de Serge Richard sur le système scolaire sué-
dois, il découvre que le ministère de l'Éducation ne compte là-bas
qu'une centaine de fonctionnaires. Il écrit : « Société compacte =
petite taille = mini-bureaucratie. » Rien à voir avec le gaspillage canadien inouï où 11 gouvernements et plus de 200 comités fédéraux-
provinciaux essaient de survivre au sein d'une véritable jungle
bureaucratique.

Dans ses chroniques au *Jour*, le chef du PQ monte sur ses grands chevaux chaque fois qu'un adversaire rappelle aux Québécois qu'ils sont un bien petit peuple pour prétendre se passer du Canada. Ainsi fustige-t-il Pierre Trudeau qui, lorsqu'il parle de sa province, s'ingénie à conférer au cliché du petit pain une fatalité inéluctable. Dernièrement, à Québec, sur un ton où l'arrogance le disputait au mépris du métropolitain pour ses coloniaux, écrit René Lévesque, le premier ministre fédéral s'était écrié : « Vous êtes mieux d'y penser avant de donner à tel ou tel groupe de Québécois des salaires plus élevés. N'oubliez pas que vous êtes plus pauvres que les gens de l'Ontario et de l'Alberta ! »

Indigné, René Lévesque avait trempé sa plume dans l'acide : « Faut-il que la société québécoise soit plus pauvre que celle de l'Ontario ? Voilà la vraie question. Tant qu'on ne la pose pas, on n'a qu'à continuer à la duplessiste à entretenir la population dans la résignation à l'infériorité. Ce que nos carriéristes du fédéralisme voudraient nous faire croire, c'est que l'infériorisation du Québec français est une tare incurable avec laquelle il faut vivre en remerciant les généreux Canadiens. Et en quêtant assez fort pour obtenir des miettes et se faire concéder à tous les 30 ans un Laurier, un Saint-Laurent et un Trudeau, chargés de ranimer la foi du porteur d'eau et l'illusion de l'égalité des inégaux. »

Pour René Lévesque, le Québec dans le Canada, c'est un « peuple objet », un peuple entretenu. Parlant à Outremont en automne 1974, il pose la question : comment maintenir le Québec dans la dépendance ? Par le mensonge, évidemment, répond-il, en citant son ex-ami Jean Marchand qui vient de proclamer que quand bien même les Québécois deviendraient indépendants, ils devraient toujours se battre plus fort que les autres. « On risque de mourir d'épuisement à la fin ! » ironise René Lévesque en notant qu'il est pourtant facile de sortir de ce « combat absurde ». Il suffit de décider de ne plus être un peuple objet, comme la petite Finlande.

Une fois souveraine, elle s'est donnée une armature d'État avec ses impôts, son système financier, ses instruments de décision. Surtout, elle a maîtrisé rapidement l'exploitation de son énergie, comme son pétrole, et bâti un secteur pétrochimique considérable. Au Québec, le fouillis règne en matière d'énergie. La province paierait son pétrole moins cher si elle l'achetait des pays arabes plutôt qu'à l'Alberta.

Des sommes énormes, en impôt fédéral, vont à l'exploitation du pétrole des sables bitumineux dans l'Ouest, plutôt qu'au développement de l'énergie et à la mise en place d'une politique pétrolière vitale au Québec. Bref, dit-il, les Québécois sont les pompistes de la Confédération !

Dans un édito intitulé « Petit, petit, petit », René Lévesque enguirlande Jean Cournoyer, titulaire des Richesses naturelles, ce ministère qu'il a lui-même organisé durant les années 60. Ce ministre « à la vieille mentalité du petit pain » a opposé à des spécialistes du pétrole qui lui suggéraient de créer un secteur témoin : « Pas question de se permettre une pareille aventure ! Nous ne sommes que six millions et ils sont 225 millions de l'autre bord de la frontière. Vous savez ce qui est arrivé à la grenouille… »

L'autre volet de sa démonstration libératrice consiste à montrer que les peuples dépendants connaissent les mêmes vicissitudes que les Québécois. En juin 1975, l'occasion lui est donnée d'aller vérifier ses thèses en Écosse. La section écossaise du *Times* de Londres l'a invité comme « séparatiste » à un colloque sur l'éducation à Édimbourg, capitale historique de cette Écosse tombée sous la férule anglaise, en 1707, et dont la langue nationale, le gaélique, s'est perdue dans la brume des temps.

En préparant le texte de son discours, René Lévesque s'inspire du livre *Scotland Today* pour dresser un parallèle entre l'annexe provinciale de l'Angleterre qu'est devenue l'Écosse et l'annexe française du Canada qu'est devenu le Québec. Même population (5,2 millions et 6 millions). Même émigration massive vers les États-Unis au tournant du XXᵉ siècle pour cause de chômage. Même persistance de traditions spécifiques (loi, religion, système scolaire) et de l'identité nationale, malgré les blessures de la vassalité et de l'assimilation. Même désir aussi de sécession, le Parti nationaliste écossais (SNP), favorable à l'indépendance de l'Écosse, a obtenu 30 pour cent des voix et une minorité de sièges aux dernières élections, comme le Parti québécois.

Les Écossais partagent aussi les frustrations sociales et économiques des Québécois : statut social inférieur par rapport aux Anglais, retard industriel de l'Écosse sur l'Angleterre, taux de chômage toujours plus élevé qu'en Angleterre *« for some mysterious reason »*, note René Lévesque en pensant au chômage toujours plus bas en

Ontario qu'au Québec et au sous-développement relatif du Québec par rapport à sa riche voisine.

À Édimbourg, les Écossais trouvent le petit homme pugnace et « *intensely French* », même s'il vient d'Amérique du Nord. Il leur lance en guise d'introduction en faisant allusion aux premiers Écossais qui peuplèrent le nord de la Grande-Bretagne avant les Anglais : « En venant ici, je n'ai pu m'empêcher de tirer des analogies entre l'Écosse et le Québec. Votre nation possède des traditions et une longue histoire semblables aux nôtres. Ce sont les Français du Québec qui ont été les premiers colonisateurs blancs en Amérique du Nord, devançant de cinq ans les Pères pèlerins américains du *May Flower*. »

Il fait voir aussi ce qui différencie l'Écosse du Québec. Les Écossais ont troqué le gaélique contre l'anglais, alors que le Québec a conservé sa langue. Ne formant que 10 pour cent de la population de l'Angleterre, les Écossais sont plus minoritaires que les Québécois, qui sont près du tiers de la population canadienne. Enfin, contrairement à l'Écosse qui obéit en tout à Londres, le Québec a un gouvernement et un Parlement qui administrent, font des lois et lèvent des impôts.

René Lévesque se permet de faire la leçon à ses hôtes : « L'Écosse doit aller dans la même direction que nous. Chemin faisant, elle découvrira comme nous que l'appétit vient en mangeant. Une fois qu'on a arraché quelques pouvoirs, le désir d'en avoir plus naît naturellement. »

Ne pouvant résister à l'envie de gaffer comme un certain général, René Lévesque lance un « Vive l'Écosse libre ! » amusé, tout en remarquant que son cri ne provoquera sûrement pas de tempête en Grande-Bretagne car il n'est qu'un petit politicien même pas élu, non un de Gaulle conquérant.

En quittant ses amis écossais, René Lévesque les assure que les Québécois ont « la volonté de devenir indépendants ». Peut-être ces derniers l'ont-ils entendu. Trois mois plus tard, fin octobre, un sondage Crop réalisé à l'échelle de la province place son parti en tête. Pour la première fois de son histoire, le PQ devance les libéraux. En redistribuant les indécis, les sondeurs attribuent 43 pour cent des voix au PQ, 36 pour cent aux libéraux, 11 pour cent aux créditistes et 10 pour cent à l'Union nationale. L'étapisme se révélerait-il déjà payant ? La possibilité d'une victoire aux prochaines élections devient plus réelle.

Les péquistes mesurent le même phénomène. En juin, un coup de sonde effectué dans la région de la capitale plaçait leur parti devant les libéraux. Un second sondage, réalisé celui-là en novembre, laisse voir un grand nombre d'indécis mais accorde presque deux fois plus de voix au PQ qu'au Parti libéral, soit 27,5 pour cent contre 18,5 pour cent. René Lévesque est plus populaire que Robert Bourassa mais, ô malheur, l'idée de l'indépendance l'est moins : 51 pour cent des Québécois de la région de Québec la rejettent et seulement 30 pour cent la favorisent.

CHAPITRE LIII

Une querelle d'auberge

Si vous voulez ma tête, venez la chercher, on
verra alors qui est le chef!

RENÉ LÉVESQUE à ses dissidents, septembre 1976.

René Lévesque passe les années 1975-1976 à en découdre avec ses députés les plus radicaux, qui l'accusent de n'être qu'un demi-chef. Le moment paraît mal choisi pour se quereller, car les sondages promettent une victoire au prochain rendez-vous électoral. Il n'y peut rien. S'il cède à ses « picosseux », c'en sera fait du PQ et de la souveraineté.

Ceux-là, principalement les députés Robert Burns, Claude Charron, Lucien Lessard et Marcel Léger, n'ont pas tous les torts. Comme les militants, ils souhaitent qu'il siège au Parlement et l'invitent, depuis deux ans, à se faire élire « au plus sacrant » dans une partielle. Il a rejeté du revers de la main le comté de Johnson et, dernièrement, celui de Taillon, libéré à la suite des accusations portées contre le député libéral Guy Leduc, beau-frère de Pierre Laporte.

René Lévesque ne s'est pas conformé non plus à l'entente de 1974 suivant laquelle il devait participer au caucus hebdomadaire de ses députés. Le bureau que Louis Bernard lui a fait aménager dans l'édifice du Parlement reste vide. Laissés à eux-mêmes sous la direction mal assurée de Jacques-Yvan Morin, les députés ruminent leurs rancœurs. Malgré sa bonne volonté, le successeur de Camille Laurin n'a pas recréé la complicité affectueuse et paternelle qui régnait au temps du docteur. Et en plus, il trouve le moyen d'être la risée des libéraux et de la presse en encaissant par erreur pour des dépenses un chèque de 1 796 $ auquel il n'avait pas droit.

René Lévesque vit des frustrations aussi. Ses contestataires oublient qu'il est un chef de parti battu, donc privé de siège au Parlement. Comme il est fier et tout d'une pièce, la perspective d'aller à Québec donner des ordres aux élus le met à la torture. N'empêche que s'il dialoguait avec eux, peut-être éviterait-il de les contredire en public ou dans sa chronique du *Jour*.

En hiver 1975, il se désolidarise de l'aile parlementaire qui lutte contre l'augmentation de salaire des députés, décrétée par Robert Bourassa. Ne voulant pas passer pour des rois nègres qui se votent des privilèges alors que la population manque du nécessaire, les six vertueux péquistes refusent à l'avance l'argent maudit. Mais leur chef soutient dans *Le Jour* qu'un salaire de 32 000 $ n'est pas exorbitant et qu'avocats, cadres et opérateurs de machinerie lourde gagnent autant. Il serait angélique et absurde que ceux qui mettent leur talent et leurs efforts au service de la population, et qui abattent à six une besogne inouïe, soient moins rémunérés que les 101 députés libéraux dont la plupart, désœuvrés, passent le plus clair de l'année « à faire de l'organisation et du patronage ». La petite opposition officielle s'est sentie une fois de plus cravachée publiquement par le chef.

La question du référendum alimente aussi la discorde. Les orthodoxes comme Gilbert Paquette ou Guy Bisaillon en veulent à René Lévesque pour deux raisons. D'abord parce qu'il profite de son ratissage préélectoral pour convaincre les militants que c'est le pouvoir qui compte, et que pour y arriver il faut rassurer l'électorat au sujet de la souveraineté. Il répète qu'il n'y a pas de changements valables qui ne soient étapistes et qu'il faut « ajuster le programme du parti aux réalités nouvelles ». Les radicaux voient très bien son jeu, qui vise à implanter insidieusement dans les esprits l'idée du référendum obligatoire.

Leur second grief, c'est qu'il laisse Claude Morin pousser son option, même si elle n'est pas conforme au programme, alors qu'il les matraque, eux, chaque fois qu'ils expriment des opinions s'écartant de la ligne officielle. Il faut dire que Claude Morin se conduit en agent provocateur, depuis le congrès de l'étapisme. Le silence presque pudique qui est retombé sur la question référendaire l'écorche et il est bien décidé à parler. Ce qu'il fait d'ailleurs, en septembre 1975, à la veille du conseil national de Rimouski, en déclarant au quotidien *Le Soleil* que le PQ doit cesser sa valse-hésitation et vendre au plus vite son option référendaire à l'électorat si tant est que le pouvoir l'intéresse toujours.

Les délégués sont furieux. Pourtant, il n'a fait qu'évoquer le gros bons sens : pour réaliser la souveraineté, il faut être au pouvoir. Même René Lévesque le rabroue : ce n'était pas sa meilleure entrevue et son impopularité depuis le congrès de 1974 est telle qu'il devrait se taire et le laisser, lui, aborder le sujet du référendum.

Mais la « bévue » de Claude Morin tourne à son avantage. Le caucus et l'exécutif lui donnent raison une semaine plus tard : « L'indépendance est la première raison d'être du PQ, mais les esprits lucides admettront qu'elle exige d'abord la prise du pouvoir, c'est-à-dire le renversement du gouvernement Bourassa qui nous dégrade. » Le communiqué officiel reprend le refrain que Claude Morin veut entendre : l'élection du PQ n'entraînera pas l'accession immédiate à la souveraineté. Une période de transition est inévitable, durant laquelle le gouvernement s'assurera qu'une majorité de Québécois partagent son option.

Heureux de la tournure des événements, l'étapiste demande au consul américain Patrick Garland de faire savoir à Washington que le PQ est une organisation démocratique et réaliste, comme le prouve sa démarche référendaire, et non un ramassis de têtes brûlées ou de marxistes, comme le donnerait à penser le discours de ses radicaux. Le PQ n'abrite pas plus de 400 marxistes qui « ne sont pas un problème ».

Curieusement, malgré les clarifications apportées au processus d'accession à la souveraineté, l'ancien mandarin se montre très pessimiste quant à la possibilité d'une victoire péquiste. Il affirme carrément au consul Garland que le PQ ne prendra pas le pouvoir à la prochaine élection. Opinion qui contredit son discours officiel, plus optimiste, liant la prise du pouvoir au référendum.

René Lévesque tient un tout autre langage. Il confie lui aussi ses états d'âme aux Américains, plus précisément au consul à Montréal,

Elizabeth Harper, à qui il prédit la victoire de son parti au prochain scrutin. Il atténue aussi le discours catégorique de Claude Morin qui peut donner l'impression que le PQ accorde plus d'importance au pouvoir qu'à la souveraineté. Tout cela n'est que de la tactique, dit-il à l'Américaine, et ne modifie en rien notre objectif fondamental, l'indépendance.

René Lévesque l'assure également que s'il perdait le référendum, le PQ ne laisserait pas tomber l'option de l'indépendance (« *the PQ will not drop the independance option* »). Il se comporterait alors comme un gouvernement provincial, tout en continuant de pousser son option dans l'espoir de gagner le second référendum. Chose certaine, dit-il à Elizabeth Harper, nous savons que l'indépendance sera lente à venir et qu'il se pourrait fort bien que nous n'y arrivions pas au cours d'un premier mandat.

Peut-on atterrir en français et survivre ?

En mars 1976, pilotes et contrôleurs aériens du Québec demandent à Ottawa le droit d'utiliser leur langue dans les cabines de pilotage et les tours de contrôle. Aussi bien exiger la francisation de Toronto ! Comme aux plus belles heures du fanatisme antifrançais de la crise de la conscription de 1942, une vague de racisme, que dénoncera le commissaire fédéral aux langues Keith Spicer, déferle sur le Canada anglais. Le *French Power* mesure sa fragilité et expérimente les contrecoups de la politique du bilinguisme implantée en 1969 dans les services fédéraux.

Déjà, l'entrée en service du nouvel aéroport international de Mirabel a mis en évidence la sous-représentation des francophones dans l'aviation civile et l'exclusion du français dans les communications aériennes. En 1971, Robert Bourassa a écrit à Pierre Trudeau pour lui demander de faire respecter dans les aéroports « le fait français qui prévaut au Québec ». Trudeau n'a pas remué le petit doigt.

Ce sont les Gens de l'air du Québec qui reprennent le flambeau. Il est absurde que deux pilotes francophones côte à côte dans la cabine doivent se parler en anglais et dialoguer en anglais aussi avec un contrôleur francophone. Depuis 1969, le Canada est, paraît-il, un pays bilingue. Alors, pourquoi le ciel ne parlerait-il pas français, interrogent contrôleurs et pilotes francophones, membres des associations canadiennes CALPA, pour les pilotes, et CATCA, pour les aiguilleurs du ciel ? Pourquoi pas, en effet, répond le ministre des Transports, Otto Lang, qui promet que le ciel sera bilingue : « cela répond à notre idéal d'égalité et de justice ».

En mai, Ottawa recule déjà : avant de passer aux actes, il attendra les résultats de l'enquête de trois juges sur la sécurité du français pour le vol aux instruments. Un mois plus tard, les contrôleurs aériens canadiens menacent de faire la grève si le français entre dans les tours de contrôle, pendant que les pilotes de la CALPA soulèvent les craintes de la population en mettant en équation sécurité et droits linguistiques.

En juin, les aiguilleurs tiennent un vote de grève, boycotté par les francophones. Mais ce sont les pilotes, ces demi-dieux du ciel, qui débrayent illégalement et sans préavis « pour cause d'insécurité », à quelques jours des Olympiques. C'est un alibi, car plusieurs pays s'arrangent fort bien avec le bilinguisme dans les communications aériennes, comme l'a signalé plus tôt le ministre Otto Lang. L'« insécurité » des pilotes tient au fait qu'ils sont unilingues anglais. L'introduction du français risque de nuire à leur avancement.

Le Canada anglais fait bloc avec eux et ne suit plus Pierre Trudeau, qui plaide en vain la cause du bilinguisme à la télévision. Un sondage Gallup révèle que 60 pour cent des Canadiens rejettent ce bilinguisme. Les T-shirts racistes abondent. L'un supplie : « Général Wolfe où êtes-vous ? » Un autre montre un castor étranglant une grenouille. Dans un journal manitobain, un lecteur demande : « Pouvez-vous expliquer encore le fonctionnement du masque à oxygène ? Nous n'allons pas tarder à atterrir... »

Le 28 juin, Ottawa abdique. Le ciel ne sera pas bilingue avant que les trois juges concluent, à l'unanimité, que la sécurité n'est pas en jeu (tel sera leur verdict un an plus tard et dès 1980, on atterrira en français — et sans parachute ! — à Dorval et à Mirabel). De plus, décrète Otto Lang, qui a ravalé ses promesses de mars, la Chambre des communes devra appuyer la réforme à l'occasion d'un vote libre. Révoltés, les Gens de l'air crient à l'indécence. Jean Marchand démissionne du cabinet.

Le haut-le-cœur tardif de son vieil ami-ennemi ne fait pas pleurer René Lévesque. Il sait que Jean Marchand n'a qu'une idée en tête : quitter Ottawa où il est malheureux comme les pierres pour se présenter à Québec où il aurait toujours voulu faire carrière. Sa démission héroïque lui servira de sauf-conduit nationaliste. Calcul que confirmera Pierre Trudeau dans ses mémoires télévisés à Radio-Canada, en janvier 1994.

Le psychodrame de l'air ne laisse pas René Lévesque indifférent. Son parti devrait en tirer de bons dividendes, mais curieusement la crise suscite un dur affrontement entre lui et le caucus, ulcéré par son attitude ambiguë. Tout avait bien commencé, pourtant. Quand les aiguilleurs du ciel ont parlé de débrayer, il a réclamé du fédéral que les aéroports québécois restent ouverts, les francophones étant prêts à assurer la relève. Après quoi il a mobilisé le conseil national, qui a donné son appui officiel aux Gens de l'air qu'une « campagne raciste de groupes anglophones » privait du droit élémentaire de travailler dans leur langue.

Fin juin, après la volte-face du gouvernement Trudeau, les députés péquistes haussent le ton à l'Assemblée nationale. « Maudite béquille faible ! Toujours en train de s'écraser et de ramper ! » s'exclame Claude Charron à l'intention du ministre Fernand Lalonde, responsable du dossier linguistique, qui se refuse à dénoncer les fédéraux. Sans crier gare, René Lévesque tempère les ardeurs du jeune député et excuse l'inaction du ministre Lalonde en rappelant que l'aviation est sous juridiction fédérale. « De toute façon, Québec ne peut rien faire dans le régime actuel. Les crises se dénouent toujours à l'avantage du Canada anglais, dit-il en ajoutant avec un sourire en coin : ce n'est pas pour rien que le Parti québécois a été fondé... »

Mais les péquistes ne sont pas les seuls à stigmatiser le changement de cap du gouvernement Trudeau. À Ottawa, deux jeunes députés libéraux tapageurs, Pierre De Bané et Serge Joyal, sont tout aussi révoltés qu'eux. En août, le premier s'engage à quitter son siège si la bataille du bilinguisme dans l'air est perdue : « Je ne vois pas comment je pourrais demeurer député à Ottawa. »

Le deuxième annonce que Pierre De Bané et lui-même feront équipe avec le procureur des Gens de l'air, l'avocat péquiste Clément Richard, afin de contester devant les tribunaux la décision du ministre Lang d'interdire le français jusqu'à nouvel ordre : « S'il faut fermer des aéroports pour prouver notre point de vue, nous le ferons ! »

Si la rébellion des deux jeunes loups impressionne sa troupe, elle laisse René Lévesque sceptique. Guy Bisaillon, qui vient d'être élu candidat du PQ dans le comté de Sainte-Marie contre sa volonté, anime un comité d'appui non partisan aux Gens de l'air ; et pour le narguer, il se fait fort de n'inviter à ses activités que les radicaux du caucus comme Robert Burns, Claude Charron et Marcel Léger. Et des libéraux, bien sûr, comme les amis Joyal et De Bané ou le ministre Jean Cournoyer qui, contrairement à ses collègues du cabinet Bourassa, prend parti pour les Gens de l'air.

René Lévesque fait preuve d'une prudence extrême dès qu'il s'agit d'associer le PQ à une cause, si noble soit-elle, de peur d'être entraîné dans une aventure qui tournerait mal. Aussi s'inquiète-t-il de cette alliance fumeuse entre les deux rebelles fédéraux et ses moutons noirs, qui ont oublié de lui en toucher un mot. En vieux routier de la politique, il flaire l'entreprise de récupération fédéraliste dont ils risquent d'être les dindons de la farce. Avec les années, il a appris à redouter les sourires fardés des fédéraux et leurs poignées de main prétendument fraternelles.

Pour éviter à ses supporters « une autre de ces illusions si souvent suivies de déceptions », il s'applique à miner la sainte alliance en y mettant sa brusquerie habituelle. Serge Joyal, dit-il au *Montréal-Matin,* n'est qu'un opportuniste qui se fait du capital politique. Sa croisade est valable, certes, « mais paraît politiquement calculée ». Une semaine plus tard, et comme pour lui donner raison, le député Joyal, un petit homme introverti à la mine sévère et au langage soigné, ne songe plus à bloquer les aéroports.

Il avoue à la journaliste Christiane Berthiaume qu'il n'a pas plus envie de rompre avec son parti, parce que son admiration pour Pierre Trudeau est telle qu'il « veut faire le test de ce pays ». Le député ajoute une phrase que René Lévesque citera à ses naïfs égarés pour démasquer l'imposteur carriériste qu'il croit voir en Serge Joyal : « Avant de faire quelque chose, minaude ce dernier, il faut savoir jusqu'où [les anglophones] sont capables de nous tolérer, jusqu'où ils sont capables de nous laisser les libertés qu'ils se donnent à eux. »

Avec ses airs de fédéraliste déçu au bord de la crise de nerfs, Serge Joyal s'amuse aussi à compromettre son ami Clément Richard, qui lui en voudra pour le reste de sa vie au point de dire de lui plus tard qu'il n'aura été en politique qu'un simple travesti. Le député fédéral lâche une petite insinuation méchante qui nuira longtemps à Clément Richard auprès de René Lévesque : « Je me sens à l'aise de faire équipe avec Clément, un péquiste capable de remettre en question son parti... »

Pierre De Bané ne vaut guère mieux aux yeux du chef du PQ. Il le tient pour un grand spécialiste de la récupération politique et de la prostitution verbale. Déjà, en 1971, alors que le député de Matane animait avec fougue et éloquence les opérations Dignité, qui visaient à sortir le Bas-Saint-Laurent et la Gaspésie du sous-développement, René Lévesque le dénonçait comme un « Caouette rouge » pratiquant le maraudage dans les rangs péquistes.

À ses yeux, cet ex-indépendantiste (« Comment peut-on le devenir sérieusement, puis cesser de l'être ? », demandait-il) faisait carrière à même les espoirs déçus et la révolte latente de la population et préparait sa réélection en cultivant les illusions de péquistes naïfs. Devant 6 000 personnes à Esprit-Saint, Jacques Parizeau l'avait carrément accusé de faire de la récupération fédéraliste. « Moi, faire de la récupération ? Voyons, monsieur Parizeau... » s'était scandalisé le député, des trémolos dans la voix.

Pour Pierre De Bané, le comportement mesquin des chefs péquistes à son endroit montrait qu'ils plaçaient leur option politique avant les intérêts de la Gaspésie. Alain Marcoux, président régional du PQ pour la région, voyait bien le jeu de « l'agent fédéral », comme il l'appelait, qui n'oubliait jamais de rappeler, en prenant la main d'un péquiste : « Moi, j'ai été membre du RIN... » Mais Pierre De Bané était si populaire et si aimé qu'Alain Marcoux devait composer avec lui pour éviter que la force d'opposition constituée par le PQ ne glisse du côté des libéraux fédéraux.

Il mettait René Lévesque et Jacques Parizeau en garde : « Ne dites jamais que vous êtes contre De Bané car nos membres vont passer avec lui. » Effectivement, René Lévesque avait été inondé de lettres de péquistes que sa campagne contre leur héros mettait en colère. Militante péquiste sans peur et sans reproche, et au surplus amie de cœur de Pierre De Bané qu'elle appelait son « doux énergumène », Loraine Lagacé, qui jouerait 10 ans plus tard un rôle clé dans le déboulonnage de la statue de Claude Morin, lui avait écrit une lettre indignée qui commençait ainsi : « Franchement, Monsieur, je ne sais pas par quel bout vous prendre. Mais j'ai quelque chose à vous dire. Le travail que fait De Bané ici est celui que nous, du Parti québécois, devrions faire pour respecter nos objectifs. Alors, pourquoi hurlez-vous quand quelqu'un d'autre le fait ? Qui craignez-vous donc ? »

D'origine libanaise, ce Québécois dans la trentaine, au teint mat et à la crinière noir charbon, a grandi à Trois-Rivières où il a fait campagne en 1960 avec les libéraux, avant d'étudier le droit à Québec. Il aurait pu tout aussi bien être une vedette du PQ. D'abord riniste, il est passé un bref moment au MSA, juste avant de se laisser séduire par Pierre Trudeau, alors ministre de la Justice. Marc Lalonde l'avait approché d'abord : « Aimeriez-vous venir travailler à Ottawa ? On veut placer un francophone nationaliste comme vous au bureau de Trudeau pour le sensibiliser à la réalité québécoise. »

Cela se passait après la sortie fracassante de Pierre Trudeau contre le statut particulier, qu'il avait relégué à une connerie alors même que le premier ministre Pearson venait d'annoncer qu'il était disposé à le négocier avec Québec. « Une vraie belle gaffe », avait soupiré Marc Lalonde. Peu après, Pierre Trudeau en personne avait appelé le jeune homme. Il se trouvait à Québec et demandait à le voir. Pierre De Bané avait voulu lui expliquer comment venir chez lui, à Sainte-Foy, mais il avait été interrompu : « De Bané, j'ai fait le tour du monde. Donnez-moi votre adresse, je vous trouverai. » La négociation s'était éternisée jusqu'au petit matin.

« Il ne vous semblerait pas loufoque qu'un indépendantiste comme moi travaille avec Pierre Elliott Trudeau ? avait plaisanté l'avocat.

— De Bané, si vous étiez un bon stratège, vous devriez vous dire : voilà une chance d'aller influencer celui qui a comme mandat de réformer la Constitution canadienne... »

Pierre De Bané était déjà gagné à l'homme. Passant à la flatterie, à laquelle son vieux fond de levantin le prédisposait, il avait glissé, comme pour conforter Pierre Trudeau dans sa solitude glacée de fédéraliste incompris : « J'ai lu une phrase de De Gaulle qui m'a frappé : "Être grand, c'est soutenir de grandes querelles". C'est un peu ce que vous faites...

— Vous savez De Bané, avait conclu Pierre Trudeau, touché de sa remarque, si les Canadiens français sont inférieurs, c'est à cause de leur propre lâcheté et de leurs trahisons. S'il n'y avait pas eu un seul député du Québec à Ottawa pendant 50 ans, ça n'aurait pas été pire. Quand nos députés arrivaient à Ottawa, la seule chose pour laquelle ils se battaient, c'était pour une ambassade au Vatican ! »

En l'écoutant, la phrase de Thucydide — « Les peuples ne sont jamais vaincus, ils se suicident » — était venue à l'esprit du nouveau converti. Mais aujourd'hui, Pierre De Bané n'est plus aussi sûr tout à coup d'avoir envie de se suicider politiquement pour le bilinguisme aérien. Il trouve, comme son collègue Joyal, une échappatoire. Il n'est plus d'accord avec les Gens de l'air qui ont décidé de boycotter l'enquête des trois juges nommés par Ottawa. En conséquence, il laissera à son très cher ami Clément Richard, dont la fille est sa filleule, le soin de les défendre devant les tribunaux.

De leur côté, Robert Burns et Guy Bisaillon fulminent. Ils n'en reviennent pas que leur chef dilapide le capital électoral que pourrait lui rapporter une participation active dans une cause aussi populaire que celle du français. Ils oublient sa prudence légendaire devant le monstre linguistique ; et lui pardonnent mal aussi la manière brutale avec laquelle il s'efforce de diffamer leurs alliés fédéraux.

« Je trouve déplorables les propos de mon chef, ça relève du procès d'intention », commente Guy Bisaillon. Robert Burns ne mâche pas ses mots lui non plus : « La lutte des Gens de l'air dépasse les considérations partisanes. Quant à moi, je ne doute aucunement de la bonne foi de Serge Joyal dont la lutte est un dernier geste de désespoir à la défense du fédéralisme. Je suis aussi libre de l'appuyer que monsieur Lévesque est libre de le dénoncer. »

La réponse de René Lévesque baigne dans l'ironie : « Espérons que ces messieurs ne seront pas trop déçus dans leurs espérances. Qui vivra verra. Mais ce n'est vraiment pas de cette manière qu'on peut fonctionner ensemble, surtout à la veille d'un scrutin. » Un avertissement suggérant la mise au pas des dissidents. Elle se prépare, du reste, et non seulement sur la question des Gens de l'air. Mais aussi à propos du quotidien *Le Jour*, périclitant et déboussolé, que le PQ traîne comme un boulet.

La commune anarchique du *Jour*

Car en même temps que ses radicaux et lui se crêpent le chignon à propos de la langue du ciel, René Lévesque les affronte avec autant d'opiniâtreté sur la nécessité d'en finir ou non avec *Le Jour*.

Fondé en 1974, le quotidien souverainiste (mais l'a-t-il jamais été vraiment ?) est au bord du gouffre. Ce n'est pas qu'il manque de lecteurs. Il en a autant que son rival *Le Devoir*, autour de 30 000. Mais sa situation financière est catastrophique. Il n'a jamais fait le moindre profit et, 10 mois après sa fondation, le déficit approchait déjà les 300 000 $. Le boycott ordonné par Robert Bourassa pour le priver de la publicité gouvernementale a hypothéqué sa rentabilité.

N'empêche que si fermeture il y a, la question financière n'en sera pas la principale raison. L'année 1976 s'avère plus profitable que 1975 et la dette urgente du journal ne s'élève plus qu'à 150 000 $. Ce sera plutôt le grand malentendu sur la politique d'information qui le fera disparaître. Ses trois fondateurs, Yves Michaud, René Lévesque et Jacques Parizeau, croyaient avoir mis au monde un quotidien qui ferait avancer la souveraineté. Après la lune de miel, les choses se sont gâtées.

La deuxième année, la rédaction est tombée sous l'emprise d'un noyau de journalistes fraîchement débarqués et portés sur la revendication sociale extrême. Comme le dira Jacques Parizeau en se moquant de leurs penchants marxistes : « Il fallait nationaliser Jos Bleau avec ses 120 acres. C'était fou ! » Certains jours, le quotidien a l'air d'une feuille marxisante plutôt que souverainiste. Sa direction, sans compter le Parti québécois, se fait tomber dessus par les journalistes qui, poussant à l'extrême la cogestion consentie au départ, imposent une ligne de pensée étrangère au péquisme bien compris et à la souveraineté.

Le climat dans la boîte tourne au cauchemar. Yves Michaud et Evelyn Dumas, la première rédactrice en chef, passent des jours sans qu'un chat leur adresse la parole. Les petits commissaires ont donné la consigne d'isoler les impurs ennemis du peuple ! Deux journalistes, Jacques Guay et Jacques Keable, sont cloués au pilori dans les instances péquistes où on passe le chapeau à chaque assemblée pour payer les salaires : « S'ils veulent nous descendre, qu'ils se financent donc eux-mêmes ! »

L'exécutif du PQ se divise et, là aussi, Robert Burns et Guy Bisaillon font bande à part. L'idée qui prévaut, c'est que *Le Jour* risque de devenir le talon d'Achille électoral du PQ. René Lévesque entend déjà Robert Bourassa (qui a d'ailleurs commencé à en faire des gorges chaudes) s'écrier en pleine campagne électorale : « On ne peut pas confier la province aux péquistes, ils ne sont même pas capables de faire marcher un journal ! »

Le problème de René Lévesque, c'est de trouver le moyen de fermer *Le Jour* sans créer une apocalypse qui pourrait se retourner contre le parti. La décision d'en finir s'impose dès avril, alors qu'un Yves Michaud exsangue adresse un S.O.S. à l'administrateur Jacques Parizeau : que faut-il faire pour passer le mois ? René Lévesque suggère de tenir au moins jusqu'en juin afin que la fermeture « soit noyée dans l'été ».

L'opération se complique. Après avoir tout fait pour l'empêcher de naître, les militants de Montréal-Centre se découvrent une affection sans borne pour ce quotidien depuis qu'il a viré à gauche. Le 29 mai, snobé par Robert Burns qui boude, l'exécutif passe à l'action. Claude Morin établit les faits : « Il ne faut pas que les libéraux remontent la côte. Il faut éviter les erreurs et le meilleur exemple d'erreur, c'est *Le Jour*. On est en train de servir sur un plateau d'argent un argument aux libéraux. »

Bernard Landry déballe lui aussi « sa rogne et sa grogne » contre ce qui se passe au *Jour* et reçoit le mandat de présenter aux journalistes un ultimatum : ou bien ils répriment leur appétit révolutionnaire et remettent à la direction du journal la responsabilité du contenu, ou bien le PQ se dissocie publiquement du *Jour*. Le lendemain, Robert Burns prend la défense des journalistes. C'est l'administration qui fait problème, dit-il. Une flèche empoisonnée destinée à René Lévesque, qui anime le conseil avec Jacques Parizeau et Yves Michaud.

Naturellement, le chef corrige aussitôt le malotru : si M. Burns avait daigné assister à la réunion de l'exécutif, il ne parlerait pas à travers son chapeau. Ce sont les journalistes qui sont montrés du doigt, pas les timoniers. De son côté, Claude Charron refuse à l'avance de soutenir tout congédiement. Quant la dissidence de Guy Bisaillon, elle s'est manifestée par son abstention lors du vote de la résolution de l'exécutif. Dix jours plus tard, la société de rédacteurs n'ayant pas bougé, René Lévesque dissocie le PQ du journal, à qui il fait un procès sans appel.

La dimension indépendantiste est à peu près absente du *Jour*. Pourtant, d'après sa charte, c'est l'un de ses deux objectifs fondamentaux. L'autre étant la social-démocratie qui, dans ses pages, devient : « la lutte des classes, camarades ! » De plus, les rédacteurs glissent leurs idées personnelles dans la nouvelle et s'ingénient à accentuer les divisions du PQ. Une simple bisbille locale de candidats défaits à l'investiture dans l'Outaouais est devenue dans les pages du *Jour* une crise nationale mettant en cause la gagnante, Jocelyne Ouellette, accusée d'irrégularités. C'est dire si la crédibilité du journal frise le zéro absolu. Bref, conclut René Lévesque, *Le Jour* est devenu une « commune anarchique ».

À Joliette, au conseil national du 19 juin, arène préférée des « casse-pieds de service » de Montréal-Centre, la moutarde monte vite au nez des protagonistes. René Lévesque se fait accuser de camoufler d'autorité les différends comme celui du *Jour* pour gagner ses élections. Quand il propose de s'éloigner du quotidien trouble-fête et de remettre les actions du parti à la société éditrice, les ténors de Montréal-Centre, Gilbert Paquette et Louise Harel en tête, font adopter une motion apportant « un entier appui aux artisans du *Jour* pour maintenir une publication indépendantiste et sociale-démocrate au Québec ».

Retour à la case départ ? Nullement, car la décision de René Lévesque de s'extraire cette épine du pied avant les élections est aussi irrévocable que celle d'Yves Michaud, qui n'en dort plus, de faire autre chose de sa vie. Si la société des rédacteurs s'entête à contester à la direction son autorité sur l'orientation et le contenu, c'en sera fini du *Jour*. Le 10 août, comme les journalistes ne plient pas, les actionnaires réduisent leurs pouvoirs pour permettre à Yves Michaud de jouer son rôle. La salle répond par un putsch. Un conseil de rédaction coiffé par Jacques Keable assume « la direction totale de la rédaction ».

Mutinerie ou simple baroud d'honneur ? Peu importe, le couperet tombe, le 24 août, anniversaire de René Lévesque. « C'est un beau cadeau que je lui ai fait avec Parizeau et les autres pour ses 54 ans, car il n'en pouvait plus, comme moi », dira des années plus tard Yves Michaud. En réalité, ce n'est ni son épuisement ni le ras-le-bol de René Lévesque, qui a laissé tomber un « Qu'y mangent de la marde ! » éloquent, qui ont précipité les choses. Le vase a débordé quand des journalistes putschistes ont occupé le journal, comme les communards de mai 1968, à Paris.

Jacques Parizeau se console mal de la mort du *Jour* où il tenait

sa chronique. Un beau rêve qui a été victime de « journalistes saboteurs », accuse-t-il. *Le Jour* a dû mourir parce que cela devenait
odieux qu'il serve à choquer, à provoquer et à tromper ceux qui lui
avaient été fidèles. Espiègle, Claude Charron lance, en faisant allusion à la pièce d'eau qui orne le jardin d'Yves Michaud, où le conseil
d'administration a pris l'habitude de se réunir : « J'étais certain qu'ils
finiraient par se retrouver autour d'une piscine pour tuer *Le Jour* ! »

Si vous voulez ma tête, venez la chercher !

Début septembre, alors que la rumeur d'une élection en novembre s'accrédite, René Lévesque se décide : l'heure est venue de
faire l'unité au sein du parti. Une pétition exaspérée des régions sud,
nord et ouest de Montréal (à l'exclusion de Montréal-Centre) le supplie de museler les grandes gueules qui lavent leur linge sale en public, ce qui donne l'image d'un parti en débandade et sape le travail
des militants de la base.

Raymond Poulin, conseiller municipal de Montréal, l'a prévenu
en annonçant sa démission du PQ : « Aussi longtemps que votre
parti subira l'influence néfaste et nauséabonde de Montréal-Centre,
ces adolescents attardés, vous ne prendrez pas le pouvoir. Ce sont
ces gens-là qui font que vous n'avez que six députés à Québec. »

René Lévesque convoque le caucus et l'exécutif à l'auberge
Handfield, à Saint-Marc-sur-Richelieu, officiellement pour faire le
point sur les conflits des Gens de l'air et du *Jour*. Son intention
profonde est de mater ceux qui grignotent son autorité.

Cuisiné par Pierre O'Neill, du *Devoir*, qui l'a appâté en posant à
l'ami indépendantiste, Claude Charron lui a confié avec une imprudence et une cruauté inconsciente qu'il se reprochera amèrement
par la suite en les excusant par son jeune âge : « Le Québec a un
urgent besoin d'un détonateur, que je ne vois pas dans les rangs du
Parti québécois. Cet homme de la situation reste à découvrir et pour
[en] favoriser l'émergence, il faudra éliminer le bois mort, passer par-
dessus un stock usé ! »

Se faire traiter de petit vieux a blessé René Lévesque. Il y a
un an, pour ses 53 ans, les permanents du parti lui ont remis une
carte de vœux qui disait : « Quand l'Inde est devenue indépendante,
Gandhi avait 77 ans. Ho Chi Min et Mao devinrent présidents

à 56 ans. De Gaulle entreprit sa deuxième carrière à 68 ans. À 53 ans, notre jeune timonier saura relever le défi. On a le goût de la liberté. »

Que le coup de poignard vienne de Claude Charron, qu'il aime bien malgré ses crises existentielles sur le métier de député qu'il se trouve « cave » de pratiquer, comme il dit avec l'envie de tout laisser tomber, le chagrine. Mais il met son geste au compte de son immaturité totale.

Il y a aussi Robert Burns qui manœuvre entre deux Martini, au bord de la piscine du duplex de Guy Bisaillon, à Longueuil, dont il habite l'étage. Il a passé l'été à consulter amis et alliés éventuels, les Louise Harel, Michel Bourdon, Bernard Landry, Louise Beaudoin et Camille Laurin, au sujet de sa possible candidature au leadership au congrès de novembre. En bon radical, le Dr Laurin a ses griefs contre le chef, mais a prévenu les conspirateurs : « René Lévesque est irremplaçable… »

La tension se lit sur les visages de la vingtaine de belligérants qui ont pris place autour de la grande table ovale de l'auberge Handfield, où chacun règlera ses comptes. Les conjointes, comme Corinne Côté qui appréhende un putsch contre son René, ou la femme de Robert Burns qui se calme en lisant des poèmes de Saint-Denys Garneau, se font toutes petites au fond de la salle du chalet vitré donnant sur la rivière Richelieu, si belle et si douce en cette fin d'été orageuse.

C'est là qu'éclate l'escarmouche la plus épouvantable à laquelle l'ancien et tout modeste député unioniste Jérôme Proulx, élu à l'exécutif en 1974, aura assisté de toute sa vie politique. Avant de se joindre aux autres, René Lévesque est allé marcher seul au bord du Richelieu et dans les jardins de l'auberge pour s'apaiser avant la tempête. Il en est revenu déterminé à ne pas capituler, à briser les reins des factieux.

Il ne met pas de gants pour reprocher à Robert Burns et Cie de s'être associés sans son autorisation aux adversaires du PQ sur la question des Gens de l'air. Une initiative mal avisée qui a privé le PQ de sa liberté de manœuvre et l'a plongé dans une promiscuité où il risquait de passer pour un réformateur du fédéralisme. Jusque-là, en faisant de son appui aux Gens de l'air un argument pour l'indépendance (qui les libérerait de « leurs syndicats anglophones racistes »), le PQ avait été impeccable.

Dorénavant, tout gain du français dans le secteur de l'aviation sera acclamé comme le triomphe du fédéralisme en pleine évolution ; et les têtes d'affiche péquistes auront bien du mal à dire le contraire. « Pour ma part, conclut René Lévesque, me souvenant toujours que nous sommes des indépendantistes, je crois devoir maintenir une ligne qui, à mon humble avis, ne risque pas de nous enfarger et je prierais ceux qui le peuvent encore d'en faire autant ! »

Mais à peine a-t-il ensuite le temps d'aborder la question de la mort du *Jour* — assassiné de l'intérieur, répète-t-il —, que Claude Charron l'attaque, en lui rappelant qu'il a omis lui aussi de consulter les députés quand il a pris position pour les Gens de l'air. Assis à la droite de René Lévesque, qui ne l'a pas regardé une seule fois depuis son arrivée, le jeune député laisse couler son ressentiment contre ce chef qui l'ignore et à qui il a dit un jour : « C'est parce qu'on ne travaille pas ensemble qu'on ne se comprend pas. »

Jeune, pessimiste quant aux résultats de la prochaine élection — si le PQ prend 20 sièges, ce sera un miracle —, et pressé également de vider l'abcès, Claude Charron fonce sur son chef au nom, dit-il, de la jeunesse qu'il ne galvanise plus : « Quand René Lévesque et Jacques Parizeau ont dissocié le parti du *Jour,* ils ont passé par-dessus la tête des députés qui n'étaient pas d'accord. Il n'y a pas un seul militant qui croit à leur théorie du sabotage du *Jour* par les journalistes ! Monsieur Lévesque entre en élection avec un boulet et une image d'incompétence. Le parti est gelé, on en est rendu à édulcorer les clauses trop radicales de notre programme !

— S'il y a des factions au PQ, enchaîne Guy Bisaillon, M. Lévesque en est responsable. Il nous prête sans cesse des intentions et nous place dans un cul-de-sac. Le PQ est un parti de coalition, mais l'équilibre entre les tendances n'est plus assuré. Les mêmes doivent toujours mettre de l'eau dans leur vin. C'est très clair pour moi : je pense à quelqu'un d'autre à la tête de notre parti. »

Bernard Landry dira un jour : « Guy Bisaillon a perdu son siège de ministre à l'auberge Handfield » ! Ce qui ne sera pas le cas de ses alliés Charron et Burns, pour qui René Lévesque conservera de l'estime à cause de leur stature acquise durant les six années de vaches maigres, à Québec. Alors qu'avec Guy Bisaillon, une inimitié durable doublée de méfiance a percé dès les premiers contacts. Notamment quand le syndicaliste a insisté pour qu'il se fasse élire, il l'avait coupé sec : « J'ai déjà dit non ! » Ce à quoi un Guy Bisaillon piqué au vif avait répliqué : « C'est pas une raison, on est ici pour discuter, pas pour savoir si vous avez déjà dit non ou pas ! »

De son côté, niant qu'il ambitionne d'être chef, Robert Burns défend son alliance non partisane avec les libéraux fédéraux — « On se met le doigt dans le cul si on remet en question le comité d'appui aux Gens de l'air » —, puis assène le coup de grâce à René Lévesque : « J'endosse entièrement les opinions de Charron et Bisaillon. Le PQ est malade. On m'accuse d'être le chef des factieux de gauche, alors que depuis 1970 je défends le parti auprès des milieux ouvriers et des syndicats. Notre problème, c'est le leadership. René dit qu'il n'y a pas d'esprit d'équipe au PQ. C'est vrai, mais c'est parce qu'il n'y a pas de chef. On lui a demandé de se faire élire, il a refusé. On l'a invité à venir à nos caucus, il ne vient jamais. René, je t'aime bien, mais je te le dis clairement : ou tu fais équipe avec nous ou tu n'es pas un chef. À mon avis, tu ne l'as pas, le leadership ! »

L'attaque est si rude que les modérés font bloc autour du chef assiégé. Le député de Saguenay, Lucien Lessard, change de camp : « En 1974, j'ai eu ma crise de leadership moi aussi, mais c'est fini. Malgré ses défauts, René Lévesque est mon leader. Et ce n'est pas vrai de dire qu'il manque de leadership. Entre deux amis, Robert Burns et Chaude Charron, qui pourraient parfois se fermer la gueule, je le choisis.

— Personne ici ne peut remplacer M. Lévesque, renchérit Jacques-Yvan Morin dans un style plus ganté. Je me suis discipliné et la gauche de notre parti doit en faire autant, sinon le PQ se brisera au prochain congrès.

— Avec toutes nos folies, rouspète l'autre Morin (Claude), on aura 20 sièges au lieu de 40. J'ai connu au moins cinq premiers ministres et je me disais : ils n'ont pas ce qu'il faut pour être premier ministre. Or Lesage, Johnson et Trudeau ont été de bons premiers ministres. De tous ceux que j'ai connus, René Lévesque se rapproche le plus du type idéal que je recherche comme premier ministre. Personne ici ne possède sa stature morale et politique.

— C'est un suicide que d'attaquer le général avant les élections, accuse à son tour le député de Chicoutimi, Marc-André Bédard. Mais pour une fois au moins, c'est clair : mes collègues Robert Burns et Claude Charron contestent ouvertement M. Lévesque. Ils le disent, enfin. Ce n'est pas un drame, mais il faut vider la question au congrès. La majorité tranquille du PQ est solidement derrière notre chef. Elle est écœurée de se taire et veut se prononcer sur son leadership. »

Fort de toutes ces bonnes paroles et de celles qui fusent aussi du côté des Bernard Landry, Pierre Marois, Alain Marcoux et Jérôme Proulx, René Lévesque frappe du poing sur la table avec une brutalité telle, que des années après ce règlement de comptes son conseiller numéro un, Michel Carpentier, racontera : « C'était terrible ! Lévesque leur a dit à peu près ceci : ma bande de christ, si vous voulez ma tête, venez la chercher sur le plancher du congrès, on verra qui est le chef ! »

Son intervention est en effet féroce. Il attaque de front la gauche dont il n'a jamais vu, dit-il, un seul texte cohérent et serré, l'accusant de vouloir faire main basse sur le parti en suscitant des luttes intestines. L'esprit factieux surgit partout, dit-il, aux assemblées d'investiture où des camps idéologiques organisés s'affrontent, dans les manifestes concoctés par Montréal-Centre en réplique à ceux du national, dans les attaques sournoises contre Jacques Parizeau étiqueté comme réactionnaire, notamment dans l'affaire du *Jour*. Puis, il avertit les dissidents : « Messieurs Charron, Burns et Bisaillon mettent en cause mon leadership. Je n'ai pas l'intention de céder à cette faction qui se camoufle depuis trois ans. Il faut mettre fin aux ambiguïtés et je leur dis : présentez-vous au congrès, nous nous expliquerons devant les militants. Mais d'ici là, j'impose un moratoire. Je vous demande de vous abstenir de toute intervention publique susceptible de nous diviser davantage. »

Normalement, c'est le congrès qui décide du sort du chef, mais René Lévesque veut en avoir le cœur net, et exige que chacun lui renouvelle sa confiance. Camille Laurin qui, comme président d'assemblée, est resté neutre, doit maintenant se commettre. Il en veut à René Lévesque de l'avoir chicané plus tôt devant les autres parce qu'il s'est joint lui aussi au comité d'appui aux Gens de l'air. Pierre Marois dira, des années plus tard : « C'est là qu'on a vu le saule pleureur vaciller. Camille Laurin était un radical très attaché à Burns et à Charron, qu'il avait maternés durant trois ans à Québec. Mais il a basculé dans le camp de Lévesque. »

Ce qui n'empêchera pas le psychiatre de confier, au sortir du caucus, aux trois seuls participants qui n'ont pas accordé leur confiance au chef, Robert Burns, Claude Charron et Guy Bisaillon : « Il ne passera pas l'année... » Erreur. Robert Bourassa lui sauvera la tête en allant au peuple un mois plus tard, annulant le congrès où l'impensable aurait pu se produire.

Michel Carpentier qui, en quittant l'auberge Handfield, ignorait l'imminence des élections, était convaincu que le prochain congrès serait une énorme foire. Les trois moutons noirs allaient claquer la porte et s'unir à Montréal-Centre pour fonder un parti souverainiste plus à gauche. Mais, comme il le dirait par la suite : « Si Robert Bourassa avait su à quel point nous étions divisés, il aurait attendu que le parti éclate avant d'aller en élection. On lui doit une fière chandelle, il nous a unis et mis au pouvoir. »

(À suivre.)

Remerciements

Je dois des remerciements à tous ceux et celles qui ont bien voulu collaborer sous une forme ou sous une autre à la rédaction de cette deuxième partie de la biographie de René Lévesque. Aux membres de la famille Lévesque qui ont accepté de me faire part de leurs souvenirs, et à Corinne Côté, plus spécialement, pour sa grande disponibilité.

L'auteur a beaucoup apprécié l'aide de l'archiviste Louis Côté et de l'équipe des Archives nationales du Québec, à Montréal, d'André Beaulieu, des Archives nationales du Québec, à Québec, de Gaston Deschênes, du service de la recherche de la Bibliothèque de l'Assemblée nationale, de Sylvette Pittet-Héroux, du Centre d'archives d'Hydro-Québec, de Michel Lévesque, Guy Lachapelle et Jean-François Lisée, qui lui ont donné accès à leur documentation sur René Lévesque et sur le PQ.

Les « pistes » suggérées à l'auteur par Jean Keable, Normand Lester, Pierre Cloutier et Hugues Cormier lui ont été très utiles. De même que le concours de Jean Choquette (pour sa recherche patiente et minutieuse), d'Hélène Matteau (pour sa révision toujours stimulante), de Maryse Crête-D'Avignon (pour la qualité de ses transcriptions), de Denis Patry, responsable du Centre de documentation du Parti québécois de l'Assemblée nationale. Il me faut signaler aussi le travail efficace de l'équipe du Boréal.

Enfin, je veux exprimer ma profonde gratitude aux personnes qui ont accepté de s'entretenir avec moi. J'ai puisé aussi dans des entrevues réalisées pour des travaux antérieurs, mais qui touchaient aux questions abordées dans ce livre, comme celles du père Georges-Henri Lévesque, de René Lévesque lui-même ou de Jean Marchand. Le temps, hélas ! nous est toujours compté et un certain nombre de personnes interviewées pour ce livre sont décédées depuis. Notamment : Robert Bourassa, Doris Lussier, Arthur Tremblay, Pothier Ferland, Maurice Lamontagne et Marcel Chaput.

Certaines personnes ont accepté de s'entretenir avec moi mais sous le couvert de l'anonymat. Leur nom n'apparaît donc pas sur la liste qui suit, par ordre alphabétique : Philippe Amyot, François Aquin, Louise Beaudoin, Lionel Beaudoin, Paule Beaugrand-Champagne, Marc-André Bédard, Michel Bélanger, Bertrand Bélanger, André Bellerose, Philippe Bernard, Louis Bernard, Jean-François Bertrand, Guy Bisaillon, Jean-Roch Boivin, Robert Bourassa, Gérard Brady, Marc Brière, Jacques Brossard, Michel Carpentier, Claude Charron, Jérôme Choquette, Julien Chouinard, Pierre Cloutier, Gilles Corbeil, Hugues Cormier, Corinne Côté, Pierre F. Côté, André d'Allemagne, Pierre De Bané, Pierre De Bellefeuille, Yves Duhaime, Evelyn Dumas, Gérard Filion, Antonio Flamand, René Gagnon, Paul Gérin-Lajoie, Jean-Paul Gignac, Éric Gourdeau, Gilles Grégoire, Jean-Guy Guérin, Louise Harel, Yvan Hardy, Pierre Harvey, Marie Huot, Maurice Jobin, Guy Joron, Pierre-Marc Johnson, Michèle Juneau, Jean Keable, Jean Kochenberger, Loraine Lagacé, Marc Lalonde, Jean-Denis Lamoureux, Bernard Landry, André Larocque, Camille Laurin, Marc Lavallée, Denis Lazure, Michel Lemieux, Raymond Lemieux, Wilfrid Lemoine, Marthe Léveillé, Alice Lévesque-Amyot, Claude Lévesque, Doris Lussier, Claude Mallette, Alain Marcoux, André Marier, Pierre Marois, Rita Martel, Monique Michaud, Yves Michaud, Claude Morin, Gratia O'Leary, Louis O'Neill, Pierre O'Neill, Jocelyne Ouellette, Gilbert Paquette, Gérard Pelletier, Marc Picard, Marcelle Pineau-Dionne, Claude Plante, Jérôme Proulx, Cécile Proulx-Lévesque, Pierre Renaud, Clément Richard, Jean-Claude Rivest, Benoît Robitaille, Guy Rocher, Antoine Rousseau, Jean Royer, Claude Ryan, Réginald Savoie, Jacques Simard, Alexandre Stefanescu, Claude Sylvestre et Martine Tremblay.

Sources documentaires

Toutes les sources documentaires auxquelles l'auteur a puisé (journaux, périodiques, livres, correspondances, documents audiovisuels et publics, etc.) apparaissent dans les notes et références de chapitre. Inutile de les répéter. Toutefois, l'auteur tient à signaler les sources archivistiques indispensables qu'il a pu consulter et sans lesquelles ce livre n'aurait pu voir le jour. Notamment :

Le Fonds René-Lévesque, déposé aux Archives nationales du Québec, succursale de Montréal, auquel l'auteur a eu accès grâce à une permission spéciale de la donatrice, Corinne Côté-Lévesque.

Le Fonds Jean-Lesage, déposé aux Archives nationales du Québec, à Québec.

Le Musée de la Gaspésie, qui conserve les archives du Séminaire de Gaspé.

Le Centre d'archives d'Hydro-Québec.

Le Fonds Pierre-De Bellefeuille, déposé aux Archives nationales du Québec, succursale de Montréal.

Le Centre de Documentation/Dossiers de la Société Radio-Canada, à Montréal.

Le Centre de Documentation du Parti québécois de l'Assemblée nationale.

Références

1. Second début

Pages 9-14 [Nommé ministre] Entretiens avec Paul Gérin-Lajoie, Doris Lussier, Jean Marchand, Alice Lévesque-Amyot, Philippe Amyot et Hugues Cormier. *Quarante ans de métier*, émission spéciale consacrée à René Lévesque, *Radio-Québec*, 1985-10-13. « La police montée monte la garde au Parlement », *Le Devoir*, 1960-06-25. Royer, Jean, *Écrivains contemporains — René Lévesque*, Montréal, Hexagone, 1989, p. 46. Bertrand, Lionel, *Quarante ans de souvenirs politiques*, Sainte-Thérèse, Les Éditions Lionel Bertrand, 1976, p. 147. Thomson, Dale C., *Jean Lesage et la révolution tranquille*, Montréal, Éditions du Trécarré, 1984, p. 122-123. Provencher, Jean, *René Lévesque, portrait d'un Québécois*, Montréal, Les Éditions de La Presse, 1974, p. 159. Rentchnick, Pr., « Les orphelins mènent le monde », *Médecine et Hygiène*, Genève, n° 1171, 1975-11-02.

Pages 14-18 [Assermentation] Entretiens avec Marc Picard, Philippe Amyot et Alice Lévesque-Amyot. Laporte, Pierre, « Plus qu'un changement de gouvernement, un changement de vie, dit Lesage », *Le Devoir*, 1960-07-06 ; « Quels seront les ministres de M. Lesage ? », *Le Devoir*, 1960-06-25 et « En attendant les autres, René Lévesque, heureux, s'acquitte bien de ses responsabilités », *Le Devoir*, 1960-07-08. O'Neil, Jean, « René Lévesque, un être dévorant », *Le Canada français*, cité par Jean Provencher, *op. cit.*, p. 158. Morin, Claude et Gérin-Lajoie, Paul, *Quarante ans de métier, op. cit.*

2. L'empire des patroneux contre-attaque

Pages 19-22 [L'équipe du tonnerre au travail] Procès-verbal du Conseil exécutif de la Province, 1960-07-06, 1960-07-08, 1960-07-12, 1960-07-19, 1960-08-10 et 1960-09-07, Fonds Jean-Lesage/P688/Articles 40.4, 41.1 45.1, Archives nationales du Québec, Québec. Charbonneau, André, « La jungle des partis — Avec René Lévesque », *Maintenant*, n° 60, décembre 1966, p. 392. Laporte, Pierre, « En attendant les autres… », *Le Devoir, op. cit.*, et « Guerre au patronage et à l'immoralité politique », *Le Devoir*, 1960-07-02.

Pages 22-25 [Ministre des Travaux publics] Entretiens avec Marc Picard, Jean Marchand, Paul Gérin-Lajoie, Alice Lévesque-Amyot, Philippe Amyot et Cécile Proulx-Lévesque. Procès-verbal du Conseil exécutif de la Province, *op. cit.*, 1960-07-12, 1960-07-22 et 1960-08-02. *Ibid.*, lettres de Louis-Philippe Pigeon à Jean Lesage, 1960-07-12 et 1960-07-13. Annulation du contrat des comptes publics pour l'année 1960, FJL/P688/Article 83.4. Lévesque, René, « Un petit peuple comme le nôtre a besoin d'un levier et c'est l'État », *La Réforme*,

1961-02-18. Laporte, Pierre, « On a peine à en croire ses yeux : Québec demande des soumissions par la voie des journaux », *Le Devoir*, 1960-07-15.

Pages 26-28 [Premiers appels d'offres] Procès-verbal du Conseil exécutif de la Province, *op. cit.*, 1960-07-20, 1960-08-19, 1960-09-07 et 1960-09-14. Lévesque, René, « Un petit peuple comme le nôtre… », *op. cit.* Saint-Pierre, René, « La pratique des soumissions publiques fait de plus en plus économiser à la province », *La Réforme*, 1961-06-24. Lévesque, René, « Le patronage disparaîtra complètement », *La Réforme*, 1960-08-13. Laporte, Pierre, « Le système des soumissions publiques s'implante à Québec », *Le Devoir*, 1960-07-20. Néron, Gilles, « Suggestion de l'hon. René Lévesque aux entrepreneurs de la province : grouper leurs capitaux pour exécuter de grands travaux », *Le Soleil*, 1960-09-30. Ferland, Philippe, *Paul Gouin*, Montréal, Guérin Littérature, 1991, p. 110, 237-241. Black, Conrad, *Maurice Duplessis 1890-1944 — l'ascension*, Montréal, Les Éditions de l'Homme, 1977, p. 199-206 et 250-254. Rumilly, Robert, *Maurice Duplessis et son temps, 1944-1959*, Montréal, Fides, 1973, p. 380, 416 et 427. Thomson, Dale C., *Jean Lesage et…, op. cit.* p. 127. Lévesque, René, *Attendez que je me rappelle*, Montréal, Québec/Amérique, 1986, p. 185. Godin, Pierre, *Daniel Johnson 1946-1964 — la passion du pouvoir*, Montréal, Les Éditions de l'Homme, 1980, p. 76 et 193. Barrette, Antonio, *Mémoires*, Montréal, Beauchemin, 1966, p. 261.

3. La tentation de Saint-Just

Pages 28-31 [Coulage et népotisme] Entretiens avec Marc Picard, Alice Lévesque-Amyot et Philippe Amyot. Procès-verbal du Conseil exécutif de la Province, *op. cit.*, 1960-08-10, 1960-11-09, 1960-12-20 et 1960-08-16. « L'hon. R. Lévesque parle des élections municipales », *La Réforme*, 1960-10-29. « René Lévesque en Chambre : On dirait que nous avons devant des détrousseurs de tombeaux », *La Réforme*, 1960-11-26. Pouliot, Louise, « M. René Lévesque invite les partisans du patronage à quitter le Parti libéral », *Le Soleil*, 1961-12-13. « M. Lévesque proclame : oui, un homme public peut demeurer honnête », *La Réforme*, 1960-06-24. « M. René Lévesque l'affirme : le patronage disparaîtra complètement », *La Réforme*, 1960-08-13. Laporte, Pierre, « La guerre au patronage en fait souffrir plusieurs — M. Lesage en appellerait directement au parti », *Le Devoir*, 1960-07-16. *Ibid.*, « Enquête sur l'Union nationale — M. Lesage : que chacun se tienne pour dit ! », *Le Devoir*, 1960-10-06.

Pages 31-38 [Photo Air Laurentides/Décagone Construction] Entretiens avec Philippe Amyot, Doris Lussier et Louis Bernard. Procès-verbal du Conseil exécutif de la Province, *op. cit.*, 1961-08-11, 1961-09-27, 1961-11-08, 1962-08-16, 1962-07-03, 1963-06-19 et 1964-12-02. Lussier, Doris, diverses notes manuscrites consultées par l'auteur dans les archives personnelles de Doris Lussier. Lettre de Doris Lussier à René Lévesque, date non précisée, mais probablement écrite après la nationalisation de 1962, pour expliquer l'origine de la compagnie de construction Décagone. Lettre de Doris Lussier à Jean-Claude Lessard, président d'Hydro-Québec, sollicitant des contrats au nom de la compagnie Décagone, écrites à la même époque, archives personnelles de Doris Lussier. Barbeau, François, « Lévesque : la Baie James, un exemple de mauvaise gestion », *Le Devoir*, 1976-11-13. Lévesque René, interview accordée au magazine américain *Times* sur la question du favoritisme politique, 1960-07-18.

4. Les beaux esprits

Pages 39-44 [Michel Bélanger et compagnie] Entretiens avec Michel Bélanger, Éric Gourdeau, Marthe Léveillé, Jean-Paul Gignac, Pierre F. Côté et André Marier. Procès-verbal du Conseil exécutif de la Province, *op. cit.*, 1960-11-29 et 1960-12-07. Documentation concernant la nomination de Michel Bélanger, FJL/P688/Article 120.1. Léveillé, Marthe, témoignage, émission spéciale consacrée à la mort de René Lévesque, *TVA*, 1987-11-02.

McKenzie, Robert et Pape, Gordon, « *Jean-Paul Gignac, key figure in Quebec Hydro ; Eric Gourdeau, his interest — The North ; Michel Bélanger, work on big projects »,The Gazette,* 1964-04-04.

Pages 45-47 [La Manic] Entretiens avec Jean-Paul Gignac, Michel Bélanger et Éric Gourdeau. Procès-verbal du Conseil exécutif de la Province, *op. cit.,* 1960-07-29 et 1960-08-04. Sauriol, Paul, « La politique des deux partis en matière d'électricité », *Le Devoir,* 1960-06-16. « Tour d'horizon 1959 » ; « Notre ministre rencontre les officiers » ; « L'Hydro-Québec relève le défi » et « Long-Sault, trois siècles d'histoire », *Entre Nous,* vol. 40, 1960, Centre d'archives d'Hydro-Québec, Fonds Hydro-Québec 1944-1963, H2. « Gardons le rythme » ; « Le tiers des travaux exécutés » et « Manicouagan 2 », *Entre Nous, op. cit.,* vol. 41, 1961. « Avec optimisme », *Entre Nous, op. cit.,* vol. 42, 1962. Tessier, Claude, « L'homme à la Manicouagan », *Le Soleil,* 1961-11-25. « Les travaux de la Manicouagan seront exploités par l'Hydro », *La Réforme,* 1960-08-20. Dufresne, Jean-V. « Daniel Johnson », *Le Magazine Maclean,* vol. 4, n° 4, avril 1964, p. 48. Lacasse, Roger, *Baie James,* Paris, Presses de la Cité, 1985, p. 49. Rumilly, Robert, *Maurice Duplessis et son temps, op. cit.,* p. 484. Black, Conrad, *Duplessis, le pouvoir, op. cit.,* p. 439 et 456. « M. Louis O'Sullivan, commissaire de l'Hydro, est mis à la retraite », *Le Devoir,* 1962-09-01.

5. Le Buy Quebec Act

Pages 48-54 [Francisation et politique d'achat] Entretiens avec Éric Gourdeau, Jean-Paul Gignac, Michel Bélanger, Pierre F. Côté et Yvan Hardy. Procès-verbal du Conseil exécutif de la Province, *op. cit.,* 1960-07-12, 1960-07-19, 1960-07-22, 1960-08-10, 1960-09-28, 1960-10-08, 1960-11-22, 1961-05-31, 1961-11-08 et 1962-06-11. Lévesque, René, « L'État canadien-français est pour nous… », *op. cit.* McKenzie, Robert et Pape, Gordon, « Jean-Paul Gignac… », *op. cit.* « Enfin, on pourra savoir ce qui se passe à Hydro-Québec » et « Le gouvernement nomme M. Jean-Claude Lessard à la présidence de cette commission », *La Réforme,* 1960-08-20. Gignac, Jean-Paul, « *Speech before the purchasing agents association of Montreal »,* 1964-10-20, archives personnelles de Jean-Paul Gignac.

Pages 54-56 [Création du ministère des Richesses naturelles] Entretiens avec Michel Bélanger, Éric Gourdeau et Marc Picard. Procès-verbal du Conseil exécutif de la Province, *op. cit.,* 1960-07-19, 1960-09-28, 1961-03, 24, 1961-03-28 et 1961-08-24. Lévesque, René, « Un petit peuple comme le nôtre… », *op. cit.* « Le ministre René Lévesque accuse Daniel Johnson d'avoir volé des documents et dossiers pour une valeur d'environ 20 000 $, *La Réforme,* 1961-01-28. Lévesque, René, *Attendez que…, op. cit.,* p. 228. « Avec optimisme », *Entre Nous, op. cit.,* vol. 42, 1962. « L'électricité, la condition même de la croissance industrielle du Québec, *Entre Nous, op. cit.,* vol. 41, 1961. Godin, Pierre, *Daniel Johnson 1946-1964…, op. cit.,* p. 224-230.

6. Les Rhodésiens de la Noranda

Pages 57-62 [Mines/contrôle étranger] Entretiens avec Michel Bélanger, Pierre F. Côté, André Marier et Éric Gourdeau. Procès-verbal du Conseil exécutif de la Province, *op. cit.,* 1961-02-07 et 1961-07-13. Documentation sur le contrôle américain de l'économie du Québec en 1954, FJL/P688/Article 149.3. Marier, André, « La politique minière au Québec, ses objectifs, son cadre, ses instruments », Direction générale de la planification, ministère des Richesses naturelles, Québec, 1966. « La structure de l'industrie est à l'origine de la baisse de la production minière au Québec », *Le Soleil,* 1968-06-18. Lévesque, René « L'État canadien-français est pour nous… », *op. cit.* Linteau, Paul-André, Durocher, René, Robert, Jean-Claude et Ricard, François, *Histoire du Québec contemporain — le Québec depuis 1930,* Montréal, Boréal, 1986, p. 210-213, 223-225, 422, 435 et 453. Desbarats, Peter, *René Lévesque ou le projet inachevé,* Montréal, Fides, 1977, p. 110.

Pages 62-65 [Polémique avec la Noranda] Entretiens avec Michel Bélanger, Pierre F. Côté, André Marier et Marthe Léveillé. Procès-verbal du Conseil exécutif de la Province, *op. cit.,* 1961-05-01, 1965-01-14, 1965-03-02 et 1965-03-30. Lettre de l'Association des mines d'amiante du Québec à René Lévesque, 1965-02-03, lettre de Noranda Mines à Jean Lesage, 1965-02-19, et lettre du *Board of Trade of Montreal* à Jean Lesage, 1965-02-21, FJL/P688/ Article 123.5. « *Noranda calls René Lévesque "Union puppet"* », *The Montreal Star,* 1965-04-02. Pelletier, Réal, « René Lévesque aux sociétés minières : "Apprenez à vous civiliser" », *Le Devoir,* 1965-03-29. « René Lévesque : si la Noranda Mines reconnaît le climat culturel du Québec, je serais très heureux d'en prendre connaissance », *Le Nouvelliste,* 1965-05-03. Lettre de Léo Brossard à René Lévesque, 1965-03-01, lettre de René Lévesque à Jean Lesage, 1965-03-01 et lettre de Geo. C. Roy à René Lévesque, 1965-03-01, FJL/P688/Article 149.3. Black, Conrad, *Duplessis, le pouvoir, op. cit.,* p. 474 et 509. Newman, Peter C., *L'Establishment canadien,* Montréal, Les Éditions de l'homme, 1981, p. 205. Lévesque, René, *Attendez que..., op. cit.,* p. 252. Gaspard, Jerome T. « *Memorendum of conversation* », dépêche du consul américain de Québec au département d'État des États-Unis, après une conversation avec Jacques Parizeau, 1965-05-04.

Pages 65-67 [SOQUEM] Entretien avec André Marier. Procès-verbal du Conseil exécutif de la Province, *op. cit.,* 1965-01-14, 1965-01-20, 1965-01-28 et 1965-04-18. Lévesque, René, Mémoire au Conseil des ministres sur l'approbation de principe pour la création d'une société d'exploration minière, 1965-01-14, FJL/P688/Article 143.9. Loi 10 sur la création d'une société d'exploration minière (SOQUEM), adoptée le 28 mai 1965, FJL/P688/Article 123.5. *Ibid.,* lettre de Paul Auger à René Lévesque au sujet de la création de SOQUEM., 1965-01-14. Marier, André, « La politique minière au Québec... », *op. cit.* Linteau et autres, *op. cit.,* p. 435. Richard, Laurence, *Jacques Parizeau, un bâtisseur,* Montréal, Les Éditions de l'homme, 1992, p. 86.

7. Saint René

Pages 68-71 [Député de Laurier] Entretiens avec Jacques Simard, Philippe Amyot, Marthe Léveillé, Jean Kochenberger et Jean Marchand. Gaudreau, Amédée, article consacré au journalisme, Montréal, Méridien, 1991, p. 186-187. Lévesque, René, *Attendez que..., op. cit.,* p. 212 et 223.

Pages 71-74 [Comme le frère André] Entretiens avec Jacques Simard et Marthe Léveillé. Lévesque, René, notes de lecture, Fonds René Lévesque/P18/Article 32, Archives nationales du Québec, Montréal. Rougeau, Jean, *Johnny Rougeau,* Montréal, Les Éditions Québécor, 1982, p. 51-53. Pilotte, Hélène, « René Lévesque engage le dialogue avec les femmes du Québec », *Châtelaine,* avril 1966. Boivin, Jean-Roch, « Par-dessus tout, il chérissait son indépendance, *La Presse,* 1991-03-16. Michaud, Yves, « Un être torrentiel qui détestait la bêtise », *La Presse,* 1991-03-16.

Pages 74-78 [René Lévesque/quotidien] Entretiens avec Yvan Hardy, Rital Martel, Wilfrid Lemoyne, Marc Picard, Marthe Léveillé, Éric Gourdeau, Pierre F. Côté, Michel Bélanger et Lionel Beaudoin. « L'Hydro-Ontario à l'aide », *Entre Nous, op. cit.,* vol. 41, 1961. Tremblay, Gisèle, « René Lévesque ordinaire », *Nous,* juin 974. Lacasse, Roger, *Baie James, op. cit.,* p. 49-50. Provencher, Jean, *René Lévesque, portrait..., op. cit.,* p. 163-164.

8. Le charme indiscret de la notoriété

Pages 79-86 [Vie privée] Entretiens avec Claude Lévesque, Hugues Cormier, Marthe Léveillé, Pierre F. Côté, Alice Lévesque-Amyot et Cécile Proulx-Lévesque. Tremblay, Gisèle, « *René Lévesque ordinaire* », *op. cit.*

9. Le coup de poing sur la table

Pages 87-90 [Chutes et rivières à vendre] Entretiens avec Michel Bélanger, Pierre F. Côté, André Marier, Marthe Léveillé et Éric Gourdeau. Procès-verbal du Conseil exécutif de la Province, *op. cit.*, 1961-09-13. Marier, André, « La nationalisation de l'électricité », intervention au colloque Jean Lesage, UQAM, 1988-04-16. « Le new look de la politique minière », *Le Devoir,* 1965-02-23. Documentation sur les concessions de forces hydrauliques dans la province de Québec, 1943-07-07, FJL/P688/Article 149.3. Dufresne, Jean-V., « La bataille de l'électricité », *Le Magazine Maclean,* novembre 1962. Bolduc, André, Hogue, Clarence et Larouche, Daniel, *Québec, un siècle d'électricité,* Montréal, Libre Expression, 1978, p. 120-122. Pelletier, Réal, « Première fois au Québec, permis d'exploitation mis à l'enchère », *La Presse,* 1961-04-11. « Polémique entre Noranda et Québec sur les royautés », *Le Droit,* 1965-04-15. Lévesque, René, « L'État doit retirer une plus juste part des revenus d'exploitation de nos richesses », *La Réforme,* 1962-07-21. Lévesque, René, *Attendez que je me rappelle, op. cit.,* p. 252. Thomson, Dale C., *Jean Lesage et..., op. cit.,* p. 296.

Pages 90-93 [Amorce de la nationalisation] Entretiens avec Michel Bélanger, Pierre F. Côté, André Marier et Éric Gourdeau. Procès-verbal du Conseil exécutif de la Province, *op. cit.,* 1961-07-20. Documentation électorale concernant les élections de novembre 1962, FRL/P18/Article 34. Guay, Jacques, « Comment René Lévesque est devenu indépendantiste », *Le Magazine Maclean,* février 1969. « Lévesque : millionnaire, le Québec ne veut plus avoir la part du gueux », *Le Devoir,* 1981-10-28. Johnstone, Ken, « René Lévesque à la conquête de l'économie », *Le Magazine Maclean,* décembre 1961. Thomson, Dale C., *Jean Lesage et...,* *op. cit.,* p. 150 et 294. Lévesque, René, *Attendez que..., op. cit.,* p. 231. Jobin, Carol, *Les enjeux économiques de la nationalisation de l'électricité,* Montréal, Éditions coopératives Albert St-Martin, 1978, p. 54.

10. Le chaos

Pages 94-97 [Influence de Georges-Émile Lapalme] Entretiens avec Éric Gourdeau et Michel Bélanger. Lapalme, Georges-Émile, « Les richesses naturelles » étude remise à René Lévesque, 1960-07-28. Lévesque, René, « Millionnaire, le Québec... », *op. cit.* Lévesque, René, « L'État canadien-français est pour nous le seul levier... », *op. cit.* Sauriol, Paul, « La politique des deux partis en matière d'électricité », *Le Devoir,* 1960-06-16. Fraser, Graham, « *René Lévesque : electric charm in a political storm, The Globe and Mail,* 1987-11-03. Godin, Pierre, « Le projet de René Lévesque », *Le Devoir,* 1994-03-13. Lévesque, René, *Attendez que..., op. cit.,* p. 224, 225, 228 et 231. Black, Conrad, *Maurice Duplessis, le pouvoir, op. cit.* p. 452. Guay, Jacques, *« Comment René Lévesque est devenu... », op. cit.*

Pages 97-100 [Autopsie du gaspillage] Entretiens avec Éric Gourdeau, Michel Bélanger, André Marier et Pierre F. Côté. Lettre de Woods, Gordon & Co. à Jean-Claude Lessard, 1962-05-02, concernant l'administration de la Commission hydro-électrique du Québec, FHQ 1944-1963, *op. cit.* « Rythme accéléré en 1962, *Entre Nous, op. cit.,* 1963. « Hydro-Québec 1964 », *Entre Nous, op. cit.,* 1964-65. Lessard, Jean-Claude, « Les richesses hydro-électriques et Hydro-Québec », *Entre Nous, op. cit.,* 1962. Bélanger, Michel, « L'électricité dans la province de Québec », étude du ministère des Richesses naturelles soumise au Conseil d'orientation économique, 1961-12-13, FHQ, fonds du commissaire Georges Gauvreau, *op. cit.* Lettre d'André Marier à Jean-Paul Pagé, cadre supérieur à Quebec Power, 1960-07-28. Marier, André, « Une étude globale du système présent de production et de distribution d'électricité dans le Québec », mémorandum à Michel Bélanger, 1961-07-03. Côté, Pierre F., mémo sur les réunions de la Division recherches et planification du ministère des

Richesses naturelles, 1961-06-19 et 1961-07-04. Étude de la valeur aux livres de 11 compagnies visées par la nationalisation, Commission hydro-électrique du Québec, 1961-12-03, FJL/P688/Article 126.2. Latreille, Raymond, lettre à René Lévesque sur la faisabilité de la nationalisation, 1962-01-03, FHQ, fonds du commissaire Georges Gauvreau, P10. Lapointe, Renaude, « Le colosse… » *op. cit.* 1963-09-07 et 1963-09-19. Jobin, Carol, *Les enjeux économiques…*, *op. cit.*, p. 54, 56 et 62.

Pages 100-103 [La Bible de la nationalisation] Entretiens avec Éric Gourdeau, Michel Bélanger, Pierre F. Côté, André Marier et Antoine Rousseau. Lévesque, René, « Nécessité de l'intervention gouvernementale en 1960 », entrevue réalisée en avril 1986 dans le cadre d'un projet d'histoire de la Régie des rentes du Québec, FRL/P18/Article 34. *« Water Power Resources »*, mémoire de la Chambre de commerce de la province de Québec, présenté à René Lévesque, en juillet 1961, FHQ, fonds du commissaire Jean-Paul Gignac, P9. Monnier, Jacques, « Les ressources hydrauliques devraient et devront dépendre du secteur public », *La Presse*, 1961-10-14. Lettre de Louis-Philippe Pigeon à René Lévesque, à propos de la conférence fédérale-provinciale des 25 et 26 octobre 1961 sur les ressources, FJL/P688/Article 171.2. « René Lévesque chez les étudiants de l'Université de Montréal, *La Réforme*, 1961-12-02. Bélanger, Michel, « L'électricité dans la province… », *op. cit.* Marier, André, « Une étude globale du système… », *op. cit.* Thomson, Dale C., *Jean Lesage et…*, *op. cit.*, p. 300. « M. René Lévesque à la Manicouagan 5 », *Entre Nous*, *op. cit.*, 1961.

11. Le ministre électrique

Pages 104-106 [Jean Lesage et la nationalisation] Entretiens avec Jean-Paul Gignac, Michel Bélanger, Marthe Léveillé et André Marier. Bélanger, Michel, « La nationalisation des compagnies privées d'électricité dans l'État du Québec », mémoire présenté à René Lévesque en janvier 1962, FHQ, fonds du commissaire Georges Gauvreau, *op. cit.* Lettre de Raymond Latreille à René Lévesque appuyant la nationalisation, 1962-01-03, FHQ, fonds du commissaire Georges Gauvreau, *op. cit.* « Monsieur Lévesque laisse entrevoir l'étatisation prochaine des ressources hydro-électriques », *Le Devoir,* 1962-01-18. Thomson, Dale C., *Jean Lesage et…*, *op. cit.*, p. 300-302.

Pages 106-112 [Opposition des compagnies privées] Entretiens avec André Marier, Michel Bélanger, Marthe Léveillé et Jean-Paul Gignac. Documentation concernant la mise en exploitation du rapide Joachim, mémoire résumant le conflit Québec-Ontario sur l'échange de pouvoirs d'eau, lettre de Louis-Philippe Pigeon à Adélard Godbout au sujet du rapide Joachim, 1942-04-18, et mémoire confidentiel de Louis-Philippe Pigeon à Adélard Godbout concernant la rivière des Outaouais, 1942-06-09, FJL/P688/Article 131.3. Lévesque, René, « Réfutation des thèses de la Shawinigan Power », *in René Lévesque par lui-même*, Montréal, Guérin Littérature, 1988, p. 163-167. « Monsieur Lévesque préconise la planification », *Entre Nous*, *op. cit.*, 1962. Lettres de Jean-Claude Lessard à René Lévesque, 1962-01-26, de Louis O'Sullivan à Jean-Claude Lessard, 1962-01-25 et de Louis O'Sullivan à D. M. Stephens, 1961-12-04, FHQ, fonds du commissaire Georges Gauvreau, *op. cit.* Lévesque, René, « Dans la production et la distribution de l'électricité, plus grande responsabilité pour l'État », *Le Devoir,* 1962-02-12. « Les compagnies d'électricité répondent à Lévesque », *Le Soleil,* 1962-02-13. « Les faits », brochure de la Shawinigan Water and Power à ses cadres, juin 1962, FHQ 1944-1963, *op. cit.* Dufresne, Jean-V., « La bataille de l'électricité », *op. cit.* Newman, Peter, *L'establishment canadien*, *op. cit.*, p. 185-186. Bolduc, André et autres, *Québec, un siècle d'électricité*, *op. cit.*, p. 89, 131-134 et 232. Provencher, Jean, *René Lévesque, portrait…*, *op. cit.*, p. 178-180. Desbarats, Peter, *René Lévesque ou le projet inachevé*, *op. cit.*, p. 50. Thomson Dale C., *Jean Lesage et…*, *op. cit.*, p. 299-303.

12. Le voyage à New York

Pages 112-116 [Popularité de la nationalisation] Entretiens avec Jean-Paul Gignac, André Marier et Michel Bélanger. Procès-verbal du Conseil exécutif de la Province, *op. cit.*, 1960-07-12, 1960-08-19, 1961-03-24, 1962-02-11 et 1962-02-19. Lapalme, Georges-Émile, *Le paradis du pouvoir*, cité par Provencher, Jean, *René Lévesque, portrait d'un Québécois*, p. 180. Claude Ryan et Claude Morin, témoignages, spécial TVA consacré à la mort de René Lévesque, *op. cit.* Lévesque, René, *Attendez que…, op. cit.*, p. 231. Thomson Dale C., *Jean Lesage et…, op. cit.*, p. 129,149 et 302.

Pages 116-119 [Pierre Trudeau et la nationalisation] Entretiens avec Gérard Pelletier, Jean Marchand, Michel Bélanger, Marthe Léveillé et André Marier. Clarkson, Stephen et McCall, Christina, *Trudeau, l'homme, l'utopie, l'histoire*, Boréal, Montréal, 1990, p. 75. Pelletier, Gérard, *Le temps des choix*, Montréal, Stanké, 1986, p. 164. Thomson Dale C., *Jean Lesage et…, op. cit.*, p. 153.

Pages 119-123 [Financement de la nationalisation] Entretiens avec Jean-Paul Gignac, Michel Bélanger et André Marié. Procès-verbal du Conseil exécutif de la Province, *op. cit.*, 1960-11-22. Lettre de Raymond Latreille à René Lévesque, 1962-01-08, FHQ, fonds du commissaire Georges Gauvreau, *op. cit.* Samson, Bélair, Côté, Lacroix et Associés, étude de la valeur aux livres des compagnies d'électricité, 1961-12-31, FJL/P688/Article 126.2. Documentation concernant l'endettement des provinces, FRL/P18/Article 34. Kierans, Eric, témoignage à l'émission « La nationalisation de l'électricité », SRC, 1972-07-01. Richard, Laurence, *Jacques Parizeau un bâtisseur, op. cit.*, p. 69-72. Lettre de Peter Nesbitt Thomson à René Lévesque, 1962-04-05, citée par Thomson, Dale C., Jean Lesage et…, *op. cit.*, p. 304. Jobin, Carol, *Les enjeux économiques…, op. cit.*, p. 79, 135. Lévesque, René, « Conférence de presse au Canadian Club de Montréal », 1962-04-09, cité par Provencher, Jean, *René Lévesque, portrait…, op. cit.*, p. 183.

13. L'été de tous les dangers

Pages 124-128 [Churchill Falls] Entretiens avec Michel Bélanger, Antoine Rousseau et Éric Gourdeau. Procès-verbal du Conseil exécutif de la Province, *op. cit.*, 1962-05-22 et 1962-05-29. Historique Hydro-Québec et Churchill Falls, Office d'information et de publicité du Québec, Québec, 1966-10-26. Bourassa, Robert, *L'énergie du Nord*, Montréal, Québec/Amérique, 1984, p. 109. Richard, Laurence, *Jacques Parizeau un bâtisseur, op. cit.*, p. 70-72. Desbarats, Peter, *René Lévesque ou le…, op. cit.*, p. 46, 50-52. Bolduc, André et autres, Québec un siècle d'électricité, *op. cit.*, p. 333-340. Marier, André, « Jean Lesage et la… », *op. cit.* Thomson, Dale C., *Jean Lesage et…, op. cit.*, p. 311-321.

Pages 128-130 [Chantage des financiers] Entretiens avec Michel Bélanger, André Marier, Claude Morin, Jean-Paul Gignac, Éric Gourdeau, Marthe Léveillé et Jean Marchand. Procès-verbal du Conseil exécutif de la Province, *op. cit.*, 1960-11-22, 1962-06-21 et 1962-06-22. Richard, Laurence, *Jacques Parizeau un bâtisseur, op. cit.*, p. 70 et 72. Parizeau, Jacques, « De certaines manœuvres d'un syndicat financier en vue de conserver son empire au Québec », *Le Devoir*, 1970-02-02. Berton, Pierre, entrevue avec René Lévesque, *The Pierre Berton Hour*, 1963-05-31, FJL/P688/Article 120.9. Desbarats, Peter, *René Lévesque ou le…, op. cit.*, p. 46 et 52. Dufresne, Jean-V., « La bataille de… », *op. cit.* Jenson, Michel, « Avant d'étatiser, pensons aux besoins de la SGF », *La Réforme*, 1962-09-01. Lévesque, René, *Attendez que…, op. cit.*, p. 235. Dossier de presse sur le conflit entre René Lévesque et Daniel Johnson à propos de la nationalisation de l'électricité, *Le Devoir*, 1962-05-09, 1962-06-07 et 1962-06-29 ; et au sujet de la démission possible de René Lévesque, *La Presse*, 1962-07-10 et 1962-09-12.

Bertrand, Lionel, *Quarante ans de...*, *op. cit.*, p. 223. Provencher, Jean, *René Lévesque, portrait...*, *op. cit.*, p. 181 et 183.

Pages 130-135 [Contre-attaque de la Shawinigan] Entretiens avec André Marier, Michel Bélanger, Éric Gourdeau et Jacques Simard. Lettres de René Lévesque aux maires des municipalités du Québec, 1962-06-11 et 1962-07-16, FHQ 1944-1963, *op. cit.* Jean Duceppe et Claude Morin, témoignages, émission spéciale consacrée à la retraite de René Lévesque, SRC, 1985-10-13. « Les faits » (titre anglais : « *Investor ownership and government ownership of Quebec Electric Utilities* »), brochure de la Shawinigan Water and Power à ses cadres pour contrer la campagne de René Lévesque, juin 1962, FHQ 1944-1963, *op. cit.* Laurendeau, André, « La minute de vérité », *Le Devoir*, 1962-08-29. Dufresne, Jean-V., « La bataille de... », *op. cit.* Thivierge, Marcel, « M. Pagé : La nationalisation de l'électricité entraînera une hausse des taux et des taxes », *Le Devoir*, 1962-08-22. *Ibid.*, « Devant les maires, Lévesque et la Shawinigan se font les avocats de leur propre cause », *Le Devoir*, 1962-08-24. Bolduc, André et autres, Québec un siècle..., *op. cit.*, p. 168, 272-274. Lapointe, Renaude, « Le colosse en marche », 1963-09-10, *op. cit.*

14. Le duel

Pages 136-139 [Rapport Fullerton] Entretiens avec Gérard Filion, Gérard Brady, Éric Gourdeau, Michel Bélanger et André Marier. Lettre de Douglas Fullerton à Jean Lesage sur le financement de la nationalisation, 1962-09-01, citée en annexe dans Jobin, Carol, *Les enjeux économiques...*, *op. cit.*, p. 175. Paul Gérin-Lajoie, témoignage, « 40 ans de métier », *op. cit.* Documentaire sur la nationalisation de l'électricité, diffusé à TVA à l'occasion de la mort de René Lévesque, 1987-11-02. Latreille, Raymond et Gauvreau, Georges, mémoire concernant la nationalisation de certaines compagnies d'électricité, 1962-06-07, FHQ, *op. cit.* Thivierge, Marcel, « Québec étudierait en septembre l'étatisation de l'électricité », *Le Devoir*, 1962-08-24. Daignault, Richard, *Lesage*, Montréal, Libre Expression, 1981, p. 213. Laurendeau, André, « Ce qui presse, une décision politique », *Le Devoir*, 1962-09-01. Bertrand, Lionel, *Quarante ans de...*, *op. cit.*, p. 224 et 230. Lévesque, René, *Attendez que...*, *op. cit.*, p. 236. Thomson, Dale C., *Jean Lesage et...*, *op. cit.*, p. 151 et 306. Desbarats, Peter, *René Lévesque ou le...*, *op. cit.* p. 57-59.

Pages 139-146 [Lac-à-l'Épaule] Entretiens avec Gérard Brady, Paul Gérin-Lajoie, Marthe Léveillé, Jacques Simard, Jean-Paul Gignac, Éric Gourdeau, Michel Bélanger, Alice Lévesque-Amyot et Philippe Amyot. Procès-verbal du Conseil exécutif de la Province, *op. cit.*, 1961-10-25. Documentation sur la situation financière de la province de Québec en 1962, FRL/P18/Article 34. Lévesque, René, évocation du caucus du Lac-à-l'Épaule, procès-verbal de l'exécutif national du Parti québécois, 1975-03-08. Paul Gérin-Lajoie, témoignage, « Quarante ans de métier », *op. cit.* Filion, Gérard, « La carrière de René Lévesque fut-elle un échec ? », *Le Devoir*, 1987-11-20. Thivierge, Marcel, « Le sort de la Shawinigan sera réglé mercredi — les ministres en faveur de la nationalisation », *Le Devoir*, 1962-08-31. *Ibid.*, « Lesage fustige certaines influences qui s'opposent à notre émancipation », *Le Devoir*, 1962-09-01 ; « L'examen de conscience des ministres commence ce matin dans un parc ! À l'ordre du jour : tout, y compris l'électricité », *Le Devoir*, 1962-09-04 ; « Lévesque serait rentré satisfait de la réunion du Lac-à-l'Épaule », *Le Devoir*, 1962-09-06 ; « Lévesque en sortant du parc avec Marler : "Suis encore vivant !" », *Le Devoir*, 1962-09-07. Provencher, Jean, *René Lévesque, portrait...*, *op. cit.*, p. 186. Desbarats, Peter, *René Lévesque ou le...*, *op. cit.*, p. 44 et 60. Lévesque, René, *Attendez que...*, *op. cit.*, p. 236. Bertrand, Lionel, *Quarante ans...*, *op. cit.*, p. 225. Black, Conrad, *Maurice Duplessis, l'ascension*, *op. cit.*, p. 447.

15. Le peuple contre l'argent

Pages 147-149 [Maîtres chez nous] Entretiens avec Gérard Brady, Paul Gérin-Lajoie, Jacques Simard, Claude Morin, Michel Bélanger. Procès-verbal du Conseil exécutif de la Province, *op. cit.*, 1962-08-16 et 1962-09-18. Morin, Claude, mémo à Jean Lesage au sujet du programme électoral du Parti libéral, 1962-09-22, FJL/P688/Article 127.1. Thivierge, Marcel, « Débordant d'énergie, M. Lesage est en pleine forme », *Le Devoir*, 1962-09-15. *Ibid.*, « L'électricité ? Aucun commentaire, répond M. Lesage », *Le Devoir*, 1962-09-13. Lapointe, Renaude, « Le colosse en marche », *op. cit.*, 1963-09-07. Filion, Gérard, « Un mouvement irréversible », *Le Devoir*, 1962-09-12. Fournier, Jean-Pierre, « Paul Sauriol publie un livre sur la question de l'heure : l'électricité », *Le Devoir*, 1962-09-11. Groulx, Lionel, *Directives*, Saint-Hyacinthe, collection du Zodiaque, 1937, p. 20, cité par Guindon, Hubert, « *Social unrest, social class and Quebec's bureaucratic revolution* », *Queen's Quaterly*, vol. LXXI, n° 2, 1964, p. 156.

Pages 149-154 [Les élections de l'électricité] Entretiens avec Jean-Roch Boivin, Jacques Simard, Jean Marchand, Michel Bélanger et Marthe Léveillé. Procès-verbal du Conseil exécutif de la Province, *op. cit.*, 1962-09-18. Documentation électorale de la campagne de 1962 conservée par René Lévesque, FRL/P18/Article 34. Morin, Claude, mémo à Jean Lesage, *op. cit.* Roy, Michel, « Élection à la mi-novembre — la formule du référendum est écartée », *Le Devoir*, 1962-09-19. Thivierge, Marcel, « Lesage : un mandat précis pour nationaliser — Johnson : c'est une démission du gouvernement », *Le Devoir*, 1962-09-20. Pigeon, Jacques, « L'organisation d'Azellus Denis veut assurer la victoire de Marcel Prud'homme dans Saint-Denis, *La Presse*, 1964-01-10. Thivierge, Marcel, « Le climat est incertain mais un optimisme règne au sein des deux camps », *Le Devoir*, 1962-10-05. Pelletier, Gérard, *Le temps des choix*, *op. cit.*, p. 175.« Johnny Rougeau remonte dans l'arène politique », *Photo-Journal*, 1962-10-06. Desbarats, Peter, *René Lévesque ou le...*, *op. cit.* p. 44.

16. La clé du royaume

Pages 155-162 [La victoire] Entretiens avec Pierre F. Côté, Jacques Simard, Gérard Brady, Michel Bélanger, Jean-Paul Gignac, André Marier, Paul-Émile Tremblay et Gérard Filion. Procès-verbal du Conseil exécutif de la Province, *op. cit.*, 1962-11-21, 1962-11-28 et 1962-12-19. *Maintenant ou jamais*, documentaire sur la campagne électorale de novembre 1962, Radio-Québec, 1987-11-02. Duceppe, Jean, témoignage, *Quarante ans de métier*, *op. cit.* Cardinal, Mario, « Pour René Lévesque, une campagne uniquement centrée sur la nationalisation », *Le Devoir*, 1962-10-04. Pelletier, Réal, « Un pédagogue fait du cinéma », *Le Devoir*, 1962-10-23. Dumas, Evelyn, « Tour de force de René Lévesque à Saint-Félicien », *Le Devoir*, 1962-10-19. Fournier, Jean-Pierre, « René Lévesque rassure la rue Saint-Jacques où *The Gazette* par un canard jeta l'émoi », *Le Devoir*, 1962-10-06. Bantey, Bill, « *Quebec eyes "Formula" for pulp and mines* », *The Gazette*, 1962-10-05. « Nous allons un peu loin avec cette nationalisation », *Le Devoir*, 1962-10-18. Cardinal, Mario, « Les libéraux au pouvoir avec 63 sièges », *Le Devoir*, 1962-11-15. Fraser, Blair, « *The territorial ambitions of René Lévesque* », *Maclean's*, 1964-05-16. Lettre de Peter Nesbitt Thomson à René Lévesque, 1962-10-26, *op. cit.* Lettre de Douglas Fullerton à René Lévesque sur les emprunts à contracter, 1962-09-07, FJL/P688/Article 127.1. Fullerton, Douglas, mémoire à Louis-Philippe Pigeon, « *Procedures, timing and valuation : nationalization of Quebec Electric Utilities* », 1962-12-12, FJL/P688/Article 127.1. Thivierge, Marcel, « La nationalisation : 604 $ millions », *Le Devoir*, 1962-12-29. Lettre de Jack Fuller à Jean Lesage, 1963-01-11, et lettre de Jean Lesage à Jack Fuller, 1963-01-24, FHQ 1944-1963, *op. cit.* Lévesque, René, mémoire sur la nationalisation de l'électricité destiné au Conseil des ministres, 1963-04-19, FHQ 1944-1963, *op. cit.*

Pages 162-168 [Intégration des compagnies privées] Entretiens avec Gérard Filion, Jean-Paul Gignac, Michel Bélanger, Antoine Rousseau, Éric Gourdeau, Louis Bernard, Yvan Hardy et André Marier. Roy, Léo, « Hydro-Québec n'a pas l'intention de tout chambarder », *La Presse,* 1963-09-17. « L'uniformisation des tarifs est prioritaire et est l'occasion d'une première baisse », *La Presse,* 1963-09-13. Lapointe, Renaude, « L'intégration ne créera pas de problèmes psychologiques si chacun est raisonnable », *La Presse,* 1963-09-11. Lettre des membres la Commission hydro-électrique à René Lévesque concernant la baisse des tarifs après la nationalisation, 1963-05-28, FHQ 1944-1963, *op. cit.* Bélanger, Michel, « L'électricité dans la province de Québec », *op. cit.* Filion, Gérard, « Il n'y a pas lieu d'être enivré ni de se sentir déshonoré », *Le Devoir,* 1962-11-16. Lévesque, René, « La nationalisation et ses bienfaits », intervention à l'Assemblée législative, 1964-07-06. Boyd, Robert, rapport sur l'intégration à Hydro-Québec des compagnies privées d'électricité, 1965-05-03, Centre d'archives Hydro-Québec. Mémoire présenté par Hydro-Québec à la Commission royale d'enquête sur la situation de la langue française, septembre 1970, Centre d'archives Hydro-Québec. Lapointe, Renaude, « Le colosse en marche », *op. cit.,* 1963-09-10 à 18. Fleury, Jean-Louis, « À bâtons rompus avec quelques témoins de la nationalisation de 1944 », *Hydro-Presse,* avril 1979. Dumas (Gagnon), Evelyn, « Jean-Paul Gignac : Québec doit pratiquer une politique préférentielle envers ses entreprises », *Le Devoir,* 1964-01-27. Gignac, Jean-Paul, discours sur la politique d'achat d'Hydro, devant *The purchasing agents association of Montreal,* 1964-10-20. Oancia, David, « *Hydro policy sets example — Price no object in drive to support Quebec firms* », *The Globe and Mail,* 1964-01-28. Jobin, Carol, *Les enjeux économiques... »,* *op. cit.,* p. 113-115.

17. Où sont passés les Oui-Oui ?

Pages 169-175 [Tiers monde esquimau] Entretien avec Éric Gourdeau, Benoît Robitaille, Michel Bélanger et Marthe Léveillé. Procès-verbal du Conseil exécutif de la Province, *op. cit.,* 1961-07-20. Gourdeau, Éric, mémoire portant sur la question autochtone présenté à la Commission d'étude des questions afférentes à l'accession du Québec à la souveraineté, 1992-02-11, p. 9 et 10. Morin, Jacques-Yvan, « Une empreinte profonde sur la politique autochtone », *La Presse,* 1991-03-16. Brochu, Michel, *Le défi du Nouveau-Québec,* Montréal, Les Éditions du Jour, 1962, p. 145-154. Poznanska-Parizeau, Alice, « Fort-Chimo, la grande aventure du Nouveau-Québec, *Le Magazine de la Presse,* 1963-04-06, et « Les projets sont prêts mais le temps presse », 1963-04-13.

Pages 175-177 [Nouveau-Québec/anglicisation] Entretiens avec Éric Gourdeau, Benoît Robitaille et Michel Bélanger. Lévesque, René, « Il faut occuper au Nouveau-Québec la place qui nous revient », *Le Devoir,* 1961-08-04. Gourdeau, Éric, « Les cultures esquimaude et indienne : un acquis pour la civilisation », *Forces,* n°s 41-41, 1978, Centre d'archives Hydro-Québec. Brochu, Michel, *Le défi du...,* *op. cit.* p. 25-34, 42-50 et 82. Sauriol, Paul, « Une offensive fédérale de génocide culturel », *Le Devoir,* 1962-08-31. Fraser, Blair, « *The territorial ambitions of René Lévesque* », *op. cit.* Neilson, Robert, « Le gouvernement récupère le Nouveau-Québec », *La Réforme,* 1963-04-13. Thivierge, Marcel « Le Nouveau-Québec est rapatrié », *Le Devoir,* 1963-04-11. Dutil, Henri, « Richesses inouïes au Nouveau-Québec », *L'Événement,* 1961-08-04. Poznanska-Parizeau, Alice, « Fort-Chimo... », *op. cit.*

Pages 178-179 [Nouveau-Québec/juridiction] Entretiens avec Éric Gourdeau et Robert Robitaille. Brochu, Michel, *Le défi du...,* *op. cit.,* p. 18-24. Gourdeau, Éric, mémoire sur la question autochtone..., *op. cit.* Fortier, Taschereau, étude juridique sur le statut des Esquimaux, ministère de la Famille et du Bien-être social, 1962 ; télégramme de Lester B. Pearson à Jean Lesage au sujet de la question esquimaude, 1965-07-09 et lettre de René Lévesque à

Jean Lesage sur les antécédents au transfert de juridiction sur le Nouveau-Québec, 1962-12-12, FJL/P688/Article 2.3. Lacroix, Jean-Luc, « René Lévesque : le Québec doit occuper les territoires du Nord », *La Presse*, 1961-08-03. Fraser, Blair, « *The territorial ambitions of...* », *op. cit.* Gourdeau, Éric, « Les cultures esquimaudes et indiennes... », *op. cit.*

18. Parlez-vous esquimau ?

Pages 180-182 [Nouveau-Québec/toponymie] Entretiens avec Michel Bélanger, Éric Gourdeau et Benoît Robitaille. « Le Québec doit prendre à sa charge le système d'éducation du Nouveau-Québec », mémoire du Conseil de la vie française en Amérique, *Le Devoir*, 1962-02-22. Lévesque, René « La guerre froide Québec-Ottawa à propos des Esquimaux », intervention à l'Assemblée législative, 1964-07-06, citée dans *René Lévesque par lui-même, op. cit.* p. 347. Brochu, Michel, « Défense et illustration de la toponymie du Nouveau-Québec », *Le Devoir*, 1961-12-28. Sauriol, Paul, « Alerte à la toponymie du Nouveau-Québec » et « Une capitulation regrettable », *Le Devoir*, 1961-12-29 et 1962-01-16. Thivierge, Marcel, « Québec cède aux pressions d'Ottawa », *Le Devoir*, 1962-01-15. Brochu, Michel, *Le défi du Nouveau-Québec, op. cit.*, p. 18-21 et 145. Fraser, Blair, « *The territorial ambitions of...* », *op. cit.*, p.

Pages 182-189 [Nouveau-Québec/négociations] Entretiens avec Éric Gourdeau et Benoît Robitaille. Procès-verbal du Conseil exécutif de la Province, *op. cit.*, 1963-02-12. Lettre de René Lévesque à Jean Lesage, 1962-12-12 ; lettre de Jean Lesage à John Diefenbaker, 1962-12-27 ; lettre de Jean Lesage à Lester B. Pearson, 1963-05-03, et réponse de Lester B. Pearson à Jean Lesage, 1963-06-04, au sujet du désir du Québec de rapatrier sa juridiction sur les Esquimaux, FJL/P688/Article 2.3. Lévesque, René, La guerre froide... », *op. cit.* Sauriol, Paul, « La juridiction provinciale et les Esquimaux », *Le Devoir*, 1964-06-04. Cardinal, Mario, « Lesage : Québec songe à créer une division du Grand Nord », *Le Devoir*, 1962-10-13. Fraser Blair, « *The territorial ambitions of...* », *op. cit.*

Pages 189-190 [Direction générale du Nouveau-Québec] Entretiens avec Benoît Robitaille et Éric Gourdeau. Procès-verbal du Conseil exécutif de la Province, *op. cit.*, 1962-12-20 et 1964-03-02. Lettre de René Lévesque à Jean Lesage, 1962-12-27, FJL, P688, Article 2.3. Gourdeau, Éric, « Le gouvernement et les nations autochtones du Québec : harmonisation des relations, secrétariat des activités gouvernementales en milieux amérindien et inuit (SAGMAI), Québec, septembre 1985. *Ibid.,* mémoire portant sur la question autochtone, *op. cit.,* et « Les cultures esquimaude et indienne... », *op. cit.* Thivierge, Marcel, « Une campagne anti-québécoise au Nouveau-Québec », *Le Devoir*, 1963-09-11. Guay, Jacques, « Quand *Northern Affairs* aura vidé les lieux, vous vivrez comme des Blancs ! », *La Presse*, 1964-02-01. Côté, Marc-Henri, « Jacques Rousseau répond à John Turner : "Très peu d'Esquimaux du Québec parlent l'anglais" », *Le Devoir*, 1963-09-19. Poznanska-Parizeau, Alice, « Fort-Chimo la.... », *op. cit.*, Fraser, Blair, « *The territorial ambitions of...* », *op. cit.*

19. Génocide au septentrion

Pages 191-194 [Conflit Arthur Laing/René Lévesque] Entrevues avec Benoît Robitaille et Éric Gourdeau. Fournier, Jean-Pierre, « Le ministre Laing : les Esquimaux ne veulent pas parler français », *Le Devoir*, 1963-09-12. Thivierge, Marcel, « Vers une bataille Ottawa-Québec sur les Esquimaux — la déclaration de M. Laing provoque de vives réactions à Québec » et « Lévesque : Arthur Laing a violé le secret des négociations entre Québec et Ottawa », *Le Devoir*, 1963-09-13 et 1963-09-14. Côté, Marc-Henri, « Jacques Rousseau craint le génocide culturel de la population esquimaude », *Le Devoir*, 1963-09-17. Sauriol, Paul, « Québec doit défendre leurs droits culturels et leur avenir », *Le Devoir*, 1963-09-17.

Pages 194-199 [L'école esquimaude [Entretiens avec Éric Gourdeau et Benoît Robitaille. Procès-verbal du Conseil exécutif de la Province, *op. cit.*, 1962-12-20. Gourdeau, Éric, « Éducation des Esquimaux au Nouveau-Québec », direction générale du Nouveau-Québec, janvier 1968 : Mémoire sur la question autochtone..., *op. cit.*, et « Les cultures esquimaude et indienne... », *op. cit.* Morin, Jacques-Yvan, « Une empreinte profonde... », *op. cit.* Lévesque, René, « La guerre froide... », *op. cit.* Télégramme de Lester B. Pearson à Jean Lesage, 1965-07-09, *op. cit.* Poznanska-Parizeau, Alice, « Fort-Chimo la.... », *op. cit.* Thivierge, Marcel, « Une campagne anti-québécoise... », *op. cit.*

20. Move out !

Pages 200-205 [René Lévesque à Poste-de-la-Baleine] Entretiens avec Benoît Robitaille et Éric Gourdeau. Procès-verbal du Conseil exécutif de la Province, *op. cit.*, 1963-12-04, 1964-01-23, 1964-06-25 et 1964-08-26. *Memorandum on proposed intentions of the government of Canada regarding certains aspects of federal-provincial relations*, mémoire annexé aux délibérations du cabinet québécois du 15 avril 1964 et contenant la profession de foi fédéraliste du premier ministre Lesage à la conférence fédérale-provinciale du 31 mars 1964, FJL/P688, Article 41.1. Fournier, Jean-Pierre, « Faire des Indiens et des Esquimaux des citoyens égaux », *Le Devoir*, 1963-11-29. Thivierge, Marcel, « Un compromis — 19-9-100 — qui coûterait 230 $ millions », *Le Devoir*, 1963-11-29. « À son retour de la terre esquimaude, Lévesque commente les difficultés de juridiction : "La glace est brisée !" », *Le Devoir*, 1964-02-01. Thivierge, Marcel, « Des administrateurs fédéraux font signer aux Esquimaux de Fort-Chimo une requête en faveur du maintien du statu quo » et « Lévesque confirme : les administrateurs fédéraux font circuler une requête chez les Esquimaux du Nord », *Le Devoir*, 1964-01-23 et 24. Guay, Jacques, « Les Cris se rapprochent du Québec — Message des Indiens du Nouveau-Québec au ministre des Richesses naturelles », *La Presse*, 1964-01-13. Fraser, Blair, « *The territorial ambitions of...* », *op. cit.* Fournier, Louis, *FLQ*, Montréal, Québec/Amérique, 1982, p. 172. Morin, Claude, *Le pouvoir québécois en négociation*, Montréal, Boréal, 1972, p. 54 et 61 ; *Mes premiers ministres*, Montréal, Boréal, 1991, p. 467, et *Les choses comme elles étaient*, Montréal, Boréal, 1994, p. 161-166.

Pages 205-210 [L'entente du 29 février 1964] Entretiens avec Éric Gourdeau et Benoît Robitaille. Procès-verbal du Conseil exécutif de la Province, entente de principe entre Québec et Ottawa sur le transfert de juridiction, *op. cit.*, 1964-03-02. Lettre de Jean Lesage à Lester B. Pearson confirmant le transfert, 1964-03-04 ; lettre de Jean Lesage au révérend Donald B. Marsh sur le même sujet, 1965-08-23 et lettre de Lester B. Pearson à Jean Lesage concernant une mise au point à l'égard des Esquimaux, 1965-07-09, FJL/P688/Article 2.3. McKenzie, Robert et Pape, Gordon, « Éric Gourdeau... », *op. cit.* Lévesque, René, « Les Esquimaux : leur langue et leur religion », débat avec Daniel Johnson à l'Assemblée législative, 1964-07-06, dans *René Lévesque par lui-même, op. cit.*, p. 27. Thivierge, Marcel, « Laing doute de la sincérité de Lévesque au sujet des Esquimaux » et « Esquimaux : Lévesque dénonce violemment l'attitude de Laing », *Le Devoir*, 1964-06-03 et 04. Fraser, Blair, « *The territorial ambitions of...* », *op. cit.* Léger, Jean-Marc, « Le Nouveau-Québec, critère de la bonne foi d'Ottawa », *Le Devoir*, 1964-01-27.

21. La légende du petit chef blanc

Pages 211-214 [Consultation des Esquimaux] Entretiens avec Benoît Robitaille, Éric Gourdeau et Claude Morin. « René Lévesque dénonce les craintes d'Ottawa sur les Esquimaux », *Le Devoir*, 1964-05-30. Gzowski, Peter, « *This is the true strench of separatism* », *Maclean's*, 1963-11-02. Thivierge, Marcel, « Lévesque dénonce violemment... » *op. cit.* Wade, Mason,

Les Canadiens français de 1760 à nos jours, Ottawa, Le cercle du livre de France, 1966, p. 583. Groulx, Lionel, *Histoire du Canada français,* tome 2, Montréal, Fides, 1960, p. 320. Sauriol, Paul, « La juridiction provinciale et les Esquimaux », *Le Devoir,* 1964-06-03. Morin, Claude, *Mes premiers ministres, op. cit.,* p. 468.

Pages 214-216 [Mid-Canada] Entretien avec Benoît Robitaille. Procès-verbal du Conseil exécutif de la Province, *op. cit.,* 1965-05-11. Convention Ottawa-Québec sur les installations du ministère de la Défense nationale à Poste-de-la-Baleine, 1965-08-19, FJL/P688/Article 2.3. Correspondance entre Lester B. Pearson et Jean Lesage au sujet du transfert des installations de Mid-Canada, 1964-12-07, 1964-12-29, 1965-05-21, 1965-06-30, 1965-07-09, 1965-08-17 et 1965-08-23, FJL/P688/Article 2.3. Lettre de René Lévesque à Jean Lesage, 1965-07-23 ; mémoire de René Lévesque au Conseil des ministres, 1965-05-06, et lettre pastorale du pasteur Donald B. Marsh aux Esquimaux, 1965-08-02, FJL/P688/Article 2.3.

Pages 216-219 [Coopératives et francisation] Entretiens avec Éric Gourdeau et Benoît Robitaille. Poznanska-Parizeau, Alice, « Les projets sont prêts mais… », *op. cit.* Gourdeau, Éric, « Le mouvement coopératif au Nouveau-Québec », *Forces,* 1978, nᵒˢ 41-42, et « Éducation des Esquimaux au Nouveau-Québec », *op. cit.* Monnier, Jacques, « Lévesque récupère le Nouveau-Québec », *La Presse,* 1963-04-11. Brochu, Michel, *Le défi du Nouveau-Québec, op. cit.,* p. 55-59 et 63-68.

22. Le grand agitateur

Pages 220-223 [Ministre pro-syndical] Entretiens avec Gérard Filion, Marthe Léveillé, Wilfrid Lemoyne, Rita Martel, André Larocque, Louis Bernard, Hugues Cormier, Antoine Rousseau, Jean-Paul Gignac et Michel Bélanger. Procès-verbal du Conseil exécutif de la Province, *op. cit.,* 1965-05-11, 1965-06-15, 1965-09-23 et 1965-10-19. Documentation de Jean Lesage concernant René Lévesque, FJL/P688/Article 120.1. Larocque, André (texte préparé pour Michel Carpentier), « René Lévesque, l'ultime réforme : la démocratie vécue », colloque René Lévesque, UQAM, mars 1990. Lévesque, René, « Nécessité de l'intervention gouvernementale en 1960 », *op. cit.,* et « L'État canadien-français est pour nous le seul levier… », *op. cit.* Thivierge, Marcel, « René Lévesque demande aux syndicats de faire la paix », *Le Devoir,* 1963-04-11. Lettre de René Lévesque à Jean-Paul Gignac au sujet de la grève des ingénieurs d'Hydro-Québec, mai 1965, archives personnelles de Jean-Paul Gignac. Dumas (Gagnon) Evelyn, « Hydro : Gignac tentera de régler la grève — René Lévesque déclare : Hydro est forcée de créer du droit nouveau », *Le Devoir,* 1965-05-11. Godin, Pierre, *Daniel Johnson, la difficile recherche de l'égalité, op. cit.,* p. 57-58. Desbarats, Peter, *René Lévesque ou le…, op. cit.,* p. 116. Bolduc, André et autres, *Québec un siècle d'électricité, op. cit.,* p. 329.

Pages 223-227 [Réforme de l'éducation] Entretiens avec Paul Gérin-Lajoie, Arthur Tremblay, Gérard Filion et Jean Marchand. Lettre de l'archevêque de Québec Maurice Roy à Jean Lesage au sujet de la création d'un ministère de l'Éducation, 1963-08-29, FJL/P688/Article 145.4. Clift, Dominique, « L'influence de l'Église » et « Un affrontement Gérin-Lajoie-Lévesque », *La Presse,* 1964-01-11. Lachance, Micheline, entrevue avec René Lévesque sur sa rencontre avec le cardinal Léger en rapport avec la loi 60, *Missionnaire du XXᵉ siècle,* TVA, 1987-06-01. Lachance, Micheline, *Dans la tempête — le cardinal Léger et la révolution tranquille,* Montréal, Les Éditions de l'Homme, 1986, p. 209-214. Laporte, Pierre, « Lesage : pas de ministère de l'Éducation », *Le Devoir,* 1960-11-16. Filion, Gérard, *Fais ce que peux,* Montréal, Boréal, 1989, p. 333-334. Laurendeau, André, « Pourquoi le gouvernement a-t-il reculé ? », *Le Devoir,* 1963-07-09. Thomson, Dale C., *Jean Lesage et…, op. cit.* p. 373. Thivierge, Marcel, « Lesage : les évêques ont approuvé le nouveau bill 60 », *Le Devoir,* 1964-01-

14. O'Neil, Pierre, « Gérin-Lajoie poursuit sa tournée au Saguenay : l'Église, ce n'est pas seulement les évêques », *La Presse*, 1963-08-17. Leblanc, Jules, « Les évêques demandent à Québec de garantir la confessionnalité des écoles publiques », *Le Devoir*, 1963-09-03. Pelletier, Réal, « Lévesque : les évêques ont compris la démocratie », *Le Devoir*, 1963-09-20. Massicotte, Benoît, « En primeur, les raisons du retrait temporaire du bill 60, le cardinal Paul-Émile Léger a téléphoné au premier ministre », *L'Événement*, 1963-07-17.

Pages 227-229 [Censure des films] Entretiens avec Claude Sylvestre et Marthe Léveillé. Procès-verbal du Conseil exécutif de la Province, *op. cit.*, 1964-03-11, 1964-03-24 et 1964-07-15. Lettre de Pierre Laporte à Jean Lesage, 1965-06-23, FJL/P688/Article 120.1. Pelletier, Gérard et Sylvestre, Claude, émission consacrée à la censure au Québec, *Premier Plan*, SRC, 1960-12-19. Lettre de René Lévesque à Jean Paré, directeur des pages littéraires du *Nouveau-Journal*, 1962-03-14, au sujet de ses influences littéraires. « MM. Wagner et Ouimet sont priés d'enquêter sur l'infiltration communisante de Bona Arsenault », *Le Devoir*, 1964-10-27.

23. Le duo baroque

Pages 230-235 [Nomination aux Affaires sociales] Entretiens avec Charles Denis, Marc Picard, Jacques Simard et Marthe Léveillé. Procès-verbal du Conseil exécutif de la Province, *op. cit.*, 1965-10-14. Lettre de Suzanne Lévesque à la mère de René Lévesque, 1965-10-19, FRL/P18/Article 32. Gaspard, Jerome T., « *Lesage reshuffles his cabinet* », dépêche A-27 adressée au département d'État par le consul américain de Québec. Martin, Louis, « Tout sur la sécurité sociale — Lévesque et Kierans ont-ils mis au rancart leurs préoccupations économiques ? » *Le Magazine Maclean*, février 1966. Thivierge, Marcel, « Le plus important remaniement depuis juin 1960 : Kierans à la Santé et René Lévesque au Bien-être », *Le Devoir*, 1965-10-15. Léger, Jean-Marc, « La sécurité sociale : une révolution à faire », *Le Devoir*, 1965-10-15.

Pages 235-238 [Le rapport Boucher] Entretiens avec Louis Bernard, Éric Gourdeau, Michel Bélanger et Lionel Beaudoin. Lévesque, René, « Au ministre de la Famille et du Bien-être du 16 juin 1966 », mémo rédigé à l'intention de son successeur sur les politiques déjà engagées, 1966-06-15. Lettre de Robert Cliche à René Arthur, secrétaire particulier de Jean Lesage, 1963-03-12, FJL/P688/Article 24.6. Chalvin, Solange, « René Lévesque, ministre de la Famille et du Bien-être fait le point de la nouvelle politique de sécurité sociale au Québec » et « Ma bible : le rapport Boucher », *Le Devoir*, 1965-11-20. Martin, Louis, « Tout sur la sécurité sociale... », *op. cit.* Morin, Claude, *Les choses comme elles étaient, op. cit.*, p. 124.

24. Ministre des p'tits vieux

Pages 239-245 [Réforme de l'aide sociale] Entretiens avec Louis Bernard, Claude Morin et Roger Marier. Procès-verbal du Conseil exécutif de la Province, *op. cit.*, 1965-12-07. Marier, Roger, rapport sur la constitution des groupes de travail pour élaborer la législation sociale, 1965-12-13, FRL/P18/Article 26. Documentation diverse sur la crise de l'adoption sévissant au Québec, FRL/P18/Article 26. De la même source : mémoire des veuves chefs de famille à René Lévesque, décembre 1965, lettre du docteur Dominique Lambert, directeur médical de l'hôpital de la Miséricorde, à René Lévesque, 1966-01-11, étude du Service du Bien-être social traçant le profil des « clients » de l'aide sociale, 1965-11-23, et débat sur la loi modifiant la loi de l'assistance aux mères nécessiteuses, mars 1966. Dufresne, Jean-V. « Lévesque expose son nouveau programme de sécurité et d'assistance sociale », *Le Devoir*, 1965-11-16. Sauriol, Paul, « La sécurité sociale selon René Lévesque », *Le Devoir*, 1965-11-18. Francœur, Jean, « Nos lois sociales sont a-familiales », *Le Devoir*, 1965-10-20. Dumas, Evelyn, « Le

Conseil du travail de Montréal révèle les conclusions d'une enquête : 38 p.c. de la population de Montréal vit dans la pauvreté, la misère, la privation », *Le Devoir,* 1965-12-10. Leblanc, Jules, « René Lévesque : priorité absolue aux mal pris et, au premier rang, les enfants exceptionnels », *Le Devoir,* 1965-12-06. Handfield, Micheline, « L'adoption après 10 ans d'efforts », *Magazine Actualité,* avril 1970.

Pages 245-247 [Guerre à la pauvreté] Procès-verbal du Conseil exécutif de la Province, *op. cit.,* 1965-08-15. Lettre de Claude Wagner à René Lévesque dénonçant son intrusion dans l'aide judiciaire, 1965-12-21, lettre de René Lévesque à Claude Wagner, 1965-12-22, et lettre de René Lévesque à Jean Lesage sur le même sujet, 1966-01-05, FRL/P18/Article 26. « Guerre à la pauvreté : Québec ne veut pas de carcan, dit Lévesque », *Le Devoir,* 1965-12-09. « Conférence sur la pauvreté — Morin : les projets d'Ottawa risquent de gêner le Québec », *Le Devoir,* 1965-12-08. Lettre de Lester B. Pearson à Jean Lesage au sujet de la conférence sur la pauvreté, 1965-08-16, et réponse de Jean Lesage à Lester B. Pearson, 1965-08-25, FJL/P688/Article 172.5. Dandurand, Gilles, « Le ministre de la Famille contre la famille », *Aujourd'hui Québec,* mars 1966.

Pages 247-251 [Rapatriement des allocations familiales] Entretiens avec Louis Bernard et Claude Morin. Procès-verbal du Conseil exécutif de la Province, *op. cit.,* 1965-12-29 et 1966-01-05. Lettre de René Lévesque à Jean Lesage résumant ses interventions à la conférence fédérale-provinciale sur la sécurité sociale du 7 janvier 1966, FJL/P688/Article 171.5. Dufresne Jean-V. « Si Ottawa ne modifie pas le régime des allocations familiales, Québec agira », *Le Devoir,* 1966-01-08. *Ibid.,* « À Ottawa, on redoute les implications politiques du mémoire québécois », *Le Devoir,* 1966-01-10, et « Lévesque a gagné trois provinces à sa cause », *Le Devoir,* 1966-01-10. « Lévesque réaffirme vigoureusement la position du Québec en matière de sécurité sociale », *Le Devoir,* 1966-02-19. « MM. Trudeau et Pelletier ne veulent pas d'un statut particulier », *Le Devoir,* 1966-02-24. Morin, Claude, *Mes premiers ministres, op. cit.,* p. 461. Lévesque, René, *Attendez que je me rappelle, op. cit.,* p. 260.

25. Second violon

Pages 252-255 [Élections du 5 juin 1966] Entretiens avec René Lévesque (réalisé par l'auteur quelque temps avant sa mort pour un autre ouvrage au cours duquel il a évoqué la campagne électorale de 1966), Henri Dutil, René Gagnon, Paul Gérin-Lajoie et Pothier Ferland. Procès-verbal du Conseil exécutif de la Province, *op. cit.,* 1965-04-06 et 1966-03-22. Lévesque, René, notes manuscrites résumant ses impressions au sujet de la campagne électorale, FRL/P18/Article 32. Dufresne, Jean-V., « Le Parti libéral s'engage dans une campagne déjà parsemée d'embûches », *Le Devoir,* 1966-05-09. Thivierge, Marcel, « Élections provinciales du 5 juin, Lesage : il nous faut un mandat précis pour négocier avec Ottawa », *Le Devoir,* 1966-04-19. Thomson, Dale C., *Jean Lesage et la..., op. cit.,* p. 196-198. Lévesque, René, *Attendez que je me rappelle, op. cit.,* p. 257 et 263. Godin, Pierre, *Les frères divorcés, op. cit.,* p. 38.

Pages 255-258 [Brouille Lesage/Lévesque] Entretiens avec Gérard Filion, Pierre F. Côté, Gérard Brady, Maurice Leroux, Henri Dutil et Philippe Amyot. Procès-verbal du Conseil exécutif de la Province, *op. cit.,* 1965-11-09 et 1965-12-01. Programme officiel du Parti libéral, *Le Devoir,* 1966-04-23, Morin, Claude, *Mes premiers ministres, op. cit.,* p. 202. Provencher, Jean, *René Lévesque portrait..., op. cit.,* p. 195.

Pages 258-261 [Campagne de René Lévesque] Entretiens avec René Lévesque, Paul Gérin-Lajoie, Jacques Simard, Marthe Léveillé, Gérard Brady et Pothier Ferland. Thivierge, Marcel, « René Lévesque dit que les libéraux étaient en mauvaise posture au début de la campagne mais ajoute que la situation s'est améliorée », *Le Devoir,* 1966-05-25. Ferland, Guy, « Gérin-

Lajoie et Lévesque font le bilan : six ans de pouvoir n'ont pas corrompu le Parti libéral, *Le Devoir*, 1966-05-09. Francœur, Jean, « La presse précède le gouvernement et divulgue le rapport Parent », *Le Devoir*, 1966-05-09. Dufresne, Jean-V., « Dorion : l'hypothèse d'un désaveu n'est pas écartée », *Le Devoir*, 1966-05-07. Thivierge, Marcel, « Lévesque proteste », *Le Devoir*, 1966-05-19. Monière, Denis, *Le développement des idéologies au Québec*, Montréal, Québec/Amérique, 1977, p. 307. Thomson, Dale C., *Jean Lesage et la…, op. cit.*, p. 198. Rougeau, Jean, *Johnny Rougeau, op. cit.*, p. 98-102. Godin, Pierre, *Les frères divorcés, op. cit.*, p. 38.

26. Recette pour la défaite

Pages 262-265 [Campagne gaullienne] Entretiens avec René Lévesque, Paul Gérin-Lajoie, Gérard Brady et Jacques Simard. Procès-verbal du Conseil exécutif de la Province, *op. cit.*, 1965-03-31, 1965-04-02, 1965-06-07, 1965-06-15, 1965-09-08, 1965-11-17, 1965-12-07, 1966-02-01, 1966-02-10, 1966-03-14, 1966-03-23, 1966-04-13, 1966-04-25, 1966-05-04 et 1966-05-25. Pour toutes les facéties de Jean Lesage durant la campagne, voir *Le Devoir* des 6, 9, 17 et 20 mai 1966. « Les grévistes d'Hydro-Québec réfutent les dires de René Lévesque sur le calcul électoral », *Le Devoir*, 1966-05-30. Dumas (Gagnon), Evelyn, « Lévesque : on pourrait supprimer la grève en temps d'élection » et « 3 000 employés d'hôpitaux (CSN) étudient la possibilité d'une grève d'ici un mois », *Le Devoir*, 1966-05-14. Leblanc, Jules, « La grève des professeurs : les négociateurs de Québec à la séance de négociation ne se sont pas présentés », *Le Devoir*, 1966-05-19. Bertrand, Lionel, *Quarante ans…, op. cit.*, p. 436. Black, Conrad, *Maurice Duplessis l'ascension, op. cit.*, p. 334.

Pages 265-266 [Sidbec] Entretiens avec Jean-Paul Gignac, Gérard Filion et Michel Bélanger. Procès-verbal du Conseil exécutif de la Province, *op. cit.*, 1961-02-07 et 1952-02-13. Laporte, Pierre, « L'Union nationale a refusé une aciérie en 1955 » et « Le projet d'aciérie de Koppers était encore plus considérable que ne l'a dit M. Lapalme », *Le Devoir*, 1961-01-21. Débat entre René Lévesque et Lucien Tremblay, député unioniste de Maisonneuve, au sujet du projet d'aciérie, *La Réforme*, 1961-02-11. Filion, Gérard, *Fais ce que peux*, Montréal, Boréal, 1989, p. 293. Thomson, Dale C. *Jean Lesage et la…, op. cit.*, p. 271-279. Thivierge, Marcel, « Différend autour de l'aciérie québécoise — Pierre Laporte : "Nous l'aurons" ; J. Brillant : "Expérience inutile ?" », *Le Devoir*, 1962-11-09. Pelletier, Réal, « Lévesque : la décision est prise au sujet de la future aciérie », *Le Devoir*, 1962-11-09.

Pages 266-269 [Sidbec/contrôle public ou privé ?] Entretiens avec Gérard Filion et Jean-Paul Gignac. Procès-verbal du Conseil exécutif de la Province, *op. cit.*, 1963-11-20, 1963-12-04, 1964-10-16, 1965-02-02, 1965-05-18, 1965-06-17, 1966-01-13, 1966-01-19, 1966-03-29, 1966-05-04 et 1966-05-18. Lévesque, René, notes manuscrites au sujet des propositions de Charles Dupriez sur la construction de l'aciérie, comité de sidérurgie, 1963-05-27 et 1963-05-31, FRL/P18/Article 26. Parizeau, Jacques, « Rapport préliminaire sur le financement du complexe sidérurgique et sur ses charges financières », 1963-08-01, FRL/P18/Article 26. Pour le voyage de René Lévesque en France et en Belgique pour solliciter l'aide européenne au sujet de l'aciérie québécoise, voir *Le Monde*, 1963-03-19. Thivierge, Marcel, « En 68, Québec produira son acier », *Le Devoir*, 1963-11-01, et « La Sidbec s'établira à Bécancour et M. Gérard Filion en sera le président », *Le Devoir*, 1965-04-01. Filion, Gérard, *Fais ce que peux, op. cit.*, p. 298-307. Tainturier, Jean, « Société mixte, Sidbec sera contrôlée par l'État », *Le Devoir*, 1966-01-31, et « Le départ de M. Filion de Sidbec ferait suite à une transformation du projet », *Le Devoir*, 1966-05-25. Cliche, Paul, « Selon René Lévesque devant les écrans de TV : les administrateurs de Sidbec ont déformé le projet initial », *Le Devoir*, 1966-08-19. Dufresne, Jean-V., « Gérard Filion dit pourquoi Sidbec est un échec », *Le Devoir*, 1966-08-20. Ryan, Claude, « Les mystères de Sidbec », *Le Devoir*, 1966-05-26.

Pages 269-273 [La défaite du 5 juin 1966] Entretiens avec Paul Gérin-Lajoie, René Lévesque, Robert Bourassa, Yves Michaud, Jacques Simard, Marthe Léveillé et Maurice Jobin. Bourassa, Robert, *Gouverner le Québec*, Montréal, Fides, 1995, p. 19. Dumas (Gagnon), Evelyn, « M. René Lévesque a lancé hier l'opération Montréal est là », *Le Devoir*, 1966-06-03. Lesage, Gilles, « 6 000 personnes acclament Lesage et Lévesque », *Le Devoir*, 1966-06-04. Ryan, Claude, « La meilleure équipe », *Le Devoir*, 1966-06-03. Dufresne, Jean-V. « L'Union nationale au pouvoir » et « Lévesque : le résultat indique que les libéraux n'ont pas assez expliqué le sens de leur politique », *Le Devoir*, 1966-06-06. Daignault, Richard, *Lesage, op. cit.*, p. 244.

27. Simple député

Pages 274-278 [Post mortem/à *Dimanche-Matin*] Entretiens avec Yves Michaud, Marc Brière, Pothier Ferland, Pierre O'Neill, Jacques Simard et Marthe Léveillé. Lévesque, René, lettres au docteur Pierre Proulx, du Centre de consultation conjugale de Québec, 1966-06-08, et au « ministre de la Famille et du Bien-être du 16 juin 1966 », FRL/P18/Article 26. Lévesque, René, « Le Québec ne progresse que par sursauts », *Le Devoir*, 1966-06-23. Verne, Paul, « L'Union nationale pourra-t-elle résister à la vague de mécontentement qu'elle a soulevée ? », entrevue avec René Lévesque, *Actualité*, octobre 1966. Pelletier, Gérard, *Le temps des choix, op. cit.*, p. 283. Aubin, François, *René Lévesque tel quel*, Montréal, Boréal, 1973, p. 29. Lévesque, René, « Un après-midi en Rhodésie », *Dimanche-Matin*, 1966-10-02. Roy, Michel, « René Lévesque présente un noir tableau du Québec mais annonce le temps de l'espoir », *Le Devoir*, 1966-10-01. Provencher, Jean, *René Lévesque portrait..., op. cit.*, p. 229.

Pages 278-282 [Réformistes] Entretiens avec François Aquin, Marc Brière, Yves Michaud, Paul Gérin-Lajoie, Robert Bourassa, Pierre O'Neill, Jean-Roch Boivin, Pothier Ferland et Louis Bernard. Lapalme, Georges-Émile, *Pour une politique*, Montréal, VLB, 1988, p. 71-73. Bernard, Louis, « Le principal artisan d'une démocratie à la québécoise », *La Presse*, 1991-03-16. Desbarats, Peter, *René Lévesque ou le..., op. cit.*, p. 145. Lévesque, René, « La démocratie, est-ce trop beau pour être vrai ? », *Dimanche-Matin*, 1966-10-16. Provencher, Jean, *René Lévesque portrait..., op. cit.*, p. 232-233.

Pages 282-286 [Congrès libéral du 18 novembre 1966] Entretiens avec Robert Bourassa, Yves Michaud, Henri Dutil, Marc Brière et Pothier Ferland. Lévesque, René, projet sur le financement électoral préparé en vue de la réforme électorale adoptée par le gouvernement Lesage, en 1964, texte manuscrit conservé par Marthe Léveillé. Lévesque, René, « Une réforme profonde du régime des dépenses électorales au Québec », projet de résolution de l'Association libérale du comté de Laurier en vue du congrès du 18 novembre 1966, *Le Devoir*, 1966-10-17. Roy, Michel, « Les réformes proposées par M. Kierans ne réduiront pas l'autorité réelle du chef », *Le Devoir*, 1966-10-17. Charbonneau, André, « La jungle des partis », entrevue avec René Lévesque, *Maintenant*, décembre 1966. Cardinal, Mario et autres, *Si l'Union nationale..., op. cit.*, p. 25. Roy, Michel, « Fort de l'appui des libéraux, M. Lesage admet sa responsabilité dans la défaite de juin », *Le Devoir*, 1966-11-19, et « Victoire morale des réformistes et déchirement profond du parti », *Le Devoir*, 1966-11-21. Dumas (Gagnon), Evelyn, « Lévesque triomphe de Lapierre au congrès après un débat », *Le Devoir*, 1966-11-21. Michaud, Yves, témoignage, émission spéciale à l'occasion de la mort de René Lévesque, TVA, *op. cit.*

28. Je ne me suis jamais senti canadien

Pages 287-290 [Plus américain que canadien] Entretiens avec Wilfrid Lemoyne, Pierre F. Côté, Paul Gérin-Lajoie et Gérard Pelletier. Lévesque, René, « Jonquière : whazzat ? Esquimalt : connais pas ! » *Magazine du Personnel*, vol. 4, 1948, p. 6, Documentation Dossiers,

SRC. Guay, Jacques, « Comment René Lévesque est devenu indépendantiste », *op. cit.*
Vought, John R., « *Levesque's role in the Quebec revolution, memorandum of conversation with Robert McKeown, Weekend Magazine, Tim Creeny, Southam News Services, and Maynard, W. Glitman, second secretary of Embassy* », Ottawa », dépêche A-131 destinée au département d'État américain, 1964-05-02. Lévesque, René, « 1967 et la grâce qu'on se souhaite », *Dimanche-Matin,* 1967-01-01. Lévesque, René, *Attendez que je me rappelle, op. cit.,* p. 271.

Pages 290-293 [Radicalisation nationaliste] Entretiens avec Gérard Filion, Gérard Pelletier et Pierre Marois. Procès-verbal du Conseil exécutif de la Province, *op. cit.,* 1963-03-26 et 1963-11-06. Lévesque, René, *La passion du Québec,* Montréal, Québec/Amérique, 1978, p. 44. Thivierge, Marcel, « Il en coûtera 700 000 000 $ au Québec pour rester dans la Confédération », *Le Devoir,* 1962-08-24. Pelletier, Réal, « Contre l'unilinguisme, Lévesque retient néanmoins l'indépendance comme solution » *Le Devoir,* 1963-11-04. Léger, Jean-Marc, « Si Ottawa persiste dans son attitude présente, il peut devenir le véritable fossoyeur de la fédération », *Le Devoir,* 1963-07-05. Luchaire, André, « Lévesque aux Néo-Québécois : nous respectons votre culture mais non votre nationalisme », *La Presse,* 1963-10-29. Laurendeau, André, « Les embusqués ont tué », *Le Devoir,* 1963-04-22. « *Speak english or get out!* se fait dire un officier français attaché à l'ambassade de France au Canada », *Le Devoir,* 1963-09-12. Lévesque, René, « La télévision : le plus gros facteur révolutionnaire... », *op. cit.* Pelletier, Gérard, *Le temps des choix, op. cit.,* p. 166.

Pages 293-298 [Dans le collimateur de Washington] Courtenaye, Richard H., « *Attempted separatist dynamining in Quebec City* », dépêche A-36 au département d'État des États-Unis, 1964-03-06. Kiselyak, Charles A., « *Address by American on separatist sentiment in Quebec* », dépêche A-451 au département d'État des États-Unis, 1963-11-21. Saywell, John Tupper, *The rise of the Parti québécois,* Toronto, *University of Toronto Press,* 1977, p. 5. Vought, John R., « *Ottawa commentators see Lévesque in separatist role* », dépêche A-1131 au département d'État des États-Unis, 1964-05-08. Gaspard, Jerome T., « *Lévesque calls for "associated state" status for Quebec* » dépêche A-201 au département d'État des États-Unis, 1964-05-12. Yoder, Robert D. « *Lévesque promotes concept of associated state status for Quebec* », dépêche A-66 au département d'État des États-Unis, 1964-11-24. « *Mr. Levesque and terrorism* » et « *René Lévesque on moderation* », *The Montreal Star,* 1964-05-12 et 1964-06-01. Pelletier, Gérard, « Quand le *Star* se déshonore », *La Presse,* 1964-06-02. « Lévesque aux Anglo-Saxons : tant qu'il restera un maudit Canadien français... », *La Presse,* 1966-01-08. Pelletier, Réal, « Le nationalisme du Québec vise à abolir les privilèges non les droits de la minorité anglophone », *Le Devoir,* 1966-02-08, et « Lévesque rejette le fédéralisme coopératif et préconise pour le Québec le statut d'État associé », *Le Devoir,* 1964-05-11. Desbarats, Peter, « *Quebec fiery René Lévesque — what manner of man is he ?* », *The Ottawa Citizen,* 1964-01-18. Newman, Peter, « *How René Lévesque may soon make Jean Lesage his puppet* », *Maclean's,* 1964-05-02. O'Neil, Pierre, « Les simplifications de certains journalistes anglophones », *La Presse,* 1964-04-22.

29. La minute de vérité

Pages 299-304 [Formule Fulton-Favreau] Entretiens avec Paul Gérin-Lajoie, Gérard Filion, Pierre F. Côté, Philippe Amyot et Jacques Simard. Procès-verbal du Conseil exécutif de la Province, *op. cit.,* 1965-03-11, 1965-03-16, 1965-03-31, 1965-04-06, 1965-04-27, 1965-05-04 et 1966-02-17. Fournier, Jean-Pierre, « Un accord intervient sur la Constitution », *Le Devoir,* 1964-10-15. Gaspard, Jerome T., « *Memorandam of conversation...* », 1965-05-04, *op. cit.,* et « *Quebec politicians and clergy urge canadian unity* », dépêche A-96 au département d'État des États-Unis, 1965-03-10. Provencher, Jean, *René Lévesque portrait..., op. cit.,* p. 217.

Pages 305-309 [Manifeste du Mont-Tremblant] Entretiens avec René Lévesque, Paul

Gérin-Lajoie, Marc Brière, Jean-Roch Boivin, François Aquin, Robert Bourassa, Yves Michaud, Pierre O'Neill, Maurice Jobin, et Pothier Ferland. *Procès-verbal du Conseil exécutif de la Province, op. cit.,* 1965-09-01 et 1966-03-30. Lévesque, René, « Lâcher la proie pour l'ombre », *Dimanche-Matin,* 1966-12-03. Lettre de René Lévesque à Jean-Paul Lefebvre au sujet des liens entre droite et nationalisme, 1966-07-19, FRL/P18/Article 32. Lévesque, René, « Le Québec ne sera jamais l'Ontario », *Dimanche-Matin,* 1967-03-27. Saywell, John Tupper, *The rise of the Parti..., op. cit.,* p. 5. Roy, Michel, « Lévesque dénonce les faux réalistes qui attribuent au nationalisme l'insuffisance des investissements », *Le Devoir,* 1966-11-29. Guay, Jacques, « Comment René Lévesque est devenu..., *op. cit.* Desbarats, Peter, *René Lévesque ou le..., op. cit.,* p. 149. Lévesque, René, *Attendez que je me rappelle, op. cit.,* p. 287.

Pages 309-312 [De Gaulle au Québec] Entretiens avec René Lévesque, Robert Bourassa, Claude Ryan, Yves Michaud, Monique Michaud et François Aquin. Bourassa, Robert, *Gouverner le Québec, op. cit.,* p. 22. Lévesque, René, témoignage sur la visite du général de Gaulle au Québec, *Hommage à René Lévesque,* 1987-11-02, SRC. Roy, Michel, « Lesage indique les limites que les militants ne doivent franchir s'ils veulent rester dans le Parti libéral », *Le Devoir,* 1967-04-24. Lévesque, René, *La passion du Québec, op. cit.,* p. 46. Lévesque, René, *Attendez que je me rappelle, op. cit.,* p. 278.

30. La maison de fous

Pages 313-319 [René Lévesque/de Gaulle] Entretiens avec Yves Michaud, Robert Bourassa et François Aquin. Lévesque, René, « De Gaulle, l'homme qui fait l'histoire », *Dimanche-Matin,* 1967-07-23. Lévesque, René, « De Gaulle a-t-il eu lieu ? », *Dimanche-Matin,* 1967-07-30. « Le vieil autocrate est allé un peu loin », *Le Devoir,* 1968-04-09. Cunningham, Francis, « *De Gaulle visit : Quebec's Premier praises and interprets the general's remarks and blames Ottawa for his departure* », dépêche A-18 au département d'État des États-Unis, 1967-07-28. Hugues, Thomas L. « *De Gaulle's foreign policy : 1964* », mémoire REU-28 du *Bureau of intelligence and research,* adressé au secrétaire d'État des États-Unis, 1964-04-20, et « *Quebec's international status-seeking provokes new row with Ottawa* », dépêche au secrétaire d'État des États-Unis, 1965-06-01. « *French-Quebec relations* », dépêche A-1107 de l'ambassade américaine à Paris et adressée au département d'État des États-Unis, 1965-12-29. Gaspard, Jerome T., « *Quebec separatism : a persisting issue* », dépêche A-191 au département d'État des États-Unis, 1964-05-01. Funkhouser, Richard, conseiller à l'ambassade des États-Unis à Paris, notes au sujet du voyage du général de Gaulle en Vendée, dépêche 2717 au département d'État américain, 1965-05-27. Bohlen, Charles, ambassadeur américain à Paris, télégramme au secrétaire d'État des États-Unis au sujet du voyage du général de Gaulle au Canada, juillet 1967. Cunningham, Francis. « *Quebec thinking evolves toward special status* », dépêche A-62 au département d'État américain, 1967-10-11.

Pages 319-322 [Rupture Lévesque/Bourassa] Entretiens avec René Lévesque, Robert Bourassa, Jean-Roch Boivin, Paul Gérin-Lajoie, Marc Brière, Yves Michaud et Réginald Savoie. Bourassa, Robert, *Gouverner le Québec, op. cit.,* p. 23, 26 et 71-73. Dostaler, Gilles, « Je vois une espèce de regroupement autour de l'idée nationale », entrevue avec René Lévesque, *Parti pris,* octobre-novembre 1967. De Bellefeuille, Pierre, *La révolution tranquille,* série de 13 documentaires radiodiffusés à l'été 1971, SRC. Fraser, Graham, *Le Parti québécois,* Montréal, Libre Expression, 1984, p. 55. Guay, Jacques, « *Comment René Lévesque est devenu...* », *op. cit.*

Pages 322-326 [Option-Québec] Entretiens avec Paul Gérin-Lajoie, Monique Michaud, Yves Michaud, Jean Marchand, François Aquin, Jean-Roch Boivin et Jacques Simard.

Lévesque, René, note manuscrite attachée au livret intitulé *Un Québec souverain dans une nouvelle union canadienne* et adressée à Georges-Émile Lapalme, 1967-10-11, Fonds Georges-Émile Lapalme, service des archives de l'Université du Québec à Montréal. Lévesque, René, *Option Québec,* Montréal, Les Éditions de l'Homme, 1968, p. 19-42. Aquin, François, « L'indépendance », discours devant la Société nationale populaire, 1967-09-17. « Mᵉ Aquin rejette l'indépendance de René Lévesque », *Le Devoir,* 1967-10-03. Tremblay, Gisèle, « René Lévesque ordinaire », *op. cit.* Dostaler, Gilles, « Je vois une espèce... », *op. cit.* Daignault, Richard, *Lesage, op. cit.,* p. 250. Lapointe, Renaude, « Où sont les déprimés », *La Presse,* 1967-09-20. Hawkins, Richard, consul américain de Montréal, dépêche A-66 commentant la publication du manifeste de René Lévesque, adressée au département d'État des États-Unis, 1967-09-21. Butterworth, M. Walton, ambassadeur américain à Ottawa, télégramme à Winthrop G. Brown, adjoint au secrétaire d'État américain, au sujet des conséquences politiques du geste de René Lévesque, septembre 1967. Cunningham, Francis, « *Investment needs temper Quebec's quest for greater autonomy* », dépêche A-80 au département d'État américain, 1967-11-27.

31. La charge des sangliers

Pages 327-332 [Rupture Lévesque/Kierans] Entretiens avec René Lévesque, Jean Loiselle, Robert Bourassa, Jean-Roch Boivin, Marc Brière, Pothier Ferland, Charles Denis, Monique Michaud, Yves Michaud, René Gagnon et Paul Gérin-Lajoie. Parizeau, Jacques, « De certaines manœuvres d'un syndicat financier... », *op. cit.* Kierans, Eric, témoignage au sujet de sa rupture avec René Lévesque, *in* De Bellefeuille, Pierre, *La révolution tranquille, op. cit.* « Kierans : l'indépendance plongerait le Québec dans la pauvreté et le chômage », *Le Devoir,* 1967-10-02. « Parizeau : la prétendue fuite des capitaux a été largement exagérée », *Le Devoir,* 1967-11-04. Richard, Laurence, *Jacques Parizeau un... op. cit.,* p. 94. Stewart, Walter, « *A private anguish — the widening public abyss* », *The Star Weekly Magazine,* 1968-01-02. Laplante, Laurent, « La voix de monsieur Parizeau », *L'Action,* 1967-11-06. Rocher, Guy, *Le Québec en mutation,* Montréal, Hurtubise HMH, 1973, p. 44. Burgess, Harrison, « *Levesque and provincial liberal colleagues debate his manifesto for a sovereign Quebec* », dépêche A-72 au département d'État des États-Unis, 1967-09-29. Cunningham, Francis, « *Investment needs temper...* », *op. cit.* Desbarats, Peter, *René Lévesque ou le..., op. cit.,* p. 159.

Pages 332-335 [Congrès du 13 octobre 1967] Entretiens avec Paul Gérin-Lajoie, Jérôme Choquette, Pothier Ferland, Robert Bourassa, Marc Brière, René Gagnon, Monique et Yves Michaud. Saywell, John Tupper, *The rise of the Parti..., op. cit.,* p. 17. Dostaler, Gilles, « Je vois une espèce... », *op. cit.* Roy, Michel, « Lévesque : Québec souverain au sein de l'Union canadienne », *Le Devoir,* 1967-09-19. « Le rapport de Gérin-Lajoie : vives réactions de la presse torontoise », *Le Devoir,* 1967-10-13. Ryan, Claude, « Un nouveau pas vers la minute de vérité », *Le Devoir,* 1967-09-20.

Pages 335-344 [Démission du PLQ] Entretiens avec René Lévesque, Robert Bourassa, Jean-Roch Boivin, Doris Lussier, René Gagnon, Marc Brière, Paul Gérin-Lajoie, Pothier Ferland, Monique et Yves Michaud. Lettres de Maurice Dussault et de Bridjet Larkin à Jean Lesage au sujet des idées souverainistes de René Lévesque, octobre 1967, FJL/P688/Article 120.1. Roy, Michel, « Son option étant repoussée, Lévesque quitte les libéraux et siégera comme indépendant », *Le Devoir,* 1967-10-16. Quin, F. S., « *Quebec liberals endorse special status and reject separatism — Lévesque resigns* », dépêche A-64 au département d'État américain, 1967-10-17. Bittner, E. C. « *Quebec separatism and the liberal leadership race, memorandum of conversation* », avec Claude Frenette, dirigeant de Power Corporation, dépêche A-843 au département d'État des États-Unis, 1968-01-18. Lévesque, René, *Attendez que je me rappelle, op. cit.,* p. 292. Rougeau, Jean, *Johnny Rougeau, op. cit.,* p. 104.

32. Le pays « normal »

Pages 345-350 [Démission/réactions] Entretiens avec Jean-Roch Boivin, Marc Brière, Pothier Ferland, Maurice Jobin, Claude Lévesque, Yves Michaud, Réginald Savoie, Alice Lévesque-Amyot et Philippe Amyot. Jones, Richard, « Opinions libres entre Canadiens de bonne volonté, d'Eugène L'Heureux », et « Ma province et mon pays, chroniques d'Eugène L'Heureux », Dictionnaire des œuvres littéraires du Québec, tome III, 1940-1959, Bibliothèque du Parlement, Québec. Pilotte, Hélène, « Le nègre blanc de New Carlisle, *op. cit.* Ryan, Claude, « Après le congrès libéral », *Le Devoir,* 1967-10-16. Roy, Michel, « D'ici 4 ans, prédit René Lévesque, les souverainistes pourront former l'opposition officielle au Québec », *Le Devoir,* 1967-10-16. Quin, F. S. « *Quebec liberal endorse… », op. cit. Butterworth, Walt,* analyse des conséquences politiques après la démission de René Lévesque du Parti libéral, dépêche A-474 au secrétaire d'État américain, date non précisée.

Pages 350-355 [Mouvement souveraineté-association (MSA)] Entretiens avec René Lévesque, Jean-Roch Boivin, Camille Laurin, Pierre O'Neill, Pothier Ferland, Marc Brière et Réginald Savoie. Courrier reçu par René Lévesque à la suite de sa démission du Parti libéral, octobre 1967, FRL/P18/Articles 54, 63, 64 et 66. Procès-verbal de l'assemblée du MSA à Sainte-Marguerite-du-Lac-Masson, 1967-10-28, FRL/P18/Article 61. Procès-verbal de l'assemblée plénière du MSA, 1967-11-18, FRL/P18/Article 61. Lettre de René Lévesque aux invités à la réunion des 18 et 19 novembre 1967 à Outremont, 1976-11-08, FRL/P18/Article 61. Dufresne, Jean-V. « René Lévesque : tôt ou tard, un parti politique », *Le Devoir,* 1967-11-20.

Pages 355-357 [François Aquin se rallie] Entretiens avec François Aquin, Pierre O'Neill, Pothier Ferland, Réginald Savoie et Gérard Turcotte. Cunningham, Francis, « *The view from Quebec in January 1968* », dépêche A-937 au département d'État américain, 1968-01-24. Leblanc, Jules, « Lévesque inaugure à Sept-Îles un nouveau style de meeting », et « François Aquin se rallie au mouvement de René Lévesque », *Le Devoir,* 1967-12-11.

33. Je suis libre de rentrer chez moi

Pages 358-362 [MSA/orientation] Entretiens avec René Lévesque, André Larocque, Jacques Brossard, François Aquin, Jean-Roch Boivin et Réginald Savoie. Procès-verbal de l'assemblée des coordonnateurs régionaux, à Laval, 1968-01-14 ; Lévesque, René et O'Neill, Pierre, « Un pays qu'on peut bâtir », document relatif au congrès de fondation du Parti québécois, 1968-05-20 ; procès-verbal d'une réunion du comité directeur du MSA, 1968-01-05, et Boivin, Jean-Roch, Bélanger, Gérard, Brisson, Rénald, Beaulé, Rosaire et Pelletier, Guy, « Remarques critiques », réunion du 5 janvier 1968 au club Outremont, FRL/P18/Article 64. Savoie, Réginald, mémo de la commission politique, 1968-01-07, FRL/P18/Article 63. Rapport de la commission politique du MSA, 1968-02-10 ; procès-verbal de la réunion de la commission politique du MSA, 1967-12-20, FRL/P18/Article 64. Lévesque, René, *Option Québec, op. cit.,* p. 97 et 170.

Pages 362-369 [MSA/congrès d'avril 1968] Entretiens avec René Lévesque, Jacques Brossard, André Bellerose, François Aquin, Jean-Roch Boivin, Marc Brière, Réginald Savoie et Pothier Ferland. Boivin, Jean-Roch et autres, « Remarques critiques », *op. cit.* Brossard, Jacques, mémoire confidentiel aux membres du comité directeur sur l'orientation générale du MSA, 1968-01-18, et Lévesque, René, tableau synthèse de la situation du MSA, 1968-01-05, FRL/P18/Article 64. Boivin, Jean-Roch, « Par-dessus tout, il chérissait… », *op. cit.* Brière, Marc « Objectifs fondamentaux du Mouvement souveraineté-association », 1968-05-31, FRL/P18/Article 61. Lévesque, René, « Un pays qu'on peut bâtir », *op. cit.* Brière, Marc, « Les assises d'avril, rétrospective », 1968-05-27, FRL/P18/Article 61. Courrier reçu par René Lévesque au sujet du débat sur les droits linguistiques des anglophones au congrès du MSA d'avril 1968, FRL/P18/Articles 54, 63 et 72. Burguess, H. *« Quebec separatist leaders seek unity of independantist forces around Lévesque as popular leader »*, dépêche A-124 au département d'État des États-Unis, 1967-12-09. Hugues, Thomas L., *« Lévesque trying to forme broad separatist front in Quebec, but obstacles remain »*, dépêche au secrétariat d'État, 1968-05-15.

34. La fille d'Alma

Pages 370-373 [Corinne Côté/coup de foudre] Entretiens avec Corinne Côté, Marc-André Bédard, André d'Allemagne, Pierre Renaud, Jean-Roch Boivin, Gilles Grégoire et Pothier Ferland. Méthot, Denis, « La mère de Corinne, une femme attachante » ; « Corinne étudiante : ses anciens profs se souviennent et racontent » et « Du même bois que René », *Journal de Québec*, 1979-04-21 et 23. Munger, Vital, « Même Lévesque sait où se cachent les belles femmes », *La Presse*, 1979-04-14. Tasso, Lily, « Corinne Lévesque, une première dame bien discrète », *La Presse*, 1979-12-15. Lachance, Micheline, « Je me souviens », *Châtelaine*, décembre 1988. Tremblay, Gisèle, « Lévesque ordinaire », *op. cit.*

Pages 373-376 [L'unité indépendantiste] Entretiens avec Jean-Roch Boivin, André d'Allemagne, Marc Lavallée, Gilles Grégoire et Pierre Renaud. Lettre de René Lévesque à Jean-Paul Lefebvre, *op. cit.* Bourgault, Pierre, *Le plaisir de la liberté*, entretiens avec Andrée LeBel, Montréal, Nouvelle Optique, 1983, p. 20 et 167. Bourgault, Pierre, « René Lévesque n'a jamais voulu l'unité des indépendantistes », *Le Petit Journal*, 1973-02-18, Roy, Michel, « L'eau et le feu », *Le Magazine Maclean*, juillet 1971. Migneault, Hugues, *Le choix d'un peuple*, documentaire sur le référendum du 20 mai 1980, Les films de la Rive, 1985. Dostaler, Gilles, « Je vois une espèce de regroupement... », *op. cit.* Grégoire, Gilles, *Aventure à Ottawa*, Ottawa, édité par Gilles Grégoire, 1969, p. 118, 135-141 et 148.

Pages 376-380 [Négociations MSA/RIN/RN] Entretiens avec André d'Allemagne, Marc-André Bédard, Réginald Savoie, Jean-Roch Boivin, Marc Brière, Gilles Grégoire, Pierre Renaud et Pothier Ferland. Bourgault, Pierre, « Quelques réflexions après deux séances de négociation avec le MSA et le RN », juin 1968. D'Allemagne, André, *Le RIN et les débuts du mouvement indépendantiste québécois*, Montréal, Éditions l'Étincelle, 1974, p. 126 et 131. Boivin, Jean-Roch, « Bref résumé des trois rencontres entre les mouvements indépendantistes », 1968-06-27. D'Allemagne, André, archives personnelles concernant les négociations entre le MSA et le RIN.

35. Une sainte horreur de la violence

Pages 381-385 [Un 24 juin sanglant échec des négociations] Entretiens avec André Bellerose, Jean-Roch Boivin, François Aquin, Doris Lussier, Jean Marchand et Wilfrid Lemoyne. Cook, Ramsey, « Je n'ai jamais pensé que je pouvais être aussi fier... le débat Trudeau-Lévesque », *in* Axworthy, Thomas et Trudeau, Pierre Elliott, *Les années Trudeau*, Montréal, Le Jour éditeur, 1990, p. 364-374. *Ibid.*, Trudeau, Pierre, « Des valeurs d'une société juste », p. 383. Cunningham, Francis, *« The view from Quebec... »*, *op. cit.*, et entrevue avec René Lévesque au sujet de la désignation de Pierre Trudeau comme chef du Parti libéral fédéral, 1968-02-12. Lévesque, René, notes manuscrites pour une intervention à la suite de l'émeute du 24 juin 1968, rédigées chez Doris Lussier, 1968-06-26. Lévesque, René, « Le MSA et les incidents du 24 juin », 1968-06-27. Roy, Michel, « Le regroupement des indépendantistes se ferait plutôt au sein du MSA », *Le Devoir*, 1968-07-03. Newman, Roger, *« Separatists land a damaging blow to separatism »*, *The Globe and Mail*, 1968-06-09. Larocque, André, « Revue de presse sur les incidents du 24 juin 1968 », centre de documentation et de recherche du MSA, juillet 1968. Bellerose, André, « La déclaration du MSA et le contre-coup vécu au secréta-riat », 1968-07-05. Lettre d'André Bellerose à Daniel Latouche sur les réactions à la condam-nation du RIN par René Lévesque, 1968-07-03, FRL/P18/Article 66. Courrier de René Lévesque après la manifestation violente du 24 juin 1968, FRL/P18/Article 63. Lévesque, René, « Ottawa n'est pas encore tout à fait québécois », *Dimanche-Matin*, 1967-04-09.

Pages 385-389 [Protocole d'entente MSA/RN] Entretiens avec Gilles Grégoire, Guy Joron, Corinne Côté, Claude Malette, André d'Allemagne, Pierre O'Neill, François Aquin et Bertrand Bélanger. Lévesque, René, lettre à Corinne Côté, 1968, conservée par Corinne Côté. Lévesque, René et Grégoire, Gilles, « Le MSA et le RN bâtiront ensemble le grand parti de l'indépendance du Québec », protocole d'entente signé le 2 août 1968. Latouche, Daniel, notes au sujet du comportement de René Lévesque en tournée destinées à André Bellerose, secrétaire du MSA, été 1968, FRL/P18/Article 66. Lavallée, Marc, lettre à René Lévesque au sujet de sa tournée en Estrie, 1968-08-15, et accusé de réception de René Lévesque, 1968-09-04, FRL/P18/Article 66. Bourgault, Pierre, « Quelques réflexions après... », *op. cit.*

Pages 389-394 [Fondation du Parti québécois] Entretiens avec René Lévesque, Gilles Grégoire, Jean-Roch Boivin, André Larocque, Marc-André Bédard, André d'Allemagne, Corinne Côté et Monique Michaud. Documentation sur les effectifs du MSA, centre de documentation et de recherche du MSA, 1968-10-03, FRL/P18/Articles 45 et 64. « Un parti à fonder, un pays à bâtir », programme du congrès de fondation du Parti québécois, du 11 au 14 octobre 1968, et les statuts du Parti québécois adoptés à ce congrès, FRL/P18/Article 64. Rapport des délibérations de la commission politique préparatoire au congrès de fonda-tion du Parti québécois, 1968-02-10 et 1968-05-27, FRL/P18/Article 61. Lettres d'adhésion de Denis Lazure, André d'Allemagne et de l'écrivain Marcel Dubé à René Lévesque, octobre 1968, FRL/P18/Article 56. Courrier de René Lévesque au lendemain de la fondation du Parti québécois, FRL/P18/Articles 56 et 66. Bourgault, Pierre, « René Lévesque n'a jamais voulu... », *op. cit.* Roy, Michel, « De la fusion MSA-RN naît le Parti québécois » ; « Un Québec souverain se donnera cinq ans pour devenir unilingue » et « La décision de la souveraineté sera prise unilatéralement », *Le Devoir*, 1968-10-15. *Ibid.*, « Naissance du PQ en 1968 — l'an-née du regroupement chez les indépendantistes », *Le Devoir*, 1968-12-31.

36. Parizeau débarque

Pages 395-399 [L'amour fou] Entretiens avec Corinne Côté, Alice Lévesque-Amyot, Mo-nique Michaud, Gilles Grégoire, André Larocque et Hugues Cormier. Leduc, Pierre, « Il y a vingt ans, elle [Louise L'Heureux] n'a pas poussé à fond ses démarches de divorce », *Mont-réal-Matin*, 1978-08-16. Aubin, François, *René Lévesque tel quel, op. cit.*, p. 31.

Pages 399-405 [Adhésion de Jacques Parizeau au PQ] Entretiens avec Michel Bélanger, André Marier, Charles Denis et Jacques Godbout. Pour le cheminement politique de Jacques Parizeau et son ralliement au Parti québécois, le 19 septembre 1969, voir *Le Devoir*, 1967-11-02, 1967-11-03 et 1969-09-29. Parizeau, Jacques, « Québec-Canada : en plein cul-de-sac », conférence sur l'avenir du Canada, à Banff, Alberta, 1967-10-14, telle que citée en annexe à *Option Québec, op. cit.* Richard, Laurence, *Jacques Parizeau, un..., op. cit.*, p. 109-113. « Jacques Parizeau répond aux questions de Michel Lapalme », *Le Magazine Maclean*, octo-bre 1969. Parizeau, Jacques, séance d'information sur l'union monétaire Québec-Canada et le marché commun à l'intention des militants péquistes, 1968-07-11, Centre de documen-tation et de recherche du PQ. Parizeau, Jacques, « Obsession constante : faire du Québec une société moderne », *La Presse*, 1991-03-16. *Ibid.*, « L'idée du séparatisme n'est pas forcément absurde, dans l'ordre économique, mais les obstacles seraient nombreux et redoutables », *Le Devoir*, 1961-11-24. Notes manuscrites de René Lévesque au sujet d'un poème sur la libération du Québec, 1969, FRL/P18/Article 68. Enquête sociologique sur la situation politique au Québec commandée par *Le Devoir* et *The Toronto Telegram*, 1969-07-16. Roy, Michel, « Lévesque compte diriger l'opposition », *Le Devoir*, 1969-04-28. « Si les élections ont lieu prochainement au Québec », sondage du magazine *Maclean* publié dans *Le Devoir*, 1969-06-25. « *Comments by secretary of State Pelletier on Niamey conference and Quebec separatism* », dépêche A-197 au département d'État des États-Unis, 1969-03-12. Procès-verbal du comité national des finances du Parti québécois, dirigé par Fernand Paré, 1969-08-16, FRL/P18/Article 56. Murray, Véra, *Le Parti québécois : de la fondation à la prise du pouvoir*, Montréal, Hurtubise HMH, 1976, p. 28. Sur l'affaire des syndicats financiers, voir : Parizeau, Jacques, « De certaines manœuvres d'un syndicat financier… », *op. cit.* Van Schendel, Michel, « La décision de Lesage est un premier pas ; mais quel sera le deuxième ? » et « La Banque de Montréal n'a pas dit toute la vérité », *La Presse*, 1964-01-14. Van Schendel, Michel et Daignault, Richard, « M. Lesage brise le monopole financier », *La Presse*, 1964-01-14.

Pages 405-409 [Congrès d'octobre 1969] Entretiens avec André Larocque, Camille Laurin, René Lévesque, Jean-Roch Boivin, Jacques Brossard, Pothier Ferland, Pierre O'Neill, Marc Lavallée, Marc-André Bédard, Doris Lussier, Pierre Marois et Michel Carpentier. Condensé du programme 69 adopté au deuxième congrès national du PQ, 1969-10-17, Centre de documentation et de recherche du PQ. Lettre de Jacques Brossard à René Lévesque au sujet de l'abolition de la commission politique du parti, 1969-12-17. Lévesque, René, « Je me souviens… j'espère… sur trois notes », *Le Clairon*, Saint-Hyacinthe, 1969-12-31. Lettre de Jean-Claude Scraire à Camille Laurin, 1969-11-07, FRL/P18/Article 73. Laurin, Camille, rapport du président du comité exécutif du Parti québécois, 1969-12-11. Roy, Michel, « Le PQ fourbit ses armes pour la prochaine élection » et « Les exigences de la participation obligent le PQ à mettre en place un mécanisme complexe », *Le Devoir*, 1969-10-20 et 1969-10-04. O'Neill, Pierre, « Les grands moments du mouvement indépendantiste », *Le Devoir*, 1980-05-20. Latouche, Daniel, « Régionalisation, participation et animation politique au sein du MSA », juin 1968, FRL/P18/Article 73. *Pierre Bourgault, le plaisir de la liberté, op. cit.*, p. 185-188. Lavallée, Marc, *Adieu la France salut l'Amérique*, Montréal, Stanké, 1982, p. 100. Murray, Véra, *Le Parti québécois…, op. cit.*, p. 125 et 140. Murray, Véra et Don, *De Bourassa à Lévesque, op. cit.*, p. 131.

37. Le cheval de Troie

Pages 410-413 [Immigrants/anglicisation] Procès-verbal du Conseil exécutif de la Province, *op. cit.*, 1961-11-22 et 1964-05-04. Lévesque, René, intervention sur la politique d'immigration, à l'Assemblée législative, 1965-02-17, et intervention sur la loi 75 créant le ministère de l'Immigration, 1968-10-31, citées dans *René Lévesque par lui-même, op. cit.*, p. 83-86 et p. 96-101. Bonin, Bernard, « Une problématique des ressources humains au Québec », ministère de l'Immigration, Montréal, 1974, p. 72 et 107. Boissevain, Jeremy, « Les Italiens de Montréal — l'adaptation dans une société pluraliste », étude de la Commission royale d'enquête sur le bilinguisme et le biculturalisme, Ottawa, 1971, p. 1, 38-41 et 61. Henripin, Jacques, « La situation démographique des francophones au Québec et à Montréal d'ici l'an 2000 », *Le Devoir*, 1969-11-04 et 05. Arès, Richard, « Langues parlées par les Néo-Québécois de Montréal », *Relations*, avril 1969. Brossard, Jacques, *L'immigration*, Montréal, Presses de l'Université de Montréal, 1965, p. 90-101 et 121.

Pages 413-417 [Crise de Saint-Léonard] Entretiens avec René Lévesque, Doris Lussier, Raymond Lemieux, Yves Michaud, Julien Chouinard, Gilles Grégoire, Marc Brière et

Antonio Flamand. Notes manuscrites de René Lévesque à propos de la loi 85 présentée par le gouvernement de Jean-Jacques Bertrand, 1968-12-09, FRL/P18/Article 68. Ryan, Claude, « De la dissidence au fascisme », et « L'absence de M. Bertrand et le bill 85 », *Le Devoir*, 1968-12-05 et 1968-12-12. « Ouellette, Fernand, « La lutte des langues et la dualité du langage », *Liberté*, mars-avril 1964, p. 106. Tard, Louis-Martin, « L'affaire Saint-Léonard ne cesse de prendre de l'ampleur » et « Le bill sur les droits scolaires sera présenté dès aujourd'hui » et *Le Devoir*, 1968-09-05 et 1968-11-26. « Lesage et Lévesque condamnent l'embrigadement des écoliers », *Le Devoir*, 1968-09-05. Lesage, Gilles, « Le projet de loi sera-t-il déféré à un comité ad hoc ? Bertrand tient toujours les rênes du pouvoir », et « Le bill 85 est renvoyé au comité de l'éducation », *Le Devoir*, 1968-12-13 et 1968-12-17.

Pages 417-424 [Loi 63] Entretiens avec René Lévesque, Robert Bourassa, Yves Michaud, Raymond Lemieux, Gabrielle Bertrand, Jérôme Proulx, Marcel Masse, Antonio Flamand et Camille Laurin. Débat entre René Lévesque et Jean-Jacques Bertrand à l'Assemblée nationale à l'occasion de la création du ministère de l'Immigration, 1968-10-31, cité dans *René Lévesque par lui-même, op. cit.*, p. 98-99. Lévesque, René, *Attendez que je me rappelle, op. cit.*, p. 317. Lévesque, René, notes manuscrites pour l'opposition circonstancielle, 1969-11-11, et « Entre deux extrémismes », texte rédigé dans le cadre du débat parlementaire sur la loi 63, 1969-11-03, FRL/P18/Article 67. Lévesque, René, notes de lecture, FRL/P18/Article 67. Angers, François-Albert, « La bataille de la langue au Québec », *L'Action nationale*, numéros 6, 7 et 9, février, mars et mai 1970. Procès-verbal du Conseil national du Parti québécois consacré à la loi 63, 1969-11-08, FRL/P18/Article 73. Ryan, Claude, « Une expérience épuisante mais instructive », *Le Devoir*, 1969-11-20. Dion, Léon, « L'épisode du bill 63 : escalade vers l'anarchie ? — c'est encore du côté du premier ministre Bertrand que je préfère me tourner pour entendre dès lundi la voix de la raison », *Le Devoir*, 1969-11-01. Lesage, Gilles, « Les libéraux jugent le bill insuffisant » et « Lévesque quitte l'Assemblée sous les huées des deux côtés », *Le Devoir*, 1969-10-29 et 1969-10-31. Roy, Michel, « Filibuster contre le bill 63 — La petite opposition multiplie les tactiques », *Le Devoir*, 1969-11-12.

38. For Canadian eyes only

Pages 425-431 [Tournée dans l'Ouest canadien] Entretiens avec Corinne Côté, Robert Bourassa, Jean Marchand, Jean-Claude Rivest, René Gagnon, Pierre Lapointe, Doris Lussier et Charles Denis. Lettre de René Lévesque à Corinne Côté, datée de Winnipeg, 1970-01-12. Lévesque, René, « Je me souviens… », *op. cit.* Macuk, David, de l'ambassade américaine d'Ottawa, *« Prime minister Trudeau's views on Quebec »*, dépêche A-830 adressée au département d'État des États-Unis, 1969-11-11. Bourassa, Robert, *Gouverner le Québec, op. cit.*, p. 29 et 42. Radwanski, George, *Trudeau*, Montréal, Fides, 1979, p. 359. Fraser, Graham, *« René Lévesque : electric charm… », op. cit.* Filion, Gérard, *Fais ce que peux, op. cit.*, p. 308. « Lévesque rejette avec véhémence l'option proposée par Bourassa » *Le Devoir*, 1969-10-20. Racine, Gilles, « Un sondage dessina le portrait robot du leader que souhaitaient les Québécois » et « Bourassa a obtenu le leadership en jouant les bonnes cartes : les délégués », *La Presse*, 1970-09-15 et 16.

Pages 431-437 [Le PQ espionné] Entretiens avec Robert Bourassa, Jean Keable, Gérard Pelletier, Marc Lalonde, Jérôme Choquette, Pierre Cloutier, Jean-Claude Rivest, René Gagnon, Charles Denis et Pierre Lapointe. Trudeau, Pierre, « Québec est malade, Ottawa ne peut rester indifférent », *Le Devoir*, 1970-10-20. Trudeau, Pierre, *« Current threats to national order and unity — Quebec separatism »*, mémoire destiné au comité ministériel sur la sécurité et les renseignements, Ottawa, 1969-12-17. Wall, D. F., *« A meeting of the cabinet committee security and intelligence »*, réunion du 19 décembre 1969 consacrée à l'étude du mémoire de Pierre

Trudeau sur la menace séparatiste, Ottawa, Conseil privé, 1970-01-05. Témoignage de Pierre Trudeau, *Les mémoires de Pierre Elliott Trudeau*, 1994-01-04, SRC. Cloutier, Pierre, « Surveillance des groupes séparatistes : quand Trudeau raconte des histoires », *La Presse*, 1993-12-01. Whitaker, Reg, cité par Gilles Paquin, « La version de Trudeau de la crise d'octobre est contredite », *La Presse*, 1993-11-14. « *Quebec separatism : another crisis building* », dépêche de l'ambassade américaine d'Ottawa au département d'État des États-Unis, 1969-10-24. Cléroux, Richard, *Pleins feux sur les services secrets*, Montréal, Les Éditions de l'Homme, 1993, p. 240-245.

Pages 437-438 [Élections du 29 avril 1970] Entretiens avec Gabrielle Bertrand, Robert Bourassa, Julien Chouinard, Jean Bruneau, Marcel Masse, Rodrigue Pageau, Jean-Claude Rivest, René Gagnon et Charles Denis. « Le Parti québécois au pouvoir », document électoral produit par le secteur programme du PQ, mars 1970, FRL/P18/Article 73. Lévesque, René, « Encore quatre ans de maquis ? » et « La vie normale commence le 29 avril », *Le Clairon*, 1970-03-09 et 16. Lévesque, René, « Des élections hâtives comblent les vœux du PQ », *Le Devoir*, 1970-03-13. « *Provincial election — National significance* », dépêche A-186 de l'ambassade américaine d'Ottawa au département d'État, 1970-04-11. Lépine, Normand, « La situation financière au Québec, un sérieux problème de liquidité », *Le Devoir*, 1970-03-31. Lesage, Gilles, « Québec fait planer la menace de double taxation » et « Bertrand exige une réforme claire du reste du Canada », *Le Devoir*, 1970-02-04 et 1970-04-08.

39. Les marchands de peur

Pages 439-444 [Les élections du 29 avril 1970] Entrevues avec René Lévesque, Robert Bourassa, Jean-Claude Rivest, René Gagnon, Pierre Lapointe, Charles Denis, Michel Carpentier, Michel Lemieux, Jean-Roch Boivin, Pierre Renaud, Maurice Leroux et Marc Lavallée. Harvey, Vincent et Pelletier-Baillargeon, Hélène, « L'enjeu du 29 avril », *Maintenant*, numéro 95, avril 1970, p. 114-117. Racine, Gilles, « Dès l'annonce des élections, le Parti libéral connaissait son principal adversaire, le PQ », *La Presse*, 1970-09-18. D'après la Presse canadienne, « Le chômage atteint 6,5 pour cent des travailleurs », *Le Devoir*, 1970-03-20. Leclerc, Jean-Claude, « Bourassa propose : 100 000 emplois pour 1971 au Québec », *Le Devoir*, 1970-04-04. Bourassa, Robert, *Gouverner le Québec, op. cit.*, p. 30. Deshaies, Guy, « Le PQ lance sa campagne devant une foule délirante », *Le Devoir*, 1970-04-05. « Le Parti québécois au pouvoir », *op. cit.* Latouche, Daniel, Lord, Guy et Vaillancourt, Jean-Guy, *Le processus électoral au Québec*, Montréal, Hurtubise HMH, 1976, p. 33-38. Laurin, Camille, « Rapport du Conseil exécutif au Conseil national », 1970-01-26 (FRL/P18/Article 73). Plan de la campagne du PQ, comité national d'organisation, secteur Information, début avril 1970 (FRL/P18/Article 73). Murray, Véra, *Le Parti québécois, op. cit.*, p. 27. Lévesque, René, *La solution*, Montréal, Éditions du Jour, 1970. Lettre de Guy Bernier, président du comité des finances de Robert Bourassa, à William Obront, 1969-11-12 (FRL/P18/Article 64).

Pages 444-448 [Candidatures prestigieuses] Entrevues avec Michel Lemieux, Yves Duhaime, Bernard Landry, Doris Lussier, René Lévesque, Jean-Roch Boivin, Guy Joron, Camille Laurin, Pierre Marois, Gilles Grégoire, Claude Charron, André d'Allemagne, Marc Lavallée, Marcel Chaput et Raymond Barbeau. Lévesque, René, « Le début d'un temps nouveau », *Le Clairon de Saint-Hyacinthe*, 1970-04-08. Lavallée, Marc, *Adieu la France salut l'Amérique, op. cit.*, p. 82 et 101. Lépine, Normand, « Des fiers-à-bras et des agents provocateurs — Lévesque condamne l'assemblée de Taillon », *Le Devoir*, 1969-06-26. LeBel, Andrée, *Pierre Bourgault — le plaisir de la liberté, op. cit.*, p. 184 et 190-191. Bourgault, Pierre, « L'historique querelle entre René Lévesque et Pierre Bourgault », *Le Petit Journal*, 1973-02-25. Deshaies, Guy, « Jacques-Yvan Morin au PQ — Lévesque briguera les suffrages dans Laurier », *Le Devoir,* 1970-03-21. Laurin, Camille, *Ma traversée du Québec,* Montréal, Éditions du Jour, 1970, p. 13-14. Morin, Jacques-Yvan, « L'élection du 29 avril — Deux seuls choix possibles : l'option Québec et l'option Canada », *Le Devoir,* 1970-03-23.

Pages 448-453 [Argumentaire sur l'indépendance] Entrevues avec Robert Bourassa, René Lévesque, Jean-Claude Rivest, Michel Carpentier, Marcel Masse, Rodrigue Pageau, Gabrielle Bertrand et Jean Bruneau. Leclerc, Jean-Claude, « Bourassa : l'indépendance, c'est combien ? », *Le Devoir,* 1970-04-07. Roy, Michel, « Le PQ répond à Bourassa : l'indépendance, c'est combien ? », *Le Devoir,* 1970-04-14. « Les sièges sociaux au Québec en 1965-66 », *Actualités économiques,* avril-juin 1967 (FRL/P18/Article 68). Charbonneau, André, « Sans équivoque pour le régime fédéraliste », *Le Devoir,* 1970-04-10. « Le manuel du militant — les arguments pour contrer les arguments de peur », publié par le comité de publicité du PQ, 1969-08-08. Watts, Ronald L., « *Survival or disintegration* », in Simeon, Richard, *Must Canada fail ?* McGill-Queen's University Press, Montréal et London, 1977, p. 55-58. Dufresne, Jean-V., « Quatre ans pour faire la preuve », *Le Magazine Maclean,* juin 1970. O'Neill, Pierre, « Les grands moments du mouvement indépendantiste », *Le Devoir,* 1980-05-20. Lévesque, René, « Le début d'un temps nouveau », *Le Clairon de Saint-Hyacinthe,* 1970-04-08. Lévesque, René, Notes de lecture : Grant, George, *Lament for a nation,* Toronto, McClelland and Stewart, 1965, p. 13, 16, 69 et 77. Brown, Rap, *Crève, sale nègre, crève,* Paris, Grasset, 1970, p. 21, 68, 126 et 170. Lévesque, René, « Le coût de l'indépendance ou l'art de noyer le poisson », *Le Journal de Montréal,* 1970-07-21. Bourassa, Robert, « L'indépendance ferait perdre des milliers d'emplois créés par Bombardier », *Le Devoir,* 1970-04-08. Deshaies, Guy, « René Lévesque : les vieux partis utilisent des arguments de panique », *Le Devoir,* 1970-04-13. « *The Parti Québécois and its grave defects* », *The Montreal Star,* 1970-04-21. Lévesque, René, notes manuscrites au sujet des petits pays prospères rédigées durant la campagne électorale d'avril 1970 (FRL/P18/Article 68). Lépine, Normand, « Réaménagement des impôts sans modification du fardeau fiscal », *Le Devoir,* 1970-04-17. « Le gouvernement ouvre une enquête sur la maison Lafferty, désavouée par la Bourse de Montréal », *Le Devoir,* 1970-04-04. Alarie, Gérard, « Bertrand blâme Cardinal, Masse et Beaulieu », *Le Devoir,* 1970-08-06.

40. Une « victoire morale »

Pages 454-457 [Campagne de René Lévesque] Entrevues avec Michel Carpentier, Michel Lemieux, Robert Bourassa et Gilles Grégoire. Dufresne, Jean-V., « Quatre ans pour faire la preuve », *op. cit.,* p. 7 et 8. Lemieux, Michel, *Voyage au Levant — De Lawrence d'Arabie à René Lévesque,* Sillery, Septentrion, 1992, p. 267-268. Lévesque, René, « C'est la mort de l'UN, mais attention à un excès d'enthousiasme », *Le Devoir,* 1970-04-20. « *Board of Trade president's warning : no stability, no investment* », *The Montreal Star,* 1970-04-22. Deshaies, Guy, « René Lévesque fait réfléchir les foules », *Le Devoir,* 1970-04-02. Lévesque, René, « Le début d'un temps nouveau », *op. cit.* Grant, George, *Lament for a nation,* Toronto, McClelland and Stewart, 1965, p. 13 et 69 et Brown, Rap, *Crève, sale nègre, crève,* Paris, Grasset, 1970, p. 68 et 174 (FRL/P18/ Article 1). Cunningham, Francis, dépêche à Joseph W. Scott, de l'ambassade américaine à Ottawa, relatant sa conversation avec René Lévesque, 1968-02-12. « *National significance in April 29 Quebec provincial election* », dépêche 543, département d'État américain, 1970-04-23.

Pages 458-462 [Intervention des fédéraux] Entrevues avec Robert Bourassa, Jean Marchand, Maurice Lamontagne, René Lévesque, Michel Carpentier, Jean-Roch Boivin et Maurice Leroux. Bourassa, Robert, « Ottawa ne doit pas s'en mêler », *Le Devoir,* 1970-04-22. Statistique Canada, « Comptes économiques provinciaux 1966-1981, catalogue 13-213, Ottawa.

Bureau de la statistique du Québec, « Comptes économiques des revenus et des dépenses, Québec 1961-1981. Montllor, J. J., « *Provincial Elections : Polls show more undecided voters on eve of election* », dépêche A-30 au département d'État américain, 1970-04-27. Morin, Claude, rapport sur les sommes perçues et dépensées au Québec par le fédéral préparé par le ministère des Affaires intergouvernementales, 1970, tel que résumé dans la brochure du Parti québécois, « Le "coup" du fédéralisme », Les Éditions du Parti québécois, date de publication non précisée. Lévesque René, « Quoi de neuf ? », deux chroniques sur l'affaire publiées dans *Le Journal de Montréal,* 15 et 16 septembre 1970. Lesage, Gilles, « Bertrand révèle une partie du dossier secret — les revenus d'Ottawa excèdent ses dépenses de 519 $ millions », *Le Devoir,* 1970-04-27. Lépine, Normand, « Ce qu'Ottawa perçoit et dépense au Québec — Bertrand garde le dossier secret depuis un mois », *Le Devoir,* 1970-04-23. Laurin, Camille, *Ma traversée du Québec, op. cit.,* p. 167. Regenstreif, Peter, « L'Union nationale victime de ses oscillations — L 32 %, PQ 23 %, UN 16 % », *Le Devoir,* 1970-04-24 et 25. Presse canadienne (Toronto), « Des valeurs mobilières sont transférées à Toronto », *Le Devoir,* 1970-04-28. Racine, Gilles, « L'électeur-consommateur fut conditionné à acheter le produit Robert Bourassa », *La Presse,* 1970-09-19. Godin, Gérald, « Derrière l'affaire Brinks/Royal Trust, une société de fiducie dont tous les directeurs canadiens-français sont libéraux », *Québec-Presse,* 1970-05-10. « *Trust Co ships stocks from Montreal to Toronto for it clients* », *The Globe and Mail,* 1970-04-27. « Des Québécois déménagent leurs valeurs mobilières en Ontario », *La Presse,* 1970-04-27. Faribault, Marcel, « Le transfert de la Brinks en Ontario : partisan, stupide et hystérique », *Québec-Presse,* 1970-05-03. Murray Don et Véra, *De Bourassa à Lévesque, op. cit.,* p. 136. « La Banque Royale a voulu en 1970 contrer le coup de la Brinks », *Le Soleil,* 1973-07-17.

Pages 462-469 [Défaite du 29 avril 1970] Entrevues avec Camille Laurin, Michel Carpentier, Michel Lemieux, René Lévesque, Robert Bourassa, Guy Joron, Gilles Grégoire, Yves Michaud, Jacques Brossard, Pierre Marois, Jean-Roch Boivin, Doris Lussier, Alice Amyot-Lévesque, Yves Duhaime et Bernard Landry. Ryan, Claude, « Le Parti québécois : un pari douteux et prématuré », *Le Devoir,* 1970-04-24. Racine, Bernard, « Le PQ attend avec confiance le verdict des Québécois », *Le Devoir,* 1970-04-29. Latouche, Daniel et autres, *Le processus électoral au Québec, op. cit.,* p. 35, 55-60 et 72-73. Smith, Bernard, *Le coup d'État du 29 avril,* Montréal, Éditions Actualité, 1970, p. 100 et 106. « L'Union nationale est taillée en pièces — les libéraux au pouvoir », *Le Devoir,* 1970-04-30. Dufresne, Jean-V., « Une campagne euphorique qui se termine en forme d'oraison funèbre », *Le Magazine Maclean,* juin 1970. Block, Irwin, « *Lévesque ordered chicken for phone operators after '81 vote* », *The Gazette,* 1987-11-04. Robert, Pierre, *Être candidat pourquoi ?,* Montréal, Éditions Héritage, 1976, p. 11. Cloutier, François, *L'enjeu — mémoires politiques 1970-1976,* Montréal, Stanké, 1978, p. 28-29. Deshaies, Guy, « Dans Ahuntsic, le libéral craint d'abord le PQ », *Le Devoir,* 1970-04-09. LeBel, Andrée, *Pierre Bourgault — le plaisir de la liberté, op. cit.,* p. 191-192. Bourgault, Pierre, « Quitte ou double contre Bourassa », *Le Petit Journal,* 1973-03-04.

41. Post mortem doux-amer

Pages 470-473 [Post mortem] Entrevues avec Jean-Roch Boivin, Michel Carpentier et Marc Brière. Pellerin, Jean, « Le Québec n'est pas séparatiste », *La Presse,* 1970-05-01. Ryan, Claude, « Un verdict clair mais redoutable », *Le Devoir,* 1970-05-02. *Ibid.,* « Réflexions électorales — l'élection du 29 avril et l'avenir du Québec et du Canada », *Le Devoir,* 1970-05-07. « Nos électeurs d'avril 1970 », statistiques tirées de l'étude du politologue Vincent Lemieux, *Une élection de réalignement,* reproduites dans « Le Parti québécois en bref », Montréal, Les Éditions du Parti québécois, 1971, p. 22-23. Lévesque René, « La carte électorale : étude au lieu d'action », *Le Journal de Montréal,* 1970-08-01. *Ibid.,* « Le mode de scrutin : stabilité et démocratie », *Le Journal de Montréal,* 1970-08-03. Deshaies, Guy, « Lévesque reste président du Parti québécois », *Le Devoir,* 1970-05-05. Lévesque, René, « Les anglophones et l'avenir politique du Québec », *Le Journal de Montréal,* 1970-08-31. *Ibid.,* « L'arithmétique de l'indépendance-74 », *Le Journal de Montréal,* 1970-09-02.

Pages 473-477 [Cohabitation avec Corinne Côté] Entrevues avec Corinne Côté, Alice Amyot-Lévesque, Philippe Amyot, Claude Lévesque, Monique Michaud et Marthe Léveillé. Témoignage de Jean-Roch Boivin, émission spéciale de la SRC à l'occasion de la mort de René Lévesque, 1987-11-02. Alarie, Gérard et Bazay, Dave, « La grande leçon des élections : l'élite anglo-saxonne croit à la manipulation des indigènes et non pas à la démocratie — René Lévesque », *La Presse,* 1970-08-22. Robitaille, Pierrette, « René Lévesque vilipende les anglophones », *op. cit.*

Pages 477-480 [Au *Journal de Montréal*] Entrevues avec Alice Amyot-Lévesque, Philippe Amyot, Corinne Côté, Jean-Roch Boivin, Michel Lemieux et Guy Joron, Lettre de René Lévesque à Corinne Côté, mai 1970. Tasso, Lilly, « Corinne Lévesque une première dame bien discrète », *La Presse,* 1979-12-15. Lévesque, René « J'ai le tract », *Le Journal de Montréal,* 1970-06-29. Témoignage de Pierre Péladeau, *Histoire de la presse écrite au Québec,* série de neuf émissions diffusées sur les ondes de Radio-Canada et animées par l'auteur, hiver 1980. Lévesque, René, « Les racines de la violence », *Le Journal de Montréal,* 1970-06-30. Robitaille, Pierre, de la Presse canadienne, « René Lévesque vilipende les anglophones du Québec — Je comprends les poseurs de bombes ! », *Le Devoir,* 1970-06-23. Fournier, Louis, *FLQ,* Montréal, Québec/Amérique, 1982, p. 129, 221 et 261.

42. La terreur

Pages 481-485 [Crise d'octobre/enlèvement de James R. Cross] Entrevues avec Robert Bourassa, Marc Lalonde, Jérôme Choquette et Gérard Pelletier. Blakely, Arthur, « *If it has to… Ottawa will negociate* », *The Gazette,* 1970-10-06. « *Separatists' cause hurt, Sharp claims* », *The Gazette,* 1970-10-06. Lévesque, René, « L'enlèvement du consul Cross », *Le Journal de Montréal,* 1970-10-08. Duchaîne, Jean-François, « Rapport sur les événements d'octobre 1970 », ministère de la Justice, Québec, 1981, p. 39-45. « Face à la violence », analyse du *Strategic Operations Center* créé par Ottawa pour gérer la crise d'octobre 1970, cité dans l'annexe A du rapport Duchaîne, *op. cit. Report of the Strategic Operations Centre,* Ottawa, 10 décembre 1970, p. 1, reproduit dans l'annexe A du rapport Duchaîne, *op. cit.* Bourassa, Robert, *Gouverner le Québec, op. cit.,* p. 32. Lévesque, René, « Aux gens du FLQ », *Le Journal de Montréal,* 1970-10-10. Témoignages de Pierre Trudeau et Mitchell Sharp, « Les mémoires de Pierre Elliott Trudeau », série diffusée à la télévision de Radio-Canada, 1994-01-04. Pelletier, Gérard, *L'aventure du pouvoir,* Montréal, Stanké, 1992, p. 198. Fournier, Louis, *FLQ, op. cit.,* p. 306-307 et 316.

Pages 485-489 [Enlèvement de Pierre Laporte] Entrevues avec Robert Bourassa, Marc Lalonde, Jérôme Choquette, René Gagnon, Claude Ryan, Camille Laurin, Corinne Côté et Pierre De Bané. Lévesque, René, *Five years after, a retrospective look at the october crises, Weekend Magazine,* 1975-10-04. Lévesque, René, « En notre âme et conscience », *Le Journal de Montréal,* 1970-10-13. Lévesque, René, *Attendez que je me rappelle, op. cit.,* p. 321 et 326. Trudeau, Pierre, témoignage concernant l'enlèvement de Pierre Laporte et l'attitude du premier ministre Bourassa, « Les mémoires de Pierre Elliott Trudeau », *op. cit.* Bourassa, Robert, témoignage au sujet de l'enlèvement de Pierre Laporte, *Format 60, SRC,* 1970-10-30. Duchaîne, Jean-François, « Rapport sur les événements d'octobre 1970 », *op. cit.,* p. 67-69 et 76-77. Radwanski, George, *Trudeau, op. cit.,* p. 362-363. Pelletier, Gérard, *La crise d'Octobre,* Montréal, Éditions du Jour, 1971, p. 155 et 195. Haggart, Ron et Golden, Aubrey E., *Octobre 70 un an après,* Montréal, Hurtubise HMH, 1971, p. 38, 165-167. Bourassa, Robert, *Gouverner le Québec, op. cit.,* p. 32-34 et 38. Gwyn, Richard, *The Northern Magus,* Toronto, McClelland and Stewart, 1980, p. 114-116.

Pages 489-493 [Peur et terreur] Trudeau, Pierre, « Seules les poules mouillées cèdent au chantage », *Le Devoir,* 1970-10-14. Duchaîne, Jean-François, « Rapport sur les événements d'octobre 1970 », *op. cit.,* p. 73, 83 et 102. « Front de libération du Québec 1963-1975, affaire Cross-Laporte », Centre d'analyse et de données (CAD), Québec, 1975-09-15, p. 2, 3 et 7. Choquette, Jérôme, témoignage à *Point Média, SRC,* 1995-10-06. « Pendant la crise d'octobre, Ottawa a examiné l'idée de pouvoirs plus étendus », dépêche de la Presse canadienne résumant le rapport Maxwell rendu public grâce à la Loi de l'accès à l'information, 1992-11-30. Friedland, Martin L., « Les aspects juridiques de la sécurité nationale », Ottawa, juin 1979, p. 118-119, étude de la Commission d'enquête sur certaines activités de la Gendarmerie royale du Canada (commission McDonald), Ottawa, août 1981. Lévesque, René, « Avant qu'il ne soit trop tard », *Le Journal de Montréal,* 1970-10-16. Lévesque, René, *« Five years after, a retrospective look at the October crisis », op. cit. Interview with René Lévesque, Maclean's,* 1977-12-12. « Seules les faibles reculeront devant la mise en veilleuse de certaines libertés civiles — Trudeau », *Le Devoir,* 1970-10-15. Haggart, Ron et Golden, Aubrey E., *Octobre 70 un an après, op. cit.,* p. 26, 39 et 50. Dagenais, Bernard, *La crise d'octobre et les médias,* Montréal, VLB éditeur, 1990, p. 59. Roy, Michel, « La première réforme à faire dans le secteur de la justice, c'est de changer de ministre…, *Le Devoir,* 1971-10-22. Paquin, Gilles, « Le cabinet fédéral savait qu'il n'y avait pas d'insurrection en octobre 1970 », *La Presse,* 1992-01-31. Wanstein, Eleonor S., *« The Cross and Laporte kidnapping, Montreal, October 1970 », Department of State and Defense advanced research projets agency, Rand Corporation,* Santa Monica, Californie, février 1977.

Pages 493-498 [Alliance Lévesque/Ryan] Entrevues avec Robert Bourassa, Marc Lalonde, Claude Ryan, Jérôme Choquette et Michel Carpentier. Saint-Pierre, Raymond, *Les années Bourassa,* Montréal, Éditions Héritage, 1977, p. 21 et 27. Haggart, Ron et Golden, Aubrey E., *Octobre 70 un an après, op. cit.,* p. 30, 38-40. « Ottawa refuse de nier ou confirmer la rumeur », dépêche de la Presse canadienne au sujet de la formation d'un soi-disant gouvernement provisoire, *Le Devoir,* 1970-10-28. Ryan, Claude, « Un complot qui n'a jamais existé », *Le Devoir,* 1970-10-30. Duchaîne, Jean-François, « Rapport sur les événements d'octobre 1970 », *op. cit.,* p. 101, 102 et 242. Ryan, Claude, témoignage sur la crise d'octobre, « 40 ans de métier », émission de Radio-Québec consacrée à la carrière de René Lévesque, 1985-10-13. Lévesque, René, *« Five years after », op. cit.,* Melby, E.K., *« Opposition to government's handling of Cross-Laporte crisis and to War Measures Act among certain Quebec leaders »,* dépêche A-55, *State Department,* 1970-11-12. Lévesque, René, « Avant qu'il ne soit trop tard », *Le Journal de Montréal,* 1970-10-28. Pelletier, Gérard, *La Crise d'octobre, op. cit.,* p. 109-115, 193. Bourassa, Robert, *Gouverner le Québec, op. cit.,* p. 35.

43. Le jour de honte

Pages 499-501 [L'armée arrive] Entrevues avec Robert Bourassa, Jérôme Choquette et Camille Laurin. Lépine Normand, « L'armée prête main-forte à la police » et « Camille Laurin : une mesure prématurée », *Le Devoir,* 1970-10-16. Lévesque, René, « En attendant la fin », *Le Journal de Montréal,* 1970-10-20. « Entente provinciale relative à l'aide militaire à être apportée dans les cas d'urgence », conclue le 6 juillet 1962 entre Jean Lesage et John Diefenbaker (FJL/P688/Article 83, 4). « Historique de l'intervention de l'armée au Québec », Duchaîne, Jean-François, *op. cit.*, p. 245-250. *Ibid.*, « La contre-attaque », l'intervention de l'armée du 15 octobre 1970 et la justification de Robert Bourassa et de Pierre Trudeau, p. 76, 105-106. Lépine, Normand, « Québec rejette les conditions du FLQ — l'armée prête main-forte à la police », *Le Devoir*, 1970-10-16.

Pages 501-506 [Loi des mesures de guerre] Entrevues avec Robert Bourassa, Jérôme Choquette, Gérard Pelletier, Marc Lalonde et Pierre DeBané. Friedland, Martin L. « Les aspects juridiques de la sécurité nationale », Commission d'enquête sur certaines activités de la Gendarmerie royale du Canada, *op. cit.*, p. 122-124. *Ibid.*, « La liberté et la sécurité devant la loi », p. 963-967. Duchaîne, Jean-Francois, « Rapport sur les événements d'octobre 1970 », *op. cit.*, p. 74, 75, 95, 109, 119, 131, 239 et 243. Bourassa, Robert, *Gouverner le Québec, op. cit.*, p. 36-38, 66 et 67. « Face à la violence », analyse du *Strategic Operations Center, op. cit.*, p. 9-10. Lépine, Normand, « Québec rejette les conditions du FLQ », *Le Devoir*, 1970-10-16. Trudeau, Pierre, mémoires télévisés, SRC, *op. cit.* Trudeau, Pierre, « Un cancer à déraciner », *Le Devoir*, 1970-10-17. Pelletier, Gérard, *L'aventure du pouvoir, op. cit.*, p. 297-298. Haggart, Ron et Golden, Aubrey E., *Octobre 70 un an après, op. cit.*, p. 42 et 44. Sauriol, Paul, « La loi sur les mesures de guerre donne à Ottawa des pouvoirs trop étendus », *Le Devoir*, 1970-10-22. Lévesque, René, *« Five years after », op. cit.* Lévesque, René, « Québec est sans gouvernement, tous les démocrates doivent recréer un pouvoir moral », *Le Devoir*, 1970-10-17. Lévesque, René, « L'appel au troupeau », *Le Journal de Montréal*, 1970-10-22. Lévesque, René, Attendez que je me rappelle, *op. cit.*, p. 328. Desbiens, Jean-Paul, « L'anarchie ou la démocratie » et « Appel aux Québécois », *La Presse*, 1970-10-12 et 1970-10-19.

Pages 506-514 [Insurrection et gouvernement provisoire] Entrevues avec Robert Bourassa, Jérôme Choquette, Gérard Pelletier, Claude Ryan, Marc Lalonde, Pierre DeBané, Jean Keable et Michel Carpentier. Compte rendu de la réunion du cabinet fédéral portant sur la stratégie face au FLQ, 1970-10-22. Trudeau, Pierre, témoignage sur la crise d'octobre, « Les mémoires de Pierre Elliott Trudeau », *op. cit.* Friedland, Martin L., « Les aspects juridiques de la sécurité nationale », *op. cit.*, p. 124. Higgitt, Len, témoignage cité par la commission d'enquête sur certaines activités de la Gendarmerie royale du Canada, *op. cit.*, p. 968. Paquin, Gilles, « Turner est dans l'eau bouillante avec les révélations sur l'imposition de la loi des mesures de guerre en 1970 », *La Presse*, 1988-03-12. *Ibid.*, « La version de Trudeau de la crise d'octobre est contredite », *La Presse*, 1993-11-14. « Aucune preuve d'insurrection n'existait, écrit un ancien ministre », article résumant le journal personnel de Donald Jamieson, *Le Devoir*, 1988-03-12. Rapport du *Strategic Operations Centre* sur la crise d'octobre, décembre 1970, *op. cit.*, p. 7-8. Valois, Donat, « Turner dépose le projet de loi des pouvoirs d'urgence provisoires », Presse canadienne, 1970-11-03. « Front de libération du Québec 1963-1975, affaire Cross-Laporte », Centre d'analyse et de données, *op. cit.*, p. 5-6. Duchaîne, Jean-François, « Rapport sur les événements d'octobre », *op. cit.*, p. 113-116, 124-128, 131 et 188. Pelletier, Gérard, *La crise d'octobre, op. cit.*, p. 59 et 157. Lévesque, René, « La tentation élémentaire, *Le Journal de Montréal*, 1970-10-21. *Ibid.*, « Il faut remettre le scrutin », 1970-10-23. Courtenays, Richard H., lettre à Yvan B. White, ambassadeur américain à Ottawa, 1963-05-31. Fournier, Louis, *FLQ, op. cit.*, p. 333. Haggart, Ron et Golden, Aubrey E., *Octobre 70 un an après, op. cit.*, p. 40. Bourassa, Robert, « Le présumé projet de gouvernement parallèle — Hypothèse farfelue », *Le Devoir*, 1970-10-28. Ryan, Claude, « Les fruits empoisonnés de la panique », *Le Devoir*, 1970-10-28. *Ibid.*, « Un complot qui n'a jamais existé », 1970-10-30. Radwanski, George, *Trudeau, op. cit.*, p. 367-368. McDonald, Ian, *De Bourassa à Bourassa, op. cit.*, p. 157-159. Gagnon, Lysiane, « Le Québec à l'heure du terrorisme — 3 000 personnes scandent FLQ... FLQ... FLQ ! », *La Presse*, 1970-10-16.

44. « Kill René Lévesque ! »

Pages 515-517 [Assassinat de Pierre Laporte] Entrevues avec Louise Harel, Marc-André Bédard, Jérôme Choquette, Michel Carpentier, Jean-Roch Boivin, Doris Lussier et Jean-Denis Lamoureux. Lévesque, René, diverses notes manuscrites relatives à la mort de Pierre Laporte et le texte manuscrit de sa déclaration publique du 18 octobre 1970, FRL/ P18/ Articles 32 et 58. Lévesque, René, « 18 octobre 1970 », *Le Journal de Montréal*, 1970-10-19.

Pages 517-519 [Menaces de mort] Courrier adressé à René Lévesque durant la crise d'octobre, FRL/P18/Articles 55 et 58. Lettre de Gilbert Choquette à René Lévesque, 1970-11-18, FRL/P18/Article 58.

Pages 519-522 [Plan d'urgence/sort des détenus] Entrevues avec Jérôme Choquette, Marc Lalonde, Jean Keable, Gérard Pelletier et Pierre Cloutier. Témoignages de Pierre Trudeau, Marc Lalonde et Gérard Pelletier, « Les mémoires de Pierre Elliott Trudeau », *SRC, op. cit.* Drapeau, Jean, « Le FRAP n'est qu'un ramassis de terroristes et de révolutionnaires », *Le Devoir*, 1970-10-23. Duchaîne, Jean-François, *op. cit.*, p. 20-22, 83, 93-100, 218, 240, 254-255. Richard, Pierre, « Jean Drapeau : le FRAP n'est qu'un ramassis de terroristes et de révolutionnaires », *Le Devoir*, 1970-10-23. « Jean Drapeau dénonce les théoriciens de la démocratie », *Le Devoir*, 1970-10-28. Lévesque, René, « Il faut remettre le scrutin », *Le Journal de Montréal*, 1970-10-23. Duguay, Jean-Luc, « Le PQ propose à l'État un programme d'urgence », *Le Devoir*, 1970-10-27. Lemelin, Claude, « Où est le gouvernement du Québec ? », *Le Devoir*, 1970-10-28. « La liberté et la sécurité devant la loi », rapport de la Commission d'enquête sur certaines activités de la Gendarmerie royale du Canada, *op. cit.*, p. 967-969. *Ibid.*, « Certaines activités de la GRC et la connaissance qu'en avait le gouvernement », p. 205-209. Pelletier, Gérard, *La crise d'octobre, op. cit.*, p. 178, 186-189, et *L'aventure du pouvoir, op. cit.*, p. 210, 248-250. Radwanski, George, *Trudeau, op. cit.*, p. 366 et 369.

Pages 522-525 [Comité des huit] Entrevues avec Guy Rocher, Pierre Harvey, Jérôme Choquette et Claude Ryan. Lévesque, René, « Ainsi donc, c'était bien l'État policier », *Le Journal de Montréal*, 1971-03-16. Haggart, Ron et Golden, Aubrey E., *Octobre 70 un an après, op. cit.*, p. 183-188. O'Neill, Pierre, « Le PQ : réparons les torts subis par les détenus », *Le Devoir*, 1970-11-19. « Bourassa et le Comité des huit : une rencontre cordiale et utile », *Le Devoir*, 1970-12-22. McDonald, L. Ian, *De Bourassa à Bourassa, op. cit.*, p. 160.

Pages 525-529 [Post mortem] Entrevues avec Robert Bourassa, Marc Lalonde, Jérôme Choquette, Gérard Pelletier, Jean Keable, Marc-André Bédard, Corinne Côté et Louise Harel. Trudeau, Pierre, témoignage, *Les mémoires de Pierre Elliott Trudeau, SRC, op. cit.* Laplante, Laurent, « L'anniversaire de la peur », *Le Devoir*, 1971-10-16. « *Report of the Strategic Operations Centre* », *op. cit.*, p. 3-5. Pelletier, Gérard, *L'aventure du pouvoir, op. cit.*, p. 205-206. Radwanski, George, *Trudeau, op. cit.*, p. 369-371. Paquin, Gilles, « La version de Trudeau de la crise d'octobre est contredite », *La Presse*, 1993-11-14. Haggart, Ron et Golden, Aubrey E., *Octobre 70 un an après, op. cit.*, p. 35. Gwyn, Richard, *The northern magus, op. cit.*, p. 130. Duchaîne, Jean-François, *op. cit.*, p. 95, 117, 145, 146, 218, 244 et 245. Lévesque, René, « Le mépris du peuple », *Le Journal de Montréal*, 1971-04-09. Lévesque, René, « *Five years after* », *Weekend Magazine, op. cit. Interview with René Lévesque, Maclean's, op. cit.*

45. René contre ses radicaux

Pages 530-534 [L'élection de Chambly] Entrevues avec Pierre Marois et Robert Bourassa. Murray, Véra et Don, *De Bourassa à Lévesque, op. cit.*, p. 140. Leclerc, Jean-Claude, « Le test de Chambly », *Le Devoir*, 1971-02-11. Lévesque, René, « Le candidat du PQ a des chances malgré le tripotage de la justice », *Le Devoir*, 1971-01-18. Gwyn, Richard, *The northern magus, op. cit.,* p. 130. Lettre de Jean Verreault à René Lévesque au sujet de l'intimidation dont sont victimes les militants du PQ en province, 1970-10-20, FRL/P18/Article 58. Burgess, H. W., « *Quebec by-election* », dépêche du consul américain à Montréal au *State Department,* 1971-02-10. « *Chambly results* », *The Gazette,* 1971-02-10.

Pages 534-541 [Congrès de février 1971] Entrevues avec Louis Bernard, André Larocque, Camille Laurin, Louise Harel, Michel Carpentier, Pierre Marois, Guy Joron, Michel Lemieux et Claude Plante. Léger, Marcel, *Ce n'était qu'un début,* Montréal, Québec/Amérique, 1986, p. 31. Melby, E. K. « *Parti québécois third annuel congress* », dépêche A-13 au *Department of State,* 1971-03-04. Larocque, André, *Défis au Parti québécois,* Montréal, Éditions du Jour, 1971. Lettre de Guy Forget à René Lévesque, 1972-01-21, FRL/P18/Article 58. Chatelle, Marc, « Une entrevue avec René Lévesque : on va s'en occuper du congrès », *Point de mire,* février 1971. Girard, Normand, « Éviter toute violence révolutionnaire et tout radicalisme — René Lévesque », *Le Soleil,* 1971-03-01. Fournier, Louis, « *FLQ* », *op. cit.,* p. 383. Gaudreault, Léonce, « Le PQ a réussi à désamorcer l'action d'agents provocateurs — Parizeau », *Le Soleil,* 1971-02-27. « Profil de la délégation, congrès national de février 1971 », Comité national de documentation du Parti québécois, 1971. Giroux, Maurice, « Le PQ refuse de réclamer la libération de Pierre Vallières et Charles Gagnon », *La Presse,* 1971-03-1. Masson, Claude, « Le PQ rejette l'unilinguisme », *La Presse,* 1971-02-26.

Pages 541-544 [Grève à *La Presse*] Entrevues avec Michel Lemieux, Louise Harel, Michel Carpentier, Michelle Juneau, Claude Charron, Camille Laurin, Pierre Marois, Guy Joron, André Larocque et Claude Plante. Documentation concernant la vie interne du Parti québécois, FRL/P18/Articles 45 et 63. Sondage de l'Institut de cueillette de l'information de Montréal, réalisé le 8 novembre 1971, au sujet de la manifestation syndicale contre *La Presse* du 29 octobre 1971, FRL/P18/Article 58. *Ibid.,* courrier reçu par René Lévesque en rapport avec cette manifestation boudée par le PQ. *Ibid.,* lettre manuscrite de René Lévesque exprimant sa position au sujet de son refus de participer à la manifestation. Giroux, Maurice, « Lévesque fustige les chefs syndicaux et dit à Burns de prendre ses décisions », *Le Quotidien populaire,* 1971-11-09. Fournier, Louis, « Le refus du PQ de participer à la manifestation du 29 : "On n'a pas fini d'en entendre parler", dit Robert Burns », *Québec-Presse,* 1971-11-07. Lord, Michel, « L'information à *La Presse* : la censure a pris un tour carrément politique », *Le Devoir,* 1971-10-27. Freud, Sigmund, *Psychologie collective et analyse du moi,* Paris, Payot, 1968, notations de René Lévesque, p. 11-19, et 91, FRL/P18/Article 1. Roy, Michel, « Le Dʳ Laurin reconnaît que le PQ est aux prises avec un problème sérieux », *Le Devoir,* 1971-11-08. Lévesque, René, manifeste présenté à l'exécutif et au conseil national du PQ du 27 novembre 1971, FRL/P18/Article 58.

46. Incursion en zone interdite

Pages 545-549 [La conversion de Pierre Vallières] Lettres de Pierre Vallières à René Lévesque, 1968-04-12, 1971-12-23 et une troisième datée de décembre 1971 mais sans indication de jour, FRL/P18/Articles 54 et 66. Fournier, Louis, FLQ, *op. cit.,* p. 333, 413 et 429. Ferrabee, James, « Pierre Vallières rejets armed violence of FLQ », The Gazette, 1971-12-14. *Ibid.,* « Vallières move puzzles friend, may hurt PQ », 1971-12-14. Deshaies, Guy, « Vallières reconnu coupable », *Le Devoir,* 1969-12-18. Vallières, Pierre, *L'Urgence de choisir,* Montréal, Parti pris, 1971, p. 79 (Le Parti québécois, principale force politique stratégique du mouvement indépendantiste) et 105 (Le FLQ et les grandes leçons d'octobre 1970).

Pages 549-553 [Claude Morin au PQ] Entrevues avec Robert Bourassa, Claude Morin, Loraine Lagacé, Julien Chouinard et Louise Beaudoin. Morin, Claude, *Le pouvoir québécois en négociation,* Montréal, Les Éditions du Boréal express, 1972, p. 61. Morin, Claude, « Document de travail sur la stratégie fédérale-provinciale des mois à venir », 1966-08-09, remis à l'auteur par Claude Morin. *Ibid.,* mémoire confidentiel sur la question constitutionnelle, rédigé par Claude Morin à l'été 1968 et remis au premier ministre Daniel Johnson en septembre de la même année. Barbeau, François, « Morin : Bourassa a choisi le statu quo », *Le Devoir,* 1972-04-03. Laplante, Laurent, « Une proposition suspecte », *Le Devoir,* 1971-10-21. Bourassa, Robert, *Gouverner le Québec, op. cit.,* p. 128. Morin, Claude, *Les choses comme elles étaient,* Montréal, Boréal, 1994, p. 219 à 225, 238 et 239. Morin, Claude, « Je n'ai pas d'autre choix », *Le Devoir,* 1972-05-23. Lévesque, René, « Le pouvoir québécois » et « Je n'ai pas d'autre choix », *Le Journal de Montréal,* 1972-05-11 et 1972-05-22.

Pages 533-560 [Claude Morin et la GRC] Entrevues avec Claude Morin, Corinne Côté, Loraine Lagacé, Louise Beaudoin, Michel Carpentier et Jean-Roch Boivin. Cléroux, Richard, « Pleins feux sur les services secrets », *op. cit.,* p. 220-238. Morin, Claude, *Les choses comme elles étaient, op. cit.,* p. 67-72, 79, 93 et suivantes, et 200. Lagacé, Loraine, « L'ancienne directrice du Bureau du Québec à Ottawa répond au livre *Les choses comme elles étaient* », *La Presse,* 1994-10-07. Morin, Claude, « Pourquoi j'ai accepté de collaborer avec la GRC », *La Presse,* 1992-05-11. Morin, Claude. « Moi, Claude Morin, informateur de la GRC », *Le Devoir,* 1992-05-08. Cousineau, Louise, « Claude Morin : L'extrémisme n'aura pas sa place dans un Québec indépendant », *La Presse,* 1972-06-12.

47. Carnet de voyage

Pages 561-567 [René Lévesque en France] Entrevues avec Jacques Brossard, Louise Beaudoin, Corinne Côté et Bernard Landry. « Tournée européenne du président du Parti québécois », procès-verbal du comité d'organisation, 1972-03-17. Roy, Michel, « Le PQ annonce une poussée internationale », *Le Devoir,* 1971-10-23. Sanschagrin, Albert, évêque d'Amos, « Les maudits Français et René Lévesque », mémo rédigé en 1979 et adressé à l'auteur. Beaudoin, Louise et Dorlot, François, « René Lévesque et la France », colloque de l'Université du Québec à Montréal consacré à René Lévesque, 1991-04-24. Lettres de Louise Beaudoin à René Lévesque, 1969-02-1969 et 1969-03-16, FRL/P18/Article 68. Paré, Fernand, rapport sur un voyage en France au comité exécutif du Parti québécois, 1968-12-28. « L'affaire Duclos : perquisition dans une dizaine de maisons de Montréal », *La Presse,* 1965-02-20. Lizotte, Léopold, « Un premier accusé est envoyé à son procès et sans cautionnement », *La Presse,* 1965-03-12. Roy Michel, « L'affaire Rossillon — le Canada a porté une plainte verbale » et « Le dossier (?) Rossillon », *Le Devoir,* 1968-09-14. *Ibid.,* « Trudeau : en affirmant ses droits, Ottawa ne va pas vers la rupture », *Le Devoir,* 1968-09-16. « Selon le *Telegram* de Toronto, des agents secrets français sont à l'œuvre au Québec », *Le Devoir,* 1968-09-13. Nadeau, Jean-Benoit et Barlow, Julie, « Femme fatale », *Saturday Night,* avril 1995. Rothblatt, Henry B., « *Michelle and the Statue of Liberty* », *Canadian Lawyer,* novembre 1983. Fournier, Louis, *FLQ, op. cit.,* p. 52, 100 et 401. Lachance, Micheline, « La pasionaria du Québec », *Elle Québec,* décembre 1994. Bombardier, Denise, « Louise Beaudoin ou la politique ardente », *Châtelaine,* septembre 1984. Auf Der Maur, Nick, « *All the signs of some very weird times in Quebec history* », *The Gazette,* 1992-04-08. Malone, Mark, « Le double visage de la francophonie », in *L'univers politique,* Éditions Richelieu, Paris, 1968, p. 379.

Pages 567-570 [Rencontre ratée avec François Mitterrand] Entrevues avec Corinne Côté, Louise Beaudoin et Bernard Landry. Romero, Pierre, « M. René Lévesque, président du Parti québécois et prochain chef d'un Québec souverain, commence son tour d'Europe par Caen », *Paris-Normandie,* 1972-06-06. Hervouet, Loïc, « René Lévesque à Caen : Le Québec veut certes son indépendance mais revendique aussi le droit d'inventer une nouvelle société »,

Ouest-France, 1972-06-12. Lévesque, René, rapport sur son voyage en France, Conseil national du Parti québécois, Sherbrooke, 1972-09-23. Lettre de René Lévesque à Corinne Côté, 1972-06-11. Lévesque, René, « Ma Normandie », *Le Journal de Montréal,* 1972-07-21. *Ibid.,* « La rose de Mézidon », 1972-07-22.

Pages 570-573 [Séjour à Paris] Entrevues avec Louise Beaudoin, Corinne Côté et Yves Michaud. Chapdelaine, Jean, télégramme au ministre Gérard D. Lévesque concernant la visite de René Lévesque en France, et mémo de Louise Beaudoin à René Lévesque à ce sujet, 1972-04-27, FRL/P18/Article 63. Roy, Michel, « Le PQ annonce une poussée internationale », *op. cit.* Melby, E. K., « Parti Quebecois leader on european tour », dépêche au département d'État, 1972-06-05. Dépêche de l'ambassade américaine à Paris au département d'État, « Subject : Paris visit of Parti Quebecois leader René Lévesque », juin 1972. Melby, E. K., dépêche à William M. Johnson, directeur des relations avec le Canada à Washington, 1972-05-21. Topping, John L., dépêche à Rufus Z. Smith, ministre à l'ambassade américaine d'Ottawa, 1972-06-21. Témoignage de Léo Cadieux, réunion du comité du cabinet fédéral sur la sécurité et l'information, 1970-01-05, p. 4. Documentation de presse concernant la visite de René Lévesque en France, FRL/P18/Article 37. Lévesque, René, « L'Establishment », *Le Journal de Montréal,* 1972-07-20.

Pages 573-577 [Incident Trudeau] Lettre de René Lévesque à Corinne Côté, écrite à l'hôtel du Pas-de-Calais, Paris, 1972-06-17. « La France et le Québec doivent refaire connaissance, déclare à Lyon M. René Lévesque », *Le Progrès de Lyon,* 1972-06-21. Beaudoin, Louise et Dorlot, François, « René Lévesque et la France », *op. cit.* Beaudoin, Louise, « Rapport de mission à Bruxelles et à Liège et séjour à Paris », 1980-06-27, Fonds Pierre-de Bellefeuille (FPDB)/P253/Article 28. Lévesque, René, « M. Spaak et tout ça... », *Le Journal de Montréal,* 1972-07-27. *Ibid.,* « Le dossier québécois », 1972-08-01.

48. La tentation du siècle

Pages 578-580 [La vie à deux] Entrevues avec Paule Beaugrand-Champagne, Corinne Côté, Alice Amyot-Lévesque et Philippe Amyot. Lévesque, René, « L'Anglais chez lui... », *Le Journal de Montréal,* 1972-08-09. *Ibid.,* « Je me souviens... », 1972-08-10. Homier-Roy, René, « Une interview avec Geneviève Bujold, actrice », *Nous,* janvier 1974.

Pages 580-584 [Baie James] Entrevues avec Robert Bourassa, Guy Joron, Camille Laurin, Jean-Paul Gignac et Antoine Rousseau. Bourassa, Robert, *Gouverner le Québec, op. cit.,* p. 83. Lacasse, Roger, *Baie James,* Paris, Presses de la Cité, 1985, p. 50, 59-67, 77-82. Bourassa, Robert, *L'Énergie du Nord,* Montréal, Québec/Amérique, 1984, p. 28-38. Ryan, Claude, « Le projet de la Baie James : quelques questions », *Le Devoir,* 1971-05-03. Parizeau, Jacques, « La Baie James : la danse des milliards de Robert Bourassa », *Le Devoir,* 1971-05-13. Joron. Guy, « Le projet de la Baie James : réponse à Paul Sauriol », *Le Devoir,* 1971-05-31. Lettre de Jean-Paul Gignac à René Lévesque, 1973-07-1973. Giroux, Roland, « Exposé du président d'Hydro-Québec devant la commission permanente des richesses naturelles », 1972-05-16. Joron, Guy, intervention à l'Assemblée nationale, *Journal des débats,* 1971-05-19. Lévesque, René, « La baie James en question », *Le Journal de Montréal,* quatre éditoriaux sur le sujet, du 3 au 6 mai 1971. Laurin, Camille, « Rapport d'activités de l'aile parlementaire du Parti québécois au Conseil national », septembre 1971. Lesage, Gilles, « Baie de James : le projet est adopté », *Le Devoir,* 1971-07-15. Lévesque, René, « Le détournement de la Baie James, le pire a été évité », *Le Journal de Montréal,* 1971-07-23. Lemelin, Claude, « Un consortium privé veut assurer la gérance du projet de la Baie James », *Le Devoir,* 1972-05-23. Deshaies, Guy, « Bechtel partage la gestion avec une firme québécoise », *Le Devoir,* 1972-09-23.

Pages 584-586 [Quand nous serons vraiment chez nous] Entrevues avec Guy Joron, Pierre Marois, Claude Charron et Michel Carpentier. Lévesque, René, « Sondage branlant… mais défi réel », *Le Journal de Montréal*, 1972-05-10. Rapport du Conseil national du Parti québécois, 1972-01-29, Québec, FRL/P18/Article 75. Rapport sur le recrutement et le renouvellement des adhésions au Parti Québécois, avril 1971, FRL/P18/Article 54. « Quand nous serons vraiment chez nous », manifeste publié par le Parti québécois, avril 1972, FRL/P18/Article 69. Murray, Don et Véra, De Bourassa à Lévesque, *op. cit.*, p. 151-153. Roy, Michel, « Le PQ lance au appel au gouvernement et aux syndicats », *Le Devoir*, 1971-05-13.

Pages 586-588 [PQ et élections fédérales] Bertrand, Guy, « Pourquoi un Bloc québécois à Ottawa », texte adressé à René Lévesque, 1971-08-31. Potvin, André, « Le Parti québécois et les élections fédérales », mémoire soumis au Conseil national, 1971-09-11. Lévesque, René, « Le Parti québécois et le scrutin fédéral », *Le Journal de Montréal*, 1972-02-01. Bertrand, Guy, « Mouvement pour un Bloc québécois et le Parti québécois », lettre à René Lévesque, 1972-02-14. Lévesque, René, lettre à Guy Bertrand, 1972-02-18. Marois, Pierre, rapport du président de l'exécutif sur l'état du Parti québécois, conseil national, 1972-12-02, FRL/P18/Articles 54 et 75. Lévesque, René, « La santé du Parti québécois », *Le Journal de Montréal*, 1973-01-31.

Pages 588-593 [L'indépendance sans référendum] Entrevues avec Jean-Roch Boivin, Louise Harel, Claude Morin, Michel Carpentier et Yves Duhaime. Lévesque, René, « Le départ de Pierre Bourgault », *Le Journal de Montréal*, 1973-01-19. Longpré, Paul, « L'électoralisme de Lévesque face à la politisation de masse de Charron », *Le Soleil*, 1973-02-13. « S'il prend le pouvoir, le PQ fera un référendum », *La Presse*, 1973-02-17. Roy, Michel, « S'il est porté au pouvoir, le PQ ne tiendra pas de référendum », *Le Devoir*, 1973-02-26. Melby, E.K. « *An unspectacular hard-working PQ congress* », dépêche au département d'État, 1973-03-17. Morin, Claude, *Les choses comme elles étaient, op. cit.*, p. 245 et 246. « Rapport du Conseil exécutif », soumis au congrès national de novembre 1974, FRL/P18/Article 72. Murray, Don et Véra, *De Bourassa à Lévesque, op. cit.*, p. 154-156.

49. Trudeaugate

Pages 594-600 [Espionnage politique du PQ] Entrevues avec Michel Carpentier, Louise Beaudoin, Marc Lalonde, Jean Keable, Claude Morin et Loraine Lagacé. Starnes, John, pli livré par porteur au colonel Robin Bourne à l'occasion du congrès du Parti québécois du 23 février 1973, document déposé au fonds de la GRC, FRG-146. 3, Archives nationales du Canada, Ottawa. Starnes, John, « *Memorandum for file — Top secret — Re : Fan Tan* », relatif à une discussion avec Jean-Pierre Goyer au sujet de la collaboration entre la GRC et le groupe Vidal, 1971-05-21, FRG-146.3. Lester, Normand, reportage sur l'espionnage politique du Parti québécois basé sur des documents publics obtenus grâce à la Loi d'accès à l'information, diffusé à Radio-Canada le 1993-11-25. « *Secret — Attn : "G" section. Re :* Parti québécois », télex adressé à la section G par le siège social de la GRC à la demande du solliciteur général Warren Allmand, 1972-09-19, FRG-146. 3. Paquin, Gilles et Lessard, Denis, « La GRC aurait placé Louise Beaudoin et François Cloutier sous écoute », *La Presse*, 1992-04-02. « René Lévesque attribue au régime Trudeau la "décomposition politique" au Québec même », *Le Devoir*, 1973-07-10. Dare, M. R., directeur général du service de sécurité de la GRC, message secret adressé au solliciteur Warren Allmand en rapport avec la sortie de René Lévesque contre la GRC, 1973-07-10, FRG-146. 3. Commission d'enquête sur certaines activités de la Gendarmerie royale du Canada (commission McDonald) concernant la politique de la GRC sur les entrées subreptices et l'espionnage du Parti québécois, deuxième rapport, volumes 1 et 2, *op. cit.*, p. 114-116, 369-373 et 970, Ottawa, août 1981. Lalonde,

Marc, lettre à Don Wall en rapport avec une information concernant le Parti québécois, 1970-05-08, FGR-146. 3. Wall, Don, lettre au surintendant de la GRC, H. C. Draper, sur le même sujet, 1970-05-11, FRG-146. 3. Starnes, John, deux « *Memorendum for file* » au sujet d'une rencontre avec Marc Lalonde à propos de la même question, datés du 27 mai et du 8 juin 1970, FRG-146. 3. « *Report of the Strategic Operations Center* », *op. cit.*, p. 14-17 et 22-31, 1970-12-10. Lalonde, Marc, « Mentez, mentez, il en restera toujours quelque chose », *La Presse*, 1992-04-13. Paquin, Gilles, « Lalonde voulait utiliser le service d'espionnage de la GRC contre le PQ », *La Presse*, 1992-03-27.

Pages 600-603 [Opération HAM) Entrevues avec Michel Carpentier, Marc Lalonde, Jean Keable et Gérard Pelletier. Keable, Jean, Rapport de la Commission d'enquête sur des opérations policières en territoire québécois, Québec, mars 1981, p. 3, 354-358, 365-379, 389, 396, 397, 411 et 412. Rapport de la Commission d'enquête sur certaines activités de la Gendarmerie royale du Canada (rapport McDonald), *op. cit.*, p. 84, 115. Cléroux, Richard, *Pleins feux sur les services secrets canadiens, op. cit.*, p. 279-280. Deshaies, Guy, « L'échange Ryan-Lévesque provoque l'avortement du procès de la GRC », *Le Devoir*, 1982-05-08. Trudeau, Pierre, « *Currents threats to national order and on Quebec separatism* », *Memorandum for the cabinet committee on security and intelligence, op. cit.*, p. 8. « *A meeting of the cabinet committee on security and intelligence* », *op. cit.*, p. 4-7. Proulx, Daniel, « Les deux bombes de l'agent Samson », *La Presse*, 1994-06-05. Paquin, Gilles, « Le groupe Vidal luttait contre le séparatisme en collaborant avec la GRC », *La Presse*, 1981-11-24. Carpentier, Michel, « Sondage thermomètre effectué les 7, 9 et 9 décembre », mémo à René Lévesque, 1977-12-21.

Pages 603-610 [Pierre Trudeau blâmé] Entrevues avec Jean Keable, Marc Lalonde et Gérard Pelletier. « *Government knowledge of R.C.M.P. activities not authorized or provided for by law, paper n° 11* », document soumis le 12 février 1981 mais non publié par la Commission d'enquête sur certaines activités illégales de la Gendarmerie royale du Canada (commission McDonald), p. 23-29, 39, 40, 50, 67 et 83-93. « Connaissance qu'avaient certains cadres supérieurs de la GRC et certains ministres de la pratique des entrées subreptices — résumé et conclusions », document expurgé et publié en août 1981 par la commission McDonald, p. 95-96. *Ibid.*, « La non-divulgation de l'opération Ham aux ministres », p. 237-238. « *A meeting of the Cabinet committee on priorities and planning* », Ottawa, Conseil privé, 1970-12-01, p. 5. Keable, Jean et Brodeur, Jean-P. « L'institution de l'irresponsabilité », *La Presse*, 1992-03-25. Keable, Jean, Rapport de la Commission d'enquête sur des opérations policières en territoire québécois, *op. cit.*, p. 364 et 409. Paquin, Gilles, « Starnes recule », *La Presse*, 1992-03-25. « Chrétien ne voulait pas poursuivre la GRC », *Le Devoir*, 1982-12-01. « Selon le procureur des agents de la GRC, les policiers n'ont fait qu'obéir aux ordres du gouvernement Trudeau », *Le Devoir*, 1981-11-17. Trudel, Clément, « Lévesque qualifie de "saloperie" l'affaire d'espionnage du fédéral », *Le Devoir*, 1982-05-06.

50. La chance passe

Pages 611-615 [Élections du 29 octobre 1973] Entrevues avec Michel Lemieux, Michel Carpentier, Jocelyne Ouellette, Claude Malette, Martine Tremblay, Guy Joron et Yves Michaud. Carpentier, Michel, « Cheminement élections — campagne 1973 », FRL/P18/Article 69. *Ibid.*, « Stratégie déjà adoptée — document numéro 5 ». Lemieux, Michel, « Notes sur le profil du militant du Parti québécois (1973) », FRL/P18/ Article 67. Melby, Everett, « *Parti québécois Election Strategy* », dépêche A-29 du consul américain de Québec au département d'État, 1972-08-04. Rapport du conseil exécutif du Parti québécois en vue du congrès de novembre 1974, FRL/P18/Article 72. Lévesque, René, « Un vrai gouvernement québécois », *Le Journal de Montréal*, 1973-09-27. Rapport du comité exécutif du Parti québécois, mars-avril 1971,

FRL/P18/Article 54. Morin, Jacques-Yvan, « Réflexion avant d'adhérer au Parti québécois », FRL/P18/Article 67.

Pages 615-619 [Budget de l'an 1] Entrevues avec Claude Morin, Michel Carpentier, Robert Bourassa, Gilbert Paquette, Bernard Landry, Jean Royer et Guy Joron. Richard, Laurence, *Jacques Parizeau un bâtisseur, op. cit.,* p. 141. Lévesque, René, « M. O'Bront n'est qu'un détail », *Le Journal de Montréal,* 1973-04-02. LeBlanc, Gérald, « M. Bourassa met fin au suspense — des élections le 29 octobre », *Le Devoir,* 1973-09-26. Gagné, Pierre-Paul, « Le PQ est prêt à former le prochain gouvernement », *La Presse,* 1973-09-26. Ryan, Claude, « La fin du suspense », *Le Devoir,* 1973-09-26. Girard, Normand, « Les 7 députés péquistes provoquent un scandale — ils interrompent la lecture en anglais du discours du trône », *Le Journal de Montréal,* 1973-03-16. Bourassa, Robert, *Gouverner le Québec, op. cit.,* p. 100, 101 et 124. L'Heureux, Daniel, « Le nom de Pierre Laporte relié au crime organisé », *La Presse,* 1973-07-06. Lévesque, René, *Attendez que je me rappelle, op. cit.,* p. 354. Roy, Michel, « Le PQ publie son budget : Québec a les ressources requises pour être un pays », *Le Devoir,* 1973-10-10. Ryan, Claude, « Le premier budget du PQ », *Le Devoir,* 1973-10-10.

Pages 619-622 [L'étapisme s'affiche] Entrevues avec Martine Tremblay, Michel Carpentier, Claude Morin, Guy Joron, Robert Bourassa et Jean-Claude Duthel. Murray, Don et Véra, *De Bourassa à Lévesque, op. cit.,* p. 159-160. Gravel, Claude, « Séparatisme ? Non — Lévesque veut un mandat pour négocier », *La Presse,* 1973-10-15. Bercier, Rhéal, « La souveraineté culturelle enfin définie par le PLQ », *La Presse,* 1973-09-27. Ryan, Claude, « Le Québec est-il perdant dans le fédéralisme ? » *Le Devoir,* 1973-10-01. Richard, Pierre, « Sécurité et stabilité, les mots clés de la stratégie libérale », *Le Devoir,* 1973-10-27.

Pages 623-626 [La défaite] Entrevues avec Michel Carpentier, Camille Laurin, Claude Morin, Martine Tremblay, Marc-André Bédard, Yves Michaud, Guy Joron, Pierre Marois, Gilbert Paquette et Guy Bisaillon. « Rapport sur l'élection dans Dorion », rédigé par l'exécutif du comté à l'intention de René Lévesque, FRL/P18/Article 67. « Données statistiques sur les élections générales », Centre de documentation du Parti québécois, Québec, 1989. Drouilly, Pierre, « L'élection d'octobre 1973 : distorsion de la carte électorale ou distorsion de l'électorat », *Le Jour,* 1974-10-27. Cleary, Bernard, « Lévesque va continuer le travail de libération », *Le Soleil,* 1973-10-30. Pelletier, Réal et Leclerc, Yves, « Le douteux triomphe du fédéralisme », *La Presse,* 1973-11-0. Demers, François, « Les hommes à Dédé, les libéraux et les élections », *Le Soleil,* 1975-05-14.

51. L'envie de tout lâcher

Pages 627-638 [Au bord de la démission] Entrevues avec Yves Michaud, Martine Tremblay, Claude Morin, André Larocque, Corinne Côté, Camille Laurin, Louis Bernard, Claude Malette et Alexandre Stefanescu. Larocque, André, « Après l'assurance du PQ, le temps des inquiétudes », *Le Devoir,* 1973-11-15. « Mise au point du Conseil exécutif national du PQ concernant certaines déclarations de M. André Larocque », 1973-12-15, FRL/P18/Article 67. Gagné, Danielle, « Procès-verbal du Conseil national du Parti québécois », 1973-11-21, FRL/P18/Article 17. Morin, Claude, *Les choses comme elles étaient, op. cit.,* p. 250. Lettre de René Lévesque à Doris Lussier, 1973-12-06. Lettre de Marthe Léveillé à René Lévesque, sans date précise mais écrite au lendemain des élections d'octobre 1973, FRL/P18/Article 38. Lettre de Gisèle Bernard à René Lévesque, 1973-10-30, FRL/P18/Article 64.

Pages 638-641 [René Lévesque reste] Entrevues avec Pierre Marois, Marc-André Bédard, Camille Laurin, Jean-Roch Boivin, Martine Tremblay, Yves Michaud, Alexandre Stefanescu, Louise Harel, André Larocque, Marie Huot et Jean-Paul Gignac. Morin, Jacques-Yvan,

« Rapport de l'aile parlementaire », Conseil national du Parti québécois, 1974-01-26, PRL/ P18/Article 67. Rapport sur le débat entourant la création du quotidien indépendantiste *Le Jour*, Conseil national, 1974-02-26, FRL/P18/Article 56. *Ibid.,* Lévesque, René, bilan critique post-électoral sur la stratégie et l'organisation du Parti québécois. Gignac, Jean-Paul, lettre à René Lévesque, 1973-07-10. Parizeau, Jacques, « La décision de René Lévesque », *Le Jour*, 1974-05-51. Dumas, Evelyn, « Lévesque : le tournant de 1967 a bousculé tous les délais », *Le Jour*, 1974-05-21. Gariépy, Gilles, « Lévesque aimerait aller au-delà d'Option-Québec », *La Presse*, 1974-02-11.

Pages 641-642 [Conseil national de Mont-Joli] Entrevues avec Claude Malette, Pierre Marois, Michel Lemieux, Yves Duhaime, Martine Tremblay, Camille Laurin, Gratia O'Leary, Monique Michaud et Corinne Côté. Marois, Pierre, Laurin, Camille et Scraire, Jean-Claude, rapport de la commission d'enquête sur le fonctionnement du Parti québécois soumis à l'exécutif, 1974-06-01, FRL/P18/Article 67. Boivin, Jean-Roch, « Par-dessus tout, il chérissait son... indépendance », *La Presse*, 1991-03-16. O'Neill, Pierre, « Le PQ paraît profondément déchiré entre le caucus et le conseil exécutif », *Le Devoir*, 1974-09-09. *Ibid.,* « La révolte du caucus : une amorce de reprise », *Le Devoir*, 1974-09-30. Léger, Marcel, « Le Parti québécois : un désir ou une volonté ferme du pouvoir », FRL/P18/Article 69. Lessard, Lucien, « Réflexions personnelles sur l'organisation électorale du Parti québécois », 1974-08-21, FRL/P18/Article 69. Lettre de l'exécutif du comté de Maisonneuve à René Lévesque pour lui reprocher son attitude cavalière à l'endroit du député Robert Burns, au conseil national de Mont-Joli, 1974-09-08, FRL/P 18/Article 56. Murray, Don et Véra, *De Bourassa à Lévesque, op.cit.,* p. 204.

52. Éloge des petits pays

Pages 643-648 [Référendum, oui ou non ?] Entrevues avec Claude Morin, Gilbert Paquette, Louise Harel, Louis O'Neill et Pierre Marois. O'Neill, Louis, *Le prochain rendez-vous,* Sainte-Foy, Les Éditions La Liberté, 1988, p. 23-28. Lévesque, René, *Attendez que je me rappelle, op. cit.,* p. 403. « Comment se fera l'indépendance », plaquette publiée par Les Éditions du Parti québécois et reprenant les entrevues du journaliste Robert McKenzie, du *Toronto Star,* avec René Lévesque, Jacques Parizeau et Jacques-Yvan Morin, Montréal, 1972, p. 19-29. Dumas, Evelyn, « Où en sommes-t-on ? », 1983-07-28, p. 11-13, FRL/P18/Article 60. Morin, Claude, « L'accession démocratique à la souveraineté », *Le Devoir*, 1974-09-26. Lettre de Claude Morin à Adrien Drolet, 1976-02-12, FRL/P18/Article 69. Morin, Claude, *Les choses comme elles étaient, op. cit.,* p. 322. Morin, Claude, *Mes premiers ministres, op. cit.,* p. 490. Murray, Don et Véra, *De Bourassa à Lévesque, op. cit.,* p. 203-205.

Pages 648-655 [Congrès de l'étapisme] Entrevues avec Jocelyne Ouellette, Claude Morin, Pierre Marois, Gilbert Paquette, Guy Bisaillon, Jean-François Bertrand, Jérôme Proulx et Philippe Bernard. Morin, Claude, « L'accession démocratique à la souveraineté », *op. cit.* Roy, Michel, « Il y aura référendum si Ottawa fait obstacle », *Le Devoir*, 1974-09-30. Morin, Claude, *Mes premiers ministres, op. cit.,* p. 490-496. O'Neill, Louis, *Le prochain rendez-vous, op. cit.,* p. 27. Guay, Jacques, « À l'heure où les sondages font état de la montée du PQ, Lévesque lance un appel à l'unité », *Le Jour*, 1974-11-16. Charron, Claude, proposition du comté de Saint-Jacques visant la clarification des étapes conduisant à l'indépendance, 1974-01-27, FRL/P18/Article 64. Roy, Michel, « Un compromis clôt un débat passionné : le référendum n'interviendra qu'en cas d'opposition d'Ottawa », *Le Devoir*, 1974-11-18. Leclerc, Jean-Claude, « Un progrès incomplet », *Le Devoir*, 1974-11-18. Gagnon, Lysiane, *Chroniques politiques,* Montréal, *Boréal Express,* 1985, p. 369.

Pages 655-659 [Voyage en Écosse] Lévesque, René, notes manuscrites et notes de lecture au sujet des petits pays et de la nation, FRL/P18/Articles 1, 32 et 35. *Ibid.,* notes manuscrites pour un discours à Outremont, automne 1974, FRL/P18/Article 67. *Ibid.,* notes manuscrites pour un discours prononcé à Edimbourg, en Écosse, 1975-06-21, FRL/P18/Article 1. Faux, Ronald, « *René Lévesque's message for Scotland* », *The Globe and Mail,* 1975-06-26. « Le Parti québécois devance les libéraux pour la première fois », *Le Devoir,* 1975-10-27. Lévesque, René, « Plus pauvres parce que moins fins ? », *Le Jour,* 1976-03-18. *Ibid.,* « Petit, petit, petit… », *Le Jour,* 1976-01-13. Lemieux, Michel, deux sondages réalisés dans la région de Québec, juin et novembre 1975, FRL/P18/Article 69.

53. Une querelle d'auberge

Pages 660-663 [Brouillé avec le caucus] Entrevues avec Louis Bernard, Claude Charron, Gilbert Paquette, Marc-André Bédard, Jérôme Proulx, Guy Bisaillon, Martine Tremblay et Claude Morin. Lévesque, René, « Les députés sur les hauteurs salariales », *Le Jour,* 1975-01-09. Procès-verbal du conseil exécutif du Parti québécois au sujet du salaire des députés, 1975-01-25, FRL/P18/Article 67. Procès-verbal du conseil exécutif du Parti québécois au sujet de la candidature éventuelle de René Lévesque à l'élection complémentaire de Taillon, FRL/P18/Article 67. Demers, François, « Morin n'est pas tombé dans le piège de son accusateur », *Le Soleil,* 1975-02-27. Lesage, Gilles, « René Lévesque : pas de changements valables à moins qu'ils ne soient un peu étapistes », *Le Devoir,* 1976-03-13. Morin, Claude, *Mes premiers ministres, op. cit.,* p. 500-501. Garland, Patrick, « *Memorandum of conversation : Claude Morin, Parti québécois strategist discusses new PQ tactics* », dépêche A-38, département d'État des États-Unis, 1975-10-16. Harper, Elizabeth J., « *Conversation with René Lévesque, president of Parti québécois* », dépêche A-140, département d'État des États-Unis, 1975-11-05.

Pages 663-669 [Le ciel parlera-t-il français ?] Entrevues avec Clément Richard, Loraine Lagacé, Guy Bisaillon, Pierre DeBané, Louise Harel, Martine Tremblay et André Larocque. Bourassa, Robert, lettre à Pierre Trudeau au sujet de la place du français à l'aéroport de Dorval et au futur aéroport de Mirabel, 1971-12-20, FRL/P18/Article 70. « Une entente met fin au conflit de l'air : les Gens de l'air du Québec se révoltent », *Le Devoir,* 1976-06-29. Constantineau, Gilles, « Le ciel sera bilingue, proclame Otto Lang », *Le Devoir,* 1976-03-03. Bissonnette, Lise, « Québec déplore sans dénoncer l'entente que stigmatise le PQ », *Le Devoir,* 1976-06-30. Lévesque, René, « Les Gens de l'air et le PQ », 1976-09-10, FRL/P18/Article 69. Roy, Michel, « Gens de l'air : la cause ou la stratégie », *Le Devoir,* 1976-08-27. Lévesque, René, « La singerie social-démocrate », *Le Jour,* 1976-01-30. Lévesque, René, « Le "phénomène" De Bané », *Le Journal de Montréal,* 1971-08-06. Lagacé, Loraine, lettre à René Lévesque, 1971-08-07.

Pages 669-673 [Fermeture du *Jour*] Entrevues avec Evelyn Dumas, Yves Michaud, Guy Bisaillon, Paule Beaugrand-Champagne, Martine Tremblay et Philippe Bernard. Richard, Laurence, *Jacques Parizeau, un bâtisseur, op. cit.,* p. 143. Lévesque, René, « Le PQ, *Le Jour* et la Fédération professionnelle des journalistes du Québec », 1976-06-09, FRL/P18/Article 69. « Le Jour : un fiasco d'abord financier », *Le Devoir,* 1976-09-01. Murray, Don et Véra, *De Bourassa à Lévesque, op. cit.,* p. 213. Témoignages de Claude Morin et Bernard Landry, procès-verbal du conseil exécutif du Parti québécois, 1976-05-29, FRL/P18/Article 66. Lévesque, René, « Le Parti québécois et *Le Jour* », 1976-06-03, FRL/P18/Article 69. Débat sur l'appui du Parti québécois au *Jour,* conseil national du Parti québécois, 1976-06-19, FRL/P18/Article 66. Keable, Jacques, « Contestation du triumvirat Ouellette-Marcotte-Blais : vague de démissions au sein du PQ-Outaouais », *Le Jour,* 1976-08-02. Marsolais, Claude-V., « Jacques Parizeau : *Le Jour* a été victime de journalistes saboteurs », *La Presse,* 1976-08-28.

Pages 673-678 [Caucus secret à l'auberge Handfield] Entrevues avec Pierre Marois, Claude Morin, Claude Charron, Corinne Côté, Louis Bernard, Guy Bisaillon, Gilles Corbeil, Claude Malette, Michel Carpentier, Louise Harel, Martine Tremblay et Marc-André Bédard. Laurin, Camille, Rapport du conseil exécutif, 1976-09-30, FRL/P18/Article 71. O'Neill, Pierre, « Claude Charron : le Québec a un urgent besoin d'un détonateur », *Le Devoir*, 1976-09-01. Lettre de Raymond Poulin à René Lévesque, 1976-03-24, FRL/P18/ Article 66. Lévesque, René, « Les Gens de l'air et le PQ », texte soumis au caucus spécial du Parti québécois à Saint-Marc-sur-Richelieu, 1976-09-11, FRL/P18/Article 69. Malette, Claude, notes manuscrites sur le caucus spécial du Parti québécois à Saint-Marc-sur-le-Richelieu, 1976-09-11.

Index

Adam, Marcel, 571
Aldred, J. E., 111
Allard, Paul, 218
Allmand, Warren, 594, 596
Amstrong, Neil, 400
Amyot, Philippe, 17, 32-34, 70, 257, 299, 340, 470
Angatukaluk, Daniel, 191
Angers, François-Albert, 420, 422, 424, 586
Aquin, François, 279, 281, 305, 308-311, 313-314, 325, 356-357, 361-366, 368, 389-390, 419, 445, 480, 537
Arcand, Denys, 468
Aron, Raymond, 315, 572
Arsenault, Bona, 54-56, 140, 145, 147, 180-181, 229, 255, 270, 446, 467
Aubin, Claude, 88
Auf der Maur, Nick, 351
Auger, Michel, 595
Auger, Paul, 58, 183, 266

Bacon, Lise, 625
Bantey, Bill, 157
Banville, Roch, 305, 356
Barone, Mario, 424
Barrette, Antonio, 19, 259
Beaubien, Michel, 541
Beaudoin, Lionel, 76
Beaudoin, Louise, 350, 553, 556, 563-571, 575, 595, 612, 615, 674
Beaulé, Rosaire, 261, 279, 285, 305, 341, 352, 377, 392
Beaulieu, Mario, 153, 423, 438, 452
Bédard, Marc-André, 378-379, 393, 407, 447, 516, 527, 538, 592, 625, 633, 638, 646, 654, 676

Béique, Henri, 110, 162
Bélanger, Bertrand, 386
Bélanger, Gérard, 261, 302, 352, 442, 463
Bélanger, Michel, 39-44, 50-51, 54, 56, 58-59, 63-65, 77-78, 88-93, 97-102, 105, 110, 113-114, 122, 126, 128, 133, 146, 159, 165, 171-173, 181, 213, 236, 266, 268, 402
Bellerose, André, 385-386
Bennett, W. A. C., 104
Bernard, Gisèle, 632
Bernard, Louis, 236-237, 241, 243, 247, 251, 533-534, 542, 552, 617, 630, 660
Bernard, Philippe, 651
Berton, Pierre, 129, 250, 291
Bertrand, Gabrielle, 437
Bertrand, Guy, 586-588
Bertrand, Jean-François, 651, 653
Bertrand, Jean-Jacques, 151, 395, 411-412, 415-424, 426, 429, 437-438, 443, 452-453, 551, 612
Bertrand, Lionel, 115, 140-142, 144, 262
Bevan, Aneurin, 341
Bienvenue, Jean, 259, 283, 492
Binette, Gaston, 237
Bisaillon, Guy, 626, 634, 645, 654-655, 661, 666, 669-671, 674-678
Bittner, Edward, 339-340
Bizier, Richard, 350
Blain, Jean, 361
Blais, Denis, 639
Bohlen, Charles, 316
Boivin, Jean-Roch, 152, 261, 279-280, 305, 308, 320-321, 340-341, 345, 347, 352, 361, 363, 365-366, 377, 379-380, 388, 392, 407-408, 446, 453-454, 467, 477, 515, 553, 591, 612, 625, 637, 652

Bombardier (la compagnie), 449
Bouchard, Butch, 335, 388
Bouchard, Paul, 287
Bourassa, Guy, 360
Bourassa, Henri, 325
Bourassa, Robert, 69, 272, 279-281, 284-285,
   305, 308-311, 313, 317, 319-322, 335, 341,
   343, 387, 401, 422, 426, 429-431, 437-445,
   449, 452, 456-459, 461-464, 467, 469-470,
   482-494, 498-513, 515, 518-520, 523, 528,
   531, 533-534, 538, 549, 551, 562, 566, 571-
   572, 580-585, 613, 615-618, 621-624, 630,
   633, 635-636, 640, 645, 659, 661, 663, 670,
   678
Bourdon, Michel, 539, 590, 634, 674
Bourgault, Pierre, 273, 302, 304, 350, 356-357,
   372, 374-379, 383-384, 386, 388-389, 393,
   400, 406-407, 436, 444-445, 448, 455, 467,
   536, 538-540, 564, 592, 619, 639
Bourget, Raymond, 81
Boyd, Robert, 164, 222
Boyer, Ubald, 46
Bradet, Henri, 353
Bradfield, John R., 62, 64
Brady, Gérard, 140-141,143-144, 257
Brière, Marc, 279, 281, 285-286, 301, 305-306,
   308, 321, 341, 352, 363, 377-380, 390, 408,
   476, 486
Brillant, Jules, 98-99, 162
Brisson, Reynald, 358
Brochu, Michel, 174, 176, 180-181, 186
Bronfman, Charles, 461, 479
Brossard, André, 305, 308, 321, 360
Brossard, Jacques, 360, 366, 377, 406, 409
Brown, Rap, 456-457
Brown, Winthrop, 326
Bruneau, Jean, 453
Bujold, Geneviève, 579
Burgess, Harrison, 330
Burns, Robert, 446, 465-466, 473, 533, 542-
   544, 584, 616, 628-631, 634-637, 641, 650,
   653-654, 660, 666, 669, 671, 674-678
Butterworth, Walton, 326, 349

Cadieu, Léo, 571
Camp, Dalton, 337
Campbell, Judith, 80
Caouette, Réal, 63, 158, 375-376, 450, 540, 592,
   612
Carbonneau, Marc, 483
Cardinal, Jean-Guy, 416-417, 558, 566
Carignan, Pierre, 360
Carné, Michel, 228
Carpentier, Michel, 359, 386, 408, 452, 454-
   456, 460, 464, 516, 536, 538, 543, 553, 596,
   612-614, 620, 623, 631, 637, 639, 641,
   677-678
Casgrain, Philippe, 281
Casgrain, Thérèse, 243
Castonguay, Claude, 615, 625
Chaban-Delmas, Jacques, 440, 571, 574
Chabot, Benoît, 350
Chaloult, René, 350
Chapdelaine, Jean, 315, 570-571
Chapman, Douglas, 121, 128, 138, 160
Chaput, Marcel, 446-448, 564, 586
Chaput-Rolland, Solange
Charbonneau, Jean-Pierre, 636
Charbonneau, Yvon, 497
Charlebois, Robert, 390
Charron, Claude, 359, 407-408, 447, 465-466,
   531, 533, 537-539, 542-543, 584, 592-593,
   625, 628-629, 635, 646, 650, 660, 665-666,
   671, 673-674-678
Chartrand, Michel, 448, 524, 538
Chartrand, Reggie, 311, 414-415
Chevrier, Lionel, 310
Choquette, Jérôme, 343, 480, 484-489, 491,
   498, 500, 510, 521, 524, 528, 616
Chouinard, Julien, 415, 417-418, 423, 484-485,
   490, 551
Chrétien, Jean, 214, 319, 325, 448, 468, 621
Churchill, Wiston, 125
Ciamarra, Nick, 424
Clark, Jimmy, 188
Claveau, Gérard, 372
Cléroux, Richard, 436, 557
Cliche, Robert, 237, 626
Clift, Dominique, 65, 89
Cloutier, François, 446, 465, 467
Cloutier, Jean-Paul, 243
Cobb, Donald, 557-558
Collier, John, 183
Corbo, Jean, 479
Cormier, Hugues, 83
Côté, Corinne, 370-373, 378, 385, 387-388,
   395-398, 425, 427-429, 473-476, 486, 529,
   553, 569-570, 576, 578-579, 631, 633-634,
   638-640, 674
Côté, Ernest, 606
Côté, Irma, 371
Côté, Michel, 502
Côté, Pierre F., 42-44, 64-65, 75, 78, 81, 88, 97,
   100, 152, 156, 382
Côté, Roméo, 371
Cottingham, William, 60
Courcy, Alcide, 24, 69, 144, 253
Cournoyer, Gérard, 147
Cournoyer, Jean, 447, 466, 531, 657, 666
Courtenaye, Richard H., 294, 509

Couturier, Alphonse, 24
Cowan, Peter, 344
Creery, Tim, 288, 297
Cross, James R., 481-486, 496, 521, 525
Cunningham, Francis, 314, 316, 326, 330, 348, 382-383, 457

Daigneault, Richard, 65
D'Allemagne, André, 377-380, 389
D'Amours, Maurice, 102, 134-135, 162
Dandurand, Gilles, 245
Daniel, Jean, 572
Daoust, Fernand, 361
Davey, Jim, 483
De Bané, Pierre, 486, 505, 511, 665-669
De Beauvoir, Simone, 569
De Bellefeuille, Pierre, 322
Degas, Lucien, 153
De Gaulle, Charles, 253, 309-319, 326, 331-332, 350-351, 356, 390, 558, 561-562, 564, 566, 568-569, 573, 658, 668
Delors, Jacques, 571
Denis, Azellus, 68-70, 152, 463
Déom, André, 626
Depoe, Norman, 330
Desbarats, Peter, 150, 295
Desbiens, Jean-Paul, 478-479, 492, 506
Deschamps, Yvon, 390
Deshaies, Guy, 456, 577
Desmarais, Paul, 111, 330, 332, 339, 348, 541, 543, 636
Desrochers, Paul, 335, 337, 342, 359, 429-430, 440, 580, 622
Devlin, Bernadette, 76
Dextraze, Jacques, 509
Diefenbaker, John, 179, 184-185, 337
Dinsdale, Walter, 179, 184-185
Dion, Marie-Paule, 16
Dionne, Diane (mère de René Lévesque), 16, 82-83, 230, 340, 470
Dor, Georges, 47
Doré, Jean, 454-456, 539-541
Dorlot, François, 563-565, 569, 571
Douglas, Tommy, 505
Dozois, Paul, 330
Drapeau, Jean, 71, 235, 276, 384, 422, 426, 482, 501-503, 507, 509, 519, 528, 541
Drouilly, Pierre, 611
Drouin, Mark, 89
Dubé, Jean-Eudes, 621
Dubé, Marcel, 153
Duceppe, Gilles, 539
Ducharme, Claude, 151, 253, 258
Duclos, Michèle, 563-564

Duchaîne, Jean-François, 489, 494, 501, 504, 507, 510, 521, 527, 598-599, 601
Dufresne, Jean-V., 43, 109, 239, 249, 361, 456
Duhaime, Yves, 448, 468, 590, 595, 642, 654
Dumas, Alexandre, 227
Dumas, Evelyn, 646, 670
Dumont, Fernand, 497, 523, 554
Duplessis, Maurice, 12, 16, 19, 25-26, 28, 34, 40, 46, 49, 55, 57-58, 64, 84, 95, 125-126, 145, 155, 178-179, 184, 228, 265, 280, 283, 300, 402, 465, 523, 564
Dupuis, Yvon, 612
Dutil, Henri, 258, 286, 336

Earl, Paul, 145
Élisabeth II, 49, 303, 533
Elliot, Scott, 99, 162

Faribault, Marcel, 330, 462
Favreau, Guy, 185-186, 201, 213-214, 300
Ferland, Pothier, 279, 305, 333, 342, 347, 352, 358, 362, 365, 390
Ferretti, Andrée, 271, 304, 374
Filion, Gérard, 133, 148, 163-164, 220-221, 223-224, 232, 257-258, 267-269, 290, 429-430
Finlayson, H. M., 89
Flamand, Antonio, 422, 586
Folch-Ribas, Jacques, 130
Ford, Jimmy, 192, 203, 205
Forestier, Louise, 390
Fortier, Taschereau, 178-179, 185
Fortin, Carrier, 223
Francis, Lloyd, 458
Francœur, Jacques, 276
Francœur, Louis, 276
Fraser, Blair, 157, 208-210, 427
Fraser, Graham, 427
Frenette, Claude, 332, 339, 348
Friedland, Martin, 507
Fuller, Jack, 91-92, 102, 109-111-112, 123, 132-134, 160, 162
Fullerton, Douglas, 138-139
Fulton, David, 300

Gagnon, Charles, 479, 509, 537, 545
Gagnon, Lysiane, 602, 651
Gagnon, Philippe, 375
Gagnon, René, 333, 335
Garibaldi, Giuseppe, 296-298
Garneau, Raymond, 259, 618-619
Garon, Jean, 379, 390
Gaspard, Jerome T., 232, 235, 297, 315
Gauthier, Charles-Arthur, 375
Gauthier, Yves (Ti-Loup), 261, 441, 455

Gauvreau, Georges, 50, 108
Gédéon, père (Doris Lussier), 31, 38, 446, 467
Gendron, Len, 556, 558
Geoffrion, Antoine, 461
Geoffroy, Pierre-Paul, 480, 539
Gérin-Lajoie, Jean, 523
Gérin-Lajoie, Marie, 17
Gérin-Lajoie, Paul, 11-14, 16-17, 19, 21, 32, 43, 44, 138, 141, 144, 223-227, 233-234, 253-254, 256, 259-260, 264, 270, 279-280, 297, 300-301-303, 305, 308-309, 316, 321, 324, 333-340, 343
Giancana, Sam, 80
Gide, André, 228
Gignac, Jean-Paul, 50-53, 88, 108, 115, 130, 156, 165-167, 222-223, 269, 581, 636
Giguère, Roland, 394
Giroux, Roland, 120-122, 583-584
Godbout, Adélard, 90, 107
Godbout, Jacques, 361, 405
Godin, Gérald, 524
Gordon, John, 179, 193, 197-199
Gourdeau, Éric, 39, 41-43, 47, 49-50, 54-56, 88, 97, 102, 108, 114, 128, 138, 170-171, 178, 181-182, 187-191, 195-199, 208, 210, 214-216, 236
Goyer, Jean-Pierre, 429, 431, 467, 483, 524, 594, 597, 599-600, 603, 621, 645
Grandbois, Alain, 228
Grant, George, 457
Greene, John James, 508
Greenshields, J. N., 111
Grégoire, Gilles, 374-379, 389-392, 414, 443, 445-446, 466, 619
Groulx, Lionel, 550
Guay, Jacques, 302, 670
Guérin, Thérèse, 401, 442

Haggart, Ron, 494
Hamel, Philippe, 90, 144, 155
Hamel, René, 16, 28, 115, 140, 144
Hamer, Nigel, 483
Hardy, Yvan, 49, 166
Harel, Louise, 515-516, 539-541, 590, 613, 631, 634, 645, 672, 674
Harper, Elizabeth, 663
Harvey, Pierre, 360, 523-524
Harvey, Vincent, 523
Hawkins, Richard, 326
Hébert, Joan, 51
Hellyer, Paul, 294
Hemingway, Ernest, 228
Henripin, Jacques, 248, 411
Higgitt, Len, 435, 507, 520, 597-598, 606

Hitler, Adolf, 289
Hugo, Victor, 228
Hugues, Thomas L., 315, 369
Hyde, Richard, 115

Ibsen, Henrik, 334

Jamieson, Donald, 508
Jasmin, Claude, 361
Jasmin, Judith, 80, 602
Jobin, Maurice, 305, 361, 620
Johnson, Daniel (père), 12, 22, 33, 55, 103, 105, 120, 129, 151, 157-158, 160, 225, 255, 260, 269-270, 272, 279, 281, 300, 304, 307-308, 311, 313, 330, 355-356, 381, 384, 395, 426, 462, 550-551, 580, 586-587, 621
Johnson, Lyndon B., 246, 316, 331
Joncas, Paul, 161
Johnston, Ken, 101
Joron, Guy, 360, 387, 447, 466, 477, 536, 538, 580-581, 584, 613, 617, 625, 628, 646
Joyal, Serge, 665-666, 669
Julien, Claude, 572
Joyce, John, 87, 111
Julien, Pauline, 390, 524
Juneau, Michelle, 540
Jurgenson, Jean, 572

Keable, Jacques, 670, 672
Keable, Jean, 432, 436-437, 521, 527, 601-604, 609-610
Kennedy, Jacqueline (Jackie), 312, 426
Kennedy, John F., 80, 200, 390, 426, 430, 520, 568
Kennedy, Robert, 383, 517
Kierans, Eric, 66, 221, 231-234, 243-244, 254, 265, 267, 270, 279, 281, 283-286, 297, 305, 308-309, 325, 327-330, 332-338, 341, 346, 401-402, 431
Kirkland-Casgrain, Claire, 185, 213, 226, 279, 281, 305, 308
Kochenburger, Jean, 68, 70
Koniak, George, 198-199, 216
Krouchtchev, Nikita, 55

Laberge, Louis, 496, 544
Lachance, Micheline, 225, 565
Lacoste, Alexandre, 17
Lacouture, Jean, 572
Lacroix, Louis-Philippe, 283
Lafrance, Émilien, 14, 21, 24, 229, 236-237, 424
Lagacé, Loraine, 553, 667
Lagarde (Lesage), Corinne, 11, 14, 130
Laing, Arthur, 185-186, 192-194, 197, 200-201, 206-207, 211-214

Lalande, Gilles, 530

Laliberté, Raymond, 497, 523

Lalonde, Marc, 418, 423, 429, 433, 483-485, 487, 490, 501-503, 510-513, 521-522, 525, 597-600, 608-609, 621, 668

LaMarsh, Judy, 375

Lamer, Antonio, 355

Lamonde, Pierre, 617

Lamontagne, Maurice, 119, 303, 458, 556

Lamoureux, Jean-Denis, 517

Lanctôt, Jacques, 483, 522

Landry, Bernard, 448, 468, 531, 563, 568, 590, 653, 671, 675, 677

Langlois, Yves, 483

Lapalme, Georges-Émile, 11-12, 14, 16, 19-21, 24, 27, 30, 44, 46, 54-55, 58, 74, 94-95, 113, 129-130, 136, 138-140, 143-145, 147, 149, 226, 229, 265, 280, 305, 308, 312, 322-323, 346

Lapalme, Robert, 394

Lapierre, Irénée, 285

Lapointe, Jean, 613

Lapointe, Renaude, 134, 163, 325, 368

Laporte, Pierre, 14-15, 23, 28, 114, 138, 140, 229, 233, 253, 256, 259, 265, 279-280, 301, 333, 337, 341-343, 365, 422, 426, 449, 468, 485-489, 493, 496, 498, 511-512, 515-519, 525-526, 530, 617, 626, 635, 660

Larin, Jean, 324

Larivière, Claude, 536-537

Larocque, André, 358-360, 390, 392, 407-408, 534-538, 628-630, 649

Larocque, Hertel, 153, 158

Latouche, Daniel, 350, 385-386, 408

Latreille, Raymond, 46, 50, 104-105, 121

Laurendeau, André, 132, 137, 292, 540

Laurier, Wilfrid, 267, 383

Laurin, Camille, 354, 361, 391, 406-407, 419, 421, 443, 446, 465, 473, 486, 497, 500, 533-534, 538, 543-544, 548, 583-584, 591-592, 624-625, 627, 630, 634-635, 637, 639-640, 661, 674, 677

Lavallée, Marc, 386

Lavoie, Jean-Noël, 534

Lechat, Robert, 172, 175, 182, 188

Leclerc, Jean-Claude, 532, 653

Ledoux, Burton, 108

Leduc, Guy, 626, 660

Lefebvre, Jacques-Yvon, 445

Lefebvre, Jean-Paul, 280, 305, 308-309, 375, 445

Léger, Marcel, 466, 533, 593, 623, 628, 640-642, 660, 666

Léger, Jean-Marc, 291, 361

Léger, Paul-Émile, cardinal, 225

Leguerrier, Michel, 617, 639

Lemelin, Roger, 636

Lemieux, Gérard, 495

Lemieux, Michel, 442, 454-455, 463, 473, 611-612, 640-641

Lemieux, Raymond, 414-416, 564-565

Lemoine, Wilfrid, 288

Léonard, Jacques, 448, 468

Leroux, Maurice, 443-444, 459-460

LeRoy, Andrée, 361

Lesage, Jean, 9-13, 15-16, 19-25, 29-30, 34-35, 41, 45-46, 49-50, 53-55, 61-62, 65-66, 76-77, 84, 87, 90-92, 105-116, 121-131, 136-151, 160-161, 175, 183-184, 186, 197, 201, 206, 213, 215, 220-221, 224, 226, 230, 234-235, 246, 250-264, 267-286, 292, 296-297, 300-303, 309, 313, 324-338, 341-342, 346, 348, 355-356, 412, 430, 461, 533, 550, 551, 557, 564

Lessard, Jean-Claude, 48-50, 52-53, 92, 96, 113, 126, 166

Lessard, Lucien, 379, 466, 625, 628, 640-641, 654, 660, 676

Lester, Normand, 553, 595

Léveillé, Marthe, 39, 44, 69-70, 74, 76, 78, 80-82, 84, 89, 99, 138-139, 145, 259, 274-275, 282, 632

Lévesque (Amyot), Alice, 16, 17, 340, 470

Lévesque, Claude, 85, 347-348

Lévesque, Dominique, 82, 231, 287

Lévesque, Fernand, 16, 69

Lévesque, Georges-Henri, 40, 554-555

Lévesque, Gérard (avocat libéral), 36, 45

Lévesque, Gérard D. (député et ministre), 144, 533, 570

Lévesque, Pierre, 85, 348,

Lévesque, Suzanne, 85, 347, 398

Lewis, David, 527

L'Heureux, Eugène, 31, 84, 312, 348

L'Heureux, Louise, 11, 32, 37, 84, 274, 311-312, 347, 373, 398-399, 469, 475, 495, 632

Lippman, Walter, 228

Loiselle, Gilles, 558

Loranger, Jean-Guy, 360

Lorrain, Roméo, 18

Lortie, Bernard, 485

Lussier, Doris, 31, 36-37, 45, 153, 343, 361, 384, 386, 389-392, 414, 446, 467, 631

Lynch, Mary, 556

MacEachen, Allan, 246, 248-249

Mackay, Jacques, 158

Macuk, David, 429

Maillet, Andrée, 518

Mainguy, W. J., 110, 162

Malcolm, Anthony, 432

Malette, Claude, 387, 612-613, 631, 639

Malraux, André, 315

Maltest, Piel Petjo, 202-203, 205

Marchand, André, 69

Marchand, Jean, 17, 69, 102, 117, 119, 129,
    132, 158, 226, 280, 325, 339, 381, 403, 429-
    430, 458, 502, 510-511, 521, 527, 528, 530,
    532, 621, 645, 656, 664

Marcoux, Alain, 653, 667, 677

Marier, André, 43-44, 59, 88, 91-92, 97-99,
    235-236

Marier, Roger, 43, 236

Marler, George, 115, 124-125, 128, 132, 137,
    140-142, 145, 269, 461

Marois, Pierre, 408, 448, 468, 530-532, 538-
    539, 542-543, 569-570, 590, 602, 625, 637,
    639, 644, 649, 652-653, 677

Marsh, Donald B., 214-215

Martin, Louis, 233

Martin du Gard, Roger, 420

Martineau, Gérald, 22-23, 45

Masse, Marcel, 453, 558-559, 566

Maxwell, Donald, 606

McDiarmid, F. J., 159

McDonald, David C., 432, 504, 507-508, 520,
    522, 525, 558, 594, 596-597, 603-610

McIlraith, George, 435, 522, 597

McKenzie, Robert, 53, 643-646

McKeown, Robert, 297

McNamara, Robert, 430

Mead, Margaret, 183

Melby, Everett, 612

Meunier, Jean, 29

Michaud, Monique, 312, 343, 394, 477, 633,
    639-640

Michaud, Yves, 71, 82, 280, 285-286, 305, 308-
    311, 313, 317, 328, 334, 337, 387, 393-394,
    422-423, 447, 466, 477, 615, 625, 627, 632-
    634, 639, 670-671-673

Miron, Gaston, 524

Mitterrand, François, 568-569, 572

Molgat, Gil, 471

Mongrain, J. A., 135

Montand, Yves, 290

Morin, Claude, 16, 149, 151, 213, 236-
    237, 246-247, 256, 297, 422-423, 459,
    533, 549-560, 564, 566-567, 589-590,
    592, 595, 602, 614-615, 621, 625, 628,
    632, 634, 642-653, 661-663, 667, 671,
    676

Morin, Jacques-Yvan, 300, 302, 306, 447, 467,
    472, 591, 614-615, 625, 630-631, 635, 637,
    641, 646, 653-654, 660, 676

Murdoch, John, 57

Nadon, Maurice, 294

Napartuk, Paulassie, 191-192, 194, 203-204,
    216

Neapole, Charles, 330

Newman, Peter, 295, 513

Nixon, Richard, 430, 604, 610

Obront, William, 442, 616

O'Leary, Dostaler, 639

O'Leary, Gratia, 639

O'Leary, Walter, 639

Oligny, Huguette, 347

Oligny, Monique, 347, 388

Oligny, Odette, 347

O'Neill, Louis, 645-646, 651

O'Neill, Pierre, 279, 305, 309, 352, 355-356,
    361, 408, 444, 673

O'Neill, William Victor, 292

O'Sullivan, Louis, 46, 50, 52, 107

Ouellet, André, 463, 621

Ouellette, Fernand, 420

Ouellette, Jocelyne, 387, 612, 653-654, 672

Pagé, Joseph A., 134

Panegoosho, Mary, 196

Paquette, Gilbert, 590-592, 613, 642, 645, 648-
    649, 653, 661, 672

Paquin, Gilles, 600

Paré, Jean, 227

Paré, René, 102, 129

Parent, Oswald, 567

Parent, Raymond, 554-559, 602

Patenaude, J.-Z. Léon, 71

Parizeau, Jacques, 119-122, 160, 232, 235, 266-
    268, 331-332, 362, 401-407, 417, 419, 431,
    443, 445, 447, 458-459, 465, 467, 497, 516-
    517, 523, 532, 534, 536, 538-539, 552, 573,
    576, 580-582, 584, 591-592, 595, 614, 617-
    619, 625, 627, 629-630, 634, 637-638, 645-
    646, 651, 653, 667, 670-672, 677

Parizeau, Michel, 360

Pearson, Lester B., 119, 185, 197, 206, 213-214,
    245-246, 248, 250, 294, 326, 376, 381

Péladeau, Pierre, 477-478

Pellerin, Jean, 471

Pelletier, Albert, 83, 287

Pelletier, Gérard, 117, 119, 250, 276, 278, 292,
    294-295, 400, 403, 432, 435-436, 471-472,
    483, 497, 502, 505, 509, 511, 521-522-523,
    525, 528, 530, 550, 564, 599, 608, 621

Pelletier, Jean-François, 149

Pelletier, Réal, 63
Pepin, Marcel, 496, 542, 544
Perrault, Pierre, 361-362
Picard, Marc, 22-24, 29, 56
Pigeon, Louis-Philippe, 25, 106-108, 129, 170-171, 224
Pilotte, Hélène, 146, 347
Pinard, Bernard, 24, 27, 144, 253
Pompidou, Georges, 562, 572, 574
Porteous, J. B., 456
Poznanska-Parizeau, Alice, 176, 187-188
Prieur, Claude, 235, 331
Prince, Vincent, 110
Proulx, Cécile, 18
Proulx, Huguette, 243
Proulx, Jérôme, 422, 467, 653, 674, 677
Provencher, Jean, 143, 161, 234, 278, 302
Prud'homme, Marcel, 68, 152, 463

Radoiu, Nicolas, 556-557
Radwanski, George, 512, 525
Rattee, George, 110
Renaud, Pierre, 377-378, 443-445, 459, 516, 538
Richard, Clément, 665-667, 669
Riel, Louis, 111
Rioux, Marcel, 497
Rivard, Antoine (dit Ti-Toine), 14
Robarts, John, 471, 478, 492, 497
Roberts, Leslie, 295
Robertson, Gordon, 193, 195, 598, 606
Robitaille, Benoît, 175, 177, 186, 188, 191-193, 202, 205, 212-213, 215
Rocard, Michel, 572
Rocher, Guy, 328, 361, 497, 522-525, 528, 610
Rodrigue, Jean-Guy, 222
Roosevelt, Franklin D., 315, 322
Roquet, Claude, 483
Rose, Paul et Jacques, 365, 414, 485, 522, 532
Ross, Frank, 36
Rossillon, Philippe, 558, 563-565
Rothschild (la famille de banquiers), 125, 331
Rougeau, Johnny, 73, 153, 259-260, 274, 444, 469
Rousseau, André, 115, 140-141
Rousseau, Antoine, 103, 223, 582
Rousseau, François, 77
Rousseau, Jacques, 194-195
Roy, Claude H., 633
Roy, Léo, 162
Roy, Maurice, cardinal, 225, 229
Roy, Michel, 278, 342, 564, 573, 629, 652
Royer, Jean, 618
Ryan, Claude, 232, 273, 302, 310, 325, 345, 361, 415-416, 423-424, 456, 462, 471, 487, 494-498, 511-514, 519-520, 523-524, 526, 548, 582-583, 610

Sabourin, Michel, 541
Saint-Aubin, Marcel, 507
Saint-Just, Louis-Antoine Léon, 31
Saint-Laurent, Louis, 88, 259, 262, 383, 556
Saint-Pierre, Guy, 582
Saint-Pierre, Maurice, 500
Saint-Pierre, René, 56, 140, 144, 255
Samson, Camil, 440
Samson, Robert, 601
Sanschagrin, Albert, 563
Sartre, Jean-Paul, 569
Saulnier, Lucien, 512
Saulnier, Michèle, 563
Saumart, Ingrid, 630
Sauriol, Paul, 148, 176
Sauvé, Jeanne, 243, 621
Sauvé, Maurice, 139, 258, 339
Sauvé, Paul, 19, 145
Savoie, Arthur, 46
Savoie, Monique, 218
Savoie, Réginald, 305, 352, 360
Schneider, Lucien, 175, 182, 187
Schumann, Maurice, 562, 571
Scraire, Jean-Claude, 634, 639
Seattle, J. P. M., 461
Séguin, Fernand, 83
Sharp, Mitchell, 481-482, 485, 574
Sheshamush, Noah, 203
Shom, Achenai, 204
Simard, Francis, 485, 602
Simard, Jacques, 70-74, 152, 161, 231, 244, 261, 275, 302
Simon, Paul, 351
Smallwood, Joseph, 125-127, 186
Spaak, Paul-Henri, 575
Spicer, Keith, 663
Starnes, John, 559, 594, 596-597, 599-602, 605-610
Stephens, Don, 107
Susskind, David, 319
Suyin, Han, 228
Sylvestre, Claude, 228

Taschereau, Alexandre, 26, 461
Taylor, Charles, 523
Tétreault, Jean, 281
Théodorakis, Mikis, 568
Thibault, Jean-Jacques, 171
Thivierge, Marcel
Thomson, Dale C., 90
Thomson, Peter Nesbitt, 92, 111, 122, 132, 159

Thompson, Robert, 491
Tremblay, Arthur, 224, 227
Tremblay, Charles, 466, 533, 625
Tremblay, Gisèle, 79
Tremblay, Jean-Noël, 421, 424
Tremblay, Martine, 541, 613, 619-620, 631
Trudel, R., 605-606
Trudeau, Pierre, 117-119, 250-251, 261, 281, 289, 302-303, 325, 333, 339, 366, 376, 381-384, 387, 400, 403-405, 418, 426, 428-437, 456, 458-459, 464, 467, 470, 473, 482-490, 492, 494, 497-514, 518, 520, 522-528, 530, 546, 548, 553, 559, 563-564, 568, 571-572, 574-575, 588, 594, 596, 600, 603-610, 643-645, 656, 663-666, 668
Turner, John, 194, 435, 497, 508, 510, 520, 522, 604, 606-607

Unterberg, Paul, 537
Upton, Brian, 336
Vallée, Jacques, 387

Vallières, Pierre, 479, 509-510, 537, 539, 545-549, 602, 615
Verne, Jules, 16, 227
Vidal, Claude, 599
Vigneault, Gilles, 47, 390
Vought, John, R., 288, 296-297

Wade, Mason, 293
Wagner, Claude, 223, 259, 264, 343, 422, 426
Wall, Don, 597
Walsh, Pat, 555
Wanstein, Eleanor, S., 492-493
Watts, Charlie, 187
Weetcluktuk, Yaco, 192
Weldon, John, 92, 97
Whitaker, Reg, 436
Wilson, Harold, 263
Winters, Robert, 126
Wittaltuk, Louise, 203-204
Woodyatt, J. B., 162

Yoder, Robert D., 298

Table des matières

Chapitre I
Second début 9

Chapitre II
L'empire des patroneux contre-attaque 19

Chapitre III
La tentation de Saint-Just 29

Chapitre IV
Les beaux esprits 39

Chapitre V
Le Buy Quebec Act 48

Chapitre VI
Les Rhodésiens de la Noranda 57

Chapitre VII
Saint René 68

Chapitre VIII
Le charme indiscret de la notoriété 79

Chapitre IX
Le coup de poing sur la table 87

Chapitre X
Le chaos 94

Chapitre XI
Le ministre électrique 104

Chapitre XII
Le voyage à New York   113

Chapitre XIII
L'été de tous les dangers   124

Chapitre XIV
Le duel   136

Chapitre XV
Le peuple contre l'argent   147

Chapitre XVI
La clé du royaume   155

Chapitre XVII
Où sont passés les Oui-Oui ?   169

Chapitre XVIII
Parlez-vous esquimau ?   180

Chapitre XIX
Génocide au septentrion   191

Chapitre XX
Move out !   200

Chapitre XXI
La légende du petit chef blanc   211

Chapitre XXII
Le grand agitateur   220

Chapitre XXIII
Le duo baroque   230

Chapitre XXIV
Ministre des p'tits vieux   239

Chapitre XXV
Second violon   252

Chapitre XXVI
Recette pour la défaite   262

Chapitre XXVII
Simple député   274

Chapitre XXVIII
Je ne me suis jamais senti canadien   287

Chapitre XXIX
La minute de vérité 299

Chapitre XXX
La maison de fous 313

Chapitre XXXI
La charge des sangliers 327

Chapitre XXXII
Le pays « normal » 345

Chapitre XXXIII
Je suis libre de rentrer chez moi 358

Chapitre XXXIV
La fille d'Alma 370

Chapitre XXXV
Une sainte horreur de la violence 381

Chapitre XXXVI
Parizeau débarque 395

Chapitre XXXVII
Le cheval de Troie 410

Chapitre XXXVIII
For Canadian eyes only 425

Chapitre XXXIX
Les marchands de peur 439

Chapitre XL
Une victoire morale 454

Chapitre XLI
Post mortem doux-amer 470

Chapitre XLII
La terreur 481

Chapitre XLIII
Le jour de honte 499

Chapitre XLIV
« Kill René Lévesque ! » 515

Chapitre XLV
René contre ses radicaux 530

Chapitre XLVI
Incursion en zone interdite 545

Chapitre XLVII
Carnet de voyage 561

Chapitre XLVIII
La tentation du siècle 578

Chapitre XLIX
Trudeaugate 594

Chapitre L
La chance passe 611

Chapitre LI
L'envie de tout lâcher 627

Chapitre LII
Éloge des petits pays 643

Chapitre LIII
Une querelle d'auberge 660

Remerciements 679

Sources documentaires 681

Références 683

Index 725

MISE EN PAGES ET TYPOGRAPHIE :
LES ÉDITIONS DU BORÉAL

ACHEVÉ D'IMPRIMER EN AVRIL 1997
SUR LES PRESSES DE L'IMPRIMERIE GAGNÉ,
À LOUISEVILLE (QUÉBEC).